Bibliothèque des Idées

PAUL BÉNICHOU

L'ÉCOLE
DU
DÉSENCHANTEMENT

Sainte-Beuve, Nodier, Musset,
Nerval, Gautier

Ouvrage publié avec le concours
du Centre national des lettres

GALLIMARD

À mon frère Robert

La foi romantique, autrement dit l'ambition de relier le terrestre et l'humain à l'idéal, avait quelque chose d'incertain et de dramatique. Le défaut de courage ou l'excès de lucidité l'ébranlaient également ; l'inquiétude moderne, qui la stimulait, pouvait aussi bien la ruiner. Il fallait à cette foi, menacée et vouée à l'épreuve, le soutien d'événements exaltants. La retombée de l'enthousiasme de Juillet, le terre-à-terre qui suivit lui portèrent un premier coup, alors qu'elle entrait à peine en action. Les grands poètes de la Restauration, Lamartine, Hugo, Vigny, ne se ressentirent pas trop de cette expérience contraire. Ils ne virent pas 1830 comme une faillite, mais comme une porte ouverte à demi vers tout ce qu'on pouvait espérer. Leur œuvre sous la monarchie de Juillet le manifeste bien : cette vingtaine d'années fut pour eux, et pour bien d'autres, qui avaient eu comme eux le temps d'attendre et de méditer sous les Bourbons, une époque majeure de création et de prédication. Ce grand fait littéraire est pourtant doublé, secondairement, par un fait contraire : un crépuscule anticipé du romantisme conquérant et missionnaire a accompagné son midi.

Il y en eut, membres de la grande génération, étroitement liés au groupe initiateur et inventeur, qui, très tôt après 1830, firent entendre dans le concert romantique la voix du désenchantement. Ils crurent voir clair sous Louis-Philippe en prenant leurs distances avec la religion de l'humanité et de l'avenir, et en cherchant ailleurs leur voie. Tels furent les deux hommes qui figurent les premiers dans notre galerie : Sainte-Beuve, compagnon de route des poètes de 1830, et Nodier, leur aîné et leur inspirateur en même temps que leur ami. Tous deux rejetèrent une foi que ni l'un ni l'autre n'avait eue jamais bien assurée, chacun cherchant de son côté les formules de la désillusion. Mais surtout étaient apparus, entre-temps, ceux qu'on peut appeler les cadets du romantisme, à peine plus jeunes d'une dizaine d'années que les aînés : distance insuffisante pour faire d'eux une génération véritablement nouvelle, suffisante pour les marquer d'un sceau particulier. Ils conservèrent pour leurs devanciers, jusqu'au bout, une révérence de disciples ; mais les impressions reçues au seuil de l'âge d'homme, qui dominent la vie, n'étaient pas les mêmes pour un homme né en 1800 ou en 1810. Les jeunes gens qui eurent vingt ans en 1830 n'avaient pas connu l'éveil progressif des esprits sous la Restauration, les formes renouvelées de l'espérance et de la création. Ce qu'ils avaient vu en ouvrant les yeux, c'était l'éruption soudaine d'une nouvelle littérature sur les ruines du vieux Parnasse, la déroute de la vieille monarchie, les trois fulgurantes journées. À peine sortis de l'adolescence, ils avaient imaginé l'avenir sous des couleurs prestigieuses. Au contraire de leurs prédécesseurs, ils n'étaient pas préparés à cheminer aux côtés d'une grise humanité en lui montrant l'idéal. L'enthousiasme tombé, ils jugèrent mal le monde et la vie ; ils aperçurent un abîme entre le réel et leur rêve. Cette aile juvénile du romantisme crut vivre en des temps contraires, dont sa vocation la séparait. La plupart des Jeune-France brûlèrent et disparurent ; leur existence littéraire ne dépassa pas quelques années. Nous considérerons ici ceux dont le témoignage, au contraire, a duré, traçant des voies nouvelles et contredisant d'une certaine façon, à nos yeux, celui de la grande cohorte romantique : ainsi Nerval et Gautier. Je les fais précéder de Musset, qui garde plus de sentiment romantique, au sens où on l'entend d'ordinaire. Ceux qui me liront verront pourquoi il peut voisiner avec eux : leur contemporain par l'âge, il présente lui aussi, d'emblée, le caractère de passion désenchantée qui met en question la volonté d'optimisme des aînés.

Quelques mots sur le titre de ce livre. Il est emprunté à une expression dont Balzac se sert pour définir quelques-uns de ses contemporains, principalement Nodier [1]. Cette expression a

---

1. Voir Balzac, *Œuvres complètes*, Conard, t. 39 (= t. 2 des *Œuvres diverses*), « Lettres sur Paris », lettre XI, datée 9 janvier 1831, pp. 114-115.

frappé plusieurs critiques de notre temps, qui la commentent diversement[1]. J'ai voulu entendre cette expression au sens le plus général que pouvait lui donnait Balzac, comme désignant une famille d'esprits désillusionnés, contemporaine à peu près de la grande génération romantique, et je l'ai appliquée surtout aux principaux poètes de la couvée cadette du Cénacle. Naturellement, il ne s'agit pas d'une *école* instituée ; nulle liaison de cénacle n'unit les figures que ce livre rassemble : esprits divers entraînés dans la même direction, chacun sur sa propre voie. Mais le désenchantement qui leur est commun est bien chez eux tous la ruine de certitudes et d'espérances précédentes. Ils disent tous le mal du désir non satisfait, et ne savent remédier à leur infortune qu'en la glorifiant, plus ou moins explicitement, au sein même de leurs plaintes. Ils annoncent une autre époque de la poésie, une altération du rôle et des pouvoirs que le romantisme victorieux attribuait au poète. Peut-être «désenchantement», qui dit l'essentiel, ne dit-il pas assez leur fièvre ni leur désarroi.

---

1. Ainsi Bernard Guyon, *La Pensée politique et sociale de Balzac*, Paris, 1947, pp. 438-439 et 768 ; Pierre Barbéris, *Balzac et le mal du siècle*, 2 vol., Paris, 1970, t. II, titres des chap. VIII et IX ; Pierre-Georges Castex, *Nodier et l'école du désenchantement* (communication au colloque Nodier, Besançon, 1980), étude recueillie dans *Horizons romantiques*, Paris, 1983, pp. 35-43.

Sainte-Beuve

C'est à peine si l'on peut parler de désenchantement à propos de Sainte-Beuve, tant l'enchantement avait été chez lui inquiet et retenu. La Sensibilité moderne n'est pas, autant qu'on en puisse juger, son point de départ ; il professait à son début le sensualisme philosophique et l'esprit positif de ses aînés, les « idéologues » de l'époque impériale. Tel était encore, dans une bonne mesure, l'esprit du *Globe*, où parurent ses premiers articles.

Conversion au romantisme ?

C'est vers 1827 seulement qu'il entra peu à peu dans l'orbite du Cénacle hugolien, dont les membres venaient généralement d'un horizon, religieux et lyrique, différent du sien. Il changea alors de philosophie, il entra dans cette sorte de spiritualisme qui était l'âme de la poétique nouvelle, et qui la faisait fraterniser, moyennant l'art et à distance plus ou moins grande, avec la religion. Il est certain que cette espèce de conversion marqua, dans son histoire spirituelle, un moment décisif ; il eut au contact du Cénacle, dans les années qui précédèrent 1830, la révélation d'une nouvelle lumière. Il a dit plus d'une fois la ferveur avec laquelle il vécut cette expérience ; mais il n'a jamais ignoré en quoi exactement elle consistait ; il la définit fort bien lui-même : « Si je suis revenu avec conviction sincère et bonne volonté extrêmes à des idées que j'avais dépouillées avant d'en sentir toute la portée et tout le sens, ç'a été bien moins par une marche théologique, ou

même philosophique, que par le sentier de l'art et de la
poésie [1]. »

Il s'adonna donc à la poésie, dans l'esprit du spiritualisme
profane qu'il venait de découvrir, en s'appuyant, comme faisait autour de lui l'école nouvelle, sur un usage prétendu transcendant du symbole. Il se tint à cette formule générale dans
ses recueils successifs : *Joseph Delorme* en 1829, *Les Consolations*
en 1830, *Le Livre d'amour* en 1831 et dans les années suivantes,
Pensées d'août en 1837. En cela il ne sembla pas se distinguer
de l'école à laquelle il avait donné son adhésion. Il avait pourtant son accent propre. Il n'est pas, comme ses compagnons
du Cénacle, fils de Chateaubriand ; il n'a pas comme eux ce
qu'il faut d'assurance, dans le vague des passions, pour marier
glorieusement le ciel et la littérature. Son spiritualisme bascule
vers l'humilité et le *mea culpa*, le charnel honteux et insurmontable, la clandestinité savourée [2]. Religieux, il l'est toujours
trop ou trop peu pour un romantique. C'est vrai même de
Volupté, malgré les singulières beautés de ce roman, qui attestent qu'il a eu part aux dons créateurs de cette époque. On
ne peut dire, tout compte fait, que la foi romantique l'ait jamais
vraiment habité. D'autre part, il avait choisi, dans *Joseph
Delorme*, la variante poétique dite alors « intime », celle qui chante
en les idéalisant les destinées humbles, prosaïques et ferventes. Cette veine, décidément moderne, courait dès le début dans
la poésie romantique ; elle y a prospéré, et ce type de héros
peut avoir son élévation, héroïque même, comme on le voit
dans le Jocelyn de Lamartine. Mais Joseph Delorme est humainement déprimé en même temps que socialement chétif ; il est
en dessous de son propre rêve et en gémit. Cette sorte de poète
à destinée manquée va certes obséder le romantisme d'après
Juillet ; les auteurs du premier rang feront honte à la société
de ne pas porter secours au poète en détresse ; mais ils plaide-

---

1. Lettre à l'abbé Barbe, 26 juillet 1829 (SAINTE-BEUVE, *Correspondance générale*,
éd. Jean Bonnerot, t. I, pp. 137 et 138). Les idées que, dit-il, il avait dépouillées : allusion à son éducation religieuse première, à laquelle le romantisme était
une espèce de retour. — Je citerai dorénavant cette édition en abrégé : *Corr. gén.*
— Je reprends ici Sainte-Beuve à la charnière de 1830. J'ai détaillé davantage
la période de sa liaison avec le Cénacle dans *Le Sacre de l'écrivain*, p. 408 et suiv.
2. Mme d'Agoult, à qui il faisait la cour, écrit à Liszt le 27 décembre 1840 :
« Il a un ton moitié Tartuffe, moitié bel-esprit Rambouillet, qui m'est insupportable. » (Cité par Bonnerot, *Corr. gén.*, t. III, p. 410.)

ront sa cause sans s'identifier à lui. Vigny ne se confond pas avec son Chatterton, ni Lamartine ou Hugo avec les Chattertons français contemporains dont ils se font les défenseurs. Au contraire, le triste Joseph est bien Sainte-Beuve lui-même, et l'enthousiasme que le Cénacle lui a communiqué en 1829 et 1830 est en lui bien fragile. Sainte-Beuve ne tardera pas à se contenter pour le poète d'un rôle social obscur. Il n'est pas, nous dit-il, de ceux qui, après 1830, rêvent d'exercer une grande action sur le siècle ; il est de ceux qui préfèrent se maintenir à distance du vulgaire en réduisant leur ambition : « N'est-ce pas là une manière d'aller décemment ici-bas, après même que le but grandiose a disparu, et de supporter la défaite de sa première espérance [1] ? »

La résignation est rarement exempte d'amertume. Projetant d'écrire un roman de l'Ambition, Sainte-Beuve institue, entre l'homme politique et le poète, une antipathie sans remède : « Guerre donc ! et guerre éternelle ! — Montrer dans le roman mon poète traité par les doctrinaires comme une espèce de joueur de quilles et sans conséquence, avec peu de considération à la fois et une sorte de crainte. [...] Mais ne pas traiter surtout la chose langoureusement et solennellement comme de Vigny et se venger avec du plomb plus fin et plus sifflant. Décrire avec le dégoût d'un Tacite le spectacle d'une crise ministérielle (Guizot-Molé), ces misérables intrigues et toute cette pourriture fétide et sénile [2]. » Cette aversion pour les doctrinaires s'accorde bien avec les antécédents saint-simoniens récents de Sainte-Beuve. Elle devait s'atténuer dans la suite du règne, où il s'accommoda en fin de compte du gouvernement de cette haute bourgeoisie prosaïquement et modérément libérale, par laquelle il ne se sentait plus tellement humilié. Il

---

1. Article sur Marceline Desbordes-Valmore, *Revue des Deux Mondes*, 1er août 1833, p. 245 (= *Portraits contemporains*, t. II, p. 97). — 1830 apparaît semblablement comme une désillusion dans l'article sur Jouffroy, *Revue des Deux Mondes*, 1er décembre 1833, pp. 917-918 (= *Portraits littéraires*, t. I, pp. 298-299). — Sauf cas particuliers, je cite les recueils critiques de Sainte-Beuve dans leurs éditions définitives, aujourd'hui usuelles.
2. Cité par R. Molho (*Un projet avorté de Sainte-Beuve : le roman de l'ambition*, dans *Revue d'histoire littéraire de la France*, 1961, p. 226). L'auteur date ces ébauches de 1837-1845, sans plus de précision ; l'allusion à Molé et Guizot comme protagonistes des compétitions pour le ministère ne permet pas, semble-t-il, d'aller au-delà de 1839, date de la chute de Molé qui, dès lors, ne fut plus ministre ni, que je sache, candidat au ministère.

revint alors, de ses fureurs hyper-chattertoniennes, aux vues modestes touchant le rôle des poètes dans la société qui étaient le fond de sa pensée. Ce faisant, il déserta, ou ignora, la glorieuse trajectoire de la Mission romantique.

Tentations diverses

Sainte-Beuve a dit souvent, dans sa maturité et sa vieillesse, qu'au cours des années riches de carrefours spirituels qui ont suivi 1830, il n'avait adhéré à aucune doctrine ni appartenu vraiment à aucune école [1]. Pareille protestation conviendrait à n'importe quel grand écrivain de son temps : la littérature et la poésie de cette époque ont touché aux doctrines sans s'y assujettir ; le fait est général : les écrivains défendaient leur liberté de création. Mais s'agit-il tout à fait de cela chez Sainte-Beuve ? Il semble qu'il veuille moins conquérir sa propre vérité que les effleurer et les esquiver toutes. Il se flatte d'être passé ici, puis là, d'avoir traversé ou plutôt côtoyé telle école, puis côtoyé encore telle autre ; et, dit-il, « dans toutes ces traversées je n'ai jamais aliéné ma volonté ni mon jugement (hormis un moment dans le monde de Hugo par l'effet d'un charme), je n'ai jamais engagé ma croyance, mais je comprenais si bien les choses et les gens que je donnais *les plus grandes espérances* [2] aux sincères qui voulaient me convertir et qui me croyaient déjà à eux. Ma curiosité, mon désir de tout voir, de tout regarder de près, mon extrême plaisir à trouver le vrai relatif de chaque chose et de chaque organisation m'entraînaient à cette série d'expériences, qui n'ont été pour moi qu'un long cours de physiologie morale [3] ». Ainsi il se pique d'avoir traversé le Cénacle même sans subir son influence plus profondément

---

1. Voir les nombreux résumés rétrospectifs que Sainte-Beuve a faits, en diverses occasions, de sa carrière intellectuelle ; entre autres : les « Pensées » à la fin des *Derniers portraits* (1852), n° XV, pp. 529-530 (= *Portraits littéraires*, t. III (1862), p. 545 ; *Portraits littéraires*, t. II (1862), pp. 525-526 ; — « Ma biographie », en tête des *Nouveaux Lundis*, t. XIII (1870) ; cette « biographie », non datée, ne va pas au-delà de 1861 ; Lettre à Zola du 10 février 1867, *Corr. gén.*, t. XVI, pp. 92-93 ; *Les Cahiers de Sainte-Beuve*, publiés par J. Troubat, Paris, 1876, pp. 40-42, sur le passage de Sainte-Beuve au Cénacle).
2. L'italique est de Sainte-Beuve.
3. *Portraits littéraires*, t. III, p. 545. « Organisation » : nous dirions aujourd'hui « tempérament ».

qu'une autre, sinon par un «charme» qui l'a quelque peu aliéné[1]. Au début de ce même aperçu rétrospectif, il n'avoue comme étant son «fond véritable» que le XVIIIe siècle «avancé», et cette physiologie dont il fait son dernier mot. Cependant il est permis de penser que, poète et littérateur avant tout, il a subi plus fortement et durablement le romantisme que rien d'autre, même s'il ne l'a pas épousé. C'est en quoi ses dissonances, de ce côté-là, intéressent particulièrement. Il n'y a eu de charme, ni de désenchantement, que là. Quoi qu'il en soit, il s'est visiblement moins agi pour lui, dans ses pérégrinations, d'être soi que de n'être tout à fait personne, ou soi-même uniquement en cela : «Quant à ce qui m'arriva, après Juillet 1830, de croisements en tous sens et de conflits intérieurs (saint-simonisme, Lamennais, *Le National*...), je défie personne, excepté moi, de s'en tirer et d'en avoir la clé ; encore se pourrait-il bien que, si je voulais tout repasser nuance par nuance, j'en donnasse ma langue aux chiens[2].» Ce *moi* n'est certes pas celui du romantisme conquérant que nous connaissons.

Saint-simonisme ?

Comment, après Juillet, croisa-t-il la fameuse École ? Il inclinait alors fortement à gauche, dégoûté de voir les bons esprits du *Globe* se ruer vers les places que leur offrait la monarchie bourgeoise[3]. Il resta donc au *Globe* avec Leroux, après la désertion générale, et vécut la transformation de ce journal en organe saint-simonien. À cette époque, si nous en croyons le témoignage de Vigny, tout en ne partageant pas la religion des saint-simoniens, il est convaincu qu'«ils s'empareront de la terre et que la secte deviendra religion[4]». Son adhésion intime

---

1. Ce charme est mentionné encore dans les *Cahiers*, déjà cités, publiés par Troubat, p. 42 : il était, dit-il, comme Renaud ensorcelé dans le jardin d'Armide.
2. Lettre à Zola, citée plus haut.
3. Pour sa position dans les débuts orageux de la monarchie de Juillet, voir par exemple sa lettre à Victor Hugo du 11 juin 1832 (*Corr. gén.*, t. I, pp. 303-304) : il a donné son adhésion à une déclaration d'écrivains contre l'état de siège que le gouvernement maintenait après la récente émeute. La lettre est très véhémente.
— Sur les sentiments politiques de Sainte-Beuve à cette époque, voir Gustave Michaut, *Sainte-Beuve avant les Lundis*, Fribourg-Paris, 1903, p. 226 et suiv.
4. Alfred de Vigny, *Journal d'un poète*, dans *Œuvres complètes*, éd. Baldensperger, 1948, 2 vol., Bibliothèque de la Pléiade, t. II, p. 924, «9 décembre» [1830].

semble moins tiède dans les nombreux articles, presque tous anonymes, qu'il écrit dans *Le Globe* en cette même fin de 1830 et au début de 1831 [1]. À les lire, on pourrait le croire touché de la grâce saint-simonienne. Il sermonne le romantisme dans l'esprit de la secte : la nouvelle littérature, après avoir pris conscience d'elle-même et accompli sa révolution dans les cénacles à l'écart du mouvement social, doit maintenant s'unir à la société, accompagner ses destinées infinies et sa régénération, « la charmer durant le voyage, la soutenir contre l'ennui en se faisant l'écho harmonieux, l'organe prophétique de ses sombres et douteuses pensées [2] ». Un article suivant condamne *Joseph Delorme* et le Cénacle au nom de l'association, que le romantisme n'a pas conçue assez large [3]. Enfin trois articles sur Jouffroy [4] opposent longuement les vues saint-simoniennes à la « psychologie » spiritualiste du philosophe. Jouffroy, qui professait une distinction de son cru entre les « époques fondatrices » et les « époques critiques » et qui pressentait ou attendait quelque « fondation » nouvelle, méritait par là la révérence des saint-simoniens, qui développaient une antithèse analogue des époques « organiques » (c'est-à-dire dogmatiques) et « critiques », à l'avantage des premières. Mais son libéralisme n'acquiesçait pas, pour le présent et pour l'avenir, à la « fondation » sous sa forme saint-simonienne : c'est ce que Sainte-Beuve lui reproche, dans les termes mystico-autoritaires de l'École : « L'époque *organique* est toujours fondée par un homme, et les hommes qui organisent ne sont pas des philosophes, mais des révélateurs [...] ; ce révélateur ne s'amuse jamais à faire une psychologie, il fonde une religion [5]. » Usant du vocabu-

---

1. Recueillis dans les *Premiers Lundis* (posthumes, 1874-1875).
2. *Du mouvement littéraire et poétique après la révolution de 1830*, dans *Le Globe* du 11 octobre 1830 (article recueilli dans les *Premiers Lundis*, t. I). Je cite d'après l'édition Maxime Leroy des *Œuvres*, Bibliothèque de la Pléiade (deux vol. seuls parus, 1949, 1951), t. I : ce texte y figure, p. 377. — « Sombres et douteuses » : « sombres », si l'on tient pour angoissante l'oraison funèbre du christianisme qui est la base de la Doctrine ; « douteuses », dans leurs conclusions. — Je renverrai dorénavant à l'édition Leroy en abrégé : *Pl.*, suivi du chiffre du tome.
3. Compte rendu de la 2e édition de *Joseph Delorme*, dans *Le Globe* du 4 novembre 1830 (= *Pl. I*, p. 381).
4. Articles sur le *Cours de philosophie moderne* de Jouffroy, dans *Le Globe* des 13 et 27 décembre 1830 et du 6 janvier 1831, recueillis au t. II des *Premiers Lundis* (= *Pl. I*, pp. 399-429).
5. *Pl. I*, p. 412.

laire saint-simonien, Sainte-Beuve appelle un tel homme « poète » ; il évoque « le grand artiste, le prêtre révélateur », qui « accouche le présent de l'avenir dont il est gros [1] ». Et cette révélation condamnera la tradition spiritualiste ; elle mettra fin au dualisme qui oppose l'âme et le corps, elle réconciliera l'esprit et la chair : c'est là un autre point capital du credo saint-simonien, et qui fit scandale à cette époque par quelques-unes des applications surprenantes qu'Enfantin, pape de la secte, proposa d'en faire. Sainte-Beuve développe ce point abondamment : le dualisme, « voilà ce que les psychologistes [2] répètent après les chrétiens », tandis que la conception nouvelle « ramène la matière et l'esprit dans la substance de l'être, l'âme et le corps dans l'unité de la vie, l'homme et la nature dans le sein de Dieu [3] ». Ces articles montrent Sainte-Beuve en pleine « traversée » du saint-simonisme ; on conçoit qu'il ait pu donner alors, comme il dit, les plus grandes espérances à ceux qui pensaient mener à bien sa conversion entière [4]. Lui-même se définissait, peu après, « celui qui n'est pas encore pleinement transformé à la religion de l'avenir [5] ». Comptait-il l'être jamais ?

Il essayait, à la même époque, d'acclimater en poésie l'esprit du saint-simonisme. Nous avons de lui deux poèmes conçus dans cette intention. Le premier, sous le titre *Pièce demi-saint-simonienne*, est un poème en alexandrins couplés, que Sainte-Beuve, dans une note du manuscrit, dit être « du genre Delorme [6] » : c'est en effet une effusion adressée à une bien-aimée, sur le mode « intime », plaignant une vie modeste et grise, et y répondant par un idéal rare nourri des thèmes de la méditation moderne ; les amants s'entretiendront

---

1. *Ibid.*, p. 414. C'est une habitude de l'École d'appeler poète et artiste tout grand novateur en religion ou en politique.
2. Ce mot désigne Cousin, Jouffroy et toute l'école dite éclectique, qui entendait fonder son spiritualisme sur l'expérience psychologique et l'intuition du moi.
3. *Pl. I*, pp. 409, 425, 428.
4. Voir aussi son compte rendu des *Esquisses poétiques* de X. Marmier, *Le Globe*, 22 mars 1831 (= *Pl. I*, p. 436).
5. Compte rendu des *Lettres sur la religion* d'Eugène Rodrigues, *Le Globe*, 13 février 1831 (= *Pl. I*, p. 431). Cet article contient, p. 435, une sorte d'hymne adoratif à Saint-Simon.
6. Ce poème, daté de février 1831, a été publié d'après le manuscrit par Maurice Allem, dans *La Muse française*, 1930, p. 456 : l'éditeur reproduit une autre note du manuscrit, où Sainte-Beuve se plaît à imaginer ce poème placé à la fin de *Joseph Delorme* « comme attestant un engouement de plus de cet esprit délicat ».

> *[...] d'autrefois,*
> *De province, d'enfance ou du monde et des rois*
> *Dont le trône s'écroule et du Dieu qui s'élève;*
> *Du vieux cèdre sacré rajeuni dans sa sève,*
> *De l'humanité sainte à jamais poursuivant*
> *Sa marche de progrès au sein d'un Tout vivant,*
> *Brisant les derniers fers dont un anneau nous pèse;*
> *Le pauvre émancipé, la vertu plus à l'aise,*
> *La femme, être puissant, prophétique et sacré,*
> *Seulement d'aujourd'hui montant à son degré.*

Si cette pièce n'est que «demi-saint-simonienne», c'est sans doute parce que Sainte-Beuve s'y tient aux frontières de l'humanitarisme général et du dogme saint-simonien proprement dit[1], dont il n'accepte qu'un effluve, un air de prophétie, peut-être aussi parce qu'il fait autant de place à l'amour qu'à l'enthousiasme de l'avenir; les amants mêleront cette nouvelle ferveur à leurs baisers :

> *Ne nous abîmons pas en un bonheur avare,*
> *Mais debout, attentifs à ce qui se prépare,*
> *Parlons-nous-en tout bas, au milieu des baisers;*
> *C'est beaucoup et c'est peu; dès qu'une âme est saisie*
> *De cette rayonnante et sainte jalousie,*
> *Elle a besoin d'aller et d'aider à son tour*
> *Au temple d'avenir, à la moisson d'amour.*
> *[...] Inspire-moi d'aller, fais-moi signe du doigt*[2].

L'autre poème a paru en 1833; Sainte-Beuve l'a inclus dans sa chronique littéraire de la *Revue des Deux Mondes*[3], pour illustrer un rapprochement de la mystique saint-simonienne et de

---

1. Le déclin des rois, le rajeunissement de la religion (le vieux cèdre sacré), l'émancipation du pauvre sont des thèmes généraux; l'humanité sainte, le Tout vivant, la promotion de la femme sont plus proprement saint-simoniens.
2. On songe à ce que Vigny dira à Éva (*La Maison du berger*, III, strophe 5) : «Tu pousses par le bras l'homme... il se lève armé.»
3. Voir *Revue des Deux Mondes*, 1ᵉʳ mars 1833; recueilli au t. II des *Premiers Lundis* (= *Pl. I*, p. 505 et suiv.). — Ce poème figure, daté lui aussi de février 1831, dans le même manuscrit de la «bibliothèque Lovenjoul» que le précédent, d'après lequel Maurice Allem l'a publié également dans *La Muse française* (1931, p. 129 et suiv.).

la catholique : « L'apothéose anticipée d'un avenir inconnu employait les mêmes expédients, les mêmes pratiques idolâtriques que l'adoration réchauffée d'un passé enseveli. » Si désenchanté qu'il fût de l'une et de l'autre croyance, il n'a pas voulu laisser ignorer à la postérité ces vers qu'il avait honte d'avouer siens ; il les attribue à un jeune saint-simonien défunt du nom de Bucheille [1]. Le poème est un discours adressé à son âme, en dix-sept quatrains d'alexandrins à rimes croisées : il l'exhorte non seulement à accompagner, mais à devancer prophétiquement le mouvement de l'humanité :

> *Tout change autour de nous, tout finit et commence ;*
> *Les temples sont déserts et les trônes s'en vont ;*
> *À toi de saluer sous le linceul immense*
> *Le siècle nouveau-né qui porte un signe au front !*

> *Devance l'univers en sa métamorphose ;*
> *Beaucoup sont suscités pour la prophétiser,*
> *Tu peux en être aussi, mon âme ; ose donc, ose ;*
> *Sais-tu tout ce que Dieu t'inspirera d'oser ?*

Il finit en faisant valoir à son âme l'appui du « groupe harmonieux » des adeptes et, en cas de découragement, celui d'une amante [2]. Tout cela reste surtout romantique. Sainte-Beuve se permettait en prose tous les entraînements ; la poésie lui commandait plus de respect ; il n'osait l'envahir tout à fait de choses étrangères. Espérait-il, en invoquant ce type de communion, y convertir Adèle Hugo ? Nous savons que toute spiritualité lui était bonne à cette fin.

Une marge sépara en tout temps son saint-simonisme public de ses jugements secrets. Il écrit à un ami en septembre 1830 : « Je suis depuis plus d'un mois au *Globe*, jetant de l'âpre et som-

---

1. Personne ne semble connaître ce Bucheille. Allem, qui a vu le manuscrit, semble tenir pour allant de soi l'attribution à Sainte-Beuve ; Leroy aussi.
2. Le poème, dans la *Revue des Deux Mondes*, s'arrête aussitôt après, au milieu d'un quatrain : (« N'as-tu pas cette autre âme à ton destin mêlée »), un « etc., etc. » remplaçant la suite. Le manuscrit complète le quatrain et en ajoute deux autres, qui célèbrent amplement l'amie. Pourquoi cette amputation dans la *Revue* ? Crainte qu'on ne s'interrogeât sur l'originale du portrait ? On pense encore à Vigny quand on lit : « Timide, mais sachant s'élancer la première, — Dès qu'elle a vu faiblir ton essor généreux. »

bre doctrine[1]»; et en avril 1831 : «Je ne suis pas saint-simonien classé, ni ne le serai; [...] ma sève ne bouillonne plus [...]; je ne désire plus grand'chose, j'ai perdu l'habitude d'espérer[2].» Il a donc traversé la Doctrine en visiteur plus ou moins sympathique, sans plus; et au bout du parcours l'ironie se libéra : l'humanité, face aux systèmes, écrit-il alors, «n'en est plus aux illusions de l'enfance»; elle pense que «qui prouve trop ne prouve rien[3]». Il entre dans un éclectisme, au sens le plus commun du mot, qui de toute doctrine de progrès retient quelque chose[4], et qui, des idées qui circulaient au lendemain de 1830, gardera toujours «comme un souffle ému de saint-simonisme, de socialisme, de sainte-alliance des peuples[5]». Il ne renie pas l'espérance humanitaire, mais il la marque d'un signe si problématique et si lointain qu'il semble en fait s'inscrire en faux contre elle : «Je suis [...] loin, mon ami, dit son Amaury dans *Volupté*, de nier, à travers ces constants obstacles, un mouvement général et continu de la société [...]; mais la loi de ce mouvement est toujours et de toute nécessité fort obscure, la félicité qui doit ressortir des moyens employés reste très douteuse, et les intervalles qu'il faut franchir peuvent se prolonger et se hérisser presque à l'infini[6].» Cette formule de distance, fréquent recours du libéralisme et de l'humanitarisme modéré, sonne plutôt ici comme une fin de non-recevoir.

Longtemps plus tard, l'écho saint-simonien retentit encore, sur des tons divers, dans l'œuvre de Sainte-Beuve — quelquefois goguenard : «J'ai pu m'approcher du lard, mais je ne me suis pas pris à la ratière[7]»; quelquefois plutôt déférent : «Je n'en étais pas, mais je les ai vus assez pour me faire une idée

---

1. Lettre à Victor Pavie, 17 septembre 1830, *Corr. gén.*, t. I, p. 203.

2. Lettre à Victor Hugo, 14 avril 1831, *ibid.*, p. 229.

3. Fragment d'un article publié le 21 juillet 1832 dans *Le National* (sur la *Revue encyclopédique* de Carnot et Leroux); voir *Portraits contemporains*, t. II, p. 505, ce fragment recueilli sous le titre «Au lendemain du saint-simonisme».

4. Compte rendu des *Lettres philosophiques* de Lerminier, dans *Le National* du 23 décembre 1832 (= *Pl. I*, p. 473).

5. Note à son article sur Barbier, *Le National*, 21 janvier 1833, (= *Portraits contemporains*, t. II, p. 239).

6. *Volupté* (1834), éd. Poux, Paris, 1927, t. II, p. 281.

7. «Ma biographie», texte déjà cité; il est reproduit dans SAINTE-BEUVE, *Souvenirs et indiscrétions publiés par son dernier secrétaire* [Jules Troubat], Paris, 1872, pp. 19-62; voir p. 45.

de la fondation d'une religion[1] »; quelquefois reconnaissant, comme lorsqu'il écrit en 1847 à Enfantin : «Vous êtes un de ceux auprès de qui j'ai le plus appris. Je vais retrouver en vous lisant quelques-unes de ces idées qui donnent à penser sur l'avenir et qui ouvrent des horizons[2]. » Mais celle des réflexions rétrospectives de Sainte-Beuve sur le saint-simonisme qui donne le plus à penser est celle qu'il adresse en 1859 à ce même Enfantin : «Je vous ai dû de comprendre l'importance de ce principe d'autorité si méconnu par le libéralisme courant et vulgaire[3]. » Sainte-Beuve était alors rallié à l'Empire et brouillé avec l'opposition libérale. La référence au saint-simonisme, dont beaucoup d'anciens adeptes, hommes d'entreprise ou techniciens, prospéraient sous le régime impérial, pouvait l'absoudre du soupçon de conservatisme rétrograde. L'idée d'un absolutisme de progrès, sous-jacente à cette attitude alors fréquente, fut, on le sait, vivement dénoncée par Quinet, Michelet, Hugo. Sainte-Beuve, très loin d'eux, affichait, surtout dans la première période de l'Empire, une forte antipathie pour l'opposition, surtout pour celle des anciens doctrinaires, haute bourgeoisie et Université[4]. Toute sa critique, dans ces années, est colorée par son adhésion à l'Empire[5]. En 1863 encore, alors qu'il incline de nouveau vers la liberté, il n'en saisit pas moins une nouvelle occasion d'invoquer l'héritage saint-simonien en faveur de l'autorité[6]. Il y avait, dans ses instincts politiques, de quoi sympathiser en divers sens : il libérait, à chaque époque, ce qui allait le mieux avec le courant dominant : républicanisant après Juil-

---

1. Jules TROUBAT, *Souvenirs du dernier secrétaire de Sainte-Beuve*, Paris, 1890, et pp. 239 et 240 ; même idée dans les *Causeries du lundi*, t. XI, « Notes et pensées », n° CXXXIII.
2. Lettre à Enfantin, 4 novembre 1847, *Corr. gén.*, t. VII, p. 156.
3. Lettre à Enfantin, 9 janvier 1859, *ibid.*, t. XI, p. 215.
4. Voir notamment le fameux et déplaisant article intitulé *Les Regrets*, où il accable les vaincus de 1851, les notables du régime précédent, ses anciens amis, dans *Le Constitutionnel*, 23 août 1852 (= *Causeries du lundi*, t. VI, p. 397 et suiv.); aussi l'article sur Mignet, *Le Moniteur*, 4 juillet 1853 (= *Causeries du lundi*, t. VIII, p. 291 et suiv.), et celui sur Chateaubriand, *Le Moniteur*, 17-18 avril 1854 (= *Causeries du lundi*, t. X, p. 74 et suiv.).
5. Voir ses articles sur Camille Desmoulins, *Le Constitutionnel*, 11 novembre 1850 (= *Causeries du lundi*, t. III, p. 98 et suiv.) et sur Condorcet, *ibid.*, 3 février 1851 (= *Causeries du lundi*, t. III, p. 336 et suiv.).
6. Voir l'article sur Adolphe Guéroult, *Le Constitutionnel*, 12 janvier 1863 (= *Nouveaux Lundis*, t. IV, pp. 143-145).

let, modéré dans la monarchie bourgeoise stabilisée, bonapartiste sous l'Empire, et pour finir anticlérical quand les relations
entre l'Empire et l'Église furent devenues plus mauvaises[1]. Il
conserva en tout cas toute sa vie des amitiés saint-simoniennes :
les noms de Barrault, Charton, Duveyrier, d'Eichtal apparaissent souvent dans la correspondance de ses dernières années.
Ce qui avait empêché Sainte-Beuve d'être vraiment des leurs,
c'était, plus profondément peut-être que son esprit d'indépendance et son dilettantisme, son manque d'optimisme congéni-
tal. En 1859, dans la lettre où il rend grâces à Enfantin de ce
qu'il lui doit, il ajoute : « Pourquoi, en m'aidant à comprendre tant de choses, ne m'avez-vous pas appris à aimer la vie ?
Malade de la fin du vieux monde et du commencement de celui-
ci, malade vous m'avez trouvé, malade vous m'avez laissé. La
seule différence, c'est que Joseph Delorme, comme un enfant,
criait son mal par-dessus les toits, et moi je le cache[2]. »

Catholicisme ?

Sainte-Beuve fut tenté par le catholicisme presque en même
temps que par le saint-simonisme ; à la fin de 1830, un ami
écrivait après l'avoir vu : « Il est d'une tristesse navrante. [...]
Il flotte entre le catholicisme et le saint-simonisme[3]. » La religion était pour lui, s'il avait pu y adhérer vraiment, au moins
sous la forme néo-catholique et libérale, un recours moins irréel
qu'une doctrine de salut laïque. Entre mai et décembre 1829,
il avait écrit les ferventes et presque pieuses *Consolations* : « Six
mois célestes de ma vie », écrivait-il beaucoup plus tard[4]. Ces
mois avaient vite fui. Mais l'ambiance romantique, bientôt le
désir aussi de plaire à Adèle Hugo le poussaient vers la reli-

1. Voir les *Nouveaux Lundis*, t. IV, p. 431 et suiv. (1863) ; t. V, pp. 200-256
(1863) ; t. VIII, pp. 134-136 (1864) ; et les articles de 1867-1869 recueillis au
t. III des *Premiers Lundis*.
2. Lettre à Enfantin du 9 janvier 1859, déjà citée.
3. Lettre de Victor Pavie à son père, du 28 décembre 1830, citée par André
Pavie, *Médaillons romantiques*, Paris, 1909, p. 143.
4. Lettre à Ulric Guttinguer, 14 mai 1862, *Corr. gén.*, t. XII, p. 351. Sous
une expression voisine, il dit tout autre chose dans une des « Notes et remarques » inédites que Ch. Pierrot a placées en tête de sa Table des *Causeries du lundi*
(t. XVI, p. 44) : « *Les Consolations* n'ont rien été pour moi qu'une saison morale,
six mois célestes et fugitifs de ma vie. »

gion, bien que l'essentiel lui manquât. En avril 1830, il écrit : « En attendant que quelque chose de satisfaisant pour moi m'apparaisse au dehors[1], je suis de mon mieux mon progrès individuel, me rattachant au catholicisme en tout ce qui ne choque pas l'esprit du siècle. Au reste rien de fixe encore dans mon esprit. Je cherche une loi et ne l'ai pas encore trouvée. Je pense que du concours des mouvements individuels ou collectifs il sortira quelque chose de grand et de nouveau, mais je n'ose me le figurer et je désespère de l'entrevoir de sitôt ; il faudra des siècles pour le mûrir ; nous, pauvres hommes, nous mourrons à la peine[2]. » Ainsi il espère à la fois dans le saint-simonisme et dans la religion, sans croire vraiment en aucun des deux. La fin de l'année 1830 et les premiers mois de la suivante furent le temps de son plus vif saint-simonisme. Mais, en mai 1831, il alla écouter Lamennais au collège de Juilly ; il en résulta, selon son propre témoignage, un réveil des sentiments religieux de son enfance, mais nulle foi propre à gouverner sa vie ; les distractions de Paris effacent tout : « Ainsi jusqu'à ce que la jeunesse nous manque ! Ainsi jusqu'à ce qu'on ait tué en soi la foi et l'amour. Alors il ne reste plus que l'intelligence sans chaleur, un vide immense et un ennui croissant[3]. »

Dans l'ordre des idées, il sentait la distance qui le séparait de Lamennais. Il trouvait *L'Avenir*, le quotidien du groupe mennaisien, étranger à la réalité : « Tel qu'il est, il n'est pas de ce monde, il frappe à faux, [...] c'est puéril en tant que journal pratique[4]. » Sur le plan théologique, il a été un moment séduit par la doctrine mennaisienne, qui fonde la vérité sur le consentement universel, et la valeur des dogmes catholiques sur leur prétendue présence au fond des croyances de tous les peuples[5]. Il exalte en 1832 « cette doctrine vraiment catholi-

---

1. Allusion à son espoir dans une régénération politico-sociale.

2. Lettre du 5 avril 1830 à Buchez, *Corr. gén.*, t. I, pp. 183 et 184 ; même note catholicisante dans la lettre du 30 mai 1830 à l'abbé Barbe, *ibid.*, t. I, p. 193, toujours avec des réserves.

3. Lettre à Lamennais, 24 mai 1831, *Corr. gén.*, t. I, pp. 236 et 237. Il dit la même chose en 1836 : lettre à l'abbé Barbe, 1er octobre, *ibid.*, t. II, p. 99 (« J'ai le sentiment de ces choses, mais je n'ai pas ces choses mêmes ») ; lettre à Guttinguer, 3 octobre, *ibid.*, p. 101.

4. Lettre à Pavie, 27 octobre 1831, *Corr. gén.*, t. I, p. 267.

5. Lamennais a soutenu cette doctrine dès le début de sa carrière, dans sa période ultra-catholique (au tome II de son *Essai sur l'indifférence*), et lui est resté toujours fidèle (voir *Le Temps des prophètes*, p. 128 et suiv.).

que, depuis quinze ans surtout remise en lumière, à savoir que le christianisme n'est que la rectitude de toutes les croyances universelles, l'axe central qui fixe le sens de toutes les déviations[1]». La sympathie de Sainte-Beuve pour cette doctrine ne doit pas surprendre. Les saint-simoniens, orthodoxes ou dissidents, et Leroux en particulier, opposent eux aussi une raison collective, guide du genre humain et source d'autorité, à la raison individuelle et critique dont usent les philosophes, de Descartes à Cousin. Sainte-Beuve, sur ce terrain, est bien tenté de les suivre[2]. Mais on ne voit pas qu'il se soit jamais laissé convaincre d'abandonner réellement, dans ses écrits, l'exercice de la critique individuelle ; et son agnosticisme, qui se traduit partout, est encore plus ruineux que le *cogito* à la raison dite générale. D'ailleurs, ce qu'il a de religion incline peu à la théologie. Il a beaucoup loué et rapproché l'un de l'autre, dans ses articles de cette époque-là, Ballanche, Lamartine et Saint-Martin, père selon lui de cette lignée d'«âmes tendres, croyant à l'exil de la vie et à la réalité de l'invisible» ; il voit en de telles âmes le refuge, en un temps ennemi, de la «quintessence religieuse[3]». Saint-Martin, selon lui, fait prévoir Lamartine ; et Lamennais, comme Lamartine, espère un «règne évangélique» futur[4]. «Ainsi, symptôme remarquable! tous les vrais cœurs de poètes, tous les esprits rapides et de haut vol, de quelque côté de l'horizon qu'ils arrivent, se rencontrent dans une prophétique pensée, et signalent aux yeux l'approche inévitable des rivages[5].» Ce dont Sainte-Beuve rêve quand il parle de religion, c'est d'une formule religieuse élargie, d'une annonce d'avenir, et il ne sait s'il doit y croire. En exaltant Ballanche comme chrétien fidèle à «la lettre sacrée», il ajoute : «Mais il est néo-chrétien en ce qu'il croit à l'inter-

---

1. Article sur Senancour, *Revue de Paris*, 21 janvier 1832 (= *Portraits contemporains*, t. I, p. 170).
2. Voir l'article-portrait sur Lamennais, *Revue des Deux Mondes*, 1er février 1832 (= *Portraits contemporains*, t. I, p. 218).
3. Article sur Lamartine, *ibid.*, 1er octobre 1832 (= *Portraits contemporains*, t. I, pp. 276-278).
4. Même article, p. 306. Sur ce règne évangélique, conclusion de Sainte-Beuve, à peine teintée d'espoir : «Heureux songe, si ce n'est qu'un songe!»
5. Article sur les *Paroles d'un croyant, ibid.*, 1er mai 1834 (= *Portraits contemporains*, t. I, p. 247). Le contexte évoque Béranger avec Lamartine et Lamennais : c'est dans ces années que Béranger avait commencé à composer des chansons humanitaires (voir *Le Temps des prophètes*, p. 389 et suiv.).

prétation successive de ce dogme, et aux découvertes de plus en plus étendues que la pénétration humaine doit faire sous l'antique lettre par degrés transfigurée [1]. » Son dernier mot en matière de religion, le roman *Volupté*, en 1834, est une œuvre de vérité personnelle quant au désir, au tourment et à l'insatisfaction ; l'apaisement final du héros par le sacerdoce est de pure littérature : c'est Sainte-Beuve, tout au plus, selon une de ses « rêveries [2] ».

Il s'éloigna bientôt de Lamennais. L'ayant soutenu jusqu'aux *Paroles d'un croyant*, à la publication desquelles il collabora, il dut bien constater que Rome n'acceptait pas ce livre ; avait-il vraiment espéré le contraire [3] ? Il souhaitait que Lamennais restât dans l'Église ; quand la rupture définitive se produisit, en 1836, avec le livre des *Affaires de Rome*, il fut inquiet de voir l'abbé tourner à la démocratie humanitaire et lui reprocha de laisser ses adeptes désemparés [4]. Il s'en tenait, quant à lui, à une religion imaginée plutôt qu'annoncée :

> *Religion clémente à tout ce qui soupire,*
> *Christianisme universel !* [5]

Il finit par perdre le désir même de la foi [6]. Est-il véririque quand il écrit dans sa vieillesse : « J'ai fait un peu de mythologie chrétienne en mon temps ; elle s'est évaporée ; c'était pour moi comme le cygne de Léda, un moyen d'arriver aux belles

---

1. Article sur Ballanche, *ibid.*, 15 septembre 1834 (= *Portraits contemporains*, t. II, p. 35).

2. Sainte-Beuve avait volontiers l'imagination chrétienne ; en 1833, au moment où se confirmait sa vocation de critique profane, il s'est figuré qu'il aurait fait plus volontiers une carrière de poète religieux : c'est du moins ce qu'il écrit à Lamennais dans une lettre du 12 janvier 1833 (*Corr. gén.*, t. I, p. 334).

3. Voir son article déjà cité sur les *Paroles d'un croyant*, dans *Portraits contemporains*, t. I, p. 231 et suiv.

4. Ces lignes sont souvent citées : « Combien j'ai su d'âmes espérantes que vous teniez et portiez avec vous dans votre besace de pèlerin, et qui, le sac jeté à terre, sont demeurées gisantes le long des fossés ! », *Revue des Deux Mondes*, 15 novembre 1836. (= *Portraits contemporains*, t. I, p. 265.)

5. Poème sans titre (incipit : « J'ai reçu, j'ai reçu les émouvantes pages ») de 1834, recueilli dans *Pensées d'août* (1837).

6. Gustave Michaut (*Sainte-Beuve avant les Lundis*, p. 418 et suiv.) place ce moment en 1837, quand il enseignait à Lausanne.

et de filer un plus tendre amour»[1], ou encore : «Dans *Volupté*, je me suis donné l'illusion mystique pour colorer et *ennuager* l'épicurisme[2]»? Nous ne sommes pas obligés de le croire tout à fait dans ce désaveu de son passé ; en tout cas, il en était bien revenu.

Symbolisme

Il s'éloigna de même du romantisme. Pourtant la poésie et l'art, tels qu'il les voyait renouvelés dans le Cénacle à la veille de 1830, l'avaient fortement séduit et renouvelé lui-même. La personne de Hugo l'avait fasciné ; mais, en l'admirant comme un disciple, il se garda sourdement de le suivre, par l'effet d'une hostilité couverte qui anima, comme on le sait par d'autres preuves, sa relation avec le grand homme. Cette lumière nouvelle de poésie et d'art qui l'avait gagné le quitta peu à peu, faisant place à une critique pondérée et sans illusions, et parfois au projet d'orienter et de gouverner les lettres dans un sens plus traditionnel. Ce qui, dans le romantisme, le marqua peut-être le plus, fut cette doctrine symbolique de la poésie que la littérature de l'époque professait généralement ; il hérita de cette doctrine comme tout le XIXe siècle poétique devait le faire. En 1825, il la découvre chez les lakistes anglais : «Pour eux, écrit-il, tout ce qui est visible n'offre plus seulement des symboles obscurs ou des emblèmes fantastiques, mais de véritables révélations» ; et il la critique, à ce premier contact, comme obscure et dangereuse pour la poésie[3]. Mais, en 1833, il approuve chez Heine la proposition suivante : «Je crois que l'artiste ne peut trouver dans la nature tous ses types, mais que les plus remarquables lui sont révélés dans son âme comme la symbolique

---

1. Lettre du 12 juillet 1863 à Hortense Allart, *Corr. gén.*, t. XIII, pp. 230 et 231.

2. «Notes et remarques» en tête de la Table des *Causeries du lundi*, déjà citée, p. 43.

3. Compte rendu du *Voyage littéraire et historique en Angleterre* de Pichot, 3e article, *Le Globe*, 15 décembre 1825 (= *Pl. I*, pp. 134-138). Il semble qu'il ne parle des lakistes que d'après Pichot et qu'il ne les ait jamais vraiment connus ; voir Thomas G. S. COMBE, *Sainte-Beuve et les poètes anglais*, thèse de Bordeaux, 1937 : ils l'encourageaient à concevoir un romantisme plus «intime» et moins éclatant que celui de Hugo. — En 1850 encore, il avouait sa faible connaissance de l'anglais : lettre du 27 septembre à Georges Mancel, *Corr. gén.*, t. VIII, p. 186.

innée d'idées et au même instant[1].» À bien considérer cette phrase, on y entrevoit la difficulté fondamentale de la doctrine moderne du symbole. Sainte-Beuve, en bon agnostique, répudie le symbolisme «révélateur» des lakistes, qui renvoie du monde sensible à la vérité de l'Être ; mais il accepte ce que Heine, dans le même passage, appelle «surnaturalisme», et qui consiste en intuitions et harmonies que l'âme poétique découvre dans ses rapports avec l'univers : révélations aussi, puisqu'il n'est pas dit qu'elle les conçoive à son gré, mais révélations dont il est bien spécifié qu'elle est le centre, et l'atelier sacré. Il faut parler d'ambiguïté plutôt que d'hésitation, et d'ambiguïté voulue, car le poète veut à la fois supplanter humainement le divin, et l'invoquer en écho et confirmation : c'est cet au-delà précisément qui le sacre. Il est à croire que ce flou même n'a pas peu contribué à séduire Sainte-Beuve.

Il explique dans *Volupté* la part que sa lecture de Saint-Martin a eue dans son adhésion à une doctrine symbolique de l'univers. Mais, dans la façon dont il formule cette doctrine, le symbole apparaît comme une relation du monde sensible à nos pensées, ce qu'il est sur le plan de la stricte expérience humaine, bien plutôt que comme une référence à une réalité supranaturelle. Ces lignes méritent d'être reproduites ; elles commentent une phrase de Saint-Martin qui le frappa particulièrement, celle où il est dit que «l'homme naît et vit dans les pensées» : «Ce mot, dit-il, opéra à l'instant sur moi comme si j'avais les yeux dessillés. Toutes les choses visibles du monde et de la nature, toutes les œuvres et tous les êtres, outre leur signification matérielle, de première vue, d'ordre élémentaire et d'utilité me parurent acquérir la signification morale d'une pensée, — de quelque pensée d'harmonie, de beauté, de tristesse, d'attendrissement, d'austérité ou d'admiration.» Pensées humaines, croirait-on, significations et analogies dont un sujet investit les choses ; mais il entend que ce soient des signes, car il poursuit : «Et il était au pouvoir de mon sens intérieur, en s'y dirigeant, d'interpréter ou du moins de soupçonner ces signes mystérieux, de dégager quelques syllabes de cette grande parole qui, fixée ici, errante là, frémissait partout dans la nature[2].»

---

1. Compte rendu de Heine, *De la France*, dans *Le National* du 8 août 1833 (= *Pl. I*, p. 555). «Au même instant», veut-il dire, que les idées elles-mêmes.
2. *Volupté*, éd. citée, t. I, pp. 224-225.

Verger mystérieux, parole diffuse sont les figures d'une ontologie fuyante autant qu'insistante, qui se garde de nommer
expressément Dieu.

Désenchantement

Revenons aux velléités et aux fuites de Sainte-Beuve.
Toutes ces tentations tenues à distance semblent marquer
un esprit trop avisé pour se rendre à des systèmes qui passent le sens commun; elles sont, pourrait-il sembler, le *non
possumus* de la raison ordinaire et de la société établie face
aux entraînements de l'esprit. Mais la retenue de Sainte-
Beuve tient, autant qu'à sa prudence, à une amère impuissance à croire. Ce manque de foi douloureusement ressenti
donne à ses refus une couleur de romantisme désenchanté :
les deux accents, bon sens et désespoir, si différents pourtant, se mêlent souvent chez Sainte-Beuve; on ne sait pas
toujours lequel domine : la note triste, la nostalgie de
l'idéal, suffit à le différencier de ceux qui, sous Louis-
Philippe, incarnent la résistance bien-pensante au romantisme. Elle est sensible chez lui dès 1830 quand, voulant
louer Hoffmann, il écrit : «Il sait l'artiste à fond, et sous
toutes ses formes [...] et dans ce qu'il fait et dans ce qu'il
ne fera jamais, et dans ses rêves, et dans son impuissance,
et dans la dépravation de ses facultés aigries, et dans le
triomphe de son génie harmonieux, et dans le néant de
son œuvre et dans le sublime de ses misères» : tels sont
à ses yeux les artistes modernes, «inconsolables sous
l'expression terrestre, amoureux à la folie de ce qui n'est
plus, aspirant sans savoir à ce qui n'est pas encore, mystiques sans foi, génies sans œuvre, âmes sans organe[1]».
Cette définition de l'artiste est plus baudelairienne que
romantique.

Un sentiment personnel d'infériorité face à l'idéal s'entrevoit au moins deux fois dans l'œuvre de Sainte-Beuve. En 1832,
dans une sorte d'épître à Lamartine, il écrit, à propos de la
destinée des poètes :

---

1. Article sur Hoffmann, *Le Globe*, 7 décembre 1830 (= *Premiers Lundis*, t. I,
p. 415; *Pl. I*, pp. 384-385).

La moitié d'une vie est le tombeau de l'autre [1].

Le caractère éphémère de la puissance créatrice, le peu de durée du moment poétique de la vie, paradis vite perdu et objet d'une littérature morose, seront des thèmes postromantiques de prédilection. En 1837, Sainte-Beuve y revient à propos de Millevoye : « En nous tous [...], écrit-il, il existe ou il a existé une certaine fleur de sentiments, de désirs, une certaine rêverie première, qui bientôt s'en va dans les travaux prosaïques, et qui expire dans l'occupation de la vie. Il se trouve, en un mot, dans les trois quarts des hommes, comme un poète qui meurt jeune tandis que l'homme survit. Millevoye est au-dehors comme le type personnifié de ce poète jeune qui ne devait pas vivre, et qui meurt à trente ans, plus ou moins, en chacun de nous [2]. » Musset, bien placé par sa propre inquiétude pour remarquer cette page, écrivit en vers à Sainte-Beuve pour approuver sa pensée, tout en refusant de la lui appliquer [3]. Voici la réponse de Sainte-Beuve :

Il n'est pas mort, ami, ce poète, en mon âme ;
Il n'est pas mort, ami, tu le dis, je le crois.
Il ne dort pas, il veille, étincelle sans flamme ;
La flamme je l'étouffe, et je retiens ma voix.

Que dire et que chanter quand la plage est déserte
Quand les flots des jours pleins sont déjà retirés,
Quand l'écume flétrie et partout l'algue verte
Couvrent au loin les bords au matin si sacrés.

[...] Le mal qu'on savait moins se révèle à toute heure,
Inhérent à la terre, irréparable et lent.

1. Article sur Lamartine, déjà cité, recueilli dans *Portraits contemporains*, t. I (le poème fait partie de cet article, p. 295 et suiv., avec la variante « de la vie » ; repris dans les éditions des *Poésies* de Sainte-Beuve avec la même variante : éd. Michel Lévy, t. II, 1863 ; Charpentier, 1869).
2. Article sur Millevoye, *Revue des Deux Mondes*, 1er juin 1837 (= *Portraits littéraires*, t. I, pp. 415-416 = *Pl. I*, p. 1024).
3. Les vers de Musset furent publiés d'abord par Sainte-Beuve en 1837 dans ses *Pensées d'août*. C'est là que se trouve, répétant à peu près le membre de phrase de Sainte-Beuve, l'alexandrin souvent cité : « Un poète mort jeune en qui l'homme survit. » On peut les lire aussi dans les *Poésies nouvelles* de Musset.

> On croyait tout changer, il faut que tout demeure.
> Railler, maudire alors, amer et violent.
>
> À quoi bon ? — Trop sentir, c'est bien souvent se taire,
> C'est refuser du temps l'aimable guérison,
> C'est vouloir dans son cœur tout son deuil volontaire,
> C'est enchaîner sa lampe aux murs de sa prison[1].

Ces vers ne sont pas trop bons, et risqueraient de justifier la plainte de l'auteur. Mais leur *ton* annonce bien celui qui régnera quand le soleil romantique aura baissé sur l'horizon. Cet échange poétique entre Musset et Sainte-Beuve évoque un tarissement précoce d'inspiration et de vitalité ; thème ignoré des aînés romantiques, et destiné à occuper le centre du désenchantement poétique après le milieu du siècle : l'œuvre irréalisée, ou difficile, ou demeurée inconnue, sera l'amertume majeure des poètes, et leur orgueil secret, car l'inaccessibilité de leur but les distingue et les sacre. Cette lignée des exilés de l'Idéal, dans laquelle viendront se situer les plus glorieux écrivains et poètes de la génération suivante, est déjà célébrée dans *Volupté*, où Amaury veut consacrer quelque pierre druidique «aux grands hommes inconnus» : «Oui, aux grands hommes qui n'ont pas brillé, aux amants qui n'ont pas aimé ! à cette élite infinie que ne visitèrent jamais l'occasion, le bonheur ou la gloire ! aux fleurs des bruyères ! aux perles au fond des mers ! à ce que savent d'odeurs inconnues les brises qui passent ! à ce que savent de pensées et de pleurs les chevets des hommes[2] !» Et il n'est pas de talent, même vainqueur, qui puisse échapper à ce sacre secret de l'échec, si l'on admet que «tout triomphe en ce monde, même pour les fronts rayonnants, n'est jamais qu'une défaite plus ou moins déguisée[3]» ; ni de poésie pleinement glorieuse, si la poésie est désormais «une maladie pénétrante, subtile, une affliction plutôt qu'un don[4]».

---

1. Sainte-Beuve publia presque en même temps ce poème dans la *Revue de Paris*, le 23 septembre 1837, et dans les *Pensées d'août*.
2. *Volupté*, éd. citée, t. I, p. 213. On ne peut pas ne pas penser au final du *Guignon* de Baudelaire : «Maint joyau dort enseveli — Dans les ténèbres et l'oubli, — Bien loin des pioches et des sondes ; — Mainte fleur épanche à regret — Son parfum doux comme un secret — Dans les solitudes profondes.»
3. *Ibid.*, p. 214.
4. Article sur VIGNY, *Servitude et grandeur militaires*, dans la *Revue des Deux Mondes*, du 15 octobre 1835 (= *Portraits contemporains*, t. II, p. 54).

Du ministère du poète

Désenchantement douloureux ou bon sens revenu à lui ? Les dispositions contradictoires de Sainte-Beuve quand il prend ses distances avec le romantisme apparaissent mieux qu'ailleurs sur le sujet fondamental du sacerdoce poétique. Après les débuts timides de ce thème dans *Joseph Delorme*, il avait affirmé avec ferveur dans *Les Consolations* la mission spirituelle et humaine du poète[1]. À partir de 1834, les textes se multiplient, qui reviennent de cet enthousiasme. Tout d'abord sans renier l'idée elle-même, en approuvant même son essor humanitaire dans le cas des plus grands : « Les plus apparents à bon droit et les plus vénérés dans le groupe des poètes ont rempli par leurs chants quelque fonction religieuse ou sociale ; ils ont été, ou la voix éloquente et palpitante du présent, ou l'écho lamentable d'un passé détruit, ou l'ardente trompette des espérances et des menaces de l'avenir. Mais à côté, en dehors de ces grands rôles, il y en a d'autres qu'il ne faut pas cesser de revendiquer et de maintenir, parce qu'ils sont modestes, qu'ils sont vrais, [...] et parce qu'ils expriment, avec plus de distinction et de curiosité attentive, des sentiments et des délicatesses, pourtant éternelles, de l'âme humaine civilisée[2]. » Il reprend cette idée en 1839, en réponse à la préface que Lamartine avait mise à ses *Recueillements*, parus la même année, et où il pouvait traiter de haut la poésie en lui préférant l'action politique : « Quoi ! demande-t-il. [...] On ne pourrait remplir son rôle utile en s'enfermant [...] dans son *ministère* de poète et d'écrivain, en gardant pour toute tribune, sa chaire de philosophie, d'histoire ou même d'éloquence[3] ? » Il se donne le beau rôle en défen-

1. Voir *Les Consolations*, poèmes *À mon ami Leroux*, *À Alfred de Vigny*, *À mon ami M. P. Mérimée* (poèmes de 1829).
2. *Sur André Chénier*, dans *Le National*, 18 janvier 1834 (= *Portraits contemporains*, t. II, pp. 498-499).
3. Article sur les *Recueillements* de Lamartine, *Revue des Deux Mondes*, 1er avril 1839 (= *Portraits contemporains*, t. I, pp. 358-359). Ce qu'on appelait alors « éloquence » équivalait à peu près à nos « lettres pures ». — Voir aussi, dans la *Revue des Deux Mondes* du 1er février 1836, à propos du *Napoléon* de Quinet, les ironies de Sainte-Beuve sur ce genre de « tentatives épiques, napoléoniennes, sociales, saint-simoniennes, palingénésiques, humanitaires » (article recueilli dans les *Portraits contemporains*, t. II, pp. 307-308).

dant la dignité et la mission des lettres, mais c'est une mission modeste.

L'immodestie romantique a été communément l'un des thèmes de la critique conservatrice : le recours de Sainte-Beuve à ce thème serait un signe banal s'il n'était que cela, si le renoncement à une ambition si ancrée dans le romantisme ne trahissait chez lui un conflit et une blessure. En 1842, il est encore chattertonien ; il écrit, à propos d'Aloysius Bertrand et de sa triste carrière : «Constatons seulement, constatons la lutte inégale, et que la société moderne, avec ses industries de toute sorte, n'a fait que rendre plus dure.» Suit la fable du berger qui, ayant sacrifié trop des chèvres de son maître aux Muses, fut pour punition enfermé dans un coffre, et sauvé par les abeilles qui vinrent le nourrir de miel : «De nos jours, trop souvent aussi, pour avoir voulu sacrifier imprudemment aux Muses, on est mis à la gêne et on se voit pris comme dans le coffre ; mais on y reste brisé, et les abeilles ne viennent plus [1].» Que le critique rendu à la sagesse continue de plaindre en ces termes l'infortune du poète, c'est la preuve à nos yeux qu'on ne traversait pas le Cénacle et ses émotions sans en garder longtemps la marque. Ce reste de romantisme survivant à lui-même sans la foi contraste avec les propos et proclamations bien-pensantes qui abondent après 1840 chez Sainte-Beuve. Il fut alors hanté, d'année en année, par le projet d'un ressaisissement ou d'une réaction littéraire, encouragée au besoin par l'État et orientée par une critique judicieuse, par la *Revue des Deux Mondes*, par lui-même [2], tandis que le ministère ou la mission du Poète, au sens romantique, étaient désormais l'objet de sa part d'une incessante dérision. C'est

1. Notice placée en tête de : Aloysius BERTRAND, *Gaspard de la nuit*, édition originale posthume (1842) ; cette notice avait paru d'abord dans la *Revue de Paris* du 24 juillet 1842 (= *Portraits littéraires*, t. II, p. 364 ; *Pl. II*, p. 352).
2. Voir notamment *Dix ans après en littérature*, dans la *Revue des Deux Mondes*, 1er mars 1840 (= *Portraits contemporains*, t. II, p. 472 et suiv.) ; *Quelques vérités sur la situation en littérature*, ibid., 1er juillet 1843 (= *Portraits contemporains*, t. III, p. 415 et suiv.) ; *De la question des théâtres et du Théâtre-Français en particulier*, dans *Le Constitutionnel* du 15 octobre 1849 (= *Causeries du lundi*, t. I, p. 35 et suiv.) ; *Des lectures publiques du soir, de ce qu'elles sont et de ce qu'elles pourraient être*, dans *Le Constitutionnel* du 21 janvier 1850 (= *Causeries du lundi*, t. I, p. 275 et suiv.) ; et voir, dans l'article sur M. de Féletz, *Le Constitutionnel*, 25 février 1850 (= *Causeries du lundi*, t. I, p. 371 et suiv.), l'évocation nostalgique du groupe littéraire ultra-conservateur des *Débats* dans les années 1800.

ainsi qu'il engage les poètes à faire effort pour se faire apprécier des «hommes de sens et de goût» et de «la généralité des hommes réunis et établis en civilisation [1]»; qu'il dénonce ces êtres dangereux, qui comme René *entrent avec ravissement dans le mois des tempêtes*[2], «repris pour un rien du dégoût de la terre, de cette terre qu'ils veulent pourtant gouverner [...], tentés à la moindre contrariété, au moindre défi, de mettre le feu au vaisseau et de s'engloutir, eux et tout l'équipage, c'est-à-dire la société tout entière, comme le vaisseau *Le Vengeur*, pour avoir une belle mort sur l'océan [3]». Je ne rappelle cet aspect final de Sainte-Beuve que pour ne pas fausser la vérité de cette figure, si unique en somme. Le fait est qu'il se rapproche par ce côté-là, qu'il le veuille ou non, de l'école antiromantique commune et bourgeoise, celle de Nisard et de Planche[4]. S'étant mêlé d'abord, pour une large part, au romantisme par ses jugements et portraits littéraires, par ses romans, par sa poésie, il a laissé comprendre, en fin de compte, qu'il ne lui avait jamais vraiment appartenu. Il a été l'historien et le peintre d'un univers littéraire contemporain de lui, sans tout à fait parler pour lui ni s'engager tout à fait avec lui. Une autre tradition, un autre monde de civilisation intellectuelle, dont il sait à l'occasion faire l'apologie, le monde des littérateurs et des publicistes des tout derniers temps du siècle écoulé et des débuts du nouveau, et de leur longue postérité au XIXᵉ, dominèrent toujours son esprit, en même temps qu'il découvrait et vivait son époque. C'est ainsi qu'il a pénétré son siècle, à la fois en intime et en étranger. Aussi le désenchantement n'affecta-t-il jamais chez lui toute

1. Article sur la séance de réception de Vigny à l'Académie, *Revue des Deux Mondes*, 1ᵉʳ février 1846 (= *Portraits littéraires*, t. III, p. 406-407; *Pl. II*, pp. 869-870); article sur Hégésippe Moreau, *Le Constitutionnel*, 21 avril 1851 (= *Causeries du lundi*, t. IV, p. 55).
2. «J'entrai avec ravissement dans le mois des tempêtes.» (CHATEAUBRIAND, *René*.)
3. SAINTE-BEUVE, *Chateaubriand et son groupe littéraire sous l'Empire*, Paris, 1860, t. II, pp. 107-108 (cours professé à Liège en 1848-1849). — Et voir l'article indécemment virulent sur Laprade, poète et opposant à l'Empire, dans *Le Constitutionnel* du 16 septembre 1861 (= *Nouveaux Lundis*, t. I, p. 3-21); aussi l'article sur Vigny dans la *Revue des Deux Mondes* du 15 avril 1864 (= *Nouveaux Lundis*, t. VI, pp. 412 et 423, toujours contre l'excessive prétention spirituelle des poètes); également dans *Proudhon*, 1872, p. 249.
4. Toute cette école, jusqu'à Taine y compris, s'efforce surtout, dans ses diatribes antiromantiques, de répudier l'exorbitante image que les poètes se font de leur personne et de leur mission.

la personne : il eut toujours son recours dans cette culture tempérée et ouverte aux idées, nourrie des traditions littéraires et amie des réalités, dans ce commerce des esprits « réunis en civilisation », comme il dit ; c'est à ce fonds antérieur qu'il puisa sans cesse la pertinence et la richesse de sa critique. Il est vrai qu'en désavouant les espérances de ses grands contemporains il fit aussi un pas vers la génération suivante ; elle reçut sans doute l'écho de son désenchantement, mais sans se reconnaître en lui. Elle vivait un nouveau romantisme, aussi exalté que désenchanté, né tout entier de la substance du premier. Sa situation à lui, son héritage, ses solutions étaient autres.

Charles Nodier

Nodier, précurseur et guide du romantisme, fut cependant depuis toujours différent et dissident par rapport à l'ensemble du mouvement. Depuis sa jeunesse, il avait moins varié qu'il ne semble : la nostalgie des temps primitifs, le vœu d'une littérature émancipée des habitudes classiques, l'idée d'une sensibilité portée aux extrêmes, entre la vie farouche et le pâle regret, enfin le désenchantement du monde et la dénonciation du siècle civilisé comme une décadence ont été, de 1800 à 1830, le fond de sa façon de penser et de sentir. Dans les dernières années de cette période, il avait appuyé le jeune romantisme, dont il était de vingt ans l'aîné, quoiqu'il n'eût jamais partagé les espoirs en l'avenir humain que professaient les principaux auteurs et partisans de la réforme littéraire [1]. À partir de 1830, il prit de plus en plus ses distances avec cet optimisme. Il ne partagea pas les spéculations plus ou moins prophétiques, inquiètes mais éclairées d'une lumière favorable, du romantisme français. Il ne vit pas matière de foi présente ou future dans le monde qui l'entourait.

Y a-t-il une politique de Nodier ?

Ce n'est pas que 1830 et ses lendemains l'aient déçu, comme tant d'autres qui y avaient mis plus d'espoir que lui. Au

---

1. J'ai déjà considéré ailleurs (*Le Sacre de l'écrivain*, p. 209 et suiv., 335 et suiv.) le Nodier de cette première époque ; j'y reviendrai ici sous d'autres aspects pour y chercher des clartés sur ce qui, au temps du romantisme victorieux, continue à distinguer Nodier.

contraire, après Juillet, il s'est déclaré à plusieurs reprises satisfait du nouveau régime. Il avait évoqué en 1829, dans un article sur *Les Prisons de Paris sous le Consulat*, les discussions des détenus de cette époque sur «le meilleur des gouvernements possibles»; dans l'édition en volume de cet article en 1831, il ajoute cette note : «Aujourd'hui la question que j'abordais avec une réticence nécessaire [...] paraît à peu près décidée, si de nouvelles erreurs n'en diffèrent pas la solution. Qui vivra verra[1].» Plusieurs déclarations analogues sont contemporaines de celle-là[2]. Cette sorte d'adhésion, qui exclut à la fois la royauté légitime et la république, ne s'est pas démentie dans les années suivantes, mais d'autres textes nous en font mesurer la portée exacte; ainsi : «Tout système politique est faux, parce que la société est une déception, et qu'il n'y a point de perfection possible dans le faux[3].» En 1837, Nodier se félicite que la France vive un moment de sérénité et de réflexion, mais voici en quels termes : «Cette disposition, écrit-il, est le résultat d'une halte merveilleuse que la civilisation a faite depuis quelques années sur la pente de la barbarie, à la suite de certains événements qui paraissaient propres à l'y précipiter sans retour, et dont les conséquences doivent s'accomplir tôt ou tard, car les sociétés sont mûres dans notre occident décrépit. On ne saurait donc profiter trop vite de ces dernières lueurs de la raison humaine[4].» En présence de ces considérants apocalyptiques, si éloignés de la rhétorique habituelle du Juste-Milieu,

1. L'article avait paru dans la *Revue de Paris* de juillet 1829, p. 5 et suiv.; il est repris dans les *Souvenirs, épisodes et portraits pour servir à l'histoire de la Révolution et de l'Empire*, 2 vol., Paris, 1831 (la note que je reproduis est au tome II, p. 100).

2. Voir la Préface de Nodier aux *Fragments sur les institutions républicaines*, de Saint-Just, recueillie dans les *Souvenirs de la Révolution et de l'Empire*, 2 vol., Paris, 1850 (réédition de l'ouvrage cité à la note précédente; il y sera fait désormais référence en abrégé : *Souvenirs...*), t. I, p. 359; la lettre du 6 juillet 1831 à son ami Weiss, dans Ch. NODIER, *Correspondance inédite*, éd. A. Estignard, Paris, 1876, p. 240 (dorénavant : *Corr.*); *De la république*, dans la *Revue de Paris*, janvier 1831 (article recueilli dans les *Souvenirs...*, éd. de 1850, t. II, *in fine*). — Tous ces écrits attestent une forte défiance à l'égard de la République.

3. *De la république*, article déjà cité, p. 377. Il faut entendre «déception» au vieux sens de tromperie.

4. Introduction de Nodier à une *Biographie contemporaine ou Histoire publique et privée de tous les hommes morts ou vivants qui ont acquis la célébrité depuis la Révolution française jusqu'à nos jours*, Paris, Louis Babeuf, 1837 (Bibl. nat. Ln² 54), p. 10. Les événements auxquels il fait allusion sont sans doute les émeutes et les insurrections des premières années de la monarchie de Juillet, et la halte, la tranquillité politique relative qui suivit.

on se demande si Nodier est susceptible d'être qualifié politiquement.

Il connaissait bien le caractère partisan de la littérature sous la Restauration, quand il évoquait rétrospectivement « cette littérature bicéphale, qui était née du malheur des temps comme Python du déluge[1] ». Il est de fait que toute la littérature, entre 1800 et 1830, est divisée en deux camps. Mais les variations de Nodier le rendent difficile à situer : on l'avait vu jacobin à quatorze ans, en 1794, et suspect à Thermidor ; cinq ans plus tard, antijacobin à l'extrême et brumairien avec scandale, au point de choquer ses compatriotes bisontins. À Paris, où il fit trois séjours successifs entre décembre 1800 et janvier 1804, il est parfois bonapartiste et, si l'on en juge par une lettre adressée à sa sœur Élise, transporté à la vue du Premier consul passant une revue : « Quel homme que Bonaparte ! Comme on l'aime ! Comment on l'admire ! Comme on déteste ses ennemis[2] ! » Cependant il écrit à la même époque, et peut-être dans le même temps, une ode restée fameuse, *La Napoléone*, où il déchire Bonaparte, sans qu'on sache si son indignation est royaliste, puisqu'il apostrophe dans le dictateur le bénéficiaire du meurtre de Louis XVI :

> *Lâche héritier du parricide,*
> *Il dispute aux bourreaux la dépouille des rois,*

ou si elle est républicaine, puisqu'il invoque contre lui « le poignard de Brutus[3] ». Cette ode lui valut plusieurs semaines de

1. « Préface nouvelle » (1832) de son roman *Adèle*, dans *Œ. C.*, 12 vol., Paris, Renduel, 1832-1841, t. II, p. 137. Cette édition sera dorénavant citée en abrégé : *Œ. C.*
2. Lettre reproduite par Pierre de VAISSIÈRE, *Charles Nodier conspirateur*, dans *Le Correspondant* du 25 octobre 1896, pp. 291-294 ; elle est du 25 nivôse (= 15 janvier [1801 ou 1802]).
3. La lettre à Élise est datée du 25 nivôse : an X, suppose-t-on, c'est-à-dire 15 janvier 1802, lors du second séjour de Nodier à Paris ; mais elle peut aussi dater du premier, exactement un an avant. Quant à *La Napoléone*, on ignore sa date précise, mais elle était déjà répandue à l'automne de 1802 (elle parut dans le n° VII de *L'Ambigu* de Peltier, p. 168 ; ce périodique contre-révolutionnaire qui paraissait à Londres ne datait pas alors ses numéros ; le VII fait allusion au renvoi de Fouché, qui eut lieu le 15 septembre 1802, et parle de l'an X comme entièrement écoulé : il s'acheva le 22 septembre 1802). Du point de vue qui nous intéresse ici, constatons que la lettre à Élise et la composition de l'ode ne peuvent être distantes, au plus, que de dix-huit mois, et le sont probablement de beaucoup moins.

prison à Paris. C'est précisément en 1802 qu'il fit paraître *Les Proscrits*, roman de l'émigration, où l'on déteste les tyrans de 1793 ; mais cette détestation, sentiment pour ainsi dire universel alors, ne prouve pas qu'il fût royaliste décidé. On lit d'ailleurs dans ce même roman des réflexions comme celle-ci : « Les révolutions sont de grandes maladies qui affligent l'espèce humaine, et qui doivent se développer à des temps marqués. C'est par elles que les nations se purifient, et que l'histoire devient l'école de la postérité. Non, ce bouleversement n'est point un ouvrage de ténèbres, préparé dans l'ombre de quelques nuits, par une poignée de fanatiques et de séditieux ; c'est l'ouvrage de tous les siècles, le résultat essentiel et inévitable de tous les événements passés, et pour que ce résultat ne fût point produit, il aurait fallu que l'ordre de l'univers fût violé [1]. » Cette façon de voir aboutit naturellement à une conclusion qui exclut la vengeance contre-révolutionnaire : « Pardonnez, c'est l'acte le plus juste [2]. » D'ailleurs Nodier, en 1803 et 1804, collabora à *La Décade* « philosophique » [3], et non au *Mercure* royaliste, avec les rédacteurs duquel il n'avait apparemment pas de relations.

De retour dans sa province, il participa en 1805 à une conjuration de café, où l'on voit se mêler d'anciens jacobins et d'anciens émigrés, et pour laquelle il fut arrêté et placé sous surveillance. Plus tard, sous la première Restauration, dans l'ouvrage qui s'intitule *Histoire des sociétés secrètes* [4], il devait grossir démesurément cet épisode, et se référer à l'alliance des royalistes et des républicains contre l'Empire comme à un fait politique d'une vaste importance. En 1829 encore, il est fier de rappeler, dans une lettre à celui qui, comme préfet du Doubs, l'avait interrogé en 1805, qu'au cours de son interrogatoire il avait appelé son jeune prévenu « le trait d'union des jacobins

---

1. *Stella ou Les Proscrits*, Paris, an X (1802), B. N. Rés. Y²3665, p. 13.
2. *Ibid.*, p. 17. Il faut entendre, dans le contexte, qu'il prêche le pardon envers les jacobins comme l'acte « le plus juste ».
3. Voir, sous ces années, la *Bibliographie critique des œuvres de Charles Nodier*, de Jean Larat, Paris, 1923.
4. *Histoire des sociétés secrètes de l'armée, et des conspirations militaires qui ont eu pour objet la destruction du gouvernement de Bonaparte*, Paris, 1815 (ouvrage annoncé dans la *Bibliographie de la France* du 14 janvier, n° 104 ; reproduit au t. II des *Souvenirs...*, éd. de 1850. — On croit que cet ouvrage fut écrit en collaboration par plusieurs auteurs, d'après des témoignages de Nodier lui-même (voir Hans Peter LUND, *La Critique du siècle chez Nodier*, n° spécial 13, 1978, de la *Revue romane* de Copenhague, p. 205, n. 134) ; néanmoins, la marque de Nodier y est visible en beaucoup d'endroits.

et des royalistes» contre l'Empire [1]. Qu'il eût été ou non ce trait d'union, cela ne l'empêcha pas d'écrire en 1807, en réponse à un sujet de concours proposé par l'Académie de Besançon, un mémoire : *De l'influence des grands hommes sur leur siècle*, où il porte aux nues Napoléon, héros régénérateur de l'ordre social [2]. En 1812, il accepte un poste du gouvernement impérial en Illyrie sous l'autorité et la protection de Fouché, qui déjà doutait de l'avenir du régime napoléonien.

L'empire tombé, ce début de carrière fut anéanti, et il n'obtint aucune faveur appréciable de la royauté restaurée. Il rédigea, dès avril 1814, une requête au comte d'Artois en vue d'obtenir la croix de Saint-Louis, invoquant «six ans de service intérieur et divers jugements capitaux qui ont été suivis de neuf ans de proscription»; mais il semble avoir gardé ce projet de supplique par-devers lui [3]. Heureusement, un libéral, Étienne, l'avait introduit un peu auparavant au *Journal de l'Empire*, où il se retrouva à la Restauration. Ce journal reprit son nom de *Journal des Débats*, et sa couleur des années 1800 ; et Nodier y commença bientôt, ainsi que dans divers journaux ultras, une grande carrière de feuilletoniste et de polygraphe, volontiers pourfendeur des «sophistes» du siècle passé et apologiste de la Vendée.

Mais, tandis qu'il fait tout ce qu'il peut pour accréditer son

1. Lettre de Nodier à De Bry, du 19 décembre 1829, reproduite dans Boyer de Sainte-Suzanne, *Notes d'un curieux*, Monaco, 1878, p. 401. — Cependant Roujoux, qui, comme sous-préfet de Dole, avait protégé et bien connu Nodier à la même époque, n'en revenait pas d'apprendre, en 1814, que dans l'*Histoire des sociétés secrètes...* en préparation, Nodier prétendait avoir conspiré pour les Bourbons : «Je ne me serais jamais douté que le jacobin Nodier fût un royaliste!» (Lettre de Roujoux à Weiss, du 27 décembre 1814, citée par Georges GAZIER, *La Jeunesse de Charles Nodier*, dans la *Revue d'histoire littéraire de la France*, t. 29 (1922), p. 448.)
2. NODIER, *De l'influence...*, Copyright by L'Homme au sable et l'Académie de Besançon, 1979 (manuscrit autographe, 1807, aux Archives de l'Académie de Besançon). J'en dois un exemplaire, ainsi que de précieux renseignements sur *La Napoléone*, à M. Jacques-Rémi Dahan, à qui j'adresse ici mes cordiaux remerciements.
3. Voir, sur cette requête (manuscrit n° 1417 de la bibliothèque de Besançon), Léonce PINGAUD, *La jeunesse de Charles Nodier*, Besançon, 1914, p. 114. Il n'osa sans doute l'envoyer, faute d'appui royaliste sérieux. — Dans une lettre à Michaud, publiciste royaliste en vue et directeur de *La Quotidienne*, en date du 30 novembre 1823, reproduite dans les *Autographes de Mariemont*, IIe partie, t. II, Paris, 1959, il se plaint amèrement de n'avoir rien obtenu des Bourbons malgré ses services. Ils lui avaient seulement (voir *ibid.*, p. 652 et note) continué en 1815 la pension de 1 500 francs qu'il avait eue de Napoléon.

royalisme passé et présent — la publication de l'*Histoire des sociétés secrètes*, en 1815, eut en partie cet objet [1] —, on voit à plus d'un signe que la France ultra n'est vraiment pas la sienne : en 1818, il publie une brochure en faveur des républicains exilés ; un peu plus tard, il refuse d'écrire contre Benjamin Constant, cible de prédilection de la presse ultra [2]. En 1829 et 1830 surtout, il commença la publication de ses *Souvenirs...* sur la Révolution et l'Empire, où transparaît un vif sentiment de la grandeur des événements et des hommes de cette époque, qui ne l'a jamais quitté. Il trouvait, décidément, que les excès ou les folies de la Révolution « avaient au moins un grand caractère et faisaient vivre l'âme dans une haute région de passions et d'idées [3] ». Il écrit cela, il est vrai, sous le ministère relativement libéral de Martignac ; mais il ne s'était pas gêné pour publier dès 1818 le roman d'un brigand à doctrine, ennemi du pacte social, partisan de la loi agraire et aspirant à la régénération de la société, partagé entre le sentiment du néant et l'idéal le plus sublime. Ce roman, *Jean Sbogar*, fit naturellement scandale quand il parut : « Livre pernicieux, écrivait un critique royaliste, quoique échappé à la plume d'un honnête homme [4]. » Un lecteur du camp opposé, admirateur du roman, ayant fréquenté peu après Nodier dans un café de Lons-le-Saulnier, fut stupéfait de le trouver si peu semblable à son héros ; il écrivait à Weiss : « Lothario [...] qui se récrie contre les augures, les praticiens [...] s'est fait sous le nom de Char-

---

1. Sur ce point particulier, et plus généralement sur l'attitude de Nodier dans les débuts de la Restauration, voir l'ouvrage déjà cité de Hans Peter Lund, p. 41 et suiv.

2. Voir *Des exilés*, Paris, 1818 : brochure anonyme, recueillie ensuite dans les *Souvenirs...*, éd. de 1850, t. II ; 1818 était l'époque du ministère Decazes, à la modération duquel les ultras s'opposaient ; l'attribution de la brochure à Nodier est généralement admise. — Sur le refus de Nodier d'écrire contre Constant, voir Jules Marsan, *Notes sur Ch. Nodier*, extrait des *Mémoires de l'Académie de Toulouse*, 10e série, t. 12, (1912), pp. 21-22, reproduit dans *Autour du romantisme*, Toulouse, 1937, p. 49. La lettre est citée sans date, et supposée adressée à Martainville, directeur du *Drapeau blanc*, auquel Nodier collabora surtout en 1819 et 1820 : Nodier dans cette lettre cite, avec Benjamin Constant, deux autres libéraux, Étienne et Laffitte, dont dit-il, « je ne pourrais insulter le nom sans couvrir le mien d'infamie, parce qu'ils m'ont autrefois aimé, protégé et secouru ».

3. *De Robespierre le jeune*, dans la *Revue de Paris*, avril 1829, p. 45 (= Œ. C., t. VII, p. 290).

4. Laurentie, dans *Le Spectateur religieux et politique*, 1818, t. I, p. 171. Laurentie, codirecteur de *La Quotidienne*, a bien connu Nodier, qui faisait alors profession de royalisme et collabora à ce journal.

les Nodier l'apôtre du bon vieux temps et le détracteur du siècle. C'est un ultra-royaliste[1]. » Cet inconnu avait tort de vouloir situer Nodier sur un registre unique. À la fin du règne de Louis XVIII, Nodier obtint la direction de la bibliothèque de l'Arsenal. Il ne semble pas qu'il ait eu en Juillet une attitude bien prononcée. D'un régime à l'autre, il conserva son poste. Il avait pu faire respecter la bibliothèque pendant l'insurrection, et il avait beaucoup d'amis dans le parti vainqueur[2]. C'est dans cette situation que nous le trouvons au début du règne de Louis-Philippe. Il n'avait pas de raison de condamner cet avènement.

Que conclure? et comment juger le comportement politique de Nodier? Ses meilleurs amis pensaient qu'il n'avait jamais eu en ce domaine aucune conviction réelle, et n'ignoraient rien de ses variations, ni de sa capacité d'affabulation, qui fut légendaire, en matière de témoignage sur l'histoire récente[3]. La critique moderne, scrutant les circonstances particulières et la chronologie de plusieurs des attitudes de Nodier, les a parfois rapportées aux intérêts de carrière de cet écrivain sans fortune, qui au temps de sa mort, à propos des visites que lui faisaient d'illustres personnages, eut ce mot mélancolique : «Croirait-on que je n'ai jamais été qu'un pauvre diable[4]? » Le mot est d'une humilité excessive dans sa position, mais il aide à le connaître. Pauvre diable ou non, il pouvait avoir ses raisons,

1. Lettre citée par Pingaud, *op. cit.*, p. 123. Lothario est, dans le roman, un des noms de Sbogar. «Augures» = prêtres; «praticiens» = magistrats.
2. Voir sa lettre du 12 octobre 1830 à Weiss (*Corr.*, p. 230 et suiv.); d'après sa fille (Marie Mennessier-Nodier, *Charles Nodier*, Paris, 1867, pp. 316-318), Nodier aurait convaincu des insurgés, qui voulaient occuper la bibliothèque comme poste de tir, de ne pas le faire et d'assurer plutôt la protection de l'édifice; d'autres disent qu'il y employa la Garde nationale, mais Charles X l'avait dissoute en 1827, et l'on ne vit reparaître ses uniformes qu'en juillet, mêlés aux insurgés, ce qui fut peut-être le cas à l'Arsenal. Nodier dit dans sa lettre : «L'Arsenal a été mis par mes soins à l'abri de toute violence», puis : «Mes opinions étaient connues depuis dix ans [...] et c'est dans l'ordre des choses actuel que je compte le plus d'amis. »
3. Ainsi Ch. Weiss (papiers Weiss, bibliothèque de Besançon, n° 1777, texte cité par Pingaud, *op. cit.* p. 79) : «Il n'avait alors et je crois qu'il n'a jamais eu depuis aucune opinion arrêtée sur la meilleure forme de gouvernement ni sur les institutions qui conviennent à un grand peuple»; et Francis Wey, *Charles Nodier* (article nécrologique dans la *Revue de Paris*, février 1844, p. 39) : «A vrai dire, et dans l'acception matérielle du mot, Nodier n'eut jamais d'opinion politique. »
4. Le mot est rapporté par sa fille (*op. cit.*, p. 339).

autres qu'intéressées, de ne vouloir rejeter ni royalistes ni libéraux. Ses changements peuvent bien avoir traduit le désir de concilier ce qui subsistait de l'ancienne France et ce qui, de la nouvelle, ne pouvait être refusé. On l'a vu tel dès le début, dans ce qui a été dit plus haut des *Proscrits*. La grande fable ultérieure de l'alliance jacobine et royaliste peut signifier ce vœu de continuité. Au plus fort de son supposé royalisme, Nodier souhaitait toujours réunir le passé et le présent [1]. Dans la France irréconciliable de la Restauration, le vœu de synthèse était profond [2]. La monarchie de Juillet put sembler à Nodier, comme à beaucoup d'autres, une solution dans ce sens. Il se sentit lui-même délivré de la pression des partis contraires et il envisagea un avenir favorable pour la France, si l'on n'allait pas trop loin. Il fut donc modéré, si l'on peut dire, sous deux drapeaux ; mais il le fut surtout avec singularité, car, à la différence du commun des modérés, il était convaincu de vivre en un temps où des désastres majeurs, dominant de loin l'horizon, rendaient fragile toute conduite des affaires terrestres. C'est là ce qui le distingue : les vues qu'il pouvait partager avec les sages du temps sur la meilleure façon de gouverner la France ne sont pas son affaire principale ; tout chez lui cède à une plainte répétée sur la perte des biens originels et la décadence du monde. C'est par là que Nodier apparaît, alors que la modération politique triomphe selon ses vœux, comme quelqu'un qui reste à part, et que le mouvement général n'entraîne pas.

La marque de 1800

Il faut considérer cette originalité à sa source et revenir sur les choix, non plus politiques, mais philosophico-littéraires, du

1. Voir sur ce sujet H. P. Lund, *op. cit.*, toute la deuxième partie.
2. La France, à cet égard, n'a pas beaucoup changé en presque deux siècles : difficile à réconcilier aujourd'hui encore, elle a plus que jamais les extrêmes en défiance. On a beaucoup parlé des « girouettes » de ce temps-là : dignitaires et fonctionnaires notables qu'on retrouve aux mêmes places dans les conjonctures politiques les plus diverses. Le même fait s'est vu dans d'autres époques troublées. L'opinion traite mal les serviteurs inébranlés de tous les régimes ; mais elle n'aime pas non plus que chaque pouvoir nouveau change les hommes en place. C'est que les « girouettes » ne tournent qu'en apparence ; elles sont, au contraire, ce qui, d'un régime à l'autre, ne change pas. Aussi ceux qu'on qualifie ainsi n'ont-ils à subir le plus souvent d'autre châtiment que la satire publique. Nodier, dans sa position modeste, n'attirait guère l'attention. Il se gouverna comme il put, au gré de sa convenance et de ses humeurs, sans se trahir jamais à proprement parler.

premier Nodier. Il se définissait à dix-neuf ans, avant même d'être venu à Paris, dans les termes suivants : «J'ai perdu le tact exquis de la sensibilité en l'exerçant sur des chimères et je me suis usé sans avoir joui[1].» La formule, à cette époque, sous mille variantes de forme, est banale. Mais elle peut, comme toute formule à toute époque, abriter des sens extrêmement divers, selon les familles d'esprit. Chateaubriand et Senancour l'emploient l'un et l'autre pour philosopher à l'opposé l'un de l'autre. Or, c'est bien Senancour qu'aime surtout le jeune Nodier : il fréquente et admire, à Paris, les peintres «méditateurs», héritiers amers, comme Senancour, du primitivisme philosophico-sentimental des générations précédentes. Ils expliquent leurs tourments, comme Rousseau, par les chimères impuissantes de l'humanité civilisée ; s'ils se séparent de Rousseau, c'est par l'idée d'une déchéance sans remède des formes sociales. Étrangers aux consolations de la mélancolie néo-catholique, ils maudissent la vie par référence à un âge d'or humain perdu, et n'attendent nulle compensation céleste à cette perte. Ils n'admirent que les grandes œuvres primitives, ou réputées telles, la Bible, Homère, Pythagore, Ossian ; et la littérature des modernes, selon leur goût, ne peut être qu'une littérature de deuil, de bien-aimées mortes, de paysages nocturnes, d'errances désenchantées et de suicides. Nodier a beaucoup écrit sur ce ton, de 1802 à 1806 ; c'est dans cette région qu'il a fait ses premiers pas notables en littérature[2]. Ce type de désespérance était sensiblement différent de la mélancolie qui avait cours alors dans les milieux littéraires de la contre-révolution, et qui essayait de s'apparenter à la sensibilité religieuse traditionnelle.

Il est vrai que Nodier a publié dans ses *Méditations du cloître*,

---

1. Lettre de Nodier à son ami Goy, 17 brumaire an VIII (= 8 novembre 1799), publiée par Émile Monot, *En l'honneur de Charles Nodier*, dans *Le Vieux Lons* (1912), pp. 109-111. La lettre aboutit à des réflexions sur le suicide.
2. À cette veine appartiennent *Les Proscrits* (1802), *Le Peintre de Saltzbourg* (1803), *Essais d'un jeune barde* (1804), *Les Tristes* (1806). — J'ai essayé, dans mon *Sacre de l'écrivain*, de donner une idée des «méditateurs», si importants dans la formation du jeune Nodier, d'après ce que j'en savais alors. On peut consulter aujourd'hui, pour plus ample documentation, George Levitin, *The Dawn of Bohemianism*, The Pennsylvania State University Press, 1976, et l'excellent article de Jacques-Rémi Dahan, *Charles Nodier et les Méditateurs*, dans la revue *Lendemains* (Berlin), n° 25-26, février 1982, pp. 71-82.

en 1806[1], une apologie de l'institution monacale qui a dû
choquer, s'ils l'ont lue, les philosophes de *La Décade*. En effet,
le décor claustral de ces *Méditations*, les formules catholiques
que Nodier emploie, la thèse même qu'il affecte de soutenir,
et une grande citation de Pascal à la fin, avaient quelque chose
qui rappelait, en plus véhément, le récent *Génie du christianisme*.
Mais sous ces dehors habite une étrange pensée : selon Nodier,
l'institution des cloîtres, survenant au moment où le monde
civilisé gréco-romain succombait devant les Barbares, a eu pour
fin et pour heureux effet, en multipliant les communautés solitaires, d'empêcher la civilisation de se rétablir : « La manie de
la perfectibilité, écrit Nodier, d'où dérivent toutes nos déviations et toutes nos erreurs, était déjà près de renaître ; le monde
allait se policer pour la seconde fois. » C'est ce danger, si on
l'en croit, qu'ont voulu écarter les fondateurs de la vie monas-
tique, disciples anticipés, en somme, dans leur antipathie pour
la civilisation, de Rousseau et de Senancour. Non que la barbarie ait été bonne à leurs yeux ; mais, en faisant le vide, elle
permettait à « des hommes d'une austère vertu et d'un caractère auguste », sinon de rétablir la félicité primitive devenue
à jamais chimérique, du moins d'ériger, « comme le dépôt de
toute la morale humaine, les premières constitutions monas-
tiques[2] ».

Cette interprétation toute gratuite du monachisme chrétien
n'a d'autre objet que de permettre un parallèle entre ses causes prétendues et le mal du XIXe siècle naissant tel que
l'éprouve Nodier. La révolution a engendré aussi une sorte de
barbarie, et il conviendrait qu'un nouveau monachisme réta-
blît, sur la civilisation ruinée, les valeurs essentielles de la vie
morale. Quelle autre issue autrement, pour les fils de cette épo-

1. 1806 est bien la date à laquelle parurent les *Méditations du cloître* (dans le
recueil intitulé *Les Tristes ou Mélanges tirés des tablettes d'un suicide*, à Paris, chez
Demonville, 1806, B.N., Rés. Z. Le Masle 301, pp. 83-104) — et non (comme
le disent les biographes) en 1803, à la suite de l'édition originale du *Peintre de
Saltzbourg* parue à cette date, où il est facile de voir que ces *Méditations* ne se trouvent
pas. Cependant Nodier, publiant de nouveau, longtemps après, ses œuvres de
jeunesse, a placé les *Méditations* à la suite du *Peintre* et les a datées *in fine* de 1803
(ainsi au t. II, 1820, des *Romans, nouvelles et mélanges*, Paris, Gide fils, Ponthieu
et Ladvocat, 6 vol., 1820-1822, et au t. II, 1832 des *Œ. C.*, éd. Renduel). Les
Méditations du cloître n'ont donc paru qu'en 1806, quoiqu'elles aient pu être écrites
en 1803.

2. *Les Tristes*, p. 90.

que deshéritée, que le crime ou le suicide[1]? C'est d'un tel ordre de pensées que naît cette invective au «novateur séditieux» qui, sous la Révolution, ferma les cloîtres : «Porte, si tu le veux, le flambeau d'Érostrate dans l'édifice social, mon cœur est assez aigri pour t'approuver; mais puisque le ciel a voulu que nous habitassions une terre imparfaite où rien n'est achevé que la douleur, n'essaie plus désormais [...] ces réformes partielles qui ne doivent servir de monument qu'à ta nullité[2]»; autrement dit, puisque ce réformateur partiel et impuissant n'a pu nous rendre la perfection des temps primitifs, pourquoi nous a-t-il ôté le refuge des couvents[3]? Il ne faut pas se tromper sur le principe qui dicte à Nodier sa défense de l'institution monacale. C'est un désenchantement radical, générateur d'amertume et de révolte plutôt que de foi, qui dicte ces pages; et c'est ainsi qu'il faut entendre le cri final, que l'auteur a mis en majuscules : «Cette génération se lève, et vous demande des cloîtres[4].»

Une bonne preuve, si l'évidence ne suffisait pas, que cette injonction fracassante du jeune Nodier ne naît pas d'une source vraiment religieuse, c'est le peu de consistance que revêt son parallèle entre les premiers moines chrétiens et les fils de son siècle. Le portrait qu'il fait de ces derniers évoque surtout une puissante et incoercible vitalité contrariée, et non une ferme préférence de l'autre monde à celui-ci : le cloître, s'il peut soustraire de telles natures au suicide violent, semble ne pouvoir leur en offrir qu'un autre dans la claustration même : «Voilà, dit-il, une génération tout entière à laquelle les événements politiques ont tenu lieu de l'éducation d'Achille. Elle a eu pour aliment la moelle et le sang des lions, et maintenant qu'un gouvernement qui ne laisse rien au hasard et qui fixe l'avenir a restreint le développement dangereux de ses facultés [...], sait-on

1. Dans *Le Peintre de Saltzbourg*, dont l'esprit est voisin de celui des *Méditations*, à peu près tous les personnages principaux sont aux prises avec l'alternative cloître-suicide, et l'un d'eux au moins, étant entré au cloître, s'y donne la mort.
2. *Les Tristes*, pp. 99-100.
3. La différence est sensible entre cette apologie des cloîtres et celle que fait, un peu avant lui, Chateaubriand : dans sa *Lettre au citoyen Fontanes* de 1800; dans *Le Génie du christianisme*, chap. «Du vague des passions»; et dans la *Défense du Génie du christianisme* : on le voit, quant à lui, dans ces divers textes, et dans leurs remaniements, occupé d'accorder son plaidoyer avec l'orthodoxie et la tradition chrétiennes.
4. *Les Tristes*, p. 102.

ce que tant de passions oisives et d'énergies réprimées peuvent produire de funeste ? sait-on combien il est près de s'ouvrir au crime, un cœur impétueux qui s'est ouvert à l'ennui ? Je déclare avec amertume, avec effroi ! Le pistolet de Werther et la hache des bourreaux nous ont déjà décimés [1].» Cette génération au désespoir comminatoire est, dans l'esprit de Nodier, celle en qui la dictature de Bonaparte a étouffé l'énergie dont l'époque révolutionnaire avait doué son adolescence. Sainte-Beuve a longuement commenté ces lignes dont il a senti l'importance ; il appelle la génération de Nodier «une génération poétique jetée de côté et *interceptée* [2]».

Au commencement était donc la Révolution, qui fut inhumaine, et impuissante à tenir ce qu'elle avait promis, et dont l'étouffoir impérial ne fit qu'accomplir l'échec. L'espérance ayant été déçue, et comme par défi aux Lumières sans vertu, Nodier demande des cloîtres ; mais, ne croyant pas davantage en l'Église, il les demande dans un style hétérodoxe, tout de désespoir et de révolte. En vérité, il les demande et n'en a que faire. On comprend pourquoi, dans le temps même où il écrivait les *Méditations*, il oscillait, à l'égard de la Révolution, entre la fidélité et le reniement, et comment une politique moyenne pouvait n'être chez lui que le refuge d'une conscience partagée. Mais le vrai Nodier est ailleurs, dans l'extrême douleur d'un bien devenu hors d'atteinte, d'une condition originelle de notre espèce, à jamais perdue. Il n'a jamais varié en cela ; voici comme en 1831 il remémore son mal de 1800 : «C'était l'horrible symptôme d'une passion inconnue, innommée et cependant commune à la plupart des âmes que la nature avait empreintes, en ce temps-là, d'un caractère d'énergie et d'exaltation ; c'était un besoin profond et douloureux d'épreuves, d'agitations, de souffrance et surtout de changement, la révélation d'un invincible instinct de destruction, d'anéantissement social, réprimé au sein d'un peuple dompté par des institutions de fer, ou distrait dans les camps par des ambitions sanglantes, mais qui rugissait du fond des âmes oisives [3].» La même

---

1. *Ibid.*, pp. 101-102.
2. Sainte-Beuve, article sur Nodier, dans la *Revue des Deux Mondes* du 1er mai 1840, recueilli dans les *Portraits littéraires*, t. I, pp. 445, 463 (= *Pl. II*, p. 297 et suiv.).
3. *Clémentine*, dans la *Revue de Paris*, juillet 1831 (= *Œ. C.*, t. X, p. 127) : c'est un des contes qui formèrent le recueil des *Souvenirs de jeunesse*, publié la même année, et qui fut réédité en 1834 en tant que tome X des *Œ. C.* Il faut entendre : «un invincible instinct [...] réprimé [...] ou distrait [...] mais qui rugissait», etc.

année, il complète le souvenir de cette frénésie par des aveux plus désolés : « Enfants, notre expansion turbulente était celle d'une ferveur pour la vérité en qui l'on croit longtemps, mais promptement aigrie par les déceptions de la vie [...] ; c'était la fièvre aiguë de l'amour trahi, du patriotisme abusé, du désenchantement de cette félicité sociale impossible [1]. » Dans le dialogue qu'il s'est plu à imaginer entre les Girondins prisonniers, la nuit qui précéda leur exécution, il suppose Vergniaud prenant congé de la Révolution en ces termes : « Je lui adresserai un adieu, l'adieu du gladiateur vaincu : Tyran aveugle et féroce, les mourants te saluent ! — Mais de la révolution sublime que ma pensée s'était faite, j'en emporterai le deuil dans mon cœur [2]. » C'est ce deuil que portent au fond d'eux-mêmes le Nodier des années 1800 et ses amis « méditateurs ».

La Restauration venue, il lui fallut bien choisir entre les deux têtes du serpent Python, Révolution et Contre-Révolution, qu'il avait semblé jusque-là embrasser et rejeter confusément ensemble. Il opta, comme on sait, pour la tête royaliste ; c'était son intérêt, et jusqu'à un certain point son penchant. Sa sensibilité entrait plus facilement en résonance avec la littérature déplorante du royalisme qu'avec l'esprit plutôt positif et satirique des libéraux. Mais les questions qui se posaient pour lui depuis sa jeunesse dépassaient les termes du débat politique de la Restauration. On peut dire que 1830, en rejetant ce débat dans le passé, a rendu Nodier à lui-même. En même temps s'était résolu, dans le sens d'une rénovation générale, le débat littéraire, auquel il avait pris part tout au long de la Restauration. Il n'avait cessé de batailler en faveur des nouveautés au sein de la presse royaliste, devançant la fusion finale, dans l'école victorieuse, de la modernité des formes et de la spiritualité poétique. À ce combat, déjà pratiquement gagné, Nodier apporta, peu après Juillet, sa dernière contribution dans ses *Recherches sur le style* [3], où il exécute définitivement les formes et l'esprit

---

1. *De l'amour et de son influence comme sentiment sur la société actuelle*, dans la *Revue de Paris*, avril 1831 (= *Œ. C.*, t. V, pp. 154-155).
2. *Le Dernier Banquet des Girondins*, dans *Œ. C.*, t. VII, 1833 (édition originale de cet ouvrage), p. 76.
3. Cet article a paru dans un keepsake, l'*Album littéraire* (Paris, Louis Janet, 1831), sous le titre *Du style, et surtout de celui des chroniques* ; il fut reproduit dans *La France littéraire* de février 1832 (t. I, pp. 233-236) avec, en note : « Extrait des Chroniques de Jacques Gondard » ; on peut le lire aussi dans le *Bulletin du bibliophile*, année 1877 ; il ne figure pas dans les *Œ. C.* — Il existe à la Bibl. nat. (Rés.

de la littérature néo-classique au nom de la libre évolution des langues et des sociétés : «Ce qui résultera de la révolution littéraire actuelle est un mystère pour les jours actuels. Ce qui n'est pas un mystère, c'est que cette révolution est faite [1].»

Nodier rendu à lui-même

On comprend donc que ce soit dans les quelques années qui ont suivi immédiatement la révolution de 1830 que Nodier ait retrouvé sa véritable inspiration. C'est alors qu'il développa en une abondante production — à la fois méditations critiques et ouvrages de fiction — ce qui avait toujours été le fond de sa vision du monde. Cette veine avait sa source dans sa jeunesse, comme l'attestent au moins deux articles parus en 1832 et 1833. Le premier de ces articles revient sur ces «méditateurs» que Nodier avait fréquentés et célébrés dans les premières années du siècle ; il parle d'eux avec le même enthousiasme que jadis, et en les situant pareillement dans la grande crise française ; et il déclare solennellement que le temps, qui a discrédité tant de gloires, n'a fait que grandir à ses yeux leur image [2]. Le second article témoigne lui aussi, après trente ans, d'une extrême ferveur. Nodier l'écrivit à l'occasion de la réédition toute récente de l'*Oberman* de Senancour [3]. Il y célèbre lyrique-

---

Y² 3230) un exemplaire des *Chroniques françaises de Jacques Gondar, clerc, publiées par F. Michel, suivies de Recherches sur le style par Ch. Nodier*, Paris, Louis Janet, s. d. (date ajoutée à la main : 1830, répétée au dos de la reliure). L'article de Nodier serait donc de 1830 (?). — Quant à Gondar, il est inconnu partout ; les «chroniques» en question, qui ne sont en fait que des nouvelles en faux style moyenâgeux, ont tout l'air d'un pastiche ou d'une supercherie, peut-être de Francisque Michel ; elles ne semblent avoir été mises en circulation, suivies des *Recherches* de Nodier, qu'en 1836, car c'est seulement à cette date que l'ouvrage apparaît pour la première fois dans la *Bibliographie de la France* (même intitulé, même éditeur ; 27 août 1836, n° 4243). L'article de Nodier ne concerne en rien ces prétendues chroniques.

1. L'*Album littéraire*, 1831, pp. 244-245.
2. *Les Barbus*, dans *Le Temps*, 5 octobre 1832 (voir *Le Sacre de l'écrivain*, pp. 211, 213, 214).
3. *Le Temps*, 21 juin 1833. Cet article très remarquable est peu connu ; il n'a pas été, que je sache, réimprimé depuis cette publication. Les *Rêveries sur la nature primitive de l'homme*, de Senancour, parurent pour la première fois dans leur texte total en l'an VII (1799) ; Nodier, s'il découvrit ce livre à Paris comme il le raconte, le vit au plus tôt au temps de son premier séjour parisien à partir de la fin de 1800 ; il avait alors entre vingt et vingt et un ans.

ment, comme le jour d'une naissance spirituelle, celui où il a découvert, «avant l'âge de vingt ans», à la vitrine de l'éditeur, les *Rêveries* de Senancour, et les a lues avec émerveillement : «C'était une excursion inquiète, un errant pèlerinage aux limbes impénétrables du domaine de la vérité, un voyage solitaire et triste dans les profonds déserts de l'espace et de l'infini, une conquête anticipée de la mort et du néant ; et cependant on se laissait emporter à l'élan du philosophe ou du poète avec une joie involontaire, mêlée tour à tour d'admiration et de terreur. Qu'on se représente l'Abbadona [*sic*] de Klopstock [1] pleurant le vide immense de son éternité sur les débris d'un soleil éteint, et retrouvant toutefois, jusque dans les gémissements de sa misère, jusque dans les abandons de son désespoir, l'harmonie et la pureté des hymnes célestes qui flattèrent ses organes naissants. » Puis il passe, sur le même ton, à *Oberman*, livre précurseur d'une littérature nouvelle où «l'âme s'émancipe de jour en jour ; elle a rompu ses ceps de plomb [...] ; l'esprit fait justice de la lettre, c'est son tour», la couleur funèbre ne manque pas ici non plus : cette langue nouvelle de Senancour, «la langue qui lui avait été révélée, et qui allait être avant peu celle de la société tout entière, ne pouvait se faire entendre que d'un petit nombre d'adeptes, doués pour leur malheur d'une triste faculté d'anticipation sur les misères de cette espèce dont la perfectibilité n'aboutit, selon moi, qu'au désabusement et à la mort».

Ainsi le moment où la pensée de Nodier se fixe dans un désaveu du monde présent, ce moment est chez lui, en même temps qu'un accomplissement, un retour au choix profond des jeunes années, à ce que lui ont appris les «méditateurs» et Senancour. Le thème central, de plus en plus oublié au temps du romantisme conquérant, est une mise en cause de la «perfectibilité» humaine — du Progrès, disons-nous — telle que l'avait conçue la philosophie des Lumières. Mais, alors que Senancour, parti de l'amère nostalgie d'une primitivité à jamais perdue, essayait d'accorder ce deuil des origines avec les postulats progressistes de son libéralisme, Nodier se donne tout entier à la critique du progrès et de la connaissance positive, en tant que destructeurs, selon lui, de nos raisons de vivre : «Après

---

1. Abadonna, dans *La Messiade*, de Klopstock, est un ange déchu qui se repent ; *Abaddon*, mot hébreu, désigne, dans l'*Apocalypse*, 9, 11, l'Ange de l'abîme.

ces siècles de *lumières*, qu'on ne pouvait pas désigner par une expression plus convenable, car ils jettent une grande clarté sur notre néant ; après la dissolution, après le brisement systématique de tous les nœuds qui attachent l'être intelligent et sensible à l'ordre universel, il lui est force de se replier sur lui-même en frémissant de la solitude et de l'abandon dans lequel il est tombé. [...] Le mal annoncé se développe, il s'étend, il envahit tout ce qui pense, et la plainte isolée du philosophe mélancolique dont on a méconnu la mission devient la seule expression véritable des angoisses de l'homme déchu[1]. » Nodier, s'il a ici le langage de l'antiphilosophisme, est aussi bien au-delà du royalisme et de la religion : ce ne sont pas seulement les « sophistes » du siècle passé qu'il accuse ; il dénonce ce qu'il croit être, sous le nom de progrès, l'usure du monde, et la chimère de toute espérance de *restauration* vraie. Ce qui a porté ce nom, dira-t-il plus tard, fut « une restauration qui n'a rien restauré, si ce n'est le principe absurde qui a tout détruit[2] ».

Dans une telle vue des choses, le discrédit moderne des croyances traditionnelles est évidemment ressenti comme un mal ; mais c'est surtout la poésie, que l'on suppose avoir précédé de loin ces croyances, qui fait sentir, au temps de leur déclin, son antique prééminence. De là, dès l'automne de 1830, un important article sur la poésie depuis ses origines jusqu'à sa forme actuelle. Dans cet article[3], Nodier situe naturellement la plénitude de la poésie dans ses commencements, au temps où elle contenait dans son sein ce qui plus tard devait devenir religion. Il décrit en ces termes le développement de cette poésie primitive : « La pensée s'éleva du connu à l'inconnu. Elle approfondit les lois occultes de la société, elle étudia les ressorts secrets de l'organisation universelle ; elle écouta, dans le silence des nuits, l'harmonie merveilleuse des sphères, elle inventa les sciences contemplatives et les religions. Ce ministère imposant fut l'initiation du poète au grand ouvrage

---

1. Toutes les citations qui précèdent proviennent du même feuilleton (non paginé) du *Temps*.
2. *Les Marionnettes*, 2ᵉ article dans la *Revue de Paris*, mai 1843, p. 240. Le « principe absurde et fatal », d'après le contexte, est celui de la civilisation moderne, centralisatrice, mécanique, mercantile.
3. *Du fantastique en littérature*, dans la *Revue de Paris*, novembre 1830 (= Œ. C., t. V, pp. 69-112).

de la législation. Il se trouva, par le fait de cette puissance qui s'était révélée en lui, magistrat et pontife, et s'institua au-dessus de toutes les sociétés humaines un sanctuaire sacré, duquel il ne communiqua plus avec la terre que par des instructions solennelles[1].» Le poète, en ces temps premiers, n'était pas encore descendu au ministère d'illusion qu'on lui attribue ensuite; il exerçait le ministère de la vérité et de la civilisation essentielle, les liens fondamentaux entre les hommes s'établissant par le langage, lequel est supposé s'enrichir «de cette large récolte d'allusions et de métaphores où la pensée ne cesse de puiser, et qu'elle ne saurait épuiser; [...] il est impossible de n'en pas conclure que l'espèce ne serait jamais arrivée à un certain degré de perfectionnement si elle n'était née poète[2]». D'ailleurs, dans la nouveauté du monde, toute connaissance, même la plus quotidienne, était poésie : «La discussion n'avait rien obscurci, la logique n'avait rien desséché, la science n'existait pas. Rien n'existait que la poésie, et l'homme était poète comme il était homme, parce qu'il ne pouvait pas être autre chose[3].» Cette vue édénique implique évidemment l'idée d'une déchéance ultérieure. La poésie a fait l'homme et la société; et puis, «son œuvre une fois accomplie, elle s'est retirée de la terre [...] en abandonnant les nations à leur prosaïsme et à leur impuissance[4]».

Cette conception de la nature et du rôle originels de la poésie était déjà bien répandue avant 1831, et même avant 1800. Les philosophes au temps de Louis XV, et aussi bien leurs disciples sous Charles X, se résignaient, voire se complaisaient à admettre que le temps des Lumières ne fût plus guère poète; c'étaient plutôt les ennemis des Lumières qui glorifiaient cette primitive poésie sacrée dont ils trouvaient des exemples dans l'Écriture[5]; et la polémique antiphilosophique aimait à dresser la poésie en général contre la sèche raison des réformateurs modernes. Sous la Restauration, le romantisme a véhiculé ces idées et les a accréditées dans sa révolution poétique en les pur-

1. *Ibid.*, p. 70.
2. *Notions élémentaires de linguistique*, articles de septembre-novembre 1833 dans *Le Temps*, repris au t. XII des *Œ. C.*, 1834, p. 58.
3. *Ibid.*, p. 64.
4. *Ibid.*, p. 84, après un panégyrique de la poésie et de ses bienfaits (Moïse, Orphée, Pythagore).
5. L'illuminisme allait volontiers dans le même sens.

geant de leur virulence. Celle de Nodier est d'une qualité particulière : son extrémisme en ce domaine ne le désigne pas
comme un héritier renforcé de la Contre-Révolution ; s'il propose à la littérature un désaveu radical du progrès et de la
science positive, « sèche, rebutante et sacrilège anatomie des
mystères de la nature [1]», il y ajoute une perspective de
déchéance et de deuil, et fait une oraison funèbre de la poésie
elle-même : « Les classiques, écrit-il, ont perdu pour toujours
ce que les romantiques ne retrouveront jamais. La poésie est
morte en France [2]. » En prenant cette attitude, qui semble
tout entière tournée vers le passé, Nodier ne prend pas position en arrière du romantisme, mais en avant de lui, dans cette
école désenchantée qui, faisant le bilan des déceptions subies,
entendra se donner pour un ultra-romantisme.

Cette façon d'être, propre à Nodier, demande réflexion.
Réprouvant l'énergie, purement matérielle à son sens, que le
progrès déchaîne dans ses adeptes, il leur dit : «Vous oubliez
que tout homme a reçu comme vous, dans l'Europe vivante,
l'éducation d'Achille, et que vous n'êtes pas les seuls qui avez
rompu l'os et les veines du lion pour en sucer la moelle et pour
en boire le sang [3]. » L'esprit fortifié a pu se lancer aussi bien
dans une voie opposée à celle de la science et du progrès matériel, cherchant sa propre vérité et son propre salut, et ne rencontrant plus en ce monde que le vide et la ruine ; il ne lui restait
plus alors que la poésie, mais « cette voix éplorée s'attriste depuis
plus d'un demi-siècle de l'agonie d'un monde prêt à se dissou-
dre». On a beau vouloir éluder cette vérité, « si vous mettiez
la main sur la place où palpitait le cœur du corps social, vous
sentiriez cependant qu'il ne bat plus [4]». Mais peut-on à la fois
célébrer, comme Nodier l'a fait tout au long de la bataille
romantique, l'énergie moderne triomphant en littérature de la
routine classique, et cependant dénoncer dans les œuvres actuel-
les les symptômes d'une humanité épuisée ? Peut-être cette

---

1. *La Fée aux miettes*, Œ. *C.*, t. IV, 1832 (édition originale), p. 393.
2. *Notions élémentaires de linguistique* (voir ci-dessus, p. 55, note 2), p. 72.
3. *Du fantastique en littérature*, article cité, Œ. *C.*, t. V, p. 111. On a déjà vu
Nodier, en 1806, user de ce motif mythologique (voir ci-dessus, p. 49) ; il y est
revenu plusieurs fois dans des articles sur divers sujets. En 1819 : voir *Mélanges
de littérature et de critique*, t. I, p. 77 ; en 1831 : voir *Souvenirs...*, édition de cette
date, t. II, p. 5 (= Œ. *C.*, t. VIII, p. 104) ; en 1833 : voir Œ. *C.*, t. IX, p. 25.
Ce motif est assez usité à cette époque.
4. *De l'amour et de son influence*, article cité, Œ. *C.*, t. V, p. 144.

apparente contradiction reflète-t-elle l'expérience de la Révolution telle que beaucoup l'avaient sentie : afflux effréné de forces, et pressentiment de ruine universelle. Nodier peint souvent la modernité sous ce double aspect.

L'empreinte de la Révolution semble présente dans des réflexions comme celle-ci : « Il y a longtemps que nous avons eu, chacun à notre tour, notre bataille de Philippes ; et plusieurs ne l'ont pas attendue, je vous jure, pour se convaincre que la vérité n'était qu'un sophisme, et que la vertu n'était qu'un nom. Il faut à ceux-là une région inaccessible aux mouvements tumultueux de la foule pour y placer leur avenir [1]. » Tout se passe, on le voit, comme si le traumatisme révolutionnaire avait maintenu en lui ses effets négatifs pendant l'époque des espérances romantiques, pour y accompagner le chœur précoce des jeunes désenchantés de la monarchie de Juillet, plus tard amplifié par celui des survenants de 1848 et du Second Empire. En Nodier un déçu de 1800 donne la main à ceux de l'avenir. Il a côtoyé ainsi, sans sympathiser vraiment avec elle, alors qu'il est si préoccupé de poésie, la poésie française contemporaine, à laquelle ses jugements s'appliquent mal. Ainsi il prétend expliquer l'inspiration des poètes actuels et leur gravité par la dégénérescence du monde, « comme si un organe particulier de divination que la nature a donné au poète leur avait fait pressentir que le souffle de la vie positive était près de s'éteindre dans l'organisation caduque des peuples [2] ». En quoi une telle réflexion, qu'il applique, nommément, à Lamartine et à Hugo, leur convient-elle, ni même à Vigny ? En fait, Nodier, homme de la race de 1800, était désaccordé à celle de 1820, qui ne doutait pas d'avoir régénéré la poésie pour le présent et pour l'avenir.

---

1. *Du fantastique en littérature*, article cité, *Œ. C.*, t. V, pp. 111-112. La bataille de Philippes (42 av. J.-C.) est celle où Brutus et Cassius, après l'assassinat de César, furent vaincus par Antoine et Octave et se suicidèrent ; « Vertu, tu n'es qu'un nom ! » est le mot que Brutus est dit avoir prononcé peu avant sa mort (citation d'un vers grec, d'auteur inconnu : voir Dion Cassius, *Histoire romaine*, 47, 49). Le mot est souvent cité ; ici, symbole d'effondrement d'une espérance.

2. *Ibid.*, p. 106.

Outrances et paradoxes de l'anti-progrès

Les années 1830-1834 ont été, dans la carrière de Nodier, particulièrement fécondes en écrits doctrinaux de toute sorte. En moins de deux ans, de l'automne 1830 à l'été 1832, il fit paraître dans la *Revue de Paris*, une dizaine d'articles sur des sujets divers de vaste portée, dont il sentait si bien l'importance qu'il les a recueillis ensemble pour former le tome V de ses *Œuvres complètes*, paru en 1832 chez Renduel. Il faut y joindre les préfaces nouvelles, écrites à la même époque, pour quelques-uns de ses ouvrages antérieurs, et reproduites avec eux dans les premiers volumes des *Œuvres* ; et certains des articles publiés dans la *Revue de Paris* ou d'autres publications dans les années suivantes. Mais Nodier philosophait aussi en contant : témoin, dès 1832, l'étrange et incomparable *Fée aux miettes* ; et entre 1830 et 1839 une vingtaine de contes et de récits où sa philosophie s'exprime explicitement ou implicitement [1].

En répudiant le Progrès, Nodier condamnait à la fois la religion de son siècle et son siècle lui-même. Il le savait et ne cherchait pas l'approbation. Comme tous ceux qui contredisent l'opinion générale, il souhaitait plutôt scandaliser ; le paradoxe et l'outrance, dans ses diatribes contre le monde présent, étaient ses figures de prédilection : ainsi il étendait sa négation du progrès au domaine même des sciences et de la technique [2]. Le progrès, selon lui, loin d'être la loi de l'histoire, contredit grossièrement cette loi ; car il ne faut pas la figurer par une ligne ascendante, mais par un cercle fermé, qui marque la limite des qualités humaines : « La société est un cercle vicieux et très vicieux ; elle ne peut pas en sortir parce qu'elle n'a pas dans son organisation les facultés excentriques qui la jetteraient en dehors. » Dira-t-on que le génie passe cette limite ? « Les esprits

---

1. Il n'y a pas jusqu'ici de bibliographie exhaustive des ouvrages et articles de Nodier. Sont toujours utiles : Jean LARAT, *Bibliographie critique des œuvres de Charles Nodier*, Paris, 1923 ; Edm. J. BENDER, Lafayette, Indiana, 1963 : B.N. Lit. 392(2) ; Sarah Fore BELL, *Charles Nodier : His Life and Works*, Chapel Hill, The University of North Carolina Press, 1971 : pp. 137-157 écrits de Nodier publiés entre 1923 et 1967. Une importante contribution bibliographique est apportée par Raymond SETBON, *Le Dossier Nodier*, dans *Romantisme*, n° 15 (1977), pp. 92-107.
2. *De la perfectibilité de l'homme et de l'influence de l'imprimerie sur la civilisation*, dans la *Revue de Paris*, novembre 1830 (= *Œ. C.*, t. V, p. 239 et suiv.).

très supérieurs seuls vivent sur une tangente de ce cercle qui n'est pas comprise en lui, mais qui adhère à lui par un point intime et insécable, et qui suit, bon gré mal gré, son mouvement[1].» La destinée de notre espèce «est de durer sous différentes formes, et de finir sans avoir atteint à son but, parce que le but qu'elle cherche est placé hors de sa destination naturelle[2]». La marche en cercle fermé à laquelle est condamnée l'humanité implique la décadence : elle va naturellement de la jeunesse à la vieillesse et à la mort : « Le monde a été jeune, il est vieux. [...] Le pronostic infaillible des sociétés à venir est tout entier dans l'histoire des sociétés anéanties[3]. » Et la décadence est barbarie : «Rien ne s'oppose au retour de la barbarie dans ce que vous appelez la marche progressive de la société moderne. Vous serez barbares comme vous l'avez été, vous le serez peut-être davantage, et il ne s'en faut guère que vous ne le soyez déjà[4]. »

Un désastre approche, dont le Festin de Balthazar est chez Nodier la fréquente figuration[5]. On conçoit ce que Nodier pouvait penser des systèmes humanitaires contemporains, du saint-simonisme en particulier, le plus connu au lendemain de 1830 : «En retranchant soigneusement de ses pompes et de ses doctrines ce qu'une tradition mal effacée de philosophie chrétienne et de tendresse humaine y a laissé pour l'intelligence et pour le cœur», cette religion sera parfaitement appropriée à l'espèce humaine, «pour franchir l'espace étroit qui la sépare encore de la matière brute, et prendre possession du néant[6]». Le saint-simonisme prétendant se fonder sur la science, il ne

1. *Ibid.*, pp. 247-248.
2. *Ibid.*, p. 250.
3. *Ibid.*, p. 249.
4. *Ibid.*, p. 263. Il ajoute : «Seulement votre barbarie diffère de l'autre en un point, c'est qu'elle commencera son règne au nom de la civilisation et de la perfectibilité. » Voir aussi *De la fin prochaine du genre humain*, dans la *Revue de Paris*, mai 1831 (= *Œ. C.*, t. V, pp. 326-327). — Les deux idées de limite infranchissable et de déchéance nécessaire sont en réalité différentes ; Nodier les confond dans l'image du cercle.
5. *De la fin prochaine du genre humain, ibid.*, p. 327 : la foule moderne, dit-il, « assiste sans le savoir au festin de Balthazar » ; et voir une allusion au même événement biblique, comme se renouvelant aujourd'hui, dans l'article déjà cité sur Senancour (*Le Temps*, 21 juin 1833) : l'arrêt de l'humanité est prononcé, « il n'est pas besoin du savoir de Daniel pour en déchiffrer les caractères ; ceux-là parlent aux yeux de tous ceux qui voient». — Le Festin de Balthazar est un épisode biblique connu (*Daniel*, 5).
6. *Ibid.*, pp. 333-334.

le ménage pas. Il a plus d'égards pour le chrétien Ballanche, qu'il aimait et admirait ; mais il n'en répudie pas moins les espérances de palingénésie terrestre de ce «grand homme, auquel la nature a imprimé par mégarde le sceau du sacerdoce sur les nations, quand le sacerdoce et les nations s'en allaient [1]».

On aurait tort de vouloir interpréter chez Nodier cette attitude hostile au présent selon un sens politique précis ; on a vu combien il était difficile à classer dans un parti. La perfectibilité était sans doute la bête noire des écrivains de la contre-révolution ; mais cette attitude, chez eux, allait de pair avec une profession de foi contre-révolutionnaire : seuls les idéologues de ce bord-là professaient alors une telle négation ; mais elle ne s'accompagnait ni de la nostalgie primitiviste, ni des prophéties de décadence et de mort auxquelles elle est liée chez Nodier. En fait, il participe de tous les types intellectuels contemporains et se sépare de chacun d'eux par quelque trait essentiel : libéral, il répudie la philosophie du xviiie siècle et la foi au progrès ; préférant peut-être au présent le passé et l'Ancien Régime, il les croit morts et non ressuscitables ; et surtout, romantique et célébrant la poésie, il la dit moribonde et, rejetant la religion de l'avenir humain vers laquelle tout le romantisme français s'orientait, il veut être le Jérémie des espérances modernes. En somme, sa pensée, active, mais prisonnière d'un désespoir essentiel, concourt à se fermer toute issue, ce qui naturellement diminue sa portée et son crédit. Le parti pris de ne rien espérer, même si on peut s'y trouver ou s'y croire réduit, semble moins tragique que futile à qui n'y est pas déjà converti. Nodier, aimé pour le côté séduisant et émouvant de son talent, n'a guère été pris au sérieux dans sa pensée. Nous avons plus de témoignages sur sa personne et ses humeurs que sur sa philosophie.

Si l'on en croit ceux qui ont connu Nodier, le refus du temps présent et de la nouveauté avait chez lui, dans la vie quotidienne, une force singulière, et l'impression qui en résultait était celle d'une relative fragilité vitale. Adèle Hugo note que

---

1. *De la palingénésie humaine et de la résurrection*, dans la *Revue de Paris*, août 1832 (= *Œ. C.*, t. V, p. 340). — Voir des considérations analogues sur Ballanche dans l'article cité à la note précédente, pp. 329-331, après l'affectueuse et sceptique apostrophe : «Quant à vous, mon cher Ballanche, [...] ne vous réveillez pas de longtemps de cette illusion sublime», etc.

«la nouveauté, les découvertes, le mouvement de la civilisation lui agréaient peu ; il abhorrait les chemins de fer» ; et il
observait religieusement dans leurs détails toutes les vieilles traditions de la vie domestique et les superstitions populaires[1].
Sa fille nous dit la même chose : «Le progrès et tout ce qu'il
comporte de mots et d'idées, depuis l'enseignement mutuel,
l'éclairage au gaz et les chemins de fer, jusqu'au plus inoffen-
sif des néologismes, le trouvait armé en guerre et toujours prêt
à l'attaque[2].» Mais Adèle Hugo ne voit pas Nodier comme
le voit sa fille, en paladin ; épouse d'un grand homme, elle le
trouve plutôt chétif, notant chez lui une affectation d'humilité
dans le mode de vie, une «délicatesse à rebours[3]», un éloignement des hommes illustres, selon elle «impuissance à supporter la trop grande lumière, faiblesse de paupière morale[4]».

Qu'on accepte ou non cette explication, il est certain que
le personnage que Nodier affectait d'être aux yeux des siens
colore sa pensée et son œuvre. Les outrances passéistes y sura-
bondent. Dans un article de novembre 1830[5], il s'en prend
aux méfaits de l'imprimerie ; et, revenant sur ce sujet six mois
plus tard, il fait remonter le mal jusqu'à l'invention de l'écriture : «On peut dire que c'est à l'invention des lettres qu'expire

1. Article signé Cécile L. dans *L'Événement*, feuilleton du 9 janvier 1849 (Nodier
ètait mort en 1844). Il est hors de doute que l'article est d'Adèle Hugo : Marie
Nodier, dans son livre sur son père, p. 339 et suiv., cite de longs passages de
l'article en les attribuant au «grave et doux témoin de la vie de Victor Hugo»
(allusion transparente à *Victor Hugo raconté par un témoin de sa vie*). Voir aussi sur
ce sujet André Maurois, *Olympio ou La Vie de Victor Hugo*, Paris, 1954, p. 351.
2. Marie Mennessier-Nodier, *op. cit.*, p. 29 ; voir aussi Francis Wey, *Revue de
Paris*, février 1844, p. 45.
3. Selon le même article de *L'Événement* : Nodier ne brûlait que de la chan-
delle, préférait l'étain à l'argenterie, faisait sauter ses pommes de terre sur une
poêle dans la grande salle, royale, de l'Arsenal, n'aimait le pain que bis et la
soupe qu'aux choux. Mme Hugo n'est peut-être pas assez fine ici : il y a du
défi dans cette «humilité» de Nodier, comme dans ses diatribes en général, autant
et plus que de la faiblesse.
4. *Ibid.* À propos de faiblesse, on croit que Nodier avait souffert dans sa jeunesse d'une «maladie nerveuse» ; il l'évoque en particulier dans sa lettre, déjà
citée, à De Bry du 12 décembre 1829 (pp. 398-399 du livre de Boyer de Sainte-
Suzanne). On a parlé d'épilepsie (voir à ce sujet Nodier, *Contes*, édition P.-G.
Castex, Paris, 1961, p. 20, note ; dorénavant : *Contes*). Rien de tel n'est perceptible dans son âge adulte ni sa maturité ; et le mal de jeunesse qu'il décrit rétrospectivement est purement moral ; dans le passage cité plus haut de *Clémentine*
(voir ci-dessus, p. 50), il insiste sur le fait que ce mal était commun alors dans
la jeunesse, et non purement personnel.
5. Voir ci-dessus, p. 58, note 2.

l'âge poétique du genre humain. » Tout a empiré depuis pour
aboutir à l'instruction universelle, ruine des souvenirs et des
traditions : « On vous le demande à genoux ! Laissez-nous nos
prolétaires ignorants [1] ! » Il fait l'apologie des superstitions, et
se plaît à représenter un philosophe athée les pratiquant et les
justifiant sur le plan rationnel [2]. Il incrimine avec véhémence
le régime parlementaire, dont pourtant il a plutôt approuvé
la consolidation en 1830 ; il l'appelle « le monstrueux perfectionnement représentatif [3] ». Une revue détaillée de l'antipro-
gressisme de Nodier risquerait d'être fastidieuse. Disons
seulement qu'une foule d'écrits, des lendemains de 1830
jusqu'aux derniers temps de sa vie, le montrent intarissable
sur ce chapitre. En 1833-1836, il publia plusieurs voyages fantastiques, selon une certaine veine chère au XVIIIe siècle, mi-
satiriques, mi-bouffons, par lesquels il entend tenir le rôle du
« dériseur sensé » qui manque à notre époque, jetant, à propos
de tout et hors de propos, la dérision sur la perfectibilité,

1. *De l'utilité morale de l'instruction pour le peuple*, dans la *Revue de Paris*, avril
1831 (= *Œ. C.*, t. V, pp. 275, 295).
2. *M. de La Mettrie ou Les Superstitions*, dans la *Revue de Paris*, octobre 1831 (= *Œ.
C.*, t. V, p. 193 et suiv.).
3. *De quelques phénomènes du sommeil*, dans la *Revue de Paris*, février 1831 (= *Œ.
C.*, t. V, p. 187) : il reproche à ce régime d'avoir « tarifié la valeur individuelle
par sous et deniers », ce qui est apparemment une condamnation du système cen-
sitaire ; il ne souhaitait pourtant pas le suffrage universel. — Un des traits de la
politique de Nodier, peu remarqué, et qui certainement s'explique, autant que
par son attachement à sa province natale, par sa prédilection pour les états de
choses anciens, est son fédéralisme franc-comtois. Ce point ne peut être développé
ici ; on pourra voir le discours qu'il attribue à Vergniaud (*Revue de Paris*, août 1829,
La Littérature pendant la Révolution, premier fragment, « Éloquence de la tribune. La
Gironde », p. 5 et suiv. ; article repris dans les *Souvenirs...*, éd. de 1831, où il figure
au t. I, p. 136 et suiv. ; annexé en 1833 au morceau intitulé *Le Dernier Banquet
des Girondins* (*Œ. C.*, t. VII, pp. 77-85) : dans ce discours, Vergniaud est censé
soutenir que les sociétés reposent, non sur une volonté ou une loi fondatrice, mais
sur la tradition et le souvenir ; cette thèse, très généralement contre-révolutionnaire,
est destinée, dans l'esprit de Nodier, à appuyer le fédéralisme girondin. — Voir
également l'article, déjà cité, *De la République* (*Revue de Paris*, janvier 1831) où, s'adressant aux Français, et regrettant la disparition d'institutions locales et traditionnelles,
il prophétise que « le temps des grands États n'est pas loin de finir dans l'Occident », (*Souvenirs...*, éd. de 1850, t. II, p. 377). — Dans une lettre à Weiss du 6 juillet
1831 (*Corr.*, p. 238 et suiv.), il se nomme « français *conquis* », et charge son ami
de dire aux Francs-Comtois que son « dévouement est pour la Franche-Comté et
pour Besançon, et qu'il sera tout à fait exclusif quand ce qui est encore aujourd'hui
ne sera plus ». En 1842, il regrette encore les libertés anciennes de Besançon et
maudit la déplorable conquête du pays par Louis XIV (*Les Marionnettes*, dans la
Revue de Paris, novembre 1842, p. 17 et suiv.).

l'homme progressif, la caisse d'épargne, le régime représentatif, les utopies modernes, etc. À vrai dire, la satire de la civilisation du progrès, annoncée par les titres de ces contes, est noyée
dans une fantaisie imaginative et verbale où le «dériseur» enveloppe et confond toute chose, et qui fait oublier la polémique[1]. Plus tard, Nodier donne encore, sous le pseudonyme
Docteur Néophobus, divers contes et articles, où il développe,
avec une verve moins folle, les mêmes thèmes[2].

L'aliéniste et l'industriel

On peut se demander jusqu'à quel point la hantise de l'anti-
progrès chez Nodier est à prendre au sérieux, et si, humour
en même temps qu'humeur, elle n'est pas une sorte de fiction
paradoxale, dont il aime à se vêtir, plutôt que l'expression d'une
pensée. Dans ce domaine, il s'en prend presque toujours à des
idées ou à des institutions, jamais à des individus, à l'égard
desquels son aversion serait plus significative. Il peste contre
tout et ne s'en prend à personne. Il y a pourtant des excep-
tions, et certaines de ses attaques contre des types humains,
sinon contre des hommes, rendent un son plus grave. À la fin

---

1. *Hurlubleu, grand Manifafa d'Hurlubière, ou La Perfectibilité, histoire progressive*
(dans la *Revue de Paris*, août 1833); *Léviathan le Long*, archikan des *Patagons de
l'île savante, ou La Perfectibilité*, pour faire suite à *Hurlubleu, histoire progressive* (ibid.,
novembre 1833); à ces deux contes devait s'en ajouter un troisième dont P.-G.
Castex a publié le manuscrit inédit dans son édition, déjà citée, des *Contes* de
Nodier, pp. 440-449, à savoir : *Zérothoctro-Schah, proto-mystagogue de Bactriane*. —
En février 1836 parut, dans la *Revue de Paris*, le *Voyage pittoresque et industriel dans
le Paraguay-Roux et la Palingénésie australe, par Tridace-Nafé-Théobrome de Kaout't'Chouk,
etc.* (c'est dans ce dernier conte que Nodier déplore l'absence, de notre temps,
d'un «dériseur sensé», héritier de Rabelais et de Molière). Le titre global de
Fantaisies du dériseur sensé, donné dans l'édition Charpentier des *Nouvelles* de Nodier
en 1853, aux trois contes de la *Revue de Paris*, n'est pourtant pas de Nodier, mais
de l'éditeur. — On peut lire aujourd'hui ces contes dans l'édition Castex.
2. *Diatribe du Docteur Néophobus contre les fabricateurs de mots* (dans la *Revue de Paris*,
décembre 1841, pp. 81-93 : contre les néologismes, révolutionnaires et scienti-
fiques); *De la bibliothèque bleue* (ibid., mai 1842, pp. 202-207 : contre la science,
la philanthropie, le chemin de fer, etc.), signé : Dr Néophobus; *Les Marionnettes*,
deux articles déjà cités, même signature, *Revue de Paris*, novembre 1842, pp. 5-19,
et mai 1843, pp. 221-242 : contre les poids et mesures, le suffrage universel, la
déplorable conquête de la Franche-Comté par Louis XIV ; *Tablettes de la Girafe
du Jardin des plantes*, dans *Scènes de la vie privée et publique des animaux*, recueil collectif, Paris, Hetzel, 1842, p. 321 et suiv. : caricature d'une conversation de deux
amants en langage philosophico-humanitaire.

de *La Fée aux miettes*, dans la maison des lunatiques de Glasgow où Michel le charpentier, tenu pour fou, rêve l'impossible, apparaît « un homme roide et sévère, habillé de noir de la tête aux pieds » : c'est « un médecin venu exprès de Glasgow pour faire des observations philanthropiques » sur les fous de cet asile ; ce philanthrope est atrocement pédant, autoritaire et sans pitié dans ses remèdes : eau glaciale sur l'occiput et l'épigastre, sinapismes, ceps, poucette, gilet de force. Il retient fortement le narrateur — Nodier — par un bouton de son habit pour lui faire écouter ses discours : « Ne me retiens pas, bourreau, m'écriai-je, en laissant mon bouton dans ses mains de cannibale [1]. » Un tel personnage semble bien être, à cette date, une des premières caricatures sinistres du psychiatre, comme tortionnaire au service d'un dogme, arbitraire et inhumain, de normalité. Le type esquissé ici a prospéré depuis, avec la valorisation philosophique et littéraire de la folie [2]. Cette dénonciation du psychiatre implique, chez ses auteurs, une dénonciation, au moins rhétorique, de la raison elle-même au bénéfice de l'irrationnel comme source de vie et de vérité. Nodier, à cet égard, est sans aucun doute un précurseur.

La littérature romantique, et surtout celle des générations amères qui ont suivi, accablent avec plus de vérité et de portée réelle une autre bête noire : le bourgeois satisfait, borné et pontifiant, qui va tenir, après Nodier, une si grande place dans la littérature romanesque. Dans le conte intitulé *Baptiste Montauban* [3], le mari que l'on donne à l'héroïne est ainsi dépeint : « Un grand garçon d'une constitution forte qu'aucune émotion n'avait jamais altérée ; doué de cette assurance imperturbable que beaucoup de fortune et un peu d'usage donnent aux sots [...] ; gros industriel, teint superficiellement de physique, de chimie, de jurisprudence, de statistique et de phrénologie, éligible par droit de patente et de capacité foncière, du reste libéral, classique, philanthrope, matérialiste et le meilleur fils du monde ; — un homme insupportable [4] ! » Un tel homme a

---

1. NODIER, *La Fée aux miettes*, dans *Œ. C.*, t. IV, pp. 373-379 (= pp. 319-322 dans l'édition Castex des *Contes*).

2. La remarque en a été faite il y a longtemps par P.-G. Castex, comme on peut le voir dans une page de 1949, reproduite dans ses *Horizons romantiques*, Paris, 1983, pp. 48-49.

3. *Baptiste Montauban ou L'Idiot* a paru en 1833 dans le recueil collectif intitulé *Le Conteur* ; reproduit dans les *Œ. C.*, t. XI, 1837.

4. *Ibid.*, pp. 135-136 (= *Contes*, p. 389).

été préféré comme gendre, par le père de la jeune fille, à un beau jeune homme d'humble origine, élevé avec elle, à qui cette disgrâce a fait perdre la raison. C'est lui, l'« innocent » parlant aux arbres et aux oiseaux, réfugié tristement dans un monde de rêve, qui est le héros du conte et le type supraréel auquel Nodier accorde toute sa faveur. Le marié est à lui ce que le psychiatre de Glasgow est à Michel, un odieux contretype dans une peinture contrastée. Et ce double portrait n'oppose pas seulement un type idéal à un type vulgaire, mais une forme déraisonnante du rêve à la vie commune. La littérature ne fournit pas ici de type exemplaire, elle vise plus haut, à l'idéal soustrait aux conditions de l'existence réelle. Nodier a été, depuis ses débuts, de ceux qui ont ouvert aussi ce chemin, largement suivi ensuite.

Du passéisme et de la misanthropie littéraires

Nous apercevons que le passéisme de Nodier inclut une misanthropie, et que la conjonction des deux tend à exclure toute solution présente au mal d'exister, qu'elle n'a pas d'autre sens que celui-là. Mais une pensée sur les choses humaines qui ne formule ou ne sous-entend aucun conseil susceptible d'être suivi peut-elle se dire une pensée? Un propos de Nodier lui-même donne à réfléchir sur ce point. C'est David d'Angers, artiste romantique ami des écrivains, républicain et humanitaire, qui le rapporte : « Hier, écrit-il, je disais à Nodier que je croyais que l'homme deviendrait meilleur en s'instruisant. Il me dit : "Je le crois, cependant je viens d'envoyer un article à la *Revue de Paris*, dans lequel je cherche à démontrer le contraire. J'aime à me donner un thème qui me fouette. Pour soutenir un paradoxe, il faut employer de grands moyens, cela stimule"[1]. » Que sont des pensées que l'on n'ose soutenir devant un ami, et qu'on qualifie soi-même de paradoxes? D'une façon générale, l'hostilité de Nodier à la société moderne, à la science positive et au progrès demande à être interprétée

1. David d'ANGERS, *Carnets*, éd. Bruel, t. I, 1958, p. 199. Le fragment se trouve dans le carnet 17 (1831-1832). L'article de Nodier dont il s'agit est celui, cité plus haut, qui s'intitule *De l'utilité morale de l'instruction pour le peuple* (*Revue de Paris*, avril 1831), où il conteste cette utilité. — Sur David d'Angers, on peut voir mon *Temps des prophètes*, p. 395 et suiv.

avec prudence. Quand Nodier rend les «lumières» responsables du désenchantement et du désarroi des modernes, faut-il le croire positivement partisan du régime de pensée qui dominait avant ces lumières ? La question du passéisme et de la misanthropie de Nodier, et de leur nature réelle, mérite d'autant plus d'être posée qu'elle dépasse Nodier et concerne toute la génération littéraire qui a suivi. Baudelaire, poète de la modernité, accable les modernes de sarcasmes dans ses écrits intimes ; il y exalte le dogme du péché originel et Joseph de Maistre, sans être pour autant catholique ni légitimiste, que l'on sache. Disons seulement que les adeptes de ce qu'en langage romantique on appelle l'Idéal, quand ils s'estiment désavoués du monde et séparés des hommes, sont tentés d'user d'un certain langage, à dessein et ostensiblement rétrograde, qui puisse signifier avec éclat et dignifier cette rupture. Brouillés avec le siècle, ne voulant rien entendre du présent et se fiant encore moins à l'avenir, ils lancent comme un défi à leurs contemporains le langage du passé. Ils sont loin pourtant des véritables partisans de ce passé, qui ne les reconnaissent pas parmi les leurs et volontiers les honnissent. Leur attitude antiprogressiste témoigne seulement d'une nouveauté : une époque de désenchantement est née en littérature ; la grande solitude du sacerdoce de l'Idéal commence. Ils ne sauraient dépouiller ce sacerdoce : il tient à leur être, depuis que le siècle moderne les en a revêtus *ad aeternum* ; mais ils se voient sans fidèles et sans crédit. Cette nouveauté ne s'était pas encore déclarée sous Louis-Philippe ; Nodier, en la faisant prévoir, témoigne contre la foi romantique telle qu'on la vivait alors en France. C'est quand le désastre de juin 48 et le coup d'État auront changé la couleur du siècle que le sacerdoce solitaire deviendra la condition même des lettres.

Nodier fut donc précurseur en désenchantement. Mais il ne saurait y avoir, tant qu'on vit, de désespoir ni de refus absolu ; et l'on ne peut parler aux hommes de leur condition que pour les aider, si peu, si tristement ou chimériquement que ce soit. Nodier se trouve donc captif, ayant désavoué le monde, du vieux dilemme terre-ciel, corps-âme. Où trouverait-il autrement ce qu'il cherche, et ne peut se dispenser de chercher ? Toute son œuvre s'oriente, en fin de compte, vers quelque chose qui ressemble à un salut céleste. Un spiritualisme extrême, plus désincarné que celui de la tradition religieuse, la religion d'un au-delà inaccessible, avec les funèbres merveilles de la mort et de la résurrection, tel est l'aboutissement positif de ses négations. Sous quelle forme a-t-il professé cette foi ? Que doit-elle au contexte romantique et en quoi s'en distingue-t-elle ?

Du fantastique au surnaturel

Dès 1830, Nodier développe une doctrine du fantastique, déjà dispersée dans son œuvre antérieure. Le fantastique, on le sait, était à la mode alors, sous l'influence de Hoffmann et de ses contes, qu'on venait de connaître en France ; ce qu'on y voyait communément, c'était une mine de fictions d'un genre nouveau [1]. Nodier, dans l'article qu'il consacre au fantastique, fait, au contraire, de cette notion un usage philosophique grave [2] : il traite, en fait, du rôle que l'imagination d'un monde supranaturel peut jouer dans la vie des sociétés et dans le besoin humain de bonheur. Il met cette imagination à la source des religions ; puis, quand la foi religieuse s'affaiblit, il nous montre dans les fables le refuge des sociétés ébranlées, et le soutien de l'homme privé de foi : «Voilà ce qui a rendu le fantastique si populaire depuis quelques années, et ce qui en fait la seule littérature essentielle de l'âge de décadence ou de transition où nous sommes parvenus. Nous devons même reconnaître en cela un bienfait spontané de notre organisation ; car si l'esprit humain ne se complaisait encore dans de vives et brillantes chimères, quand il a touché à nu toutes les repoussantes réalités du monde vrai, cette époque de désabusement serait en proie au plus violent désespoir, et la société offrirait la révélation effrayante d'un besoin unanime de dissolution [3]». Il ne s'agit donc pas seulement, en ce domaine, de goût ni d'esthétique, mais de salut, d'un bien nécessaire qui ne peut être dénié à l'homme sans qu'il entre dans un farou-

---

1. Sur la vogue de Hoffmann en France, voir P.-G. CASTEX, *Le Conte fantastique en France de Nodier à Maupassant*, Paris, 1951, Ire partie, chap. III et IV ; sur Nodier et Hoffmann, *ibid.*, *passim*, et IIe partie, chap. Ier, § 4.
2. Au début de la préface de *La Fée aux miettes*, il écrit qu'il a toujours pensé qu'«une histoire fantastique manquait de la meilleure partie de son charme quand elle se bornait à égayer l'esprit [...], que la meilleure partie de son effet était dans l'âme».
3. *Du fantastique en littérature*, article cité, *Œ. C.*, t. V, pp. 78-79.

che abattement. Cette passion de Nodier éclate en hyperboles : « Dans un pays où le principe positif entreprend de s'asseoir
exclusivement au-dessus de toutes les opinions, [...] il n'y a
plus qu'un parti à prendre, c'est de se dépouiller du nom
d'homme ; car une semblable société ne mérite pas un autre
adieu [1]. »

Exalter l'imaginaire aux dépens du réel est sans doute chose
banale en milieu romantique ; l'idéal vaut plus que la réalité,
et le poète est le prêtre de l'idéal : qui ne le disait alors ? Il y
a cependant une différence sensible entre la croyance que produisent des religions en pleine force et l'attachement affectif
que les fidèles attiédis peuvent garder pour les objets de leur
foi et les fables qui les figurent. Croire à une vérité comme
vérité, c'est proprement croire, encore que cette croyance soit
déjà moins assurée, psychologiquement parlant, à l'égard des
vérités dites surnaturelles que des naturelles et quotidiennes ;
croire en une fable que l'on reconnaît telle, est-ce encore croire ?
Ce second type de croyance peut être pragmatiquement précieux, il n'est pas vraiment croyance. Il n'est pas douteux que
la foi périclite quand elle tend, comme depuis bientôt deux siècles, à devenir littérature. Les degrés sont mal marqués entre
ces divers états, parce que les intéressés ne tiennent pas à ce
qu'ils le soient. Et faudrait-il vraiment, comme dit Nodier,
gagner les forêts avec un rire universel, si la société civilisée,
sans les persécuter, refusait de prendre à son compte ces demi-
(ou moins que demi-) croyances ? Le fanatisme de la foi ayant
épuisé à peine ses inépuisables méfaits, faudra-t-il consacrer
un fanatisme de la fable, sanctifier la passion trop naturelle de
croire tout ce qui séduit l'âme humaine hors de toute vérité,
et en maintenir à tout prix la créance chez ceux qui n'y incli-
nent pas ?

La difficulté est pour Nodier de passer du terrain de la Fable
à celui d'une Vérité surnaturelle, ce qui va de soi au degré primitif de la culture, et au degré des religions s'opère par le
dogme, mais se réussit malaisément au niveau philosophique
où Nodier entend malgré tout se placer. C'est, de nos jours,
la religion qui règne surtout sur les frontières du mythe et de
la croyance. Le romantisme français, sauf dans ses premiers
pas, s'est éloigné de ces régions, interprétant plutôt les fables

---

1. *De quelques phénomènes du sommeil*, article cité, *ibid.*, p. 189.

consacrées selon un sens moderne et terrestre. La Fable comme l'entend Nodier cherche au contraire un aboutissement dans l'au-delà, et par des voies nouvelles, comme le Rêve ou la Folie ; elle veut en somme égaler la religion en dehors d'elle : son Dieu est l'Idéal, mais pur de toute impureté terrestre ; hérésie au regard de la religion, elle souhaiterait la surpasser en spiritualité.

Au moyen du Rêve d'abord, nouveau chemin de vérité et de salut. Nodier, à la différence du romantisme français avant Nerval, a exalté les visions du sommeil, non pour leur vertu inspiratrice dans les arts, mais pour la communication que selon lui elles établissent entre l'homme et l'au-delà : « Il est certain que le sommeil est non seulement l'état le plus puissant, mais encore le plus lucide de la pensée, sinon dans les illusions passagères dont il l'enveloppe, du moins dans les perceptions qui en dérivent et qu'il fait surgir à son gré de la trame des songes. [...] Il semble que l'esprit, offusqué des ténèbres de la vie extérieure, ne s'en affranchit jamais avec plus de facilité que sous l'empire de cette mort intermittente, où il lui est permis de reposer dans sa propre essence, et à l'abri de toutes les influences de la personnalité de convention que la société nous a faite[1]. » Voilà donc une métaphysique, et même une ontologie du rêve, puisque les « perceptions » dont parle Nodier, tout l'article l'atteste, sont proprement des vues sur une réalité supraterrestre inaccessible à la veille. Et il ne faut pas dire qu'évanouies au réveil elles sont sans réalité ; car elles continuent à agir dans la veille : elles furent jadis la forme fondamentale de la Révélation[2] ; et aujourd'hui même, l'homme simple qui, par le rêve et la veille, se voit exister doublement, dans ce monde matériel et dans un autre, « en conclura nécessairement qu'il contient deux êtres infiniment disproportionnés l'un à l'autre. [...] Il s'élancera de cette seule idée à la théorie de l'âme[3] ».

Cette démonstration de l'existence d'un monde spirituel et

---

1. *Œ. C.*, t. V, pp. 160-161.
2. *Ibid.*, p. 167 : « Toutes les religions ont été enseignées par le sommeil. » Il fait cependant exception pour la chrétienne, sachant qu'elle désavouerait ce mode de révélation. — Voir aussi *ibid.*, p. 186. — S'il n'en est plus ainsi, dit-il, c'est en raison de « l'état de rationalisme étroit et positif auquel le long désenchantement de la vie sociale nous a réduits » (*ibid.*, p. 164).
3. *Ibid.*, p. 166. On trouve dans ces pages des vues sur la lycanthropie, le vampirisme, la sorcellerie, etc., toutes pratiques qui, selon Nodier, naissent aussi de suggestions oniriques : autres preuves de l'action du rêve sur la vie positive.

de l'autonomie de l'âme par les visions du sommeil se retrouve, quoique sur un ton moins assuré, à propos des visions de la folie. Nodier joint les deux thèmes, songe et folie, quand il écrit, dans la préface de sa *Fée aux miettes*, qu'il a «essayé d'y déployer [...] le mystère de l'influence des illusions du sommeil sur la vie solitaire, et celui de quelques monomanies fort extraordinaires pour nous, qui n'en sont pas moins fort intelligibles, selon toute apparence, dans le monde des esprits [1]». Car les visions des fous peuvent, elles aussi, contenir la vérité d'un monde supérieur au nôtre. Dans l'«espèce d'introduction» qui suit cette préface, et où nous apprenons qu'une conversation du narrateur avec son valet de chambre le conduit à projeter une visite à la maison des lunatiques de Glasgow, nous lisons que lesdits lunatiques ne portent pas en vain leur nom, étant situés au plus haut de l'échelle qui sépare la terre de la lune; «et, ajoute ce narrateur, qui n'est autre que Nodier, comme ils communiquent nécessairement de ce degré avec les intelligences d'un monde qui ne nous est pas connu, il est assez naturel que nous ne les entendions point, et il est absurde d'en conclure que leurs idées manquent de sens et de lucidité parce qu'elles appartiennent à un ordre de sensations et de raisonnements qui est tout à fait inaccessible à notre éducation et à nos habitudes [2]». Ou encore : «N'as-tu pas remarqué que les vaines sagesses de l'homme le conduisent quelquefois à la folie ? Et qui empêche que cet état indéfinissable de l'esprit que l'ignorance appelle folie, ne le conduise à son tour à la suprême sagesse par quelque route inconnue qui n'est pas encore marquée dans la carte grossière de vos sciences imparfaites [3].» C'est ce qu'enseigne à son jeune ami la Fée aux miettes, et ce «qui sait ?» ou ce «pourquoi pas ?» cher à Nodier suffit, à défaut de certitude, pour inspirer au couple une sorte de prière quiétiste. Ces propos semblent friser de très près le genre littéraire du paradoxe, assez en honneur dans la critique et l'essai romantiques. Mais il s'agit ici d'une pensée que Nodier nourrissait depuis toujours, comme l'atteste dès 1806 cette interrogation sur un héros des *Tristes*, qui attend une apparition de sa bien-aimée morte : «Que sais-je, infortuné qu'ils appellent fou, si cette prétendue

1. *La Fée aux miettes*, dans *Œ. C.*, t. IV, p. 16 (= *Contes*, p. 171).
2. *Ibid.*, p. 29 (*Contes*, p. 176).
3. *Ibid.*, pp. 348-349 (*Contes*, p. 310).

infirmité ne serait pas le symptôme d'une sensibilité plus éner-
gique, d'une organisation plus complète, et si la nature, en exaltant toutes les facultés, ne les rendit pas propres à percevoir
l'inconnu [1] ? » Dans son âge mûr, il manipule en tous sens
cette pensée ; il veut bien admettre que chez le fou l'équilibre
est rompu entre l'esprit et le corps, mais au profit de l'esprit,
et étant entendu qu'en cela le fou ne diffère pas foncièrement
du philosophe ou du poète : «Ce qui n'est qu'une crise pour
les deux autres, écrit-il, est pour lui un état [2]. »

LA FÉE AUX MIETTES

Fantastique, songe, folie, en général tout ce qui tient à l'irrationalisme de Nodier demande à être considéré dans sa portée
exacte. Propose-t-il une foi nouvelle, source de croyance et de
conduite ou une chimère plus ou moins connue comme telle,
destinée à consoler les hommes de la mort des croyances proprement dites ? S'agit-il de convaincre ou de réconforter ? Qui
connaît un peu cette époque ne peut s'attendre, de la part de
Nodier ni d'aucun de ses semblables, à une réponse claire à
cette question. Dieu est-il vérité ou illusion salutaire ? Depuis
le XVIIIᵉ siècle, la religion et son semblant pragmatique allaient
confusément ensemble. Le spiritualisme romantique, à distance
de la religion, accentue cette ambiguïté, et à sa façon la féconde.
Il varie à l'infini les proportions du certain et du désirable, selon
les détours de la pensée, les moments et les sujets ; il inclut le
doute et en use comme d'une harmonique inséparable de la
foi. En transportant la question sur le plan de la folie, prise
pour témoin des suprêmes vérités, Nodier a tendu la corde sans
changer la nature du problème.

Michel, le héros de *La Fée aux miettes*, par le récit qu'il fait
lui-même de ses aventures, représente incontestablement ce
qu'on a coutume d'appeler un fou ; et tout le livre a pour objet
de valider les imaginations de cet extraordinaire personnage.
Cette validation est pourtant des plus problématiques. Car

---

1. *Une heure ou La Vision*, dans *Les Tristes*, 1806, p. 74 (= *Contes*, p. 21).
2. *Une corbeille de rognures*, Tournai, 1836, p. 36 (recueil d'articles publiés par
Nodier dans *Le Musée des familles* en 1833-1834, réunis en volume : B. N.,
Rés. Z. 4213).

tout ce que Michel raconte de sa vie et qui, selon l'opinion commune, sort des limites du croyable : en particulier l'identification de la vieille mendiante de Granville, dite Fée aux miettes, à la fabuleuse Belkiss, qui fut jadis la jeune et belle reine de Saba ; la présence dans le cours de l'histoire de deux vaisseaux successifs qui portent le nom de cette reine ; les aventures sinistrement fantastiques du héros dans l'auberge de Mrs Speaker avec le bailli à tête de chien ; sa condamnation à mort, sa marche vers la potence et sa miraculeuse délivrance par la Fée sa fiancée ; enfin le caractère magique du médaillon qu'il tient d'elle, de la petite maison où ils habitent à Greenock et de leurs relations amoureuses — tout cela n'est attesté dans le roman que par le récit de l'intéressé. Il le fait à Nodier dans la maison des fous de Glasgow où celui-ci l'a rencontré pour la première et dernière fois. Mais il résulte de son récit même, tel que Nodier l'a imaginé et agencé, qu'on ignorait autour de lui, dans le cours de sa vie, tout ce qu'il dit avoir vécu, ou qu'on se moquait de ses visions [1] ; et une enquête faite sur place atteste que personne dans son entourage n'a jamais entendu parler, ni de la Fée, ni du bailli à tête de chien, ni de la maison magique [2]. Nodier a donc raconté un délire en nous donnant le moyen de le connaître pour tel.

Son roman ne serait, s'il se bornait à cela, que l'autobiographie littéraire d'un fou, faite par un auteur sain d'esprit pour des lecteurs semblables à lui — formule romanesque usitée, d'intention ordinairement dramatique ou humoristique. Mais le projet de Nodier est justement tout autre : c'est d'établir entre son fou et le lecteur sensé une sympathie poétique, ce à quoi il parvient en mêlant subtilement l'un à l'autre l'imaginaire et le réel, en les faisant pour ainsi dire, dans le récit de son Michel, communiquer étrangement l'un avec l'autre. Cette manière de raconter occupe tout le roman, et les moyens d'y voir clair ne se produisent vraiment qu'à la fin. S'agirait-il donc, avec *La Fée aux miettes*, de cette autre formule du genre fantastique : un surnaturel dont on jouit en feignant de le

---

1. Ainsi, *Œ. C.*, t. IV, p. 328 (= *Contes*, pp. 301-302), ses camarades qui l'accueillent une fois sauvé de la potence ne lui disent pas un mot de sa mésaventure ; *ibid.*, p. 333 (= *Contes*, p. 304), le maître charpentier qui l'emploie le tient pour fou.

2. Enquête du domestique Daniel à Greenock, *Œ. C.*, t. IV, p. 383 et suiv (= *Contes*, pp. 325-326).

croire ? Ce ne serait pas assez pour Nodier. Au moment même
où Michel termine son histoire, surgit une situation nouvelle,
lorsqu'il explique le motif de son internement. Le jour de la
Saint-Michel, la Fée, se sachant proche de la mort, l'a chargé
d'une entreprise apparemment impossible : pour la sauver et
lui rendre la figure de Belkiss, il doit, avant un an, trouver
la mandragore qui chante. C'est pour s'être mis en quête de cette
fabuleuse fleur chantante, qui ne peut être, qu'il a été jugé fou
et retenu prisonnier à l'asile de Glasgow. Or, c'est au moment
où Nodier plaint le malheureux de la déception qui l'attend,
et où il laisse éclater sa colère contre l'odieux psychiatre, qu'il
apprend par son domestique que Michel a disparu et qu'on
le cherche en vain : « Ses camarades [...] prétendent l'avoir vu
se balancer un moment à la hauteur des tourelles de l'église
catholique, avec une fleur à la main, et chantant d'une manière
si douce qu'on ne savait si ces chants provenaient de la fleur
ou de lui. » « — C'était de la fleur, ne t'y trompe pas », répond
Nodier [1]. C'est alors qu'il envoie enquêter son domestique à
Greenock sur les faits racontés par Michel, dont aucun n'est
confirmé. Ainsi, c'est en même temps que la clarté est faite
dans le monde réel, et que le miracle se produit. Par cette fin,
la folie de Michel devient plus qu'une folie : une quête victorieuse de l'impossible, un regard vers l'inconnu et l'immortalité [2]. On pourrait, à partir de cet évident symbole,
réinterpréter tout le roman comme un système de significations
cachées. On aurait tort de l'essayer ; l'esprit de système est
étranger à Nodier, qui a échafaudé dans cette étrange et décon-
certante histoire tous les niveaux du fantastique, en concluant
sur le plus haut. D'ailleurs, nous cherchons seulement à définir ici la nature exacte du surnaturalisme de Nodier : conviction forte en un sens et, en un autre, imagination pure se sachant
telle.

Ce double aspect ne se trouve pas seulement dans sa philosophie de la folie. Quelque forme de surnaturel qu'il envisage,
il en parle presque toujours comme si la réalité en était pour
lui incertaine. Les mots mêmes, « fantastique », « imaginatif »,
qu'il oppose souvent à « positif », de quelque auréole supra-

---

1. *Contes*, p. 323.
2. La Fée, une fois rajeunie, sera apparemment immortelle, puisqu'elle projette, à mots couverts, d'émanciper Michel de la condition humaine (*ibid.*, p. 314).

terrestre qu'il les entoure, ne désignent en fait, dans l'usage ordinaire, qu'une expérience subjective, dont rien n'atteste le fondement réel[1]. La région où Nodier entend se réfugier, il la définit lui-même : «C'est la foi pour ceux qui croient, l'idéal pour ceux qui songent, et qui aiment mieux, à tout compenser, l'illusion que le doute[2].» Il lui arrive de récuser tout dogmatisme : «Il n'y a de faux que l'absolu[3]», ce qui autorise toute croyance, mais sous la condition du relatif. Le dernier mot que la Fée adresse à Michel est celui-ci : «Tout est vérité, tout est mensonge[4]», aphorisme dont le premier membre permet de tout croire, et le second de douter de tout. Ainsi, c'est un rêve de croyance, formé au sein et à la faveur du doute, qui est la foi de Nodier, comme la loi même de la littérature fantastique : «C'est que pour intéresser dans la littérature fantastique, écrit-il, il faut d'abord se faire croire, et [...] une condition indispensable pour se faire croire, c'est de croire»; la médiation d'un fou, ajoute-t-il, facilite cette condition dans une époque sans croyance (et c'est de là qu'est né le personnage de Michel); quant au narrateur, intermédiaire entre le fou et le public, ce devait être (et ceci est la définition de Nodier) «un autre fou moins heureux, un homme sensible et triste [...] qu'une expérience amère des sottes vanités du monde a lentement dégoûté de tout le positif de la vie réelle, et qui se console volontiers de ses illusions perdues dans les illusions de la vie imaginaire[5]». Et ailleurs : «Pour faire illusion aux autres, il faut être capable de se faire illusion à soi-même[6].»

Cependant, on n'imagine pas seulement pour imaginer, et

1. Ainsi, dans *De quelques phénomènes du sommeil*, article cité, Œ. C., t. V, pp. 188-189, il oppose le «principe imaginatif» au «principe positif».
2. *Du fantastique en littérature*, dans Œ. C., t. V, pp. 111-112.
3. *Qu'est-ce que la vérité? Doutes philosophiques* dans la *Revue de Paris*, janvier 1836, p. 124. Il corrige d'avance, à la page précédente : «L'absolu n'a de base que dans les religions révélées», exception révérente, mais qui laisse entendre qu'il ne relève pas, quant à lui, d'une telle autorité.
4. *La Fée aux miettes*, Œ. C., t. IV, p. 367 (= *Contes*, p. 317).
5. *Ibid.*, pp. 13-14 (= *Contes*, p. 170).
6. *M. Cazotte*, dans la *Revue de Paris*, décembre 1836 (= *Contes*, p. 592). Le même axiome se trouvait déjà dans *Jean-François les Bas-Bleus*, paru en 1833 dans *Les Cent-et-une nouvelles des Cent-et-un*, t. I, sous une forme un peu différente (voir *Contes*, pp. 362-363); de même dans *Paul ou La Ressemblance, histoire véritable et fantastique* (paru dans *Revue de Paris*, juin 1836, sous le titre *Un domestique de M. le marquis de Louvois* : voir *Contes*, p. 644); on en retrouve l'équivalent dans la *Légende de sœur Béatrix*, dans la *Revue de Paris*, octobre 1837 (= *Contes*, p. 782).

c'est le besoin d'être heureux qui anime la demi-croyance. Nodier fait de cette logique la loi de sa nature, dès l'origine de sa vie : l'enchantement de l'enfance à peine passé et reconnu comme une illusion, «je me suis hâté de la ressaisir aussitôt que j'ai pu connaître qu'elle valait mieux que la vérité ; j'ai nourri, j'ai caressé le prestige qui m'avait du moins agréablement trompé, et je me suis conservé enfant par dédain d'être homme. Voilà le secret de ma mémoire et de mes livres [1]». Ces lignes font partie d'un plaidoyer en faveur de la véracité, souvent contestée, de sa mémoire (c'est-à-dire des souvenirs historiques qu'il publie) ; destinées à établir sa foncière fidélité au passé, elles produisent plutôt, vu le contexte, l'effet contraire : elles font partir de l'enfance sa religion de l'imaginaire. La quête du bonheur se fait donc chez lui par jouissance d'imagination, retour au passé, repliement en soi, refus du réel : «Je craignais de voir les hommes aux dépens de la volupté inexprimable que j'éprouvais à goûter ma pensée, fait-il dire à Cazotte. [...] C'est que la création m'appartenait, une autre création vraiment que celle que vous connaissez, bien plus variée en productions, et bien plus riche en merveilles. [...] J'animais tout, je peuplais tout, je faisais tout de rien. Il n'y a point d'état qui rapproche autant notre essence de celle de la Divinité [2].» La recherche du bonheur, dans ces spéculations, glisse, on le voit, vers la métaphysique. Il ne suffit pas de dire, comme il le fait à propos d'un autre de ses personnages, que «c'est une chose assez bien entendue pour le bonheur, de se réfugier dans la vie idéale, quand on sait au juste ce que vaut celle-ci [3]». Mais la vie idéale nous met-elle vraiment en relation avec une *réalité* ? On pense à la réponse fameuse : si Dieu n'existait pas, il faudrait l'inventer. Vérité suprême ou

1. *Réal* dans la *Revue de Paris*, août 1834, p. 289 (article sur un personnage de l'époque révolutionnaire et impériale, reproduit dans *Œ. C.*, t. IX).
2. *M. Cazotte*, article cité, *Contes*, p. 605. Comparer à ces propos, prêtés par Nodier à Cazotte, ce qu'il dit ailleurs pour son propre compte : «J'ai reconnu que, hors la vie de l'enfance, il n'y avait rien dans notre vie qui valût la peine de vivre.» (Article sur Réal, *loc. cit.*) En ce qui concerne Cazotte, Nodier prétend l'avoir connu dans son enfance comme ami de son père et l'avoir vu souvent à Paris en 1792, époque à laquelle nous ne savons absolument pas que Nodier, alors âgé de douze ans, soit venu à Paris.
3. *Inès de las Sierras*, dans la *Revue de Paris*, mai 1837 (= *Contes*, p. 662). Naturellement, tout le personnage de Michel, dans *La Fée aux miettes*, est construit sur ce thème.

chimère salutaire ? Nodier ne sort pas de cette frontière indécise entre la félicité d'imaginer et la faculté de croire. Il poursuit une foi surnaturelle sans jamais être sûr de l'avoir atteinte
autrement que par le désir.

L'Idéal meurtrier

Dans cette recherche, il a rencontré l'angoisse aussi bien que
le bonheur. Bien des pages de son œuvre le disent, où l'accès
à l'au-delà a la mort pour condition et pour figure, mais surtout celles qu'il a écrites sur ce qu'il appelle la *monomanie réflective*[1]. Cet Idéal, en possédant l'esprit, le ravit, quoiqu'on
doute secrètement de sa réalité : comment un bonheur dont
la fin dernière est métaphysique échapperait-il au doute ? Le
désir qui peut se croire vain est une torture, surtout s'il a la
forme, comme chez les amants de l'idéal, d'une idée fixe, d'une
« monomanie ». Cette monomanie, qui vise à un ordre supra-
terrestre, et qui n'en éprouve pas la réalité, qui n'a d'autre
appui et d'autre compagnie que le moi, est dite à bon droit
réflective ; son caractère est l'absolue solitude : elle renie le
monde et ne possède rien d'autre. Nodier la décrit, d'un texte
à l'autre, passant, insensiblement et logiquement, de la félicité et de la certitude qu'elle procure, au supplice qu'elle finit
par infliger. D'une part, elle est « cette faculté merveilleuse qui
vaut tous les biens de la terre, qui en compense toutes les pri-
vations, qui dédommage d'avoir été, qui console d'être, qui
contient plus clairement qu'aucun mythe[2] la révélation assi-
due de notre essence spirituelle et de notre immortalité ; c'est
la divinité anonyme qui préside aux *châteaux en Espagne*[3] » :
nous voilà donc certains de l'immortalité, quoique les « châteaux en Espagne » désignent d'ordinaire tout autre chose qu'un
bien assuré. Cependant : « L'habitude des fascinations en pâlit

1. Ces pages, qu'on date quelquefois de leur publication en 1837 au tome XI
des *Œ. C.*, sous le titre global de *Piranèse, contes psychologiques à propos de la monomanie réflective*, ont paru d'abord en 1833 dans *L'Europe littéraire* en deux articles,
l'un le 15 mars, pp. 30-31 (*Rêveries psychologiques. De la monomanie réflective*) ; l'autre
le 26 juin, pp. 206-207 (*Le Dessin de Piranèse*). Une phrase de raccord les réunit
dans les *Œ. C.*
2. Faut-il entendre « aucun dogme », « aucune histoire sainte » ?
3. *L'Europe littéraire*, 15 mars 1833, p. 30 (= *Œ. C.*, t. XI, p. 172).

le prestige [1] ; le retour obstiné des désenchantements l'éteint tout à fait. [...] L'âme retombe sur elle-même, étonnée et puis détrompée du chemin qu'elle a fait. [...] Comme elle a vérifié par expérience que son bonheur idéal n'était que mensonge, elle se saisit avec un dépit cruel des rigueurs de la vie positive ; elle les embrasse, elle les étreint, elle en fait son jouet ou sa pâture. [...] Le *château en Espagne* devient alors pour elle un tourment de choix, un supplice de prédilection, le *cachot*, l'*échafaud*, le *tombeau* en Espagne de Chamfort [2]. » C'est ainsi que la recherche d'une communication céleste se change en torture terrestre.

Cette sorte d'oscillation, sans doute congénitale au romantisme, a ceci de particulier chez Nodier qu'elle n'apparaît pas comme un épisode au sein d'une quête dont le dernier mot est l'espérance, mais comme le destin fatal et négatif de la quête elle-même. L'«idéal cruel» dont parle Baudelaire est déjà défini dans ces pages d'autant plus remarquables que Nodier y développe la logique autopunitive du thème, laquelle peut aboutir au suicide, mais passe en tout cas nécessairement par la recherche de la souffrance et du danger. En ce sens, il faut, selon lui, attribuer à la monomanie réflective les dévouements héroïques, les explorations aventureuses, le fanatisme du flagellant, en fait tout ce qui arrache l'homme à la médiocrité de sa condition ordinaire. Mais le moins glorieux de ces monomanes, le «fou intime» en qui Nodier se peint, mérite autant qu'un autre la palme du martyre, car il meurt lentement de refuser la vie : «C'est le mauvais logicien du monde vrai [3] qui s'est fait une volupté amère d'immoler le mortel à l'immortel, et un présent périssable et odieux à un éternel avenir ; c'est, si l'on veut, une espèce de spiritualiste, ambitieux de la vie future, et précautionné contre le néant par d'inébranlables convictions, qui dépèce froidement son étui de momie pour le jeter à la matière [4]. » La monomanie réflective est une monomanie ascé-

---

1. Le mot «prestige», conformément à son étymologie, désigne dans la langue classique, et jusqu'au XIXe siècle, l'effet trompeur d'une supercherie ou d'une illusion ; il faut certainement l'entendre ici dans ce sens, et non dans son sens actuel, sensiblement autre.

2. *Ibid.*, p. 30 (Œ. *C.*, t. XI, pp. 172-173).

3. «Vrai», c'est-à-dire spirituel ou céleste ; et «mauvais» logicien, sans doute, non quant à la rigueur de la logique, mais quant à la sagesse.

4. *L'Europe littéraire*, 15 mars 1833, p. 31 (Œ. *C.*, t. XI, pp. 176-177).

tique, une «aliénation étrange qui laisse libres toutes les autres facultés d'une haute intelligence, et qui n'a pour objet en soi que d'imposer à l'enveloppe matérielle de l'âme d'épouvantables supplices. [...] Ce mystère est grand et sublime, car il comprend tout le secret de la destination de l'homme[1]». Cette sorte d'aliénation, légitimée dans son principe doloriste par «la conscience universelle des peuples», repose sur «la profonde intuition d'une destinée future à laquelle le corps ne participe point[2]». C'est un spiritualisme rigoureux qui s'affirme ainsi, avec ses conséquences antinaturelles; il est, en fait, la clef de voûte de cet édifice de pensée bâti sur le rejet du monde. Un tel rejet a sa logique : prêché d'abord sous le signe d'un hédonisme spirituel, ainsi qu'on a pu voir, il fait finalement triompher le principe contraire. Cette attitude extrême est-elle romantique, au sens que ce mot avait alors en France? On peut en douter. Un tel vertige n'est pas ce qu'enseignait le sacerdoce des poètes contemporains sous les figures d'Adam, d'Orphée et de Prométhée. On pense plutôt à Icare, héros baudelairien. Le monomane de Nodier est dans une position d'équilibre périlleux; il a l'Abîme sous lui, et il est tout prêt à se désabuser du Ciel lui-même et à tomber, comme on fera après lui[3]

Une doctrine de l'au-delà

La position particulière de Nodier l'a conduit à une entreprise assez curieuse. La mode était de son temps à la construc-

---

1. *Ibid.*, 20 juin 1833, p. 207 (*Œ. C.*, t. XI, pp. 200-201).
2. *Ibid.* (*Œ. C.*, t. XI, pp. 201-202).
3. On peut parler à bon droit de *vertige*. Car, parmi les effets de la monomanie réflective, domine dans l'article de Nodier l'exemple des ascensionnistes : notamment l'alpiniste Campbell, dont l'évocation est précédée d'un récit autobiographique concernant Nodier chasseur de papillons, récit qu'on pourra croire si l'on veut. Mieux, il y a les ascensionnistes en architecture ou en chambre : Piranèse d'abord, supposé monter jusqu'à l'infini dans l'étrange architecture intérieure, répétée sans fin de plus en plus haut, d'un de ses dessins; puis des héros de faits divers, véridiques ou inventés, juchés au faîte intérieur de leur demeure moyennant divers appareillages, et s'y laissant périr. Ces pages saisissantes demandent à être lues plutôt que commentées. Naturellement, pour Nodier, l'ascension passionnée et nécessairement vaine, l'espace se dérobant sans fin à ses assaillants, est un excellent symbole : c'est la quête du Ciel désiré et inaccessible. Ce type de symbole prospérera après lui.

tion de systèmes religieux ou parareligieux de la Création, englobant l'histoire et les destinées de l'humanité, sur terre et au-delà. Ces systèmes, en accord avec l'esprit de l'époque, grandissaient généralement l'homme et ses destinées ; on peut même dire que c'était là leur sens principal et leur raison d'être. Il est naturel que Nodier, dans son pessimisme, se soit souvent moqué de ces systèmes ; il l'est moins qu'il ait entrepris d'en concevoir un lui-même. Il entendait apparemment que le sien corrigeât tous les autres et, tout en leur ressemblant par l'étrangeté et les audaces de l'imagination, les démentît dans ce qu'ils avaient d'essentiel : la promesse faite à l'humanité terrestre d'une glorieuse destinée progressive. Il imite curieusement les façons des révélateurs de son temps, quand, en juillet 1832, il décrit en ces termes à son intime ami Charles Weiss la genèse de la doctrine qu'il s'apprête à publier : «Depuis quatre ans, une idée descendue dans mon esprit à la faveur du sommeil, qui est le premier des enseigneurs, s'est développée avec tant de puissance de nuit en nuit qu'elle a fini par se changer en conviction.» L'exposé de ce système, annonce-t-il à son ami, va bientôt paraître dans la *Revue de Paris* : «Si tu daignes lire cela de plain-pied avec moi, ajoute-t-il, [...] tu comprendras ce que j'ai compris, et tu sauras ce que je sais, c'est-à-dire la vérité matérielle, essentielle et indispensable de la Résurrection, prouvée par des arguments plus clairs que le soleil dans son midi. [...] Le hasard seul a jeté en moi une perception [1] immense, incommensurable, qui a le caractère le plus évident de la vérité. [...] Aucun homme qui pense ne peut la contredire sans s'accuser dans son cœur de mauvaise foi et de mensonge ; et cette perception, c'est celle de la création tout entière avec son commencement et son but.» Les penseurs (il cite les sages de l'Inde, Charles Bonnet, Kant, Cuvier) en ont aperçu la chaîne avant lui, mais «moi, dit-il, je la tiens, j'en suis sûr, il n'y manque pas un anneau, et l'univers est complet et sublime comme il devait être. [...] Je sais ce que je sais, et ce que je sais est vrai [2]». Ce ton, qui n'est pas rare chez les prophètes et utopistes de ce temps-

---

1. On a vu que Nodier entend par ce mot la constatation d'une réalité supra-terrestre, en particulier dans les visions du sommeil.
2. Lettre du 21 juillet 1832 à Charles Weiss (dans *Corr.*, n° CXVII, pp. 255-257).

là, surprend chez Nodier ; toutefois, il se défend de vouloir imiter cette sorte de gens ; on a vu qu'il affecte d'attribuer au hasard ce que les songes lui ont appris. Nous pouvons douter raisonnablement de la source onirique de la doctrine qu'il expose, et ne pas être sûr non plus que sa conviction soit aussi absolue qu'il le dit : qui peut faire la part exacte de la croyance et de la mise en scène dans ce genre de littérature ? Pour finir, s'abstenant d'exposer sa doctrine à Weiss, il le renvoie à l'article tout prochain.

Cet article parut en effet, intitulé *De la palingénésie humaine et de la résurrection*, dans la *Revue de Paris* d'août 1832 (pp. 336-389). Nodier y pose d'abord le principe doctrinal qui est certainement à l'origine de son système : il refuse, dit-il, les «palingénésies sociales» : c'est là l'expression maîtresse de Ballanche, qui voit l'histoire humaine comme un enchaînement de formes sociales engendrées par la Providence selon une spiritualisation progressive. Or Nodier, quoiqu'il admire hautement Ballanche et le tienne pour «une des plus puissantes intelligences comme un des plus grands écrivains de tous les âges», estime que «palingénésie sociale» est une expression contradictoire, «puisque, dit-il, la *génésie* est une création qui suppose l'action d'un pouvoir extérieur, et que la *Société* n'est qu'une œuvre d'instinct, dont l'accomplissement est attribué à l'organisme borné d'une espèce[1]». Ainsi, nulle attache génératrice de progrès ne relie l'humanité que nous avons sous les yeux à la divinité. C'est après avoir posé ce postulat, qui distingue son spiritualisme de celui de la plupart de ses contemporains, qu'il va tracer son odyssée. Il est parti d'une expérience de désenchantement : en un jour inexorable, dit-il, «jetant un regard de désespoir sur la destination de l'homme, je me suis aperçu qu'elle était ou imparfaite ou fausse, et qu'elle trompait toutes les conjectures que j'avais formées, plus jeune, sur la merveilleuse harmonie de la création[2]». Il a dès lors dédaigné les débats des hommes, il a fermé les yeux sur la société. C'est une méditation sur la théorie des espèces qui l'a

---

1. *De la palingénésie...*, dans la *Revue de Paris*, août 1832, p. 81 (*Œ. C.*, t. V, pp. 337-338). L'idée d'une société enfermée dans les limites de ses facultés se trouve dès 1830, nous l'avons vu, dans l'article *De la perfectibilité*. Voir, sur la doctrine de Nodier, l'étude de P.-G. Castex dans son recueil *Horizons romantiques*, pp. 35-43, *Nodier et l'école du désenchantement*.
   2. *De la palingénésie...*, p. 83 (*Œ. C.*, t. V, p. 342).

tiré, dit-il, du désespoir [1]. Il a compris que l'espèce humaine ne pouvait sortir des limites de ses facultés, et qu'une palingénésie ne pouvait signifier pour elle que sa transformation en une espèce différente : « Non ! Il n'y a point de *palingénésie* spécifique pour l'organisation actuelle de l'homme, parce que l'homme approche du temps où il aura fini son rôle sur la terre, comme le reste des animaux fantastiques du monde fossile [2]. » Tous les tourments et les misères de l'homme s'expliquent dès lors comme résultant de l'imperfection de son espèce, et se justifient dans un plan providentiel où il constitue, en tant qu'homme, un moment imparfait et passager : « J'ai compris que la vie de dérision et d'erreur que nous traînons sur la terre, et qui ne paraîtrait autrement que le jeu ironique d'un mauvais esprit, était au contraire tout ce qu'elle doit être dans le système toujours vivant et toujours progressif d'une création qui se continue [3]. » D'où le cri de triomphe : « J'ai reçu enfin la perception d'une création complète et sublime [...] et je me suis prosterné sous le poids de cette conviction [...] parce que je n'ai pas pu supposer qu'elle vînt de moi [4]. » Le Progrès se voit donc réhabilité, contre toute attente — preuve que cette notion s'imposait alors aux esprits de façon irrésistible —, mais un Progrès au-delà de l'homme, toute perspective d'ascension humaine continuant d'être tenue pour chimère. L'idée pourrait paraître étrange, si le naturaliste Ch. Bonnet, de Genève, n'avait, bien auparavant, développé l'idée d'un progrès des espèces s'engendrant en échelle ascendante selon des caractères corporels et spirituels de plus en plus parfaits, et si le XVIIIe siècle n'avait souvent imaginé des êtres intermédiaires s'échelonnant dans l'au-delà entre l'homme et Dieu. Nodier, qui s'est bien probablement inspiré de ces antécédents, les utilise comme il peut à ses fins propres [5]. Il faut y voir de plus près pour saisir sa démarche en acte.

1. *Ibid.*, pp. 84-85 (*Œ. C.*, t. V, pp. 343-344). Même schéma dans la lettre à Weiss, *op. cit.*, fin de la p. 256 et début de la p. 257.
2. *De la palingénésie...*, p. 83 (*Œ. C.*, t. V, p. 341).
3. *Ibid.*, p. 84 (*Œ. C.*, t. V, p. 344).
4. *Ibid.*, pp. 84-85 (*Œ. C.*, t. V, p. 344) : la formule, qui suggère une inspiration d'en haut, veut être humble et ne l'est pas trop.
5. Voir la *Palingénésie philosophique* de Charles Bonnet, Genève, 1770. À partir de là, le mot de « palingénésie » se répandit très largement à l'époque romantique ; il désigne, selon l'étymologie grecque, une « création opérée à nouveau » ; Ballanche lui fait signifier un « progrès par recréations successives » et l'applique dès les premières années de la Restauration à l'histoire de la société humaine. — Sur les conceptions de l'au-delà au XVIIIe siècle, voir mes *Mages romantiques*, Paris, 1988, chapitre sur Hugo, section intitulée « Un nouvel au-delà ».

Il est de ceux qui, voulant embrasser toute l'histoire de la création, ont été conduits à refaire la Genèse à leur façon. Il pense
en fait, quant à lui, que la création du monde a occupé cinq jours
et non six [1] : d'après lui ont été créés successivement, jour par
jour, la matière, les formes, les végétaux, les animaux, l'homme,
chacun des jours signifiant en réalité une immense durée ; le
sixième « jour » n'est pas encore venu, et c'est ce jour-là qu'appa-
raîtra l'« être compréhensif », c'est-à-dire capable de comprendre ce qui est énigme pour l'être simplement « pensant » que nous
sommes [2]. Ainsi, la création est actuellement inachevée et
l'homme n'est pas destiné à en être le couronnement. Nous constatons, en attendant, que tous les types d'êtres qui, selon le schéma
de Nodier, ont paru successivement avant l'homme ont continué d'exister après son apparition : matière, formes physiques,
végétaux, animaux n'ont pas disparu. Nous devons donc supposer que, dans le système de Nodier, l'homme survivra de même
à l'apparition de l'être compréhensif. Il nous dit lui-même qu'alors
« l'homme, reculé d'un degré sur la civilisation vivante », continuera à vivre selon sa médiocrité : « Voilà tout l'avenir de l'homme
dans l'état d'homme [3]. » Tel est l'essentiel du tableau de la création selon Nodier, tableau passablement mortifiant pour l'homme,
si nous devions nous en tenir là. Ce système rend bien compte
du mal dont souffre Nodier et dont il fait généralement le caractère de l'humanité. L'homme, se croyant au plus haut et éprouvant pourtant sa misère, vit dans un trouble furieux ; il cherche
à se dépasser, et il ne peut y arriver ; il a l'idée de cet état compréhensif qui lui est refusé, il en est le témoin précurseur et il ne peut
y prétendre : « La progression inaccomplie que sollicitent les instincts de l'homme, c'est la compréhension de la vérité. L'être compréhensif arrivera [4]. » Mais ce ne sera pas l'homme.

Acceptons cette négation ; elle est catégorique : il s'agira, au-
dessus de l'homme, d'une autre espèce. Mais née comment, et
dans quelle relation avec l'humanité ? Dans sa description des étapes de la création antérieures à l'homme, Nodier montre à chaque niveau d'existence une tendance et un effort vers le niveau
supérieur : le minéral s'efforce vers le végétal, le végétal vers l'ani-

---

1. Il prétend qu'il y a, dans la Genèse biblique, un jour inemployé.
2. *De la palingénésie...*, p. 88 (Œ. *C.*, t. V, p. 351).
3. *Ibid.*, pp. 104-105 (Œ. *C.*, t. V, pp. 383-384).
4. *Ibid.*, p. 90 (Œ. *C.*, t. V, p. 355).

mal, l'animal vers l'homme, comme par une loi d'universelle transformation progressive [1]. Décrivant le passage de l'animal à l'homme, il écrit ces lignes : «Le cinquième jour enfin, l'homme se lève tout à coup du milieu d'une tribu de singes ou de pongos [2]. » Nous devons entendre que chacune des étapes de la création de cinq jours sous laquelle nous vivons s'est élevée à l'étape suivante par une mutation subite et spectaculaire succédant à de longs efforts sans résultat. Telle est en effet la seule hypothèse qui puisse sauver à la fois la logique misanthropique de Nodier et le plan ascensionnel qu'il veut prêter, comme tous ses contemporains, à la Providence. Ainsi donc, l'être compréhensif devrait surgir différent des hommes, mais au milieu d'eux, en raison sans doute du fait qu'il succède immédiatement à l'humanité dans l'échelle des créatures. Cependant, tout fait supposer entre les deux sortes d'êtres, à la fois proches et dissemblables, un rapport génétique, par voie de mutation, quoique Nodier ne se prononce pas tout à fait expressément sur ce point ; il attribue à son être compréhensif, en même temps qu'une supériorité d'intelligence, des organes nouveaux qu'il se hasarde à imaginer : ainsi des poumons pouvant acquérir l'ampleur d'un aérostat, pour lui permettre de se déplacer dans les airs ; il ne voit aucune difficulté à un tel appareillage biologique, car, écrit-il, «dans le laboratoire de la création, tout cela n'exige pas plus d'un moment [3]». Nodier est ici, parmi les utopistes, l'émule, conscient ou non, de Fourier. Il est vrai qu'ils ne sont pas les seuls, en ce temps-là, à avoir rêvé de révolutions extraordinaires dans la nature : mais valait-il la peine de tant se divertir aux dépens de l'utopie philanthropique et progressiste alors qu'on en était soi-même à prophétiser des poumons volants ?

Une autre difficulté est plus sérieuse. En transposant, pour confondre l'homme, le problème du progrès sur le plan de l'his-

1. Ces descriptions se trouvent *ibid.*, pp. 88-90 (*Œ. C.*, t. V, pp. 352-355); elles sont reprises sous une autre forme aux pages 90-94 (*Œ. C.*, t. V, pp. 356-363).
2. *Ibid.*, p. 93 (*Œ. C.*, t. V, p. 360).
3. Voir les hypothèses de Nodier, *ibid.*, pp. 101-103 (*Œ. C.*, t. V, pp. 376-380). Ces pages donnent une idée des étranges libertés que la pensée se donnait à cette époque. On invoquait souvent, pour prêter dans le futur des corps fabuleux aux êtres humains, le «corps glorieux» de la théologie catholique ; l'illuminisme et l'utopisme en tout genre font grand usage du rapprochement, et Nodier y a recours lui aussi, *loc. cit.*, parmi ses hypothèses.

toire des espèces, Nodier a, du même coup, semblé vouloir
ignorer la question de la destinée et du salut individuels.
Que sont devenus tous les individus humains qui ont vécu
jusqu'à nous, que deviendront ceux qui vivront après nous,
et même après l'apparition de l'être compréhensif? Aucune
survie ne leur est ouverte dans la nouvelle espèce; le néant
semble leur lot, si l'on s'en tient à l'exposé de Nodier, où
la notion d'immortalité individuelle n'a apparemment nulle
place. Cette notion s'y trouve pourtant, dans une seule phrase.
Parlant de l'homme qui continuera à survivre au sein de
l'ère compréhensive et commentant sa triste condition, il ajoute
qu'il n'y a qu'une idée qui puisse l'en consoler, «c'est que
l'intervalle qui sépare l'être pensant de l'être compréhensif
n'est presque rien : ce n'est que la mort [1]». Voilà qui renverse tout le système. Ces deux lignes semblent dire que tous
les morts humains, depuis toujours, sont passés à l'état compréhensif; et qu'il en sera toujours de même. Que devient,
s'il en est ainsi, le cercle qui emprisonne à jamais l'humanité
dans ses limites? Et comment croire qu'il puisse avoir été
déjà rompu par nos défunts ancêtres alors qu'il est dit, nous
l'avons vu, que le sixième jour de la Genèse, où doit naître
l'état compréhensif, n'a pas encore lui?

En présence d'une doctrine aussi indécise, nous sommes
bien obligés d'admettre que Nodier s'est trouvé partagé entre
deux volontés contraires : celle d'exclure l'humanité terrestre de tout progrès indéfini et prestigieux — volonté polémique dirigée contre l'héritage du XVIIIe siècle — et celle
d'ouvrir à l'homme individuel, et partant à l'humanité dans
son ensemble, une carrière infinie de progrès dans l'ordre
supranaturel. Au premier de ces désirs correspond la séparation abrupte entre les classes successives de créatures; au
second, le passage ouvert de l'une à l'autre, et en particulier
de l'homme à ce qui est au-dessus de lui. Car c'est, évidemment, de l'homme avant tout qu'il s'agit; en somme, Nodier
n'admet pour l'homme de progrès véritable qu'au-dessus de
sa nature et dans le ciel. Nous comprenons que sa misanthropie spiritualiste ne vise que la vie terrestre et l'optimisme
de ses adeptes. Il faut convenir que cette misanthropie érigée
en Système de la création universelle, ne fait pas merveille

---

1. *Ibid.*, p. 105 (*Œ. C.*, t. V, p. 384).

sur le plan logique [1]. Rien de plus problématique que l'espèce de révélation qu'il prétend avoir reçue : incohérente dans l'enchaînement des concepts, quoique, dans ce qu'elle a d'essentiel, expression profonde de son être, patente depuis toujours, indépendamment de tout message surnaturel. Le désenchantement de Nodier a toujours pris la forme d'un spiritualisme tout entier tourné contre la terre.

Le remède au désespoir terrestre est pour Nodier l'immortalité céleste, selon la tradition de Platon et du christianisme : solution banale en soi, si elle était l'objet d'une foi moins triste, moins indissolublement liée aux fantasmes d'une affectivité désolée. Que cette immortalité soit le recours majeur de Nodier, on n'en peut douter quand on lit, dans les pages mêmes qui prétendent fermer à l'homme toute issue, que la mort lui ouvre une étape plus haute de sa destinée. Mais l'état compréhensif lui-même n'est qu'un passage vers l'état «résurrectionnel», que tout ce que nous imaginons de divin et de sublime ne saurait peindre [2]. Il convient de souligner que c'est cette Résurrection qui est le terme dernier de la pensée de Nodier, ainsi que l'atteste le titre même de l'article que nous commentons ; car *De la palingénésie humaine et de la résurrection* doit s'entendre : *contre* la palingénésie purement humaine et terrestre, et *pour* la résurrection, qui est au-delà de l'homme. À cette lumière, la théorie de la création du monde, qui semble constituer l'originalité de l'article, apparaît sous son jour réel de fantaisie hasardeuse au regard de l'ensemble. Ce que Nodier nous donne, en substance, c'est une version moderne, laïque et plus ou moins hétérodoxe, du désaveu de la terre et du salut en Dieu seul. Cela dit, c'est dans ses contes, beaucoup plus que dans ses articles, que Nodier a déployé l'ensemble des aspects et des imaginations qui accompagnent chez lui de façon toute particulière,

---

1. Nodier ne reprend guère, dans la suite de son œuvre, le système particulier de genèse exposé dans cet article, sinon par quelques allusions : ainsi en 1834 dans l'Introduction à ses *Notions élémentaires de linguistique* (*Œ. C.*, t. XII, pp. 7, 11) ; aussi plus tard, dans *Lydie* (voir ci-dessous), moins sommairement, mais sous une forme assez vague.

2. Voir *De la palingénésie...*, p. 100 (*Œ. C.*, t. V, pp. 372 et 373). — La «résurrection» est évoquée aussi aux pp. 375 et 376 («*L'Homme* traverse l'état de compréhension pour arriver à l'état de résurrection dans lequel il sera toujours» : il s'agit bien toujours de l'homme dans ces parcours, c'est moi qui souligne) ; voir aussi, pp. 385-386, un éloge mystique de la résurrection, déclarée en fin de compte inconcevable.

en le distinguant du romantisme ambiant, le thème doctrinal de la Résurrection.

Mort, immortalité, réunion des amants

Sept ans après les pages mémorables que nous venons de commenter, Nodier publia le récit intitulé *Lydie ou La Résurrection*[1], nouveau titre composé, dont le second terme n'a pas changé. Une femme fait confidence au narrateur des initiations qu'elle reçoit de son mari défunt touchant les vérités de l'au-delà. Le narrateur, convaincu de l'immortalité de l'âme et résolu à vivre détaché du monde en attendant de le quitter, apprend de l'héroïne qu'il faut au contraire assumer et remplir sa destinée terrestre pour jouir du bienfait de la résurrection[2]. Voilà donc Nodier sur le plan traditionnel de la personne et des devoirs. Un autre aspect du sujet concerne la destinée d'un couple humain ; une des premières choses que l'héroïne dit au narrateur, c'est : « Oh ! la nuit, nous sommes ensemble[3] ! » Son mari est mort dans un incendie, en essayant de sauver des enfants, et elle est devenue folle, à ce que tout le monde croit : c'est ainsi qu'on interprète les relations qu'elle pense avoir avec son mari mort. Car il est venu la visiter une nuit, illuminant son sommeil ; sous la figure d'un ange aux ailes d'or, il l'a enlevée à travers les astres et conduite dans une sorte de paradis ; depuis lors, il revient chaque nuit l'emporter avec lui dans cet au-delà. Les retrouvailles en rêve des vivants et des morts, des amants surtout, sont un des thèmes de prédilection du spiritualisme poétique, qui d'autre part place volontiers dans le sommeil l'accès et la preuve d'un monde surnaturel. Vivants, les amants ignoraient ce qu'est la mort : « Nous ne savions pas ce que c'était, et nous savons aujourd'hui que le seul bien qu'elle pût alors nous enlever, c'est elle qui nous le donne[4]. » Le conte tout entier, en même temps que déploie-

---

1. Publié en avril 1839 dans la *Revue de Paris*, pp. 209-239 (*Contes*, pp. 849-881).
2. *Lydie...*, p. 209 (*Contes*, p. 850). — Le défunt a enseigné à Lydie que le suicide, en tant qu'abandon en cours d'épreuve, exclut l'espoir de résurrection : voir *ibid.*, p. 226 (*Contes*, p. 867).
3. *Ibid.*, p. 220 (*Contes*, p. 860).
4. *Ibid.*, p. 226 (*Contes*, p. 867). Ce bien unique est évidemment le bonheur de la réunion indissoluble.

ment des merveilles d'outre-tombe, est initiation et enseignement. George enseigne gravement à Lydie ce qu'il sait et ce
qu'elle peut comprendre de l'au-delà.

On ne peut s'attendre, naturellement, à retrouver dans ses
discours toute la doctrine de l'article *De la palingénésie*; elle n'y
apparaît que revue et remaniée du point de vue de l'immortalité personnelle telle que l'ont conçue les générations qui précédèrent celle de Nodier. Tout d'abord, l'au-delà n'est pas un
paradis unique, mais une carrière de métamorphoses, un «lieu
où les âmes bienheureuses viennent prendre d'autres formes
ou subir de nouvelles épreuves [...] pour se rendre dignes de
paraître un jour devant Dieu [...]; le monde où je viens de
te conduire, dit George, quoiqu'il soit incomparablement meilleur que le nôtre, n'est qu'un des degrés de cette échelle
immense qui nous rapproche incessamment du séjour éternel[1]». L'intérêt, en se déplaçant des ères génésiaques vers
l'homme individuel, rejoint la tradition commune; l'avenir de
l'être pensant, dilaté en une échelle ascendante de formes dont
le terme est une résurrection finale en présence de Dieu, reproduit un schéma familier aux imaginations parareligieuses depuis
la seconde moitié du XVIIIe siècle[2]. La présence d'épreuves
successives, la possibilité habituelle de monter dans l'échelle,
le risque plus rare de descendre, le caractère exceptionnel d'une
condamnation définitive et l'exclusion, formelle ou à peu près,
des peines éternelles[3], tout cela accentue encore la conformité
des révélations de George aux thèmes de la spéculation spiritualiste contemporaine[4]. La note propre à Nodier est cet
environnement de navrante infortune, d'amour frustré et de
déraison dont s'accompagne chez lui, toujours et comme nécessairement, l'illumination extraterrestre : le chant de deuil et
le chant de délivrance semblent se confondre dans sa bouche.

On aperçoit mieux cette originalité de Nodier, la principale
peut-être, si l'on considère les thèmes d'amour, de mort et

---

1. *Ibid.*, pp. 224-225 (*Contes*, pp. 865-866).
2. Voir ci-dessus, p. 81, note 5, dernières lignes.
3. Voir *Lydie...*, pp. 231 et 232 (*Contes*, p. 873).
4. Du système particulier exposé par Nodier dans son article *De la palingénésie...*, il ne reste, dans *Lydie...*, qu'un rappel fugitif des étapes de la création,
pp. 229-230 (*Contes*, pp. 870-871); quant à l'idée, qui revient ici, selon laquelle
les vérités spirituelles ne sont pas objet de science, p. 232 (*Contes*, p. 874), c'est
un lieu commun.

d'immortalité dans son œuvre entière : non seulement dans
les deux textes de 1832 et 1839 que nous venons de considérer
et dans les contes qui ont paru entre ces deux dates, mais dans
ceux, déjà, des années 1800 et aussi dans ceux que Nodier a
écrits à la fin de sa vie. Les contes de sa jeunesse disent d'abord,
simplement, l'amour non satisfait conduisant au refus de vivre
et à la mort. Une destinée funèbre de l'amour est la marque
de Nodier dans ces contes, où la mort récente de Lucile Franque est plusieurs fois figurée [1]. Les nouvelles qui composent
Les Tristes, en 1806, ne représentent l'amour qu'apparié à la
mort, soit que l'amante non payée de retour, souvent par une
impossibilité née de la différence sociale, meurt lentement d'une
privation sans remède, ou ne puisse survivre au mariage de
son bien-aimé [2]. Nodier a traité aussi, plus tard, le même
sujet, inversé, en faisant mourir l'amant dédaigné [3]. Le cas
est fréquent également, où la mort accidentelle d'un des amants
entraîne la mort par consomption ou suicide de l'autre [4].
Tous ces sujets sont assurément peu originaux en eux-mêmes ;
ils retiennent l'attention par leur répétition, et par le ton très
particulier de désolation extraterrestre sur lequel ils sont traités. Cette donnée première de l'œuvre de Nodier n'en a jamais
disparu.

L'amour qu'il peint dans ses contes est un amour impossible, que la mort conclut d'une façon ou d'une autre. La très

1. Sur Lucile Franque, que Nodier a dû aimer, voir CASTEX, éd. des *Contes*,
p. 4 et suiv., et p. 7, note 2 ; aussi l'article, déjà cité plus haut, de J.-R. DAHAN,
pp. 77-78.

2. Ainsi dans *La Nouvelle Werthérie*, parue dans *Les Tristes* (voir ci-dessus, p. 48,
note 1) et recueillie dans les *Œ. C.*, t. III, sous le titre de *La Filleule du seigneur* :
jeune fille d'humble condition amoureuse d'un seigneur, voir *Contes*, p. 11 et
suiv. ; même thème dans *Le Tombeau des grèves du lac* (jeune fille délaissée par un
châtelain, dans *Les Tristes*, et au t. III des *Œ. C.*).

3. Voir *Baptiste Montauban*, 1833 (déjà cité : voir p. 64, note 3) : Baptiste aime
une jeune fille supérieure à sa condition, dont il a partagé l'enfance ; il se jette
à l'eau quand elle se marie.

4. Ainsi, dans *Les Tristes*, les nouvelles intitulées *Les Jardins d'Oberheim* (fille
morte, Lucile ; l'amoureux, revenant au lieu de leurs amours, se noie), et *San-
chette ou Le Laurier-Rose* (l'amant parti et mort, la fille s'empoisonne ; voir *Œ.
C.*, t. III, où cette courte nouvelle est reproduite). — Voir aussi *Jean-François
les Bas-Bleus*, 1833 (déjà cité, voir ci-dessus, p. 74, note 6) : le héros, amoureux
lui aussi d'une fille noble, meurt en apprenant la mort de sa bien-aimée sur l'échafaud révolutionnaire : ce conte joint le motif de la condition inégale à celui de
la double mort ; le héros est en outre quelque peu «fou», ou voyant, car il perçoit l'événement à distance et tombe raide mort.

belle «nouvelle vénitienne» des *Fiancés* l'atteste une fois de plus en 1833 [1]. Une fille et un garçon, nés le même jour de deux familles rivales, merveilleusement beaux tous deux et ressemblant l'un à l'autre, sont baptisés ensemble et promis en mariage pour le jour de leurs seize ans par les pères réconciliés. Ils croissent en beauté et en amour réciproque; mais le père de la jeune fille, éprouvé par des deuils cruels, s'enferme dans la solitude avec des livres de sciences occultes; à l'approche de la date fixée pour le mariage des jeunes gens, il déclare l'année néfaste et fait retarder le mariage d'un an, avec obligation pour les jeunes gens de ne pas se voir jusqu'au jour des noces. Mais le jeune homme, sans l'avoir voulu, entrevoit un jour la jeune fille dans le couvent où elle s'est retirée pour l'année. Ils échangent quelques mots, et dès lors dépérissent, puis meurent tous les deux le jour marqué pour leur mariage; et les cortèges de leurs funérailles se rencontrent comme s'étaient rencontrés ceux de leurs baptêmes. Ici l'habituelle union, chez Nodier, de l'amour et de la mort, ne résulte plus d'une infortune ordinaire; c'est une volonté d'en haut qui destine dès le début les jeunes gens l'un à l'autre, et les fait mourir ensemble pour les marier au ciel.

C'est bien en effet l'élément d'intrigue le plus notable, dans cet ensemble de contes, que celui qui, par une volonté de Dieu ou par une promesse d'amour, qu'on doit supposer agréée de lui, transfigure la mort des amants en assurance d'éternelle union. Cet élément apparaît dans l'œuvre romanesque de Nodier dès le début. Dans *Une heure ou La Vision*, qui parut en 1806 [2], un malheureux jeune homme, dont la bien-aimée épouse l'héritier d'une grande famille [3], est convaincu qu'elle lui a promis de le revoir; elle meurt après son mariage, et il la voit en effet apparaître la nuit au Luxembourg, vêtue et voilée de blanc, au jour anniversaire et à l'heure de sa mort. Il croit l'avoir vue s'enfuir vers une étoile d'où il attend qu'elle lui revienne, et meurt enfin convaincu qu'il ira l'y rejoindre. Nodier, comme narrateur, affecte quelque peu de croire aux visions de son personnage et de supposer sa folie clairvoyante

---

1. Parue dans *L'Europe littéraire* du 31 mai 1833, reproduite au t. XI des *Œ. C.* (= *Contes*, p. 634 et suiv.); titre premier: *Les Morts fiancés.*

2. Dans *Les Tristes*, voir ci-dessus, p. 71, note 1; la nouvelle est reproduite dans les *Œ. C.*, t. III (= *Contes*, p. 15 et suiv.).

3. Schéma fréquent, on l'a vu, dans les nouvelles de Nodier.

sur les choses de l'autre monde[1]. Plus de trente ans après, c'est de nouveau, comme dans *Les Fiancés*, la volonté de Dieu qui est supposée avoir destiné l'un à l'autre deux fiancés, puis les avoir séparés par la mort pour les soustraire aux misères d'un amour terrestre et les unir parfaitement dans l'éternité. Telle est l'histoire qu'il raconte, cette fois dans un décor de réalité quotidienne, dans *La Neuvaine de la Chandeleur*[2]. C'est dans un jeune couple de fiancés provinciaux que la séparation par la mort nous est montrée comme la condition surnaturelle, et pour ainsi dire dogmatique, de la véritable union d'amour.

Une superstition du catholicisme franc-comtois fournit le cadre du récit : une neuvaine à la Vierge au temps de la Chandeleur, accompagnée de divers rites et dévotions, est supposée mettre une jeune fille ou un jeune homme en état de voir en rêve son futur conjoint. C'est ce que fait le narrateur lui-même, Maxime (nom fréquent de Nodier dans ses récits) ; et il voit en effet apparaître en rêve une fascinante jeune fille ; mais le pain et le vin qu'il lui offre, en accord avec le rituel prévu, sont refusés ; elle ne veut accepter qu'un brin de myrte, et s'échappe avec un cri douloureux. Désespéré de ne pas pouvoir la retrouver, il tombe dangereusement malade quand certains de ses amis reconnaissent, au portrait qu'il fait d'elle, la jeune fille de son rêve : c'est Cécile Savernier, de Montbéliard ; et il apprend bientôt, autre signe providentiel, que c'est justement elle qui, par un accord des deux pères, lui est destinée pour femme. Il va à Montbéliard la demander en mariage, la rencontre, la reconnaît et est reconnu d'elle, qui a fait aussi sa neuvaine et l'a vu dans son sommeil ; mais elle montre la même émotion triste que dans le rêve. Il doit la revoir le lendemain : elle meurt dans la nuit. La moralité de cette étrange histoire est suggérée au narrateur, survivant désolé du couple, par un prêtre catholique : «Elle est morte ; le Seigneur n'a pas permis que l'union à laquelle vous aspiriez pût s'accomplir sur terre. Il a voulu la rendre plus pure, plus douce, plus durable, immortelle comme lui-même[3].» Il faut naturellement que

1. Le héros de cette nouvelle passe pour fou dans l'opinion commune ; Nodier le dit épileptique. Mais sa folie ou sa maladie, si elles expliquent peut-être ses visions, ne le discréditent pas aux yeux de Nodier ; au contraire.
2. *La Neuvaine de la Chandeleur*, dans la *Revue de Paris*, juillet 1838, pp. 337-356, et août 1838, pp. 5-19 (= *Contes*, pp. 799-835).
3. *Ibid.*, août 1838, p. 17 (*Contes*, p. 833).

Maxime ne fasse rien pour hâter sa propre mort, et attende chrétiennement le terme fixé par la Providence pour sa réunion avec Cécile[1].

On dira que l'union éternelle des amants dans l'autre monde n'est pas un thème propre à Nodier, et que le spiritualisme poétique en fait un fréquent usage. On pense aux *Méditations* et à *Jocelyn*. Aussi n'est-ce pas tant la nature du thème qui attire l'attention chez lui que la couleur qu'il lui donne, le caractère de deuil qui empreint chez lui l'espérance. Ainsi, on peut le dire plus religieux que Lamartine par son attachement aux affabulations de la foi, moins que lui quant à la réalité de la foi elle-même. Sa métaphysique poétique et la piété la plus populaire peuvent, comme on voit, faire bon ménage à l'occasion. Il y a dans *La Neuvaine* un plaidoyer du narrateur en faveur des pouvoirs de la sainte Vierge, ici la protectrice et l'oracle des candidats au mariage; il vient d'être informé qu'on prête ce rôle à Marie et il pense : « Pourquoi n'en serait-il pas ainsi ? » Toujours ce « pourquoi pas ? » de Nodier, mince aboutissement de sa défense passionnée du surnaturel[2].

FRANCISCUS COLUMNA

L'alternative d'un amour terrestre et d'une union éternelle dans une autre vie est aussi le sujet du dernier conte de Nodier, paru l'année qui précéda sa mort. Mais la mortification du désir et la condition funèbre imposée à l'accomplissement de l'amour sont ici le fait de la volonté des amants eux-mêmes : ce qui est raconté est un héroïsme, non une prédestination.

C'est dans le cadre d'une anecdote de haute librairie qu'apparaît dans ce conte l'histoire pathétique des amours de Francesco et Polia. Nodier est venu à Trévise, pensant trouver dans cette ville un exemplaire de la fameuse *Hypnerotomachia Poli-*

---

1. L'idée d'une mystérieuse élection de ce couple est soulignée par le fait qu'une cousine du narrateur, qui s'est soumise comme lui au rituel de la Chandeleur, a trouvé son mari par ce moyen et que leurs noces se célèbrent sans obstacle dans le cours même du récit.

2. Nodier avait publié l'année précédente *La Légende de sœur Béatrix* dans la *Revue de Paris*, octobre 1837, pp. 277-293 (= *Contes*, pp. 781-798), qui est un pur conte dévot à la gloire de la Vierge, quoique le mot de « légende » dans le titre marque malgré tout le niveau de croyance où ce conte édifiant doit se situer.

phili de Francesco Colonna. Un de ses amis, érudit et littérateur, l'abbé Lowrich, lui jure de lui donner ce livre en cadeau,
si par impossible le libraire l'a. Il se trouve qu'il l'a, et l'abbé,
incapable d'en payer le prix, paie en écrivant pour le libraire
un feuilleton qu'il n'arrive pas à écrire lui-même : ce sera une
«nouvelle bibliographique» sur *Franciscus Columna*. Cette nouvelle, dont le texte nous est donné après cette espèce d'introduction, est proprement le dernier conte de Nodier, qui le fait
suivre de quelques lignes à nouveau anecdotiques : «C'est ainsi
que le plus magnifique exemplaire du *Poliphile*, géant de ma collection lilliputienne, y figure aujourd'hui, *nec pluribus impar*[1].»

Ce que Nodier raconte des amours pathétiques de Francesco
et de Polia doit peu de chose à la vérité historique et ne s'inspire que de loin de l'*Hypnerotomachia*[2]. Le vieux livre et le
conte romantique ont en commun, avec leurs protagonistes,
l'idée d'un amour fervent dans l'absence ; mais l'affabulation
et le sens du *Franciscus* de Nodier lui appartiennent en propre
et semblent surtout relever de sa mythologie personnelle de
l'amour. Il commence par supposer qu'un abîme sépare la
condition de Francesco, rejeton ruiné et méconnu des Colonna
et peintre sans gloire, du rang et de l'immense richesse de cette
Polia de Poli, dont il admet l'existence et imagine l'illustre
parenté[3] ; nous savons que la différence de niveau social entre
les amants est souvent ce qui condamne l'amour dans les fictions de Nodier. Une telle situation a l'avantage de rendre plausible, même dans un amour partagé, le sacrifice des amants,
qu'une fatalité extérieure impose : si Francesco était aussi illus-

---

1. *Franciscus Columna* parut pour la première fois dans le *Bulletin de l'Ami des arts*, vol. I, 1843, pp. 101-108 et 132-147. Nodier lui a donné pour titre le nom latinisé de l'auteur de l'*Hypnerotomachia*. On peut lire *Franciscus Columna* dans l'édition de P.-G. Castex des *Contes* de Nodier, pp. 882-903.

2. Cet ouvrage a paru en 1499 à Venise, chez Alde Manuce ; son auteur est le dominicain Francesco Colonna, dont nous ne savons presque rien. Le livre, écrit dans un italien mêlé de latin et agrémenté de grec, et dont le titre pourrait signifier «Combats de l'amour dans le sommeil», développe les rêves de paga-nisme mystique et d'amour de Poliphile (c'est-à-dire de «l'amant de Polia») ; dans ces rêves figure Polia elle-même. L'*Hypnerotomachia*, traduite en français en 1546 et plusieurs fois commentée dans l'histoire des lettres, est souvent appe-lée en France *Le Songe de Poliphile* ou le *Poliphile*. On verra plus loin que Nerval s'est souvent intéressé à ce livre, et aussi au *Franciscus Columna* de Nodier.

3. Il n'y a pas de raison de croire que le Colonna auteur du *Poliphile* ait appar-tenu, comme le dit Nodier, à la noble famille romaine des Colonna ; quant à Polia, on ne sait rien de positif sur elle.

tre et opulent que Polia, le refus de l'amour chez ces deux amants, si sublime qu'on eût voulu le faire paraître en esprit, aurait risqué de sembler purement incroyable.

Francesco et Polia, s'ils ne sont pas de la même condition, sont du même monde. Il la rencontre à Venise, chez sa cousine Pisani ; elle lui accorde quelques témoignages de bienveillance ; puis, la voyant se refroidir envers lui, il cesse de se montrer. C'est ainsi qu'un amour réciproque, que nous devinons né entre eux, se manifeste d'emblée, non par deux élans, mais par deux reculs, préfigurant ce qui sera la loi de cet amour. On peut prévoir, au moins dans l'immédiat, une suite plus romanesque à cette double abstention. Francesco, réfléchissant à la soudaine froideur de Polia, « avait fini, écrit Nodier, par se persuader que cette capricieuse métamorphose avait une autre cause que la haine[1] ». Laquelle ? Il n'a pas besoin de le dire. Francesco fait donc ce que, s'il a déjà décidé de ne pas céder à cet amour, il ne devrait pas faire : il sort pour essayer de voir Polia, et il la rencontre. Au départ des gondoles, au pied du palais Pisani, une dame masquée le choisit pour compagnon, selon l'usage, pour un voyage sur le canal. Ils sont assis, silencieux, l'un près de l'autre ; on ne nous dit pas qu'il ait reconnu Polia. Elle aussi a voulu le voir ; après un moment, elle ôte son masque et fixe ses yeux sur Francesco, bouleversé de la regarder de si près.

Elle s'explique sur sa froideur : « Mon sexe est soumis à des lois de bienséance [...], et il n'y a rien de plus difficile que de feindre dans une juste mesure une indifférence de cœur qu'on n'éprouve pas[2]. » Or, elle va quitter Venise, et ne veut pas se séparer de lui dans une situation fausse : il ne faut ni qu'il la croie froide envers lui, ni qu'elle ignore si elle le laisse malheureux. Ce désir de clarté est sans doute le signe d'un cœur droit. Mais ce qui suit nous révèle peut-être à quel mobile plus immédiat elle obéit ; elle a entendu, lui dit-elle, qu'il projette d'entrer en religion, et elle veut l'en dissuader : nous entrevoyons qu'elle l'aime assez pour ne pas souhaiter le perdre.

1. *Contes*, p. 892.
2. *Ibid.*, p. 893. Cet aveu, à la fois parcimonieux et transparent, est tout à fait dans la tradition des héroïnes de roman et de théâtre ; quelque chose du siècle de Louis XIV survivait encore en littérature sous Louis-Philippe ; comparer, par exemple, Monime (*Mithridate*, acte I, scène 2), aussi Aricie (*Phèdre*, acte II, scène 3), derniers vers des deux scènes.

C'est lui qui va formuler l'impossibilité de leur amour, en confirmant son projet monacal. Mais il faut d'abord qu'il dise lui aussi son amour. Il avoue donc qu'un événement s'est produit le jour même, qui a changé sa situation, mais en lui apportant de nouvelles raisons de se séparer du monde : «J'entrerai dans un monastère [...] ; mais j'y entrerai l'esprit plein de consolation et de joie ; car mon existence est complète, et je n'en conçois point de si heureuse sur la terre qu'elle puisse me faire envie» ; en effet, «le vide immense dans lequel mon cœur était plongé [...] est rempli par la plus délicieuse des espérances : vous vous souviendrez de moi[1] !» Polia ne peut ne pas comprendre qu'elle a fait son bonheur en lui laissant entendre son amour ; mais elle voit du mystère dans sa décision et voudrait des explications plus claires.

Il va les donner maintenant, mais il ne peut être tout à fait explicite que sous le voile d'une fiction ; il va dire expressément qu'il aime, mais non Polia : une autre femme, supposée riche et de haute noblesse comme elle ; et c'est sous cette condition fictive, tacitement agréée par Polia, que va continuer le dialogue[2]. Dès le jour où Francesco a aimé cette femme, il a mesuré, dit-il, l'abîme qui sépare leurs deux conditions, et il a songé à se donner la mort. Impossibilité de prétendre à Polia, recours au suicide, telles furent ses deux premières pensées, qu'une troisième va contredire : «Cette mort désespérée, loin de hâter le jour où je dois me rapprocher d'elle dans un monde meilleur, ne pouvait-elle pas m'en séparer à jamais[3] ? [...] Je me condamnai douloureusement à vivre sans espérance, mais sans crainte, pour atteindre à ce moment où deux âmes, affranchies de tous les liens qui ont pesé sur elles, se cherchent, se reconnaissent et s'unissent pour toujours. [...] Je ne vis plus dans les années qui me restent à passer parmi les hommes qu'une longue veille de fiançailles que la mort couronnera d'une félicité éternelle.» Tout ce qu'il dit ici est un compte rendu

---

1. *Ibid.*, p. 894. Il n'est pas de héros de roman qui puisse taire absolument sa passion, si elle n'est pas gravement coupable — et encore ! — sans décevoir fâcheusement son lecteur ou sa lectrice.
2. Cette fiction ne trompe évidemment pas le lecteur, mais pas davantage Polia, surtout après les propos déjà échangés ; c'est une convention entre les amants, comme entre Nodier et nous, pour exclure de cette histoire d'amour transcendant toute effusion de style ordinaire.
3. *Ibid.*, p. 896. Nous avons déjà vu cette condamnation religieuse du suicide, formulée de façon semblable.

rétrospectif de ses pensées, relatif à une situation antérieure à celle où il se trouve présentement : en ce temps-là, il n'avait aucune idée des dispositions favorables de Polia, et il était déterminé par la conviction de ne pouvoir être aimé en ce monde. Ce qui surprend, c'est qu'ayant entendu tout à l'heure ce que lui a dit Polia, il ait déclaré que sa décision n'en était pas modifiée ; et il le répète : « L'accomplissement de ce dessein ne coûte plus rien à ma résignation, depuis qu'une compassion généreuse m'a laissé concevoir l'espérance de ne pas être oublié [1]. »

Fait-il si peu de cas, lui qui dit aimer, de ce fait nouveau, la bienveillance non équivoque de celle qu'il aime ? C'est bien pour éviter ce reproche qu'il feint d'expliquer les paroles de Polia par la seule compassion : il ne veut croire qu'à sa pitié, pour ne pas sembler dédaigner son amour — péché impardonnable, de toute tradition, à un véritable amant. Mais cette feinte pourrait également avoir pour objet d'obtenir un aveu plus entier : de fait, Polia s'avance aussitôt davantage : « Que diriez-vous si cette fille noble et riche, dont l'éclat vous éblouit, mais dont l'âme n'est probablement pas plus calme que la vôtre, que diriez-vous, Francesco, si, libre, elle venait vous offrir sa main, si, soumise à un pouvoir respectable et inflexible, elle venait vous la promettre [2] ? » C'est, en somme, le mariage offert à Francesco, sauf opposition intransgressible des parents, dont il faudrait alors attendre la mort. Dans les romans qu'on lisait du temps de Francesco et de Polia, le chevalier acceptait l'offre avec joie et s'empressait de conquérir par ses exploits un rang digne de sa bien-aimée, levant ainsi tout obstacle. Dans Nodier, Francesco refuse : nous savons qu'il a choisi autre chose que ce qui lui est proposé, mais nous attendons qu'il justifie ce choix aux yeux de Polia. Or, il invoque, pour maintenir son refus du monde, un motif qui tient tout entier à l'honneur de ce monde : « Oh ! plutôt mille fois l'horrible chagrin qui me consume que la honteuse renommée d'un aventurier repoussé par le monde et enrichi par l'amour [3] ! » Il croit donc devoir sacrifier cet amour, qu'il tient pour le souverain bien, uniquement pour ne pas prêter le flanc à la malveillance de l'opinion.

Polia ne peut alors que suggérer une issue extrême : « Si cette

1. *Ibid.*, p. 897.
2. *Ibid.*
3. *Ibid.*, p. 898.

femme venait vous dire : ma grandeur, j'y renonce ; ma fortune, je l'abandonne ; me voilà prête à devenir plus pauvre et
plus humble que toi, et à te remettre, comme à mon seul appui,
toute la destinée de ma vie, — Francesco, que lui répondriez-
vous [1] ? » C'est ici le moment crucial de cette histoire.
Comment Francesco justifiera-t-il un nouveau refus ? Ses premiers mots n'invoquent toujours que des motifs terrestres, de
scrupule cette fois envers Polia : « Ce n'est pas moi qui vous
ferai descendre du rang où Dieu ne vous a point placée sans
motif, pour vous soumettre aux vicissitudes d'une existence
inquiète, empoisonnée par des besoins qui se renouvellent sans
cesse, et peut-être un jour par d'incurables regrets. » Mais la
conclusion, qui suit sans transition, est d'un tout autre ordre,
et l'offrande que Polia a faite de sa vie est acceptée dans un
sens tout différent du sien : « Ma félicité est complète maintenant. [...] Votre vie, ô ma bien aimée, je l'accepte et je la prends
comme un dépôt sacré dont je vous rendrai bientôt compte
devant le Seigneur, notre juge. [...] Cette terre n'est qu'un lieu
de passage où les âmes viennent s'éprouver : et si votre âme,
aussi fidèle qu'elle est dévouée, reste mariée à la mienne pendant les années que le temps nous mesure encore, l'éternité
tout entière est à nous [2] !... »
    Ce que Nodier incarne dans son héros, est-ce donc une dia-
lectique de l'Amour pur, qui d'abord s'interdit de procurer
à l'Amant la richesse, puis d'être cause pour l'Aimée du moindre préjudice, pour aboutir au refus même de s'accomplir sur
terre ? C'est sans doute ce dont Nodier a voulu nous donner
l'impression. Peut-être y a-t-il, pour l'effet d'ensemble, réussi.
Mais, à y regarder de plus près, la logique de son héros est
brisée dans sa fin. Il n'y a pas de commune mesure entre ses
délicatesses d'homme d'honneur et d'amant et la solution,
farouche au regard de l'Amour même, qu'il propose à Polia.
Entre ce qu'elle lui offre : Je vous remets toute ma vie, et ce
qu'il répond en substance : Je ne veux que votre âme, il n'y
a pas d'enchaînement, mais contradiction abrupte. Cette
réponse n'est pas l'aboutissement de ses pensées ; elle en est
plutôt le principe et le postulat : le refus du monde est sa vérité,
étrangement jointe chez lui à la religion de l'amour. On ne

1. *Ibid.*
2. *Ibid.*, pp. 898-899.

peut pas dire qu'il convainque Polia. Littéralement, il la convertit : «Polia, écrit Nodier, garda quelques instants le silence : — Oui! oui! s'écria-t-elle avec exaltation, Dieu n'a point institué de sacrement plus saint et plus inviolable [1].» C'est apparemment qu'elle était elle aussi, sous sa féminine et aristocratique franchise de sentiment, un de ces esprits pour qui l'innommé est le seul vrai bien. Tout *Franciscus Columna* va vers cette révélation, précédée par divers charmes et préparations romanesques, qui s'évanouissent à son inhumaine lumière. À partir de là, tout détour de langage et toute fiction cessent ; quand la gondole aborde, les amants se prennent la main et se disent adieu. Francesco se fait moine à Trévise, la ville de Polia. Il lui remet, un an après, le manuscrit de son livre, et apprend qu'elle a refusé un mariage princier. Elle lui promet qu'elle assistera à l'office anniversaire de ses vœux et qu'elle y associera ceux qu'elle-même prononce dans le secret de son cœur. Ce qui a lieu. Après quoi Francesco se couche au pied de l'autel, comme en extase, y reste immobile et meurt le jour même.

Nodier prend, dans ce conte, le contre-pied de la longue tradition selon laquelle l'union des Vrais Amants est le bien suprême et la plus haute conquête de la vie, de cette vie sans attendre l'autre. Mais en attachant l'amour, comme il le fait, à l'immortalité céleste, il ne contredit pas moins la religion traditionnelle : car on ne peut, comme lui, célébrer l'immortalité à peu près exclusivement comme la récompense ou l'apothéose des parfaits Amants, sans prêter au soupçon d'une divinisation plus ou moins païenne de l'Amour. Peut-être est-ce cette position du héros, à la fois hors de la terre et du ciel chrétien, qui fait la principale et la plus originale beauté du

---

1. *Ibid.*, p. 899. — Il est difficile de ne pas penser, en lisant ces pages, au Polyeucte de Corneille, aux discours qu'il tient à sa femme sur le néant de la félicité amoureuse en ce monde, et à la conversion soudaine de cette épouse si rudement traitée. La littérature baroque, à la fois romanesque et catholique comme celle de Nodier en cette occasion, avait du mal elle aussi à accorder les deux extrêmes de l'amour et de la dévotion. Le public de Corneille n'avait pas toujours été convaincu, humainement et littérairement, à ce que nous savons, de sa réussite dans *Polyeucte*. Cependant, le martyre du héros et ses discours établissent indiscutablement le sens chrétien de la pièce ; tandis que l'ascétisme de Francesco Colonna, s'il a aussi religieusement son mérite, ne l'empêche pas d'être avant tout un type d'Amant parfait ; Nodier lui-même ne pouvait l'entendre autrement : même au ciel, son héros est le Poliphile, l'amant de Polia.

conte. Le langage retenu de ces pages brûlantes, leur force dans le paradoxe, le silence sur toute sainteté autre que celle de l'impérissable amour, enfin le fait que la félicité des amants n'y soit pas décrite, ni leur paradis représenté, mais seulement désiré, et d'avance payé du sacrifice de tout autre bonheur, mettent ces quelques pages à la limite extrême de toute littérature romanesque, au point où, au risque de nier et de déserter toute expérience, l'Amour ne veut être que lui-même, revêtu d'éternité.

*

Les contemporains français de Nodier faisaient pencher la balance romantique en faveur de l'Idéal fécond, de l'espérance et des siècles à venir. Marqué de façon ineffaçable par les angoisses de 1800, Nodier inclina continûment en sens contraire. Un surprenant alliage de sensibilité exaltée et de refus du monde le distingue et l'isole dans son temps. Ce fils de Senancour a été le père de Nerval, selon un lignage qui côtoie à distance les grands noms de l'époque. Dans le concert romantique, sa voix s'élève à part, détachée de ce qui est, cherchant à franchir les limites de la vie. Nodier n'est pas seulement, comme beaucoup le croient, l'auteur de quelques contes charmants ou fantastiques ; ses fictions touchent aux hautes questions que le siècle posait ; mais sa réponse est obstinément autre : à un monde qui s'employait, après de grandes secousses, à concevoir et à espérer, il enseigne le regret, la déception inconsolée et une chimère d'absolu.

Alfred de Musset

Il est permis de désigner du nom de «Jeune-France», au sens large, non seulement un groupe particulier de jeunes romantiques qui se sont donné, ou plutôt ont accepté de se voir donner cette appellation après juillet 1830, mais toute une jeunesse dont le caractère, ainsi que l'idéal, comportait un alliage de révolte et de désespoir, d'excès voulu dans la passion et d'humour sarcastique, d'abattement et d'imagination sans frein [1]. En ce sens, on peut dire que Musset, à ses débuts, appartenait par certains côtés au type Jeune-France, quoiqu'il n'ait nullement appartenu à la petite «Camaraderie» qui porta un moment ce nom. Il éprouva ou affecta cette sorte de frénésie sans issue qui secoua alors, plus ou moins durablement, des jeunes gens de vingt ans. Impuissante par définition, elle les vouait, en même temps qu'à la folie de l'Idéal, à un retour ironique sur toutes choses et sur eux-mêmes, comme on peut le voir dans le livre de Théophile Gautier qui porte leur nom pour titre [2]. Il y a quelque chose de cette dualité de ton, tragique et goguenarde, chez le premier Musset. Il débuta en poésie par des histoires de jalousie meurtrière, de volupté liée à la mort, de débauche cynique, de pactes infernaux, de suicide et d'assassinat, traversées de l'esprit d'insouciance et de dérision. Telles sont les longues compositions en vers qui font l'essentiel des *Contes d'Espagne et d'Italie* publiés au début de 1830 : *Don Paez, Les Marrons du feu, Portia* [3] ; et le dandysme

1. Sur cet élargissement de la notion de *Jeune-France*, voir *Le Sacre de l'écrivain*, p. 432, note, et *Le Temps des prophètes*, pp. 409-413.
2. Théophile GAUTIER, *Les Jeunes-France, Romans goguenards*, Paris, 1833.
3. Aussi les drames en prose de la même époque, *La Quittance du diable* (1830, inédite jusqu'en 1914), *La Nuit vénitienne* (jouée sans succès et publiée en 1830).

désinvolte de 1830 occupe sans partage les cinquante-neuf dizains d'alexandrins de *Mardoche*, paru dans le même recueil[1]. Le ton de Musset diffère pourtant du ton Jeune-France, celui de Borel ou O'Neddy, en ce qu'il est et veut être, dans ce registre, celui de la bonne compagnie : on sent que c'est à elle que Musset s'adresse, même quand il affecte de braver les convenances.

Cette inspiration mondaine s'est accentuée dans son œuvre ultérieure, en se purgeant de tout scandale. Un fort attachement devait le faire dépendre toute sa vie de son milieu d'amis élégants, jeunesse dorée et bonne société de la monarchie de Juillet. Une bonne partie de ce qu'il a écrit semble destiné à ressusciter les grâces du XVIIIe siècle aristocratique à l'usage du monde de son temps. Cette sorte de pastiche occupe dès 1833 *À quoi rêvent les jeunes filles*[2], et beaucoup des *Comédies et Proverbes* semblent vouloir faire revivre Marivaux ou Carmontelle pour l'agrément d'un siècle bourgeois. On ne peut nier que Musset ait réussi, sous Louis-Philippe, l'essai d'un nouveau style Louis XV. Le vieux monde une fois disparu, celui qui lui a succédé finit par cultiver poétiquement sa mémoire ; il ne veut pas se dire ennemi ni se croire indigne des élégances et des attendrissements de jadis ; il les idéalise, il s'en fait à lui-même un titre héréditaire de noblesse ; et c'est en somme faire œuvre pie que d'en ranimer pour lui le souvenir, de naturaliser tant bien que mal ce passé dans le présent[3]. Musset a beaucoup plu, et plaît encore à beaucoup de monde par ce côté de son œuvre, même quand rien n'y rappelle, fût-ce de loin, son génie. Hors du grand public, qu'ils ont conquis, ces divertissements, quelque plaisir que Musset y ait pris, ont plutôt nui en fin de compte à sa gloire. Il s'est desservi aussi d'une autre façon. Il avait besoin de gaieté, de vie brillante, comme beaucoup d'êtres vulnérables ; et pour son malheur, ayant besoin aussi de sympathie, il ne déguisait ni ne drapait ses blessures. Dans la partie tragique de son expérience, par la difficulté de vivre et d'aimer et par le sentiment de la déchéance, il préfigure Baudelaire, qui l'estimait si peu. Il était trop homme

1. Tous ces poèmes ont été écrits, en fait, en 1829.
2. Parus dans *Un spectacle dans un fauteuil*, 1re livraison (fin 1832, datée 1833).
3. La vogue du XVIIIe siècle dans la littérature romantique, de sa légende galante, de ses marquises, de son bon sens ironique, de son marivaudage, est un fait général, connu depuis longtemps.

de société, trop bonnement homme peut-être, pour être poète au sens grave et sacerdotal de son siècle. Il ignorait l'orgueil du sacerdoce, d'ordinaire intact, renforcé même, dans le romantisme le plus désenchanté. La simplicité de ses aveux et la nudité de sa plainte parurent manquer de dignité aux poètes de vocation hautaine qui vinrent après lui. Mais il arrive que sa parole touche plus profondément qu'aucune autre, parce qu'elle ne semble pas faite pour autre chose.

La *« première misère »*

Tout tient pour Musset dans l'amour, ce qui n'est pas, contrairement à l'opinion courante, le cas de la poésie romantique en général. Et cet amour, qui est son seul sujet, est chez lui l'échec de l'amour, la relation à l'être aimé étant source infaillible de souffrance. Ses grands aînés chantaient autour de lui l'amour heureux. La mort d'Elvire n'est pas pour Lamartine un malheur d'amour : il sait qu'il a été aimé, et pense qu'il continue de l'être, au ciel, et dans l'idée que ses lecteurs se font de lui. Vigny, s'adressant à son Éva, définit harmoniquement la part de la femme inspiratrice et de l'homme créant et agissant ; il décrit une communion d'esprit, une vie à deux : telle n'avait pas été pourtant son expérience, mais sa poésie se donnait comme fonction de transcender cette expérience pour dire l'idéal. Quant aux amours de Hugo, c'est une suite d'éloquentes extases : à l'entrée de l'âge d'homme, les lettres à la fiancée donnent le ton, qui reste le même quand l'objet change, et se maintient à tous les âges. On peut dire, à l'encontre d'un vers moderne, que dans la grande poésie romantique française, *il n'y a pas d'amour malheureux*, sauf chez Musset. Sa vie et sa poésie coïncident assurément en cela, quoiqu'on ne puisse dire que la seconde reflète la première ; elle en est plutôt la légende, telle que le poète l'a construite et vécue en accompagnement de ses aventures réelles. Cette relation délicate demande à être examinée d'un peu plus près.

La vie amoureuse de Musset, telle au moins qu'on l'aperçoit dans son œuvre, commence par une trahison féminine, qui est censée retentir sur toute son expérience ultérieure. On est obligé, bon gré mal gré, d'entrer sur ce point dans une enquête biographique, non par curiosité futile, mais pour mesurer, précisément, la part que la biographie a pu avoir sur l'inspiration du poète. Il semble bien en effet que cette trahison initiale soit moins un fait déterminé de la vie de Musset qu'un thème vital, un *a priori* de son expérience, une disposition première de sa sensibilité et de son imagination. En ce sens, sa poésie ou l'être intime dont elle est issue ont pu modeler sa vie autant que l'exprimer. C'est ce qu'on est tenté de croire en tout cas quand on compare dans son œuvre la forte constance des thèmes, et l'extrême indétermination, au contraire, du calendrier auto-biographique et des figures féminines évoquées. Nous sommes très médiocrement renseignés sur cette première infortune. Musset en dit peu de chose au temps de l'événement, quand il avait, supposons-nous, dix-huit ou dix-neuf ans. On lit dans un poème des *Contes d'Espagne et d'Italie* :

> *Quand je t'aimais, pour toi j'aurais donné ma vie,*
> *Mais c'est toi de t'aimer, toi qui m'ôtas l'envie.*
> *À tes pièges d'un jour on ne me prendra plus.*

Paul de Musset, frère du poète, date ces vers de 1828[1]. Un sonnet, daté de 1829, qui chante le retour à la ville à la fin de l'été et la joie des retrouvailles, s'achève ironiquement sur une déception :

> *[...] Et toi, ma vie, et toi!*
> *Oh! dans tes longs regards j'allais tremper mon âme;*
> *Je saluais tes murs. — Car, qui m'eût dit, madame,*
> *Que votre cœur sitôt avait changé pour moi[2]?*

En ce qui concerne la dame aux «pièges», on croit en général, sur la foi de Paul de Musset, qu'elle lui faisait jouer le rôle de

---

1. Ce poème ou fragment de poème n'a jamais été daté du vivant de Musset ; il est daté de 1828 dans l'édition Charpentier des *Œuvres complètes*, dite «des Amis du Poëte» (publiée par les soins de son frère), 10 vol., 1865-1866, t. I, p. 2. Musset étant né en décembre 1810, il avait en 1828 entre dix-sept et dix-huit ans. Le poème ne peut pas être beaucoup plus tardif : il a paru en janvier 1830 dans les *Contes d'Espagne et d'Italie* (sans titre ni date). On peut le lire p. 78 des *Poésies complètes*, éd. Maurice Allem, Bibliothèque de la Pléiade, Paris, 1957 (rééditions inchangées) : sauf indication contraire, je citerai cette édition, doré-navant : *Poésies, Pl.*

2. *Sonnet*, daté «29 août 1829» dans l'édition originale des *Contes d'Espagne et d'Italie* (*Poésies, Pl.*, p. 83).

«chandelier», feignant de s'intéresser à lui pour masquer les faveurs qu'elle accordait à un autre[1]. Quant au brusque changement d'amour de la dame du sonnet pendant une absence de son ami, s'agit-il d'une autre femme? d'une situation imaginaire? En tout cas, dans aucun des deux poèmes, la trahison n'est prise au tragique. Le ton est différent dans un autre poème, de 1829 aussi, où le poète, célébrant ses amours avec une nouvelle maîtresse, lui demande de le guérir du mal qu'une autre femme lui a fait :

> *Oh! viens! dans mon âme froissée*
> *Qui saigne encor d'un mal bien grand,*
> *Viens verser ta blanche pensée,*
> *Comme un ruisseau dans un torrent!*
>
> *Car sais-tu, seulement pour vivre,*
> *Combien il m'a fallu pleurer?*
> *De cet ennui qui désenivre*
> *Combien en mon cœur dévorer[2]?*

C'est déjà le ton des *Nuits*, quoique à la fin du poème Musset pardonne gaiement à sa nouvelle amie, réelle ou imaginaire, de s'être endormie dans ses bras en écoutant le récit de sa «longue détresse».

C'est seulement six ou sept ans après que Musset a donné, dans *La Confession d'un enfant du siècle*, une version circonstanciée et tragiquement accentuée de ce qui fut, dit-il, sa première infortune amoureuse. Un jour, étant à table avec sa maîtresse et un ami, comme il se baissait pour ramasser sa fourchette, il vit le pied de sa maîtresse posé sur celui de l'ami : «Leurs jambes, dit-il, étaient croisées et entrelacées, et ils les resser-

---

1. Paul de Musset, *Biographie d'Alfred de Musset*, Paris, 1877, pp. 80-81. L'auteur voit dans cet épisode réel la source de la comédie du *Chandelier*, écrite sept ans plus tard dans une circonstance où Musset se crut traité de même. Peut-être ; mais le sujet du «chandelier» est, en lui-même, traditionnel.
2. *Madame la Marquise*, poème jamais daté du vivant de Musset, de «1829» dans l'édition des Amis du poète, t. I, p. 107 (*Poésies, Pl.*, pp. 77-78). La nouvelle amie est une marquise andalouse (vers 2), qui figure dans un autre poème (*ibid.*, p. 73). S'agit-il seulement d'une femme réelle ? Les deux poèmes figurent en 1830 dans les *Contes d'Espagne et d'Italie*.

raient doucement de temps en temps[1]. » Nous n'avons aucun moyen de dire si ce scénario retrace ou non un événement réel. La découverte de ce qui se passe sous la table est un classique motif d'anecdote. Il faut supposer, dans le cas présent, que l'amant est resté assez longtemps baissé pour pouvoir observer la pression périodique des jambes ; cette durée introduit dans l'épisode, aux dépens de la vraisemblance, une nuance un peu perverse. L'impression s'aggrave dans la suite du récit, du fait de l'impassibilité des coupables, qui ne peuvent ignorer pourtant qu'ils ont été découverts, et de celle de leur victime, qui ne dit mot, et se baisse une seconde fois, au dessert, pour considérer le même spectacle, inchangé. On pense, comme source de ce récit, à un fantasme de jalousie morbide plutôt qu'à un épisode réel. De fait, la *Confession* est un roman autant qu'une autobiographie[2].

Sur l'existence et l'identité de la multiforme traîtresse, nous n'avons aucune information certaine[3]. Ce qui a incliné à croire à son existence, et à son influence traumatique sur le jeune Musset, ce sont les multiples allusions que Musset fait à elle dans les années 1830, avant et après la *Confession*. Ainsi, dans une invocation à l'Ange de l'amour qu'il écrivit en 1833, au début de sa liaison avec George Sand, on lit ceci :

Te voilà revenu dans mes nuits étoilées,
Bel ange aux yeux d'azur, aux paupières voilées,
Amour, mon bien suprême, et que j'avais perdu !
J'ai cru, pendant trois ans, te vaincre et te maudire,
Et toi, les yeux en pleurs, avec ton doux sourire,
Au chevet de mon lit te voilà revenu.

1. *La Confession d'un enfant du siècle* (1836), Ire partie, chap. III (MUSSET, *Œuvres complètes en prose*, édition Maurice Allem et Paul-Courant, Bibliothèque de la Pléiade, Paris, 1960, pp. 79-80 ; je citerai la prose de Musset dans cette édition, dorénavant : *Prose, Pl.* ; il y a une 1re édition de 1938, qui comporte des différences par rapport à celle-ci).
2. *La Confession...* raconte deux liaisons, celle-ci d'abord, puis celle avec Brigitte Pierson, qu'on tient pour une figure de George Sand.
3. La discussion des multiples allégations et hypothèses sur ce sujet n'a pas sa place ici. Voir Paul de MUSSET, *Biographie...*, *loc. cit.* ; M. ALLEM, *Alfred de Musset*, Paris-Grenoble, 1947, pp. 25-26 ; *Poésies, Pl.* pp. 625-626 ; et l'édition Allem du *Théâtre complet* de Musset dans la Bibliothèque de la Pléiade, Paris, 1952, pp. 819-820 (dorénavant : *Théâtre, Pl.*).

> *Eh bien, deux mots de toi m'ont fait le roi du monde,*
> *Mets la main sur mon cœur, sa blessure est profonde ;*
> *Élargis-la, bel ange, et qu'il en soit brisé*[1] *!*

On peut citer, dans le même sens, ces vers que la Muse adresse au poète dans *La Nuit de mai* :

> *Notre premier baiser, ne t'en souviens-tu pas,*
> *Quand je te vis si pâle au toucher de mon aile,*
> *Et que, les yeux en pleurs, tu tombas dans mes bras ?*
> *Ah ! je t'ai consolé d'une amère souffrance !*
> *Hélas ! bien jeune encor, tu te mourais d'amour.*

La Nuit de décembre évoque aussi une douleur ancienne :

> *À l'âge où l'on croit à l'amour,*
> *J'étais seul dans ma chambre un jour*
> *Pleurant ma première misère*[2].

Événement du passé hantant la mémoire ? ou définition intime de l'aventure d'amour, constituée en littérature, c'est-à-dire en type de vérité, où la part de l'expérience et celle de la représentation sont difficiles à mesurer ? En tout cas, le poète, entré dans l'existence sentimentale par une « première misère », est voué à la répétition de cette épreuve : telle est sa figure, proposée à la sympathie et à l'identification douloureuse de ses lecteurs. Car les souffrances de l'amour sont évidemment valorisées : elles impliquent une sorte de pessimisme héroïque ; elles témoignent en faveur d'un jugement amer sur le monde. On a remarqué qu'en acclamant le retour à son chevet de l'Ange de l'amour, Musset lui demandait, non de guérir, mais d'élargir la blessure de son cœur jusqu'à le briser. Il s'agit d'un mal qui ne veut surtout pas de remède.

---

1. *Poésies*, *Pl.*, p. 513 ; pour la date, probablement 2 août 1833, voir *ibid.*, p. 873.

2. *La Nuit de mai* (dans la *Revue des Deux Mondes* du 13 juin 1835) : *Poésies*, *Pl.*, p. 304-309 ; *La Nuit de décembre* (*ibid.*, 1er décembre 1835) : *Poésies*, *Pl.*, p. 310-315.

Vérité et mythe

Les grands poèmes que Musset publia de 1835 à 1837, et où il évoque ses nouvelles misères, à savoir les *Nuits* et la *Lettre à Lamartine*, ne concernent peut-être pas toujours la seule liaison avec George Sand, qui avait occupé les deux années immédiatement précédentes (de l'été 1833 à mars 1835); on a cru y apercevoir d'autres femmes. Ici aussi l'enquête biographique a pour intérêt principal de nous montrer comment l'œuvre peut confondre en un même scénario des aventures diverses. La première des *Nuits*, celle de mai, si elle évoque en passant, comme on a vu, la souffrance première, nous montre surtout l'effet d'une crise récente : le poète, qui vient de subir «un dur martyre», n'est plus en état de chanter, même sa douleur, et repousse les encouragements de la Muse. On se fonde sur la date du poème, écrit peu après la rupture définitive de Musset avec George Sand, pour le rattacher à cette liaison [1]. Mais *La Nuit de décembre*, qui parut six mois après, devrait se rapporter à une autre aventure, si du moins on veut en prendre le texte à la lettre, car elle raconte une rupture qui vient de se produire :

> *Ce soir encor je t'ai vu m'apparaître* [2].
> *C'était par une triste nuit.*
> *L'aile des vents battait à ma fenêtre;*
> *J'étais seul, courbé sur mon lit.*
> *J'y regardais une place chérie,*
> *Tiède encor d'un baiser brûlant;*
> *Et je songeais comme la femme oublie,*
> *Et je sentais un lambeau de ma vie*
> *Qui se déchirait lentement.*

Cette nouvelle version de l'Infortune d'amour est le plus souvent rapportée à la liaison de Musset en 1835 avec Caroline

---

1. La rupture est du 6 mars 1835 ; le poème a paru le 15 juin suivant. Il semble très probable donc que *La Nuit de mai* soit du printemps 1835, et que George Sand en soit l'héroïne innommée.
2. Ce «tu» s'adresse au double du poète, qui lui apparaît aux moments marquants de sa vie.

Jaubert [1]. Selon Paul de Musset, elle rompit avec son frère, ne pouvant supporter ses crises de jalousie ; d'où le reproche que lui fait Musset de céder à une chimère d'orgueil, en le quittant alors qu'elle l'aime :

> *Oui tu languis, tu souffres et tu pleures,*
> *Mais ta chimère est entre nous.*
> *Eh bien ! adieu ! vous compterez les heures*
> *Qui me sépareront de vous.*
> *Partez, partez, et dans ce cœur de glace*
> *Emportez l'orgueil satisfait.*
> *Je sens encor le mien jeune et vivace*
> *Et bien des maux pourront y trouver place*
> *Sur le mal que vous m'avez fait.*
>
> *Partez, partez, la Nature immortelle*
> *N'a pas tout voulu vous donner.*
> *Ah ! pauvre enfant, qui voulez être belle,*
> *Et ne savez pas pardonner [2] !*

George Sand ou Caroline Jaubert ? Il serait vain de développer ici le détail de cette controverse sans conclusion. C'est Musset qui nous intéresse, et de lui nous apercevons au moins une chose clairement : c'est que sa vocation au martyre d'amour est constante à travers la multiplicité des occasions. À cet égard, un fait, qui concerne précisément le texte de *La Nuit de décembre*, paraît significatif. Certains des vers de ce poème se trouvent déjà presque mot pour mot dans un texte, intitulé *À Laure*, daté de 1832, c'est-à-dire d'une époque antérieure à celui de ses relations avec Mme Jaubert, comme avec George Sand. On lit dans *La Nuit de décembre* :

---

1. Caroline Jaubert, née d'Alton-Shée, la « marraine » des lettres de Musset, était la sœur du comte d'Alton-Shée, compagnon de Musset, pair de France, homme du monde fort connu sous Louis-Philippe, et démocrate en politique, jusqu'en 1848 et au-delà. Elle avait sept ans de plus que Musset, et un mari très largement plus âgé qu'elle. — C'est surtout le témoignage de Paul de Musset (*Biographie...*, p. 149 et suiv.) qui, bien qu'il ne puisse la nommer expressément (elle vécut jusqu'en 1882), rapporte à elle, entre autres œuvres de Musset, *La Nuit de décembre* et la *Lettre à Lamartine*.

2. *La Nuit de décembre*, strophe 25, dans *Poésies*, *Pl.*, p. 314.

> *Ah ! faible femme, orgueilleuse insensée,*
> *[...] Pourquoi, grand Dieu ! mentir à ta pensée,*
> *Pourquoi ces pleurs, cette gorge oppressée,*
> *Ces sanglots, si tu n'aimais pas* [1] *?*

et dans *À Laure* :

> *Si tu ne m'aimais pas, dis-moi, fille insensée,*
> *Que balbutiais-tu dans ces fatales nuits ?*
> *Exerçais-tu ta langue à railler ta pensée ?*
> *Que voulaient donc ces pleurs, cette gorge oppressée,*
> *Ces sanglots et ces cris* [2] *?*

Le thème est ici beaucoup plus développé ; Musset continue :

> *Ah ! si le plaisir seul t'arrachait ces tendresses,*
> *Si ce n'était que lui qu'en ce triste moment*
> *Sur mes lèvres en feu tu couvrais de caresses*
> *Comme un unique amant ;*

> *[...] Ah ! Laurette ! Ah ! Laurette ! idole de ma vie,*
> *Si le sombre démon de tes nuits d'insomnie*
> *Sans ce masque de feu ne saurait faire un pas,*
> *Pourquoi l'évoquais-tu, si tu ne m'aimais pas* [3] *?*

Le reproche profond reste le même, quoique diversifié d'un poème à l'autre. Les vers *À Laure* font allusion sans ambiguïté aux transports de volupté que la dame déguisait trompeusement en transports d'amour [4]. Faut-il interpréter de même la courte invective de *La Nuit de décembre*, où les pleurs, la gorge oppressée, les sanglots peuvent sembler liés à l'émotion de la rupture, et mensongers eux aussi, puisqu'ils n'empêchent pas cette femme éplorée de rompre :

> *Si tu pars, pourquoi m'aimes-tu ?*

1. *Ibid.*, strophe 24, p. 314.
2. *Ibid.*, pp. 127-128.
3. *À Laure* a paru pour la première fois, daté *in fine* par Musset de 1832, dans l'édition Charpentier de 1850 des *Poésies nouvelles*. On ignore qui était cette Laure ou Laurette.
4. «Ce masque de feu» est la simulation mensongère de l'amour.

est le dernier mot du poète[1]. Ainsi Musset employait en 1835 des vers de 1832, utilisant en quelque sorte ses archives du thème de l'Amour frustré pour en tirer une nouvelle variante, adaptée tant bien que mal au présent[2].

Dans la *Lettre à Lamartine*, parue peu après *La Nuit de décembre*[3], il n'est fait état d'aucune misère présente, mais seulement de la première, dont Musset développe, à l'intention de Lamartine, une version nouvelle. Après un long hommage à l'illustre poète, il annonce qu'il a souffert comme lui[4], et qu'il va oser lui raconter sa mésaventure ; la parabole du Laboureur qui trouve le soir sa chaumière détruite par la foudre prélude au récit de «ce jour fatal», que voici :

> *Tel, lorsque abandonné d'une infidèle amante,*
> *Pour la première fois j'ai connu la douleur,*
> *Transpercé tout à coup d'une flèche sanglante,*
> *Seul, je me suis assis dans la nuit de mon cœur.*
> *[...] C'était dans une rue obscure et tortueuse*
> *De cet immense égout qu'on appelle Paris ;*
> *Autour de moi criait cette foule railleuse*
> *Qui des infortunés n'entend jamais les cris.*
> *[...] Partout retentissait comme une joie étrange ;*
> *C'était en février, au temps du carnaval.*
> *Les masques avinés, se croisant dans la fange,*
> *S'accostaient d'une injure ou d'un refrain banal.*
> *[...] Dieu juste ! pleurer seul par une nuit pareille !*
> *Ô mon unique amour ! que vous avais-je fait ?*
> *Vous m'aviez pu quitter, vous qui juriez la veille*
> *Que vous étiez ma vie et que Dieu le savait ?*
> *Ah ! toi, le savais-tu, froide et cruelle amie,*
> *Qu'à travers cette honte et cette obscurité,*

---

1. Il faut entendre, je pense : Si tu pars, pourquoi prétends-tu m'aimer ?

2. Suppression de la *fille* insensée, des *cris* dans la manifestation de son trouble, et des strophes trop explicites qui suivent.

3. La *Lettre à M. de Lamartine* a paru le 1er mars 1836 dans la *Revue des Deux Mondes*, non datée ; elle l'est de «février 1836», dans l'édition des Amis du Poëte (= *Poésies, Pl.*, pp. 328-334).

4. L'assimilation est surprenante. Musset écrit : «Te le dirai-je, à toi, chantre de la souffrance, — Que ton glorieux mal, je l'ai souffert aussi ?» (vers 84-85 ; voir aussi vers 88, 94, 100). Quel mal ? Lamartine n'a jamais dit avoir souffert de l'abandon d'une femme ; ce n'est pas du tout l'image qu'il aurait aimé donner de lui.

J'étais là, regardant de ta lampe chérie,
Comme une étoile au ciel, la tremblante clarté ?
Non, tu n'en savais rien, je n'ai pas vu ton ombre;
Ta main n'est pas venue entr'ouvrir ton rideau.
Tu n'as pas regardé si le ciel était sombre;
Tu ne m'as pas cherché dans cet affreux tombeau[1] *!*

Il s'agit bien, d'après le second vers de ce récit, d'une douleur éprouvée « pour la première fois », et rien ne vient, dans toute la suite du poème, modifier cette indication. D'ailleurs, le motif final de notre citation, qui montre Musset guettant de la rue l'ombre de sa maîtresse derrière le rideau de sa fenêtre éclairée, se retrouve dans *La Confession d'un enfant du siècle*, rapporté aux jours qui suivirent la première trahison féminine : « Je passais les nuits sous ses croisées, assis sur un banc à sa porte ; je voyais ses fenêtres éclairées, j'entendais le bruit de son piano ; parfois je l'apercevais comme une ombre derrière ses rideaux entr'ouverts[2]. » On pourrait donc penser que cet ancien souvenir, ravivé quand Musset écrivit les premiers chapitres de la *Confession*, revécut encore, à une date voisine, dans sa *Lettre à Lamartine*[3]. Mais voici que Paul de Musset dit savoir que l'épisode nocturne sous la fenêtre dans la *Lettre à Lamartine* est un souvenir relatif aux démêlés de son frère avec Mme Jaubert[4]. Et, pour finir, on peut remarquer que l'ultime rupture entre Musset et George Sand, quand elle s'enfuit inopinément à Nohant, eut lieu au temps du carnaval, comme la séparation des amants de la *Lettre à Lamartine*[5].

Ainsi la *Lettre à Lamartine* mêle au souvenir de la première trahison des traits qui semblent appartenir à des aventures plus récentes. La confusion, ou l'hybridation, du passé et du présent a lieu de nouveau, et de façon patente, dans *La Nuit d'octobre*[6].

1. Vers 127-130, 135-138, 143-146, 159-170.
2. *La Confession...*, Ire partie, chap. IX (*Prose, Pl.*, p. 109).
3. *La Confession...* a paru en février 1836 ; la *Lettre à Lamartine*, le 1er mars de la même année.
4. Paul de Musset, Notice au t. X de l'édition des Amis du Poëte, pp. 23-24.
5. Voir la lettre de Musset à George Sand, *Corr. Musset* (référence p. 122, note 1), p. 151 : le mardi gras était le 3 mars, et George Sand partit le 6.
6. *La Nuit d'octobre* a paru dans la *Revue des Deux Mondes* du 15 octobre 1837 (= *Poésies, Pl.*, pp. 320-328). Ce poème reprend la forme de *La Nuit de mai* (dialogue du poète avec sa Muse) et lui fait suite quant au sens : en mai, le poète accablé ne voulait pas parler de son mal ; il entre ici en convalescence et en confidence.

On croit, vu la parenté de ce poème avec *La Nuit de mai*, et sur plusieurs allusions claires contenues dans le texte, qu'il est question, ici encore, de la liaison de Musset avec George Sand[1], quoique rien de ce que nous savons de cette liaison et de sa rupture ne coïncide avec ce que le poète raconte dans cette nouvelle *Nuit* : il attend au balcon, par une nuit d'automne, une femme ardemment aimée ; l'heure du rendez-vous passe ; elle ne reparaît qu'à l'aurore, il l'accueille par des apostrophes furieuses. Admettons que tout ne nous est pas connu de l'histoire de ce couple, ou plutôt que le poète est en droit, voulant se plaindre d'une trahison, de la raconter sous la forme qui lui plaît[2]. Mais qu'il parle de George Sand ou d'une autre, convalescent en 1837 d'une liaison funeste, peut-il la donner pour sa *première* aventure en ce genre ? C'est pourtant bien ce qu'il fait dans cette *Nuit d'octobre*. Il vient de s'entretenir avec la Muse de la récente passion dont il est enfin guéri ; il se résout à raconter la nuit de la trahison, et l'accueil violent qu'il fait à sa maîtresse enfin reparue :

> *Ce beau corps jusqu'au jour où s'est-il étendu ?*
> *Tandis qu'à ce balcon seul je veille et je pleure,*
> *En quel lieu, dans quel lit, à qui souriais-tu ?*
> *Perfide ! audacieuse*[3] *!*

Il s'agit bien ici de la dernière maîtresse, la seule dont il ait parlé jusqu'ici, non de la première, et c'est ainsi que l'entend la Muse :

> *Apaise-toi, je t'en conjure ;*
> *Tes paroles m'ont fait frémir.*

1. Ainsi, au vers 43, le Poète : «Et quand je pense aux lieux où j'ai risqué ma vie» (il fut, comme on sait, malade à Venise, et faillit mourir) ; au vers 240, la Muse fait allusion au fait que Musset a connu «quelque part là-bas la fièvre et l'insomnie». Près de trois ans le séparaient, en octobre 1837, de la fin de sa liaison avec George Sand, ce qui explique le ton rétrospectif du poème. À cette date, Musset avait pour maîtresse Aimée d'Alton, cousine plus jeune de Caroline Jaubert : voir les allusions de la Muse à cette liaison dans *La Nuit d'octobre*, vers 242 et suiv. ; aussi, *ibid.*, le Poète, vers 276.
2. Les variantes de la Trahison sont nombreuses dans la littérature de Musset : nous avons vu les Pièges de la fausse amie, l'Infidélité inopinée constatée au retour d'un voyage, le Libertinage sous la table ; voici, non moins classique, l'Absence sans nouvelles jusqu'à l'aurore.
3. *La Nuit d'octobre*, vers 141-144.

> *Ô mon bien-aimé, ta blessure*
> *Est encore prête à se rouvrir.*
> *[...] Oublie, enfant, et de ton âme*
> *Chasse le nom de cette femme*
> *Que je ne veux pas prononcer*[1].

Le poète, comme s'il n'avait pas entendu ces paroles d'apaisement, continue sur sa lancée :

> *Honte à toi qui la première*
> *M'as appris la trahison,*
> *Et d'horreur et de colère*
> *M'as fait perdre la raison !*
> *Honte à toi, femme à l'œil sombre,*
> *Dont les funestes amours*
> *Ont enseveli dans l'ombre*
> *Mon printemps et mes beaux jours !*
> *[...] Honte à toi ! tu fus la mère*
> *De mes premières douleurs,*
> *Et tu fis de ma paupière*
> *Jaillir la source des pleurs*[2] *!*

Voilà donc la maîtresse de jadis succédant à celle d'hier dans un discours continu où elles se confondent. La Muse, dans ce qu'elle dit ensuite, parle toujours comme s'il s'agissait d'une seule et même femme ; et rien, jusqu'aux derniers vers, ne vient modifier cette donnée constante du poème. L'étrangeté qu'il y a à déplorer un mal dont on est à peine guéri en même temps qu'une blessure ancienne, sans un mot qui les distingue, semble assumée en commun par le poète et par la Muse.

L'idée peut venir — elle est venue à plusieurs — que Musset pratique exprès ces confusions pour masquer l'identité de sa ou de ses partenaires récentes. Cependant, s'il veut brouiller les pistes, il les brouille bien mal : tout en dépaysant le lecteur par la référence à sa jeunesse, il laisse partout les signes exprès d'un temps tout proche[3] ; il ne semble pas ressentir ces incohérences, dominé qu'il est par la forme extra-temporelle

---

1. *Ibid.*, vers 152-155, 159-161.
2. *Ibid.*, vers 162-169, 186-189.
3. Voir ci-dessus, p. 113, note 1.

du Martyre d'amour. Selon cette forme, toute souffrance causée par une femme peut se dire la première, parce que chacune répète la destruction d'une innocence :

> *Honte à toi, j'étais encore*
> *Aussi simple qu'un enfant ;*
> *Comme une fleur à l'aurore,*
> *Mon cœur s'ouvrait en t'aimant.*
> *Certes, ce cœur sans défense*
> *Put sans peine être abusé ;*
> *Mais lui laisser l'innocence*
> *Était encor plus aisé.*
> *Honte à toi ! tu fus la mère*
> *De mes premières douleurs* [1], etc.

Un enfant vraiment ? L'innocence, après tant de plaintes et d'aventures antérieures ? Non, mais une souffrance d'amour, toujours revécue, d'une aventure à l'autre, et sur laquelle s'édifiait une histoire unique du poète, légende et vérité à la fois [2].

Paradis et enfer de l'amour

L'Amour-misère, expérience vécue et parti pris littéraire, ne se définit que par rapport à un Amour-merveille, conçu comme bien suprême, capable de transfigurer la vie. Il faut en avoir non seulement l'idée, mais l'expérience, au moins passagère, pour que l'impossibilité de le vivre dans des conditions durables de plénitude soit ressenti comme une misère. Tel est Musset, adepte et martyr d'une religion de l'Amour d'autant plus exigeante qu'à la différence de ses grands aînés il n'en a guère d'autre. Or, il donne souvent cette religion pour morte

---

1. *Ibid.*, vers 178-187.
2. Ces réflexions visent à dégager un thème fondamental, natif, pour ainsi dire, de l'expérience et de la littérature de Musset. Elles ne prétendent pas remplacer, en ce qui le concerne, le problème proprement biographique. De cet autre point de vue, il eût fallu insister davantage, par exemple, sur le fait qu'une de ses expériences, même si elle fut loin d'être unique et déterminante à elle seule, a pu l'emporter en gravité sur toutes les autres ; son aventure avec George Sand fut certainement la grande blessure de sa vie : l'écho s'en prolonge en 1841 dans *Souvenir*, en 1844 dans *À mon frère revenant d'Italie*, aussi dans *Souvenir des Alpes*, daté de 1851.

de son temps, ou chimérique. Ainsi Fantasio : « L'amour n'existe plus, mon cher ami. [...] L'amour est une hostie qu'il faut briser en deux au pied d'un autel et avaler ensuite dans un baiser ; il n'y a plus d'autel, il n'y a plus d'amour[1]. » L'ami cynique de la *Confession* proclame lui-même le haut prix de l'amour : « L'amour, c'est la foi, c'est la religion du bonheur terrestre ; c'est un triangle lumineux placé à la voûte de ce temple qu'on appelle le monde. [...] Dieu n'en a pas fait plus pour l'homme ; voilà pourquoi l'amour vaut mieux que le génie. » Mais c'est pour déclarer aussitôt cette religion sans objet réel : « Or, dites-moi, est-ce là l'amour de nos femmes[2] ? » Et Musset lui-même, obligé de glorifier l'amour sans communion :

> *L'amour est tout, — l'amour, et la vie au soleil.*
> *Aimer est le grand point, qu'importe la maîtresse ?*
> *Qu'importe le flacon, pourvu qu'on ait l'ivresse[3] ?*

C'est proprement croire sans croire, et professer une religion sans vérité.

Musset ne croyait pleinement à l'amour que dans les débuts de la passion, quand l'enthousiasme bannissait de son esprit la pensée du lendemain. La *Confession* proclame cette foi, au début de la liaison du narrateur avec Brigitte Pierson : « Amour ! ô principe du monde ! flamme précieuse que la nature entière, comme une vestale inquiète, surveille incessamment dans le temple de Dieu ! foyer de tout, par qui tout existe ! les esprits de destruction mourraient eux-mêmes en soufflant sur toi[4] ! » Cette espèce de divinité de l'amour réside surtout dans sa puissance vitalisante : « Je regardais l'astre d'amour se lever sur mon champ, et il me semblait que j'étais comme un arbre plein de sève qui secoue au vent ses feuilles sèches pour se revêtir d'une verdure nouvelle[5]. » Mais l'amour étant, à l'expérience,

---

1. *Fantasio*, acte I, scène 2 (*Gast.*, t. I, p. 195 ; l'abréviation *Gast.* désignera l'édition des *Comédies et Proverbes* de Pierre et Françoise Gastinel, 4 vol., Paris, 1934, 1952, 1957, 1957).
2. *La Confession...*, 1ʳᵉ partie, chap. V, *Prose*, *Pl.*, p. 99, dans le grand discours - profession de foi de Desgenais.
3. *La Coupe et les lèvres* (1833), *Poésies*, *Pl.*, p. 157.
4. *La Confession...*, 3ᵉ partie, chap. XI, *Prose*, *Pl.*, p. 185. — On peut lire une sorte d'hymne à l'amour dans *Rolla* (1833, *Poésies*, *Pl.*, p. 290) ; voir aussi *Il ne faut jurer de rien* (1836) dans *Gast.*, t. III, p. 169.
5. *La Confession...*, *ibid.*, p. 186.

source de douleur autant que de vie, il faut, pour continuer à le diviniser, célébrer comme un bien le mal qui naît de lui. À dix-neuf ans, Musset glorifiait en son ami Ulric Guttinguer la légende d'un amour malheureux :

> *Mais laisse-moi du moins regarder dans ton âme,*
> *Comme un enfant craintif se penche sur les eaux ;*
> *Toi si plein, front pâli sous des baisers de femme,*
> *Moi si jeune, enviant ta blessure et tes maux*[1].

Le narrateur de la *Confession*, qui est une figure de Musset, évoque, mêlée à la ferveur de son premier amour, une volonté de souffrir antérieure à tout motif de souffrance : « Elle m'avait donné son portrait en miniature dans un médaillon ; je le portais sur le cœur, chose que font bien des hommes ; mais, ayant trouvé un jour chez un marchand de curiosités une discipline de fer, au bout de laquelle était une plaque hérissée de pointes, j'avais fait attacher le médaillon sur la plaque et le portais ainsi. Ces clous, qui m'entraient dans la poitrine à chaque mouvement, me causaient une volupté si étrange, que j'appuyais quelquefois ma main pour les sentir plus profondément[2]. » Il semble qu'un tel personnage veuille s'infliger d'avance un semblant de douleur pour conjurer la Douleur vraie, le mal essentiel attaché à l'amour ; car il nous dit lui-même que, ce mal s'étant produit réellement, par la trahison de sa maîtresse, il s'est défait aussitôt du « cruel médaillon[3] » : le malheur présent a rendu le talisman sans objet ; le temps est passé du simulacre d'enfer et de la « chère blessure[4] », l'heure est venue de la vérité.

Cette vérité ennemie surgit soudain, néant annulant l'amour, et des paraboles de mort la représentent : celle du laboureur ruiné par la foudre qui ne reconnaît plus le lieu de sa maison :

---

1. *À Ulric Guttinguer*, poème paru en 1830 dans les *Contes d'Espagne et d'Italie*, où il est daté de « juillet 1829 » (*Poésies*, *Pl.*, p. 79). — Guttinguer avait vingt-cinq ans de plus que Musset, étant né en 1785.
2. *La Confession...*, 1re partie, chap. VI, (*Prose*, *Pl.*, p. 90). Ces confidences concernent sa liaison avec sa première maîtresse ; elles se situent dans le récit après la trahison, mais se rapportent à un temps antérieur à cette trahison.
3. *Ibid.*, p. 91.
4. *Ibid.* : « Ah ! pauvres cicatrices, me dis-je, vous allez donc vous effacer ? Ah ! ma blessure, ma chère blessure, quel baume vais-je poser sur toi ? »

Il cherche autour de lui la place accoutumée
Où sa femme l'attend sur le seuil entr'ouvert;
Il voit un peu de cendre au milieu d'un désert.

[...] Tel, lorsque abandonné d'une infidèle amante[1]*, etc. ;*

celle de la statue se saisissant de l'homme vivant, comme au dénouement de l'histoire de Don Juan : «Je me servirai ici d'une comparaison. [...] Toutes les fois que, durant ma vie, il m'est arrivé d'avoir cru pendant longtemps avec confiance soit à un ami, soit à une maîtresse[2], et de découvrir tout d'un coup que j'avais été trompé, je ne puis rendre l'effet que cette découverte a produit sur moi qu'en le comparant à la poignée de main de la statue. C'est véritablement l'impression du marbre, comme si la réalité, dans toute sa mortelle froideur, me glaçait d'un baiser; c'est le toucher de l'homme de pierre. Hélas! l'affreux convive a frappé plus d'une fois à ma porte; plus d'une fois nous avons soupé ensemble[3].» Musset rend sans doute ici à la statue porteuse de mort, motif légendaire universel, sa signification première : c'est la pierre du tombeau, saisissant et glaçant la vie. Symboliquement, la tombe emprisonne cet amour qui devait faire vivre :

Et je pleurais, seul, loin des yeux du monde,
Mon pauvre amour enseveli[4]*;*

la bien-aimée ne survit que comme image du cercueil qui enferme cet amour défunt :

J'ai vu ma seule amie, à jamais la plus chère,
Devenue elle-même un sépulcre blanchi,
Une tombe vivante où flottait la poussière
De notre mort chéri,

1. *Lettre à Lamartine*, vers 110-112 et 127, dans une longue parabole symbolique à l'ancienne.
2. C'est de la trahison d'un ami qu'il s'agit ici, mais de l'ami intime avec qui sa maîtresse vient de le tromper.
3 *La Confession...*, 1ʳᵉ partie, chap. III (*Prose, Pl.*, p. 82).
4. *La Nuit de décembre*, 23ᵉ strophe.

De notre pauvre amour [...][1] ;

plus universellement, la caducité des amours fait du cœur humain un incessant tombeau :

Quel tombeau que le cœur, et quelle solitude[2] *!*

Cette déception mortelle qui s'installe dans l'expérience et, conséquemment, dans la philosophie de l'Amour menace secrètement tout Idéal; toute foi risque d'en être ébranlée.

L'Empire du Mal

Une vérité soudainement découverte peut tuer l'amour en un instant; il n'en survit pas moins dans la souffrance de l'amant déçu, et plus encore dans l'idée nouvelle que sa mésaventure lui donne de sa maîtresse et de lui-même. Car sa discorde avec sa bien-aimée l'oblige à entrer dans l'épineux débat de la faute et du reproche, du Bien et du Mal. La perte d'une femme s'aggrave pour lui d'une mise en question de l'Idéal, où sa propre conscience s'altère. Le martyre d'amour s'accompagne d'un sentiment de profanation; le désespoir se colore d'horreur : « L'amour que j'avais pour ma maîtresse m'ayant, presque au sortir du collège, absorbé tout entier, avait été pour moi une sauvegarde contre la corruption prématurée à laquelle la jeunesse s'abandonne souvent dès la première joie de la liberté [...]. Tout d'un coup, ma maîtresse, que j'adorais religieusement, était devenue pour moi une courtisane; et tandis que

1. *Souvenir*, dans la *Revue des Deux Mondes*, 15 février 1841 (= *Poésies*, Pl., pp. 404-409), strophes 36 et 37.
2. *Lettre à Lamartine*, vers 213. — Sur ce thème Amour-Mort, on peut citer ce que Musset dit ailleurs, qu'on ressent quand on regarde en pleurant le sourire d'une maîtresse infidèle : « Je ne sais pas lequel est le plus cruel, de perdre tout à coup la femme qu'on aime, par son inconstance ou par sa mort » (*Frédéric et Bernerette*, 1838, Prose, Pl., p. 487). — Dans le poème *Sur une morte*, 1842, les métaphores funéraires sont curieusement appliquées à une dame (la princesse Belgiojoso, nous dit-on), qui n'avait eu d'autre tort que de se refuser à lui, et qui par ce refus d'amour s'excluait à ses yeux de la vie; voici les strophes finales du poème : « Elle aurait aimé, si l'orgueil — Pareil à la lampe inutile — Qu'on allume près d'un cercueil — N'eût veillé sur son cœur stérile. / — Elle est morte et n'a point vécu. — Elle faisait semblant de vivre. — De ses mains est tombé le livre — Dans lequel elle n'a point lu. »

je croyais fuir la débauche dans un sanctuaire impénétrable, je venais de m'apercevoir que c'était la débauche elle-même que j'avais dans les bras[1]. » Pour rendre cette impression, des images étranges surgissent : « Il me semble voir un enfant innocent que des brigands veulent égorger dans une forêt ; il se sauve, en criant, dans les bras de son père ; il s'attache à son cou, il se cache sous son manteau, il le supplie de le sauver ; et son père tire une épée flamboyante ; lui-même est un bandit et égorge l'enfant. » Ou encore, imaginant saint Antoine tenté par les démons et courbé en prière sur son crucifix : « Je voudrais qu'un démon plus rusé que les autres, un démon féminin eût la pensée de se changer en Christ et de s'insinuer dans la statue du Rédempteur. Alors, au moment où le saint, pour échapper à la tentation, se précipiterait sur l'image de Dieu et le serrerait sur son cœur, je voudrais voir que le Christ lui-même, ouvrant ses bras de marbre, lui plantât sur les lèvres un baiser lascif et brûlant[2]. »

Ces figures de sainteté profanée — sainteté paternelle, sainteté divine — sont destinées à marquer d'un signe d'horreur la trahison et celle qui s'en rend coupable. Mais elles vont au-delà : le baiser lascif de Jésus fait déborder quelque chose de cette horreur sur le saint lui-même — horreur de l'événement, mais aussi horreur de soi[3]. L'innocent, découvrant le Mal, en est pour ainsi dire contaminé, happé vers la mauvaise conscience. L'Amant bafoué ne s'en tient pas à l'indignation contre le vice, il bascule dans la haine et le remords qui prennent possession de son être : mieux, il peut les ressentir, avant toute offense, par la seule crainte de la trahison, qui devance en esprit tout le fatal scénario. Ce que nous savons de Musset comme amant nous le montre jaloux maladif. George Sand a témoigné dans ce sens ; et lui-même, à travers le narrateur de la *Confession*, s'attribue, dans la partie où il entend remémorer sa liaison avec elle, une jalousie délirante et incontrôlable : « Plus je voulais lutter avec l'esprit de ténèbres qui me saisissait [...], plus la nuit redoublait dans ma tête[4]. » Selon les biographes,

---

1. Voir la note suivante.
2. *La Confession...*, 1ʳᵉ partie, chap. VI ; ces citations font partie d'un long développement qui figura dans l'édition originale de 1836 ; ce développement fut supprimé ensuite ; on peut le lire dans *Prose, Pl.*, p. 1056.
3. Ainsi l'Hippolyte de Racine, quand la femme de son père s'offre à lui : « Je ne puis sans horreur me regarder moi-même » (*Phèdre*, acte II, scène 6).
4. *La Confession...*, 4ᵉ partie, chap. Iᵉʳ (*Prose, Pl.*, p. 188).

Musset, sur ce point, ne changea jamais. Il s'agit d'une jalousie qui naît, sans fondement réel, de l'existence du couple et vit autant que lui.

Cette fragilité de la confiance, cette sorte d'appel vers le bas se traduisent naturellement par des pensées et des conduites viles. La femme infidèle est dite aussitôt prostituée ; celle qu'on soupçonne seulement, pour l'avoir séduite, de pouvoir l'être aussi bien par d'autres n'est pas mieux traitée : ainsi le narrateur de la *Confession*, sitôt qu'il a vaincu la résistance de l'honnête Brigitte : « Après tout, me dis-je tout à coup, cette femme s'est donnée bien vite [1]. » Il se plaît à faire avec elle ostentation de cynisme et d'ironie à l'égard des choses de l'amour, afin d'humilier l'amante en lui montrant le peu de cas qu'il fait d'elle : ainsi surgit à la place de l'amour, non seulement la mise en accusation, mais une volonté de dérision et de mépris [2]. Par un enchaînement que Musset, dans sa *Confession*, semble tenir pour allant de soi, la jalousie passe du mépris d'autrui au besoin de s'avilir soi-même. L'âme frustrée se tourne contre soi, partagée entre le Bien qu'elle ne cesse de rêver et le Mal auquel elle s'adonne, et vouée au supplice de leur confusion. Dès lors, le héros de Musset, happé par la débauche, a beau protester de son incapacité d'être un débauché véritable, c'est-à-dire un débauché heureux de l'être : cette protestation, loin d'annuler sa déchéance, la souligne [3]. Ce mécanisme destructeur se reproduit inévitablement, d'une aventure d'amour à l'autre, au moins en ce qui a trait à la jalousie persécutrice. Le narrateur de la *Confession*, dans ses soupçons délirants envers Brigitte, croit revivre la trahison de sa première maîtresse : « Ô Dieu ! me dis-je avec une tristesse affreuse, est-ce que le passé est un spectre ? est-ce qu'il sort de son tombeau ? est-ce que je vais ne pas pouvoir aimer [4] ? » Mais cette causalité traumatique — blessure première sans cesse ravivée —, à

---

1. *Ibid.*, p. 194.
2. Voir, *ibid.*, 4ᵉ partie, tout le chap. II. George Sand, dans *Elle et lui* (1859), décrit une telle attitude comme fréquente chez son héros (figure de Musset), indépendamment même de tout accès jaloux.
3. *Ibid.*, 2ᵉ partie, chap. III à V (cela apparaît dans la partie qui concerne la trahison de la première maîtresse ; il n'est pas question de débauche dans le récit de la liaison avec Brigitte-George Sand, où le narrateur ne s'accuse que de jalousie et de méchanceté ; mais George Sand lui reprochait bien sa dissipation en Italie et son abus de l'alcool).
4. *Ibid.*, 4ᵉ partie, chap. Iᵉʳ (*Prose, Pl.*, p. 190).

laquelle Musset aime à rapporter tous les épisodes de sa vie, n'explique pas mieux la tentation du mal que la fatalité des souffrances. Ce qui arrive à Musset semble être dû beaucoup moins à un enchaînement de circonstances qu'à une manière d'être enracinée en lui et fortement assumée. Il avait dix-sept ans quand il écrivait à un ami : « Je sens que le plus grand malheur qui puisse arriver à un homme qui a les passions vives, c'est de n'en avoir point », ce qui revient déjà à poser l'amour comme le bien suprême ; mais aussi : « Je voudrais être un homme à bonnes fortunes ; non pour être heureux, mais pour les tourmenter toutes jusqu'à la mort », ce qui suppose une injure à venger : avant l'expérience donc, autant que nous sachions, et de parti pris plutôt que par ressentiment ; enfin : « Si je me trouvais dans ce moment à Paris, j'irais chez les filles, et au café j'éteindrais ce qui me reste d'un peu noble dans le punch et la bière, et je me sentirais soulagé [1]. » A la lumière de telles confidences, la « première misère » n'apparaît-elle pas plutôt comme vocation première ?

Paradis mineurs

Il est vrai que Musset fuit cette image tragique de lui-même ; nature fragile, il soutient mal son propre pessimisme. Au portrait qui vient d'être tracé, le lecteur aura été tenté d'opposer les nombreuses créations de Musset dans ses contes ou dans ses comédies, où règne un tout autre ton — histoires d'amours contrariés, mais que la sensibilité et l'humour des personnages conduisent à une fin heureuse : ainsi les récits qui s'intitulent *Margot*, *Croisilles*, *La Mouche* [2] ; ainsi la comédie de *Carmosine* [3]. Ce Musset, qui est peut-être le consolateur de l'autre, lui fait largement concurrence dans l'opinion. Ces productions aimables d'un génie malade sont-elles une diversion à son mal, ou la preuve que ce mal n'est pas si grave qu'il

---

1. Lettres à Paul Foucher du 23 septembre et du 19 octobre [1827], dans *Correspondance d'Alfred de Musset*, éd. Marie Cordroc'h, Roger Pierrot et Loïc Chotard (Centre de recherche, d'étude et d'édition de correspondances du XIXᵉ siècle de l'Université Paris-Sorbonne, directeur Madeleine Ambrière), t. I, pp. 23, 28, 24). Dorénavant : *Corr.*
2. *Margot*, 1838 ; *Croisilles*, 1839 ; *La Mouche*, 1853.
3. *Carmosine*, 1850.

paraît ? L'un et l'autre, peut-être. C'est le cas de citer La Roche-foucauld : «On n'est jamais si malheureux qu'on croit, ni si heureux qu'on espère[1].» Sans ce côté de son œuvre, Musset ne serait plus Musset ; sa sincérité n'est pas douteuse quand, oubliant la métaphysique de l'Amour-paradis, il souhaite sim-plement à sa liaison naissante avec George Sand une longue durée[2] ; quinze ans plus tard, il s'enchante à l'idée d'un amour sans querelles :

> *Se voir le plus possible et s'aimer seulement,*
> *Sans ruse ni détour, sans honte ni mensonge,*
> *Sans qu'un désir nous trompe ou qu'un remords nous ronge,*
> *Vivre à deux et donner son cœur à tout moment[3].*

C'est ici plutôt l'absence heureuse d'enfer que le paradis : un éden mineur, quoique à peine moins chimérique que l'autre.

Le cas du *Chandelier*, en tant que conte à dénouement heu-reux, est plus particulier : c'est une histoire d'amoureux berné qui, par exception, finit bien[4]. Cette pièce met en scène un trio classique : une dame, son mari notaire, son amant offi-cier ; mais les amants, pour déjouer les soupçons du mari, déci-dent d'utiliser comme «chandelier», c'est-à-dire comme soupirant faussement favorisé, le clerc du mari[5] ; ce pauvre garçon, qui se trouve être follement amoureux de la dame, se croit heureux, quand une conversation des amants, entendue par hasard, lui fait comprendre le rôle qu'il joue ; dès lors, le véritable trio de l'intrigue est, à l'exclusion du mari, celui de la Femme, de l'Amant heureux et du Soupirant mortifié. Or, au moment où le jeu risque de devenir trop cruel, la dame y renonce et préfère décidément l'intéressant jeune homme au

---

1. La Rochefoucauld, *Maximes*, éd. Jacques Truchet, Classiques Garnier, 1967, Maxime 128 de l'édition hollandaise de 1664.
2. Sonnet adressé à George Sand (sans doute en 1833 ; publication posthume) ; dans *Poésies*, *Pl.*, p. 521 : *À George Sand* (III).
3. Autre sonnet, daté de 1849 dans l'autographe (publié en 1851, adressé peut-être à Mme Allan) ; dans *Poésies*, *Pl.*, p. 459.
4. *Le Chandelier* a paru le 1er novembre 1835 dans la *Revue des Deux Mondes* ; on peut en lire le texte original dans *Gast.*, t. III, pp. 7-92.
5. On se souvient (voir ci-dessus, p. 105, note 1), que, selon Paul de Musset, cette histoire serait un souvenir de la première mésaventure de son frère.

militaire[1]. Dans cette version souriante d'une situation tant de fois dominée par la plus sombre fatalité, tout a tenu à la femme. C'est elle qui, dans le monde de Musset, est censée avoir la clef de l'infortune ou du bonheur ; qu'elle soit seulement sensible au mérite et à la sincérité de l'amant, fidèle à sa parole, dédaigneuse des faux prétendants et surtout qu'elle sache pardonner à l'occasion : telle est l'image à laquelle il rêve souvent, sans demander davantage. La dame du *Chandelier* n'est telle que par conversion ; combien plus admirables, celles qu'on suppose l'être par nature : ainsi la forte, loyale et fine épouse de *La Quenouille de Barberine*[2], ou la jeune mère anglaise d'*Une bonne fortune*, « simple et bonne », prodigue des « richesses du cœur » et messagère des rétributions providentielles[3].

La Femme ennemie

Aux antipodes des paradis d'amour, grandioses ou modestes, c'est, dans la réalité de la vie, la déception qui règne, nourricière de plaintes et de regrets, mais surtout de haine, couverte ou virulente. Cette haine puissamment imaginative compose une image de la Femme ennemie, variante à la fois séductrice et odieuse de la Prostituée, à laquelle l'amant injurieux est si vite enclin à comparer sa maîtresse. Cette image était déjà fortement constituée chez le jeune Musset. Dans *Octave*, qui est de 1831, il est déjà question d'une courtisane inhumaine :

> *Là s'exerçait dans l'ombre un redoutable amour ;*
> *Là cette Messaline ouvrait ses bras rapaces*
> *Pour changer en vieillards ses frêles favoris,*

1. Il existe une version manuscrite, toute différente, de ce dénouement, selon laquelle la dame, désabusée du militaire et gagnée à l'amour du jeune homme, lui demande cependant de renoncer à elle (voir les deux variantes de cette version dans *Gast.*, t. III, pp. 288-290). Cette version morale, apparemment conçue en vue de la représentation de la pièce en 1848, n'a finalement pas été retenue par Musset.

2. *La Quenouille de Barberine* a paru dans la *Revue des Deux Mondes* du 1er août 1835, deux actes, en prose (= *Gast.*, t. II, pp. 275-322).

3. *Une bonne fortune*, que l'édition des Amis du poëte date de décembre 1834 (époque du séjour de Musset à Bade, peu avant sa rupture définitive avec George Sand), parut le 1er janvier 1835 dans la *Revue des Deux Mondes* (= *Poésies, Pl.*, pp. 293-302).

Et, répandant la mort sous des baisers vivaces,
Buvait avec fureur ses éléments chéris,
L'or et le sang [...][1].

Dans *La Coupe et les lèvres*, qui parut l'année suivante, le chasseur Frank parle en ces termes à sa maîtresse Monna Belcolore[2] :

[...] Ô ma belle maîtresse,
Je me meurs; oui, je suis sans force et sans jeunesse,
Une ombre de moi-même, un reste, un vain reflet,
Et quelquefois la nuit mon spectre m'apparaît.
Mon Dieu! si jeune hier, aujourd'hui je succombe.
C'est toi qui m'as tué, ton beau corps est ma tombe[3].

À un autre moment, la voyant paraître, il fait les réflexions suivantes :

C'est bien elle; elle approche, elle vient, — la voilà.
Voilà bien ce beau corps, cette épaule charnue,
Cette gorge superbe et toujours demi-nue,
Sous ces cheveux plaqués ce front stupide et fier,
Avec ces deux grands yeux qui sont d'un noir d'enfer.
Voilà bien la sirène et la prostituée,
Le type de l'égout : — la machine inventée
Pour désopiler[4] l'homme et pour boire son sang;
La meule de pressoir de l'abrutissement[5].

1. *Octave* parut le 24 avril 1831 dans la *Revue des Deux Mondes* ; je cite d'après *Poésies*, *Pl.*, p. 118.
2. *La Coupe et les lèvres*, poème dramatique, parut le 25 décembre 1832 dans la première livraison d'*Un spectacle dans un fauteuil* ; Frank, personnage de révolté byronien ou Jeune-France, a renié la communauté des chasseurs du Tyrol et le pacte social, et brûlé sa maison ; il tue un cavalier qui l'a insulté, et la maîtresse de ce cavalier devient aussitôt la sienne : c'est cette Monna Belcolore.
3. *La Coupe et les lèvres*, acte II, scène 3 (*Poésies*, *Pl.*, pp. 173-174). Il faut entendre que Belcolore l'a physiquement épuisé : ce qu'elle confirme en le raillant de se croire «mort pour deux nuits de plaisir».
4. Ce mot, formé sur le latin *oppilare*, «boucher», signifie normalement «déboucher», «dégager» (un conduit physiologique : ainsi — la rate = libérer la gaieté, le rire) ; il semble pris ici au sens de «épuiser», «vider de substance».
5. Il faut entendre : la meule qui écrase et abrutit l'homme, le fait déchoir intellectuellement.

Quelle atmosphère étrange on respire autour d'elle !
Elle épuise, elle tue, et n'en est que plus belle[1].

Ces deux passages de *La Coupe et les lèvres* nous donnent le thème de la Femme ennemie dans tous ses éléments : beauté, indifférence, incitation à la luxure, influence ruineuse sur l'intelligence[2]. Il ne manque même pas au tableau le motif, cher à Musset, de l'apparition spectrale du Double de l'amant, témoin d'une vitalité ruinée. Il est hors de doute que cette image de la Femme est une des représentations qui ont, le moment venu, accompagné le mouvement de bascule du romantisme vers des lendemains pessimistes. En tout cas, les deux générations suivantes, celle de Baudelaire et celle de Mallarmé, ont fait de ce type, brut ou sublimé à divers degrés, un de leurs sujets de prédilection[3].

L'année qui suivit *La Coupe et les lèvres*, et toujours avant sa rencontre avec George Sand, Musset écrivit les trois actes d'*André del Sarto*, qui racontent un amour trahi[4]. André del Sarto découvre que sa femme Lucrèce le trompe avec Cordiani, son ami d'enfance, son meilleur, son plus fidèle compagnon. Cette découverte agit sur lui comme un coup de foudre, selon le modèle qui sera cher à Musset, avec la réaction ordinaire

1. *Ibid.*, acte IV, scène 1, entrée de Belcolore (voir *Poésies, Pl.*, p. 190).
2. À la limite, la maîtresse porteuse de mort peut tuer de sa main : c'est alors Judith, et l'amant s'identifie pour la circonstance à Holopherne. Musset, dans *Le Saule*, suite de fragments qu'on date globalement des années 1830, évoque (*Poésies, Pl.*, fragment II, p. 136) le tableau qui représente « cette fausse Judith, — Et dans la blanche main d'une perfide amante — La tête qu'en mourant Allori suspendit » ; Allori est un peintre florentin qui, trompé par sa maîtresse, fit un tableau de Judith tenant la tête d'Holopherne, où elle avait les traits de cette maîtresse, et Holopherne les siens. Musset, si l'on en croit son frère (*Biographie...*, pp. 216-217), projeta en 1839 un roman sur Allori et, en 1843, écrivit quelques vers sur lui (*ibid.*, p. 294).
3. Voir, à titre d'échantillon, le poème des *Fleurs du mal*, XXV : *Tu mettrais l'univers entier dans ta ruelle*.
4. C'est en juin 1833 que Musset devait rencontrer George Sand, et c'est le 1er avril de la même année qu'*André del Sarto* parut dans la *Revue des Deux Mondes*. La version que je commente est celle de 1833, en trois actes (reprise dans *Un spectacle dans un fauteuil*, 2e livraison, 1834, et dans les *Comédies et Proverbes*, 1840 ; celle, en deux actes, de 1851, et des rééditions ultérieures, est édulcorée à l'intention de la censure). — L'affabulation de ce drame ne correspond que de très loin à la biographie réelle d'Andrea del Sarto, peintre florentin (1486-1531).

de désespoir et de jalousie[1]. La pièce, à cet égard, n'ajoute rien à ce que nous savons, sauf que le désespoir jaloux s'entremêle ici, selon les moments, à une sorte de résignation généreuse, à une tentation de fraternité avec l'épouse et l'amant adultères, victimes comme lui de l'Amour tout-puissant[2]. Lucrèce n'en est pas moins marquée tout au long du drame, si éperdument aimée qu'elle soit, des traits habituels de la Femme ennemie. Ni prostituée certes, ni corruptrice par état, mais jusque-là épouse adorée, elle se révèle ennemie par sa soudaine indifférence à la passion de son mari. Il se sent avili par les démarches qu'il tente pour la ramener à lui : «Ô honte! ô humiliation! elle ne répondra pas. Comment en suis-je venu là[3]?» Mais cet avilissement a précédé la trahison. Pour cette Lucrèce qui le trahit aujourd'hui, nous apprenons qu'il a commis une grave faute contre l'honneur : le roi de France lui avait remis de l'argent en lui demandant d'acheter pour lui des tableaux italiens, et il a dépensé cet argent pour les plaisirs de sa femme. Ses remords à ce sujet assombrissent son humeur dès le début de la pièce, avant même qu'il n'ait connu son infortune conjugale[4]. Musset a beau ne pas vouloir charger le personnage de Lucrèce (traditionnellement donnée pour infidèle et dépensière), il accepte qu'elle ait été cause de la déchéance de son mari ; il le fait dire par André lui-même : «Oui, quand elle parut, je crus que mon rêve se réalisait, et que ma Galatée s'animait sous mes mains. Insensé! mon génie mourut dans mon amour[5].» Le fait est qu'André semble éprouver, dès qu'il paraît dans la pièce, une sorte de désespérance que nous pouvons attribuer à la conscience de son déshonneur et du rôle néfaste joué dans sa vie par Lucrèce. Il désespère non seule-

1. Le sujet de la Trahison féminine, tel qu'il est agencé dans *André del Sarto*, annonce le récit de la «première misère» de Musset, raconté quelques années plus tard dans *La Confession d'un enfant du siècle* (le complice de la femme infidèle, ami intime du héros ; soudaineté de la découverte ; violence de la déception). Un des éléments du tragique des *Caprices de Marianne* (parus dans la *Revue des Deux Mondes* du 15 mai 1833) consiste dans le fait que, par suite d'un malentendu, Coelio meurt convaincu que son meilleur ami, Octave, qui le servait loyalement auprès de Marianne, l'a trahi avec elle.

2. Lucrèce et Cordiani sont eux aussi fous d'amour, et André finit, avant de se donner la mort, par les autoriser à s'aimer. Ce dénouement a été défiguré par souci de décence dans les éditions postérieures à 1840.

3. *André del Sarto*, acte III, scène 2.

4. *Ibid.*, acte I, scène 2.

5. *Ibid.*, acte III, scène 2.

ment de son génie, mais du génie de l'Italie et de tout son
siècle. Ainsi, à peine entré en scène : «Nous vieillissons [...].
La jeunesse ne veut plus guère de nous»; et il parle avec tristesse de «ces temps de décadence où la mort de Michel-Ange
nous a laissés», et de l'imperfection de ses «pauvres ouvrages» à lui[1]. Après la fatale découverte, il continue sur le
même mode : «Seul, parmi tant de peintres illustres, je sur-
vis jeune encore au siècle de Michel-Ange, et je vois de jour
en jour tout s'écrouler autour de moi. [...] Je lutte en vain
contre les ténèbres; le flambeau sacré s'éteint dans ma main.
[...] Mes ateliers sont déserts, ma réputation est perdue[2].»
Il est permis, à partir de ces textes divers, de se demander
si un état de désenchantement fondamental n'a pas précédé
et dominé les circonstances malheureuses de sa vie. Musset
a laissé ce point dans le vague : le problème pouvait se poser
pour lui-même, et il ne voulait sans doute pas décider trop
clairement, dans son propre cas, si le principe du mal était
en lui ou dans la fortune contraire, et en particulier dans la
Femme ennemie. Cette figure de femme surgit dans certaines de ses confidences autobiographiques; ainsi dans les malé-
dictions de *La Nuit d'octobre* :

> *C'est une femme à qui je fus soumis*
> *Comme le serf l'est à son maître.*
> *Joug détesté! c'est par là que mon cœur*
> *Perdit sa force et sa jeunesse;*

et, plus loin :

> *C'est ta voix, c'est ton sourire,*
> *C'est ton regard corrupteur,*
> *Qui m'ont appris à maudire*
> *Jusqu'au semblant du bonheur[3].*

---

1. *Ibid.*, acte I, scène 1. Par une ironie du sort, il met tout son espoir, pour
maintenir le rayonnement de l'art, dans son ami Cordiani, dont il ignore la trahison, et qui se trouve être ainsi, dans sa pensée, l'héritier de sa vitalité perdue.
2. *Ibid.*, acte II, scène 1. C'est ici la scène où André del Sarto s'explique ora-
geusement avec Cordiani; évidemment, il ne fait plus état de l'espérance qu'il
mettait en lui.
3. *La Nuit d'octobre*, vers 73-76; 170-173.

Dans l'emploi poétique de ce type féminin, avec tout ce qu'il implique de désenchantement à l'égard de l'amour, Musset a été de son temps un précurseur[1].

Stérilité, vision du double

À vingt ans, Musset se demandait déjà, parlant à lui-même :

Si ton démon céleste était un imposteur[2] *?*

Ce doute ne le quitta jamais. À vingt-sept ans, alors qu'il avait écrit plusieurs de ses grands poèmes, ayant lu des réflexions mélancoliques de Sainte-Beuve sur la baisse de l'inspiration avec les années, il éprouva le besoin d'y souscrire publiquement :

Ami, tu l'as bien dit : en nous, tant que nous sommes,
Il existe souvent une certaine fleur
Qui s'en va dans la vie et s'effeuille du cœur.
"Il existe, en un mot, chez les trois quarts des hommes,
Un poète mort jeune à qui l'homme survit"[3].

Un certain tarissement poétique, assez tôt survenu, est dans le cas de Musset un fait peu discutable : il n'écrivit pour ainsi dire plus de poésie passé trente et quelques années. Il professe lui-même que trente ans est l'âge décisif : «À trente ans ! [...] Il est certain qu'à cet âge le cœur des uns tombe en poussière, tandis que celui des autres persiste[4].» Il n'est ici question que du cœur, mais chacun sait que, pour Musset, «c'est là qu'est

1. Dans les futures générations parnassiennes, et dès Baudelaire, la Femme dévitalisante et ennemie du génie, ou encore Statue froide et dominatrice, remplacera tout à fait l'Ève romantique. La Statue apparaît chez Musset quand il écrit, à l'occasion d'une Diane de marbre : «Telle, et plus froide, est une main — Qui me tenait jadis en laisse» (*Sur trois marches de marbre rose*, 1849).
2. «Dédicace» de *La Coupe et les lèvres* (dans *Poésies*, Pl., p. 154). Ce démon céleste est l'Inspiration.
3. Vers de Musset, publiés par Sainte-Beuve dans ses *Pensées d'août* (1837), puis par Musset dans les *Poésies nouvelles* (édition de 1850 ; *Poésies*, Pl., p. 378). — Voir ci-dessus, chapitre sur Sainte-Beuve, pp. 31 et 32.
4. Fragment publié par Paul de Musset dans la *Biographie* de son frère (il le date du 11 décembre 1840, jour de ses trente ans) ; voir *Prose*, Pl., p. 937 et note p. 1269.

le génie». A trente-trois ans, demandant à son ami Alfred Tattet de ne pas l'oublier : «Souvenez-vous d'un cœur, lui dit-il,

> *Qui vous a tout de suite et librement aimé,*
> *Dans la force et la fleur de la belle jeunesse,*
> *Et qui dort maintenant à tout jamais fermé*[1].

On ne peut oublier que les métaphores de dépérissement, dans l'œuvre de Musset, ont quelquefois pris la forme, bien avant qu'il n'eût atteint la trentaine, d'allégories hallucinatoires. Nous en avons déjà vu un cas de 1832, quand le Frank de *La Coupe et les lèvres*, sentant ses forces épuisées, dit qu'il voit son propre spectre lui apparaître la nuit[2]. Dans *Lorenzaccio*, qui fut sans doute écrit en 1833, l'apparition est mise en scène autrement : c'est Marie Solerini, la mère de Lorenzo, qui raconte une sorte de rêve éveillé qu'elle a eu la nuit, tandis qu'elle pensait à l'enfance heureuse de son fils et à sa déchéance actuelle : «Mes yeux se remplissaient de larmes, et je secouais la tête en les sentant couler. J'ai entendu tout d'un coup marcher lentement dans la galerie; je me suis retournée; un homme vêtu de noir venait à moi, un livre sous le bras — c'était toi, Renzo : "Comme tu reviens de bonne heure!" me suis-je écriée. Mais le spectre s'est assis auprès de la lampe sans me répondre; il a ouvert son livre, et j'ai reconnu mon Lorenzino d'autrefois[3].» Dès que Lorenzo est de retour le matin, le spectre se lève d'un air mélancolique et s'efface. En 1835, dans *La Nuit de décembre*, c'est Musset lui-même qui voit apparaître son double vêtu de noir. L'apparition, dit-il, s'est répétée dans les divers moments de sa vie : elle semble figurer une donnée constante de son être, depuis l'enfance jusqu'au jour du poème[4]. Avec son vêtement noir et sa ressemblance fraternelle, le spectre au sourire ami double d'un reflet fatidique la

---

1. *A M.A.T.*, sonnet, daté par Musset du 17 mai 1843 (*Poésies nouvelles* de 1850; voir *Poésies*, Pl., p. 437).
2. Voir ci-dessus les vers cités p. 125.
3. *Lorenzaccio*, acte II, scène 4 (*Gast.*, t. II, p. 144).
4. On ne sait si Musset était réellement sujet à ce type d'hallucinations. George Sand, dans *Elle et lui* (1859), prête à son héros une de ces crises : si on l'en croit, Musset, au début de leur liaison, pendant une excursion en forêt, aurait eu la vision de son double vieilli, ivre et hébété; mais elle ne semble pas sûre qu'il se soit agi d'une hallucination véritable (2e éd., 1860, p. 105). Nous citons ci-dessous les strophes 3 à 10 du poème.

débilité du poète ; le temps des douleurs et de la dissipation est surtout celui où il paraît. Voici ces strophes justement fameuses :

LA NUIT DE DÉCEMBRE

Comme j'allais avoir quinze ans,
Je marchais un jour, à pas lents,
Dans un bois, sur une bruyère.
Au pied d'un arbre vint s'asseoir
Un jeune homme vêtu de noir,
Qui me ressemblait comme un frère.

Je lui demandai mon chemin ;
Il tenait un luth d'une main,
De l'autre un bouquet d'églantine.
Il me fit un salut d'ami,
Et, se détournant à demi,
Me montra du doigt la colline.

À l'âge où l'on croit à l'amour,
J'étais seul dans ma chambre un jour,
Pleurant ma première misère.
Au coin de mon feu vint s'asseoir
Un étranger vêtu de noir,
Qui me ressemblait comme un frère.

Il était morne et soucieux ;
D'une main il montrait les cieux,
Et de l'autre il tenait un glaive.
De ma peine il semblait souffrir,
Mais il ne poussa qu'un soupir,
Et s'évanouit comme un rêve.

À l'âge où l'on est libertin,
Pour boire un toast en un festin,
Un jour je soulevai mon verre.
En face de moi vint s'asseoir
Un convive vêtu de noir,
Qui me ressemblait comme un frère.

Il secouait sous son manteau
Un haillon de pourpre en lambeau,
Sur sa tête un myrte stérile.
Son bras maigre cherchait le mien,
Et mon verre en touchant le sien
Se brisa dans ma main débile.

Un an après, il était nuit;
J'étais à genoux près du lit
Où venait de mourir mon père.
Au chevet du lit vint s'asseoir
Un orphelin vêtu de noir,
Qui me ressemblait comme un frère.

Ses yeux étaient noyés de pleurs;
Comme les anges de douleurs,
Il était couronné d'épine;
Son luth à terre était gisant,
Sa pourpre de couleur de sang,
Et son glaive dans sa poitrine.

L'interprétation de ce motif allégorico-symbolique est donnée par le Double lui-même dans les strophes finales du poème : il dit n'être «ni dieu ni démon», quoique Dieu l'ait commis auprès du poète comme son seul recours :

Je te suivrai sur le chemin;
Mais je ne puis toucher ta main,
Ami, je suis la Solitude.

Entendons qu'il figure, pour Musset, l'impossibilité d'avoir une autre compagnie que soi-même : Narcisse voué à son image, c'est-à-dire à la conscience, sublimée en essentielle poésie, d'un empêchement vital. Vues sous cet angle, les difficultés que Musset rencontre dans son expérience de l'amour sont un aspect particulier d'une difficulté plus générale de vivre. Ses plaintes sont fréquentes sur ce sujet. Et c'est ici, précisément, que la plainte, comme nous allons voir, prend volontiers la forme d'une pensée. Le mal du poète s'éclaire par là d'une lumière d'intelligence et trouve, dans la solitude même, le chemin d'une communication avec autrui.

Le duo Idéal-Réel

La place centrale qu'occupe la déception — ou le parti pris de déception — dans l'univers amoureux de Musset suggère une loi de disproportion et de discorde entre le désir et son objet ; et cette loi trouve naturellement sa formule universelle dans l'opposition de deux concepts. Le double moment psychologique du désir et de sa non-satisfaction devient le duo idéologique de l'Idéal désiré et du Réel frustrateur. Cette vieille déconvenue humaine, ainsi interprétée et mise en forme dans les religions qui entendent en fournir le remède, se retrouve nue et non résolue à la source même du romantisme. La distance qui sépare l'idéal du réel hante, au sortir de la Révolution, des esprits que la tradition religieuse ne fixe plus dans ses voies. Mais la pensée de cette distance peut être inspiratrice de courage aussi bien que d'amertume, signaler un chemin ou le montrer fermé. Ce que nous avons vu jusqu'ici de Musset nous le montre inclinant décidément cette balance du côté négatif.

Le couple Idéal-Réel, comme antinomie inconciliable, apparaît très tôt chez lui. On le trouve déjà constitué comme tel dans une lettre de ses dix-sept ans, que nous avons déjà citée : «Pourquoi la nature m'a-t-elle donné la soif d'un idéal qui ne se réalisera pas[1] ?» Cette plainte se répète à travers toute son œuvre sous des formules diverses. Dans *Namouna*, elle prend la forme d'une antithèse plus traditionnelle :

> *Ah ! c'est un grand malheur, quand on a le cœur tendre,*
> *Que ce lien de fer que la nature a mis*
> *Entre l'âme et le corps, ces frères ennemis[2] !*

Le duo Âme-Corps renvoie au spiritualisme, religieux ou laïque. Musset a usé et abusé, dans son œuvre, de l'opposition des deux sortes d'amour qui relèvent de chacun des termes de cette antinomie[3]. En fait, l'opposition de l'âme et du corps ne

1. Lettre à Paul Foucher du 23 septembre 1827 (voir ci-dessus, p. 122).
2. *Namouna* parut dans les derniers jours de 1832 (*Un spectacle dans un fauteuil*, 1ʳᵉ livraison) ; voir ces vers, chant 1ᵉʳ, strophe 48 (*Poésies, Pl.*, p. 249).
3. Voir, par exemple, le posthume *Roman par lettres*, qu'on date de 1833, Lettre VIII (*Prose, Pl.*, p. 296) ; selon Paul de Musset (voir *Poésies, Pl.*, p. 788), le

répond qu'imparfaitement à ce que Musset veut vraiment
dire, à savoir que l'amour, dans son principe idéal ou infini,
ne peut se satisfaire d'aucune femme réelle, que l'objet qu'il
poursuit est imaginaire : la fuyante Manon Lescaut est
aussitôt reconnue vraie par le lecteur, et l'Héloïse de Rousseau, tenue pour «une ombre vaine»; d'où l'apostrophe aux
rêveurs :

> *Ah! rêveurs, ah! rêveurs, que vous avons-nous fait?*
>
> *Pourquoi promenez-vous ces spectres de lumière*
> *Devant le rideau noir de nos nuits sans sommeil,*
> *Puisqu'il faut qu'ici-bas tout songe ait son réveil,*
> *Et puisque le désir se sent cloué sur terre,*
> *Comme un aigle blessé qui meurt dans la poussière,*
> *L'aile ouverte, et les yeux fixés sur le soleil[1]?*

Tel est bien le conflit que va incarner, dans cette même
Namouna, le Don Juan de Musset[2], en qui l'inconstance
atteste une aspiration infinie, «candide corrupteur», légitime-
ment dédaigneux de ce qui n'a pu contenter son désir : toi qui
vas, lui dit Musset,

> *Demandant aux forêts, à la mer, à la plaine,*
> *Aux brises du matin, à toute heure, à tout lieu,*
> *La femme de ton âme et de ton premier vœu!*
> *Prenant pour fiancée un rêve, une ombre vaine,*
> *Et fouillant dans le cœur d'une hécatombe humaine,*
> *Prêtre désespéré, pour y trouver ton Dieu.*

---

poème intitulé *Idylle* (*ibid.*, p. 361), qui ne fut publié qu'en 1839, devait figurer
dans ce roman : c'est un dialogue entre deux interlocuteurs qui célèbrent, l'un
l'amour idéal, l'autre l'amour-plaisir. — Voir aussi *Les Caprices de Marianne*, qui
opposent du même point de vue Octave et Coelio; dans *Le Chandelier* (1835),
tout le scénario est fondé sur le contraste des deux types, Clavaroche et Fortunio. — Dans la nouvelle intitulée *Les Deux Maîtresses* (1837), le même homme
vit simultanément les deux amours avec deux femmes différentes et ne semble
pas s'en trouver mal.
   1. *Namouna*, chant I, strophes 57-58 (*Poésies, Pl.*, p. 251).
   2. Ce qui concerne Don Juan occupe les strophes 24 à 54 du chant II de
Namouna; voir aussi les pages intitulées *La Matinée de don Juan*, parues dans
La France littéraire de décembre 1855, p. 415 et suiv. (*Théâtre, Pl.*, p. 625 et
suiv.).

Aucune femme ne répond à ce rêve :

> *Toutes lui ressemblaient, — ce n'était jamais elle,*
> *Toutes lui ressemblaient, don Juan, et tu marchais !*

> *[...] Tu mourus plein d'espoir dans ta route infinie*
> *Et te souciant peu de laisser ici-bas*
> *Des larmes et du sang aux traces de tes pas.*
> *Plus vaste que le ciel et plus grand que la vie,*
> *Tu perdis ta beauté, ta gloire et ton génie*
> *Pour un être impossible et qui n'existait pas*[1].

Il est bien connu que le type de don Juan a subi au XIXᵉ siècle une métamorphose idéalisante : ce qui était bravade sensuelle ou défi à Dieu s'est changé en quête spirituelle. Musset, en le faisant mourir plein d'espoir, fait de lui, malgré la vanité de sa quête, un héros de l'Idéal, conformément à la variante romantique commune. Mais il a évoqué ailleurs la quête de l'Idéal sur un tout autre ton. À quelques mois de là, venant de lire *Indiana*, il est impressionné par la scène étrange où Raimond s'enivre avec Noun, servante d'Indiana, puis la séduit et s'unit à elle en recherchant l'illusion qu'elle est Indiana, qu'il aime. Musset a l'idée de donner à cette quête d'illusion un sens symbolique, et il écrit à George Sand :

> *N'est-ce pas le Réel dans toute sa tristesse*
> *Que cette pauvre Noun, les yeux baignés de pleurs,*
> *Versant à son ami le vin de sa maîtresse [...] ?*

> *Et cet être divin, cette femme angélique*
> *Que, dans l'air embaumé, Raimond voit voltiger,*
> *Cette frêle Indiana dont la forme magique*
> *Erre sur les miroirs comme un spectre léger,*
> *Ô George, n'est-ce pas la pâle fiancée*
> *Dont l'Ange du désir est l'immortel amant ?*
> *N'est-ce pas l'Idéal, cette amour insensée*
> *Qui sur tous les amours plane éternellement ?*

---

1. *Namouna*, chant II, strophes 44, 47, 53 (*Poésies*, *Pl.*, pp. 265-267).

Ah! malheur à celui qui lui livre son âme!
Qui couvre de baisers, sur le corps d'une femme,
Le fantôme d'une autre, et qui sur la beauté
Veut boire l'idéal dans la réalité[1] *!*

L'Idéal s'est changé ici en sujet de malédiction.

La disproportion du Réel et de l'Idéal peut définir, par-delà l'amour, toute la condition humaine. On le voit dans *La Coupe et les lèvres*, quand Frank évoque «tous les insensés que l'espoir a conduits»[2] :

[...] Le jeune ambitieux porte une plaie affreuse,
Tendre encor, mais profonde et qui saigne à l'écart.
Ce qu'il fait, ce qu'il voit des choses de la vie,
Tout le porte, l'entraîne à son but idéal,
Clarté fuyant toujours et toujours poursuivie,
Étrange idole, à qui tout sert de piédestal.
Mais si tout en courant la force l'abandonne,
S'il se retourne, et songe aux êtres d'ici-bas,
Il trouve tout à coup que ce qui l'environne
Est demeuré si loin qu'il n'y reviendra pas.
C'est alors qu'il comprend l'effet de son vertige,
Et que, s'il ne regarde au ciel, il va tomber.
Il marche; — son génie à poursuivre l'oblige;
Il marche, et le terrain commence à surplomber.
Enfin, — mais n'est-il pas une heure dans la vie
Où le génie humain rencontre la folie? —
Ils luttent corps à corps sur un rocher glissant.
Tous deux y sont montés, mais un seul redescend[3]*.*

Nous avons là déjà, dans cette *marche*, sœur de celle de don Juan,

1. *Après la lecture d'«Indiana»* (publication posthume par Paul de Musset en 1878, avec la date du 24 juin 1833; à cette date, Musset ne connaissait George Sand que depuis quelques jours). Ce poème figure dans les éditions aux «Poésies posthumes» (*Poésies, Pl.*, pp. 512-513).
2. *La Coupe et les lèvres*, fin de l'acte IV, grand monologue de Frank (*Poésies, Pl.*, pp. 197-198).
3. Dans le dernier vers il faut entendre que le duel du génie avec la folie se conclut par sa chute dans le précipice, et qu'elle redescend sans lui. — Musset a écrit deux fois les quatre derniers vers, une fois ici, une autre fois — antérieurement sans doute — dans le fragment posthume intitulé *L'Oubli des injures* (voir *Poésies, Pl.*, p. 567 et p. 903, n. 10).

l'entier schéma de l'ascension symbolique, saisie de vertige, follement obstinée et culminant dans une chute, qui obsédera les générations du romantisme désenchanté, Baudelaire avec son Icare, Banville avec son funambule, Mallarmé avec son oiseau éclaté : tous symboles catastrophiques de l'inaccessibilité de l'Idéal. On voit comment ce thème, ainsi figuré, loin de relever du spiritualisme commun, s'en sépare, par la protestation qu'il implique contre l'ordre créé ou contre le Créateur :

> *Ô mondes, ô Saturne, immobiles étoiles,*
> *Magnifique univers, en est-ce ainsi partout ?*
> *Ô nuit, profonde nuit, spectre toujours debout,*
> *Large création, quand tu lèves tes voiles*
> *Pour te considérer dans ton immensité,*
> *Vois-tu du haut en bas la même nudité ?*
> *Dis-moi donc, en ce cas, dis-moi, mère imprudente,*
> *Pourquoi m'obsèdes-tu de cette soif ardente,*
> *Si tu ne connais pas de source où l'étancher*[1] *?*

Ou encore :

> *Pourquoi le Dieu qui me créa*
> *Fit-il, en m'animant, tomber sur ma poitrine*
> *L'étincelle divine*
> *Qui me consumera*[2] *?*

Idéal torturant, création ennemie : Musset annonce, au début des années 1830, les pensées et les images qui prospéreront vingt-cinq ans après. Ne laissons pas sans commentaire, dans les alexandrins cités plus haut, un apport de pensée poétique qui mérite attention : la *nudité* prise au sens de dévoilement d'une laideur, de scandale en somme. Cette connotation biblique ou puritaine du mot peut étonner ; Musset y est pourtant revenu dans *La Confession d'un enfant du siècle* : un ami du héros, homme positif, lui déclare : « La perfection n'existe pas ; la comprendre[3] est le triomphe de l'intelligence humaine ; la

---

1. *La Coupe et les lèvres*, dans *Poésies*, Pl., p. 198 : ces vers font suite immédiatement aux précédents.
2. *Ibid.*, acte I, scène 3 (*Poésies*, Pl., p. 168).
3. C'est-à-dire, la concevoir.

désirer pour la posséder est la plus dangereuse des folies. [...]
Ce qui vous pousse en ce moment au désespoir, c'est cette
idée de perfection que vous vous étiez faite sur votre maîtresse,
et dont vous voyez qu'elle est déchue [1]. » Musset, bien différent de ce sage par le désir, ne pense pas autrement que lui :
il sait que toute perfection est déguisée et menteuse, et le dévoilement est une de ses obsessions : « Cette idée funeste, que
la vérité c'est la nudité, me revenait à propos de tout [2]. »
L'idée du réel comme nudité implique que l'idéal soit déguisement et sa quête déception : le thème de pensée que nous
commentons, même formulé en une antithèse de concepts, est
de nature dramatique ; il ne laisse pas oublier qu'il dénonce
le mal de la Tromperie, et il en étend le champ, comme font
depuis longtemps les moralistes, à la relation interhumaine sous
toutes ses formes.

Poète et Humanité

Le romantisme s'est beaucoup soucié des relations du Poète
avec les hommes : ce domaine était, par excellence, celui de
sa mission. Dans la sensibilité romantique, Femme et Humanité sont solidaires ; l'Idéal tend à s'accomplir dans l'une et
dans l'autre. Elles sont solidaires aussi chez Musset : il appa-
rie de même Amour et Politique, mais sous le signe commun
du mensonge. Dans les *Stances* posthumes, qui sont comme un
récit de ses déchantements premiers au sortir de l'enfance, le
froid accueil de ses semblables précède celui de l'amante. Il
entrait dans la vie plein d'espérance :

> *Cependant, comme moi tout brillants de jeunesse,*
> *Des convives chantaient, pleins d'une douce ivresse ;*
> *Je leur tendis la main, en m'avançant vers eux :*
> *« Amis, n'aurai-je pas une place à la fête ? »*
> *Leur dis-je... Et pas un seul ne détourna la tête*
> *Et ne leva les yeux !*

1. *La Confession...*, Ier partie, chap. V (*Prose, Pl.*, pp. 93 et 94).
2. *Ibid.*, IIe partie, chap. IV (*Prose, Pl.*, p. 133). Nous retrouverons cette acception péjorative de la nudité dans *Lorenzaccio*.

Je m'éloignai pensif, la mort au fond de l'âme.
Alors à mes regards vint s'offrir une femme.
Je crus que dans ma nuit un ange avait passé.
Et chacun admirait son souris plein de charme;
Mais il me fit horreur! car jamais une larme
Ne l'avait effacé[1].

Fut-il toujours, en politique, désenchanté ou indifférent? Par tradition de famille, il était plutôt libéral au sens du temps, c'est-à-dire surtout éloigné de tout attachement à l'Ancien Régime et à la contre-Révolution. Son père, Victor de Musset-Pathay, admirateur de Rousseau et éditeur de ses œuvres, avait servi après Thermidor dans l'administration de la République, puis du Consulat et de l'Empire. Même tradition du côté de sa mère, fille du magistrat Guillot-Desherbiers, qui fut membre du Conseil des Cinq-Cents et du Corps Législatif. Les souvenirs d'enfance rapportés par Paul de Musset dans la *Biographie* de son frère sont tous napoléoniens et antiroyalistes; et la façon dont Musset lui-même parle de la Restauration dans *La Confession d'un enfant du siècle* est tout à fait significative. Bien qu'aucun écrit de lui ne nous renseigne positivement, que je sache, sur les opinions de sa première jeunesse, on peut le supposer, en ce crépuscule des Bourbons, entraîné par le courant général. Sa conduite en Juillet ne nous est pas connue; son père ayant été révoqué de son emploi après les trois Journées comme suspect de sympathie pour le régime déchu, mais réintégré presque aussitôt sur une pétition de ses subordonnés, Mme de Musset commenta la mesure prise en ces termes: «Il eût été inouï, je l'avoue, qu'un événement que nous avions appelé de tous nos vœux, pour le succès duquel mes fils avaient risqué leur vie, eût amené avec lui notre ruine[2].» Rien d'autre n'atteste que Musset se soit battu en Juillet; mais la lettre laisse voir au moins quels étaient les sentiments de sa famille et les siens. Une

---

1. *Stances* (posthumes), datées de 1835 par Paul de Musset, qui les publia; mais la gaucherie et le peu de relief de ces vers font soupçonner une date plus ancienne. Je cite la 3e et la 4e de ces onze strophes (*Poésies*, Pl., p. 492).
2. Lettre inédite du 12 août 1830 à une amie, citée dans *Poésies*, Pl., p. 641, avec indication de la source.

courte lettre de lui, contemporaine de l'insurrection, le montre plutôt attentif que passionné : «Dieu sait où nous allons», écrit-il[1].

Le premier texte où Musset envisage la situation du poète dans la société contemporaine parut moins de trois mois après Juillet. C'est le poème intitulé *Les Vœux stériles* : poème véhément et amer, aux mouvements contradictoires, sur le sujet, qui obsède alors les poètes, des rapports entre poésie et action. Beaucoup, à cette époque, voient et déplorent la contradiction des deux termes, et le faible accueil que le monde de l'action réserve au poète. Mais tous essaient de définir, au-delà du conflit, une harmonie possible, qui puisse donner un sens spirituel à l'action et une vertu agissante à l'esprit : le vœu d'une *mission* du poète ne signifie pas autre chose. Musset, s'il partage ce vœu, le ressent comme stérile : c'est ce que dit le titre de son poème. Porté à communiquer comme poète avec les hommes, il répugne cependant à «faire de son âme une prostituée», à la dégrader «sur d'ignobles tréteaux[2]» : il semble condamner par là la satire plus ou moins révolutionnaire qui était alors en vogue; cette condamnation ne lui est pas propre, elle a souvent été faite en ce temps-là[3] : on voulait, traçant le portrait du Poète dans son action sur les hommes, le distinguer de l'agitateur, supposé ambitieux et jouant sur les mauvaises passions du peuple. Musset, cependant, poursuit :

Point d'autel, de trépied, point d'arrière aux profanes[4] !

Ce qu'il répudie ici, ce ne sont plus les tréteaux du démagogue, c'est le trépied du *vates* romantique, du poète inspiré, interprète de l'ordre divin et annonciateur de l'avenir humain. En cela, il se sépare de ses grands contemporains en poésie, qui

1. Lettre à Horace de Viel-Castel (petit-neveu de Mirabeau et fils d'un chambellan à la cour de Napoléon Ier), non datée, mais annonçant le siège des Tuileries par les insurgés de Juillet (*Corr.*, t. I, pp. 40-41).
2. *Les Vœux stériles*, vers 5-10; le poème a paru dans la *Revue de Paris* du 21 octobre 1830 (= *Poésies*, Pl., pp. 113-117).
3. Voir LAMARTINE, *À Némésis* (1831); Hugo, dans les mêmes années 1830, oppose le «Poète saint» au démagogue, l'un pacificateur, l'autre semeur de discorde.
4. *Les Vœux stériles*, vers 15.

cultivaient une telle image du poète, née dans le premier romantisme catholique et chrétien. C'est en libéral et en homme positif
qu'il semble parler quand il cherche à définir la mission du
poète par les seuls mots de liberté et de vérité[1].
Mais se sent-il vraiment capable d'assurer une telle mission?

> *Je suis jeune, j'arrive. À moitié de ma route,*
> *Déjà las de marcher je me suis retourné.*
> *La science de l'homme est le mépris sans doute;*
> *C'est un droit de vieillard qui ne m'est pas donné.*
> *Mais que dois-je en penser? Il n'existe qu'un être*
> *Que je puisse en entier et constamment connaître,*
> *Sur qui mon jugement puisse au moins faire foi,*
> *Un seul!... Je le méprise. — Et cet être c'est moi.*
>
> *Qu'ai-je fait? qu'ai-je appris? — Le temps est si rapide!*
> *L'enfant marche joyeux, sans songer au chemin;*
> *Il le croit infini, n'en voyant pas la fin.*
> *Tout à coup il rencontre une source limpide,*
> *Il s'arrête, il se penche, il y voit un vieillard[2].*

Le mépris des hommes et de soi-même, un reflet sénile du poète
au miroir d'une source ont envahi la conscience où s'efforçait
de se définir une mission virile. Et voici la fuite vers le mythe
d'un Jadis édénique :

> *Grèce, ô mère des arts, terre d'idolâtrie,*
> *De mes vœux insensés éternelle patrie,*
> *J'étais né pour ces temps où les fleurs de ton front*
> *Couronnaient dans les mers l'azur de l'Hellespont.*
> *Je suis un citoyen de tes siècles antiques[3],* etc.

La Grèce et Phidias, la Rome antique, celle de la Renaissance,
l'Italie de Michel-Ange et de Raphaël, quand les artistes étaient

---

1. *Ibid.*, vers 16-18 : «Que ta muse [...] — Fasse vibrer sans peur l'air de
la liberté ; — Qu'elle marche pieds nus, comme la Vérité. »
2. *Ibid.*, vers 36-48.
3. *Ibid.*, vers 62-66. L'«école païenne» de la génération suivante et le Parnasse développeront largement ce motif.

Triomphants, honorés, dieux parmi les mortels [...]
Temps heureux, temps aimés ! Mes mains alors peut-être,
Mes lâches mains pour vous auraient pu s'occuper;
Mais aujourd'hui pourquoi ? dans quel but ? sous quel maître ?
L'artiste est un marchand, et l'art est un métier[1].

La diversion par l'éden grec et la décadence moderne ne
résout en rien le douloureux débat

D'un monde où l'action n'est pas la sœur du rêve,

comme dira Baudelaire[2]. De cette difficulté du projet missionnaire naît parfois la tentation de répudier et de déprécier
le rêve, de n'exalter que l'action :

Heureux, trois fois heureux l'homme dont la pensée
Peut s'écrire au tranchant du sabre ou de l'épée !
Ah ! qu'il doit mépriser ces rêveurs insensés
Qui, lorsqu'ils ont pétri d'une fange sans vie
Un vil fantôme, un songe, une froide effigie
S'arrêtent pleins d'orgueil, et disent : C'est assez !
Qu'est la pensée, hélas ! quand l'action commence[3] *?*

Cet « hélas » en dit long sur le vrai sentiment du poète.
Comment s'élancerait-il avec joie dans une action qu'au fond
de lui il méprise ? Comment agir pour des hommes dont il est
sûr de n'être pas aimé ? Ses élans butent sur cette certitude.
Obtiendra-t-il seulement leur pitié ? mais d'ailleurs

Qui pourrait en vouloir ? et comment le vulgaire,
Quand c'est vous qui souffrez, pourrait-il le sentir,
Lui que Dieu n'a pas fait capable de souffrir ?
[...] Qui trouvera le temps d'écouter vos malheurs ?
On croit au sang qui coule, et l'on doute des pleurs.
Votre ami passera, mais sans vous reconnaître[4].

---

1. *Ibid.*, vers 81, 100-103.
2. BAUDELAIRE, dans le poème des *Fleurs du mal* intitulé *Le Reniement de saint Pierre*, dernière strophe.
3. *Les Vœux stériles*, vers 116-122.
4. *Ibid.*, vers 144-146, 161-163.

La dualité de l'Idéal et du Réel prend finalement la forme d'une mésentente du Poète et des hommes ; mais insoluble, car ce qui manque à Musset, c'est précisément, au plus profond, la confiance en autrui. La conclusion de cette suite d'impossibilités est, logiquement, le désespoir. Le suicide ? La lâcheté qui ne peut s'y résoudre ?

> — *Non, rien de tout cela. Mais si loin que la haine*
> *De cette destinée aveugle et sans pudeur*
> *Ira, je veux aller. — J'aurai du moins le cœur*
> *De la mener si bas que la honte m'en prenne*[1].

Une sorte de damnation du poète par lui-même, aux antipodes, en somme, de ce sacre du Poète moderne que ses aînés instituaient et célébraient dans le même temps.

Les textes qui ont suivi de près *Les Vœux stériles* montrent moins d'anxiété, conformément au penchant qui porte Musset à multiplier les versions mineures et allégées des thèmes douloureux de son expérience. À plusieurs reprises, il affecte simplement d'éprouver peu d'intérêt, comme poète, pour les affaires publiques ; il attribue le discrédit dont la littérature lui paraît souffrir au fait qu'elle se mêle de politique ; car, dit-il, « si la pensée veut être quelque chose par elle-même, il faut qu'elle se sépare en tout de l'action ; si la littérature veut exister, il faut qu'elle rompe en visière à la politique »[2]. Il écrit dans la « Dédicace » de *La Coupe et les lèvres* :

> *Je ne me suis pas fait écrivain politique,*
> *N'étant pas amoureux de la place publique.*
> *D'ailleurs il n'entre pas dans mes prétentions*
> *D'être l'homme du siècle et de ses passions.*
> *[...] Je n'ai jamais chanté ni la paix ni la guerre*[3] *;*
> *Si mon siècle se trompe, il ne m'importe guère*[4].

---

1. *Ibid.*, vers 169-172 (fin du poème).
2. *De la politique en littérature et de la littérature en politique*, dans *Le Temps*, 1er février 1831 (*Prose, Pl.*, p. 761).
3. Musset dit vrai à cette date de 1832-1833 ; mais il a fait plus tard l'un et l'autre : il a chanté la guerre dans sa *Réponse à Becker* (1841), et la paix dans *Le Chant des amis* (1852) : voir *Poésies, Pl.*, respectivement p. 403 et p. 483.
4. *La Coupe et les lèvres*, Dédicace (*Poésies, Pl.*, p. 155).

Ce ton cavalier ne cache pas le fond d'amertume qui persiste en lui, touchant sa relation avec son temps et avec les hommes. Ce fond reparaît à nu quand le héros du même poème s'écrie :

> *Votre communauté me soulève la bile*

et se fait incendiaire[1]. En fait, Musset, n'a jamais cessé de considérer avec douleur la communauté humaine comme une collection de faux amis ; « la vérité hideuse[2] », « la face humaine et ses mensonges[3] », n'ont jamais cessé de le blesser cruellement. Une de ses œuvres majeures, qui se trouve être le chef-d'œuvre du drame romantique français, est là pour l'attester.

LORENZACCIO

Le héros de ce drame n'est ni prophète, ni mage, ni penseur. C'est un homme qui a cru dans les hommes, mais qui, s'étant dévoué pour eux, trouve sa perte dans ce dévouement et se voit rejeté par la communauté en qui il avait placé son rêve. Il va donc incarner, par rapport aux espérances humanitaires des années 1830, une expérience de désillusion. Lorenzo de Médicis (ou Lorenzino, ou — péjorativement — Lorenzaccio) est un personnage historique : il s'attacha au duc Alexandre de Médicis, tyran cruel et débauché de Florence, son parent éloigné, et en fin de compte l'assassina en 1537. On sait peu de choses de ses mobiles, quoiqu'il ait prétendu avoir agi par amour de la liberté. Il fut lui-même assassiné en 1548 par les agents du successeur d'Alexandre, à Venise où il s'était réfugié. Musset a conservé plusieurs personnages et les principales circonstances de cette histoire, sans qu'il nous importe ici de détailler ce qu'il a pu y changer[4]. Il a surtout prêté à son

---

1. *Ibid.*, acte I, scène 1 (*Poésies, Pl.*, p. 163). Frank, par dégoût de la société, incendie sa propre maison.
2. *Namouna*, chant II, strophe 52.
3. *La Nuit de décembre*, 16e strophe.
4. Dans le drame, Lorenzo est assassiné quelques jours et non onze ans après le meurtre d'Alexandre. — Sur les sources, les antécédents et l'élaboration de ce drame de Musset, voir Pierre DIMOFF, *La Genèse de « Lorenzaccio »* Paris, 1936. — On pense que la pièce fut écrite en 1833, avant le voyage d'Italie (voir Jean POMMIER, *Autour du drame de Venise*, Paris, 1958, chap. III) ; Musset utilisa un

héros un caractère et une situation morale plus conformes à ses propres obsessions qu'à l'histoire. Il a imaginé Lorenzaccio comme un être pur qui, ayant décidé de donner la mort au tyran, a dû pour gagner sa confiance se corrompre lui-même et cesser de se sentir digne de son projet.

Nous le voyons dès la première scène agir en pourvoyeur vulgaire des plaisirs et complice des crimes du duc. Mais bientôt une conversation entre sa mère et sa jeune tante nous en apprend davantage sur lui. Au commencement, ici comme en amour, était une innocence. Ce Lorenzo, que nous voyons si vil, a d'abord été tout autre; «Sa jeunesse, dit sa tante, n'a-t-elle pas été l'aurore d'un soleil levant? Et souvent encore aujourd'hui il me semble qu'un éclair rapide... — Je me dis malgré moi que tout n'est pas mort en lui.» Mais sa mère s'afflige : «Ah! Catherine, il n'est même plus beau; comme une fumée malfaisante la souillure de son cœur lui est montée au visage[1].» Et Lorenzo lui-même, revenant sur son passé : «Ma jeunesse a été pure comme l'or. Pendant vingt ans de silence, la foudre s'est amoncelée dans ma poitrine; et il faut que je sois réellement une étincelle du tonnerre, car, tout à coup, une certaine nuit que j'étais assis dans les ruines du Colisée antique, je ne sais pourquoi je me levai; je tendis vers le ciel mes bras trempés de rosée, et je jurai qu'un des tyrans de ma patrie mourrait de ma main[2].» Pureté première donc, mais aboutissant à une résolution héroïque, qui va engendrer la chute. Car l'irruption d'un impératif idéal au sein de l'innocence apparaît à Lorenzo lui-même comme un funeste mouvement d'orgueil : «Il faut que je l'avoue : si la Providence m'a poussé à tuer un tyran, quel qu'il fût, l'orgueil m'y a poussé aussi. [...] Je voulais agir seul, sans le secours d'aucun homme. Je travaillais pour l'humanité; mais mon

---

canevas («Une conspiration en 1537») que George Sand avait écrit vers 1831-1832 (reproduit dans Dimoff, *op. cit.*), et qu'elle lui avait communiqué, mais qui lui laisse tout le mérite de sa conception du personnage. *Lorenzaccio* fut publié en août 1834 (dans *Un spectacle dans un fauteuil*, 2ᵉ livraison) et ne fut joué qu'en 1896. — Je ne dis rien du caractère de la pièce; remarquable combinaison de «scènes historiques» (dans le goût de la dramaturgie libérale de l'époque) et des hautes significations du théâtre romantique, elle fut longtemps tenue pour injouable. Je cite d'après *Gast.*, t. II.

1. *Lorenzaccio*, acte I, scène 6 (*Gast.*, t. II, pp. 118-119).
2. *Ibid.*, acte III, scène 3 (c'est la grande scène où Lorenzo se confie au républicain Philippe Strozzi), *Gast.*, t. II, p. 184.

orgueil restait solitaire au milieu de tous mes rêves philanthropiques [1]. »

Une volonté (ou une fatalité) de solitude a donc accompagné
dès l'origine le projet de se dévouer pour les hommes. La décision d'agir seul, inusuelle en pareil cas, a quelque chose de farouche ; et elle a des effets pervers, en ce qu'elle conduit à approcher
le tyran et à entrer au besoin dans sa familiarité. C'est précisément ce qui a conduit Lorenzo à sa perte : « Pour plaire à mon
cousin, il fallait arriver à lui, porté par les plaintes des familles ;
pour devenir son ami et acquérir sa confiance, il fallait baiser
sur les lèvres épaisses tous les restes de ses orgies. J'étais pur
comme un lis, et cependant je n'ai pas reculé devant cette tâche.
Ce que je suis devenu à cause de cela, n'en parlons pas. [...]
Je suis devenu vicieux, lâche, un objet de honte et d'opprobre [2]. » Faut-il entendre que Lorenzo, comme il semble le dire,
pour s'être astreint à simuler l'infamie, en a subi la contagion ?
Ce n'est pas tout à fait vrai ; car s'il est effectivement devenu
« un objet de honte et d'opprobre », il est faux qu'il ait été converti
au vice et à la lâcheté : la douleur même de sa confession l'en
disculpe. Il a beau être dégoûté de lui-même ; ce dégoût le
distingue de ceux auxquels il se dit devenu semblable. Quand
il s'agit de livrer sa jeune tante aux désirs du tyran, il ne va
pas au-delà de la feinte, et le prétendu rendez-vous qu'il ménage
au duc avec elle est le guet-apens où il va lui donner la mort.
Il sait bien qu'il est resté lui-même quand, après avoir retracé
l'histoire de sa déchéance, il maintient son projet de tyranni-
cide : « Tu me demandes pourquoi je tue Alexandre ? [...] Veux-
tu donc que je m'arrache le seul fil qui rattache aujourd'hui
mon cœur à quelques fibres de mon cœur d'autrefois ? Songes-
tu que ce meurtre, c'est tout ce qui me reste de ma vertu ? [...]
Veux-tu que je laisse mourir en silence l'énigme de ma vie [3] ? »
Toute la déchéance de Lorenzo se borne à avoir perdu l'estime
publique, et à avoir pris goût, comme il l'avoue, au vin, au jeu,
aux filles. Son avilissement ne va pas au-delà. Il faut que la source
de son désespoir soit autre.

---

1. Même scène (*Gast.*, t. II, pp. 184-185).
2. Même scène (*ibid.*, pp. 185-186).
3. Même scène (*ibid.*, pp. 193-194). Que la pureté de Lorenzo ne soit pas
vraiment morte, c'est ce qu'attestent les lignes suivantes : « Suis-je un Satan ?
Lumière du ciel ! je m'en souviens encore, j'aurais pleuré avec la première fille
que j'ai séduite, si elle ne s'était mise à rire » (*ibid.*, p. 189).

Il nous aide à la découvrir quand il dit, à la veille d'assassiner le duc : « Je jette la nature humaine à pile ou face sur la tombe d'Alexandre ; dans deux jours les hommes comparaîtront devant le tribunal de ma volonté[1]. » C'est donc à l'humanité qu'il a affaire, encore plus qu'au tyran et à lui-même : il a compris qu'elle ne remplissait pas l'idée qu'il avait d'elle, et qui était l'âme de son projet. De fait, aussitôt après le meurtre, ses compatriotes vont mettre sa tête à prix ; on l'assassinera, et Côme succédera à Alexandre. Mais avant l'événement il soupçonne déjà qu'il va perdre son pari ; c'est ce que lui a appris sa fausse carrière de vices, en lui découvrant la bassesse des hommes : « Me voilà dans la rue, moi, Lorenzaccio ! [...] Les lits des filles sont encore chauds de ma sueur, et les pères ne prennent pas, quand je passe, leurs couteaux et leurs balais pour m'assommer. [...] Que dis-je ? [...] Les mères pauvres soulèvent honteusement le voile de leurs filles quand je m'arrête au seuil de leurs portes ; elles me laissent voir leur beauté avec un sourire plus vil que le baiser de Judas[2]. » Ainsi s'accomplissait en Lorenzo la ruine de l'innocence, non par la contagion du mal, mais par la constatation de son omniprésence, et par le sentiment d'une trahison, non de quelqu'un, mais de tous, génératrice d'une solitude sans remède. C'est cette solitude qui rend en lui la simulation du mal indiscernable du mal lui-même : le bien a perdu pour lui sa réalité dans le désaveu universel. Ayant appris que la vertu n'est qu'un nom parmi les hommes, il a cessé peu à peu de croire à celle qu'il conservait en secret. Son malheur n'est pas de s'être laissé corrompre, mais d'avoir été abandonné[3]. Il est vrai qu'il y a quelque faiblesse dans ce doute qui lui est venu sur lui-même ; mais peut-être doutait-il déjà de sa force quand il a envisagé de se déshonorer pour vaincre.

La fragilité est sans doute, dans Lorenzo, ce qui lui fait si volontiers embrasser la désillusion, et la vivre dramatiquement comme déchéance et mépris de soi. Mais ce drame intime, dès qu'il cherche une expression métaphysique, retrouve les notions du Réel dévoilé et de l'Idéal illusoire. La nudité des filles offertes

1. Même scène (*ibid.*, pp. 193-194).
2. Même scène (*ibid.*, p. 189).
3. C'est ici surtout qu'il faut rappeler que Musset a réinventé complètement le personnage de Lorenzo selon son propre univers moral ; le débat intérieur dont Lorenzo fait état dans cette confession ne s'appuie sur rien d'historique.

au passant par leur mère devient celle de la Vérité scandaleuse de toutes choses : «L'humanité, dit Lorenzo, souleva sa robe et me montra, comme à un adepte digne d'elle, sa monstrueuse nudité. [...] La main qui a soulevé une fois le voile de la vérité ne peut plus le laisser retomber; elle reste immobile jusqu'à la mort, tenant toujours ce voile terrible, et l'élevant de plus en plus au-dessus de la tête de l'homme, jusqu'à ce que l'ange du sommeil éternel lui bouche les yeux[1]». Au regard de cette vérité, l'Idéal n'est donc qu'une chimère, mais fascinante, et nous nous perdons à la suivre : «Prends-y garde, c'est un démon plus beau que Gabriel : la liberté, la patrie, le bonheur des hommes, tous ces mots résonnent à son approche comme les cordes d'une lyre; c'est le bruit des écailles d'argent de ses ailes flamboyantes. Les larmes de ses yeux fécondent la terre, et il tient à la main la palme des martyrs. Ses paroles épurent l'air autour de ses lèvres; son vol est si rapide que nul ne peut dire où il va[2].» Cette allégorie de l'Idéal mi-ange mi-démon, martyr et séducteur, entraînant ses adeptes en un lieu non connu, sera longtemps, pour le romantisme désenchanté, une figure mythique du Désir d'impossible, un symbole de péril et de frustration[3].

Musset et la politique

On a souvent supposé que *Lorenzaccio*, en 1833, pouvait avoir été influencé par la crise récente de la France. L'opinion a été plusieurs fois émise que le scénario de ce drame évoquait ce qui s'était passé en France en juillet 1830 : là aussi, un pouvoir impopulaire avait été abattu, et les espérances qu'on avait fondées sur sa chute s'étaient trouvées déçues. Louis-Philippe

---

1. Même scène (*ibid.*, pp. 189 et 191).
2. Même scène (*ibid.*, p. 182).
3. On a beaucoup écrit sur *Lorenzaccio* dans les toutes dernières générations, et on a souligné de divers côtés l'importance de ce drame pour qui cherche à définir l'expérience et la pensée de Musset. Voir notamment Joachim Claude MERLANT, *Le Moment de* Lorenzaccio *dans le destin de Musset*, Athènes, 1955 ; Bernard MASSON, Lorenzaccio *ou La Difficulté d'être*, dans *Archives des lettres modernes*, 1962 (6), n° 46 ; même auteur, *Musset et le théâtre intérieur. Nouvelles recherches sur* Lorenzaccio, Paris, 1974. — Plus récemment a paru un recueil d'articles sur *Lorenzaccio* (Cahiers *Textuel*, Paris-7, n° 8, 1991, textes réunis par José-Luis Diaz, 184 pages, qui atteste l'intérêt persistant suscité par cette œuvre).

d'Orléans ne répondait pas mieux aux espérances des insurgés de Juillet que Côme de Médicis aux vœux de Lorenzo. Mais
la ressemblance s'arrête à ce schéma tout abstrait. L'essentiel
du drame de Musset réside dans le dégoût de Lorenzo, et il
faudrait être sûr que Musset, qui sympathisait à coup sûr avec
ce dégoût qu'il prêtait à son héros, songeât à ce propos à 1830
et à Louis-Philippe. C'est indiscutablement le cas de plusieurs
Jeune-France, qui professèrent, plus ou moins longtemps, le
néo-jacobinisme de ces années. On n'en voit nulle trace chez
Musset, ni même d'une hostilité quelconque à la nouvelle
dynastie. Il est vrai que 1830 a été suivi d'une bouffée de pessimisme poétique et de révolte juvénile, et l'on peut penser que
Musset en a été influencé. D'une façon générale, la littérature
romantique tout entière, née de la société moderne, est mal
accordée à elle. Mais cette séparation ne se traduit pas nécessairement sur le plan politique. Les sarcasmes de Lorenzo atteignent peut-être la société française des années 1830, mais ils
vont singulièrement au-delà, ils dépassent toute société et tout
régime politique particulier [1]. La cible de Musset est l'espèce
humaine ; son désespoir est définitif, et l'on peut se demander
s'il réprouve davantage l'état de choses régnant ou l'espoir de
l'améliorer [2].

Le fait est que le désenchantement de Musset a pris, au politique, la forme du scepticisme et de l'acceptation. Il critique
à l'occasion une mesure réactionnaire du pouvoir : ainsi dans
son poème sur *La Liberté de la presse* [3] ; mais en commençant
par déclarer :

> *Je ne fais pas grand cas des hommes politiques ;*
> *Je ne suis pas l'amant de nos places publiques*
> *[...] Et je ne suis pas né de sang républicain,*

1. Voir à ce sujet Herbert J. Hunt, *Alfred de Musset et la révolution de 1830*,
dans le *Mercure de France* du 1er avril 1934, p. 70 et suiv. — Lorenzo, à la fin
de la pièce, prête une odieuse férocité à la foule révolutionnaire de Pistoia.
2. Sur l'attitude de Musset après 1830, voir Claude Duchet, *Musset et la politique. Formation des idées et des thèmes*, dans la *Revue des sciences humaines*, 1962, p. 515
et suiv. ; du même auteur, *Le Poète dans la société : Alfred de Musset*, dans la *Revue
des travaux de l'Académie des sciences morales et politiques*, 1er semestre 1969, p. 95 et suiv.
3. Poème paru dans la *Revue des Deux Mondes* du 1er septembre 1835, mais
non reproduit dans les éditions des poésies de Musset publiées de son vivant (=
Poésies, *Pl.*, pp. 472-478) ; les vers ci-dessus, *ibid.*, p. 472.

et en protestant de son émotion sympathique envers la famille
royale à l'occasion de l'attentat de Fieschi, qui avait été à l'origine de la loi répressive qu'il désapprouve. Sa protestation
contre cette loi est d'un libéral, mais, dans les jours qui suivirent l'attentat auquel le roi et ses fils avaient eu la chance
d'échapper, il écrivait à l'un de ses amis : « On dit qu'on va
prendre des mesures pour museler la presse criarde et inso-
lente. Je vous avoue que je n'en serais pas fâché. [...] Ce qu'on
appelle la liberté de la presse est, à mon avis, un des égouts
les plus noirs de notre civilisation [...] ; qu'on leur donne une
bonne fois les étrivières, ce n'est pas moi qui réclamerai[1]. »
Musset, dans les années suivantes, a écrit plusieurs poèmes
d'hommage aux membres de la famille royale[2]. Les Orléans
chassés du pouvoir en 1848, il se tint à distance de la nouvelle république ; pendant les journées de Juin, il se déclarait
enchanté par la vaillance de la garde mobile[3]. Il entra à
l'Académie après le coup d'État et ne fit, semble-t-il, aucune
objection à l'Empire.

Il faut dire qu'il ne s'était jamais engagé du côté opposé.
Au contraire, il avait fait en plusieurs occasions la satire des
idées nouvelles. Son humour s'était d'abord exercé, dès 1830,
contre le romantisme, selon l'usage Jeune-France de l'autodérision :

1. Lettre à Alfred Tattet [3 août 1835], *Corr.*, t. I, p. 163. Ces réflexions de
Musset suivent l'évocation de ce qu'il appelle « le crime de Gérard » : c'était le
nom sous lequel vivait, et fut d'abord identifié, Joseph Fieschi ; le 3 août est la
date du cachet de la poste ; l'attentat avait eu lieu le 28 juillet.

2. Ainsi le sonnet *Au Roi, après l'attentat de Meunier* (fin 1836 ; cet attentat manqué
avait eu lieu le 27 décembre), *Poésies, Pl.*, p. 358 : « Par droit d'élection tu régnais
sur la France ; — La balle et le poignard te font un droit divin » ; *Sur la naissance
du comte de Paris « 29 août 1838 »*, *ibid.*, pp. 358-361 : éloge de la monarchie de
Juillet et de la politique de paix ; *Le Treize Juillet* (juillet 1843), sur l'anniversaire
de la mort du duc d'Orléans, tué par accident le 13 juillet 1842, *ibid.*, pp. 430-436 ;
Musset avait été condisciple du prince au lycée Henri-IV, et il en fait longuement état dans ce poème. — Le premier et le dernier de ces trois poèmes n'eurent
pas le bonheur de plaire à Louis-Philippe et à sa bru, qui les trouvaient trop
familiers envers les personnes royales et y relevaient des fautes de tact. Le style
de la poésie de cour était alors en train de se perdre, mais la royauté, même
bourgeoise, en conservait apparemment l'idée.

3. Lettre du 1er juillet 1848 à Alfred Tattet (A. de MUSSET, *Correspondance*, éd.
Léon Séché, Paris, 1907, p. 243). Les « gardes mobiles » étaient un corps recruté,
surtout parmi les jeunes gens des classes populaires, pour servir le gouvernement contre l'insurrection.

Classiques bien rasés, à la face vermeille,
Romantiques barbus, aux visages blêmis !
[...] Salut ! - J'ai combattu dans vos camps ennemis.
Par cent coups meurtriers devenu respectable,
Vétéran, je m'assois sur mon tambour crevé !
Racine, rencontrant Shakespeare sur ma table,
S'endort près de Boileau qui leur a pardonné[1].

Il semble que Musset se voit vite dépris, très réellement, de toute attache de groupe ou d'école, et que les ironies à l'égard des théories et querelles littéraires qui parsèment son œuvre traduisent un rejet véritable. Il écrit par exemple : « C'était vers 1829. Vous savez ce qu'était et ce qu'est devenue la poésie de ce temps-là. Je n'ai que faire de vous raconter ce qu'on nommait alors une nouvelle école, et les vieilleries qu'on inventait. Quoique le cœur me manque en y pensant, il faut cependant que je vous dise de quelles puérilités pitoyables on entretenait les esprits, et quel chemin on ouvrait à la jeunesse[2]. »

En 1836, Musset publia les *Lettres de Dupuis et Cotonet*, qui commencent aussi comme une satire du romantisme : deux bourgeois de province essaient en vain de le définir, et leur perplexité comique parcourt et découronne tous les aspects du mot et de la chose[3]. Cependant, dès la seconde lettre, le sujet déborde la littérature : c'est une satire de l'*humanitarisme*, autre mot tout aussi obscur pour les deux provinciaux[4]. Un « humanitaire » est arrivé par le coche à La Ferté-sous-Jouarre : loquace, fort mangeur, habile homme et sympathique aux dames. « Vous ne sauriez croire l'effet qu'il produit ici », écrivent les deux bourgeois, qui le disent « grand réformateur, artiste enthousiaste, républicain comme Saint-Just, dévot

---

1. *Les Secrètes Pensées de Rafaël, gentilhomme français*, fragment (*Revue de Paris*, 4 juillet 1830) : *Poésies, Pl.*, p. 121.
2. *Le Poète déchu*, fragments posthumes, 1839 (?), *Prose, Pl.*, p. 306-318, fragment II, p. 308.
3. *Sur l'abus qu'on fait des adjectifs. Lettre de deux habitants de La Ferté-sous-Jouarre à M. le Directeur de la Revue des Deux Mondes* ; voir livraison du 15 septembre 1836 (*Prose, Pl.*, p. 819 et suiv.).
4. *Les Humanitaires. Deuxième lettre de deux habitants*, etc. (*ibid.*, p. 837 et suiv.).
— La première lettre évoquait déjà, à côté du romantique, le non moins incompréhensible *humanitaire*. Le mot, nouveau alors, désignait tout ce qui concernait l'humanité en tant qu'être collectif, ses valeurs, ses destinées, et tout ce qui se vouait à la servir.

comme saint Ignace, ignorant du reste, mais point méchant [1] ». Ils croient pouvoir distinguer deux variétés du type humanitaire : les utopistes purs, et ceux qui proclament seulement la *perfectibilité* du genre humain. Voici, quant à ces derniers, les seuls qui paraissent vouloir quelque chose, le dernier mot de Dupuis et Cotonet, qui est apparemment celui de Musset : « Ou il s'agit de perfectionner les choses, et c'est plus vieux que Barabbas ; ou il s'agit de perfectionner les hommes, et les hommes, quelque manteau qu'ils portent, quelque rôle qu'ils jouent, risquent fort de vivre et de mourir hommes, c'est-à-dire singes, plus la parole, dont ils abusent [2]. »

Musset, on le voit, était loin de partager la religion de l'humanité telle que l'entendaient les poètes et penseurs de son temps. Il a repris, en 1838, la satire de l'humanitarisme romantique, dans un dialogue en vers dont les deux interlocuteurs, l'un Poète, l'autre Utopiste, échangent leurs autobiographies burlesques [3]. Dupont, l'utopiste, a embrassé la doctrine fouriériste :

> *De taudis en taudis, colportant ma misère,*
> *Ruminant de Fourier le rêve humanitaire,*
> *Empruntant çà et là le plus que je pouvais,*
> *Dépensant un écu sitôt que je l'avais,*
> *Délayant de grands mots en phrases insipides,*
> *Sans chemise et sans bas, et les poches si vides,*
> *Qu'il n'est que mon esprit au monde d'aussi creux ;*
> *Tel je vécus, râpé, sycophante, envieux [4].*

Il a conçu un projet de régénération grandiose :

> *L'univers, mon ami, sera bouleversé,*
> *On ne verra plus rien qui ressemble au passé ;*

1. *Ibid.*, p. 837.
2. *Ibid.*, p. 849.
3. *Dupont et Durand. Idylle par Mlle Athénaïs Dupuis, filleule de M. Cotonet, de La Ferté-sous-Jouarre*, parut dans la *Revue des Deux Mondes* du 15 juillet 1838. Le sous-titre établit l'intention commune de ce dialogue et des *Lettres de Dupuis et Cotonet*. Dupont et Durand sont deux amis de collège qui se rencontrent, « ratés » l'un et l'autre, après de longues tribulations. Le poème est dans un style de satire à la Boileau, qui souligne sans ménagement la situation famélique des deux interlocuteurs (*Poésies*, *Pl.*, pp. 350-358).
4. *Ibid.*, p. 353.

Les riches seront gueux et les nobles infâmes ;
Nos maux seront des biens, les hommes seront femmes,
Et les femmes seront... tout ce qu'elles voudront.
Les plus vieux ennemis se réconcilieront,
Le Russe avec le Turc, l'Anglais avec la France,
La foi religieuse avec l'indifférence,
Et le drame moderne avec le sens commun.
De rois, de députés, de ministres, pas un.
De magistrats, néant ; de lois, pas davantage.
J'abolis la famille et romps le mariage ;
Voilà. Quant aux enfants, en feront qui pourront.
Ceux qui voudront trouver leurs pères chercheront.

On jugera comme on voudra ces faciles plaisanteries ; elles attestent au moins que Musset ne craignait pas d'être discrédité dans l'opinion humanitaire, ce qui ne manqua pas. Dupont continue :

[...] Sur deux rayons de fer un chemin magnifique
De Paris à Pékin ceindra ma république.
Là, cent peuples divers, confondant leur jargon,
Feront une Babel d'un colossal wagon.
Là, de sa roue en feu le coche humanitaire
Usera jusqu'aux os les muscles de la terre.
Du haut de ce vaisseau les hommes stupéfaits
Ne verront qu'une mer de choux et de navets[1], *etc.*

Quant à Durand, le poète, contempteur romantique de l'Antiquité et passionné de littératures étrangères, après diverses mésaventures et apprentissages, toujours obsédé de la soif de rimer, il produit enfin, lui aussi, sa grande œuvre :

J'accouchai lentement d'un poème effroyable[2].
La lune et le soleil se battaient dans mes vers,
Vénus avec le Christ y dansait aux enfers.
Vois combien ma pensée était philosophique :

---

1. *Ibid.*, p. 354.
2. «Effroyable» : Musset mêle son propre discours, péjoratif, à celui du malheureux qui n'emploierait pas ce mot pour qualifier son propre ouvrage. Musset use et abuse de ce procédé qui outre la satire.

> *De tout ce qu'on a fait, faire un chef-d'œuvre unique,*
> *Tel fut mon but : Brahma, Jupiter, Mahomet,*
> *Platon, Job, Marmontel, Néron et Bossuet,*
> *Tout s'y trouvait; mon œuvre est l'immensité même.*
> *Mais le point capital de ce divin poème,*
> *C'est un chœur de lézards chantant au bord de l'eau.*
> *Racine n'est qu'un drôle auprès d'un tel morceau.*
> *On ne m'a pas compris; mon livre symbolique,*
> *Poudreux, mais vierge encor, n'est plus qu'une relique*[1].

Ces vers sont comme une définition caricaturale de ce que fut l'Épopée romantique[2]. Plus banalement, en 1840 et 1842, Musset a décrié le temps présent et ses mœurs sous l'invocation de Molière et de Mathurin Régnier, inaugurant en poésie une tradition de lieux communs conservateurs, souvent virulents[3]. Il ne va pas, comme fera Baudelaire, au moins dans ses écrits intimes, jusqu'à se réclamer de Joseph de Maistre : cette référence lui est tout à fait étrangère; il n'invoque, en fin de compte, que ce qu'on appelle l'éternelle nature humaine. Définissant le Poète, il écrit : « Son génie, purement natif, cherche en tout les forces natives; sa pensée est une source qui sort de terre. Ne lui demandez pas de se mêler de politique et de raisonner sur telle circonstance qui se passerait même à deux pas de lui; il ignore ces jeux de la fantaisie et ces variations de l'espèce humaine; il ne connaît qu'un homme, celui de tous les temps[4]. » Cette idée de la poésie, quoique de source conservatrice, donne au Poète une position suréminente; elle ne heurte pas positivement le romantisme, dont elle est l'aspect contemplatif ou serein, mais professée seule, comme ici, elle contredit gravement ce qui, dans la pensée romantique, veut être annonce ou conquête de l'avenir.

---

1. *Ibid.*, p. 355-356.
2. On pense, entre autres, à *Ahasvérus* de Quinet (1833), où prennent la parole tous les êtres de l'univers.
3. *Une soirée perdue*, dans la *Revue des Deux Mondes*, 1ᵉʳ août 1840; *Sur la paresse*, *ibid.*, 1ᵉʳ janvier 1842 (= *Poésies*, *Pl.*, p. 389 et p. 410).
4. *Le Poète déchu*, fragment VIII, *Prose*, *Pl.*, p. 318.

Musset et la religion

Une fois établie la dualité de l'Idéal et du Réel, et affirmée l'impossibilité de leur accord, c'est-à-dire une fois instituée la loi du mal de vivre, il est naturel qu'on y cherche quelque issue. La religion offrait ses solutions, consacrées par les siècles. Mais celui de Musset ne les accepte plus, au moins telles quelles. Il cherche sa réponse à lui, à des distances diverses et selon des remaniements multiples des croyances traditionnelles. Musset, qu'il l'ait voulu ou non, s'est trouvé engagé lui aussi, par la logique de son insatisfaction, dans cette entreprise.

Autant qu'on peut en juger par ce qu'il écrivait au début de sa carrière, sa méditation spontanée était, non seulement étrangère au christianisme, mais à peine déiste : elle nous montre une pensée solitaire, cherchant à établir un contact avec l'univers et débordée par un infini sans cesse en mouvement. La Pensée, écrit-il, change l'âme

> *En une solitude immense, et plus profonde*
> *Que les déserts perdus sur les bornes du monde*[1] *!*

L'inhumaine Nature échappe à notre atteinte :

> *Parce que l'on t'a fait à ta prison d'argile*
> *Une fenêtre ou deux pour y voir au dehors ;*
> *[...] Tu crois qu'avec ses lois le monde y va passer !*
> *Ô mon ami ! le monde incessamment remue*
> *Autour de nous, en nous, et nous n'en voyons rien.*
> *C'est un spectre voilé qui nous crée et nous tue ;*
> *C'est un bourreau masqué que notre ange gardien*[2]*.*

On lit de même dans un fragment posthume : « De qui vous souvenez-vous, hommes de la terre, au milieu de ces mondes sans fin, qui tombent ainsi dans les nuits éternelles, sans se souvenir les uns des autres ? [...] Qui êtes-vous, vous qui croyez

1. *Le Saule* (fragment sans date ; 1830 ?) : fragment II, *Poésies, Pl.*, p. 139.
2. *Suzon*, dans la *Revue de Paris*, 2 octobre 1831 (*Poésies, Pl.*, p. 110). C'est, il est vrai, dans cette étrange histoire de débauche sacerdotale, un prêtre sacrilège qui parle. Mais Musset dit souvent la même chose pour son propre compte, comme on peut le voir dans la suite de nos citations.

avoir un Dieu pour votre univers [...]? Ici, là-bas, partout, l'espace est rempli de combinaisons savantes, diverses, toutes debout dans l'infini, toutes ayant comme vous de quoi vivre une éternité ou deux [1]. » Et dans *Le Roman par lettres* : «J'ouvre ma fenêtre, et, du haut de mon balcon, je contemple cette voûte étoilée... Immensité, tu as bien fait de te cacher à nous, tu as bien fait de jeter sur notre tête ce voile brodé de perles que nous nommons le ciel. Oh! si tu te montrais! Si, une seule fois, l'intelligence humaine pouvait comprendre ton nom terrible [2]! »

Tel est, semble-t-il, le fonds premier, naturellement négatif, de la pensée de Musset; et la négation libérait parfois la violence; ainsi Frank, dans *La Coupe et les lèvres*, furieux que rien de lui ne doive survivre dans la nature :

> *Rien qui puisse crier d'une voix éternelle*
> *À ceux qui téteront la commune mamelle :*
> *Moi, votre frère aîné, je m'y suis suspendu!*
> *Je l'ai tétée aussi, la vivace marâtre;*
> *Elle m'a, comme à vous, livré son sein d'albâtre...*
> *— Et pourtant, jour de Dieu, si je l'avais mordu?*
> *Si je l'avais mordu, le sein de la nourrice?*
> *Si je l'avais meurtri d'une telle façon*
> *Qu'elle en puisse à jamais garder la cicatrice,*
> *Et montrer sur son cœur les dents du nourrisson?*
> *Qu'importe le moyen, pourvu qu'on s'en souvienne?*
> *Le bien a pour tombeau l'ingratitude humaine.*
> *Le mal est plus solide : Érostrate a raison [3].*

1. Fragment posthume, publié seulement en 1938 (incipit : «J'admire cette nature si calme»; date inconnue, peut-être 1832 ou 1833, vu la ressemblance qu'on y remarque avec des passages du *Roman par lettres*); reproduit dans *Prose, Pl.*, p. 938. — Voir aussi la lettre à Ulric Guttinguer du 10 novembre 1832 (*Corr.*, t. I, p. 57) : «Cette petite croûte de pâté parsemée d'étoiles», etc.

2. *Le Roman par lettres* (posthume), lettre VII (*Prose, Pl.*, p. 295). Cette lettre a été reprise en partie dans *André del Sarto*, qui parut le 1er avril 1833 (l'emprunt se trouve dans la version originale de ce drame, acte III, scène 2, voir *Gast.*, t. I, p. 112; il fut supprimé ensuite); cette lettre est donc très vraisemblablement antérieure à 1833. Ajoutons que le pessimisme y est corrigé, *in fine*, par le recours à l'intelligence et à l'amour, qui font l'homme égal à l'univers; mais l'univers *vit* de l'amour, conclut la lettre, tandis que l'homme «ne peut que mourir pour l'avoir goûté» (*ibid.* p. 295).

3. *La Coupe et les lèvres*, acte IV, scène première et unique (*Poésies, Pl.*, p. 195). Le Crime apparaît ici comme une réponse désespérée de l'homme à son défaut

Dans cette espèce de naturalisme tragique, il n'y a pas trace de pensée chrétienne ni religieuse. Et quand Musset pense au christianisme, c'est souvent sans aucun respect. Ainsi :

Vous me demanderez si je suis catholique.
Oui ; — j'aime fort aussi les dieux Lath et Nésu.
Tartak et Pimpocau me semblent sans réplique ;
Que dites-vous encor de Parabavastu ?
[...] Mais je hais les cagots, les robins et les cuistres,
Qu'ils servent Pimpocau, Mahomet ou Vishnou.
Vous pouvez de ma part répondre à leurs ministres
Que je ne sais comment je vais je ne sais où[1].

Un chœur de moines, qui célèbrent le Jugement dernier et Dieu exerçant sa justice, suggère à Frank les vers suivants :

Quel bourreau rancunier, brûlant à petit feu !
Toujours la peur du feu. — C'est bien l'esprit de Rome
Ils vous diront après que leur Dieu s'est fait homme.
J'y reconnais plutôt l'homme qui s'est fait Dieu[2].

On trouve ailleurs une forte réprobation des couvents féminins, où les nonnes essaient de se persuader que l'amour terrestre est un mensonge : «Savent-elles qu'il y a pis encore, le mensonge de l'amour divin[3] ?» Un incident de 1838 permet de mesurer l'antipathie de Musset pour l'abstinence chrétienne. Il avait depuis longtemps pour ami Ulric Guttinguer, poète lié au premier mouvement romantique, amant notoire et lyrique religieux, qui fut choqué de quelques vers où Musset, pour une fois, chantait la pure joie de vivre ; Musset disait :

---

d'être : la morsure du nourrisson au sein de sa nourrice, l'évocation d'Érostrate qui détruisit le temple d'Artémis à Éphèse pour immortaliser sa mémoire, la préférence accordée au mal plutôt qu'au bien sont des variantes de cette pensée.
1. Dédicace de *La Coupe et les lèvres* (*Poésies, Pl.*, p. 156).
2. *La Coupe et les lèvres*, acte IV, scène 1 (*Poésies, Pl.*, p. 186). Ces vers ont l'accent du déisme, mais dans ce qu'il a de plus offensif ; le dernier vers cité rappelle un mot fameux de Voltaire.
3. *On ne badine pas avec l'amour* (1834), acte II, scène 5 (*Gast.*, t. II, pp. 48-49).

— Oui, la vie est un bien, la joie est une ivresse;
Il est doux d'en user sans crainte et sans soucis;
Il est doux de fêter les dieux de la jeunesse,

De couronner de fleurs son verre et sa maîtresse [...][1].

Guttinguer, qui avait vingt-cinq ans de plus que Musset, crut pouvoir, au nom de la religion, désapprouver de tels vers (ce n'était pas sa première intervention dans ce sens) :

Dans quel aveuglement l'Enfer parfois nous plonge!
Vivre inutile à tous, sans soins et sans devoir,
Dans la chair et le vin s'étendre jusqu'au soir,
Et marcher dans l'orgueil de ce funeste songe[2] *!*

Musset répondit au sermon de son «cher Ulric» par des facéties sacrilèges :

Ne riez pas, l'absinthe est bonne;
L'Écriture en parle beaucoup,
Et quelque part, Dieu me pardonne!
Notre Seigneur en but un coup.

C'était, je crois, sur la montagne
Qu'on appelle Gethsémani [...][3]

1. *À Alf. T[attet]*, sonnet, daté du 10 août 1838 (*Poésies, Pl.*, p. 382-383).
2. Le sonnet entier est reproduit dans *Poésies, Pl.*, p. 884 : on trouvera à cet endroit, pp. 883-885, un récit de cet incident, avec les vers auxquels il donna lieu de part et d'autre. Voir aussi *Corr.*, t. I, p. 349, Table des correspondants, article Guttinguer.
3. *À Ulric Guttinguer* (1838), posthume évidemment (*Poésies, Pl.*, p. 534). On peut se demander à quoi précisément se réfère Musset. Dans les Évangiles synoptiques, Jésus, se sentant menacé de mort, supplie Dieu d'écarter de lui «cette coupe», *calicem* dans le latin de la Vulgate (*Matthieu*, 26, 42 ; *Marc*, 14, 36 ; *Luc*, 22, 42). Cet épisode a bien lieu au jardin des Oliviers, dit «Gethsémani». Musset a-t-il supposé que cette coupe métaphorique était pleine d'absinthe ? Il n'est pas du tout question d'absinthe dans ce passage ; mais il est vrai, comme il le dit, que l'Écriture parle souvent de cette plante et de la liqueur amère qu'on en tire : l'Ancien Testament surtout use plusieurs fois du mot hébreu qui la désigne, comme symbole d'amertume, et la Vulgate latine rend ce mot par *absinthium*. Mais *absinthium* ne se trouve nulle part dans les Évangiles, ni *absinthe* dans leurs traductions en français. Il est bien question à deux reprises, dans la Passion de Jésus, d'une boisson qu'on lui offre : aux abords du Golgotha, du vin

Une telle irrévérence à l'égard de la personne de Jésus est inusitée dans la littérature romantique. Et la suite de ces petits vers est encore plus forte [1].

Le Christ de Musset

Tout cela nous montre un Musset apparemment exempt de toute empreinte chrétienne originelle. Il n'en était pas moins, comme ses aînés romantiques, inquiet de vérité et de salut et, comme tel, enclin à commenter la foi traditionnelle et ses symboles. Très tôt, dès septembre 1830, il publia une sorte de méditation sur le christianisme, fort hétérodoxe, comme tant d'autres que nous ont laissées les écrivains de cette époque. Ces pages, intitulées *Le Tableau d'église* [2], commencent ainsi : «Je pénétrai dans une église au coucher du soleil, le jour où le canon cessa de se faire entendre.» Il s'agit certainement du canon de Juillet ; le héros, sans doute fatigué par la bataille, cherche le calme dans l'obscurité de l'église [3]. Il est sur le point de fermer les yeux : «Toutefois mon sang se ralluma à la vue d'une certaine toile que j'aperçus. Périssez, périssez, misérables ornements, fils des temps qui ne sont plus! Écroule-toi, édifice vermoulu des superstitions ; le soleil qui meurt t'emporte avec lui, celui qui naîtra demain refusera de t'éclairer.» Il se jette alors sur

---

mêlé de fiel (*felle mixtum*, *Matthieu*, 27, 34) qu'il refuse après l'avoir goûté, ou mêlé de myrrhe (*murratum*, *Marc*, 15, 23) dont il ne veut pas ; sur la croix même, une éponge trempée de vinaigre au bout d'un roseau (*Matthieu*, 27, 48 ; *Marc*, 15, 36 ; *Luc*, 23, 36 ; aussi *Jean*, 19, 28). Musset semble donc combiner confusément le calice de Gethsémani, peut-être le vin ou le vinaigre du Golgotha, et l'absinthe biblique, intégrée depuis longtemps dans le bagage métaphorique de l'éloquence chrétienne.

1. Il avait célébré «*son* verre et *sa* maîtresse», et Guttinguer avait traduit : «la chair et le vin». Il vient de répondre quant à son verre, en feignant d'identifier l'absinthe amère de la Passion avec le breuvage apéritif si fameux au xixe siècle. Sur le chapitre de la chair, il répond, non moins scandaleusement, en jouant sur les deux sens, théologique et sexuel, du mot homme : «Puisque vous venez nous vanter — Ce pendu qu'on adore à Rome, — Commencez donc par l'imiter ; — Souvenez-vous qu'il s'est fait homme.»

2. *Le Tableau d'église* a paru dans la *Revue de Paris* du 19 septembre 1830 (= *Prose*, *Pl.*, pp. 753-756). C'est un récit à la première personne, adressé à un certain Henri (?), comme plus tard les lettres qui composent *Le Roman par lettres*.

3. On a vu que, selon Mme de Musset, ses fils prirent part à l'insurrection en juillet 1830 ; *Le Tableau d'église* parut moins de deux mois après.

le tableau et le déchire avec son épée ; puis, surpris de sa propre violence, s'appuie à un pilier et attend le sommeil. Le tableau représentait la résurrection du Christ[1] ; il le considère longuement dans son triste état, gagné par une vague émotion ; il s'endort enfin, et le Christ lui apparaît, debout et comme illuminé. Poussé vers lui par une force invisible, il lui touche la main, il communie avec sa tristesse, il voit dégoutter le sang de ses blessures, il voudrait y mêler son propre sang : «Jésus, Jésus, m'écriai-je, sommes-nous frères ? Oui, tu es sorti comme moi des entrailles d'une femme...» Un regret le saisit : «T'aurais-je méconnu ?» Jésus répond énigmatiquement : «Méconnu !... non pas par toi. [...] songe à la nuit du Golgotha... — Oui, m'écriai-je d'une voix étouffée ; ô nuit, ô nuit terrible où tu vis qu'il fallait mourir ! Et s'il est vrai que le doute...[2]» Et il s'éveille.

Ce que nous avons ici, à savoir la communion avec un Jésus purement homme, et qui douta de Dieu au Calvaire, relève de la christologie romantique la plus habituelle. La méditation qui suit le réveil définit plus clairement ce que le langage du rêve avait d'obscur. «Méconnu !... non pas par toi», cette absolution est entendue comme incriminant d'autres coupables, ainsi apostrophés : «Hommes, méprisables créatures [...], c'est votre souffle empoisonné qui a détruit et annulé l'ouvrage de cette créature céleste. Même en voulant le servir, c'est vous qui l'avez renversé[3].» Ces mots visent, bien sûr, l'Église institutionnelle, en qui s'est corrompue la doctrine de Jésus : pensée fréquente également, qui remonte loin, et que le romantisme humanitaire a faite sienne. Mais l'idée de cette déchéance de la foi chrétienne s'accompagne ici d'un immense regret : «Comment le plus précieux des métaux est-il devenu plus vil que le plomb ? [...] c'en est fait, ô Christ, ton ouvrage est détruit. [...] Qui oserait placer la première pierre d'un autre édifice sur les ruines de celui-ci ? Tout est perdu pour l'éter-

---

1. Le narrateur reconnaît dans ce tableau la scène évangélique qu'on appelle un *noli me tangere* (scène entre Jésus ressuscité et Marie-Madeleine [*Jean*, 20, 17]).
2. *Prose, Pl.*, pp. 753-755. Le dialogue, qui est censé avoir lieu dans le rêve, est décousu et médiocrement clair. D'ailleurs, il n'y a pas dans les Évangiles de nuit passée au Golgotha, lieu où l'on mène crucifier Jésus au matin. Musset a confondu ici Golgotha et Gethsémani (ou mont des Oliviers) : c'est là que les Évangiles placent la nuit terrible qui précéda la mise en croix, et où Jésus vit qu'il fallait mourir.
3. *Ibid.*, p. 755.

nité[1]. » Cette lamentation sur la foi du Christ, morte, retentit un peu partout dans le romantisme, mais comme un moment de la méditation, à partir duquel on cherche ordinairement à renouveler les chemins de la foi. Dans le pessimisme de Musset, rien d'autre n'apparaît que le constat funèbre, et l'impossibilité d'une nouvelle vie. Est-ce à dire qu'en exaltant la foi ancienne comme irremplaçable, il entende la proclamer sienne ? Non, car il ne la dirait pas morte, et, moins encore, superstition morte : « La superstition, écrit-il, s'est brisée tout à coup. L'homme ne veut plus pour guide que ces lois indestructibles jetées dans le monde comme des semences divines, et plus vieilles que lui. » Ces derniers mots évoquent un combat où la science a vaincu la foi, et l'a vaincue dans l'ordre du vrai : car, si Musset exalte la foi, ce n'est pas en tant que vraie, mais seulement en tant que bienfaisante, et Jésus comme régénérateur de l'univers moral : « Ô Christ, ô Christ, [...] lorsque, debout sur les confins de deux siècles, et rejetant les débris corrompus du vieil univers, tu rajeunissais la face du monde, as-tu jamais pensé qu'un jour...[2] » Cet Athlète historique, quelle autorité va-t-il lui rester ? « Ô céleste imposteur, quand on cessera de t'appeler le premier des dieux, quel rang te restera-t-il parmi les hommes[3] ? »

« Imposteur », le mot introduit une autre question. Rentré chez lui, le narrateur revoit la toile qu'il a apportée, et pleure. Il se voit au pied de la croix, mêlant ses larmes à celles de la mère de Jésus : « Ta mère !... elle ne voulut point croire à ta divinité ; elle rejetait le Dieu qui la privait de son fils. — N'est-ce pas le fils du charpentier Joseph ? disait-elle, et voilà ses frères...[4] » Nous sommes ramenés, par le détour de Marie

---

1. *Ibid.*
2. Compléter sans doute : « qu'un jour [tu perdrais tout crédit] ».
3. *Ibid.*
4. *Ibid.*, p. 756. Musset pense peut-être à certains passages des Évangiles où les proches de Jésus et sa mère désapprouvent ses prédications : ainsi dans *Marc*, 3, 21, les gens de sa parenté viennent pour s'emparer de lui, disant qu'il a perdu l'esprit ; *ibid.*, 3, 31-33, sa mère et ses frères viennent le chercher, mais il ne veut pas les connaître (voir aussi *Matthieu*, 12, 46-50 ; *Luc*, 8, 19-21) ; dans *Jean*, 7, 5, ses frères ne croient pas en lui ; mais il n'est rien dit de pareil de sa mère ; et surtout ce n'est pas elle qui, dans l'Évangile, prononce la phrase reproduite par Musset, mais les Juifs de Nazareth dans leur surprise de voir leur humble compatriote, revenu parmi eux, enseigner et faire des miracles : ainsi dans *Matthieu*, 13, 55 : « N'est-ce pas là le fils du charpentier ? », etc. (variantes du même ton dans *Marc*, 6, 3 et *Luc*, 4, 22) ; dans *Jean*, 6, 42, ce sont « les Juifs » en général

supposée incrédule, à une interrogation à laquelle Musset a déjà répondu, mais sans la formuler expressément : Jésus lui-même se tenait-il pour Dieu ? Oui, sûrement, selon le dogme ; car, étant Dieu, comment l'eût-il ignoré ? Non, s'il était homme purement homme, comme le pense Musset, et sain d'esprit. Mais s'il ne pouvait se croire Dieu, il a du moins voulu qu'on le croie tel, ou Fils de Dieu [1], songe Musset, qui ne doute pas de ce que rapportent à ce sujet les textes évangéliques. En effet, il écrit : « Mais lorsque tu t'arrêtas sur la montagne, et que tu vis qu'un peuple te suivait, quelles paroles sortirent de ta bouche ? La foule y répondit en t'appelant roi. Roi ! pensas-tu, non pas, mais Dieu. »

Ces lignes étranges, auxquelles rien ne correspond dans les Évangiles [2], ne nous intéressent que par le sens que Musset pouvait leur donner. Ce qu'il laisse entendre, c'est que Jésus, dans son projet fondateur, voulait passer, non pour roi, mais pour Dieu, de quoi il semble l'approuver, car, ajoute-t-il, « il en fallait un au monde ». Ce passage, en somme, précise le « céleste imposteur » de tout à l'heure. Mais Musset parle aussi d'un doute qui accabla Jésus jusque sur la croix : « Tu montas sur la croix... Mais là... mais là... Oh ! si au fond de ton âme, si dans les derniers et secrets replis de ta pensée, le doute, le doute terrible... si toi-même tu ne croyais pas à cette immortalité que tu prêchais ; si l'homme criait [3] alors en toi !... Et

---

qui prononcent cette phrase dans une intention malveillante, pour contester les prétentions de Jésus à une origine surnaturelle. — Musset, on le voit, utilise l'Évangile d'assez loin.

1. C'est surtout comme fils de Dieu qu'il apparaît dans les Évangiles, sans que la relation du Fils au Père y soit précisée comme elle le fut ensuite dogmatiquement.

2. Il arrive fréquemment dans les Évangiles que Jésus se retire « sur la montagne » où la foule le suit et l'écoute ; l'épisode de ce genre le plus connu est celui du fameux Sermon sur la montagne ; mais, ni dans ce cas ni dans aucun autre du même genre, les foules saisies d'admiration ne le saluent du nom de Roi. Seuls le font, à sa naissance, les Rois mages, qui vont cherchant le « Roi des Juifs » nouveau-né ; ce même titre lui est appliqué interrogativement par Pilate, et sarcastiquement par ses persécuteurs le coiffant de la couronne d'épines, et dans l'écriteau qu'ils attachent à la croix ; enfin Jésus se nomme deux fois lui-même « le Roi » dans la description prophétique du Jugement dernier que lui prête *Matthieu*, 25, 31 et 40. — Il faut noter le caractère parfois mal cousu ou mal ponctué du texte de toute cette page ; entre autres exemples, « quelles paroles sortirent de ta bouche » devrait, je crois, être suivi d'un point d'exclamation plutôt que d'interrogation.

3. *Prose*, *Pl.*, p. 756, donne *croyait*, mais signale, p. 1184, la variante *criait* de la publication originale dans la *Revue de Paris* ; *croyait* est sûrement une coquille :

pas un être au monde ne savait ta pensée... Jamais, lorsque tu marchais sur cette terre, ignorant si tu serais tout ou rien, tu ne versas dans une âme humaine ce qui accablait ton âme divine [1]...» Quelle est cette pensée qui, selon le contexte, semble avoir accompagné Jésus tout au long de sa carrière? La crainte, sans doute, de n'avoir pas l'appui de Dieu dans sa surhumaine entreprise; crucifié, il pouvait même avoir alors à cet égard une certitude négative [2]; et son doute devait porter sur l'existence même de ce Dieu : c'est ce que Musset suggère, plus décidément encore que ne fera Vigny, longtemps après, dans *Le Mont des Oliviers*. Reste un point qui préoccupe encore Musset; il revient à la «nuit des Oliviers», il se rappelle que Jésus, se voyant perdu, s'est prosterné et a prié, et voit du mystère dans cette prière : la foi perdue — c'est ainsi qu'il voit Jésus — comment prier [3]? «Et dans cette nuit des Oliviers, devant qui t'agenouillas-tu? Qui l'a su... qui le saura jamais?... Quoi! pas un être?...» La réponse imaginée par Musset à cette question étonnera : «À cette parole je m'arrêtai. La voix harmonieuse venait de glisser dans les airs; une douce mélodie se fit sentir à mon oreille, et j'entendis chuchoter *Maria Magdalena* [4].» Ainsi, Marie-Madeleine, seule foi et seule certitude de Jésus! Cette conclusion-là n'est pas commune. Mais elle est bien de Musset, sans que nous puissions ignorer combien était aléatoire à ses yeux le pouvoir consolateur de la Femme.

Dans cette première rencontre de Musset jeune avec le christianisme, Jésus est d'emblée la figure d'un désenchantement

il n'est pas question ici de savoir si l'homme (?) croyait ou non en Jésus, mais si en Jésus criait l'homme (rendu à lui-même par la perte de la foi) et non le dieu ou le prétendant à la divinité.

1. «Divine», façon de parler, je suppose, pour «sublime», «hors du commun».

2. Et il s'est étonné douloureusement de cet abandon, selon les évangiles de Marc et de Matthieu, comme en témoigne le cri suprême *Lama sabachthani* («Pourquoi m'as-tu abandonné?») adressé par lui à Dieu au moment de mourir (*Marc*, 15, 34; *Matthieu*, 27, 46).

3. Dans les Évangiles, Jésus se prosterne et prie (*Marc*, 14, 35; *idem*, avec variantes, dans *Matthieu*, 26, 39 et 42, et *Luc*, 22, 41) à un moment où, malgré son angoisse, il peut encore espérer détourner de lui le calice, et d'ailleurs sa prière s'achève, comme il se doit, par la résignation («Que ta volonté soit faite et non la mienne»), ce dont Musset ne dit rien.

4. Toutes ces citations sont empruntées à la fin du *Tableau d'église* (*Prose*, Pl., p. 756). «La voix harmonieuse», déjà entendue en rêve : c'est, dans ces pages, celle du Christ lui-même.

radical. Ce désenchantement semble d'ailleurs être la réponse du poète à toute représentation religieuse du monde. Le narrateur de *La Confession d'un enfant du siècle* ouvre au hasard une Bible : « Réponds-moi, toi livre de Dieu, lui dis-je ; sachons un peu quel est ton avis » ; et voici ce qu'il lit au chapitre IX de l'*Ecclésiaste* : « Tout arrive également au juste et à l'injuste, au bon et au méchant, au pur et à l'impur. [...] L'innocent est traité comme le pécheur, et le parjure comme celui qui jure la vérité. [...] De là vient que les cœurs des enfants des hommes sont remplis de malice et de mépris pendant leur vie, et, après cela, ils seront mis entre les morts. » Il est stupéfait de lire semblable chose dans le Livre saint : « Ainsi donc, lui dis-je, et toi aussi tu doutes, livre de l'espérance. [...] Je me précipitai vers ma fenêtre ouverte ; — Est-ce donc vrai que tu es vide, criai-je en regardant un grand ciel pâle qui se déployait sur ma tête. Réponds, réponds ! » Mais nulle réponse : « Comme je restais les bras étendus et les yeux perdus dans l'espace, une hirondelle poussa un cri plaintif ; je la suivis du regard malgré moi ; tandis qu'elle disparaissait comme une flèche à perte de vue, une fillette passa en chantant [1]. »

En 1833, les idées du *Tableau d'église* sur le christianisme reparaissent dans *Rolla*, mais avec une différence importante : ce n'est plus l'Église qui est accusée d'avoir ruiné la foi de Jésus, ce sont ses modernes ennemis, les philosophes incrédules. D'ailleurs, nous avons ici tout autre chose que la fiction symbolique du *Tableau d'église* : le personnage de Rolla, héros du poème, est fortement dessiné selon les traits de Musset lui-même désabusé des hommes et se maudissant, amant impuissant de l'idéal et débauché sans frein. Le poème [2] commence par la double évocation de l'Antiquité païenne et du Moyen Âge chrétien comme deux époques exemptes de doute et pénétrées de divinité : ce type de nostalgie n'était pas rare alors [3]. Musset attri-

---

1. *La Confession...*, 1re partie, chap. V (*Prose, Pl.*, pp. 104-105).
2. *Rolla* a paru dans la *Revue des Deux Mondes* du 15 août 1833 (*Poésies, Pl.*, p. 273-292) ; c'est un poème de huit cents alexandrins environ, en cinq sections.
3. On a déjà vu une semblable évocation du paganisme dans *Les Vœux stériles*. Le fait que Musset évoque, avec la même nostalgie, deux époques historiques successives s'appuyant l'une et l'autre sur des croyances religieuses indiscutées fait penser à la notion d'« époque organique », qui était au centre du saint-simonisme. Cependant, toute l'époque cultivait librement des pensées plus ou moins analogues.

bue à ces époques le caractère de la jeunesse et de la vie ; le christianisme semble toujours actuel, mais sa vertu vitalisante est épuisée :

Je ne crois pas, ô Christ ! à ta parole sainte :
Je suis venu trop tard dans un monde trop vieux.
D'un siècle sans espoir naît un siècle sans crainte ;
Les comètes du nôtre ont dépeuplé les cieux[1].
Maintenant le hasard promène au sein des ombres
De leurs illusions les mondes réveillés ;
L'esprit des temps passés, errant sur leurs décombres,
Jette au gouffre éternel tes anges mutilés.
Les clous du Golgotha te soutiennent à peine ;
Sous ton divin tombeau le sol s'est dérobé :
Ta gloire est morte, ô Christ, et sur nos croix d'ébène
Ton cadavre céleste en poussière est tombé !

Eh bien ! qu'il soit permis d'en baiser la poussière
Au moins crédule enfant de ce siècle sans foi,
Et de pleurer, ô Christ ! sur cette froide terre
Qui vivait de ta mort et qui mourra sans toi !
Oh ! maintenant, mon Dieu, qui lui rendra la vie ?
Du plus pur de ton sang tu l'avais rajeunie ;
Jésus, ce que tu fis, qui jamais le fera ?
Nous, vieillards nés d'hier, qui nous rajeunira ?

Nous attendons, poursuit-il, ce rajeunissement, comme ceux qui vécurent avant l'avènement de Jésus, mais quelles chances avons-nous d'être exaucés ?

Où donc est le Sauveur pour entr'ouvrir nos tombes ?
[...] Où donc est le Cénacle ? où donc les Catacombes ?
Avec qui marche donc l'auréole de feu[2] *?*

1. On a discuté à l'infini sur ce vers. Il signifie en tout cas que, de nos jours, les cieux se sont trouvés dépeuplés de dieux et d'anges (voir quatre vers plus loin) ; ce qui n'est pas clair, c'est le rôle que jouent les « comètes » dans ce dégât (rappelons qu'on les croyait génératrices de désastres) ; voir, dans *Poésies*, Pl., un résumé des discussions sur ce vers, p. 711 et suiv.
2. L'*auréole* semble rattacher ce vers au Christ, mais c'est la *colonne de feu* qui, dans un récit très antérieur au christianisme (*Exode*, 13, 21-22), *marche* devant les Hébreux pour les conduire après leur sortie d'Égypte.

Sur quels pieds tombez-vous, parfums de Madeleine?
Où donc vibre dans l'air une voix plus qu'humaine?
Qui de nous, qui de nous va devenir un Dieu[1]?

Musset, Voltaire, le Crucifix

Cette sorte de prologue situe dans un temps désolé la carrière de Jacques Rolla, enfant d'un siècle sans vie et sans espoir, qui choisit un «hideux repaire» pour lieu et une prostituée de quinze ans pour compagne de son suicide. Ce fils de gentilhomme, qui a hérité à dix-neuf ans d'une maigre fortune, répugne à toute vie mesquine ou laborieuse. Il a décidé héroïquement de dissiper son bien en plaisirs et de se donner la mort le jour où il n'aurait plus rien. Ce héros de débauche et de désespoir, cet être tragiquement sympathique selon le goût de Musset, en est arrivé à ce dernier jour quand *Rolla* commence. Les sections suivantes du poème[2], abordant le récit lui-même, présentent, dans une narration lyrico-méditative, les personnages et le moment. Ce récit, interrompu au seuil de la nuit des amants, fait place, dans la section suivante, à un long réquisitoire de Musset contre les destructeurs de la foi : ici, ce sont les Philosophes du siècle passé qui sont mis en cause. Musset rejoint le vieux thème contre-révolutionnaire de la malfaisance des «sophistes», avec cette particularité qu'il ne leur oppose pas, en adversaire, la foi chrétienne vivante, mais qu'il s'avoue issu d'eux, et se maudit lui-même en les maudissant. Voltaire est la cible de cette tirade fameuse :

Dors-tu content, Voltaire, et ton hideux sourire
Voltige-t-il encor sur tes os décharnés?
Ton siècle était, dit-on, trop jeune pour te lire;
Le nôtre doit te plaire, et tes hommes sont nés.
Il est tombé sur nous, cet édifice immense
Que de tes larges mains tu sapais nuit et jour.

---

1. *Rolla*, (*Poésies*, *Pl.*, pp. 274-275). Cette suite d'interrogations, constats d'absence actuelle du divin, obligent à comprendre le dernier vers non comme exprimant une attente surnaturelle, mais rejetant une pareille attente : qui de nous va recommencer l'entreprise de Jésus? personne évidemment.
2. *Ibid.*, II et III.

> *La mort devait t'attendre avec impatience,*
> *Pendant quatre-vingts ans que tu lui fis ta cour;*
> *Vous devez vous aimer d'un infernal amour.*
> *Ne quittes-tu jamais la couche nuptiale*
> *Où vous vous embrassez dans les vers du tombeau,*
> *Pour t'en aller tout seul promener ton front pâle*
> *Dans un cloître désert ou dans un vieux château?*
> *Que te disent alors tous ces grands corps sans vie,*
> *Ces murs silencieux, ces autels désolés,*
> *Que pour l'éternité ton souffle a dépeuplés*[1]*?*

Musset, qui n'oublie pas son sujet, entend mettre sous le signe funeste de Voltaire les voluptés sans amour de Rolla et de sa compagne : non pas voluptés frivoles et froides, mais brûlantes et désespérées, parce que, telles qu'il les conçoit, elles mêlent le désir de l'amour à l'impuissance d'aimer :

> *Ô profanation! point d'amour, et deux anges!*
> *Deux cœurs purs comme l'or, que les saintes phalanges*
> *Porteraient à leur père en voyant leur beauté!*
> *Point d'amour! et des pleurs! et la nuit qui murmure,*
> *Et le vent qui frémit, et toute la nature*
> *Qui pâlit de plaisir, qui boit la volupté!*
> *[...] Point d'amour! et partout le spectre de l'amour*[2]*!*

Voltaire aurait été certainement surpris de voir d'aussi étranges tourments imputés à son influence, mais davantage encore du remède que le poète propose pour leur guérison :

> *Cloîtres silencieux, voûtes des monastères,*
> *C'est vous, sombres caveaux, vous qui savez aimer!*
> *[...] Oh! venez donc rouvrir vos profondes entrailles*
> *À ces deux enfants-là [...].*
> *Oui, c'est un vaste amour qu'au fond de vos calices*
> *Vous buviez à plein cœur, moines mystérieux!*
> *[...] Vous aimiez ardemment! oh! vous étiez heureux*[3]*!*

---

1. *Ibid.*, IV (*Poésies*, Pl., pp. 283-284). Ce portrait, application arbitraire à Voltaire des obsessions du romantisme noir (amour, squelette, mort), a quelque chose de délirant pour qui songe au Voltaire réel.
2. *Ibid.*, p. 285.
3. *Ibid.*

La nostalgie des cloîtres n'est pas chose tellement surprenante dans le romantisme sombre ; on en a vu l'exemple chez le jeune Nodier. Mais si l'on se rappelle que Musset, moins d'un an après avoir publié ces vers, dénonçait « le mensonge de l'amour divin » dans *On ne badine pas avec l'amour* [1], on mesure combien ses vues sont indécises sur un point aussi important. Ici, il est tout à sa sainte colère :

> *Voilà pourtant ton œuvre, Arouet, voilà l'homme*
> *Tel que tu l'as voulu [...].*

C'est donc, en toutes lettres, « la faute à Voltaire ». Et le mal est immense :

> *Pour qui travailliez-vous, démolisseurs stupides,*
> *Lorsque vous disséquiez le Christ sur son autel ?*
> *[...] Vous vouliez pétrir l'homme à votre fantaisie ;*
> *Vous vouliez faire un monde. — Eh bien, vous l'avez fait.*
> *[...] L'hypocrisie est morte ; on ne croit plus aux prêtres ;*
> *Mais la vertu se meurt, on ne croit plus à Dieu* [2].

À la fin de *La Confession d'un enfant du siècle*, le narrateur-héros vient d'échapper à la tentation de poignarder sa maîtresse endormie ; il a vu un petit crucifix sur sa poitrine découverte et l'arme est tombée de ses mains ; il invoque Dieu, et la pensée lui vient de sa jeunesse : « Empoisonné, dit-il, dès l'adolescence, de tous les écrits du dernier siècle, j'y avais sucé de bonne heure le lait stérile de l'impiété. L'orgueil humain, ce dieu de l'égoïste, fermait ma bouche à la prière, tandis que mon âme effrayée se réfugiait dans l'espoir du néant [3]. » C'est ici, il faut en convenir, le parfait langage du néo-catholicisme romantique, et cette page où la tentation et le soudain recul, le repentir et l'action de grâces se succèdent si dramatiquement peut sembler la plus religieuse de l'œuvre de Musset. Il insiste sur le fait que ce n'est pas une peur humaine qui a arrêté sa main ; il croit à une action providentielle de ce crucifix. Mais

---

1. Voir plus haut, p. 157.
2. *Rolla*, IV (*Poésies, Pl.*, p. 286).
3. *La Confession...*, V[e] partie, chap. VI (*Prose, Pl.*, p. 283).

que pense-t-il au juste ? « Ah ! que je le sentis jusqu'à l'âme, et que je le sens maintenant encore ! quels misérables sont les hommes qui ont jamais fait une raillerie de ce qui peut sauver un être ? Qu'importent le nom, la forme, la croyance ? tout ce qui est bon n'est-il pas sacré ? Comment ose-t-on toucher à Dieu [1] ? » Mais en disant : Qu'importe la croyance ? on ne tient le langage d'aucune religion, on se sépare de toutes. Le narrateur de la *Confession* baise le crucifix ; il fait un discours au Christ en forme de prière ; mais le Dieu fait homme y apparaît plutôt, une fois encore, comme un homme fait Dieu : « N'as-tu pas été homme ? C'est la douleur qui t'a fait Dieu ; c'est un instrument de supplice qui t'a servi à monter au ciel et qui t'a porté les bras ouverts au sein de ton père glorieux ; et nous, c'est aussi la douleur qui nous conduit à toi comme elle t'a amené à ton père. » Suit, à partir de ce Jésus-Christ, une Imitation d'un style particulier : « Nous ne venons que couronnés d'épines nous incliner devant ton image ; nous ne touchons à tes pieds sanglants qu'avec des mains ensanglantées, et tu as souffert le martyre pour être aimé des malheureux [2]. » Le Sauveur endurant la souffrance pour être aimé est une figure évidente de l'humanité de Musset.

Rolla, si nous y revenons, nous rappelle qu'il n'y a pas de salut ni de cloître pour les héros de cette sorte. Leur logique aboutit au suicide :

> *Quand on est pauvre et fier, quand on est riche et triste,*
> *On n'est plus assez fou pour se faire trappiste ;*
> *Mais on fait comme Escousse, on allume un réchaud [3].*

De fait, *Rolla* est, essentiellement, l'histoire d'un suicide [4].

---

1. *Ibid.*
2. *Ibid.*, (*Prose*, *Pl.*, p. 284).
3. *Rolla*, IV, *in fine* (*Poésies*, *Pl.*, p. 287). Escousse est un jeune littérateur désespéré dont le suicide en 1832, en compagnie de son ami Lebras, fit beaucoup de bruit.
4. Ce suicide est raconté dans la section V du poème ; Rolla se tue à l'aurore, et sa compagne recueille son dernier soupir dans un baiser, « Et, pendant un moment, tous deux avaient aimé ».

Espoir en Dieu?

De ce qu'on peut appeler la religion de Musset, si tant est qu'il en ait une, le dernier témoignage important est le grand poème de *L'Espoir en Dieu*[1]. Or ce poème dit le doute plutôt que l'espoir. Musset y transporte sur le plan religieux l'antinomie du Réel et de l'Idéal et l'impossibilité de nous satisfaire de l'un comme de l'autre. La sagesse épicurienne l'attire, mais il voudrait en vain se contenter du bonheur de la terre :

> *Je ne puis ; — malgré moi l'infini me tourmente.*

L'infini l'obsède donc, mais pour le torturer ; il lui inspire la crainte en même temps que l'espoir,

> *Et, quoi qu'on en ait dit, ma raison s'épouvante*
> *De ne pas le comprendre et pourtant de le voir.*

C'est moins, on le voit, un conflit qui est posé entre Terre et Ciel, en vue de choisir l'un ou l'autre, qu'un va-et-vient inévitable de l'un à l'autre, l'alternance indéfinie et sans issue de deux frustrations :

> *Me voilà dans les mains d'un Dieu plus redoutable*
> *Que ne sont à la fois tous les maux d'ici-bas ;*
> *Me voilà seul, errant, fragile et misérable,*
> *Sous les yeux d'un témoin qui ne me quitte pas.*
> *Il m'observe, il me suit. Si mon cœur bat trop vite,*
> *J'offense sa grandeur et sa divinité.*
> *Un gouffre est sous mes pas : si je m'y précipite,*
> *Pour expier une heure il faut l'éternité.*
> *Mon juge est un bourreau qui trompe sa victime.*
> *Pour moi tout devient piège et tout change de nom ;*
> *L'amour est un péché, le bonheur est un crime,*
> *Et l'œuvre des sept jours n'est que tentation.*

---

1. *L'Espoir en Dieu* a paru dans la *Revue des Deux Mondes* du 15 février 1838 (*Poésies, Pl.*, pp. 341-347) ; il semble, à divers témoignages, qu'il ait été composé peu auparavant.

Comment compter, dans ces conditions, sur la félicité céleste ? comment ajouter foi « aux promesses du prêtre » ? Mais, d'autre part,

> *Si mon cœur, fatigué du rêve qui l'obsède,*
> *À la réalité revient pour s'assouvir,*
> *Au fond des vains plaisirs que j'appelle à mon aide*
> *Je trouve un tel dégoût, que je me sens mourir*[1].

Presque un demi-siècle auparavant, Chateaubriand avait voulu déjà voir dans l'inquiétude moderne un écho et une suite du christianisme. Musset, qui donne de cette inquiétude une expression plus radicale et en somme insoluble, formule la même filiation. Cette désaffection du réel, inconnue des païens, il y voit lui aussi un héritage chrétien, quoiqu'elle soit accouplée, dans son expérience telle qu'il la décrit lui-même, à un désaccord non moins insurmontable avec le Ciel. Désaccord, pense-t-il, mais non oubli :

> *Une immense espérance a traversé la terre ;*
> *Malgré nous vers le ciel il faut lever les yeux*[2] !

Oscillant entre deux pôles également répulsifs[3], il songe à demander secours aux philosophes : recours naturel, car son poème a été conçu, du moins dans cette première partie, selon le modèle et sur le ton des poèmes philosophiques, épîtres ou discours, de l'âge classique, dont certaines des *Méditations* de Lamartine avaient revivifié la tradition[4]. Musset parcourt donc, dans un morceau d'une trentaine de vers, la succession des philosophies, de Platon à Spinoza, pour rejeter tour à tour chacune d'elles par une formule sommaire. Pour écrire ces vers, il s'était plongé, nous dit son frère, dans la lecture des philosophes ; il faut supposer qu'il les avait lus à toute allure, et dans l'intention préconçue de les rejeter, car ce qu'il dit d'eux

---

1. *L'Espoir en Dieu*, vers 9, 11-12 ; 37-48 ; 63 ; 65-68 (*Poésies, Pl.*, pp. 341-342).
2. *Ibid.*, vers 87-88.
3. Voir diverses formulations éloquentes de ce dilemme dans les vers qui suivent (vers 89-96).
4. Musset se distingue seulement de ses prédécesseurs, dans ces compositions en alexandrins suivis, par une liberté plus grande dans la disposition des rimes, souvent croisées chez lui, voire embrassées.

ne le montre ni informé, ni si peu que ce soit philosophe[1].

Voilà donc la philosophie évacuée; le seul recours est la prière, «cri d'espérance[2]». Cette prière revêt, à la différence de la méditation qui vient de s'achever, la forme lyrique du quatrain (octosyllabique, à rimes croisées). Mais le cri d'espoir y éclate surtout en interrogations et en reproches; Dieu y est interpellé comme l'auteur d'une situation impossible, à laquelle il est requis de mettre fin :

> *Ô toi que nul n'a pu connaître,*
> *Et n'a renié sans mentir,*
> *Réponds-moi, toi qui m'as fait naître,*
> *Et demain me fera mourir!*
>
> *Puisque tu te laisses comprendre,*
> *Pourquoi fais-tu douter de toi?*
> *Quel triste plaisir peux-tu prendre*
> *À tenter notre bonne foi?*
>
> *[...] De quelque façon qu'on t'appelle,*
> *Brahma, Jupiter ou Jésus,*
> *Vérité, Justice éternelle,*
> *Vers toi tous les bras sont tendus.*
>
> *[...] Tu n'as rien fait qu'on ne l'admire;*
> *Rien de toi n'est perdu pour nous;*
> *Tout prie, et tu ne peux sourire*
> *Que nous ne tombions à genoux.*
>
> *Pourquoi donc, ô Maître suprême,*
> *As-tu créé le mal si grand,*
> *Que la raison, la vertu même,*
> *S'épouvantent en le voyant?*
>
> *[...] Ta pitié dut être profonde*
> *Lorsqu'avec ses biens et ses maux,*
> *Cet admirable et pauvre monde*
> *Sortit en pleurant du chaos!*

---

1. C'est ainsi qu'il appelle Kant «un rhéteur allemand», et le tient pour un négateur qui «déclare le ciel vide et conclut au néant» (vers 124).
2. *Ibid.*, vers 143.

> *Puisque tu voulais le soumettre*
> *Aux douleurs dont il est rempli,*
> *Tu n'aurais pas dû lui permettre*
> *De t'entrevoir dans l'infini.*

D'où l'injonction finale :

> *Brise cette voûte profonde*
> *Qui couvre la création ;*
> *Soulève les voiles du monde,*
> *Et montre-toi, Dieu juste et bon !*

> *Tu n'apercevras sur la terre*
> *Qu'un ardent amour de la foi,*
> *Et l'humanité tout entière*
> *Se prosternera devant toi*[1].

Suit le tableau d'une fin des temps toute en révélations et en joie, sur le mode humanitaire, mais hypothétique, suspendue à une conversion de Dieu que le ton général du poème ne laisse guère prévoir. Si l'on se souvient que, pour Hugo, l'auto-occultation de Dieu se prête, dans son dessein même, à une conquête asymptotique de la vérité divine par l'esprit humain[2], on mesurera la distance de l'optimisme de l'aîné au désenchantement du cadet. Vigny même, qui ne prie pas, qui invite l'homme à ignorer stoïquement et dans la communion de ses frères ce Dieu et ses énigmes[3], ouvre une voie plus positive que Musset, dont la prière demande à Dieu l'impossible pour sortir d'un dilemme sans solution.

Science et poésie

Le siècle précédent a tué la foi ; mais il a cessé aussi de sentir la vie de l'univers ; il l'a niée par la science ; et ce grief, du point de vue romantique, est plus grave ; il touche davan-

---

1. *L'Espoir en Dieu*, quatrains octosyllabiques finaux, 1-2, 6, 9-10, 14-15, 21-22.
2. Voir mes *Mages romantiques*, pp. 403-404.
3. Voir *ibid.*, pp. 189, 228-229.

tage à l'essentiel. Car la religion, croyance et rites, peut mourir ; mais ce qui donne vie à l'univers aux yeux de l'homme est éternel, sous quelque religion que ce soit, et la poésie a pour mission de le sentir et de le célébrer, tandis que la science entend ignorer ce qu'elle ne peut enfermer dans ses calculs. Le Poète s'est dressé dès le début du XIXe siècle devant le Savant, déjà victorieux de la religion, pour lui en disputer les dépouilles : le Savant la disqualifie ; le Poète prétend hériter d'elle, avoir accès comme elle à des secrets qui passent la raison et la perception positive. Toute la nation poétique du XIXe siècle (et du nôtre) brandit ce drapeau, convaincue que par elle se perpétue un mode de connaissance du monde auquel la science n'a jamais eu accès, et dont la religion n'est plus en état d'user. Voici comment Musset traite les savants dans *La Coupe et les lèvres* : tels que des pillards qui égorgent et qui tuent,

> *Tels les analyseurs égorgent la nature*
> *Silencieusement, sous les cieux dépeuplés.*

Nos fils demanderont à Dieu de leur dire qui a desséché la terre qu'il avait créée féconde.

> *Mais vous, analyseurs, persévérants sophistes,*
> *Quand vous aurez tari tous les puits des déserts,*
> *Quand vous aurez prouvé que ce large univers*
> *N'est qu'un mort étendu sous les anatomistes ;*
> *Quand vous nous aurez fait de la création*
> *Un cimetière en ordre, où tout aura sa place,*
> *Où vous aurez sculpté, de votre main de glace,*
> *Sur tous les monuments la même inscription ;*
> *Vous, que ferez-vous donc, dans les sombres allées*
> *De ce jardin muet ? — Les plantes désolées*
> *Ne voudront plus aimer, nourrir, ni concevoir ; —*
> *Les feuilles des forêts tomberont une à une, —*
> *Et vous, noirs fossoyeurs, sur la bière commune*
> *Pour ergoter encor vous viendrez vous asseoir ;*
> *Vous vous entretiendrez de l'homme perfectible [...]*[1].

---

1. *La Coupe et les lèvres*, acte IV, scène unique (monologue de Frank, *Poésies*, *Pl.*, pp. 196-197).

Ce réquisitoire sous-entend un plaidoyer : à ce mal, la Poésie offre le remède. Même si cette vertu n'est pas proclamée ici, il est significatif que ce soit un poète qui assume la charge de l'accusation. Musset se borne à représenter sur le mode funèbre, selon ses habitudes d'imagination, les effets destructeurs de la science. Au «vous» dont il accable les savants ne s'oppose dans ces vers aucun «nous» réparateur. Mais tout le romantisme proclame ce «nous» : la Poésie est la salvatrice qui nomme et maintient la vie dans les choses et les êtres. Tous le disent, quelles que soient, pour le reste, leurs divergences : Lamartine démocrate non moins que Lamartine royaliste, qui suit en cela Chateaubriand, et comme eux Hugo, à travers tous les horizons successifs de sa vie[1]. La critique de la science moderne au nom de la poésie fut certes, à sa naissance, hostile aux Lumières[2] et à la notion d'une marche progressive du genre humain, dont la science prétendait être l'expression et l'instrument. Le pessimisme de Musset répète cette attitude première : ce n'est pas par hasard qu'il égratigne en passant «l'homme perfectible». Cependant le thème Poésie-contre-Science, en dépit de cette origine, a prospéré jusqu'à nos jours indépendamment d'une profession de foi antiprogressiste explicite. On se rend compte, dès qu'on s'intéresse à l'histoire du thème qui nous occupe ici, que depuis le début du siècle dernier le signe de reconnaissance de toute vraie poésie est cette revendication d'une vertu spirituelle — métaphysique, peut-on dire — qui l'établit héritière de la foi au surnaturel et l'oppose virtuellement à la science. Il n'est pas douteux que cette orientation, non à vrai dire de la Poésie, mais d'une idéologie poétique hâtive, a contribué à rendre délicate et problématique une justification moderne de la Poésie, et son intégration dans le mouvement général de l'humanité.

L'enfant du siècle

Dans un chapitre fameux de sa *Confession*, Musset a entrepris de placer les tourments de son héros dans la perspective des bouleversements récents de la France. Ces pages commen-

---

1. Voir mes *Mages romantiques*, p. 480.
2. Voir *Le Sacre de l'écrivain*, «Poésie contre philosophie», p. 128 et suiv.

cent par l'évocation d'une jeunesse grandie dans l'ambiance
des guerres et des gloires de l'époque impériale : «Pendant
les guerres de l'Empire, tandis que les maris et les frères
étaient en Allemagne, les mères inquiètes avaient mis au
monde une génération ardente, pâle, nerveuse. Conçus entre
deux batailles, élevés dans les collèges au roulement des tam-
bours, des milliers d'enfants se regardaient entre eux d'un
œil sombre, en essayant leurs muscles chétifs. [...] Jamais il
n'y eut tant de nuits sans sommeil [...]. Et pourtant jamais
il n'y eut tant de joie, tant de vie, tant de fanfares guerrières
dans tous les cœurs.» Quand l'Empire s'écroula, «la France,
veuve de César, sentit tout à coup sa blessure. Elle tomba
en défaillance, et s'endormit d'un si profond sommeil, que
ses vieux rois, la croyant morte, l'enveloppèrent d'un linceul
blanc. [...] Alors s'assit sur le monde en ruines une jeunesse
soucieuse. Tous ces enfants [...] étaient nés au sein de la
guerre, pour la guerre. Ils avaient rêvé pendant quinze ans
des neiges de Moscou et du soleil des Pyramides [...]; ils
regardaient la terre, le ciel, les rues et les chemins ; tout cela
était vide, et les cloches de leurs paroisses résonnaient seules
dans le lointain [1]».

Cette jeunesse se trouve aux prises avec la société de la Restauration, décrite ici de la façon la plus péjorative : des reve-
nants en robes noires et d'anciens émigrés réclamant leurs biens,
corbeaux attirés par la mort de Napoléon, une royauté mesquine entourée d'intrigants, des adolescents inquiets sans autre
issue que la prêtrise. Les jeunes gens sont gagnés cependant,
sous l'influence de la Charte, à l'attrait et à l'émotion de la
liberté, mais ils voient qu'on châtie ceux qui combattent pour
elle [2]. Dans la multitude des opinions, entre un passé
condamné et un avenir inconnu, ils perdent toute illusion et
toute foi. Des années de tempête a surgi un monde désenchanté,
c'est-à-dire funèbre, selon l'obsession de Musset : Napoléon
tombé, «aussitôt parut dans le ciel l'astre glacial de la raison,
et ses rayons, pareils à ceux de la froide déesse des nuits ver-

1. *La Confession...*, Ire partie, chap. II (*Prose, Pl.*, pp. 65-67).
2. Les allusions à la Charte, à l'enthousiasme de la liberté et à ses héros sont
à la p. 68 : ceux qui moururent pour elle sont apparemment les sergents de La
Rochelle décapités en 1822 («trois jeunes gens», dit Musset, oubliant qu'ils furent
quatre).

sant de la lumière sans chaleur, enveloppèrent le monde d'un suaire livide [1] ». Le peuple, qui ne croit plus à rien après avoir tout vu, est sourdement rebelle dans son apathie ; la jeunesse est déchirée entre le froid calcul et l'irrésistible passion. « Un sentiment de malaise inexprimable commença donc à fermenter dans tous les jeunes cœurs [2]. » Mais au désordre de la société, libertinage, révolte, prostitution, s'ajouta l'invasion des idées anglaises et allemandes : Goethe et « son œuvre de ténèbres », Byron et « l'énigme hideuse dont il s'enveloppait » : « Quand les idées anglaises et allemandes passèrent ainsi sur nos têtes, ce fut comme un dégoût morne et silencieux, suivi d'une convulsion terrible. [...] Ce fut comme une dénégation de toutes choses du ciel et de la terre, qu'on peut nommer désenchantement, ou, si l'on veut, *désespérance* ; comme si l'humanité en léthargie avait été crue morte par ceux qui lui tâtaient le pouls. » Ces appréciations sur Goethe et Byron sont étranges : Musset semble renier deux des dieux du romantisme français. C'est à peine s'il se corrige en écrivant : « Pardonnez-moi, ô grands poètes [...] ! pardonnez-moi ! vous êtes des demi-dieux, et je ne suis qu'un enfant qui souffre. Mais, en écrivant tout ceci, je ne puis m'empêcher de vous maudire [3]. » Et il leur reproche d'avoir accrédité dans la jeunesse le désespoir et le blasphème, d'avoir envahi les esprits et flétri les cœurs ; et il répète : « Ainsi le principe de mort descendit froidement et sans secousse de la tête aux entrailles [4]. »

Cette fresque, ou plutôt ce morceau de bravoure, appelle quelques réflexions. Tout d'abord, la génération que Musset décrit, cette jeunesse impatiente de gloire dans les collèges de l'Empire, ne peut avoir été la sienne : il n'avait que cinq ans quand Napoléon tomba ; son frère en avait onze ; tout au plus tient-il ce récit de camarades sensiblement plus âgés, entendus plus tard ; il se peut aussi qu'il répète Vigny, qui avait publié quelques mois plus tôt *Servitude et grandeur militaires*, où l'on peut lire ces lignes : « Vers la fin de l'Empire, je fus un lycéen distrait. La guerre était debout dans le lycée, et le tambour étouffait

1. *Ibid.*, p. 71.
2. Je résume dans ce qui précède les pages 68-71 du même chapitre de *La Confession...*, même édition.
3. *Ibid.*, p. 74, 73.
4. *Ibid.*, p. 76.

la voix des maîtres [1]. » Musset n'a pu vivre non plus lui-même les premières impressions causées par le retour en France des Bourbons : ce qu'il décrit, c'est la Restauration telle qu'enfant ou adolescent il l'avait entendu décrire en milieu libéral ou napoléonien, autour de lui et dans sa famille. La Charte est dans sa nouveauté dans les années qui suivent 1815, les sergents de La Rochelle meurent en 1822 : ce sont là les premiers temps de la Restauration, et la préhistoire de Musset. En revanche, tout ce qui a trait ensuite au « malaise des jeunes cœurs » peut bien relever de sa propre expérience, mais se situe à une époque plus tardive, peu avant et après 1830. Le désenchantement fiévreux, l'abattement mortel dont parle Musset, la *désespérance* qu'il connaît si bien sont surtout apparus alors ; ils ont grandi face au prosaïsme des lendemains de Juillet, dans la jeunesse d'alors. Musset, qui écrit quelques années plus tard, témoigne pour ce moment, qui fut aussi celui des Jeune-France. Cette variante intense et sans issue du romantisme existait de longue date, étiquette d'école à part, et à l'état intermittent ; on la trouve chez Nodier depuis le début du siècle ; le byronisme la nourrit, même — surtout, peut-être — chez des libéraux, ainsi dépeints par un contemporain : « Plusieurs jeunes poètes pleins de talent n'ont pu, quoique imbus des doctrines philosophiques, échapper aux séductions de l'école nouvelle [2] ; entraînés presque à leur insu, ils adoptent en partie les formes et les couleurs qui lui sont particulières ; seulement leurs tableaux sont plus sombres, plus terribles, et l'on ne voit rien qui rappelle le ciel [3]. » Cette disposition d'esprit atteignit son

1. Vigny, né en 1797, avait effectivement dix-sept ans « vers la fin de l'Empire ». *Servitude et grandeur militaires* parut en octobre 1835 ; la *Confession* de Musset, en février 1836. Il n'y a rien, évidemment, dans la page de Vigny (éd. F. Germain de *Servitude...*, Paris, 1965, p. 13) qui décrie la Restauration.

2. Les « doctrines philosophiques » sont celles des Philosophes et Encyclopédistes du siècle précédent, entrées dans la tradition libérale et réputées, dans ces années 1825-1830, peu compatibles avec le romantisme : d'où le « *quoique* imbus », etc. Il est cependant constaté ici que cette incompatibilité n'a rien d'absolu.

3. Saint-Valry, compte rendu dans les *Annales de la littérature et des arts*, année 1823, t. X, p. 264, du *Parricide* de Jules Lefèvre-Deumier ; Saint-Valry put connaître Lefèvre au groupe de *La Muse française*, dont firent partie aussi Vigny et Hugo ; auteur et poète fécond, alors assez connu, Jules Lefèvre était, avec Latouche, le seul libéral de ce premier groupe romantique. Le romantisme libéral, en l'absence de référence céleste, pouvait incliner, plus volontiers que son frère chrétien, au pessimisme aigu et à des méditations blasphématoires.

comble avec la secousse de 1830 : c'est à cette dernière crise
surtout qu'il faut rapporter, semble-t-il, parmi les souvenirs
dont Musset fait état dans sa *Confession*, ceux qu'il a pu vivre
réellement. Une chose qui peut surprendre dans la façon dont
Musset évoque cette désespérance, c'est que, loin de l'idéaliser ou de l'exalter comme il est d'usage dans le romantisme
noir, de donner le refus lugubre d'espérer pour une sorte de
privilège spirituel, il déteste franchement l'état d'âme qu'il
décrit, et maudit ceux qui en ont été les initiateurs. Cette malédiction larmoyante — nous avons vu qu'il en demande pardon à Goethe et à Byron — tourne vite en un sermon de
poétique optimisme : «Que ne chantiez-vous le parfum des
fleurs, les voix de la nature, l'espérance et l'amour, la vigne
et le soleil, l'azur et la beauté?» Il va plus loin, il se donne
pour modèle en ce genre; il dit à Byron : «Moi qui te parle
et qui ne suis qu'un simple enfant, j'ai connu peut-être des
maux que tu n'as pas soufferts, et cependant je crois à l'espérance, et cependant je bénis Dieu [1]. » Qu'est devenu le violent
pessimisme de tout à l'heure? Faudrait-il penser que Musset
s'efforce de l'éluder? qu'il ne l'assume pas vraiment? Ce serait
bien conforme à ce qu'il y a en lui de foncière faiblesse.

Passé, présent, avenir

Lamartine, dans la pratique de la remontrance optimiste
adressée à Byron, avait précédé Musset de plus de quinze
ans [2]. Mais Lamartine était franchement spiritualiste, et il sermonnait gravement le poète anglais au nom d'une espérance
hautement professée; on ne pouvait trouver en lui aucune indécision. Les récriminations de Musset sont celles d'un esprit instable, qui veut rire après avoir pleuré, qui oscille sur tout sujet
entre la frénésie du désespoir et l'attendrissement du bonheur.
On peut le voir hésiter sur chaque thème romantique entre ces
deux tonalités opposées : hésitation qui témoigne à la fois, de
façon brisée et contradictoire, de sa filiation par rapport à ses
grands aînés, et de la différence qui le sépare d'eux. Il reprend

1. *La Confession...*, 1re partie, chap. II (*Prose, Pl.*, pp. 73-74).
2. Voir la 2e de ses *Méditations*, intitulée *L'Homme. À Lord Byron* (écrite
pendant l'automne de 1819).

après eux le débat de la négation et de la foi, mais sans en trouver l'issue; ils tiraient d'une expérience d'angoisse les éléments
d'un espoir, en Dieu, dans l'homme, dans l'avenir : c'est ce
que, malgré ses efforts, il ne peut ou ne sait pas faire.

Il l'essaie pourtant; en voici un exemple. C'est une pensée
commune aux contemporains de Chateaubriand comme à ceux
de Hugo de voir le présent désemparé entre un passé mort et
un avenir inconnu. Musset fait une grande place à cette pensée dans sa *Confession*. On ne s'étonne pas, le connaissant, de
la trouver déjà traitée sur le mode sinistre dans *Fantasio* :
« L'éternité est une grande aire, d'où tous les siècles, comme
de jeunes aiglons, se sont envolés tour à tour pour traverser
le ciel et disparaître; le nôtre est arrivé à son tour au bord du
nid; mais on lui a coupé les ailes, et il attend la mort en regardant l'espace dans lequel il ne peut s'élancer [1]. » Mais voici,
dans la *Confession*, l'idée dans une forme plus habituelle et plus
tempérée : « Trois éléments partageaient […] la vie qui s'offrait
alors aux jeunes gens : derrière eux un passé à jamais détruit,
s'agitant encore sur ses ruines, avec tous les fossiles des siècles
de l'absolutisme; devant eux l'aurore d'un immense horizon,
les premières clartés de l'avenir; et entre ces deux mondes...
quelque chose de semblable à l'Océan qui sépare le vieux
continent de la jeune Amérique, je ne sais quoi de vague et
de flottant, une mer houleuse et pleine de naufrages [2]. » Ou
encore : « Tout ce qui était n'est plus; tout ce qui sera n'est
pas encore. Ne cherchez pas ailleurs le secret de nos maux [3]. »
Ces formules dramatiques du présent aboutissent ici, pour une
fois chez Musset, à la glorieuse vision de l'avenir qui les clôt
si souvent chez d'autres : « Ô peuples des siècles futurs ! [*suit
le tableau d'une campagne moissonnée dans la joie, d'un horizon immense
et d'une humanité régénérée*] ô hommes libres ! quand alors vous
remercierez Dieu d'être nés pour cette récolte, pensez à nous
qui n'y serons plus; dites-vous que nous avons acheté bien cher
le repos dont vous jouirez; plaignez-nous plus que tous vos
pères; car nous avons beaucoup des maux qui les rendaient

1. *Fantasio*, acte I, scène 2 (*Gast.*, t. I, p. 194); publication originale dans la
Revue des Deux Mondes du 1er janvier 1834.
2. *La Confession...*, 1re partie, chap. II (*Prose, Pl.*, p. 69).
3. *Ibid.*, p. 78; suit, pp. 78-79, une longue comparaison avec un homme dont
la maison détruite ne peut encore être reconstruite.

dignes de plainte, et nous avons perdu ce qui les consolait [1]. »
Ici l'Enfant du siècle gémit encore amèrement sur le temps où
il est né, sans le maudire cependant, ni l'accuser, mais comme
Lamartine ou Hugo, sous le symbole de l'Épreuve, génératrice d'avenir.

Le défi

Les oscillations de Musset se manifestent davantage et plus
diversement dans ce qui surtout lui tient au cœur ; ses pensées,
on le sait, ont moins pour objet les destinées humanitaires que
le salut de la personne, sur laquelle il médite à travers sa propre expérience. Nous connaissons ses obsessions dans ce
domaine, celle en particulier des effets ruineux de la passion,
dévoratrice de vie et de génie. Il lui arrive d'avouer hautement
ce vertigineux enchaînement, comme s'il le vivait dans l'insouciance et presque dans la joie de se détruire lui-même. Il a lancé
très tôt ce défi. Dans un poème qu'on date de 1832, il constate
qu'on lui demande le pourquoi de sa déchéance :

> *On me demande, par les rues,*
> *Pourquoi je vais bayant aux grues,*
> *Fumant mon cigare au soleil,*
> *À quoi se passe ma jeunesse,*
> *Et depuis trois ans de paresse*
> *Ce qu'ont fait mes nuits sans sommeil.*
>
> *Donne-moi tes lèvres, Julie. [...]*
>
> *Mon imprimeur crie à tue-tête*
> *Que sa machine est toujours prête,*
> *Mais que la mienne n'en peut mais.*
> *D'honnêtes gens, qu'un club admire,*
> *N'ont pas dédaigné de prédire*
> *Que je n'en reviendrai jamais.*
>
> *Julie, as-tu du vin d'Espagne ? [...]*

---

1. *Ibid.*, p. 79.

> *On dit que ma gourme me rentre,*
> *Que je n'ai plus rien dans le ventre,*
> *Que je suis vide à faire peur;*
> *Je crois, si j'en valais la peine,*
> *Qu'on m'enverrait à Sainte-Hélène*
> *Avec un cancer dans le cœur.*
>
> *Allons, Julie, il faut t'attendre*
> *À me voir quelque jour en cendre,*
> *Comme Hercule sur son rocher.*
> *Puisque c'est par toi que j'expire,*
> *Ouvre ta robe, Déjanire,*
> *Que je monte sur mon bûcher* [1].

Il était bien tôt pour accuser Musset de stérilité : il avait alors vingt-deux ans. Il semble pourtant, à lire ces vers, qu'on ne se privait pas de le faire autour de lui, en attribuant cette déchéance à sa débauche. Musset lui-même, vers le même temps, affecte de confirmer ce bruit ; énumérant une série de collaborateurs de la *Revue des Deux Mondes*, qui dans un cauchemar de Buloz, son directeur, ont tous leurs raisons de l'abandonner, il s'inclut sans ménagements parmi les défaillants :

> *Dans les filles de joie*
> *Musset s'est abruti* [2].

L'humour se mêle au défi dans ces exemples. La même accusation d'inconduite stérilisante est répétée en termes moins brutaux, mais non moins nets dans *La Nuit d'août*. C'est la Muse elle-même, et non quelque médisant, qui le sermonne ici ; elle lui reproche de déserter son cabinet d'études pour «quelque fière beauté» ; elle lui demande ce qu'il a fait des jours de sa jeunesse, et il lui répond :

---

1. *À Julie*, poème publié par Musset seulement en 1852, dans les *Premières poésies*, avec la date de «mars 1832». On ne sait rien de cette Julie, peut-être fictive (*Poésies*, *Pl.*, pp. 126-127).
2. *Le Songe du «Reviewer» ou Buloz consterné* (publication posthume) est sans doute de 1833-1834 (*Poésies*, *Pl.*, pp. 523-525).

Ô Muse ! que m'importe ou la mort ou la vie ?
J'aime, et je veux pâlir ; j'aime et je veux souffrir ;
J'aime, et pour un baiser je donne mon génie ;
J'aime, et je veux sentir sur ma joue amaigrie
Ruisseler une source impossible à tarir.

[...] Dépouille devant tous l'orgueil qui te dévore,
Cœur gonflé d'amertume et qui t'es cru fermé.
Aime, et tu renaîtras ; fais-toi fleur pour éclore.
Après avoir souffert, il faut souffrir encore ;
Il faut aimer sans cesse, après avoir aimé[1].

Le thème se résout ici en rejet de la hiérarchie consacrée des valeurs : la fécondité poétique ne vaut pas plus que la vie amoureuse, c'est le contraire ; l'amour et ses douleurs, même s'ils stérilisent le génie, ne sont plus tenus pour dévitalisants, ils sont la vie même, la seule vie véritable. Ce retournement du thème repose, au fond, sur une sanctification tenace de l'amour, dont on écarte pour un temps le côté infernal. Mais on ne peut l'annuler : le défi véhément confine au besoin de se perdre, à cet héroïsme autodestructeur qui est une des moralités des récits de Musset comme de sa poésie. L'opinion ne l'appelle pas héroïsme, mais plutôt lâcheté. Cependant, les esclaves de l'amour, dédaigneux de tout autre bien, ont leur grandeur ruineuse, sombre, têtue, dominant le monde et ses jugements. C'est ce que Musset a essayé d'illustrer dans le très beau conte qui a pour titre *Le Fils du Titien*. Pour n'en dire que l'essentiel, la belle Béatrice Donato, jeune veuve vénitienne de haut rang, entreprend par amour de guérir du jeu et de la paresse auxquels il est adonné le peintre Pomponio Filippo Vecellio, fils du Titien, et de le convertir à l'amour de la gloire et au travail. Dans ce combat, que nous connaissons, entre la dissipation et le service de l'art, elle intervient de la même façon que la Muse de Musset[2] :

1. *La Nuit d'août*, dans la *Revue des Deux Mondes*, 15 août 1836 (= *Poésies*, Pl., p. 316-319) ; nous citons deux des strophes finales.
2. *Le Fils du Titien* a paru le 15 mai 1838 dans la *Revue des Deux Mondes* (il figure dans *Prose*, Pl., p. 412 et suiv.) ; on trouve des ressemblances entre les relations de Béatrice et de Pippo et celles de Musset avec Aimée d'Alton en 1837 ; mais la Muse et le Poète de *La Nuit d'août* en donnent déjà le modèle en 1836, et George Sand et Musset dès 1833-1834 : Musset portait sans doute ce débat en lui dès sa jeunesse.

« Elle voulait faire de Pippo plus que son amant, elle voulait en faire un grand peintre. Elle connaissait la vie déréglée qu'il menait, et elle avait résolu de l'en arracher. Elle savait qu'en lui, malgré ses désordres, le feu sacré des arts n'était pas éteint, mais seulement couvert de cendre, et elle espérait que l'amour ranimerait la divine étincelle [1]. » Elle le guérit quelque temps du jeu ; puis, le voyant revenir à ses anciens plaisirs, elle lui demande de faire son portrait, usant de ce moyen pour l'obliger à peindre. Il accepte, mais le portrait traîne en longueur ; et à chaque occasion de remontrance, il se montre toujours rebelle ou évasif. Le portrait enfin terminé, Béatrice, pleine d'espoir dans l'avenir de son amant, voit qu'il a tracé sur sa toile les lignes d'un sonnet. Le premier quatrain célèbre Béatrice, mais voici la suite :

> [...] Le fils du Titien, pour la rendre immortelle,
> Fit ce portrait, témoin d'un mutuel amour ;
> Puis il cessa de peindre à compter de ce jour,
> Ne voulant de sa main illustrer d'autre qu'elle.
>
> Passant, qui que tu sois, si ton cœur sait aimer,
> Regarde ma maîtresse avant de me blâmer,
> Et dis si par hasard la tienne est aussi belle !
>
> Vois donc combien c'est peu que la gloire ici-bas,
> Puisque, tout beau qu'il est, ce portrait ne vaut pas
> (Crois-m'en sur ma parole) un baiser du modèle [2] !

On aperçoit jusqu'à quel point et avec quelle adresse, dans ce conte et dans ce sonnet, le thème du Défi aux idées reçues a été atténué et ennobli. Le cadre, les noms, le lieu, l'époque y sont pour beaucoup : dans tout ce qui touche à la Renaissance italienne, c'est la Beauté qui a naturellement le dernier mot ; les laideurs attachées d'ordinaire à la révolte ou au désespoir s'effacent dans une sereine et gracieuse tristesse. Quelle distance entre tout sacrifier au dérèglement des passions et tout oublier devant la Beauté ! Dans tel autre cas, Musset oppose l'humour au sermon, il affecte de justifier sa paresse par de hautes raisons littéraires :

---

1. *Le Fils du Titien*, V (= *Prose*, *Pl.*, p. 434).
2. *Ibid.*, VIII (*Prose*, *Pl.*, p. 453) ; ce sonnet peut se lire aussi dans les *Poésies nouvelles*.

> *Tout ce temps perdu me fut doux.*
> *Je dirai plus, il me fut profitable ;*
> *Et si jamais mon inconstant esprit*
> *Sait revêtir de quelque fable*
> *Ce que la vérité m'apprit,*
> *Je vous paraîtrai moins coupable.*
> *Le silence est un conseiller*
> *Qui dévoile plus d'un mystère ;*
> *Et qui veut un jour bien parler*
> *Doit d'abord apprendre à se taire* [1].

Sous ces bonnes raisons, le défi persiste, car Musset ajoute aussitôt :

> *Et, quand on se tairait toujours,*
> *Du moment qu'on vit et qu'on aime,*
> *Qu'importe le reste ? [...]*

Mais l'humour n'est plus de saison quand la débauche et l'alcool sont en cause. Le rejet des remontrances est parfois si désespéré que le défi tourne à la supplication :

> *Qu'un sot me calomnie, il ne m'importe guère.*
> *Que sous le faux semblant d'un intérêt vulgaire,*
> *Ceux mêmes dont hier j'aurai serré la main,*
> *Me proclament ce soir ivrogne et libertin,*
>
> *Ils sont moins mes amis que le verre de vin*
> *Qui pendant un quart d'heure étourdit ma misère.*
> *Mais vous qui connaissez mon âme tout entière,*
> *À qui je n'ai jamais rien tu, même un chagrin,*
>
> *Est-ce à vous de me faire une telle injustice,*
> *Et m'avez-vous si vite à tel point oublié ?*
> *Ah ! ce qui n'est qu'un mal, n'en faites pas un vice.*

---

1. Préambule de *Silvia*, poème *À Madame**** [Jaubert], *Revue des Deux Mondes*, 1er janvier 1840 (*Poésies*, *Pl.*, p. 367).

Dans ce verre où je cherche à noyer mon supplice,
Laissez plutôt tomber quelques pleurs de pitié
Qu'à d'anciens souvenirs devrait votre amitié[1].

Le salut par l'amour ?

De quelque côté qu'on aborde Musset, l'insoluble paraît être sa loi, tout problème revêtant pour lui l'aspect ambivalent dont l'amour, à la fois paradis et enfer, impose le modèle. Mais nul ne supporte volontiers une situation sans issue ; chacun aspire à la dénouer, s'y efforce, avec ou sans résultat. Ainsi fait Musset ; et naturellement, puisque aucune autre valeur ni humaine ni religieuse ne prévaut pour lui sur l'amour, c'est dans l'amour lui-même qu'il cherche désespérément le salut. D'ailleurs, c'est dans l'amour qu'il vit le combat du bien et du mal, en quoi consiste toute quête de salut ; c'est en lui qu'il place une innocence première, bientôt altérée, y transportant ainsi le schéma d'Éden et de Chute légué par la religion. Cette innocence originelle qui l'obsède[2] peut s'incarner dans une figure féminine de pureté[3], opposée dans son œuvre à celle de la Traîtresse[4]. Mais il est plus conforme à l'expérience de l'amour, et plus éprouvant, qu'un seul être incarne à la fois l'innocence et le mal, unissant en lui les deux puissances, divine et diabolique, du scénario religieux. Une femme unique sera donc, à la fois, l'auteur de la perdition et la clef du salut[5]. C'est cette position du problème que George Sand a représentée pour Musset : en elle se sont trouvés réunis la trahison et l'espoir d'un appui providentiel ; l'Ennemie fut en même temps la Salvatrice. Mais Musset présumait trop de ses forces, et de ce que George Sand pouvait

---

1. Ce sonnet posthume (*Poésies*, *Pl.*, p. 544) est daté de 1844 par Paul de Musset, qui le publia pour la première fois dans la *Biographie* de son frère ; cependant, Alfred Tattet le datait de 1839 (voir *Poésies*, *Pl.*, p. 890). Il est adressé à Mme Jaubert.
2. Il place souvent, on l'a vu, une innocence première au début de ses maux d'amour ; voir les rappels d'innocence dans *Rolla* (*Poésies*, *Pl.*, p. 287), dans *La Confession...* (*Prose*, *Pl.*, p. 251).
3. Ainsi Georgina Smolen, dans *Le Saule* (fragment VIII, *Poésies*, *Pl.*, p. 150).
4. Opposition des deux types dans *La Coupe et les lèvres* (Déidamia et Belcolore, *passim*).
5. Musset croyait à la vertu réparatrice de l'amour : l'ultime baiser de Rolla et de son amante d'une nuit, avant leur suicide, les rachète (voir p. 169, note 4).

lui offrir. Il souffrit plus et plus longtemps de cette liaison que d'aucune autre, parce qu'il pensait y trouver une chance de guérison. En tout cas, l'histoire de cet amour n'est pas, il faut le comprendre, un épisode biographique qu'on puisse tenir pour extérieur à son œuvre : en cette histoire se rencontrent les problèmes de sa vie et ceux de sa poésie.

Musset et George Sand

Il n'est pas question ici de raconter ni de commenter par le détail l'histoire de leurs amours. Nous la connaissons surtout par leur correspondance, qui nous est parvenue incomplète, et parfois refaite ou censurée, et par ce qu'ils ont mis eux-mêmes de leur aventure, déguisée ou romancée, dans certains de leurs écrits, ou dans des récits plus ou moins inspirés par eux[1]. Plus tard, une littérature critique infinie a utilisé ces sources, la correspondance surtout à mesure qu'elle était connue, pour raconter l'histoire des «amants de Venise», que chacun interprète à sa façon[2]. Dans les démêlés des deux amants, la plupart des critiques essaient d'éclaircir lequel des deux eut tort ou raison : tâche hasardeuse, l'éthique des relations sentimentales étant sujette elle-même à dispute[3]. À peine pourrait-on affirmer, sans craindre de se tromper, que Musset est celui des deux qui a le plus souffert ; mais le plus malheureux en un tel domaine

1. Pour la correspondance entre eux, les meilleurs recueils en ont paru de notre temps : George SAND et Alfred de MUSSET, *Correspondance*, éd. Louis Évrard, Monaco, 1956 ; George SAND, *Correspondance*, éd. Georges Lubin (dorénavant : *Corr. G.S.*), œuvre monumentale et exemplaire, en voie d'achèvement ; voir le t. II, Classiques Garnier, Paris, 1966 ; Alfred de MUSSET, *Corr.*, édition déjà souvent citée, t. I, Paris, 1985. — Musset a fait dans son œuvre de nombreuses allusions à ses relations avec George Sand, que nous avons eu l'occasion de relever. Quant aux histoires romancées de cette liaison où s'exprime le témoignage direct ou indirect d'un des deux amants, ce sont : Georges SAND, *Elle et Lui*, Paris, 1859 ; Paul de MUSSET, *Lui et Elle*, Paris, 1860 ; Louise COLET, *Lui*, 1860.

2. Citons, dans les cent dernières années : Vte de SPOELBERCH DE LOVENJOUL, *La Véritable Histoire de Elle et Lui*, Paris, 1897 ; Charles MAURRAS, *Les Amants de Venise*, Paris, 1902, et 2ᵉ éd. [1917] ; Paul MARIÉTON, *Une histoire d'amour*, Paris, 1903 ; Antoine ADAM, *Le Secret de l'aventure vénitienne*, Paris, 1938 ; voir aussi Jean POMMIER, *Autour du drame de Venise*, Paris, 1958.

3. En aucun domaine les litiges ne sont aussi difficiles à juger, même quand les faits du procès se déroulent aujourd'hui, et sous nos yeux ; à plus forte raison s'ils ont eu lieu il y a un siècle et demi, et ne nous sont connus que par des témoignages fragmentaires et peu sûrs.

n'est pas nécessairement le plus innocent. Qu'on ne s'attende donc pas à trouver ici une sentence comme en prononçaient les Cours d'Amour entre deux amants en querelle.

Essayons seulement d'apercevoir ce que Musset attendait de cet amour, quelles difficultés il y a rencontrées, pourquoi il s'est obstiné à les surmonter ou à les nier au prix d'extrêmes souffrances, et s'il a tiré quelque leçon de son échec. Et n'oublions pas que cette aventure particulière n'a pas inauguré la philosophie sentimentale de Musset ; parmi les thèmes de sentiment et de pensée qu'elle a mis en jeu, il n'en est aucun qui n'ait été à quelque degré préfiguré dans ses écrits antérieurs. La liaison a duré une vingtaine de mois, de l'été 1833 à la fin de l'hiver 1834-1835[1] ; quand elle commença, Musset avait déjà écrit *Les Vœux stériles*, *La Coupe et les lèvres*, *Namouna*, *André del Sarto*, *Rolla*, *Les Caprices de Marianne*. Nous avons pu constater tout ce qui, dans ces œuvres, annonçait déjà avec netteté certains des traits de la constitution sentimentale de Musset : culte de l'Amour, innocence et corruption, Femme ennemie, tentation de fraterniser avec le rival, mensonge universel, déchéance et velléité de salut. Tout cela s'est trouvé intensifié, et pour ainsi mis en forme superbement dans son aventure avec George Sand.

Nous avons, par des lettres de Musset, quelques lumières sur la façon dont commencèrent leurs relations. Musset y faisait sans doute une expérience nouvelle pour lui. Aussitôt après avoir fait la connaissance de George Sand, il lui envoya les vers sur *Indiana* dont nous avons déjà cité quelques strophes, et qui évoquent l'antinomie de l'idéal et du réel[2]. Un mois plus tard, il vient de lire *Lélia* ; il écrit son admiration à l'auteur, lui dit qu'il n'est pas question de faire, à une femme comme elle, la requête d'amour ordinaire, car, écrit-il, « vous ne pouvez donner que l'amour moral — et je ne puis le rendre à personne » ; il souhaite seulement aller la voir : « J'aurais affaire à mon cher Monsieur George Sand, qui est désormais pour moi un homme de génie[3]. » Il ne s'en déclare pas moins, dès le lendemain, expressément amoureux[4] ; et deux jours après, se plaint amè-

---

1. Commencée dans les derniers jours de juillet 1833, elle s'est terminée de façon définitive au début de mars 1835.
2. Voir plus haut, p. 136, note 1 et le texte ; ces vers accompagnent une lettre à George Sand, [24 juin 1833], *Corr.*, t. I, p. 64.
3. Lettre à George Sand, [24 juillet 1833], *Corr.*, t. I, pp. 68-69.
4. À la même, [25 juillet 1833], *ibid.*, pp. 70-71.

rement de sa condition ; prisonnier dans un cercueil scellé où sa «triste nature» et les hommes l'ont enfermé, il a été sans doute trop peu explicite avec elle, muet et passif, par trop de respect : «Je puis embrasser, écrit-il, une fille galeuse et ivre-morte, je ne puis embrasser ma mère. Aimez ceux qui savent aimer, je ne sais que souffrir. [...] Adieu, George, je vous aime comme un enfant[1].» Ces lettres montrent Musset en présence d'une femme d'un type nouveau à ses yeux, auteur de haut talent et esprit prestigieux, qui l'intimide et lui fait entrevoir une relation d'amour jusque-là inconnue de lui : la liaison physique et la stratégie accoutumée entre amants, de tendresse et de domination, n'y seront pas tout. Ce qui surprend, c'est que Musset institue dès lors entre elle et lui une relation insolite, non seulement de soupirant timide à femme révérée, mais d'enfant à mère : variante qui passe tout à fait les limites de l'humilité requise en galanterie, et qui suggère à vrai dire tout autre chose, puisqu'elle frappe d'interdiction, dans les phrases mêmes de Musset, l'échange amoureux : il n'y aura d'amour que moral, et de sa part à elle seule, car il ne pourra le rendre. L'amant, plutôt qu'en amant, se pose en être souffrant, qui cherche consolation et secours maternels. Musset devinait sans doute en George Sand une inclination, peu commune, à accepter un tel partenaire et un tel rôle[2]. En quoi ils se convenaient, si l'on peut dire, l'un à l'autre, mais par une merveilleuse aptitude réciproque à se faire souffrir, autant au moins qu'à se porter secours. Musset espéra peut-être, par cette relation inusitée, remédier à ses habituelles souffrances dans le rôle d'amant au sens ordinaire, qu'il entendait bien tenir aussi : la révérence et le dévouement dissiperaient la jalousie et l'inimitié. Il ne faisait, hélas ! qu'aggraver son martyre en instituant, avec l'«amour moral», une source nouvelle d'insatisfactions et de griefs, entremêlés à ceux de l'amour tout court. Le prétendu remède ne fut pour lui qu'une nouvelle figure du mal, et il devait tarder longtemps à s'en convaincre.

Devenus amants, ils cessèrent de s'écrire, et les renseignements nous manquent sur les six premiers mois de leur liaison ; nous ne savons donc pas s'ils vécurent d'abord une période

1. À la même, [27 juillet 1833], lettre mutilée, *ibid.*, pp. 71-72.
2. Peut-être la lecture de *Lélia* contribua-t-elle obscurément à l'en convaincre, et en particulier le fait que George Sand avait pu créer le personnage de Sténio, si semblable à lui, Musset, par son caractère et ses faiblesses.

heureuse, ni combien elle dura. La seule trace pourrait s'en trouver dans un sonnet de Musset, s'il est de l'automne 1833 comme on le suppose ; en voici les tercets (après un adieu aux humains dans les quatrains) :

> *Et nous, vivons à l'ombre, ô ma belle maîtresse!*
> *Faisons-nous des amours qui n'aient pas de vieillesse;*
> *Que l'on dise de nous, quand nous mourrons tous deux :*
>
> *Ils n'ont jamais connu la crainte ni l'envie;*
> *Voilà le sentier vert où, durant cette vie,*
> *En se parlant tout bas, ils souriaient entre eux*[1].

Cependant George Sand a raconté, dans *Elle et Lui*, que, peu après le début de leur liaison, au cours d'une promenade à Franchart, dans la forêt de Fontainebleau, elle assista à une impressionnante crise nerveuse de Musset[2]; elle dit aussi que Musset ne tarda pas à affecter avec elle un style cynique et libertin qui la blessait[3], et qu'il abusait déjà de l'alcool. Nous ne savons pas jusqu'à quel point il faut la croire. Le fait est qu'à Venise, où nous retrouvons les amants en janvier 1834, leurs relations semblent déjà fortement altérées. Ils en étaient déjà, nous dit-on, à vivre chacun à sa guise — Musset se dissipant, George Sand écrivant —, à se tenir réciproquement rancune de cette différence de vie, et à considérer qu'ils ne s'aimaient plus. On sait que Musset tomba gravement malade à Venise au début de février, qu'il traversa peu après deux crises violentes de fièvre, délire et convulsions ; que George Sand le soigna avec dévouement, que cependant elle devint à la fin de ce même mois la maîtresse du docteur Pagello, qu'elle avait appelé auprès de Musset ; que Musset les soupçonna et fut cruel-

1. Sonnet non daté, de publication posthume, manuscrit autographe du fonds Lovenjoul (*Poésies*, *Pl.*, p. 521).
2. Elle avait déjà mentionné un épisode passé du même genre (celui-là même peut-être) lors de la crise de fièvre délirante de Musset à Venise en février 1834, dans la lettre où elle appela le docteur Pagello pour le soigner (voir *Corr. G.S.*, n° 744, pp. 494-495). Louise Colet, *op. cit.*, qui raconte la liaison d'après des confidences de Musset, fait état elle aussi de l'épisode de Fontainebleau, mais comme d'une sorte de tentation suicidaire, sans crise nerveuse. Que croire ?
3. Musset confirme fortement ce point dans *La Confession d'un enfant du siècle* (IVᵉ partie, chap. II, *Prose*, *Pl.*, p. 201).

lement jaloux [1]. Pendant cette période, George Sand dut allier aux yeux de Musset l'image du dévouement et celle de la trahison : dans ces six semaines se sont fixées mieux que jamais dans son esprit les traits de la Femme traîtresse qui a hanté et hantera son œuvre ; mais c'est aussi au sein de ce désespoir, grâce à la relation ambiguë qui l'unissait à George Sand, qu'il a puisé le consentement à une sorte de salut dispensé par elle ; non plus un bonheur simple et certain, mais une haute et paradoxale formule d'«amour moral», pour reprendre l'expression de Musset lui-même dans une de ses premières lettres.

C'est elle qui conçut et proposa la réalisation de cette formule. Comment celle que Musset tient pour traîtresse entre toutes put-elle lui apparaître aussi comme messagère de rédemption ? C'est bien pourtant ce qui arriva. Cette étrange lumière se leva sur l'horizon de Musset au moment de sa convalescence, dans les premiers jours du printemps de 1834. C'est le moment où George Sand qui jusqu'ici, dans ses lettres à Pagello, exprimait le rejet franc de toute sympathie pour Musset, et l'impatience d'en finir avec lui [2], commence à tenir sur lui des propos maternels et réconciliateurs : il n'est plus l'odieux jaloux, le méprisable impulsif, mais «ce pauvre enfant malade [3]». Elle conçut bientôt une image édifiante de trio sentimental : Musset enfant à guider et à secourir, Pagello grand et noble ami, George âme du trio et garante de son harmonie. Dans la lettre qu'elle écrivit à Musset aussitôt après son départ de Venise, il put lire : «Adieu, adieu, mon ange, que Dieu te protège. [...] Je ne te dis rien de la part de Pagello, sinon qu'il te pleure presque autant que moi [4].» Musset ne rejeta nullement cette vue des choses ; depuis avril, où il arriva à Paris, jusqu'à l'été, ses lettres à George Sand sont hantées par la pensée du rival bien-aimé, comme s'il ressentait un profond besoin de fraterniser avec lui : «Brave jeune homme ! écrit-il, dis-lui combien je l'aime, et que je ne puis retenir mes larmes en pensant à

1. Voir les lettres de G. Sand à Pagello en février et au début de mars 1834 (*Corr. G.S.*, t. II, nᵒˢ 749, 760), qui font état des soupçons et de l'impulsivité de Musset. Selon certains témoignages, il disait avoir vu les amants s'embrasser près de son lit de douleur ; il l'accusa peut-être d'avoir projeté de le faire enfermer comme fou. Les griefs qu'il lui jetait à la tête à Venise étaient d'ailleurs entrecoupés de repentirs, que George Sand évoque avec humeur (lettre 749).
2. Lettres à Pagello, [fin février-mars 1834], *Corr. G.S.*, t. II, nᵒˢ 749-750.
3. Au même, [2ᵉ quinzaine de mars 1834], *ibid.*, nᵒ 761.
4. À Musset, [30 mars 1834], *ibid.*, nᵒ 764.

lui[1]» ; ou bien : «Dis-moi [...] que tu t'es donnée à l'homme que tu aimes, parle-moi de vos joies[2]» ; ou encore : «Je l'aime, ce garçon, presque autant que toi[3].» Ce sacrifice, accompli avec une apparente ferveur, d'une jalousie que nous savons chez lui violente, semble aller de pair avec la transfiguration de George Sand en figure maternelle, qui suggère l'exclusion de tout rapport charnel avec elle. Musset écrivait dans le même temps : «Pauvre George! pauvre chère enfant! tu t'étais trompée ; tu t'es crue ma maîtresse, tu n'étais que ma mère ; le ciel nous avait fait l'un pour l'autre ; nos intelligences, dans leur sphère élevée, se sont reconnues comme deux oiseaux des montagnes, elles ont volé l'une vers l'autre. Mais l'étreinte a été trop forte ; c'est un inceste que nous commettions[4].» Cette figure de style doit répondre à une pensée de purification : la femme n'est plus objet de désir[5], comme le rival cesse d'être l'objet de haine ; bien plus, il est érigé en modèle de vertu : «Oui, George, écrit Musset, il y a quelque chose en moi qui vaut mieux que je ne pensais ; lorsque j'ai vu ce brave Pagello, j'y ai reconnu la bonne partie de moi-même, mais pure et exempte des souillures irréparables qui l'ont empoisonnée en moi[6].» Nul doute qu'en tout cas Musset ne cherche les voies de ce qu'on appelle en religion une réforme : un changement de principes orienté vers un salut.

Tel est, sur la ligne de cime idéale de la crise, le langage qu'échangent les amants. Il est naturel qu'on n'ait pas pris

1. Lettre à George Sand, 4 avril [1834], *Corr.* de Musset, t. I, p. 84.
2. À la même, 19 avril [1834], *ibid.*, p. 86.
3. À la même, 30 avril [1834], *ibid.*, p. 92. On peut se demander comment il entend ces trois derniers mots : «autant que toi (tu l'aimes)», ou bien : «autant que (je t'aime) toi» : il est bien difficile d'opiner entre ces deux sens, également insolites.
4. À la même, 4 avril [1834], *ibid.*, p. 84. On ne peut pas ne pas remarquer qu'en poussant à l'extrême les vues moralisantes de son inspiratrice, Musset reprend, d'une certaine façon, le pas sur elle : c'est elle à présent qui se voit traitée de «pauvre chère enfant» et, par le rôle de mère, destituée virtuellement de celui d'amante. Cette lettre n'a pas trop dû lui plaire ; dans celle où elle y répond, elle ne peut s'empêcher de corriger Musset, assez drôlement : «Tu as raison, notre embrassement était un inceste, mais nous ne le savions pas.» (*Corr. G.S.*, t. II, nº 767 : lettre du 15 avril, p. 563.) Elle tenait à être amante au moins autant que mère : amante et mère ensemble, sans inceste. Musset aussi, en parlant d'inceste, continuait à brûler d'amour.
5. Il appelle aussi George Sand «mon frère chéri», «ô mon enfant chéri», «mon frère» (lettre déjà citée du 30 avril, *Corr.*, t. I, pp. 89, 90, 92).
6. Même lettre, *ibid.*, p. 90.

cette idéologie, si on veut l'appeler ainsi, pour argent comptant : ces pensées d'«amour moral» se trouvent trop enchevêtrées, d'une lettre à l'autre, et souvent dans la même, à des efflorescences vivaces et troubles de l'autre amour, qui ne se laisse pas si facilement réformer. Mais on a voulu ne voir dans cette rhétorique idéale que la mise en scène d'une femme rusée en vue de calmer son encombrant ami et de le convaincre de rentrer seul à Paris une fois dûment moralisé, ce qui eut effectivement lieu. Les partisans de Musset ont abondé dans ce sens, sans se rendre compte qu'en faisant de leur poète une pure victime, ils en faisaient une dupe et presque un imbécile, ce qu'il n'était certes pas. D'une part, il est de fait que George Sand avait joué dès le début, dans cette liaison, le rôle d'éducatrice morale[1]. D'autre part, nous savons que Musset, bien avant de connaître George Sand, était obsédé par des idées de déchéance et de culpabilité, et qu'il pouvait avoir besoin d'une autorité féminine de type maternel pour vivre, face à elle, ses révoltes et ses soumissions[2]. De cette connivence du couple, assurément instable, mais profondément motivée, est né le fantasme de rédemption auquel ils se sont adonnés. Ni elle n'aurait nourri ces imaginations comme elle l'a fait, si l'intérêt n'avait été soutenu en elle par le penchant de son cœur ; ni lui ne s'y serait plié, au mépris du ridicule possible de sa position, qu'en homme du monde il ne pouvait pas ne pas sentir, s'il n'y avait cru trouver une issue à son mal. Issue toute chimérique, on le voit trop bien ; mais la vérité des êtres est autant dans ce qu'ils souhaitent en vain que dans ce qu'ils peuvent réellement atteindre.

En mai 1834, George Sand, restée à Venise, mit en forme littéraire, à l'intention de l'intéressé et du public, l'histoire de

1. Louise Colet, instruite en cela par Musset, y insiste dès le début de son récit ; Musset, qui se plaignait que George Sand fût sermonneuse et froide au fond, n'en subissait pas moins son ascendant.

2. Musset s'avoue souvent coupable (de violence, persécution jalouse) envers George Sand. Voir, par exemple, sa lettre du [10 mai 1834], *Corr.*, t. I, p. 95 : «Ne doute pas de mon cœur, je t'en supplie. Je t'ai bien méconnue, bien mal aimée, bien fait souffrir — mais, vraiment, il y a une justice céleste» ; aussi lettre du 4 avril [1834], *ibid.*, p. 84 : «Mon unique amie, j'ai été presque un bourreau pour toi ; du moins dans ces derniers temps ; je t'ai fait beaucoup souffrir. » — Et dans *La Confession...*, mêmes torts du héros envers l'héroïne. Ici aussi, faut-il croire que Musset, par pure débonnaireté, ait fait don à George Sand d'aveux gratuits ?

la déchéance et du rachat de Musset. Ce fut le sujet de la première de ses *Lettres d'un voyageur* [1] ; elle y fait culminer, pour
une meilleure dramatisation, toute l'histoire spirituelle de son
héros dans celle de sa maladie à Venise [2]. «Tu te sentais jeune,
écrit-elle, tu croyais que la vie et le plaisir ne doivent faire qu'un.
Tu te fatiguais à jouir de tout, vite et sans réflexion. Tu mécon-
naissais ta grandeur et tu laissais aller ta vie au gré des passions
qui devaient l'user et l'éteindre, comme les autres hommes ont
le droit de le faire [3]. » Elle l'accuse de gaspiller ses dons, elle le
voit jetant «dans l'abîme toutes les pierres précieuses de la couronne que Dieu t'avait mise au front. [...] Quel amour de la
destruction brûlait donc en toi, quelle haine avais-tu donc contre le ciel [4] ?» Elle suppose que son ange gardien lui faisait
peur : «Tes yeux ne purent soutenir l'éclat de sa face, et tu
t'enfuis pour lui échapper. » Suit le symbole biblique de Jacob
luttant avec l'ange ; vaincu, il cède aux vains plaisirs et tombe
au pouvoir de l'ennemi : «L'esprit mystérieux vint te réclamer
et te saisir», quelque chose en lui résiste : «Ta voix, qui s'éle-
vait pour blasphémer, entonna, malgré toi, des chants d'amour
et d'enthousiasme. » Musset est grandi ici comme doit l'être le
réprouvé romantique ; c'est l'envergure même de son esprit qui
fait de lui la proie de l'esprit du mal : «La puissance de ton âme
te fatiguait ; tes pensées étaient trop vastes, tes désirs trop immenses ; tes épaules débiles pliaient sous le fardeau de ton génie.
Tu cherchais dans les voluptés incomplètes de la terre l'oubli
des biens irréalisables que tu avais entrevus de loin. » Enfin il

1. Ces *Lettres*, consacrées aux sujets les plus divers, parurent dans la *Revue des
Deux Mondes* en 1834 et 1836, et ont été recueillies ensuite en 2 volumes, chez Félix
Bonnaire, Paris, 1837. La première, qui est celle qui nous intéresse, figura dans
la *Revue* le 15 mai 1834, avec la date du 1er mai. L'auteur parle de lui-même au
masculin, c'est *George* Sand ; le destinataire, quoique non nommé, est évidemment
Musset, à qui elle envoya cette *Lettre* (voir *Corr. G.S.*, t. II, n° 768, 29 avril [1834]
pour qu'il la transmît à la *Revue*, ce dont il se chargea en effet (voir le début de
sa lettre du 10 [mai 1834] dans *Corr.*, t. I, p. 94) : autre preuve qu'il ne voyait
rien à redire à la version dans laquelle le public allait connaître ce que l'on a appelé
depuis le «drame de Venise».
2. On a supposé qu'elle voulait par là accabler Musset en le montrant victime
de troubles mentaux dus à son dérèglement ; ce n'est pas vraiment l'esprit de la *Lettre*.
3. C'est-à-dire les hommes vulgaires. George Sand appuie son sermon sur l'idée
de la responsabilité suréminente de l'homme de génie, type sous lequel elle range
Musset, qu'elle corrige en l'exaltant : en ange gardien, en muse, en mère.
4. Figuration démoniaque de la tentation, qui confirme le caractère spiritualiste de cet enseignement réparateur.

connaît l'amitié, c'est-à-dire la présence salutaire de l'amie ; mais il se dérègle encore, et le souvenir de ses turpitudes antérieures ne lui laisse pas la paix [1]. Alors se produit le terrible châtiment : «Dieu irrité de ta rébellion et de ton orgueil, posa sur ton front une main chaude de colère, et en un instant tes idées se confondirent, ta raison t'abandonna. L'ordre divin établi dans les fibres de ton cerveau fut bouleversé. La mémoire, le discernement, toutes les nobles facultés de l'intelligence, si déliées en toi, se troublèrent et s'effacèrent comme les images qu'un coup de vent balaie. Tu te levas sur ton lit en criant : — Où suis-je ? ô mes amis ! pourquoi m'avez-vous descendu vivant dans le tombeau ?» Ainsi les convulsions, la fièvre, les cris de délire furent la punition d'une mauvaise conduite. Par bonheur, le châtiment fut non moins surnaturellement levé : «Une puissance inconnue, continue la *Lettre*, [...] a arraché le linceul qui s'étendait déjà sur toi.» Une sorte de grâce divine, donc : il faut qu'il en soit ainsi pour la grandeur du cas, et aussi parce que le mieux s'est manifesté avant que le pécheur ait rien fait pour le mériter. Cette grâce n'en a pas moins été appelée : «Elle a exaucé mes prières, écrit George Sand, elle t'a rendu à mon amitié», de sorte que, «quand nous nous sommes quittés, j'étais fier et heureux [2] de te voir rendu à la vie ; j'attribuais un peu à mes soins la gloire d'y avoir contribué [3]».

Cette version hautement littéraire et édifiante de la destinée de Musset peut avoir satisfait les deux amants sans qu'on doive en conclure à la sottise de l'un et à la perfidie de l'autre. George Sand pouvait y trouver de quoi apaiser son désarroi ou ses remords par l'exercice de sa bienfaisance. Musset, loin d'accepter ce sermon comme une camisole de force, y trouvait le tableau qu'il a si souvent fait de lui-même, de sa double personnalité, bonne et mauvaise [4] ; il avait corroboré d'avance la conclusion de George Sand quand il lui avait écrit, quelques jours plus tôt : «Sois fière, mon grand et brave George, tu as fait un homme d'un enfant [5].» Et même les considérations providentielles de

1. Ce moment du récit souligne qu'entre le début de la liaison et les jours terribles de Venise Musset avait eu le temps de manifester ses défauts, et que, la maladie s'y ajoutant, l'Amie avait été mise à rude épreuve.
2. C'est ici la convention d'un auteur masculin de la *Lettre*.
3. J'ai cité la *Lettre* d'après l'édition en volume, t. I, pp. 25-34, 49.
4. Voir la lettre à George Sand du [10 mai 1834], *Corr.*, t. I, p. 96 : rappel du couple Octave-Coelio des *Caprices de Marianne*.
5. À la même, 30 avril [1834], *ibid.*, p. 89.

196 L'école du désenchantement

la *Lettre*, et l'intervention supposée du Très-Haut dans l'aventure du Poète, pourquoi n'y auraient-ils pas ajouté foi ? La piété
commune fait souvent dans ce style l'histoire de nos heurs et
de nos malheurs avec un degré de croyance impossible à
mesurer ; or il est bien connu que la sensibilité romantique aime
imiter à sa façon les démarches de la foi populaire. Musset, en
tout cas, trouva la lettre «sublime» [1] ; et comme, dans la lettre
suivante, il se reprenait à célébrer le grand amour et l'ouverture du cœur [2], George Sand lui adressa en retour ce chaleu-
reux encouragement : «Vois combien tu te trompais quand tu
te croyais usé par les plaisirs et abruti par l'expérience ! Vois
que ton corps s'est renouvelé et que ton âme sort de sa
chrysalide [3].»

Musset, le 30 avril, avait déjà projeté d'écrire le livre de leur
amour : «J'ai bien envie d'écrire notre histoire ; il me semble
que cela me guérirait et m'élèverait le cœur. Je voudrais te bâtir
un autel, fût-ce avec mes os [4].» On voit comment naquit ce
livre, et qu'il est difficile de le comprendre sans avoir lu les lettres de ces semaines. On se demande parfois, alors que Musset
devait faire entendre, dans ses vers et dans ses confidences à
ses proches, tant de récriminations touchant la personne et le
caractère de George Sand, pourquoi il la ménage, voire l'exalte
et l'idéalise à ce point dans sa *Confession*. C'est que ce livre est,
dans son esprit, le livre de George Sand salvatrice, ou du moins
ardemment souhaitée et espérée telle ; il est le témoignage de
ce que fut, entre lui et elle, le sublime de leur amour. Musset
n'a pas eu à se déguiser ni à se forcer pour l'écrire ; il y proclame, comme dans ses lettres, la haute vérité d'un amour sans
égal : de ce qu'un tel amour permettait d'entrevoir, dans la douleur même et les désordres de l'impulsif et naturel amour. Ce
chant ne s'élève nulle part aussi haut, sur le registre romantique et humanitaire, que dans l'étonnante lettre qu'il écrivit à
George Sand après qu'elle fut revenue à Paris en août 1834,
au moment de se séparer à nouveau d'elle : «Je t'envoie un dernier adieu, ma bien-aimée, et je te l'envoie avec confiance, non

---

1. À la même, [10 mai 1834], *ibid.*, p. 97 : «Mon George, jamais tu n'as rien
écrit d'aussi beau, d'aussi divin, jamais ton génie ne s'est mieux trouvé dans ton
cœur.»
2. À la même, [4 juin 1834], *ibid.*, p. 101.
3. Lettre à Musset, [15 juin 1834], *Corr. G.S.*, t. II, n° 788, p. 625.
4. Lettre à George Sand, 30 avril [1834], *Corr.*, t. I, p. 91.

sans douleur, mais sans désespoir. [...] Notre amitié est consacrée, mon enfant. Elle a reçu hier, devant Dieu, le saint bap-
tême de nos larmes. Elle est immortelle comme lui. Je ne crains
plus rien ni n'espère plus rien. [...] Celui qui est aimé de toi
ne peut plus maudire, George. Je puis souffrir encore maintenant; mais je ne peux plus maudire. [...] Mais je ne mourrai
pas sans avoir fait mon livre, sur moi et sur toi (sur toi surtout). Non, ma belle, ma sainte fiancée, tu ne te coucheras
pas dans cette froide terre sans qu'elle sache qui elle a portée.
Non, non, j'en jure par ma jeunesse et par mon génie, il ne
poussera sur ta tombe que des lis sans tache; j'y poserai de
ces mains que voilà ton épitaphe en marbre plus pur que les
statues de nos gloires d'un jour. La postérité répétera nos noms
comme ceux de ces amants immortels qui n'en ont plus qu'un
à eux deux, comme Roméo et Juliette, comme Héloïse et Abé-
lard; on ne parlera jamais de l'un sans parler de l'autre. Ce
sera là un mariage plus sacré que ceux que font les prêtres;
le mariage impérissable et chaste de l'Intelligence[1]. Les peuples futurs y reconnaîtront le symbole du seul Dieu qu'ils ado-
reront; quelqu'un n'a-t-il pas dit que les révolutions de l'esprit
humain avaient toujours des avant-coureurs qui les annonçaient
à leur siècle! Eh bien, le siècle de l'Intelligence est venu[2].
Elle sort des ruines du monde, cette souveraine de l'avenir;
elle gravera ton portrait et le mien sur une des pierres de son
collier. Elle sera le prêtre qui nous bénira [...]; elle écrira nos
deux chiffres sur la nouvelle écorce de l'arbre de la vie; je ter-
minerai ton histoire par mon hymne d'amour; je ferai un appel
du fond d'un cœur de vingt ans à tous les enfants de la terre;
je sonnerai aux oreilles de ce peuple blasé et corrompu, athée
et crapuleux, la trompette des résurrections humaines, que le
Christ a laissée aux pieds de sa croix[3]. Jésus! Jésus! et moi
aussi je suis fils de ton père! Je te rendrai les baisers de ma
fiancée; c'est toi qui me l'as envoyée, à travers tant de dangers, tant de courses lointaines, qu'elle a connus pour venir

1. Ici reparaît le thème de l'Amour entre deux esprits, qui fut dès l'origine,
pour Musset, le caractère distinctif de sa relation avec George Sand.
2. On songe au vers de Vigny : «Ton règne est arrivé, Pur Esprit, roi du
monde!» qui fut écrit presque trente ans après. Tout ce développement élargit
aux dimensions de l'Humanité la signification du couple.
3. Thème de résurrection, sous le symbole du Christ humanitaire, auquel l'écrivain s'identifie.

à moi[1]. Je nous ferai, à elle et à moi, une tombe qui sera toujours verte, et peut-être les générations futures répéteront-elles quelques-unes de mes paroles, peut-être béniront-elles un jour ceux qui auront frappé avec le myrte de l'amour aux portes de la liberté[2]. »

Musset écrivait cette lettre à la veille d'une nouvelle séparation ; à la fin d'août, il partit pour Bade, elle pour Nohant. Dans les lettres de Bade, il retourne à la rhétorique éperdue du désir et de la frustration. Ils se retrouvèrent à Paris à la mi-octobre, et les sursauts d'une passion désordonnée, entre ruptures et reprises, occupèrent les mois que dura encore leur liaison. Tout ne fut fini entre eux qu'au début de mars 1835. Musset n'avait pu être qu'en imagination le chantre de leur salut. La foi romantique, à laquelle il aspirait éperdument, n'était pas son fait. Une vision extraordinaire — rêve ou fantaisie funèbre — qu'on date du temps qui précéda immédiatement la rupture finale, nous donne une dernière version, négative et tragique, de l'Apothéose d'amour. On y voit Musset s'identifier au fantôme de Sténio, l'amant suicidé de Lélia dans le roman de George Sand, et le premier lien peut-être entre elle et lui : « Il ne dort pas sous les roseaux du lac, ton Sténio ; il est à tes côtés, il assiste à toutes tes douleurs, ses yeux trempés de larmes veillent sur tes nuits silencieuses. [...] Ah ! oui, c'est moi, tu m'as pressenti. Quand sa pâle figure s'est présentée à toi dans le calme des nuits, quand tu as écrit pour la première fois son nom sur la première page, c'est moi qui m'approchais. Une main invisible m'amenait à toi, l'Ange de tes douleurs m'avait mis dans les mains une couronne d'épines et un linceul blanc, et m'avait dit : va lui porter cela : tu lui diras que c'est Moi qui les lui envoie. Moi qui croyais tenir une couronne de fleurs, et le voile de ma fiancée ; ainsi je suis venu et je te les ai donnés. — Peut-être l'as-tu cru aussi, car tu les as mis sur ta tête, et tu m'as attiré sur ton cœur ; tu as parlé à la fois de bonheur et de mort ; tu m'as dit que je t'apprenais la vie, et l'amour, et tu t'es dit en toi-même, il faut que je meure, voilà mon jour arrivé. »

---

1. Allusion au passé déjà vécu par George Sand quand elle connut Musset, son cadet de plusieurs années.
2. Lettre à George Sand, [23 août 1834], *Corr.*, t. I, pp. 118-120. Cette page mériterait une place de choix dans une anthologie du romantisme humanitaire. Tout y est : la Femme et le Christ agents du salut, l'horizon de régénération, le Poète claironnant les temps futurs, l'Amour annonçant la Liberté.

Il ne s'agit plus ici d'immortalité humanitaire, mais de mort ; tout l'idéal de l'amour est de l'ordre de la mort, que Musset lui-même apporte ; prédestiné à George Sand, et apparu dans son œuvre avant d'entrer dans sa vie, c'est sa mort que, sans le savoir, il vient lui signifier. Cependant, il va tenter de la ranimer : « Moi, je me disais : voilà ce que je ferai ; je la prendrai avec moi, pour aller dans une prairie, je lui montrerai les feuilles qui poussent, les fleurs qui s'aiment, le soleil qui échauffe tout dans l'horizon plein de vie ; je l'assoirai sur du jeune chaume, elle écoutera, et elle comprendra bien ce que disent tous ces oiseaux, toutes ces rivières avec les harmonies du monde — elle reconnaîtra tous ces milliers de frères, et moi pour l'un d'entre eux. Elle nous pressera sur son cœur, elle deviendra blanche comme un lys, et elle prendra racine dans la sève du monde tout-puissant. » En vain ; c'est sa propre impuissance qu'il va éprouver : « Je t'ai donc prise et je t'ai emportée ; mais je me suis senti trop faible ; [...] j'avais traversé un si triste pays que mon cœur ne pouvait plus se desserrer sans souffrir, tant il avait souffert pour se serrer autant ; ce qui fait que mes bras étaient tout allongés et tout maigres, et je t'ai laissée tomber. Tu ne m'en as pas voulu. Tu m'as dit que c'était parce que tu étais trop lourde, et tu t'es retournée la face contre terre ; mais tu me faisais signe de la main pour me dire de continuer sans toi, et je ne t'ai plus vue qu'une petite éminence[1] où poussait de l'herbe. Je me suis mis à pleurer sur ta tombe et alors je me suis senti la force d'un millier d'hommes pour t'emporter, mais les cloches sonnaient dans le lointain. [...] Alors il est venu des hommes qui m'ont dit : la voilà donc, nous l'avons tuée ; mais je me suis éloigné avec horreur, en disant : je ne l'ai pas tuée, si j'ai du sang après les mains, c'est que je l'ai ensevelie, et vous, vous l'avez tuée, et vous avez lavé vos mains. Prenez garde que je n'écrive sur sa tombe qu'elle était bonne, sincère, et grande[2]. [...] Le jour où elle sortira de cette tombe son visage portera les marques de vos coups, mais ses larmes les cacheront et il y en aura une pour moi. — Mais toi tu ne vois pas les miennes ! Ma fatale jeunesse m'a peint sur le visage un rire convul-

---

1. Texte apparemment altéré.
2. C'est bien ce que Musset a écrit, non sur la tombe de George Sand, mais dans *La Confession d'un enfant du siècle*, où il n'a rien mis qui puisse être invoqué contre elle.

sif. [...] Tu meurs muette sur mon cœur, mais je ne retourne-
rai point à la vie quand tu n'y seras plus ; j'aimerai les fleurs
de ta tombe comme je t'ai aimée, elles me laisseront boire comme
toi leur doux parfum et leur triste rosée, elles se faneront comme
toi sans me répondre et sans savoir pourquoi elles meurent [1]. »

Si la religion de l'Amour est ce qui rattache le plus étroitement Musset au romantisme, et s'il a pu une fois célébrer avec
ferveur cette religion, et même dans la forme humanitaire la
plus prononcée et la plus glorieuse, nous devons constater que
le salut dans l'amour n'est plus ici que l'objet d'un chant de
deuil. C'est sans doute la signification principale de cette vision ;
elle sonne le glas de toute espérance en un amour sauveur, et
sans en accuser ni la Femme, ni l'Amant. Sa beauté tient pour
une grande part au fait que l'espoir ruiné y apparaît pur de récri-
mination. C'est un destin ennemi qui a mis dans les mains de
l'Amant la couronne d'épines et le linceul, alors qu'il croyait
apporter la couronne de roses et le voile de fiancée ; il a voulu
sauver la bien-aimée, mais il s'est trouvé sans force. Quant à
Elle, vouée à la mort et à la disparition, elle emploie ses dernières forces à prier l'Amant de continuer sans elle. Ainsi un destin funèbre les a accablés tous deux. Mais d'autres significations,
plus voilées, compliquent ce lamento pathétique. Montrer
George Sand vouée à la mort alors qu'il voudrait, lui Musset,
la faire participer à la vie de l'univers, ce n'est certes pas représenter ce qui fut réellement : Musset, par un arrêt de son moi,
situe dans la mouvance de la mort une maîtresse qu'il a cessé
d'aimer, lui imputant le défaut de vie dont il pourrait s'accuser
lui-même. En ce sens, la vision de mort est une prise de congé,
un adieu à ce qui a cessé d'être [2]. D'autre part, il semble que
l'Amant ne soit pas si sûr d'être innocent de la mort de sa maîtresse : il s'en disculpe laborieusement, rejetant le crime sur une
foule anonyme ; il se dit certain que, quand elle reviendra à elle,
elle lui consacrera une larme. Ainsi dans cette vision finale, qui
voudrait marquer sans ressentiment le deuil d'une espérance,
vibre secrètement le caractère conflictuel qui fut celui de toute
la liaison.

---

1. Lettre à George Sand, [février 1835], *Corr.*, t. I, pp. 145-147.
2. Toute l'apostrophe finale suppose Musset survivant à George Sand ; lui ne
meurt que d'intention. — Voir sur ce point p. 119, note 1 et le texte qui y
correspond.

Un an plus tard, Musset, tenant sa promesse, publia *La Confession d'un enfant du siècle* telle qu'il l'avait annoncée à George Sand. Mais entre-temps avaient commencé à paraître les poèmes de l'amour trahi et de la pure douleur : *La Nuit de mai* en 1835, *La Nuit de décembre* la même année, en 1836 la *Lettre à Lamartine*, en 1837 *la Nuit d'octobre*. Ce chant retentira longtemps chez Musset ; en 1844, le souvenir seul de Venise suffit à lui inspirer ces vers :

> *Toits superbes! froids monuments!*
> *Linceuls d'or sur des ossements!*
> **Ci-gît Venise.**
> *Là mon pauvre cœur est resté.*
> *S'il doit en être rapporté*
> *Dieu le conduise!*
>
> *[...] L'as-tu trouvé tout en lambeaux*
> *Sur la rive où sont les tombeaux?*
> *Il y doit être.*
> *Je ne sais qui l'y cherchera,*
> *Mais je crois bien qu'on ne pourra*
> *L'y reconnaître.*
>
> *Il était gai, jeune et hardi ;*
> *Il se jetait en étourdi*
> *À l'aventure.*
> *Librement il respirait l'air,*
> *Et parfois il se montrait fier*
> *D'une blessure.*
>
> *Il fut crédule, étant loyal,*
> *Se défendant de croire au mal*
> *Comme d'un crime.*
> *Puis tout à coup il s'est fondu*
> *Ainsi qu'un glacier suspendu*
> *Sur un abîme*[1].

---

1. *À mon frère, revenant d'Italie*, poème publié dans la *Revue des Deux Mondes* du 1ᵉʳ avril 1844 (= *Poésies, Pl.*, pp. 448-449).

Douleur et sagesse

La quête d'un salut n'était décidément pas la vocation de Musset. Ses instincts profonds l'engageaient trop avant dans une voie de passion sans contrôle pour qu'il pût s'en frayer, ou même en désirer, vraiment une autre. Sa réponse spontanée aux épreuves n'était pas de se réformer, c'était de glorifier le mal comme le bien de l'Amour. Mais cette attitude, poussée trop loin, lui faisait peur ; le Défi absolu passait ses forces : ce n'était que le sursaut sans lendemain de sa faiblesse. Restait le courage de vivre, et de bénir la dure vérité de l'expérience. Il fallait se convaincre et affirmer que l'amour, étant au cœur de la vie, ne la détruit pas, qu'il l'accomplit et la fortifie, par la douleur même. Il a senti et dit bien des fois le contraire. N'importe, il change de ton pour se consoler, et pour consoler ses lecteurs. Il professe, ou fait professer par sa Muse, qu'il a exagéré le mal ; il cesse de désespérer pour enseigner ; il communique une sagesse. D'ailleurs, que faire d'autre ? « Le cœur, dit-il, blessé dans son essence même, dans son premier élan, saigne et semble à jamais déchiré. Cependant on vit et il faut aimer pour vivre encore[1]. » S'il faut aimer pour vivre, comment se soustraire à cette loi sans petitesse de cœur ? Il peut, dans un sourire, plaider même en faveur de la suprême faiblesse, pour le « change » comme on disait autrefois, c'est-à-dire pour l'inconstance et les amours successives, péché majeur selon le dogme d'Amour, et thème insistant de lamentation dans tel de ses poèmes[2]. Il en célèbre les bienfaits dans une chanson qu'il a datée de 1831 ; le change multiplie le trésor, également précieux aux yeux du souvenir, des joies et des peines d'amour :

---

1. Lettre à Aimée d'Alton, du 31 mars 1837, *Corr.*, t. I, p. 197. C'est ce que dit aussi *La Nuit d'août* (voir ci-dessus, p. 183), mais de façon plus provocante. La limite est indécise chez Musset entre le Défi et la Sagesse, qui sont les deux composantes principales de son tempérament. Il faut préciser ici que les diverses attitudes de Musset, en y comprenant aussi, quoique moins essentielles chez lui, la quête d'un salut ou, à l'autre extrême, la nostalgie d'un bonheur modeste — toutes ces attitudes ne s'ordonnent ni chronologiquement ni logiquement dans son œuvre, mais selon l'humeur, comme les divers recours d'une nature inquiète : ce en quoi Musset a le caractère traditionnel du Poète.
2. Voir sa *Lettre à Lamartine*, dans *Poésies*, *Pl.*, pp. 332-333.

J'ai dit à mon cœur, à mon faible cœur :
N'est-ce point assez d'aimer sa maîtresse ?
Et ne vois-tu pas que changer sans cesse,
C'est perdre en désirs le temps du bonheur ?

Il m'a répondu : Ce n'est point assez,
Ce n'est point assez d'aimer sa maîtresse ;
Et ne vois-tu pas que changer sans cesse
Nous rend doux et chers les plaisirs passés ?

J'ai dit à mon cœur, à mon faible cœur :
N'est-ce point assez de tant de tristesse ?
Et ne vois-tu pas que changer sans cesse,
C'est à chaque pas trouver la douleur ?

Il m'a répondu : Ce n'est point assez,
Ce n'est point assez de tant de tristesse ;
Et ne vois-tu pas que changer sans cesse
Nous rend doux et chers les chagrins passés ?[1]

On peut tout admirer dans cette chanson : la reprise, parfaitement agencée, d'un bout à l'autre du poème, de vers ou d'hémistiches, identiques ou parents, le jeu des rimes ; mais surtout la pénétrante gradation, entre les deux premiers et les deux derniers quatrains, de la question posée : «n'est-ce point assez ?» signifie au second vers «ne suffit-il pas *à ton bonheur* (d'aimer une seule maîtresse) ?», et au dixième vers «ne suffit-il pas *à ton malheur* (de tant de tristesse des successives amours, pour que tu veuilles encore en affronter d'autres) ?» C'est la dernière réponse qui contient tout le sens du poème : la douleur peut multiplier ses coups, d'une maîtresse à l'autre, elle est toujours transfigurée par le souvenir ; ce qui a torturé en son temps émeut merveilleusement la mémoire. Il l'a répété, aux antipodes de sa carrière poétique ; la lâcheté est de porter, par peur de souffrir, une mémoire vide :

1. *Chanson*, parue dans l'édition des *Poésies complètes* en 1840, elle porte la date de 1831 dans l'édition des *Poésies* (voir *Poésies*, *Pl.*, pp. 123-124).

> *Le lâche craint le temps parce qu'il fait mourir ;*
> *Il croit son mur gâté lorsqu'une fleur y pousse.*
> *Ô voyageur ami, père du souvenir !*[1]

Ce dernier vers, splendide allégorie du Temps, est un paradoxe
d'optimisme ; alors que les poètes le tiennent, de toute tradition,
pour le grand ennemi, il est ici, par la mémoire, le grand consolateur. Moyennant cette opération du souvenir, les douleurs
d'amour ont donc, par elles-mêmes, un sens et une valeur, qu'elles
gardent parmi les ruines qu'elles ont faites. Cet optimisme du
cœur a inspiré à Musset un sonnet admirable dans sa brièveté,
où revit, en quelques éclairs, la totalité de son expérience.

> *J'ai perdu ma force et ma vie,*
> *Et mes amis et ma gaieté ;*
> *J'ai perdu jusqu'à la fierté*
> *Qui faisait croire à mon génie.*
>
> *Quand j'ai connu la Vérité,*
> *J'ai cru que c'était une amie ;*
> *Quand je l'ai comprise et sentie,*
> *J'en étais déjà dégoûté.*
>
> *Et pourtant elle est éternelle,*
> *Et ceux qui se sont passés d'elle*
> *Ici-bas ont tout ignoré.*
>
> *Dieu parle, il faut qu'on lui réponde.*
> *Le seul bien qui me reste au monde*
> *Est d'avoir quelquefois pleuré*[2].

Tout l'essentiel est là : le mal de la passion et ses effets, l'irrésistible perte de vitalité, l'orgueil perdu et l'illusion du génie dissipée ; la Vérité tentatrice, dénudée, et le dégoût ; puis, dans les
tercets, la leçon contraire de la vie : cette vérité, qui est notre

1. *Sonnet à Madame****, paru le 1er juin 1847, dans la *Revue des Deux Mondes* ;
daté de mai 1843, dans l'album de Marie Mennessier, née Nodier, qui en est la
destinataire ; dans *Poésies*, *Pl.*, p. 437 (et voir *ibid.*, p. 831-832).
2. *Tristesse*, poème paru dans la *Revue des Deux Mondes* du 1er décembre 1841,
recueilli dans les *Poésies nouvelles* de 1850, où il est daté par Musset de 1840 (= *Poésies*,
Pl., p. 402).

expérience, est aussi notre seul bien ; la lâcheté et le néant de l'abstention, l'appel auquel on ne peut se dispenser de répondre. Et, pour qui a répondu en acceptant l'invite, la récompense que nous avons : avoir pleuré et s'en souvenir. Il faut remarquer seulement que la divinité tutélaire à qui nous devons ce bien n'est pas ici le Temps, mais Dieu, expressément nommé. Une transcendance se dessine, qui est censée nous offrir l'épreuve et la récompense ; en fait, elle a été absente de l'aventure et de sa conclusion. Ce Dieu romantique, qui est censé dispenser aux amants le bien des larmes et du souvenir, est surtout une figure de la loi de vie et d'amour.

On peut en dire autant des enseignements analogues, quoique de style plus commun, de la Muse dans *La Nuit d'octobre*. Dans ces vers fameux se développe une leçon de sagesse surtout humaine, et qui mêle, sans y voir de mal, l'art du bonheur terrestre à la considération de l'enrichissement spirituel ; Dieu n'y apparaît qu'à l'arrière-plan pour confirmer l'évidence terrestre :

> *Pourquoi, dans ce récit d'une vive souffrance,*
> *Ne veux-tu voir qu'un rêve et qu'un amour trompé ?*
> *Est-ce donc sans motif qu'agit la Providence*
> *Et crois-tu donc distrait le Dieu qui t'a frappé ?*
> *Le coup dont tu te plains t'a préservé peut-être,*
> *Enfant ; car c'est par là que ton cœur s'est ouvert.*
> *L'homme est un apprenti, la douleur est son maître,*
> *Et nul ne se connaît tant qu'il n'a pas souffert.*
> *C'est une dure loi, mais une loi suprême,*
> *Vieille comme le monde et la fatalité,*
> *Qu'il nous faut du malheur recevoir le baptême,*
> *Et qu'à ce triste prix tout doit être acheté.*
> *[...] Ne te disais-tu pas guéri de ta folie ?*
> *N'es-tu pas jeune, heureux, partout le bienvenu ?*
> *Et ces plaisirs légers qui font aimer la vie,*
> *Si tu n'avais pleuré, quel cas en ferais-tu ?*[1]
> *[...] N'as-tu pas maintenant une belle maîtresse ?*
> *Et lorsqu'en t'endormant tu lui serres la main,*
> *Le lointain souvenir des maux de ta jeunesse*

---

1. Suivent des développements sur les divers plaisirs de la vie : boire en liberté avec un ami, jouir des beaux-arts, de la nature, d'autant mieux qu'on a gardé le souvenir des douleurs passées, de l'amour aussi.

Ne rend-il pas plus doux son sourire divin ? [1]
[…] De quoi te plains-tu donc ? L'immortelle espérance
S'est retrempée en toi sous la main du malheur.
Pourquoi veux-tu haïr ta jeune expérience,
Et détester un mal qui t'a rendu meilleur ? [2]

Le souvenir consolera-t-il vraiment si on l'imagine éphémère comme la vie elle-même ? Son culte tourne en désir d'immortalité, et ce désir en espérance. Ainsi, dans la *Lettre à Lamartine*, par exemple, la complainte des amours condamnés à changer s'achève par ces vers :

Tes os dans le cercueil vont tomber en poussière,
Ta mémoire, ton nom, ta gloire vont périr,
Mais non pas ton amour, si ton amour t'est chère :
Ton âme est immortelle, et va s'en souvenir [3].

Le grand poème qui a pour titre *Souvenir* a le même aboutissement. Tout entier obsédé de la caducité du bonheur humain dans l'univers, et implicitement de l'absence de Dieu ; évoquant à sa place, au-dessus des amants étourdis de plaisir, « cet être immobile — Qui regarde mourir » [4], le poème répond au Temps destructeur (nous sommes loin ici du « Voyageur ami » d'un autre poème [5]) en sanctifiant la mémoire ; mais il ne peut la sanctifier, c'est-à-dire la distinguer de l'illusion, qu'en la rapportant à la Providence et en invoquant finalement la permanence du souvenir dans l'âme immortelle :

Je me dis seulement : « À cette heure, en ce lieu,
Un jour, je fus aimé, j'aimais, elle était belle.
J'enfouis ce trésor dans mon âme immortelle,
Et je l'emporte à Dieu ! [6]

---

1. Cette maîtresse de 1837 était, croit-on, Aimée d'Alton. « Le lointain souvenir des maux de ta jeunesse » est une expression étrange, s'agissant des amours de Venise, indiscutablement en cause dans cette *Nuit*, et qui ne dataient que de trois ans plus tôt : nous connaissons cette confusion.
2. *La Nuit d'octobre*, dernier discours de la Muse (*Poésies*, *Pl.*, pp. 325-326).
3. *Lettre à Lamartine*, dans *Poésies*, *Pl.*, p. 334.
4. *Souvenir*, strophes 28-32, *Poésies*, *Pl.*, p. 408.
5. Voir ci-dessus, p. 204 et texte.
6. *Souvenir*, dernière strophe, *Poésies*, *Pl.*, p. 409.

Ici, comme en quelques autres occasions, en terminant sur l'âme immortelle et sur Dieu un poème intimement désolé, Musset se souvient qu'il reste fils, malgré la distance prise, de Lamartine et de Hugo.

Fonction du Poète

Quelles idées peut-on attendre de Musset sur le sujet, si important pour ses aînés et si obsédant à son époque, de la fonction spirituelle et humaine du Poète ? Sa fondamentale désespérance semble annoncer, sur cette question qu'il ne peut éluder, des vues réservées, négatives peut-être. Mais le fait qu'il a plus d'une fois cherché, à son pessimisme, des remèdes d'humaine et ordinaire sagesse, hors du registre proprement romantique, fait augurer chez lui un souci de communication pratique avec son public : il doit relever, de ce côté, d'une tradition poétique générale, non limitée aux innovations de son temps.

Cependant, dans la mesure où il a fait place, dans certaines parties de son œuvre, aux thèmes du spiritualisme romantique, et notamment à l'idée de la douleur comme épreuve et enseignement providentiel, il est naturel qu'il ait été tenté d'appliquer un tel schéma de pensée à la condition particulière du poète. C'est ce qu'il a fait clairement au moins une fois. La Muse de *La Nuit de mai* prêche d'abord à son poète que la souffrance qui l'a brisé l'a grandi :

> *Quel que soit le souci que ta jeunesse endure,*
> *Laisse-la s'élargir, cette sainte blessure*
> *Que les noirs séraphins t'ont faite au fond du cœur :*
> *Rien ne nous rend si grands qu'une grande douleur*[1] *;*

puis, passant du plan de la valeur morale à celui de la puissance créatrice, elle enseigne que la douleur est la source des grandes œuvres :

---

1. *La Nuit de mai*, dernier discours de la Muse (*Poésies*, Pl., p. 308). Plusieurs des vers qui précèdent, et les trois derniers de cette citation («Laisse-la s'élargir», etc.) se trouvent déjà, adressés à un orphelin, dans un fragment de drame qu'on croit de 1834 (*Perdican*, voir *Poésies*, Pl., p. 735); nous avons vu le vœu d'«élargir la blessure» formulé plus tôt encore dans un sonnet à George Sand de 1833 (voir ci-dessus, p. 107).

> *Les plus désespérés sont les chants les plus beaux,*
> *Et j'en sais d'immortels qui sont de purs sanglots.*

Suit la parabole du Pélican offrant ses entrailles pour nourriture à ses petits, laquelle ajoute à la pensée précédente l'idée d'un sacrifice ; la Muse destine cet oiseau héroïque à figurer le Poète :

> *Poète, c'est ainsi que font les grands poètes.*
> *Ils laissent s'égayer ceux qui vivent un temps ;*
> *Mais les festins humains qu'ils servent à leurs fêtes*
> *Ressemblent la plupart à ceux des pélicans.*
> *Quand ils parlent ainsi d'espérances trompées,*
> *De tristesse et d'oubli, d'amour et de malheur,*
> *Ce n'est pas un concert à dilater le cœur.*
> *Leurs déclamations sont comme des épées :*
> *Elles tracent dans l'air un cercle éblouissant,*
> *Mais il y pend toujours une goutte de sang.*

Ainsi, de la version romantique du sacerdoce poétique, Musset adopte la variante la plus tragique. À cet égard, les stances *À la Malibran* peuvent éclairer *La Nuit de mai* : la cantatrice, en vivant intensément son art, a prodigué et épuisé sa vie ; elle l'a voulu sans doute, mais aussi

> *C'est le Dieu tout-puissant, c'est la Muse implacable*
> *Qui dans ses bras en feu t'a portée au tombeau.*

Cruauté donc des « festins humains » que l'artiste offre au public, et fatalité amère d'un dévouement unilatéral :

> *Connaissais-tu si peu l'ingratitude humaine ?*
> *Quel rêve as-tu donc fait de te tuer pour eux ?*[1]

Musset a cependant considéré aussi le rôle de l'artiste et du poète sous une autre lumière que celle-là. Il est entré dans la littérature nouvelle sous le signe de la révolution des formes et du style, du « viol des Muses » comme il le dit lui-même dans

---

1. *À la Malibran, stances,* dans la *Revue de Deux Mondes,* 15 octobre 1836 (= *Poésies, Pl.,* p. 339, strophes XIX et XXI).

la préface des *Contes d'Espagne et d'Italie* : «Les Muses chastes ont été, je crois, violées[1]». Il ne déplora jamais ce viol, même quand il eut confirmé son éloignement de toute école[2]. Mais la modernisation des formes littéraires fut, dans le romantisme, préconisée d'abord par des écrivains libéraux, sensibles à la transformation de la société française, avant de devenir l'apanage de Hugo. Que Musset ait précisément relevé de cet esprit, son œuvre en témoigne en maint endroit. Mais il y avait aussi un libéralisme antiromantique, fortement indisposé par les aspects catholiques et royalistes du premier romantisme. Une page curieuse de Musset, dans les *Lettres de Dupuis et Cotonet*, abonde dans ce sens. Les deux bourgeois de La Ferté-sous-Jouarre, reproduisant les informations qu'un magistrat distingué leur a communiquées, développent une histoire sarcastique du romantisme faite strictement du point de vue du libéralisme ennemi de la nouvelle école, en dénonçant ses liens avec l'esprit et le monde de la Restauration.

Voici un extrait de cette histoire : «Sous la Restauration, le gouvernement faisait tous ses efforts pour ramener le passé. [...] Cependant [...] tout portait la jeunesse à écrire ; [...] Mais de quoi parler ? Que pouvait-on écrire ? Comme le gouvernement, comme les [...] mœurs, comme la cour, comme la ville, la littérature chercha à revenir au passé. Le trône et l'autel défrayèrent tout ; en même temps, cela va sans dire, il y eut une littérature d'opposition. Celle-ci, forte de sa pensée, ou de l'intérêt qui s'attachait à elle, prit la route convenue, et resta

---

1. *Contes d'Espagne et d'Italie*, «Au lecteur», *Poésies*, Pl., p. 604 ; voir *ibid.*, l'allusion aux classiques réprobateurs («plus d'une perruque s'est dédaigneusement ébranlée») ; toute cette page est une prise de position sans ambiguïté. — Voir aussi la *Revue fantastique*, article du 25 avril 1831 dans *Le Temps* (= *Prose*, Pl., p. 801) : «Imitateurs, troupeaux d'esclaves !», etc., et l'apostrophe à «l'école de Campistron (vulgairement les *classiques*)». — Également, dans *Le Temps* du 17 mai 1831 (= *Prose*, Pl., p. 874 et suiv.), le compte rendu de l'édition des *Pensées* de Jean-Paul, traduites et éditées par le marquis de La Grange : contre les règles fixes, les formes convenues, etc.
2. Voir l'article *De la tragédie. À propos des débuts de Mademoiselle Rachel*, paru le 1er novembre 1838 dans la *Revue des Deux Mondes*, où Musset envisage, à la lumière des succès de Rachel, un retour à l'esprit de la tragédie, mais sous une forme décidément renouvelée et moderne (= *Prose*, Pl., p. 888 et suiv.). — Aussi l'article intitulé *Concert de Mademoiselle Garcia* paru dans la *Revue des Deux Mondes* du 1er janvier 1839 (= *Prose*, Pl., pp. 992-993) : «La tradition ancienne était une admirable convention, mais c'était une convention : le débordement romantique a été un déluge effrayant, mais c'était une importante conquête. »

classique ; les poètes qui chantaient l'empire, la gloire de la
France ou la liberté, sûrs de plaire par le fond, ne s'embarras-
sèrent point de la forme. Mais il n'en fut pas de même de ceux
qui chantaient le trône et l'autel ; ayant affaire à des idées rebat-
tues et à des sentiments antipathiques à la nation, ils cherchè-
rent à rajeunir, par des moyens nouveaux, la vieillesse de leur
pensée ; ils hasardèrent d'abord quelques contorsions poétiques,
pour appeler la curiosité ; elle ne vint pas, ils redoublèrent.
D'étranges qu'ils voulaient être, ils devinrent bizarres, de bizarres baroques, ou peu s'en fallait [1]. » Suivent des allusions iro-
niques à la vogue de la superstition et de ses légendes en
littérature, à la manie allemande des ballades, à l'engouement
moyenâgeux. Il n'est pas question de voir en M. Ducoudray,
magistrat, le porte-parole de Musset. Cette page pourrait passer plutôt pour un pastiche des discours d'une « perruque », ce
qu'elle est d'une certaine façon, si le sérieux et le mordant de
son ton [2], et son exacte conformité aux diatribes du libéralisme antiromantique, ne donnaient à penser que cette façon
de juger le romantisme a été sympathiquement connue de Musset, avant comme après les *Contes d'Espagne et d'Italie* : tout en
refusant la perpétuité des formes classiques, il a pu partager
l'antipathie libérale pour certains aspects « rétrogrades » de la
littérature nouvelle [3]. En fait, il n'a fraternisé avec le Cénacle,
en 1829 et 1830, que quand Hugo et ses amis, devenus libéraux, concevaient eux-mêmes le romantisme comme l'école du
modernisme et de la liberté en littérature. Si ce romantisme
de l'inspiration libre et de la vérité présente fut le sien, on
comprend qu'il ait cherché ailleurs que dans une Mission de
type religieux ou spiritualiste le contact avec son lecteur.

Il le voulait immédiat, comme il a lieu d'homme à homme
en toute rencontre, sans appel à l'histoire ou à la doctrine. Toute
position de l'art à distance du public et fondé sur une vision problématique de l'avenir lui semble un leurre, et il retourne contre
les poètes et les artistes leur plainte ordinaire sur ce qui les sépare
du reste des hommes : « Que disais-je donc, que disions-nous
tous, nous, artistes insensés, qui osons prétendre qu'on ne nous

1. *Lettres de Dupuis et Cotonet*, 1re lettre (1836), *Prose, Pl.*, p. 831 et 832.
2. Vers le même temps, Musset faisait, on l'a vu, et très sérieusement, dans
la *Confession...*, un tableau très péjoratif du monde de la Restauration.
3 Voir ci-dessus, p. 151, note 2 et le texte.

comprend pas ? N'est-ce pas nous qui sortons de la route ? Et nous nous étonnons qu'on ne nous suive point ? [...] Ce qui vient de l'âme y va, soyez-en certain. C'est là tout le secret des artistes ; travaillez donc, creusez-vous la tête, plongez votre âme dans un marais de systèmes, desséchez vos idées d'enfance, vos fraîches idées pleines de simplicité ; dites-vous tous les matins et tous les soirs que vous êtes un homme de génie [...] ; raillez et exaltez ; disputez et intriguez ; tout tombera un beau matin devant le faible, l'ignorant regard d'une jeune fille [1]. »

Sur le rôle du poète, même quand ses réactions sont les mêmes que celles des autres poètes romantiques, elles laissent apparaître des motivations particulières. Le débat romantique, au cours des années 1830, avait cédé la place à un autre débat, né hors de la littérature. Le saint-simonisme proposait aux écrivains et aux artistes de jouer leur rôle dans la transformation sociale qu'il préconisait. Il n'est pas d'écrivain de ce temps qui, d'une façon ou d'une autre, ne se soit prononcé sur cette offre. Les poètes se sont généralement récusés. C'est ce que Musset a fait, dans un article de 1833, intitulé *Un mot sur l'art moderne*. Le saint-simonisme n'y est pas expressément nommé : il n'était plus dans sa grande vogue à cette date, mais il avait laissé dans le journalisme et dans la critique plus d'un disciple, orthodoxe ou dissident ; et le néo-catholicisme, toujours vivace, s'était imprégné de quelques-unes des notions dont les saint-simoniens usaient contre le libéralisme « critique » et destructeur. Dans son article, Musset commence par rejeter toute emprise doctrinale sur la littérature : « Il ne manque pas de gens aujourd'hui, écrit-il, qui vous font la leçon ainsi que des maîtres d'école. [...] Dans *Don Carlos*, Posa dit à Philippe II : "Je ne puis être serviteur des princes ; je ne puis distribuer à vos peuples ce bonheur que vous faites marquer à votre coin." [...]

---

1. *Revue fantastique*, article du 9 mai 1831 dans *Le Temps* (= *Prose*, Pl., p. 808) : il s'agit d'une exposition de tableaux où il a vu une jeune paysanne, qu'il avait crue sotte et ignorante, soudain extasiée devant une peinture. — Voir aussi dans la *Revue fantastique*, article du 30 mai 1831 dans *Le Temps* (= *Prose*, Pl., p. 818), l'histoire du peintre obsédé d'une doctrine d'art desséchante, qui, bouleversé par un temps de captivité en Italie aux mains de brigands et par la vie dangereuse et les figures farouches qu'il connut alors, abandonna tout système et devint un grand artiste en travaillant « d'après les conseils de son cœur ». — Également, dans la *Revue des Deux Mondes* du 15 avril 1836, l'article intitulé *Le Salon de 1836* (= *Prose*, Pl., p. 955) : « Il n'y a pas de plus grande erreur, dans les arts, que de croire à des sphères trop élevées pour des profanes. »

Et sous quel prétexte, s'il vous plaît, aujourd'hui que les arts sont plus que jamais une république, rêve-t-on les associations[1]?» Ce dernier mot situe la page : l'association, opposée à l'individualisme «critique», était une des notions maîtresses du saint-simonisme. Il n'y a rien qui ressemble à Philippe II dans la France de 1833, mais des écoles ou des églises, qui s'efforcent de gagner et de subordonner les lettres à leurs doctrines, de leur faire ingurgiter, dit Musset, «ces larges décoctions d'herbes malfaisantes[2]». Sur le projet d'une telle littérature, non seulement engagée dans une action, mais formée en secte et assujettie à un dogme collectif, Musset précise : «Les associations étaient possibles dans les temps religieux, [...] elles étaient belles, naturelles, nécessaires. Autrefois le temple des arts était le temple de Dieu même. On n'y entendait que le chant sacré des orgues ; on n'y respirait que l'encens le plus pur ; on n'y voyait que l'image de la Vierge, ou la figure céleste du Sauveur. [...] Quel beau temps ! quel beau moment ! on ne se frappait pas le front quand on voulait écrire. [...] S'il s'agissait d'une opinion privée, personne au monde ne regretterait plus que moi que de pareils leviers aient été brisés dans nos mains. Peut-être cependant n'est-ce pas un mal qu'ils le soient[3].» C'est accepter un schéma saint-simonien ou néo-catholique, mais en en rejetant l'essentiel : la conclusion, l'appel au retour actuel des dogmes[4]. Sur ce point, Musset est catégoriquement négatif ; non seulement le dogme n'est plus souhaitable aujourd'hui, mais il est impossible, car de notre temps : «Il n'y a pas d'art, il n'y a que des hommes. [...] Où est l'art, je vous prie ? [...] Est-ce le lointain murmure des conseils d'une coterie, des doctrines d'un journal, des souvenirs de l'atelier ? L'art, c'est le sentiment ; et chacun sent à sa manière. Savez-vous où est l'art ? dans la tête de l'homme, dans son cœur, dans sa main, jusqu'au bout de ses

---

1. *Un mot sur l'art moderne*, dans la *Revue des Deux Mondes*, 1er septembre 1833 (= *Prose*, *Pl.*, pp. 881-882).
2. *Ibid.*, p. 881.
3. *Ibid.*, pp. 882-883.
4. Catholiques et saint-simoniens exaltaient également le Moyen Âge (les seconds, en tant qu'époque «organique» reposant sur des dogmes) ; les catholiques entendaient remettre en autorité les dogmes de l'Église, les saint-simoniens instaurer les leurs.

ongles[1].» Autrement dit, l'art, comme institution, a cessé d'être. L'existence d'une foi commune justifierait écoles, associations, convergence des esprits : «Mais dans un siècle où il n'y a que l'homme, qu'on ferme les écoles, que la solitude plante son dieu d'argile sur son foyer ; — l'Indépendance, voilà le dieu d'aujourd'hui (je ne dis pas la liberté)[2]». Par cet article, Musset prend place dans le chœur des poètes rebelles en ce temps-là à l'emprise des dogmes anciens et nouveaux. L'article s'achève par une sorte de panégyrique du siècle, sous le double symbole de la Raison et de l'Intelligence, «ces deux déités gigantesques, couchées sur les ruines des temps passés» : dans cette double et splendide allégorie, l'Intelligence, que Musset oppose à l'impassible et froide Raison, semble figurer la Littérature ou la Beauté des modernes : tantôt les yeux en larmes et tantôt embrassant l'univers, téméraire et menacée, tentée par toute perdition et cependant ne pouvant mourir[3].

On peut remarquer que, dans cet article d'une doctrine assez romantique, l'indépendance du Poète n'est mise en relation avec aucun sacerdoce particulier de la corporation poétique ; elle se réduit au droit de professer en toute liberté une vérité immédiate et sensible à tous, hors de tout magistère extérieur. Vérité nécessairement actuelle, déclarant les douleurs et les passions que le cœur porte en lui : «Pourquoi la poésie est-elle morte en France ? parce que les poètes sont en dehors de tout[4].» Musset avait déjà posé la même question et il y avait répondu moins négativement, quoique dans le même sens :

> *Pourquoi la poésie est-elle morte en France ?*
> *On dit que le public vit dans l'indifférence.*
> *[...] De quoi se plaignent donc le poète et l'artiste ?*
> *Tant que l'humanité se meut, son âme existe*
> *Aussi bien que son corps. — C'était votre métier,*
> *Rêveurs, de la comprendre au lieu de la nier ;*
> *C'est à vous de frapper les entrailles du monde,*

1. *Ibid.*, p. 882.
2. *Ibid.*, p. 886. La parenthèse finale pourrait surprendre ; je suppose qu'il ne voulait pas mêler la liberté, notion politique, à la discussion, mais plaider pour l'indépendance créatrice de l'artiste sous toute législation ou régime.
3. *Ibid.*, p. 887. Cet article date des premiers mois de la liaison de Musset avec George Sand (septembre 1833) ; en avril 1834, dans une lettre où il célèbre l'amour, il le met aussi sous le signe de l'Intelligence (voir ci-dessus, p. 197 et note 1).
4. *Ibid.*, p. 886.

> *[...] De fendre d'un regard cette mine profonde.*
> *[...] Serait-ce par hasard que le siècle et ses hommes,*
> *Messieurs les écrivains, soient trop petits pour vous ?*
> *Ce siècle, c'est le nôtre [...]* [1].

Le souci d'actualité, s'il exclut les interrogations d'avenir et les inspirations missionnaires, doit s'entendre au sens le plus concret : tout revient à toucher les cœurs, en rencontrant nécessairement, à côté des passions de l'homme d'aujourd'hui, les thèmes universels du sentiment. C'est ainsi que les larmes deviennent le véhicule principal de la littérature : larmes de pitié, de douleur ou d'attendrissement, qui défient l'analyse, et qui justifient à la fois l'artiste dans sa création et le public dans son goût :

> *Je vous dirai : sachez que les larmes humaines*
> *Ressemblent dans nos yeux aux flots de l'Océan :*
> *Qu'on n'en fait rien de bon en les analysant ;*
>
> *Et quand vous en auriez deux tonnes toutes pleines,*
> *En les laissant sécher, vous n'en aurez demain*
> *Qu'un méchant grain de sel dans le creux de la main !* [2]

C'est Musset qui est ici public, et qui a pleuré en voyant *Chatterton*. De même quand il admire Rachel : « Mon esprit peut porter un faux jugement, mais, quand je suis ému, je ne saurais me tromper ; je puis lire et écouter une pièce de théâtre et m'abuser sur sa valeur, mais, eussé-je le goût le plus faux et le plus déraisonnable du monde, quand mon cœur parle, il a raison. [...] Le cœur n'est point sujet aux méprises de l'esprit, [...] il décide à coup sûr [3]. » Musset, pour qui nous savons que le cœur était tout, et qui voulait aimer et être aimé, le souhaitait de même en poésie et en littérature ; il le dit ingénument :

---

1. Morceau de vers (de date inconnue ; publication posthume) qui a sûrement précédé l'article en prose où est reprise la question posée par son premier vers (*Poésies*, *Pl.*, pp. 579-580).   .
2. *Aux critiques du « Chatterton » d'Alfred de Vigny* (deux sonnets posthumes, qui doivent dater des lendemains de la représentation de cette pièce), 2ᵉ sonnet, *Poésies*, *Pl.*, pp. 528-529.
3. *Reprise de « Bajazet » au Théâtre-Français*, dans la *Revue des Deux Mondes*, 1ᵉʳ décembre 1838, fin de l'article (*Prose*, *Pl.*, p. 909).

Être admiré n'est rien ; l'affaire est d'être aimé[1].

De là il glisse naturellement à l'idée d'une auditrice plutôt que d'un auditeur, et rêvant d'intelligence avec le cœur féminin sans considération de rang social, c'est alors qu'il s'écrie :

Vive le mélodrame où Margot a pleuré[2].

À ceux qui protesteront il oppose comme argument le privilège de la beauté et le droit souverain de l'amour, glorifié comme déraison :

Et j'en dirais bien plus si je me laissais faire.
Ma poétique, un jour, si je puis la donner,
Sera bien autrement savante et salutaire.
C'est trop peu que d'aimer, c'est trop peu que de plaire :
Le jour où l'Hélicon m'entendra sermonner,
Mon premier point sera qu'il faut déraisonner[3].

Celui-là n'est pas poète qui ignore cette déraison, qui n'est pas capable de sentir, par l'amour,

La vie et la beauté descendre dans son cœur[4].

Cette poétique du cœur, refuge de Musset, a ceci de remarquable qu'elle proclame, sur le mode romantique, le défi aux doctes et à la sèche raison, tout en rejoignant le principe,

---

1. *Après une lecture*, poème paru dans la *Revue des Deux Mondes* du 15 novembre 1842 (= *Poésies*, *Pl.*, p. 422 et suiv.), strophe IV du poème.
2. *Ibid.*, strophe V. — Sur la valeur des larmes dans la poétique de Musset, voir le beau poème en vers courts intitulé *Le mie prigioni* (1er octobre 1843, dans la *Revue des Deux Mondes* (= *Poésies*, *Pl.*, p. 415 et suiv.) ; une larme sans cause témoigne que le peu de sang qui vit en nous est notre seul bien : «Cette pâle et faible étincelle — Qui vit en toi, — Elle marche, elle est immortelle, — Et suit sa loi. — Pour la transmettre, il faut soi-même — La recevoir, — Et l'on songe à tout ce qu'on aime — Sans le savoir.» — Voir aussi le sonnet *À M. Régnier, de la Comédie-Française, après la mort de sa fille*, daté de 1849 dans l'autographe (= *Poésies*, *Pl.*, pp. 459-460, et la note, p. 842) : il se demande pourquoi, le connaissant à peine, il s'est senti si ému de la mort de sa fille : «Je ne sais. - Dieu le sait ! Dans la pauvre âme humaine, — La meilleure pensée est toujours incertaine, — Mais une larme coule et ne se trompe pas.»
3. *Ibid.*, strophe X.
4. *Ibid.*, strophe XIII.

tant de fois invoqué par les maîtres classiques, selon lequel il importe avant tout de plaire et de toucher. Il est trop évident que, tout en usant du langage des classiques et en les portant aux nues, Musset est aux antipodes de l'agrément littéraire tel qu'ils le concevaient : procuré par la connaissance de l'homme autant que par l'effusion, et, en poésie, tributaire de la tradition et du goût. Mais on comprend qu'un vaste public ait été séduit par cet alliage de références classiques et d'indépendance. Le défi aux pédants flatte toujours notre public, tandis que l'appel aux vieux maîtres et à leurs maximes le rassure. En 1850, Sainte-Beuve écrit de Musset : « Il est le poète favori du jour [1]. » Mais, à la même époque, le romantisme militant qui survivait dans l'entourage de Hugo, désavoue Musset. Dans *L'Événement*, journal de Hugo et de ses proches, on fait l'oraison funèbre du poète devenu stérile ; on lui reproche d'avoir trahi « la grande littérature du XIXᵉ siècle » ; on dénonce dans son attitude littéraire « un mélange de supplication et de provocation tout à fait particulier [2] ». La formule n'est pas si fausse ; mais plus tard un autre rédacteur fait à Musset une espèce d'amende honorable, et le reconnaît comme étant des leurs, ce qui n'est pas faux non plus [3]. Musset, en fait, s'est trouvé isolé entre la génération des grands missionnaires poétiques du romantisme, qui ne pouvaient accepter l'espèce de défection qu'il représente, et les poètes de la génération suivante, qui ne renièrent la religion de l'Avenir que pour adopter celle de l'Art solitaire, et n'abjurèrent le Dieu romantique que pour le Néant. Ils virent dans Musset, passant du désespoir absolu à la contagion des pleurs de Margot, un personnage futile et sans dignité ni génie [4]. Leur jugement, bien sûr, ne fait pas loi pour nous. Musset, en marquant un moment d'indécision dans l'histoire de la poésie pensante du siècle, témoigne avec profondeur et vérité.

---

1. Sainte-Beuve, article du *Constitutionnel*, 28 janvier 1850, recueilli dans les *Causeries du lundi*, t. I (voir la phrase citée, édition définitive, p. 306). — En 1864, Taine, dans les dernières pages de son *Histoire de la littérature anglaise*, fait un très haut éloge de Musset.
2. Articles d'Auguste Vacquerie dans *L'Événement* du 4 septembre 1848 et du 25-26 février 1849.
3. *Ibid.*, feuilleton du 2 juillet 1850, signé P.M. (Paul Meurice).
4. On sait le mal que Baudelaire a pensé et écrit de lui (voir, dans l'édition Pichois des *Œuvres* de Baudelaire (Bibliothèque de la Pléiade), 2 vol., 1975-1976, à l'Index des noms cités, les références à Musset).

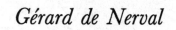

Gérard de Nerval

Faire place à Nerval dans un livre comme celui-ci, c'est supposer, aussi évidente en lui qu'en aucun autre, une pensée. Il est vrai qu'il ne se pique pas, aussi explicitement que la plupart des écrivains et poètes de son temps, d'enseigner le siècle nouveau. Il rêve, il raconte, il imagine, et un parti pris de distance à l'égard du réel semble l'écarter des discussions et des choix, sauf de celui par lequel il établit cette distance : car c'est bien là une décision première, qui semble moins destinée à susciter un débat qu'à ouvrir, aussitôt prise, une carrière imprévisible de merveilles et d'angoisses. Si, par surcroît, le délire proprement dit a sa place et ses droits dans l'aventure, la tâche de celui qu'on définit un peu froidement un «historien des idées» n'en est pas facilitée. Rechercher ce que Nerval pense à notre intention se semblera pas, dans ces conditions, une entreprise prometteuse. Mais, en affectant la réalité d'un signe négatif, Nerval ne soustrait pas son œuvre à la condition de toute parole publique ; il fait, qu'il le veuille ou non, une profession de foi, dont il ne peut éviter qu'elle soit commentée comme pensée. Il faudrait, pour qu'il en soit autrement, qu'en parlant il ne dise rien ou qu'il ne s'adresse à personne, ce qui n'est assurément pas son cas. On sait depuis longtemps que la parole du poète est soustraite à la responsabilité commune du langage comme moyen d'échange pratique ; mais elle en revêt une autre, non moindre, du fait des idées qu'elle véhicule : ces idées, moins concepts qu'intuitions sensibles, figures et cris du cœur, sont éminemment propres à se communiquer et à convaincre. Ce ne serait pas faire honneur à Nerval que de refléter seulement avec ferveur les troubles de son imagination et de son cœur, encore moins de faire de son langage un bilan mirifique de prestidigitateur. Il demande davantage. Lui, que nous voyons, à la différence des initiateurs du romantisme, si peu homme de doctrine et de prédication, il compte bien pourtant nous enseigner quelque chose. Si détaché qu'il soit, il parle pour mériter l'approbation et l'amour, et il sait bien que cet échange avec son lecteur n'est pas de pur sentiment. C'est en ce sens que Nerval penseur nous importe. S'il est vrai qu'il n'est pas tout Nerval, il en est partie intime et constitutive, et Nerval sans lui ne serait pas Nerval.

I

LENDEMAINS DE JUILLET

1830 fut pour Nerval un moment décisif[1]. C'était à peu près le temps de ses vingt ans, auquel il faut un peu s'arrêter pour le connaître.

Révolution et déception

Il était alors, en cette fin de la monarchie restaurée, libéral ardent ; c'est dans la poésie citoyenne qu'il avait fait ses débuts d'écrivain : «élégies nationales», à la fois napoléoniennes et

1. Voir sur ce sujet mon *Sacre de l'écrivain*, au chapitre des «Jeune-France», où ont déjà été évoqués les débuts de Nerval ; on y trouvera quelques informations et quelques textes que je ne répète pas ici. — Je citerai souvent Nerval, dans le présent ouvrage, d'après l'édition des *Œuvres* qui a été publiée chez Gallimard, dans la Bibliothèque de la Pléiade, par Albert Béguin et Jean Richer, et sur laquelle j'ai longuement travaillé (2 vol., parus respectivement, le t. I en 1952, le t. II en 1956) ; mais ces deux volumes ont été chacun réédités plusieurs fois avec, à chaque nouveau tirage, des changements dans la pagination, dus à des modifications intervenues dans le contenu du volume : en renvoyant donc à ces volumes, sous l'abréviation *Pl. I* pour le t. Ier, *Pl. II* pour le second, je dois avertir que j'utilise *Pl. I* dans le tirage de 1974 et *Pl. II* dans celui de 1961, sauf indication contraire ; cependant j'essaie, autant que je peux, pour la commodité des lecteurs qui n'ont pas ces tirages à leur disposition, de situer aussi mes références en indiquant, après le titre de l'œuvre, celui du chapitre et la place du paragraphe. J'utilise également, sous les abréviations *Pl. I, G.-P., Pl. II, G.-P.* les tomes I et II de la nouvelle et excellente édition Pléiade des *Œuvres* de Nerval, établie par Jean Guillaume et Claude Pichois (Paris, Gallimard, 1989 et 1984). — Quant à la *Correspondance*, je ne donne généralement, pour chaque lettre citée, que la date et le nom du destinataire, afin que le lecteur puisse la retrouver, soit qu'il utilise *Pl. I* (lettres jusqu'en 1855, date de la mort de Nerval) ou *Pl. I-II, G.-P.* (les lettres, dans les deux volumes parus de cette édition des *Œuvres*, ne vont pas au-delà de juin 1852). Je donne des indications plus précises quand c'est utile.

libérales, suivant la mixture ordinaire de ce temps-là, ou satires de la politique ultra et des jésuites[1]. Trois ans après, au
lendemain de la révolution de Juillet, Nerval recommence à
écrire des poèmes du même genre[2]. On ne sait rien d'absolument certain sur sa conduite pendant les trois journées; mais,
dans son poème des *Doctrinaires*, qui parut à la fin de 1830, il
exalte les barricades de la nuit du 28 juillet, dont il semble se
souvenir comme témoin et acteur[3]. En tout cas, d'après les
poèmes politiques qu'il écrivit peu après cette date, il était alors
franchement et farouchement républicain, et ulcéré du tour que
prenaient les choses en France. Ces poèmes relèvent tout à fait
de l'esprit Jeune-France, au sens où le Jeune-France pouvait
voisiner avec le « bousingot », gauchiste de l'époque. On n'a
peut-être pas attaché assez d'importance, dans la carrière de
Nerval, à cet enthousiasme ardent, et sévèrement traumatisé,
qui marque le début de sa vie active. Le doux Gérard, à en
juger par ces poèmes, partage tout à fait, dans ces années, les
opinions extrêmes et la virulence de ses amis Pétrus Borel et
Philothée O'Neddy[4]. Son image, qui s'est constituée ensuite
dans l'esprit de ses admirateurs sous l'influence des grandes
œuvres de ses dernières années, était si loin de celle d'un poète
à la « corde d'airain » qu'on ne voulut rien retenir des poèmes
politiques qu'il avait pu écrire : les éditions de ses œuvres,
depuis un siècle, les ignorent, quoique « *La France guerrière*,
1 vol., 1827 » figure en toutes lettres, à la section « Poésie », dans
le Projet d'œuvres complètes qu'il avait rédigé lui-même peu

---

1. Les « élégies nationales » de Nerval (je laisse de côté les satires) ont paru
en 1826 et 1827 dans deux recueils : 1. *Napoléon et la France guerrière; Élégies nationales*, par Gérard L., Paris, Ladvocat, 1826 (B.N. 8°Ye. pièce 1495); 2. *La
France guerrière. Élégies nationales*, par Gérard, Paris, Touquet, janvier 1827. —
Pour plus de détails bibliographiques sur ces recueils, voir Michel Brix, *Nerval journaliste*, Namur, 1986, et *Pl. I, G.-P.*, pp. 1529-1533; le texte des deux
recueils peut se lire dans *Pl. I, G.-P.*, dans un texte complet, p. 81 et suiv.,
et p. 165 et suiv.
2. Ce sont trois poèmes, parus : *Le Peuple*, dans *Le Mercure de France au dix-
neuvième siècle* du 14 août 1830 ; *À Victor Hugo. Les Doctrinaires*, dans l'*Almanach
des Muses* pour 1831 ; *En avant marche !* dans *Le Cabinet de lecture* du 14 mars 1831.
On peut les lire dans *Pl. I, G.-P.*, p. 305 et suiv.
3. Dans le manuscrit publié par Jean Richer (« Juillet 1830 », *Pl. I*, p. 49),
Nerval semble catégorique : « Après quelques coups de feu, le poste de la place
Saint-Michel se rendit à nous. »
4. Sur ces deux Jeune-France amis de Nerval, voir *Le Sacre de l'écrivain*, dernier chapitre.

avant sa mort [1]. On ne veut voir, dans toute cette première partie de son œuvre, qu'une préhistoire de son esprit. Quand on s'est défait de ce préjugé, on voit les choses tout autrement.

Il est impossible de ne pas sentir, en outre, une dramatique différence de ton entre les poésies de 1826-1827 et celles de 1830-1831. Les pensées qui inspiraient les premières étaient douloureuses : effondrement de la France révolutionnaire et impériale, humiliation du pays, retour offensif du passé ; mais elles étaient toniques, en ce qu'elles supposaient une communion nationale autour du poète, dans les épreuves et l'espérance d'une prochaine réparation. La position est tout autre après Juillet. Le règne du Juste-Milieu semble moins caduc que le précédent ; il est là pour un temps indéfini. Or les hommes qui avaient mûri dans le cours de la Restauration avaient leur jeunesse derrière eux en 1830 ; ils connaissaient le poids des choses, et pouvaient s'accommoder au nouveau pouvoir comme à un moindre mal, quitte à surveiller sa marche : c'est le cas, en somme, des aînés de la génération romantique. Mais des jeunes gens de vingt ans, comme Gérard et ses amis, qui étaient sortis de l'adolescence dans les dernières années du règne des Bourbons, au moment où renaissaient l'extrême impatience et l'espérance illimitée, virent les cieux s'ouvrir en Juillet ; tel Nerval, au temps des barricades :

> *Ô ! nuit d'indépendance, et de gloire, et de fête !*
> *Rien au-dessus de nous ! pas un gouvernement*
> *N'osait encor montrer la tête !*
> *Comme on se sentait fort dans un pareil moment !*
> *Que de gloire ! que d'espérance !*
> *On était d'une taille immense,*
> *Et l'on respirait largement* [2] *!*

En août, il chante encore le Peuple comme le nouveau héros des destinées humaines [3]. Mais, dans *Les Doctrinaires*, vers la fin de l'année, ce qui concerne l'actualité est déjà plus sombre ; il traite les adeptes de la Doctrine, libéraux modérés,

1. Voir *Pl. I*, pp. XXXV-XXXVI, et des explications sur l'histoire de cette liste, *ibid.*, p. 1214.
2. Souvenir du 28 juillet 1830, dans le poème des *Doctrinaires*.
3. *Le Peuple*, août 1830 ; dans les sections successives de ce poème, Nerval célèbre l'un après l'autre tous les attributs de son héros collectif, «son nom»,

parrains et soutiens du nouveau roi, avec le même mépris et la même colère que les gouvernants de la Restauration ; bien plus, passant du libéralisme commun au républicanisme humanitaire, il exhorte Hugo à exclure de ses chants l'Empereur despote et sa gloire, qu'il avait lui-même célébrés quelques années avant :

> *Mais chante-nous un hymne universel, immense,*
> *[...] Hymne national pour toute nation.*

Enfin, en mars 1831, le timide Gérard lance de violents anathèmes à tout le monde politique :

> *[...] La gloire de la France est enterrée au Louvre*
> *Avec les martyrs de juillet !...*
> *Une vieille hideuse à nos yeux l'a tuée,*
> *Vieille à l'œil faux, aux pas tortus,*
> *La Politique enfin, cette prostituée*
> *De tous les trônes absolus !*
>
> *Oh ! que de courtisans s'empressent autour d'elle !*
> *Jeunes et vieux, petits et grands,*
> *Inamovible cour à tous les rois fidèle,*
> *Fouillis de dix gouvernements ;*
> *Avocats, professeurs à la parole douce,*
> *Mannequins usés aux genoux,*
> *Tout cela vole et rampe, et fourmille, et se pousse,*
> *Tout cela pue autour de nous !...*
>
> *C'est pourquoi nous pleurons nos rêves poétiques,*
> *Notre avenir découronné [...].*

Ce poème, qui développait d'abord un appel chimérique à une croisade militaire française à travers toute l'Europe, s'achève sur ce distique désabusé :

> *Liberté de juillet ! femme au buste divin*
> *Et dont le corps finit en queue* [1] *!*

« sa gloire », « sa force », etc. Ce poème triomphal est le premier de la nouvelle veine d'inspiration politique de Nerval après Juillet.

1. *En avant marche !* Ce titre martial évoque bien une expédition libératrice en Europe : pur sursaut d'imagination, auquel succède, comme on a vu, l'aveu d'un « avenir découronné ».

Dans ces nouveaux poèmes, l'émotion patriotique des élégies antérieures est singulièrement transfigurée : c'est ici la douleur de voir le réel mettre en déroute l'idéal, de se sentir seul au sein d'une nation dont on mesure l'indifférence. Le style même de ces poèmes en est tout transformé. Qui voudra bien les lire ou les relire constatera que Nerval a dépouillé alors ses habitudes antérieures d'expression, toutes néo-classiques ; il parle en moderne pour dire une situation nouvelle et un mal nouveau.

Moins de deux mois après *En avant marche!* parut un poème signé « M. Personne [1] », où s'exprime un désaveu furieux de toute croyance et de toute appartenance politiques, et un dégoût absolu de la société, longuement décrite comme un « marais fétide » et grouillant :

> *Cette perception m'est seulement venue*
> *Depuis sept ou huit mois que j'ai vu toute nue*
> *L'allure des partis, et sur cet autre point*
> *Des croyances; que j'ai connu qu'il n'en est point*
> *De bonne ni n'en fut [...]*
> *J'ai fait ce que j'ai pu pour qu'errant au hasard*
> *Mon âme autour de moi s'attachât quelque part;*
> *Mais comme la colombe hors de l'arche envoyée,*
> *Elle m'est revenue à chaque fois mouillée,*
> *Traînant l'aile, sentant ses forces s'épuiser,*
> *Et n'ayant pu trouver au monde où se poser!*

On a attribué d'abord ce poème à Gautier, puis plutôt à Nerval, sur la foi de Pétrus Borel qui en reproduit un passage dans son *Champavert* en le signant « Gérard ». On voit que Nerval, dans la grande déception que fut 1830 pour lui et ses amis, a pu être violent. La *Profession de foi* marque l'aboutissement de cette violence : rejet furieux et désarroi profond [2].

---

1. *Poésie extra-romantique. Profession de foi*, poème paru dans *Le Mercure de France au dix-neuvième siècle* du 7 mai 1831. Voir sur ce sujet *Le Sacre de l'écrivain*, pp. 448 et 449 et les notes 101 à 104.

2. L'anonymat s'explique assez par le caractère excessif du poème. Quant à la question d'attribution, elle est tranchée depuis l'édition du *Champavert* de Borel par Jean-Luc Steinmetz (Paris, 1985). On peut y trouver, (voir Avertissement au début du volume, et p. 269) la référence à un manuscrit de Nerval, qui ne laisse pas douter qu'il soit l'auteur de la *Profession de foi*. — La citation de Gérard par Borel se trouve p. 194.

Quelle importance attribuer, dans l'histoire morale de Nerval, à cette évidente secousse de 1830 ? Dans quelle mesure en a-t-il été marqué, dans sa vie et dans sa pensée ? Son ami O'Neddy rapporte qu'il n'aimait pas qu'on lût ses poésies nationales et napoléoniennes, et qu'il déclarait tout le premier que c'était du « poncif »[1]. Philothée est-il bon témoin, après plus de trente ans ? Le Projet d'œuvres complètes, sorte de testament littéraire de Nerval, semble le contredire. Il est vrai que Gérard n'a jamais rien fait pour publier de nouveau ces poésies ; mais les illusions perdues blessent la mémoire, et on les renie volontiers. On dira aussi que les colères et les déceptions abondent dans la littérature des lendemains de Juillet, mais que beaucoup n'y songeaient plus quelques années après, et que Nerval pourrait être de ceux-là. Mais lui-même met en relation, dans son poème, la déception politique et cet éloignement du monde réel qui deviendra son caractère permanent. On dira enfin : il était naturellement porté au rêve, non à l'action, c'est pourquoi il s'en est dégoûté si vite. Il reste qu'il nous a fait savoir lui-même qu'il n'a pas désespéré de la réalité sans douleur ; et dans le rêve où il s'est réfugié, cette douleur survit.

Débuts romantiques

Nerval, aux premiers temps de son enthousiasme citoyen, était, comme on sait, fort hostile au romantisme, en pratique — son style l'atteste — comme en doctrine. Il en est ainsi jusqu'en 1830-1831[2]. Il était pourtant de ceux qui, parmi les écrivains libéraux, hostiles aux aspects chrétiens et monarchiques du romantisme naissant, s'intéressaient à la littérature étrangère, à la poésie allemande surtout, ce qui n'indique pas un classicisme outrancier : il avait traduit dès 1827 le *Faust* de Goethe ; en février 1830, il publia un recueil de *Poésies allemandes* traduites en français[3]. Son intérêt pour la poésie française

1. Philothée O'Neddy, *Lettre inédite...*, Paris, 1875, p. 10 : cette lettre, datée du 23 septembre 1862, est publiée par Asselineau.
2. Voir Claude Pichois, *Gérard en 1830*, dans *Romantisme*, n° 39, 1983, pp. 170-171.
3. *Poésies allemandes. Klopstock, Goethe, Schiller, Bürger*, morceaux choisis et traduits par Gérard, Paris, 1830. L'intérêt de Nerval pour la poésie allemande devait durer toute sa vie. En 1840, nouveau recueil de traductions (*Faust*, une partie

du xvie siècle est un symptôme analogue d'ouverture littéraire : en octobre 1830, paraissait de lui un *Choix* de poésies
de cette époque[1]. La même année, il avait fait la connaissance de Hugo et pris part à la bataille d'*Hernani*. Enfin, vers
le même temps, il abandonna en poésie lyrique et «fugitive»
le style néo-classique de ses premiers essais pour l'allure plus
directe et plus imagée de l'élocution romantique en ce genre.
La douzaine de pièces de ce type qu'il publia entre 1830 et 1835,
souvent qualifiées «odelettes» dès leur publication, furent pour
la plupart recueillies par lui sous ce titre, vingt ans après, dans
ses feuilletons de *La Bohême galante* et dans son volume des *Petits
Châteaux de Bohême*[2]. Il a écrit ou publié, encore après 1835,
quelques poèmes d'un genre plus ou moins voisin. Cette première production critique et poétique, malgré tout ce qu'elle
peut laisser entrevoir çà et là de son charme et de son génie
à venir, est d'un intérêt mineur et aurait couru grand risque
d'être oubliée si Nerval ne s'était, depuis, signalé autrement;
on ne peut dire qu'elle tranche bien vivement sur les productions de cette époque féconde en nouveautés et en séductions
littéraires. Si l'on veut s'en tenir à ce qui met Nerval hors de
pair, il ne faut s'arrêter, jusqu'en 1840, qu'à quelques écrits
vraiment annonciateurs qui se signalent à nous avec force.

---

du second *Faust*, une collection augmentée de poètes lyriques). Entre-temps, l'Allemagne était devenue pour lui un symbole d'authenticité spirituelle : c'était «la
vieille Allemagne, notre mère à tous!» (*Lorely*, chap. «Strasbourg», *Pl. I*, p. 743).
De 1840 à 1848, il fut l'ami et le traducteur de Heine (voir la *Revue des Deux
Mondes*, 15 juillet et 15 septembre 1848).
  1. *Choix des poésies de Ronsard, Dubellay, Baïf, Belleau, Dubartas, Chassignet, Des-
portes, Régnier*, précédé d'une introduction par M. Gérard.
  2. *La Bohême galante*, chap. VII (feuilleton du 1er décembre 1852 dans *L'Artiste*);
Petits Châteaux de Bohême, Paris, 1852, «Premier château», V.

II

PRÉCURSEUR DE LUI-MÊME?

Pour choisir ces écrits de façon valable, il convient d'abord d'être sûr qu'ils sont de Nerval, et exclure la masse des textes que la critique lui a attribués sur des indices parfois légers, qu'ils fussent anonymes ou signés — croyait-on — d'un pseudonyme qui le cachait. Un sérieux travail de déblayage a, ces derniers temps, dégagé notre terrain d'études[1]. Nous n'envisageons ici que les écrits dont la paternité nervalienne est certaine ou très fortement probable, et c'est parmi eux que nous essayons de distinguer le petit nombre de ceux qui sont significatifs en tant qu'ils annoncent ou éclairent le futur Nerval. Ici aussi la critique a souvent péché par entraînement et faveur préconçue, décelant et admirant comme «nervalien» ce qui ne méritait pas tant d'honneur : motifs particuliers ou éléments d'affabulation aussi fréquents chez les contemporains de Nerval que chez lui, et qui même chez lui ne peuvent être jugés d'une valeur égale dans n'importe laquelle de leurs formes diverses[2]. Essayons de signaler l'essentiel[3].

---

1. Voir Michel Brix, *op. cit.*, *passim*; et *Pl. I*, *G.-P.*, Préface, Introduction et Notes, *passim*.

2. Comme ouvrages constitués, nous négligeons *Le Prince des sots*, d'attribution fortement douteuse, et au surplus de peu d'intérêt dans son contenu; et parmi les œuvres authentiques, *La Main de gloire, histoire macaronique*, plus connue sous le titre de *La Main enchantée*, chef-d'œuvre en son genre, mais œuvre secondaire; et la plupart des *Odelettes*, exquises souvent, mais très en deçà du Nerval futur. — Pour *Émilie*, voir ci-dessous, p. 237, note 1.

3. Je laisse de côté les Lettres d'amour, qui peuvent bien avoir été écrites, au moins en partie, avant 1840, mais dont nous devons parler plus loin.

« Le Bonheur de la maison »

Le premier en date des textes qui retiennent notre attention est à la vérité l'un des plus impressionnants : ce sont six lignes seulement, qui surgissent au sein d'un texte moins digne de remarque. Il a été publié par Gérard en 1831 comme étant traduit de Jean-Paul Richter ; mais, à la différence des deux autres morceaux du même auteur traduits et publiés par lui en 1830, celui-ci, qu'il intitule *Le Bonheur de la maison*[1], ne se trouve ni parmi les écrits de cet auteur, ni, autant évidemment qu'on puisse l'affirmer, parmi ceux d'aucun autre écrivain allemand : d'où la tentation, bien légitime, d'attribuer ces pages à Nerval lui-même, si quelque chose dans leur texte s'y prête. On peut trouver ou ne pas trouver que l'affabulation du *Bonheur de la maison* rappelle significativement la biographie de Nerval ; on peut douter que le type de Maria, son héroïne, soit vraiment celui des jeunes filles de Nerval ; la résistance que cette idéale bien-aimée oppose aux mœurs frivoles et plates de ses compagnes de pensionnat est décrite en ces termes peu nervaliens : « Rien n'y fit, car elle avait été coulée d'un seul jet, c'était une nature cubique et complète à qui l'on ne pouvait rien ajouter sans produire une loupe ou une gibbosité, une nature pleine de sève et d'énergie, ayant surabondance et luxe d'animation, déversant son trop-plein en sympathies ardentes et passionnées[2]. » Mais on ne peut nier l'accent assez nervalien de certains passages, celui surtout où le narrateur se désole en retrouvant la maison sans celle qui en était l'âme : « Qu'y faire ?

1. *Le Bonheur de la maison*, par J.-P. Richter. *Maria*, fragment (au bas du texte : « Traduit par Gérard ») a paru dans *Le Mercure de France au dix-neuvième siècle*, t. XXXIII (1831), p. 198 et suiv. — Sur la paternité probable de Nerval, voir C. Pichois, *L'Image de Jean-Paul Richter dans les lettres françaises*, Paris, 1963, pp. 144-145 ; et, du même auteur, *Gérard traducteur de Jean-Paul* (texte et analyse détaillée du *Bonheur de la maison*), dans *Études germaniques*, 1963, pp. 98-113. Il y a deux bons arguments « externes » en faveur de l'attribution à Nerval : dans la collection de pièces traduites de l'allemand que Gérard a jointes à son édition des *Deux Faust* en 1840, *Le Bonheur de la maison* ne figure pas avec ses deux autres traductions de Jean-Paul ; en second lieu, *L'Âme de la maison*, nouvelle de Gautier (1839), est une autre version du *Bonheur de la maison* de Nerval, et en reproduit de longs passages : ce partage entre deux littérateurs amis suggère qu'ils ont mis tous deux la main à cet ouvrage ; Gautier ne dit mot de Richter. Signalons que les passages les plus nervaliens se trouvent exclusivement chez Gérard.
2. *Le Bonheur de la maison* (publication citée, 1831), p. 202.

se résigner; cacher au fond de soi, comme au fond d'un sanctuaire, sa douleur incommensurable; environner son âme d'un
fossé, couper le monde à l'entour, et, comme l'archange
tombé, ramener ses ailes sur ses yeux de peur que les autres
ne se prennent à rire en vous voyant pleurer[1].» Une
impression ne vaut pas une certitude : mais que dire de
l'expression curieuse que l'auteur emploie à l'endroit où le
narrateur tombe amoureux de Maria? «Je me mis à l'aimer,
dit-il, de toutes mes forces, et à serrer ma vie afin de faire
tenir une année dans un jour[2].» Or il se trouve que Nerval a employé deux fois, en 1840 et en 1854, une expression
semblable (siècles réduits en heures, heures en minutes) pour
figurer, dans la transgression du temps, une sorte d'évasion
du réel[3].

«Le Point noir»

À la fin de 1831, un poème paraît, signé de Nerval; cette
signature surprend, vu que ce poème versifie avec fidélité
un texte en prose publié l'année précédente par Nerval lui-
même comme étant la traduction d'un sonnet de Bürger[4].
Intitulé *Le Soleil et la Gloire*, il affecte la forme extérieure
d'une «terza rima», quoique la disposition des rimes
démente cette forme[5]. Nerval jugerait-il que le fait d'avoir
versifié à sa façon sa traduction et de lui avoir donné un
titre à lui l'autorise à s'attribuer la paternité de ce poème?
Cette question fait place à une autre, si, souhaitant comparer le poème français à sa source allemande, on cherche
le «Sonnet» original parmi les poésies de Bürger, et qu'on
n'arrive pas à l'y trouver. Le soupçon naît alors d'un cas
analogue à celui du *Bonheur de la maison*, prétendument tra-

1. *Ibid.*, p. 203.
2. *Ibid.*, p. 200.
3. Voir ci-dessous, pp. 250 et 251.
4. Dans le recueil de *Poésies allemandes*, Paris, 1830, p. 239; cette traduction
en prose est reproduite dans *Pl. I*, aux Notes sur *Le Point noir* (autre titre du
poème de Nerval).
5. Le poème a paru dans *Le Cabinet de lecture* du 4 décembre 1831, avec la
signature «Gérard»; pas un mot de Bürger ni d'aucune source allemande; 4
tercets : en fait, deux sixains AAB CCB[12]; seules la typographie et la syntaxe
suggèrent des tercets; en tout cas, rien d'un sonnet.

duit de Jean-Paul Richter et introuvable dans ses œuvres[1].
Voici le poème :

> *Quiconque a regardé le soleil fixement*
> *Croit voir devant ses yeux voler obstinément*
> *Autour de lui, dans l'air, une tache livide.*
>
> *Aussi, tout jeune encore et plus audacieux,*
> *Sur la gloire un instant j'osai fixer les yeux :*
> *Un point noir est resté dans mon regard avide.*
>
> *Depuis, mêlée à tout comme un signe de deuil,*
> *Partout, sur quelque endroit que s'arrête mon œil,*
> *Je la vois se poser aussi, la tache noire !*
>
> *Quoi, toujours ? Entre moi sans cesse et le bonheur !*
> *Oh ! c'est que l'aigle seul, — malheur à nous, malheur ! —*
> *Contemple impunément le Soleil et la Gloire.*

Le Soleil et la Gloire serait donc tout simplement l'œuvre de Nerval[2] ? Le poème frappe surtout par la force du symbole central, qui figure l'impossibilité de la gloire par une atteinte à la vision, une tache noire obsédant la vue[3]. De quelle sorte de gloire s'agit-il ? Les *Élégies nationales* de 1827 célébraient la gloire selon l'esprit de la Révolution : gloire des armes victorieuses,

---

1. Voir ci-dessus, p. 229.

2. J'ai consulté en vain, sans rien y trouver qui rappelle ce poème, plusieurs éditions allemandes, parues de 1789 à 1894, des *Poésies* de Bürger. Je tiens à remercier ici mon collègue et ami Claude Pichois, qui a bien voulu ajouter, comme germaniste et nervalien, ses recherches aux miennes, et n'a pu qu'en confirmer le résultat négatif. — Nerval a traduit en prose un autre sonnet, celui-là vraiment de Bürger (*Poésies allemandes*, p. 237), sous le titre «Sonnet composé par Bürger après la mort de sa seconde femme»; on en retrouve sans peine l'original dans les éditions allemandes sous le titre *Liebe ohne Heimat*; tous les sonnets de Bürger ont en allemand leur titre particulier, comme celui-là, mais *Le Soleil et la Gloire* n'en a aucun dans la prose française où Nerval l'a d'abord publié; il n'a pris son titre qu'une fois mis en vers. Autre remarque : dans l'édition française des deux *Faust* (1840), que Nerval accompagna d'une réédition augmentée de ses *Poésies allemandes*, manquent seuls les deux poèmes précédemment publiés sous le nom de Bürger; on ne les revit qu'en 1868 dans l'édition posthume des *Œuvres* chez Michel Lévy.

3. On comprend que Nerval ait voulu donner au poème, en 1852, le titre fortement significatif tiré de ce symbole.

de l'émancipation civique, des œuvres du génie, du progrès humanitaire ; naturellement, après Waterloo, l'hymne à la gloire est souvent désenchanté. L'étoile des braves est tombée, et les peuples comme les esprits vont à l'esclavage, la gloire semble mentir ; parlant à la symbolique étoile, Nerval se désole :

> *Car, depuis ta chute profonde,*
> *Notre vie est un poids impur,*
> *Et le destin promis au monde*
> *Pâlit dans un lointain obscur* [1].

L'amour, autre grand thème lyrique, est traité de même. Dans l'*Élégie* que, seule des poèmes de cette première époque, Nerval a fait reproduire dans ses « Odelettes » de 1852, il concluait sur les deux thèmes conjoints un poème dédié en principe au seul amour :

> *Gloire ! amour ! vous eûtes mon cœur :*
> *Ô Gloire ! tu n'es qu'un mensonge ;*
> *Amour ! tu n'es point le bonheur* [2] *!*

C'est sans doute d'un tel état d'esprit qu'est né, à un niveau plus haut d'expression poétique, *Le Soleil et la Gloire*, mieux intitulé finalement *Le Point noir*. Il serait vain de demander si c'est la gloire républicaine ou celle du génie poétique qui y font l'objet du regret de l'auteur ; car en 1831, pour Gérard et ses pareils, la chute des espérances de progrès humain et ce qu'on appellera bientôt le *guignon* du poète condamné à l'insuccès forment un tout.

C'est à cette totalité de la déception qu'il donne pour symbole une altération du champ visuel ; c'est le Bonheur entier que, sous le nom de la gloire ou de tout autre accomplissement particulier, lui interdit le Point noir. Il le dit expressément lui-même :

> *Quoi, toujours ? Entre moi sans cesse et le bonheur !*

---

1. *Ode à l'étoile de la Légion d'honneur*, dans *Élégies nationales*, p. 76 (*Pl. I*, *G.-P.*, p. 192). Voir aussi *La Gloire*, long poème en alexandrins, *ibid.*, p. 65, qui hésite plusieurs fois entre l'enthousiasme et la négation.
2. *Élégie*, *ibid.*, p. 79, derniers vers (*Pl.I*, *G.-P.*, p. 195) ; ils manquent dans la version de 1852.

Cette formule reprend curieusement celle qu'on lisait dans l'*Élégie* de 1827, lorsqu'il se plaint qu'un amour sans espoir lui soit seul resté :

> *Il est resté comme un abîme*
> *Entre ma vie et le bonheur*[1].

Peut-être est-ce pour sauver ces deux vers qu'il a voulu conserver quelque chose de l'*Élégie* ; leur parenté avec le vers du *Point noir* cité plus haut est un argument de plus en faveur de l'attribution à Nerval de ce dernier poème. Ce qu'on trouve de plus frappant dans la Tache noire choisie comme signe d'insurmontable échec, c'est qu'elle procède de la Gloire elle-même, Soleil aveuglant. On a déjà, dans un tel symbole, la pensée implicite de l'Idéal cruel ou punisseur, plus tard explicite chez Baudelaire et Mallarmé ; noter le « j'osai » au vers 5 du poème : le poète a été châtié, suggère-t-il, de son audace[2]. *Le Point noir* doit donc être mis au rang des poèmes qui disent cette infortune essentielle dont le romantisme désenchanté a voulu faire sa loi. On peut dire qu'un tel poème, dès les lendemains de 1830, situe Nerval, non seulement comme précurseur de lui-même, mais des générations qui le suivront.

« Fantaisie »

On connaît davantage *Fantaisie*, qui est presque du même temps[3]. Cette pièce d'anthologie, vite fameuse et souvent reproduite du vivant de Nerval, fait apparaître pour la première fois, sous une forme difficilement oubliable, un groupe de motifs qui reparaîtront chez lui. Le lecteur aura sans doute plaisir à retrouver ici ce poème :

---

1. *Élégie*, vers 9 et 10, conservés dans le texte publié en 1852.
2. Exemples analogues : chez Baudelaire, *Plaintes d'un Icare* : le Soleil châtie qui a prétendu s'approcher de lui ; chez Mallarmé, *L'Azur* : l'éclat du ciel bleu bafoue le poète impuissant.
3. *Fantaisie*, paru dans *Les Annales romantiques* de 1832 comme « odelette », fut reproduit sept fois de 1833 à 1849 (voir BRIX, *op. cit.*, *passim*), et repris, naturellement, en 1852 dans *La Bohême galante* et *Petits Châteaux de Bohême*, (*Pl. I*, *G.-P.*, p. 339).

Il est un air pour qui je donnerais
Tout Rossini, tout Mozart et tout Wèbre,
Un air très vieux, languissant et funèbre,
Qui pour moi seul a des charmes secrets.

Or, chaque fois que je viens à l'entendre,
De deux cents ans mon âme rajeunit...
C'est sous Louis XIII — et je crois voir s'étendre
Un coteau vert, que le couchant jaunit;

Puis un château de brique à coins de pierre,
Aux vitraux teints de rougeâtres couleurs,
Ceint de grands parcs, avec une rivière
Baignant ses pieds, qui coule entre des fleurs;

Puis une dame, à sa haute fenêtre,
Blonde aux yeux noirs, en ses habits anciens,
Que, dans une autre existence peut-être,
J'ai déjà vue et dont je me souviens!

Gérard a employé ici le décasyllabe de coupe française (6 + 4), si prisé, jusqu'au XVIᵉ siècle, et qui depuis ne s'était guère employé, à l'époque classique, qu'avec une intention « marotique ». Ce vers donne à *Fantaisie* un air suranné, au sens nostalgique où le symbolisme affectionnera ce mot. Le château de brique et de pierre, les vitraux teints par le couchant, la dame blonde aux yeux noirs hantèrent, peut-on dire, l'imagination de Nerval [1]. Mais c'est surtout la réminiscence fabuleuse, provoquée par un air de musique, et l'existence antérieure supposée, cette magique distance prise avec le présent, qui semblent annoncer ce que Nerval deviendra. Remarquons seulement que le charme de *Fantaisie* tient, non à cette évasion hors du monde réel, qui fut ensuite la tentation périlleuse de Nerval, mais au simple jeu que le poème permet de vivre sans risque entre une rêverie imaginaire et une problématique mémoire. Le récit

1. Il semble avoir communiqué ces imaginations à Gautier, qui en fit un grand usage : voir, sur ce sujet, Georges POULET, *Nerval, Gautier et le type biondo e grassotto*, dans les *Cahiers de l'Association internationale des études françaises*, nº 18, mars 1966, p. 189 et suiv. : étude reprise et amplifiée dans *Trois essais de mythologie romantique*, Paris, 1966, pp. 83-134, sous le titre *Nerval, Gautier et la blonde aux yeux noirs*.

affecte dès le début l'allure d'une confidence précise que nulle association ni symbole n'approfondit. Le titre même invite à lire le poème comme une «fantaisie», bercée par l'inégalité réglée du décasyllabe et le retour des rimes ; le titre *Vision*, donné en 1842 à une reproduction du poème, paraît outrepasser son texte. Il n'y a ici ni inquiétude explicite, ni quête spirituelle. Ce beau poème vibre aux frontières de ce que sera l'univers de Nerval et ne les franchit pas.

« *Les Cydalises* »

Voici un dernier poème, que son titre et son style rattachent à la même époque : *Les Cydalises* sont la chanson des bien-aimées mortes. Gérard leur donne à toutes le nom de la Cydalise, qu'il connut en 1835, au temps où il logeait, avec son ami le peintre Camille Rogier, dans le mémorable appartement de l'impasse du Doyenné, à proximité du Carrousel, et Théophile Gautier non loin d'eux. Une brillante bohème des deux sexes illustra ce lieu. L'identité de la Cydalise est restée jusqu'ici inconnue[1]. C'était, à ce que nous savons, une jeune femme belle et touchante ; à la fois créature menacée et personnage de fête galante. Cydalise n'était pas son vrai nom, mais celui que lui avait donné Rogier. Elle mourut peu de mois plus tard, au printemps de 1836. Le poème a dû être composé quelques années après l'époque de ces réunions : c'est évidemment un poème du souvenir. Quand exactement ? avant 1840, ou plus près de 1852, date de sa première publication ? Nous ne savons[2]. Voici le poème :

1. On trouvera des renseignements sur la Cydalise et sur le groupe du Doyenné dans René Jasinski, *Les Années romantiques de Théophile Gautier*, Paris, 1929 (pp. 267-269 notamment : références à des textes de Houssaye et aux poèmes de Gautier qui célèbrent la Cydalise jusqu'en 1861) ; voir aussi la *Correspondance générale* de Gautier, éd. Claudine Lacoste-Vesseyre, Paris, t. I, 1985, lettres de mars 1843. — Nerval parle de la Cydalise en plusieurs endroits de *La Bohême galante* et des *Petits Châteaux de Bohême* (1852) en rappelant ses souvenirs du Doyenné, mais il emploie parfois le nom au pluriel, «les Cydalises», pour désigner ses pareilles ; et aussi au singulier pour désigner une autre d'entre elles, «ma Cydalise à moi, perdue»).

2. Le poème des *Cydalises* parut en 1852 dans *La Bohême galante* et les *Petits Châteaux de Bohême*.

Où sont nos amoureuses ?
Elles sont au tombeau !
Elles sont plus heureuses
Dans un séjour plus beau.

Elles sont près des anges
Dans le fond du ciel bleu,
Et chantent les louanges
De la mère de Dieu !

Ô blanche fiancée !
Ô jeune vierge en fleur !
Amante délaissée,
Que flétrit la douleur !...

L'Éternité profonde
Souriait dans vos yeux :
Flambeaux éteints du monde,
Rallumez-vous aux cieux !

Nerval dit de cette « odelette » : elle « est venue, malgré moi, sous forme de chant ; j'en avais trouvé en même temps les vers et la mélodie, que j'ai été obligé de faire noter et qui a été trouvée très concordante aux paroles [1] ». Encore un exemple où la musique et l'inspiration vont ensemble chez lui. Cette mélodie ne nous est malheureusement pas parvenue. Quant au poème, il force l'attention, en raison de l'importance qu'a fini par acquérir chez Nerval la pensée de l'Aimée morte et céleste. Mais elle est revêtue ici d'un style de dévotion conventionnel assez peu convaincant, surtout dans les deux premiers quatrains ; le troisième passe inopinément de la bien-aimée à la femme abandonnée et martyre ; le quatrième, reprenant le thème essentiel, sauve le poème. Ce thème était fort répandu depuis l'Elvire de Lamartine. Nerval y a mis une indiscutable émotion par le souvenir, le deuil, la jeunesse perdue. Si quelqu'un y trouve un pressentiment d'*Aurélia*, qui aura le cœur de le contredire ?

---

1. Nerval ne savait pas la musique et ne pouvait noter lui-même un air ; mais il était très amateur de mélodies populaires et pouvait en inventer ou en adapter une.

« Corilla »

En 1839, Nerval publia plusieurs ouvrages de fiction. En juin parut une nouvelle, *Émilie*[1], écrite en collaboration avec Maquet, et dont le caractère prétendu nervalien semble des plus problématiques ; nous ne voyons rien à en dire ici, quoique Nerval l'ait reproduite dans ses *Filles du feu*. En août de la même année, Nerval publia sa *Corilla*, sorte de comédie qu'il intitulait alors *Les Deux Rendez-vous*[2]. On s'est intéressé à cette pièce à cause d'un élément d'affabulation (deux femmes sosies) qui semblait se retrouver plus tard dans des œuvres majeures, comme *Octavie* et *Sylvie*. Ce rapprochement, à l'examen, apparaît comme illusoire. Ce qu'on voit dans ces deux nouvelles, c'est un homme (le narrateur identifié à Nerval) amoureux de deux femmes, étrangement identiques l'une à l'autre ; l'amant, dans *Octavie*, ne doute pas que ce soient deux femmes différentes ; leur ressemblance crée seulement pour lui une situation psychologique particulière, que le récit exploite ; dans *Sylvie*, l'amoureux en vient à se demander si les deux femmes semblables ne sont pas la même : le scénario est conçu de façon à permettre, au lieu d'une situation psychologique simplement difficile, l'éclosion d'un demi-délire. Ce thème et cette escalade sont bien, si l'on veut, « nervaliens ». Mais il n'y a rien de tel dans *Corilla*, quoiqu'il y soit question aussi de deux femmes identiques.

Nerval lui-même nous laisse entrevoir quelques éléments du scénario primitif de cette comédie : deux sœurs sosies, l'une cantatrice de l'Opéra-Comique, l'autre modeste fille de théâtre ; deux soupirants « sûrs chacun de leur rendez-vous » faisant le menu à la terrasse du même traiteur[3]. Essayons de

1. *Émilie* parut, sous le titre *Le Fort de Bitche*, dans *Le Messager* de juin 1839, signée G... On a retrouvé une note d'Auguste Maquet qui affirme : « J'ai encore écrit pour Gérard *Le Fort de Bitche* (voir *Pl. I*, aux Notes sur *Émilie*); — Le cas d'une autre nouvelle, *Jemmy*, qui parut dans *La Sylphide* en mars 1843, et fit elle aussi partie des *Filles du feu*, est encore plus clair : c'est, en fait, la traduction d'une nouvelle allemande.

2. Nerval publia *Les Deux Rendez-vous* dans *La Presse* des 15 et 16-17 août 1839 ; la pièce ne reçut son titre définitif de *Corilla* qu'en 1852 dans *Les Petits Châteaux de Bohême*, puis dans *Les Filles du feu*, où Nerval lui fit place. *Corilla* peut se lire dans *Pl. I*, pp. 305-323.

3. Ces renseignements nous sont donnés par Nerval dans sa lettre du 7 mars 1854 à Michel Carré. Nerval ajoute qu'il avait choisi, comme héroïnes supposées de cette intrigue les sœurs Colombe, jadis actrices de la Comédie-Italienne,

compléter ces données sommaires en nous aidant du scénario définitif de *Corilla*. Les deux soupirants rivaux (amoureux, peut-on supposer, de la sœur la plus brillante) ont obtenu, par l'entremise d'un quelconque fourbe de comédie, avide d'un double pourboire, le même rendez-vous en même temps avec la cantatrice. L'existence de la sœur sosie va permettre au pourvoyeur du double rendez-vous de se tirer d'affaire, en l'offrant frauduleusement à l'un des deux soupirants : c'est à quoi elle sert dans l'intrigue. L'histoire semble donc avoir été déjà, comme dans *Corilla*, celle de deux hommes, amoureux concurrents d'une *prima donna*, alors que, dans *Octavie* et *Sylvie*, il s'agit d'un seul homme à qui la tête tourne pour deux femmes à la fois, ce qui est tout autre chose. Et la ressemblance de deux femmes ne crée, dans cette première *Corilla*, nul vertige mental ; elle n'est que l'accessoire classique d'une intrigue de vaudeville. Dans la *Corilla* définitive, il n'y a pas trace non plus de l'amour d'un homme pour deux femmes ; il s'agit toujours de deux rivaux courtisant une cantatrice, désormais unique personnage féminin, dont Nerval a supprimé le sosie : il a, dit-il, abandonné «cette idée de ménechmes [1] féminins», car «il aurait fallu deux actrices se ressemblant», qu'il n'a pu trouver [2]. Et il a, naturellement, remanié l'intrigue en accord avec cette suppression. Le personnage qui donne aux deux soupirants le double et identique rendez-vous (c'est ici Mazetto, «garçon de théâtre»), ne disposant plus de la sœur sosie pour dénouer l'intrigue, combine un déguisement de la cantatrice en bouquetière : invention qui oblige Nerval à supposer la connivence de la *prima donna* et à situer les deux rencontres à des moments et dans des lieux différents.

Il n'y a donc rien à tirer, quant au Nerval profond, de l'intrigue de *Corilla*, et nous aurions pu nous dispenser de parler ici de cette comédie si elle ne se recommandait fortement à nous d'un autre point de vue : celui d'une représentation de l'amour qui restera celle de Nerval jusqu'au bout, dominant souverainement toute son expérience. Dans *Corilla*, le héros principal

---

sur lesquelles courait une anecdote de ce genre. Comment finissait cette premiè*re Corilla*? Par la satisfaction, j'imagine, des deux soupirants, contents chacun de sa chacune, comme dans un bon vaudeville.

1. *Les Ménechmes*, comédie de Plaute, mettent en scène deux frères jumeaux sans cesse pris l'un pour l'autre.

2. Voir la lettre déjà citée.

est un des deux amoureux, Fabio, poète sentimental et soupirant au plein sens du mot, image évidente de Nerval lui-même ; son rival, Marcelli, représente, face à lui, un type de mondain et de fat. Fabio est le seul des deux qui aime vraiment : il contemple chaque soir l'actrice sur scène, sans être seulement connu d'elle ; il désire ardemment son amour, tout en tremblant de l'obtenir [1] : «Un mot d'elle va réaliser mon rêve, ou le faire envoler pour toujours ! Ah ! j'ai peur de risquer ici plus que je ne puis gagner ; ma passion était grande et pure, et rasait le monde sans le toucher [...] ; la voici ramenée à la terre et contrainte à cheminer comme toutes les autres [2].» Cette philosophie va de pair avec sa conduite, soit qu'elle l'inspire ou qu'elle serve à la justifier ; il s'irrite sans révolte de se voir rejeté quand Corilla paraît en compagnie de Marcelli à l'heure du rendez-vous ; et quand elle nie le connaître ou avoir jamais communiqué avec lui, il se soumet aussitôt : «Rassurez-vous, Madame ! j'ai honte d'avoir fait cet éclat et d'avoir cédé à un premier mouvement de surprise. Vous m'accusez d'imposture, et votre belle bouche ne peut mentir. Vous l'avez dit, je suis fou, j'ai rêvé [3].» Et resté seul avec Mazetto, qui vient d'avouer à demi sa fraude : «Oh ! tu peux te retirer, va, pauvre diable si inventif, je ne maudis plus que ma mauvaise étoile [4], et je vais rêver le long de la mer à mon infortune, car je n'ai plus même l'énergie d'être furieux [5].» Voilà bien cet amour transi et idéal, qui mêle le désir, l'adoration et la peur du réel, et que nous retrouverons grandi et, si l'on peut dire, aggravé dans les «Lettres d'amour», dans *Sylvie*, dans *Aurélia*.

Et la bouquetière ? Quel rôle jouera-t-elle, alors que le problème du double rendez-vous semble dénoué ? Il l'a été par Mazetto, quand, requis par les deux hommes de s'expliquer, il a avoué sa fraude ; mais, voulant la diminuer, et ne pas

---

1. Il a déjà soudoyé Mazetto, qui lui a transmis le rendez-vous de Corilla ; d'où son émoi.

2. *Corilla*, 2ᵉ scène.

3. *Corilla*, 8ᵉ scène. Il est d'autant plus mortifié de voir qu'elle le rejette que, d'accord avec Mazetto, elle avait accepté de lui confirmer, en marchant près de lui dans la rue, leur rendez-vous sans laisser voir son visage (3ᵉ scène) ; elle en a fait autant avec Marcelli (voir ce qu'il dit, 6ᵉ scène). Le but de Corilla en tout cela — elle le dira au dénouement — est d'éprouver les deux hommes.

4. Variante primitive, meilleure, semble-t-il, que celle du texte («je ne maudis plus ma mauvaise étoile»).

5. *Corilla*, 10ᵉ scène.

mettre en cause la *prima donna*, il a prétendu que, pour satisfaire Fabio, il avait eu recours à une marchande de fleurs susceptible de figurer Corilla dans une rencontre nocturne[1].
Fabio, rendu à la solitude et à la mélancolie, voit en effet venir
à lui une bouquetière, plus ou moins ressemblante à Corilla,
mais sans qu'il y ait là pour lui aucun motif de trouble, puisqu'il
croit savoir qu'il a affaire à une fausse Corilla. S'il s'attendrit,
ce n'est nullement en apercevant une ressemblance, mais en
pensant aux deux sortes d'amour : l'amour idéal pour une
femme de théâtre, et l'amour pour une fille de village : ainsi
s'opposeront dans *Sylvie* l'actrice et la villageoise, Aurélie et
Sylvie : « Tu es, toi, dit-il à la bouquetière, la fleur sauvage
des champs ; mais qui pourrait se tromper entre vous deux ?
Tu me rappelles sans doute quelques-uns de ses traits, et ton
cœur vaut mieux que le sien, peut-être. Mais qui peut remplacer dans l'âme d'un amant la belle image qu'il s'est plu tous
les jours à parer d'un nouveau prestige ? Celle-là n'existe plus
en réalité sur la terre ; elle est gravée seulement au fond du
cœur fidèle, et nul ne pourra jamais rendre son impérissable
beauté[2]. » L'antithèse des deux amours est ici, comme on
voit, à peine indiquée ; c'est surtout un hymne à l'amour idéal
que nous entendons, à cet amour qui divinise immodérément
l'Aimée et, désastreusement, tend à la priver de réalité : qui
la tient pour une « belle image », parée des « prestiges[3] » dont
l'Amant lui-même la pare. Tel est pour Nerval le véritable,
l'unique et le terrible amour. *Corilla*, à sa date, nous l'apprend
déjà.

Corilla a un dénouement, après que Fabio a identifié la *prima
donna* dans la bouquetière et, tombant à ses genoux, a célébré
humblement sa divinité[4]. La dame, qui a organisé toute
l'intrigue, rend son verdict sur les deux soupirants :
« Pardonnez-moi, dit-elle, d'avoir été comédienne en amour
comme au théâtre, et de vous avoir mis à l'épreuve tous deux.
Maintenant, je vous l'avouerai, je ne sais trop si aucun de vous
m'aime, et j'ai besoin de vous connaître davantage. Le seigneur

1. *Corilla*, 9ᵉ scène.
2. *Corilla*, 12ᵉ scène.
3. « Prestige », éclat irréel, voire mensonger.
4. « Vous êtes une déesse véritable, et vous allez vous envoler ! Mon Dieu !
qu'ai-je à répondre à tant de bontés ? je suis indigne de vous aimer, pour ne
vous point avoir d'abord reconnue ! »

Fabio n'adore en moi que l'actrice peut-être, et son amour a besoin de la distance et de la lampe allumée ; et vous, seigneur Marcelli, vous me paraissez vous aimer avant tout le monde, et vous émouvoir difficilement dans l'occasion. Vous êtes trop mondain, et lui trop poète [1]. » En ce qui concerne Fabio, on ne peut mieux dire. Nerval a pu s'entendre juger de même ; il fait rendre le même verdict contre lui à la comédienne Aurélie, dans *Sylvie*.

« Le Roi de Bicêtre »

En cette année 1839, parut une *Biographie singulière de Raoul Spifame, seigneur des Granges* : c'est la nouvelle qui, recueillie plus tard dans *Les Illuminés*, y porte pour titre définitif *Le Roi de Bicêtre*. Cependant, Maquet affirme qu'il a écrit aussi cette nouvelle pour Gérard, dont la part dans cette collaboration n'est pas précisée [2]. Ce qui nous oblige, malgré tout, à nous arrêter au *Roi de Bicêtre*, c'est son contenu : c'est l'histoire d'un fou qui se prit pour le roi. Or nous savons que Nerval, dans ses crises de folie, s'attribuait parfois une identité fabuleuse. Mais ce rapprochement a-t-il un sens ? La folie est une des ressources des conteurs romantiques, tout à fait indépendamment de leur état de santé mental. Nerval et Maquet empruntèrent leur idée du conte à des sources que nous connaissons [3]. Raoul Spifame a existé ; il était, sous Henri II, avocat au parlement de Paris ; il fut enfermé pour diverses incartades, et tenu pour fou ; il publia un recueil d'arrêts royaux prétendus, dont il était

---

1. *Corilla*, dernière scène.
2. La *Biographie singulière...* parut dans *La Presse* des 17 et 18 septembre 1839. — Dans la note déjà citée, Maquet affirme avoir « écrit pour Gérard, qui ne pouvait arriver à tenir ses engagements, Raoul Spitaine » *(sic)* ; le plan et le détail de l'action étaient-ils de Nerval ? Le récit, dans *La Presse*, est signé « Aloysius », pseudonyme que Nerval n'employa qu'une autre fois pour un article où son entière paternité est également problématique (voir Brix, *op. cit.*, p. 251 et suiv.). L'argument selon lequel il signa notre nouvelle de son nom dans *La Revue pittoresque* de décembre 1844 (sous le titre « Le Meilleur Roi de France »), puis le reproduisit dans ses *Illuminés*, ne tranche pas la question, quand on sait qu'il signa « Gérard de Nerval » et annexa aux *Filles du feu* la nouvelle intitulée *Jemmy*, qu'il avait traduite de l'allemand.
3. Voir Jean Céard, *Raoul Spifame, Roi de Bicêtre. Recherches sur un récit de Nerval*, dans *Études nervaliennes et romantiques*, III, Namur, 1981, p. 25 et suiv.

lui-même l'auteur. La nouvelle développe librement ces données : c'est ainsi qu'elle tient pour assuré que Spifame se croyait
le roi : les fous qui se prennent pour rois, papes ou empereurs
font aisément rire, et nos auteurs ont exploité brillamment cette
veine, avec un mélange de consternation et de comique. Spifame dans sa prison déploie, sous sa défroque et ses ornements
de pacotille, toute la majesté d'un roi. Bien plus, les auteurs
lui ont inventé un compagnon, un certain Vignet, poète, sorti
de leur imagination, aussi fou que lui, qui le révère comme
roi et se croit auprès de lui premier poète de cour et conseiller
intime : ils forment à eux deux un couple proprement inénarrable. Si tout se bornait là, la folie ne serait, dans *Le Roi de
Bicêtre*, que la pourvoyeuse d'un humour merveilleusement mis
en œuvre ; et les délires des deux compères ne nous appren-
draient rien de Nerval, sinon son talent de conteur. Mais il
y a dans le récit d'autres éléments encore plus étrangers à la
vérité historique, et surprenants.

Les auteurs ont imaginé une ressemblance physique entre
le fou et le roi, telle qu'il n'existe aucun moyen de les distinguer l'un de l'autre. Cette invention donne lieu à plusieurs
scènes saisissantes. La première est celle où le nouveau roi
vient assister à la rentrée du Parlement, et où Spifame, assis
à l'autre extrémité de la salle, et remarqué comme son sosie
par le roi qui ne le quitte pas des yeux, fait converger vers
lui les regards de toute l'assemblée. Le roi, nous est-il dit,
est effrayé par cette ressemblance en raison de la superstition
selon laquelle voir apparaître son double vêtu de noir (c'est
la tenue de Spifame) est un symptôme de mort prochaine. La
scène tourne court, mais elle va servir de point de départ à
la folie de Spifame ; les quolibets dont on l'accable comme
simili-monarque lui dérangent l'esprit ; sa conduite et sa raison s'altèrent, on l'enferme. Fou et prisonnier, il doit surmonter le redoutable combat de ses chimères royales et de sa
triste condition, ce à quoi il parvient par la succession du jour,
où il se voit roi persécuté par ses ennemis, et de la nuit, où
il exerce en rêve une magnificente royauté. Cette espèce
d'équilibre est gravement compromis quand Spifame dans sa
prison, passant devant un miroir, y voit son image et croit
voir le roi : scène admirable de mïmiques parallèles, et, pour
Spifame, de stupeur révérente et d'affreux désarroi ; il tend
la main, le roi tend la sienne, le miroir tombe sous le choc

avec un bruit terrible, et trois jours de fièvre s'ensuivent pour le malheureux.

Que s'est-il passé? La sérénité relative de son délire a été troublée par l'apparition, devant lui, de celui que lui-même croit être, et l'unité de son moi est cruellement divisée. Il y remédie la nuit suivante en ordonnant, comme roi, l'élargissement et l'élévation à une haute charge de Spifame. Suit l'entrée en scène de Vignet, et une reprise à deux du délire, orienté désormais vers une tentative d'évasion du roi indûment captif. L'évasion a lieu, et Spifame libre, étant parvenu dans le quartier des Halles, s'y proclame roi et s'y fait acclamer comme tel. Une autre scène dramatique, également inventée, a lieu ici. C'est le jour où Marie Stuart, épouse du dauphin François (le futur François II), fait son entrée solennelle à Paris en grand cortège royal et militaire ; voilà de nouveau le faux roi en présence du vrai, qui mène le cortège : «L'impression que produisit sur le pauvre fou l'aspect de Henri lui-même, lorsqu'il fut amené devant lui, fut si forte qu'il retomba aussitôt dans une de ses fièvres les plus furieuses, pendant laquelle il confondait comme autrefois ses deux existences de Henri et de Spifame, et ne pouvait s'y reconnaître, quoi qu'il fît[1]. » On aperçoit comment les auteurs de ce conte, ne pouvant se contenter de la ressource maigre et monocorde d'un délire, ont cherché à mettre ce délire en désarroi, et y ont réussi par une trouvaille de haute invention. À partir d'un dérangement mental riche surtout en effets comiques, ils ont fait surgir l'effroi panique du moi devant son double.

Le délire de grandeur et l'angoisse du double sont, bien sûr, deux thèmes nervaliens majeurs. Mais que peut-on en conclure ? Il faut, tout aussi bien, reconnaître que ces thèmes ont été utilisés dans le conte et dans le théâtre avant et après Nerval. La plupart des auteurs les utilisent sans prétendre les avoir vécus eux-mêmes autrement qu'en imagination et par la force de sympathie qui unit toute conscience à ce qui est humainement possible. On dira : ce n'en est pas moins Nerval qui a écrit *Le Roi de Bicêtre*[2], et qui utilise ici les mêmes matériaux qu'il utilisera ailleurs, même s'il en fait un usage différent ; ces matériaux reparaissant ici et là sont la substance de son œuvre, et

---

1. *Le Roi de Bicêtre*, V, «Le Marché», 3ᵉ § avant la fin.
2. Supposons-le admis tout à fait, pour la commodité de la discussion.

il faut le dire. C'est confondre les matériaux et l'œuvre : avec des matériaux analogues, *Le Roi de Bicêtre* est un conte fantastique réussi, *Aurélia* — pour aller à l'autre extrême — veut être une odyssée de salut. En passant de l'un à l'autre, Nerval, comme auteur, n'est plus le même. Il est à craindre qu'en voulant faire de l'un l'annonce de l'autre, on ne s'attache à une unité de données qui intéresse la psychanalyse ou la science des formes (sœurs l'une de l'autre à cet égard), mais non l'étude de la littérature, dont l'objet relève moins du domaine des organisations naturelles que de celui, riche en créations hétérogènes, des *intentions*. À quoi tend Nerval avec son Spifame ? Sûrement pas à nous faire vivre à travers son héros un problème qui le concerne ; bien plutôt à nous représenter une invention curieuse, à nous en faire ressentir le paradoxe et l'humour, par moments noir, sans se mêler lui-même à ce qu'il raconte. Pourquoi, dans ces conditions, imposer à l'auteur du *Roi de Bicêtre* une identification à son héros qui, loin d'être dite ou même suggérée par le texte, est contredite par lui ? Ce ne sera plus le cas quand, dix ou quinze ans plus tard, il abordera des thèmes voisins, en les rapportant expressément à sa personne. Littérairement, cette différence importe plus que toutes les ressemblances. Veut-on dire que le conte était un symptôme annonciateur — plus ou moins déguisé — de sa future maladie ? Qui pourtant aurait osé, ayant lu *Le Roi de Bicêtre*, prédire une maladie mentale à son auteur ? Pourquoi le faire après l'événement ? Et c'est à un psychiatre qu'il faudrait en référer pour trancher s'il le peut ce point de médecine, non de littérature [1]. Il le fera, nécessairement, de façon conjecturale. Et, quoi qu'il opine, il sera toujours arbitraire de vouloir tenir pour semblable ce qui, en tant que littérature, se propose avec un sens différent. Plus exactement ce serait, comme on l'a beaucoup fait de nos jours, et vainement, nier la littérature.

---

1. Un psychiatre au moins a examiné l'œuvre de Nerval en relation avec sa maladie, à la lumière d'une connaissance approfondie de cette œuvre et d'une sensibilité sympathique et exercée. Or, L.-H. Sébillotte ne fait aucun état, dans son vaste et minutieux examen, du *Roi de Bicêtre* ; il n'en dit mot dans les pages qu'il consacre précisément au thème du Double chez Nerval (*Le Secret de Gérard de Nerval*, Paris, 1948, p. 125 et suiv.), alors qu'il commente longuement d'autres parties des *Illuminés*. Serait-ce qu'il n'a pas trouvé dans Spifame une figuration vraie de la folie ? Le fait est que le Double royal de Nerval-Maquet n'a rien de commun avec le Double ennemi et agresseur d'*Aurélia* ; Henri II est un Double de conte de fées, débonnaire et bienfaiteur.

L'Introduction aux « Deux Faust »

En juillet 1840, Nerval fit paraître une réédition de sa traduction du *Faust* de Goethe, accompagnée d'une traduction par-
tielle du second Faust ; cet ensemble était précédé de l'*Introduction*
qui nous intéresse ici [1]. Ces pages nouvelles, en essayant
d'expliquer au lecteur français les étrangetés du second *Faust*,
se faisaient métaphysiques comme lui : car il ne s'agissait plus
seulement ici de la simple magie méphistophélique appliquée
au monde terrestre, mais des relations possibles de ce monde
avec l'autre. Faust va tenter de conquérir Hélène de Sparte
dans son éternité et de la ramener avec lui dans notre monde.
Pour le poète du second *Faust*, écrit Nerval, « comme pour Dieu
sans doute, rien ne finit ou du moins rien ne se transforme que
la matière, et les siècles écoulés se conservent tout entiers à l'état
d'intelligences et d'ombres, dans une suite de régions concentriques, étendues à l'entour du monde matériel. Là, ces fantômes accomplissent encore ou rêvent d'accomplir les actions qui
furent éclairées jadis par le soleil de la vie, et dans lesquelles
elles ont prouvé l'individualité de leur âme immortelle. Il serait
consolant de penser, en effet, que rien ne meurt de ce qui a
frappé l'intelligence, et que l'éternité conserve dans son sein
une sorte d'histoire universelle, visible par les yeux de l'âme,
synchronisme divin, qui nous ferait participer un jour à la
science de Celui qui voit d'un seul coup d'œil tout l'avenir et
tout le passé [2]. » Ce « rien ne meurt » annonce bien ce qui sera
un des soucis majeurs de Nerval. Plus précisément : « Hélène
et Pâris, les ombres que cherche Faust, sont quelque part errant
dans le *spectre* immense que leur siècle a laissé dans l'espace ;
elles marchent sous les portiques splendides et sous les ombra-
ges frais qu'elles rêvent encore, et se meuvent gravement, en
ruminant leur vie passée [3]. » En tout cela, Nerval est assez loin

---

1. *Faust, tragédie de Goethe, 3ᵉ édition, suivie du Second Faust,* Paris, 1840 ; il y
a une Introduction de XXII pages, qu'on appelle quelquefois « Préface de la
3ᵉ édition » de *Faust*. — Le second *Faust* n'est traduit dans ce volume que par
fragments plus ou moins vastes, reliés entre eux par des résumés des parties non
traduites. — Je cite d'après l'édition Baldensperger intitulée *Les Deux Faust de
Goethe,* Paris, 1932 (un des volumes de la collection des *Œuvres complètes* de Nerval publiée chez Champion : 6 volumes seulement parus).
2. Éd. Baldensperger (voir la note précédente), p. 228.
3. *Ibid.*, p. 233.

du spiritualisme ordinaire, et semble transmettre la pensée de Goethe.

En plusieurs passages du second *Faust* que Nerval, dans son recueil, a traduits *in extenso*, se trouve effectivement l'idée d'une survivance de ce qui n'est plus : «Réjouis-toi, dit Méphisto-phélès (en exhortant Faust à tenter son entreprise), au specta-cle du monde qui depuis longtemps n'est plus», et Faust lui-même s'écrie au moment du départ : «Ce qui a une fois été se meut là-bas dans son apparence et dans son éclat, car toute chose créée se dérobe tant qu'elle peut au néant[1].» L'exhortation de Méphistophélès s'accompagne d'un enseigne-ment mythologique assez particulier. Il apprend à Faust que le lieu où il doit aller est gouverné par des divinités qu'il appelle les Mères, «des déesses puissantes, qui trônent dans la soli-tude ; autour d'elles n'existe ni le lieu, ni encore moins le temps [...] ; des déesses inconnues à vous, mortels [...] ; il faut cher-cher leur demeure dans les profondeurs du vide [...] ; tu ver-ras les Mères, les unes assises, les autres allant et venant, comme cela est : forme, transformation, éternel entretien de l'esprit éternel ; elles ne te verront pas, car elles ne voient que les *êtres* qui ne sont pas nés[2]». Une fois arrivé dans les régions du vide, c'est elles que Faust invoque à son tour : «J'invoque votre nom, ô Mères qui régnez dans l'espace sans bornes [...][3].» Ce sont donc, en principe, ces divinités qui gouvernent toute l'action du drame.

Il n'est dit clairement nulle part, dans le cours de l'action, quelles sont les fonctions et la nature de ces déesses ; il nous faut seulement comprendre qu'elles président mythiquement à ce mouvement des figures sensibles au-delà de la vie. On peut toutefois s'étonner que Nerval, qui connaissait bien ces pages, puisqu'elles sont parmi celles qu'il a choisi de traduire, n'ait fait pourtant dans son Introduction qu'une allusion fugitive et anticipée aux Mères[4], et n'en dise mot quand il aborde le

1. *Ibid.*, p. 418 et 421 : traduction fidèle à l'original allemand pour l'essen-tiel du sens.
2. «Qui ne sont pas nés» ou qui sont déjà morts (comme Hélène et Pâris) ; autrement dit, tous ceux qui ne sont pas en vie.
3. *Ibid.*, pp. 414-421 ; toutes ces citations sont empruntées à des pages du second *Faust* (dialogue Méphistophélès-Faust et invocation de Faust aux Mères) que Nerval traduit également sur l'original.
4. «Comme Faust lui-même descendant vers les Mères, écrit-il, la muse du poète ne sait où poser le pied.» (*Ibid.*, p. 227.)

moment du départ de Faust : il peut sembler, vu le penchant qu'il était destiné à nourrir pour les formes féminines de la divinité, que ces Mères auraient dû l'intéresser davantage. Peut-être leur caractère vague et insolite lui semblait-il de nature à éloigner le lecteur français. Peut-être aussi l'inconsistance de ces figures le laissait-il lui-même insatisfait. On est enclin à le penser, quand on retrouve chez lui, quatre ans après, dans un récit de voyage, les Mères toutes différentes : êtres divins, supposés pleins de réalité et de puissance, et qui appellent l'adoration. Il en compte trois, et en célèbre une au moins, qu'il identifie à Vénus Uranie : « N'es-tu pas la source de tout amour et de toute noble ambition, la seconde des mères saintes qui trônent au centre du monde, gardant et protégeant les types éternels des formes créées contre le double effort de la mort qui les change, ou du néant qui les attire [1] ? » Le contraste est assez grand entre cette définition et celle que donnaient des Mères Méphistophélès et Faust lui-même ; Nerval, tout en admirant la conception de Goethe, a pu n'être pas séduit par ses déesses : elles sont comme des matrices universelles dans lesquelles ne se conservent en mouvement, par l'action de l'« esprit éternel », que des *images* ou des *ombres*, données pour telles et douées d'éternité avant comme après leur passage dans la vie réelle. Méphistophélès, comme on a vu dans sa conversation avec Faust, voit les déesses trônant « dans la solitude », « dans les profondeurs du vide [2] ». Faust n'espère et ne se promet autre chose de son entreprise que dans un élan passager : « Tu m'envoies dans le vide. [...] N'importe, [...] dans ton néant, j'espère, moi, trouver le grand tout [3]. » Mais plus loin,

---

1. *Voyage en Orient*, Introduction, chap. XII, dans une variante de la première publication (article du 30 juin 1844 dans *L'Artiste*, voir *Pl. II, G.-P.*, p. 1444).
2. Voir ci-dessus, p. 246, note 2 ; il répète quelques lignes plus loin des mots de « vide » et de « solitude », et dit encore : « Dans le vide éternel de ces profondeurs, tu ne verras plus rien, tu n'entendras point le mouvement de tes pieds, et tu ne trouveras rien de solide où te reposer par instants. » Méphistophélès est embarrassé pour définir le royaume des Mères, qui est proprement à la frontière de l'existence et du néant, comme l'image ou le reflet ; témoin son mot après la mort de Faust : « Ce qui est passé et le pur néant, n'est-ce pas la même chose ? [...] C'est comme si cela n'avait jamais été ! Et pourtant cela se meut dans une certaine région (*le texte dit* : "cela se pousse [se meut] en cercle"), comme si cela existait » (éd. Baldensperger, p. 495). C'est peut-être ce cercle (*Kreis*), non traduit ici, qui a suggéré à Nerval les « régions concentriques » de son Introduction.
3. *Les Deux Faust...*, éd. Baldensperger, p. 417 : refus de l'apparence, et référence panthéiste à l'être.

invoquant les Mères, il les représente lui aussi «la tête envi-
ronnée des images de la vie active, mais sans vie [1]. » Ainsi les
morts fabuleusement reparaissants de Goethe, s'ils ont bien le
mouvement qui leur donne le semblant de la vie, paraissent
mus plus magiquement que vitalement. On songe à ces scènes
d'un passé révolu ou d'une contrée lointaine que les magiciens
du théâtre baroque font voir à leurs consultants : à la fois vérité
offerte en spectacle, et mensonge qu'ils peuvent dissiper d'un
mot ; et on se demande si le second *Faust* n'est pas une reprise
splendidement moderne de cette tradition littéraire qui joue
à effacer la frontière du réel. Ce genre d'imagination était sans
doute indispensable pour rendre possible, hors des régions de
la foi, le rapt d'Hélène par Faust dans l'au-delà. La métaphysique qui s'y laisse entrevoir dans Goethe est-elle celle de Nerval ? C'est là l'important.

Dans l'invocation à Vénus Uranie citée plus haut, la déesse,
dite l'une des Mères, protège contre la mort ou le néant «les
types éternels des formes créées» ; elle est garante, en somme,
d'une ontologie platonicienne dont on ne voit guère de trace
dans le *Faust*. Mais l'Introduction de Nerval incline déjà dans
ce sens. Voulant rendre plausible le scénario de *Faust*, il écrit :
« S'il est vrai, comme la religion nous l'enseigne, qu'une partie
immortelle survive à l'être humain décomposé, si elle se
conserve indépendante et distincte, et ne va pas se fondre au
sein de l'âme universelle, il doit exister dans l'immensité des
régions ou des planètes où ces âmes conservent une forme
perceptible aux regards des autres âmes, et de celles mêmes
qui ne se dégagent des liens terrestres que pour un instant,
par le rêve, par le magnétisme, ou par la contemplation ascé-
tique [2]. » Il n'y a pour ainsi dire rien dans cette phrase qui
soit de Goethe. Passons sur l'espèce d'hommage à la religion,
aussitôt démenti par la supposition d'une «âme universelle» ;
si la «partie immortelle» qui survit au corps — et il n'hésite
pas à l'appeler «âme» — est un héritage indiscutable de Platon et du christianisme, il entend en user à sa façon. Les
régions et surtout les planètes où résident les âmes revêtues
d'*une* forme (nouvelle, apparemment) ressemblent peu au
vague «là-bas» de Goethe, et paraissent plutôt venir en droite

1. *Ibid.*, p. 421.
2. *Ibid.*, p. 232.

ligne des imaginations théosophico-philosophiques du XVIIIe siècle[1]. Le moyen de communiquer avec ces âmes bel et bien survivantes est de détacher pour un temps notre âme vivante de notre corps : façon de voir tout à fait traditionnelle en illuminisme ; et qu'on puisse y parvenir par les procédés indiqués, et surtout par le rêve, c'est chose dite avant Nerval, par Nodier en particulier, dont il n'ignorait pas l'œuvre et qui avait fait de ces recours une matière littéraire ; sa pensée suit ici cette route plutôt que celle de Goethe, et force nous est d'admettre que, s'il a respecté le sens de l'auteur de *Faust* en le traduisant, il avait lui aussi le sien ; une tradition puissante l'inclinait vers l'idée d'une immortalité réelle, quoique librement conçue, et non pas seulement figurative, des êtres défunts.

Quand Faust fait Hélène et Pâris vivants devant la cour impériale, Nerval se demande : «Fait-il partager aux spectateurs son intuition merveilleuse, ou parvient-il [...] à appeler dans le rayon de ces âmes quelques éléments de matière qui les rende perceptibles[2] ?» Autrement dit : produit-il une vision, ou réincarne-t-il réellement deux âmes ? Même question à propos de la deuxième apparition d'Hélène, quand délivrée par Faust elle refait son ancien voyage de retour vers la Grèce : «Est-ce le souvenir qui se refait *présent* ici ? ou les mêmes faits qui se sont passés se reproduisent-ils une seconde fois[3] ?» Encore une fois : imagination ou réalité ? On voit ce qui sépare Nerval de l'auteur allemand. Mais cela ne veut pas dire qu'il n'ait pu être tenté par lui. Il parle, dans son Introduction, des ombres qui, dit-il, «flottent au loin, dans l'espace, protégées contre le néant par la puissance du souvenir[4]». Il n'y a rien de tel dans Goethe, mais faire dépendre l'immortalité du souvenir, par une sorte de magie de la mémoire, n'est-ce pas l'avouer fictive ? D'ailleurs, la nature de l'immortalité importe moins peut-être que le moyen de revoir vivants, de quelque façon qu'ils le soient, ceux qui ne sont plus avec nous. Telle est l'entreprise de Faust sur Hélène

1. Voir mes *Mages romantiques*, Paris, 1988, p. 410 et suiv., «Le Nouvel Au-Delà».
2. *Les Deux Faust*, éd. citée, p. 234 (Introduction de Nerval).
3. *Ibid.*, p. 236.
4. *Ibid.*, p. 233.

et Pâris, à laquelle Nerval s'intéresse aussitôt, constatant que, «par l'aspiration immense de son âme à demi dégagée de la terre, il parvient à les attirer hors de leur cercle d'existence et à les amener dans le sien[1]». Il n'accepte donc pas si entièrement l'interdit jeté sur la pensée de faire apparaître un mort, qu'il ne puisse s'intéresser à la fable de Faust faisant revivre Hélène. Ce qu'il dit de la puissance du souvenir peut bien s'interpréter ainsi : la pensée persistante qu'on voue à une personne aimée, c'est-à-dire l'amour qu'on lui porte, pourrait l'arracher au néant. Orphée a bien failli faire revivre Eurydice, et Nerval, dans un passage fameux d'*Aurélia*, s'identifie bien à lui. Faust, réussissant à ramener Hélène sur terre, est-il si différent d'eux?

Un autre trait de métaphysique subjective, pourrait-on dire, unit Nerval au second *Faust* : l'identité établie entre l'immortalité humaine et l'annulation du temps : cette annulation supposée impossible à l'homme et qui l'identifierait à Dieu, n'est pas vraiment prise à son compte par Goethe ; cependant, il fait parler son Faust dans ce sens[2], et cette sorte d'exploit mythique est commentée avec enthousiasme par Nerval dans son Introduction, moyennant l'image d'une horloge détraquée; au moment où Hélène vient de débarquer de nouveau en Grèce : «Le cercle d'un siècle vient donc de recommencer. [...] Il semble [...] que l'horloge éternelle, retardée par un doigt invisible, et fixée de nouveau à un certain jour passé depuis longtemps, va se détraquer comme un mouvement dont la chaîne est brisée, et marquer ensuite peut-être un siècle pour chaque heure[3].» Or Nerval, quatorze ans plus tard, devait appliquer la même image à sa propre expérience concernant la série de

1. *Ibid.*, p. 234. Il avait déjà, à la page précédente, posé la question : «Serait-il possible d'attirer de nouveau ces âmes dans le domaine de la matière créée, [...] de condenser dans leur *moule* immatériel et insaisissable quelques éléments purs de la matière, qui lui fassent reprendre une existence visible plus ou moins longue [...]?»

2. Voir la conversation de Faust avec le centaure Chiron avant l'apparition d'Hélène (*ibid.*, p. 431). Le thème n'est posé que par un mot ironique du centaure : «Pour le poète le temps n'existe pas.» Là-dessus Faust s'enthousiasme et développe l'idée qu'Hélène a jadis été rencontrée par Achille «en dehors de tout espace de temps», et il espère bien lui-même avoir le même bonheur que lui, et la rappeler à la vie «par la seule force du désir».

3. *Ibid.*, pp. 236-237 (Introduction de Nerval). Voir à ce propos ci-dessus, p. 230; aussi p. 251.

ses «existences antérieures» : «Il ne m'en coûtait pas plus d'avoir été prince, roi, mage, génie et même Dieu, la chaîne était brisée et marquait les heures pour des minutes[1].» La sympathie de Nerval pour le héros de Goethe ne peut faire de doute ; Faust, en même temps que le vainqueur du temps, est un type d'amoureux en qui il semble se reconnaître quand il écrit, commentant le moment où Faust s'éprend d'Hélène : «Voilà donc un amour d'intelligence, un amour de rêve et de folie, qui succède dans son cœur à l'amour tout naïf et tout humain de Marguerite[2].»

Il semble assez difficile de dire, à la lumière de ce qui précède, dans quelle mesure le second *Faust* a été une révélation pour Nerval. Il portait certainement en lui, sur la survie et la relation des vivants avec les morts, un ensemble déjà formé d'idées et de croyances spiritualistes qui se laissent entrevoir dans son Introduction et que pouvait difficilement ébranler une œuvre dont le caractère fantastique, mêlé d'humour, ne vise nullement à produire la croyance. Cependant le drame a pu l'impressionner par son affabulation, ses types, ses suggestions. Il est permis de penser que la sorte d'amalgame qui a dû résulter de ce contact s'approche en plusieurs points des expériences futures de Nerval.

*

Cette revue des plus saillants parmi les premier écrits de Nerval nous a permis de constater leur extrême diversité, non seulement quant à leurs sujets et leurs formes, mais surtout quant à leur inspiration profonde : en quelques endroits seulement apparaît ce qui sera le souci essentiel de Nerval, cette exploration de lui-même et de sa destinée, cette recherche d'une vérité et d'un salut qui finiront par l'occuper de façon à peu près exclusive. L'esprit de déception qui oppose la génération née en 1810 à celle de 1800 est sans doute le grand fait ou symptôme qui, déjà, domine chez lui. Il est vrai que cet esprit peut être tenu pour un des caractères ou ingrédients de tout romantisme, y compris du romantisme français, au moins en tant que tenta-

---

1. NERVAL, Préface des *Filles du feu*, «À Alexandre Dumas», (1854), 7e alinéa, La métaphore de l'horloge déréglée n'est pas dans Goethe, que je sache.
2. *Les Deux Faust*, éd. citée, p. 234.

tion au sein d'une volonté de foi et d'espérance. Mais cette tentation semble justement triompher dans la génération de Nerval, où le refus d'espérer tend à s'affirmer à l'état pur, non comme un moment passager ou suspendu de la conscience, mais comme une façon d'être permanente et résolue. Les variantes que revêt cette situation et les divers degrés ou formes dans lesquels elle s'exprime peuvent varier de Nodier à Musset, à Nerval, à Gautier et plus tard à Baudelaire et à Flaubert ; mais leur position à cet égard, par rapport au romantisme conquérant, est en substance la même [1]. Celle de Nerval se distingue pourtant de celle de ses pareils — c'est ce qui nous intéresse ici — en ce qu'il va plus loin et plus intimement que les autres dans la direction du deuil, du rêve, et surtout de la solitude, moins loin dans celle de la rancune et de l'anathème : il semble qu'il se soit purifié de la colère initiale, et de toute misère violente, par une sorte d'angélique repli sur soi ; quelques lignes du *Bonheur dans la maison* en donnent, dès 1831, la formule parfaite.

Une des convictions fondamentales de la première génération romantique était celle de la mission à la fois spirituelle et terrestre du Poète. Elle devait être ébranlée en lui en même temps que la confiance en Dieu et dans les hommes, mais sans que dût être atteinte l'idée du sacerdoce poétique lui-même, comme signe d'amertume grandiose et de malédiction. Ce ministère d'un style nouveau mit quelque temps à se concevoir et à s'établir. Nerval ne s'est pas orienté dans ce sens ; il a voulu seulement constater, dans son *Point noir*, que la gloire lui était interdite, comme s'il ne s'agissait pas d'autre chose ; il n'a tenu à dire les causes ni les effets de cette condamnation, nous laissant deviner sous la lamentation une volonté déterminée de retrait, seul remède de l'orgueil contre l'impuissance. Dans les générations romantiques, il est le seul, semble-t-il, qui ait pu accepter d'oublier qu'il était le Poète. Mais il n'a pu étendre cet acte de renoncement à l'amour et au bonheur, dont nous sentons que le vœu reste au cœur de son être ; et ses difficultés dans ce domaine, objet d'une confession douce-amère dans *Corilla*, sont à la racine des contradictions de sa quête future, où le désir, l'impuissance et l'esprit de solitude continueront les

1. Nodier, on l'a vu, est l'aîné dans ce domaine.

mêmes combats. Autrement, tout ce qui chez lui, à cette époque, concerne la perception surnaturaliste du monde, le deuil et la mort, la folie, le refus du temps et l'immortalité, ne prélude que de façon plus ou moins distante à son expérience et à sa pensée finales [1].

---

1. Je n'ai rien dit ici de certains passages, remarquables par un sentiment de déchéance universelle, qui figurent dans l'article de Nerval *De l'aristocratie en France*, paru dans *Le Carrousel* en 1836. Ces passages témoignent assurément du profond désillusionnement de Nerval dès cette date : il en sera reparlé plus loin à propos de l'attitude politique de Nerval.

III

TRAVAUX ET JOURS DE NERVAL

Qui veut étudier la pensée de Nerval à travers son œuvre se trouve devant une difficulté majeure, en raison de la façon particulière dont cette œuvre s'est développée et se présente à nous. C'est, plutôt qu'une œuvre, un vaste champ de production journalistique, une sorte de chaos où l'important et l'insignifiant se mêlent ; rien qui ressemble à une suite de créations aux contours nets, marquant chacune un moment ou une étape. Même, après triage et massive réduction de volume, le reste, déroulé dans l'ordre des dates, ne donnerait que du Nerval encore brut et mêlé. Cet aspect de l'œuvre tient pour beaucoup à un fait de sociologie littéraire, dont toute sa génération a été marquée, et dont ses aînés avaient pu ignorer les effets grâce à leur relative aisance, ainsi qu'il l'a souligné lui-même [1]. Son temps était celui du développement de la presse à grand tirage et du feuilleton [2], où un peuple d'écrivains trouva sa subsistance avec des habitudes nouvelles. Cette situation devait dominer son existence.

Du feuilleton au livre

La faillite, en 1836, du *Monde dramatique*, revue de théâtre qu'il avait fondée grâce à l'héritage de son grand-père, l'obli-

1. Lettre de Vienne, [novembre 1839], dans *Pl. I*, p. 835.
2. On appelait « feuilleton » la partie réservée, au bas des journaux, à la critique littéraire ou dramatique. L'habitude, prise bientôt, de publier des romans sous cette forme, par tronçons quotidiens, fit que « feuilleton », sans plus, finit par désigner généralement, mais dans un usage plus tardif, le roman-feuilleton.

gea à s'enrôler dans l'armée journalistique ; en fait, il dépendit toute sa vie du monde des journaux et des revues, et dut songer surtout à leur fournir la copie promise. Il en résulte, pour les candidats à l'édition de ses œuvres, de sévères difficultés [1]. Nerval a, relativement, facilité l'entreprise en réunissant en volumes, tardivement (à partir de 1849 seulement), certains ensembles d'articles doués d'une unité naturelle. Pour ne dire que l'essentiel, signalons qu'il a abandonné l'immense bagage de ses feuilletons dramatiques, comptes rendus de théâtre qui avaient été sa servitude la plus pesante ; il n'a pas fait non plus un volume de ses chroniques fantaisistes ; les éditeurs de ses œuvres l'ont fait quelquefois à sa place, sans toujours s'assurer de la réelle paternité nervalienne des textes qu'ils adoptaient. Nerval a plus d'une fois mis dans cette production particulière la marque de son esprit rare et délicieux. Regrettons qu'il ne l'ait pas lui-même rassemblée, même si elle intéresse rarement l'odyssée spirituelle qui est l'objet du présent ouvrage [2]. Heureusement *Les Nuits d'octobre*, qui parurent en articles dans *L'Illustration* pendant l'automne 1852 et ne furent jamais publiées en volume de son vivant, peuvent générale-

1. Ce n'est pas ici le lieu de faire l'histoire des « œuvres complètes » de Nerval et des problèmes auxquels les éditeurs successifs ont eu à faire face. Nous citerons surtout ici les éditions que nous avons déjà mentionnées (soit *Pl. I* et *Pl. II*, que prolongent les *Œuvres complémentaires* de Nerval publiées par J. Richer à partir de 1959 ; et *Pl. I, G.-P.* et *Pl. II, G.-P.*, qui groupent chronologiquement toute la matière, sous-groupée par genres, y compris la correspondance : reste à paraître un troisième volume après lequel le lecteur aura, en trois volumes, toute l'œuvre nervalienne dans son déroulement. — Je ne dis rien des tentatives théâtrales auxquelles Nerval a consacré beaucoup d'efforts, dans l'espoir de gains chimériques, et qui ont pu éprouver sa santé par la répétition des espérances et des échecs. Nous avons une dizaine de pièces de tout genre, avec et sans musique, généralement écrites en collaboration, où la part exacte de Nerval n'est pas connue, et pour la plupart sans intérêt appréciable. L'édition *Pl., G.-P.* semble ne devoir retenir que *Corilla* (bien sûr) et *Léo Burckart*, dont nous parlerons ; elle évoque dans une notice seulement *L'Imagier de Harlem*.

2. Il convient d'indiquer ici que j'emploie le mot « spirituel » à propos de Nerval hors de l'acception presque exclusivement religieuse, voire mystique, où l'on a tendance à l'enfermer, et qu'il ne faut pas appliquer à la légère à Nerval. « Spirituel » est ce qui concerne généralement l'esprit dans ses aspirations, son expérience du bien et du mal, le choix de ses valeurs, l'effort vers une conscience heureuse et justifiée, vers un salut en somme (autre mot sujet à malentendu), indépendamment de toute référence surnaturelle. On ne peut parler de religion à propos de Nerval, fils du XVIIIᵉ siècle, que là où il nous y invite expressément lui-même.

ment se lire dans les éditions des « Œuvres »[1]. C'est, peut-on dire, le chef-d'œuvre de la fantaisie, de l'humour et du vagabondage nervalien, à leur plus haute puissance.

C'est surtout en reprenant ses feuilletons et articles sur ses voyages que Nerval a constitué ses livres. Il avait là, toutes prêtes, de vastes unités suivies : voyages en Allemagne à diverses dates, à Vienne, dans l'Archipel et en Orient, en Belgique et en Hollande, à Londres. C'est le considérable voyage en Orient qui a eu le premier les honneurs du livre[2]. Ensuite vint un recueil de ses voyages dans les pays du Nord[3]. L'existence de ces volumes riches en épisodes et ensembles narratifs de la plus haute valeur éclaircit un peu la forêt de l'œuvre sans en changer la nature ; souvent reproduits, ils offrent des textes continus et maniables, tout en imposant aux éditeurs et commentateurs l'austère devoir d'en comparer le contenu avec les textes journalistiques originels[4]. La matière y reste touffue et diverse ; elle est riche de pensée et de création nervalienne, mais par places seulement. Un autre domaine, où s'offrait aisément la possibilité d'un livre, était celui de l'illuminisme et des illuminés, sujet cher à Nerval, comme on sait. Il appelait indistinctement « illuminés » les esprits aventureux, portés au « supernaturalisme » par doctrine ou par fantaisie, mystificateurs, militants humanitaires. Il réunit en un volume des études, relativement récentes, sur Restif de la Bretonne, Cazotte, Cagliostro et quelques autres, Quintus Aucler. Il plaça en tête de ces études le vieux *Roi de Bicêtre*, dont le héros pouvait entrer — à la très grande rigueur — dans la définition de l'illuminisme ; il mit à sa suite une *Histoire de l'abbé de Bucquoy*, dont nous allons reparler : c'était un abbé aventurier, contrebandier à l'occasion, et qui conspirait contre Louis XIV. Enfin, il couronna l'ensemble

1. Ainsi dans *Pl. I*, pp. 79-118.
2. *Scènes de la vie orientale* (deux éditions, chacune en 2 vol.), Paris, 1848, 1850 ; *Voyage en Orient*, 2 vol. (édition complète), Paris, 1850 : dans cette édition Nerval ajouta, à titre d'*Introduction*, le voyage à Vienne de 1839-1840, de deux ans antérieur, comme s'il était passé directement de Vienne dans l'Archipel, via l'Adriatique ; il fit donc un chapitre de raccord sur la traversée de cette mer, qu'il n'avait jamais vue.
3. *Lorely, souvenirs d'Allemagne* parut dans l'été de 1852. Nerval y intercala sa pièce *Léo Burckart* (1839), drame politique sur l'Allemagne postnapoléonienne.
4. Les variantes, remaniements, suppressions et raccords sont naturellement fréquents entre les périodiques et les volumes.

d'une préface de deux pages sur les influences illuministes de sa propre enfance[1].

L'abbé de Bucquoy avait été, précédemment, le héros dont Nerval se proposait de raconter l'histoire quand il commença dans *Le National* la série de feuilletons intitulés *Les Faux Saulniers*[2]. Mais, n'ayant plus en main le volume où il avait lu les aventures de l'abbé, il se mit en quête de cet ouvrage et commença ses feuilletons par le récit de cette quête bibliographique, agrémentée de toutes les anecdotes et digressions que peuvent inspirer à un chroniqueur heureux de l'être l'association des idées et l'esprit de facétie. On finit par oublier l'abbé dans cette première partie. Sur ce, Nerval découvre à Compiègne la piste d'une tante (ou supposée telle) de l'abbé, Angélique de Longueval, et il a accès à une autobiographie mouvementée de cette tante, qu'il transcrit dans la suite de ses feuilletons, en alternance avec la continuation de son voyage à travers le Valois. Enfin, le livre trouvé, commencent les feuilletons sur la vie de l'abbé qui remplissent la dernière partie de l'ouvrage[3]. La grande nouveauté des *Faux Saulniers* est, après tant de voyages de Gérard en tous pays, cet essentiel Voyage au Valois, si plein de sens pour lui, qui ne cessera plus de l'occuper.

1. Ce sont deux pages, sans doute écrites à la veille de la publication du volume, et qu'il intitule *La Bibliothèque de mon oncle*. — Il est à noter que *Lorely* aussi a sa préface subjective, à Jules Janin (fort longue), et que *Les Filles du feu* auront la leur, à Alexandre Dumas. — *Les Illuminés* furent mis en vente au printemps de 1852.

2. *Les Faux Saulniers, Histoire de l'abbé de Bucquoy*, 27 feuilletons dans *Le National*, octobre-décembre 1850.

3. Ce grand ensemble des *Faux Saulniers* n'a jamais paru tel quel en volume du vivant de Nerval. *Le National* en a seulement mis en circulation, dans les premiers jours de 1851, un tiré à part dont on peut voir un exemplaire à la Bibliothèque nationale (Y² 4137). Nerval a disposé autrement de son texte : la seconde partie (vie de l'abbé), ainsi que nous l'avons dit, figura dans le recueil des *Illuminés*; la première (très écourtée dans ses débuts fantaisistes) dans *Les Filles du feu* sous le titre d'*Angélique* : c'est, en substance, la vie d'Angélique écrite par elle-même, entremêlée au voyage de Nerval à travers le Valois. Qui souhaite lire le texte original dans son entier (surtout ses trente ou quarante premières pages, un des chefs-d'œuvre de la fantaisie nervalienne), peut le trouver désormais en tête de l'édition *Pl. II, G.-P.* ; celui qui figure, comme reproduisant les feuilletons, dans l'édition Michel Lévy des *Œuvres*, t. IV, 1868, n'est pas vraiment fidèle au texte du *National*. — Jacques Bony a publié récemment un copieux *Dossier des « Faux Saulniers »* dans les *Études nervaliennes et romantiques*, VII, Namur, 1984.

Avant d'aborder cette nouvelle étape, on peut s'arrêter et se demander de nouveau : quelle approche convient à cette abondance de textes divers, de nature et de portée inégales ? Les livres y ont mis un certain ordre, sans changer le caractère du tout : ces recueils ne sont pas vraiment des livres, qu'on puisse commenter chacun comme une unité, surtout quant à la pensée ; leur structure visible comme livres masque le message profond qu'ils transportent en certaines de leurs pages. Il nous faut donc chercher l'auteur, seul lien de l'ensemble, dans toute l'œuvre, et recomposer son expérience ou, mieux, son Souci, dans les diverses formes où il défie la chronologie et l'esprit de composition : Nerval en politique, dans l'Amour, dans la Folie, dans la recherche d'une Croyance, dans l'invention d'une Mythologie, dans sa Légende personnelle : c'est ce dernier domaine qui ouvre, par le Valois, la voie vers l'autobiographie spirituelle. Naturellement, il faut inclure dans cette exploration tout ce qui, hors des livres publiés, importe, et avant tout les extraordinaires sonnets écrits depuis 1840.

Derniers recueils

Nerval, ayant retrouvé le chemin du Valois et fait paraître ses premiers recueils, n'en continua pas moins à grossir d'articles et feuilletons nouveaux la masse de son œuvre, et à constituer de nouveaux recueils de faible assemblage. Il fit paraître dans *L'Artiste* une série d'articles intitulés *La Bohême galante*, où se mêlaient, à d'anciens écrits de prose et de vers, des souvenirs personnels de l'époque du Doyenné, nouvellement écrits, et une reprise du Voyage au Valois des *Faux Saulniers* [1]. Le volume des *Petits Châteaux de Bohême*, qui parut en fin d'année avec un contenu un peu différent, ajoute quelques courtes introductions, parfois précieuses, à ses chapitres, et surtout les sonnets jusque-là publiés dans des périodiques [2]. Enfin, Nerval

1. *La Bohême galante*, douze articles dans *L'Artiste*, de juillet à décembre 1852. — Cet ensemble d'articles n'a jamais été reproduit tel quel en volume du vivant de Nerval ; l'ouvrage posthume de ce titre publié en 1855 par Gautier et Houssaye est incomplet.
2. *Petits Châteaux de Bohême, prose et poésie*, Paris, Didier, 1852 (date portée par la couverture). Ce petit livre n'est jamais reproduit complètement, que je sache, dans les éditions des œuvres.

composa son recueil des *Filles du feu* en ajoutant à *Angélique*, et à *Sylvie* récemment publiée, une demi-douzaine de textes narratifs anciens assez disparates et d'inégale valeur, et les sonnets au nombre de douze, avec le titre de *Chimères*[1]. Sans entrer dans le détail des discussions, il faut reconnaître que ce volume, la partie la plus lue de toute l'œuvre de Nerval, est d'un charme extrême, quoique peu homogène et d'intérêt inégal. Les recueils que Gérard a publiés successivement depuis *Les Faux Saulniers* sont imprégnés dans leur désordre d'un air de nostalgie et de réminiscence : ainsi les *Petits Châteaux*, ainsi surtout *Les Filles du feu*. Et que peuvent importer composition et architecture quand sont réunies dans un livre la Préface à Dumas, *Angélique*, *Sylvie*, *Octavie*, *Corilla*? Ces recueils ne peuvent pas plus que les précédents être commentés comme des ouvrages doués d'unité. On peut seulement y discerner des contributions fondamentales, brillant parmi de moindres choses, au chapitre de la Légende personnelle de Nerval. C'est aussi le cas de ses *Promenades et souvenirs*, qui sont des derniers temps de sa vie[2] : là, le diamant brille partout.

Œuvres majeures

Nous ne pouvons changer d'approche et considérer comme des œuvres indépendantes et centrées sur elles-mêmes, au terme de l'odyssée de Nerval, que *Sylvie* et *Aurélia*. L'une et l'autre furent sans doute, comme à peu près tout ce que Nerval avait jamais écrit, données d'abord à des publications périodiques. Mais ce sont des compositions autobiographiques suivies et orientées vers une signification de salut, quoique problématiquement atteinte. On peut leur joindre *Octavie*, nouvelle hybride quant à la date, mais non quant au sens, et, pourrait-on dire, quant à l'enseignement qui en émane[3]. Ces œuvres des der-

---

1. *Les Filles du feu*, Paris, Giraud, 1854 (janvier). On est généralement d'accord sur le peu d'homogénéité du recueil ; voir les commentaires qui figurent dans les éditions sur les hésitations de Nerval touchant son contenu (il excluait d'abord *Sylvie* ; il pensa longtemps y inclure *Pandora*).
2. Publiés dans *L'Illustration* en décembre 1854, janvier et février 1855.
3. *Octavie* reproduit la Lettre napolitaine publiée en 1842 (dans *La Sylphide* parmi les Lettres d'amour), précédée et suivie de pages nouvellement écrites en 1853 ; sous cette forme, elle parut la même année dans *Le Mousquetaire*, avant de figurer en 1854 dans *Les Filles du feu*. — *Sylvie* fut publiée dans la *Revue des*

nières années, par la beauté des figures et la profondeur de ce qu'elles disent, appellent chacune une étude propre, à laquelle conduit toute lecture de Nerval [1]. Ainsi Nerval a-t-il en fin de compte tracé son message, indépendamment de toute architecture ou construction d'ensemble. Ce caractère fugitif de son œuvre n'a pas dissipé, ni affaibli ce qu'on peut appeler sa conscience spirituelle, sa volonté de comprendre et de guérir. Affranchi de toute lourdeur et de tout façonnement, il a su dire parfaitement, parmi beaucoup de choses, celles qu'il avait surtout à dire.

Deux Mondes d'abord, et en volume seulement avec les autres nouvelles des *Filles du feu*. — *Aurélia* fut donnée à la *Revue de Paris*, qui la publia en janvier et février 1855.

1. Je ne parle pas ici de *Pandora*, sorte de complément tardif aux «Amours de Vienne» de 1840, écrite, croit-on, en 1853, mais conçue à une date incertaine ; il est impossible de ne pas la lier d'abord à toute réflexion sur le rôle de la folie dans les créations de Nerval, avant de la retrouver à la fin de sa vie.

IV

NERVAL ET LA POLITIQUE

Voici un des aspects de Nerval qu'on ne peut négliger. Il ne faut pas que ce titre étonne : Nerval, on l'a vu, a commencé par la poésie politique. Il serait faux de croire qu'il a oublié ces débuts, et qu'ensuite il a vécu et écrit indifférent aux luttes des partis et à la vie publique [1]. Désenchantement n'est pas indifférence ; et Nerval, dégoûté de la politique, ne s'en est pas pour autant désintéressé. L'attention à la politique, même sous-entendue dans sa vie, comme dans son œuvre, n'en a pas moins persisté en lui tant qu'il a vécu.

Bousingot

En 1832, Antoine Fontaney, fréquentant la société de Victor Hugo, se disait choqué d'y rencontrer «le petit Gérard Bouzingot [2]». Ce mot désignait alors ce qu'on appellerait aujourd'hui un «gauchiste», ou à peu près [3]. Nerval était donc situé notoirement à l'extrême-gauche, comme il était

1. J'y ai été, moi aussi, quelque peu trompé : voir *Le Sacre de l'écrivain*, p. 448.
2. Antoine FONTANEY, *Journal intime*, éd. René Jasinski, Paris, 1925, p. 157, [28 octobre 1832]. Littérateur et poète de la première génération romantique, Fontaney (1803-1837) connut le cénacle de Hugo et collabora à la *Revue des Deux Mondes* ; voir sur lui l'Introduction de l'éditeur du *Journal*.
3. Ce n'était pas, comme on l'a cru plus tard, le nom spécifique de l'avant-garde romantique. Voir, sur ce sujet, la *Revue d'histoire littéraire de la France*, 1971, p. 446 et suiv., et notamment le témoignage de Hugo : « En 1832, le mot *bousingot* faisait l'intérim entre le mot *jacobin*, qui était éculé, et le mot *démagogue*, alors presque inusité, et qui a fait depuis un si excellent service.» (*Les Misérables*, Vᵉ partie, liv. III, chap. 2.)

naturel étant donné le caractère de ses poèmes politiques avant et après 1830. Il ne semble pas pourtant avoir eu, sauf à vingt ans, le caractère militant ; on ne connaît avec certitude aucune action à laquelle il ait pris part, ni en février et juin 1848, ni en décembre 1851. Mais il n'est pas nécessaire d'être homme d'action pour vivre passionnément les événements politiques. De la déception de 1830, si visible dans les poèmes qu'il écrivit alors, d'autres traces subsistent dans des écrits restés inédits de son vivant : ce sont, sur la société contemporaine, des réflexions désabusées, volontiers cyniques comme peut l'être le dégoût ; elles abondent dans un corps de fragments, le « Carnet de Dolbreuse », apparemment destinés à une œuvre romanesque et qu'on croit rédigés entre 1831 et 1839[1]. Même ton dans des pensées que Nerval a publiées en 1844 dans *L'Artiste* sous le titre *Paradoxe et vérité*[2]. « Le privilège, écrit Nerval, a été brisé en mille morceaux, dont aucun ne s'est perdu. La patente a succédé au parchemin, le fait au droit, les écus à l'écusson. » « Le dernier mot de la liberté, c'est l'égoïsme. » « Il est clair que, dès que vous établissez l'argent à la base de la société, du pouvoir et des honneurs, dès que vous en faites un honneur et une vertu, il n'y a plus d'honneur et de vertu qui ne se compensent par lui. » « Je ne vois pas de raison pour que la race humaine aille s'améliorant. [...] Plus d'esprit, moins de cœur. Où vous voyez les lois mieux observées, croyez qu'elles sont mieux éludées et que, moins il y a de fripons aux galères, plus il y en a dehors[3]. » On retrouve là toute la passion du néo-jacobinisme de 1830-1832[4].

De telles maximes font penser notamment à celles que Pétrus

1. C'est l'opinion de Jean Richer qui les a édités (Gérard de NERVAL, *Le Carnet de « Dolbreuse »*, Athènes, 1967 (474 fragments). On ne peut pas toujours savoir si Nerval parle pour son compte, ou s'il fait parler un des personnages de l'œuvre projetée. En 1839, Nerval parle de *Dolbreuse* comme d'une pièce de théâtre en préparation (voir sa lettre à Anténor Joly, du 2 mars 1839).
2. *L'Artiste*, 2 juin 1844 (signé « Gérard de Nerval » ; reproduit dans *Pl. I* : 29 fragments, pp. 435-438) ; la parenté de certains de ces fragments avec ceux de *Dolbreuse* est indiscutable.
3. *Paradoxe et vérité* : ici, c'est Nerval lui-même qui prend sur lui ces pensées, non sans l'ambiguïté délicate du titre (annonce-t-il un mélange du paradoxe et de la vérité, ou une équation ?).
4. Elles en reprennent les thèmes : la critique du règne de l'argent et de la vénalité générale, la dénonciation comme illusoires des résultats de la Révolution française.

Borel a mises dans son *Champavert*[1], et nous font apercevoir encore une fois chez notre Nerval une attitude initiale assez différente de sa proverbiale bonhomie. Il est difficile de ne voir dans son éloignement de la politique qu'une victoire du rêve sur la réalité. Une sorte de nihilisme sarcastique semble avoir été chez lui la trace, assez longtemps prolongée, de la désillusion de Juillet. Ce nihilisme, forme seconde de l'indignation, au nom duquel on prend plaisir à bafouer l'espérance après avoir pleuré l'échec, ce pessimisme de dépit ne tue pas nécessairement la nostalgie, le regret douloureux dont il procède.

Philippiste?

Il n'en est pas moins certain que Nerval, après la consolidation du nouveau régime et l'établissement au pouvoir de la « résistance » conservatrice, noua avec le nouveau monde gouvernant des relations qui semblent contredire ses professions de foi antérieures. Le besoin de subsister fut assurément la première cause de cette orientation. Quand le désastre du *Monde dramatique* devint évident, Nerval fonda une nouvelle revue, *Le Carrousel*, avec l'espoir de se rétablir en la faisant subventionner par le ministère[2]. L'intention était de s'adresser, dans cette publication, « spécialement aux hautes classes de la société », pour contrebalancer auprès d'elles, en faveur du nouveau

1. La parenté avec Borel s'explique naturellement par l'amitié étroite des deux hommes dans le début des années 1830. J. Richer signale un emprunt de Borel, dans *Champavert* précisément, au texte de *Dolbreuse* (fragment 59), où un prétendant repoussé faute d'argent demande : « Comment le faut-il, mademoiselle, cet argent ? le faut-il taché de sang ou taché de larmes ? volé en gros avec un poignard ou en détail avec une place, une charge ou une boutique ? » (voir *Carnet de « Dolbreuse »*, p. 45 ; Borel a mis cette phrase en épigraphe à l'un des contes de *Champavert*). J. Richer, à propos de la société, qualifiée de « marais » (fragment 357), rappelle, pp. 76-77, le « marais fétide » de la *Profession de foi* de 1830 (voir ci-dessus, p. 225 et notes 1 et 2), également reproduite en partie dans *Champavert*.
2. *Le Carrousel, Journal de la Ville, de la Cour et des Départements* : sa 1re livraison parut en mars 1836, la 2e en juin de la même année, les deux suivantes en juillet. — Je résume l'histoire des débuts de cette publication d'après Gilbert ROUGER, *Gérard de Nerval et Louis-Philippe, « Le Carrousel »*, dans le *Mercure de France* du 1er mai 1955 ; Jean ZIEGLER, *Gérard de Nerval, éditeur du « Monde dramatique » et rédacteur du « Carrousel »*, dans le *Bulletin du bibliophile*, 1982, pp. 528-541, et Michel BRIX, *op. cit.*, pp. 101 et suiv., et 439-440.

régime, l'influence de *La Mode*, organe élégant de l'opinion légitimiste [1]. Nerval et son associé Bouchardy [2] firent en mars des démarches dans ce sens au ministère ; Bouchardy écrivit en juin et en août des lettres pour plaider cette cause, sollicitant expressément une aide matérielle. Il est difficile de dire dans quelle mesure cette conduite s'accompagnait chez Nerval d'un changement d'opinions. Le régime de Juillet, d'ailleurs, était pour lui, comme pour toute l'opinion avancée, le résultat insuffisant, mais non nul, d'une insurrection glorieuse. Ses grands aînés, Lamartine, Vigny, Hugo, tous trois légitimistes d'origine, l'avaient accepté. Plaider pour que l'aristocratie dans son ensemble se rallie à lui n'était pas, pour un ancien bousingot, un reniement ; ce pouvait être l'effet d'une sagesse succédant, sans trahir les principes, à la colère initiale.

Les articles [3] où Nerval développe cette tentative de conversion du monde légitimiste paraissent entachés surtout de naïveté. Leur argumentation consiste d'abord, curieusement, en un essai de fraternisation entre royalisme et romantisme sur le plan poétique, moyennant la communauté de l'attachement au passé, du sentiment aristocratique de la vie et des choses, et d'une essentielle nostalgie ; des allusions au romantisme d'avant 1830, féru de Moyen Âge et de Renaissance, nourrissent cette argumentation : « Vous vous souvenez, n'est-ce pas, de ces grands projets que nous avions tous, il y a quelques années, [...] pour essayer de renouer les traditions de la belle société française : que de beau style et de beaux vers [...]. » L'aristocratie a trop dédaigné cette voie de popularité : « C'était une mauvaise écolière à la littérature que cette caste fière [4] ».

---

1. Cette intention ressort clairement du « Prospectus » du *Carrousel* (relié à la B.N. en tête de la collection de cette revue, sous la cote 8°Lc[14]39).

2. Anatole, frère de Joseph Bouchardy (ancien compagnon de Nerval dans le Petit Cénacle) et naguère son collaborateur au *Monde dramatique*.

3. Ce sont principalement : *De l'aristocratie en France. Première lettre à M****, dans *Le Carrousel*, 1re livraison, et *Deuxième lettre à M****, *ibid.*, 2e livraison, respectivement mars et juin 1836. Ces articles anonymes sont très certainement de Nerval : voir Brix, *op. cit.*, p. 105, note 15. — On peut lire les deux Lettres à M*** dans *Pl. I, G.-P.*, pp. 342-348. — Mme Streiff-Moretti a commenté ces Lettres dans la *Revue d'histoire littéraire de la France*, septembre-octobre 1976, pp. 818-834.

4. *Première lettre à M****, pp. 343-344. La phrase se continue par un attendrissement sur les malheurs et l'exil de la noblesse française, mal payée de ses générosités par un peuple ingrat (« tout le sang et tout l'or qu'elle avait répandus en France, et dont la terre et le peuple de France s'étaient abreuvés sans retour ! ») : ici,

Après avoir caressé, Gérard gronde : l'aristocratie ne voyait pas que dans la jeunesse s'exaltait aussi, sous la Restauration, « cette autre poésie de souvenirs moins éloignés, dont la foule sans noms se nourrissait ardemment [1] », que s'élevaient dans le pays deux noblesses nouvelles, d'intelligence et de courage, « races impérissables, royales et directes lignées des grands esprits et des grands cœurs [2] ». La noblesse, les ayant méconnues, en a été châtiée en 1830. Dans ce curieux plaidoyer n'apparaissent pas les arguments ordinaires du juste-milieu, l'éloge du nouveau roi, de son entourage et de sa politique. Ceux qui tenaient les cordons de la bourse au ministère, et qui connaissaient les anciens ultras, ne crurent sans doute pas pouvoir faire confiance à une revue littéraire, quel qu'en fût le contenu, pour les apprivoiser. La demande de Nerval et Bouchardy fut repoussée par deux fois, alors que la première, puis la seconde livraison de la revue avaient déjà paru [3].

Ce qui, en fin de compte, est le plus remarquable dans ces lettres, et fait le mieux mesurer l'innocence de leur auteur, c'est le ton d'apocalypse qu'il y a mis par moments. Déjà, dans la première lettre, il définissait le présent une « fatale époque d'aveuglement » où la Providence ne guide plus les hommes : « Ô studieux prophète du passé ! s'écriait-il, il est donc vrai que les institutions politiques n'ont plus racine dans le sol ! La famille humaine est errante à jamais sur le sol commun à tous [4] ! » Il va plus loin encore dans la deuxième lettre, où une défense plus positive du nouveau régime et du rôle que la noblesse pourrait y tenir débouche sur un désastreux chant de deuil final : « Si les hommes pouvaient tarir la sève éternelle de la nature pour en faire l'aliment de leur vie présente, ils s'en gorgeraient avi-

---

le bousingot perd la mesure, entraîné par le désir de plaire pour convaincre, mais certainement aussi par le penchant aristocratique et passéiste, qui en tout temps contredit secrètement le démocratisme de Nerval. On se tromperait en considérant ces *Lettres* comme de pures fabrications de propagande gouvernementale.

1. *Ibid.*, p. 343 : il s'agit des souvenirs de l'époque napoléonienne.
2. *Ibid.*, p. 345 : les hommes de lettres d'origine roturière et les soldats de l'Empire.
3. Voir Brix, *op. cit.*, pp. 102-103. *Le Carrousel* cessa de paraître en juillet 1837.
4. *Première lettre à M****, p. 345. Le « prophète du passé » est peut-être Joseph de Maistre, que Ballanche qualifiait ainsi (voir, entre autres passages, Ballanche, *Œuvres*, éd. in-12 de 1832, t. IV, p. 289), ou plutôt Ballanche lui-même, qui usait de cette qualification sans intention de se l'appliquer, mais se lamentait beaucoup lui aussi, pour mieux espérer et exhorter.

dement, et ne laisseraient à leurs descendants que les cendres amères d'une terre épuisée et morte. Plaise à Dieu qu'un siècle philosophique n'ait pas fait cela du Monde moral, à tout jamais ! Bien des âmes inquiètes et jeunes demandent en pleurant, qui donc a tari cette sève divine, où s'abreuvaient autrefois les hauts esprits de tant de siècles illustres ? » Une voix répond que leurs pères ont abusé de l'amour, de la liberté, de la gloire, et que ces sources sont souillées et épuisées désormais[1]. «Et les hommes, poursuit Nerval, crieront à Dieu : «Père, pourquoi nous as-tu délaissés ? Le Père répondra : J'ai envoyé mon Fils pour sauver le monde antique ; et ce monde a crucifié mon Fils : j'ai envoyé sa Croix pour sauver le monde nouveau ; et ce monde a brisé sa Croix[2]. » Ces rêveries de dévitalisation, dépossession et désarroi universel, thèmes paroxystiques du pessimisme contre-révolutionnaire, frémissaient peut-être au fond de la conscience ultra ; mais de telles pensées, dans un tel style, devaient choquer les politiques de tous les partis. Étaient-elles de mise dans une tentative de conciliation politique ? Nerval suit plutôt ici son propre penchant ; il tient le langage, il épouse la théologie aventureuse du désenchantement romantique ; il fait écho au Nodier des mêmes années. Sa politique, en l'occurrence, ne peut que heurter ceux qu'il sermonne comme ceux qu'il prétend servir[3].

LÉO BURCKART

Ce drame, de sujet politique, qu'il fit représenter en 1839[4], nous permet de mesurer dans quelles limites il entendait soutenir le régime établi. La pièce avait encouru d'abord l'inter-

1. Allusions au xviiie siècle (débauche d'amour), à la période révolutionnaire (débauche de liberté), à l'Empire (débauche de gloire).
2. *Deuxième lettre à M****, p. 48. On note, attribués à Dieu lui-même, les constats d'échec de l'Incarnation, de la Crucifixion, de l'Église romaine.
3. L'expérience fâcheuse du *Carrousel* acheva la ruine de Nerval, qui dès lors collabora à des périodiques sans plus songer à en fonder.
4. *Léo Burckart* fut composé en 1839 en collaboration avec Alexandre Dumas, puis remanié dans son ensemble par Nerval, et représenté en avril 1839, puis publié la même année sous la signature de M. Gérard, et inclus en 1852 dans *Lorely*. Le texte manuscrit de la première version, œuvre de Nerval-Dumas, retrouvé depuis, et le *Léo Burckart* définitif ont été publiés en regard l'un de l'autre par Jean Richer dans son édition des *Œuvres complémentaires* de Nerval, t. IV, Paris, 1981, avec des éclaircissements sur l'histoire de la pièce, et sur les raisons

diction de la censure, et Nerval pensait plaider contre cette interdiction, quand le ministre lui donna audience et la leva ; un
autre ministère lui accorda plus tard 600 francs d'indemnité [1].
Cette attitude indécise du pouvoir montre qu'il y avait des nuan-
ces dans le juste-milieu, et surtout que la pièce elle-même était
à mi-chemin entre le conformisme philippiste et l'opposition.
C'est ce dont on peut se convaincre en la lisant.

L'action se déroule en Saxe en 1819, quand l'Allemagne,
délivrée de l'emprise française, est agitée par des mouvements
révolutionnaires auxquels les princes s'opposent. Il s'agit donc
d'un drame historique en pays étranger, qui ne concerne pas
directement la France contemporaine. *Léo Burckart* relève du
genre de ces «scènes historiques», en vogue depuis la Restauration, avec vaste figuration, tableaux à effet dans des archi-
tectures médiévales, et peintures de mœurs locales (ici mœurs
estudiantines et conspirations allemandes). Mais le problème
de fond que la pièce pose, entre un prince conservateur et le
peuple juvénile qui, l'ayant aidé à triompher de Napoléon, lui
demande la liberté et l'unité allemande, rappelle trop évidemment à des spectateurs français la situation qui oppose Louis-
Philippe au peuple de Juillet lui réclamant des réformes. La
même question se pose dans la pièce et dans la France de 1839 :
le pouvoir doit-il résister ou aller de l'avant [2] ? Sans entrer
dans le détail des personnages et des scènes, demandons-nous
seulement comment *Léo Burckart* répond à cette question.

Le personnage qui donne son nom à la pièce est issu du milieu
des étudiants révolutionnaires ; il est comme eux libéral et
patriote. De Francfort, il se prépare à regagner Leipzig, sa
patrie, pour y purger les peines que ses articles contre le gouvernement ont values au directeur de son journal, quand le
nouveau souverain de la Saxe, favorable à une évolution du pays,

qui établissent sa paternité nervalienne à peu près entière. — Les deux versions
du texte, largement différentes, concordent en ce qui touche à l'esprit de la pièce
et à sa moralité politique.

1. Le ministre qui, au début de 1839, fut plus libéral que ses censeurs était
Montalivet, alors ministre de l'Intérieur sous Molé ; le ministère qui indemnisa
Nerval fut sans doute celui de Soult, qui succéda à Molé en mai 1839. — Nerval
raconte avec grand humour les tribulations de *Léo Burckart* dans deux feuilletons
des *Faux Saulniers* (voir *Pl. II, G.-P.*, p. 31-35).

2. En France, le parti de la fermeté l'avait depuis longtemps emporté et tenait
le gouvernement. Mais la tension persista longtemps, et le régime finit par y
succomber.

lui propose de devenir son conseiller intime. Après avoir hésité, il accepte, dans l'espoir de servir la bonne cause à ce poste. Du fait de cette acceptation, il désavoue d'avance tout excès politique et se situe dans une position ambiguë par rapport à la jeunesse révolutionnaire qui conspire contre le prince. Parmi les types masculins qui gravitent autour de ce personnage central, retenons surtout un militant révolutionnaire farouche, Frantz Lewald, ami d'enfance de Marguerite, la femme de Léo, et passionnément et indiscrètement amoureux d'elle. Il livre aux conjurés des papiers qu'il a dérobés chez Léo, qui prouvent son intention de réprimer le complot. Chargé alors par les révolutionnaires d'assassiner Léo, il n'ose le frapper, mais, perdant la tête devant lui, il se vante mensongèrement d'être aimé de Marguerite, qui le dément sévèrement. On le laisse partir et il se tue. Léo déjoue le complot, sauve le prince et évite le pire ; mais le prince le rejette, l'ayant trouvé trop faible contre les conjurés. La signification de ce schéma d'intrigue est évidente : le Prince et le Conspirateur, quoique traités avec ménagement par l'auteur, sont montrés sous un jour médiocre, tandis que Léo apparaît comme le type des hommes de bonne volonté qui, dans les luttes de l'Europe, pouvaient se trouver pris entre le conservatisme et la subversion. La pièce, supportable sans doute pour le gouvernement, n'en était pas l'apologie. Nerval, en se modérant, était resté du même côté de l'opinion. Écoutons sa propre défense touchant *Léo Burckart* : «On en jugeait le spectacle dangereux à cause surtout d'un quatrième acte qui représentait avec trop de réalité [...] le tableau d'une *vente de charbonnerie*. — On m'eût loué de rendre les conspirateurs ridicules. [...] La pièce, il est vrai, concluait contre l'assassinat politique, mais en montrant l'impossibilité, pour un homme de cœur, de soutenir les idées arriérées d'une cour[1].»

Gérard en mission

À cette date de 1850, on reprochait à Nerval, dans l'opinion républicaine, d'avoir servi la royauté sous Louis-Philippe. Une

---

1. *Pl. II*, *G.-P.*, p. 31 (= feuilleton des *Faux Saulniers* du 31 octobre 1850). On ne peut mieux dire. — Les arguments des censeurs contre la pièce sont reproduits dans l'édition Richer, pp. XXXV-XXXIX.

note du *Corsaire* rappelle que Nerval, avant février 1848, « obtenait des missions du ministère de l'Instruction publique. C'est ainsi qu'il est allé en Allemagne et en Égypte[1] ». La mission en Allemagne est celle qui lui fut confiée à l'automne de 1840 et qu'il accomplit principalement à Vienne de novembre 1839 à la fin de février 1840. Il est difficile de douter de la réalité de cette mission quand on lit ses lettres à cette époque, où elle est nommée en toutes lettres : il en ressort que Nerval avait été présenté par Gautier à Joseph Lingay, qui fut alors un personnage important dans l'entourage de plusieurs ministres, qu'il avait obtenu grâce à lui sa mission à Vienne, et que, recommandé par lui à l'ambassadeur de France à Vienne, M. de Sainte-Aulaire, il fut accueilli aimablement aux soirées de l'ambassade. La lettre qu'il adressa de Vienne à Jacques Mallac, chef de cabinet du ministre de l'Intérieur Duchâtel, ne laisse aucun doute sur ses relations avec le ministère : c'est un véritable rapport de fonctionnaire diplomatique, et Nerval y suggère qu'on fasse succéder à sa mission une « position régulière ». Il aurait également souhaité une mission prolongée de Vienne à Constantinople ; mais il n'obtint ni l'un ni l'autre[2]. De retour en France, il trouva le ministère changé ; mais, Duchâtel ayant repris l'Intérieur en octobre 1840, Nerval demanda de nouveau une mission pour régler à Bruxelles l'éternel litige de la contrefaçon belge avec la librairie française[3]. Le projet ne put aboutir. Rentré à Paris, Nerval fut mis en traitement pour troubles mentaux en février 1841 : sa grande crainte est alors que ses amis et protecteurs du ministère ne l'abandonnent ou ne

1. J. Legros, dans *Le Corsaire* du 30 octobre 1850. La mission en Égypte est imaginaire : Nerval y est allé en 1843, mais sans mission ; cette note est reproduite dans *Pl. II, G.-P.*, p. 1 797. — Nerval y a répondu dans deux lettres, l'une du 30 octobre 1850 au rédacteur en chef du *Corsaire*, l'autre du 1er novembre à Auguste Nefftzer, rédacteur de *La Presse* (voir sa Correspondance à ses dates), ainsi que dans *Les Faux Saulniers* (voir ci-dessus, p. 267, note 1), où il enchaîne sur *Léo Burckart* et son interdiction.
2. Des références détaillées sont superflues ; il suffit de lire la correspondance de Nerval entre la mi-novembre 1839 et la mi-mars 1840, notamment les lettres à son père, à Th. Gautier, à Jacques Mallac, à Alexandre Dumas (*Pl. I, G.-P.*, pp. 1 320-1 349 et les notes correspondantes ; la lettre à Jacques Mallac est du 10 janvier [1840] ; mais une autre, dès le 13 octobre [1839], est peut-être adressée à lui, sûrement en tout cas à quelqu'un du ministère, où il est question de frais de route pour Vienne).
3. Voir sa lettre de Bruxelles à Edmond Leclerc, secrétaire particulier de Duchâtel, du 7 décembre 1840.

le remplacent [1]. Tels sont les faits. Il semble indéniable qu'en 1839-1841 Nerval mit de grands espoirs dans un emploi régulier rétribué par le ministère.

En quoi ce projet jetterait-il une ombre sur sa mémoire? D'abord, quelle était la nature des services qu'il rendait? En quoi est-il déshonorant, dans un pays dont les institutions sont libres, d'être fonctionnaire d'un gouvernement dont on ne partage pas les opinions? Les missions que Nerval a accomplies ou souhaitées n'étaient nullement de police politique : c'étaient celles qui, aujourd'hui, sont confiées aux attachés culturels ou de presse à l'étranger par tous les États libres du monde : elles consistent à renseigner le ministère sur l'opinion, la presse et la littérature locales par la connaissance qu'on peut en acquérir sur place. Cependant Nerval, cédant à l'atmosphère inquisitoire des changements de régime, a cru bon de nier avoir jamais reçu aucune mission. *Le Corsaire* ne parlait pas d'argent reçu : c'est Nerval qui soulève la question et nie avoir jamais touché autre chose qu'une indemnité pour l'interdiction de *Léo Burckart*; et il pourrait bien, sur ce point, être véridique [2]. En fait, le journaliste du *Corsaire* lui reprochait moins sa conduite sous Louis-Philippe que son ostentation de démocratisme après sa chute. Nerval répondait qu'il avait toujours été de ce parti-là et ne l'avait jamais trahi dans ses écrits. Les autres griefs du *Corsaire* semblent inconsistants : ils se réduisent au soupçon de collaboration politique avec Lingay, induite de ses relations avec lui. Si Gérard a réagi maladroitement à cette note, c'est en homme qui ne voulait à aucun prix se laisser dénier le droit d'être libéral et démocrate, car il l'était vraiment.

1. Voir sa lettre du 5 mars 1841, au même, questionneuse et inquiète, et celle, du même jour, à son père, où il lui annonce que Lingay lui a rendu visite et l'a rassuré.

2. Il écrit à son père, à la fin de novembre 1839, qu'il a reçu 600 francs à son départ; il est possible qu'il s'agisse du même versement consenti par Duchâtel, à titre d'indemnisation du dommage causé par l'interdiction de *Léo Burckart* : l'argent a pu être versé au titre confondu d'indemnité et de viatique. Il dit dans la même lettre qu'il en recevra autant à la fin du mois, mais nous n'avons pas trace de ce second versement et nous savons qu'il ne reçut rien pour son retour en France (voir sa lettre du 13 mars 1840 à Hippolyte Delaunay).

Sous la IIe République

Après février 1848, Nerval laissa paraître, quoique n'ayant pris part à aucune action politique et ne militant dans aucun parti, son intime fidélité au côté gauche de l'opinion. C'est ce qu'attestent d'abord les écrits qu'il publia dans les premières années de cette période. Au printemps de 1849, il fit paraître un roman-feuilleton historique, *Le Marquis de Fayolle*[1], chronique romancée de la révolution et de la contre-révolution en Bretagne. On a cru trouver dans cette narration, à grand renfort de bonne volonté et d'imagination, quelques motifs proprement nervaliens. Ce qui ne fait pas de doute, ce sont les sympathies révolutionnaires de Nerval à travers tout le récit : dans le prologue, un tableau fortement hostile de l'Ancien Régime ; dans l'action proprement dite, plus d'un épisode hautement significatif : en particulier une expulsion, ordonnée par la République, de religieuses bénédictines de leur couvent. C'est le jeune héros sympathique du roman, Georges, qui commande l'expulsion, et il prononce à cette occasion un discours déchristianisateur, qui convainc les nonnes. La façon dont sont distribués les rôles va dans le même sens : de deux abbés, le réfractaire est un fourbe, étroitement rétrograde ; l'assermenté, un esprit ouvert, pacifique et bon. Les types révolutionnaires sont peu caractérisés — sauf Georges, enfant trouvé qui se croit d'origine plébéienne, fils en réalité d'un adultère aristocratique, qui embrasse ardemment la cause de la Révolution : lui et ses amis, les étudiants de Rennes, incarnent l'intelligence, la générosité et le dévouement au bien public[2]. Les types nobles sont braves, mais futiles et entêtés de leurs privilèges. Une idylle qui s'est nouée entre Georges et une jeune fille noble

---

1. *Le Marquis de Fayolle* parut dans *Le Temps*, journal républicain. Le roman n'est pas achevé, la publication s'étant interrompue le 16 mai 1848 et n'ayant jamais repris ; on ne connaît pas de cause certaine à cette interruption. On peut lire le roman, tel quel, dans les deux éditions *Pl.* des Œuvres, en leur tome I. — *Le Marquis de Fayolle* a été étudié par Susan Dunn, *Nerval et le roman historique*, Paris, 1981, pp. 37-70, et par Jacques Bony, *Un roman-feuilleton sur la chouannerie en 1849 : « Le Marquis de Fayolle », de Gérard de Nerval*, dans *Vendée, chouannerie, littérature* (Actes du colloque d'Angers), Paris, 1985, pp. 93-101.

2. Un certain Martinet, chef révolutionnaire ultra-rouge, ancien usurier, personnage odieux à tous égards et agent double, qui sert et trahit les deux camps, est apparemment une figuration péjorative de l'extrémisme révolutionnaire.

(ils sont cousins sans le savoir) est traversée par la famille, et la jeune fille, reconquise par sa classe, est sur le point de trahir Georges quand le texte du roman s'interrompt. En littérature narrative, c'est le dénouement d'une œuvre qui en établit vraiment le sens ; mais, quoique la fin manque ici, nous sommes suffisamment autorisés à juger des intentions républicaines de l'auteur. Une sorte de retour sentimental au passé et à ses charmes colore, il est vrai, plus d'un épisode, mais peut-on en attendre moins de notre Gérard [1] ?

À la fin de l'année suivante parurent *Les Faux Saulniers*, où Nerval ne se fait pas faute de cribler de coups d'épingle politiques l'Assemblée législative réactionnaire, qui persécutait le genre du roman-feuilleton, le gouvernement du prince-président et de dénoncer les progrès de l'arbitraire [2]. Et l'*Histoire de l'abbé de Bucquoy*, qui occupe, on l'a vu, toute la seconde partie de cet écrit, est une sorte d'apologie de cet abbé illuministe, tyrannophobe et conspirateur. Il faut en venir à cette notion de l'illuminisme, mi-spéculatif, mi-politique, qui tint de plus en plus de place dans l'esprit de Nerval dès les dernières années de la monarchie de Juillet. Il mêlait sous cette notion globale l'illuminisme théosophique du XVIIIᵉ siècle européen, les spéculations de certains adeptes plus ou moins excentriques des Lumières, les divers occultismes à la mode dans les derniers temps de l'Ancien Régime, les utopismes et socialismes divers éclos dans la France de son siècle. Il était, et pensait être, de ce point de vue, aussi peu conservateur que possible ; il ne se sentait pas du tout indifférent aux destinées de l'humanité. En mai 1849, il ne voulut pas laisser sans commentaire un article de Champfleury qui le décrivait comme un être de pure fantaisie, « mahométan sans trop de remords en Orient », ne voyant dans les événements et les choses que ce qui pouvait flatter le caprice de son esprit. Il répondit aussitôt : « Je ne suis pas un sceptique ne m'occupant ni de politique ni de socialisme... Dans ce dernier cas, comment notre ami Champfleury aurait-il pu

---

1. Quant au fait que Nerval a voulu faire de son héros révolutionnaire le rejeton d'une souche noble, il est douteux qu'il faille l'expliquer autrement que par la tradition romanesque qui accrédite, depuis les romans de chevalerie, le type du Redresseur de torts trouvé Fils de Prince.

2. Jacques Bony, éditeur et commentateur des *Faux Saulniers* dans *Pl. II*, *G.-P.*, souligne parfaitement ce point dans sa Notice, pp. 1 314-1 316 de cette édition.

me classer parmi les membres de cette association, mal appréciée jusqu'ici, qu'on appela les Bousingots[1]?» Il est remarquable qu'il mette ainsi lui-même en relation, par-dessus six ou sept ans de distance, son bousingotisme de 1832 et sa position actuelle.

Les écrits qu'il devait réunir dans son livre des *Illuminés* se situent tous, sauf *Le Roi de Bicêtre*, par leur date de première publication, entre 1845 et 1851 ; tous concernent des « illuminés » d'avant la Révolution ; aucun n'intéresse l'époque de Nerval ni le socialisme. Mais il s'en est occupé dans d'autres écrits contemporains. En 1845, il avait publié un morceau de chronique, intitulé *Les Dieux inconnus*, où défilent les prédicateurs contemporains du salut terrestre : entre autres, Jean Journet, apôtre fouriériste ; Enfantin, le Père suprême de l'Église saint-simonienne ; Coëssin ; le Mapah et Caillaux son disciple ; Towiansky, qui pensait être Napoléon réincarné[2]. Ces articles sont sur le mode du journalisme humoristique, quoique non exempts d'une certaine sympathie. Il traite plus sérieusement, au lendemain de la révolution de Février, les représentants du socialisme proprement dit dans un article sur *Les Prophètes rouges*[3] contenant des notices sur Buchez, saint-simonien dissident et catholique jacobin ; Lamennais, alors converti à la gauche humanitaire ; Mickiewicz et Towiansky ; le fouriériste Considerant ; Pierre Leroux, autre saint-simonien dissident et l'un des pères du socialisme français. La différence relative de ton entre ces deux articles tient peut-être à leurs dates (1849 n'est plus 1845), bien plutôt au fait que Nerval oscille tou-

---

1. L'article de Champfleury avait paru le 4 mai 1849 dans *Le Messager du théâtre et des arts* ; Champfleury l'a reproduit avec la réponse de Nerval dans ses *Grandes figures d'hier et d'aujourd'hui*, Paris, 1871, p. 172 et suiv. Champfleury était un jeune littérateur, né en 1821, qui ne fut mêlé aux milieux de la littérature parisienne que dans les dernières années de la monarchie de Juillet ; son article sur Nerval est bienveillant, mais il connaissait mal les hommes de 1830. Le même chapitre de son livre contient, p. 167 et suiv., des réflexions sur les Jeune-France, qui attestent sa plate incompréhension de ce milieu et de cette époque. — La réponse de Nerval parut dans *Le Messager* du 7 mai et doit dater de peu de jours avant ; elle est reproduite, sous le mois de mai, dans les Correspondances de Nerval.
2. Ce texte est la première section d'un «Courrier de Paris» dans *La Presse* du 29 juin 1845. On peut le lire dans *Pl. II* (= *Pl. I, G.-P.*, pp. 927-929).
3. Article paru dans *Le Diable rouge. Almanach cabalistique pour 1850*, octobre 1849 ; reproduit dans *Pl. I* (= *Pl. I, G.-P.*, pp. 1 271-1 275). — Sur les personnages contemporains évoqués dans ces deux articles, on trouvera quelques renseignements dans mon *Temps des prophètes*, (références à l'Index du volume).

jours, dans ce qui passe le sens commun, entre l'humour et la gravité.

Ce qui est plus remarquable, c'est que rien n'ait passé, des *Dieux inconnus* ni des *Prophètes rouges*, au volume des *Illuminés* : preuve que Nerval n'arrivait pas à marier si facilement l'illuminisme mystique et le socialisme. Il n'y renonçait pourtant pas, puisqu'il intitule son recueil *Les Illuminés ou les Précurseurs du socialisme* ; il prétendait qu'il avait projeté d'abord un livre plus étendu, comprenant encore d'autres biographies[1]. Il tenait en tout cas à manifester sa sympathie pour le socialisme, puisqu'il écrit, parlant des excentriques de son volume : «Loin de moi la pensée d'attaquer ceux de leurs successeurs qui souffrent aujourd'hui d'avoir tenté trop follement ou trop tôt la réalisation de leurs rêves[2].» Et il ne voulait pas non plus écarter l'héritage des lumières, de l'hétérodoxie et de la révolution : «Cette époque, dit-il, a déteint sur nous plus qu'on ne le devait prévoir. Est-ce un bien, est-ce un mal, — qui le sait[3]?» Tout le monde officiel, quand Nerval écrivait ces lignes, entre le coup d'État et la proclamation de l'Empire, pensait et répétait que c'était un mal et un grand mal, et n'admettait pas qu'on en pût douter.

Telle fut, à en juger par ses écrits, l'attitude politique latente et intime de Nerval pendant ces années. De ses jugements et réactions face aux événements dramatiques qui ont agité la France à plusieurs reprises entre 1848 et 1852, nous ne savons pour ainsi dire rien, et pouvons être tentés de conclure à son indifférence ; étranger à l'action dans ce domaine, il pouvait l'être aussi à l'émotion. Mais, par un exemple au moins, nous savons qu'il n'en était pas ainsi. Le 13 juin 1849, une manifestation populaire organisée par la Montagne contre la majorité conservatrice de l'Assemblée fut brisée, et une forte répression s'ensuivit. Deux lettres de Nerval à Gautier nous renseignent sur ce qu'il éprouve. Dans l'une, il évoque «ce qui vient de se passer à Paris, une révolution manquée, une journée absurde ; enfin, tout est fini, et pour longtemps selon les

---

1. Voir sa lettre à Paulin Limayrac du 31 juillet [1853] dans *Pl. I*, et les Notes.
2. *La Bibliothèque de mon oncle*, en tête des *Illuminés*, dans *Pl. II*, *G.-P.*, p. 885 ; et voir *ibid.*, p. 1708, l'opinion de Max Milner sur l'attitude, non d'adhésion certes, mais d'intérêt et de sympathie évidents de Nerval pour les projets humanitaires.
3. *Ibid.*, p. 886.

apparences» ; dans l'autre, il écrit, spectateur inquiet et lucide d'un désastre : « La pauvre Montagne est rasée, les principaux sont arrêtés et ils ont été peu brillants. On n'a plus rien à craindre que de la férocité des gens paisibles, lesquels ne tarderont pas à nous ramener d'autres dangers [1]. » Nous avons un autre témoignage, pathétique celui-là. Environ un an avant sa mort, Nerval, racontant dans *Aurélia* les réconforts qu'il a reçus d'un de ses amis, dit avoir été frappé, en l'entendant, « des choses fort éloquentes qu'il trouva contre ces années de scepticisme et de découragement politique et social qui succédèrent à la révolution de Juillet». «J'avais été, ajoute-t-il, l'un des jeunes de cette époque, et j'en avais goûté les ardeurs et les amertumes. Un mouvement se fit en moi ; je me dis que de telles leçons ne pouvaient être données sans une intention de la Providence, et qu'un esprit parlait sans doute en lui [2]. » Que pouvait lui dire cet ami, qu'il nomme Georges ? Il s'agit de Georges Bell, de son vrai nom Joachim Hounau, de seize ans plus jeune que lui, et qui le fréquenta beaucoup dans les derniers temps de sa vie. C'était un républicain de 1848, qui a dû inciter Nerval à plus de confiance en l'avenir de l'humanité et peut-être en la Providence [3]. Nerval était-il donc encore, en 1853 ou 1854, sous l'impression des découragements de 1830, et sensible aux exhortations d'un ami démocrate, au point de les croire inspirées d'en haut ? C'est ce qu'il faut supposer : le souvenir de l'espérance déçue était toujours là, et quelques mots pouvaient le réveiller de vingt ans de sommeil [4].

Nerval ne s'est pas résigné, aussi facilement qu'on pourrait le croire, à oublier la communauté humaine et son sort à venir. On ne trouve chez lui nul désaveu de l'humanité. Il importe de le remarquer, parce qu'au sein du romantisme frappé de détresse ce caractère le distingue, et ne saurait être indifférent à qui veut le connaître. On ne voit pas, on n'imagine pas chez lui cette négation touchant l'homme terrestre, ses destinées et sa perfectibilité, qu'affectent de professer Nodier, et Gautier,

1. Lettres à Théophile Gautier des [15 et 16 juin 1849].
2. *Aurélia*, IIe partie, IV, p. 395 dans l'édition 1974 de *Pl. I*.
3. Joachim Hounau (1824-1899) avait été condamné à la déportation en 1848, puis gracié (voir *Pl. I*, même édition, p. 1 546).
4. Ces tragédies personnelles de l'espérance publique frustrée, fréquentes dans l'histoire de l'Europe depuis deux siècles et jusqu'à nos jours, n'empêchent pas de vivre, mais elles peuvent marquer la vie.

et toute la génération poétique suivante ; encore moins la cala-
miteuse mythologie satanique attachée à la représentation de
l'homme, qui noircit la moitié de l'œuvre de Baudelaire. Ni
la doctrine du péché originel, ni la théo-anthropologie de Joseph
de Maistre ne figurent dans l'horizon nervalien[1]. Plus immédiatement, Nerval est le seul parmi ses pairs en désenchantement qui n'affiche pas ce mépris, réel ou prétendu, de la
commune humanité, cette déploration de la bêtise universelle
dont font parade tous les autres plus ou moins, Flaubert surtout, Leconte de Lisle même, esprit pourtant rassis et vigoureux dans l'amertume même. L'âcre humeur n'a gagné Gérard
sous nulle forme. Il est remarquable qu'il ignore jusqu'à ce
culte de l'Art aux dépens de l'Humanité, recours si tentant de
l'espérance humaine en déroute, et position générale de retrait
du second romantisme : on chercherait en vain à voir flotter
cet orgueilleux drapeau de faillite en quelque endroit que ce
soit de l'œuvre de Gérard de Nerval. On ne saurait imaginer
plus grand contraste, à cet égard, entre son ami Gautier et lui.
Il n'en reste pas moins que la foi romantique en l'humanité
est malade chez lui et qu'il en cherche une autre. Laquelle ?
Il a beau parler de tour d'ivoire, où l'on monte de plus en plus
haut pour se séparer du vulgaire[2]. La foi qu'il cherche ne
désavoue pas la communauté humaine ; sa quête, née d'une
solitude, guérirait, si elle pouvait aboutir, un mal commun.

---

1. Baudelaire est allé jusque-là — dans ses écrits intimes, il est vrai, qui témoignent plus de ses «poisons» que de ses options vraies et assumées.
2. *Sylvie*, I : «Il ne nous restait pour asile que cette tour d'ivoire des poètes,
où nous montions toujours plus haut pour nous séparer de la foule.» Cette page
de 1854 remémore des souvenirs de l'époque qui suivit 1830 ; elle évoque moins
une doctrine misanthropique qu'un état d'esprit poétique, traditionnel depuis
l'Antiquité. C'est le vieil *Odi profanum vulgus*, qui dans la foule maudit l'inculture,
non l'humanité.

V

NERVAL ET L'AMOUR

Le fait que l'œuvre majeure de Nerval n'ait vu le jour qu'à partir de 1840 environ a été souvent mis en rapport avec deux événements voisins de cette date, que l'on considère comme ayant sérieusement affecté sa vie : l'un concerne ses relations avec Jenny Colon et leur interruption vers ce temps-là, l'autre le trouble mental dont il a souffert en 1841. Ces deux épreuves fécondèrent, croit-on, la sensibilité et le génie de Nerval. Voyons ce qu'il en est de Jenny et de l'amour.

Jenny Colon

Il est de tradition que, vers vingt-cinq ans, Nerval aima Jenny Colon, artiste lyrique assez connue alors. *Le Monde dramatique*, fondé et financé par lui en 1835, contient des comptes rendus de théâtre favorables à cette actrice, mais dont l'attribution à Nerval est discutée. Jenny Colon joua avec succès le rôle principal dans *Piquillo*, opéra-comique dont il avait écrit le livret avec Dumas, et qui fut représenté en octobre 1837 à Paris et repris en décembre 1840 à Bruxelles : Nerval, venu assister à la représentation, revit alors Jenny, qui s'était mariée en 1838 avec le flûtiste Leplus, son camarade de théâtre. Elle mourut en 1842. On croit communément, sur la foi de témoignages d'amis de Nerval, et d'allusions contenues dans son œuvre, qu'elle fut le grand amour de sa vie. Personne ne sait dire s'il a été ou non son amant, ni si même il s'est déclaré à elle ; mais on tient qu'elle l'a désespéré en se mariant à un autre, qu'il a été hanté toute sa vie par son souvenir, que cette hantise a

L'école du désenchantement

pu être pour quelque chose dans sa folie, et que c'est elle qu'il a pour ainsi dire divinisée dans *Aurélia*. Un grand amour romantique donc, mais inaccompli, à la différence de tant d'autres, plus illustres, des mêmes années. Il s'en distingue aussi, malheureusement, par l'absence de documents attestant de façon indubitable sa réalité. De Jenny Colon, il ne nous est parvenu rien de tel, pas même une allusion. Ce que Nerval donne à entendre en ce domaine est énigmatique et, nous le verrons, sujet à caution. Et les indices que nous avons de son intérêt pour la carrière et les succès de Jenny, notamment au temps des représentations de *Piquillo* à Bruxelles, en 1840-1841, ne dépassent pas le niveau des relations normales entre un auteur de théâtre et son interprète[1].

Les témoignages des tiers foisonnent; mais ils émanent d'auteurs non toujours proches de Nerval, ni toujours dignes de confiance, qui parfois se contentent de paraphraser *Sylvie* ou *Aurélia*, alors qu'il faudrait justement se demander jusqu'à quel point ces récits, quoique faits à la première personne, sont à prendre à la lettre sur le plan de l'autobiographie réelle. En outre, des inexactitudes flagrantes nuisent çà et là au crédit de ces témoignages; et il y a, de l'un à l'autre, les lacunes, les exagérations et les grosses variantes propres à toute tradition légendaire. Comment atteindre le noyau de vérité qu'ils peuvent contenir? L'inconsistance des témoignages une fois mesurée, l'idée pouvait naturellement venir à l'esprit d'une pure légende[2]. On a longtemps cru trouver un témoignage de la passion de Nerval pour Jenny Colon dans la collection de Lettres d'amour dont il est l'auteur, et qu'on tenait pour des «Lettres à Jenny Colon». En fait, la destinataire de ces lettres, et le fait même qu'elles en aient une, font problème; nous en ignorons la ou les dates, et si elles furent envoyées, et dans quelles conditions elles furent conçues et écrites. Six seulement d'entre

1. Sur ce sujet, voir les lettres que Nerval écrit de Bruxelles en décembre 1840, et Brix, *op. cit.*, p. 243 et note 8, 244 et note 9, 268 et note 6; aussi p. 177, note 17, et p. 448, n° 155. Dans les démêlés que soulève, en milieu théâtral, l'appui prêté à Jenny par Nerval, il semble s'agir moins de leurs amours supposées que de concurrence et d'intérêts professionnels opposés.
2. On trouve un exposé et un examen minutieux des témoignages en question, avec de larges extraits des textes, dans l'ouvrage de Christine Bomboir, *Les Lettres d'amour de Nerval : mythe ou réalité*, vol. I, des «Études nervaliennes et romantiques», Namur, 1978; voir aussi Jean Guillaume, *Aux origines de «Pandora» et d'«Aurélia»*, même collection, vol. V, 1982, p. 38 et suiv.

elles ont été publiées à la fin de décembre 1842 dans *La Sylphide* ; l'éditeur anonyme — Nerval, nul doute sur ce point — donne pour titre à cette publication *Un roman à faire*, comme pour suggérer une utilisation littéraire de ces lettres, reliques d'amour venues, dit-il, fortuitement entre ses mains ; dans un préambule et un épilogue, il leur attribue un auteur, une destinataire et une histoire qu'on a tout lieu de tenir pour imaginaires. Ces lettres étaient en fait plus de six ; on en connaît aujourd'hui une vingtaine, si tant est qu'on puisse les dénombrer à travers les fragmentations ou fusions de textes qu'on observe dans les fonds manuscrits existants [1].

Aucune preuve, aucun indice n'autorisent à affirmer que ces lettres furent envoyées à Jenny Colon ; pas davantage à aucune autre femme. Elles peuvent bien n'avoir été que des exercices littéraires : c'est ce que suggère fortement l'abondance des brouillons, et surtout le fait que des passages entiers se trouvent transposés ou remaniés d'une lettre à l'autre. En somme, le « roman à faire » que Nerval y aperçoit était en réalité sous sa plume un roman en train de se faire. On n'ose plus guère parler aujourd'hui de Lettres à Jenny Colon. Mais la question subsiste : Nerval n'a-t-il pas au moins pensé, en écrivant cette chronique épistolaire d'une aventure d'amour, à une expérience personnelle récente ? Cette question, en l'absence de lumières extérieures, en amène une autre : quelle impression laisse le héros des Lettres ?

L'amoureux des Lettres d'amour

Nerval a conçu son héros selon l'antique tradition des héros de roman : à la fois pressant dans ses instances et très humble dans ses déclarations ; employant une intarissable dialectique à ne rien prétendre et à tout demander ; prêt à mourir par dévouement, mais menaçant de mourir d'amour. Ce sont là

1. L'édition des Lettres en est rendue difficile. L'ensemble du fonds a été édité par Jean Richer dans *Pl. I*, en tête de la Correspondance, — et, selon un autre classement dans *Pl. I, G.-P.* : pp. 692-700 (*Un roman à faire*, avec ses six lettres), pp. 708-724 et pp. 1748-1758 (manuscrits et variantes). — Pour l'histoire des Lettres et des manuscrits, voir *ibid.*, pp. 1744-1748, l'excellent exposé de Michel Brix et Christine Bomboir, qui ont assuré, dans *Pl. I, G.-P.*, l'édition des Lettres d'amour ; et l'étude de Christine Bomboir qui fait l'objet de la note précédente.

des thèmes et des attitudes reçues ; la lettre qu'on donne la dernière [1] est un modèle de fidélité à la tradition et aux bienséances du genre, ravivées par la sensibilité moderne. Ce qui sort de l'ordinaire et attire l'attention dans cet amant, c'est le degré excessif de l'humilité. Passe encore qu'il s'accuse d'avoir vanté à la bien-aimée les bienfaits qu'elle a reçus de lui et qu'il accepte la punition de cette faute : « Vous m'en avez cruellement puni ! pourquoi vous ai-je dit une seule fois ce que j'avais fait pour vous ? [...] Qu'ai-je fait pour vous, mon Dieu ? un sourire, un serrement de main, une douce parole valent cent fois mes peines et j'ai eu tout cela de vous [2]. » Ce *mea culpa*, en principe, est dans l'ordre ; mais on ne peut comprendre que l'amant se reproche aussi sévèrement qu'il le fait d'avoir offert à sa dame de l'appuyer ou de la protéger (dans sa carrière d'artiste, semble-t-il) : « Oui, j'ai mérité d'être humilié par vous, oui je dois payer encore de beaucoup de souffrances l'instant d'orgueil auquel j'ai cédé... Ah ! c'était une risible ambition que celle de me croire quelque chose près d'une femme de votre mérite et de votre beauté [3]. » C'est outrepasser de beaucoup la loi du genre. On pourrait supposer qu'il a offert son appui avec forfanterie ou indélicatesse, mais nous voyons l'offre faite ailleurs en toutes lettres de la façon la plus décente : « Il va se présenter bientôt une occasion nouvelle de vous prouver ce que je puis pour vous ; que vous attachiez ou non de l'importance à mes services, croyez qu'ils vous sont acquis pour toujours, sans condition et sans réserve [4]. » Nerval représente ici un héros humble par nature et par vocation, bien au-delà des conventions romanesques, que nous avons déjà aperçu dans *Corilla*.

Cet amoureux se déprécie sans nécessité aux yeux de celle qu'il aime en lui avouant sa peur de la décevoir et de la lasser : « J'ai peur que mon abnégation ne vous semble de la faiblesse, j'ai peur que vous ne vous lassiez d'un amour trop entier, trop ardent [5]. » Il ne lui cache même pas qu'il tremble de n'être que ridicule à ses yeux, et il l'est en effet : « Cette pensée que l'on peut trouver un ridicule dans les sentiments les plus

1. *Pl. I., G.-P.*, p. 719.
2. *Ibid.*, p. 708 : « mes peines », entendez : mes efforts pour vous aider.
3. *Ibid.*, p. 711.
4. *Ibid.*, p. 722.
5. *Ibid.*, pp. 715-716.

nobles, dans les émotions les plus sincères me glace le sang et me rend injuste malgré moi. [...] Vous avez du cœur, et vous savez bien qu'il ne faut pas se jouer d'une véritable passion. Vous croyez en Dieu, n'est-ce pas ? et vous devez songer, à de certaines heures, qu'il y a sur cette terre une âme qui aurait le droit un jour de vous accuser devant lui[1]. » Cette humilité sermonneuse ne peut plaire ; elle rabaisse ce qu'elle offre : «Dans les concessions où votre amour m'entraîne, j'abdique volontiers ma fierté d'homme et mes prétentions d'amant[2]», avoue-t-il lui-même. On a remarqué que, si humble qu'il soit, il gronde sourdement, ce qui ne le rend pas plus aimable. Mais voici qui fait dresser l'oreille : «De votre côté, prenez un peu pitié de mes peines mortelles et de cette terrible exaltation dont je ne puis répondre toujours ! Songez qu'elle vient moins de la jalousie que de la crainte d'être abusé...[3]. » La «crainte d'être abusé» trahit une passion racinienne, nullement idéale, génératrice de haine et d'agression, et la «terrible exaltation», dont on ne peut répondre, va dans le même sens : s'agit-il de colères, d'ardeurs trop démonstratives ? C'est en tout cas un des motifs qui, dans ces lettres, reviennent le plus souvent : «Ah ! Madame, ne craignez pas de me voir désormais : vous le savez, je suis timide en face de vous. [...] Ne redoutez rien de ma présence et de mes paroles ; j'ai su calmer enfin des agitations, des inégalités qu'il vous a été plus facile de comprendre, que d'excuser peut-être[4]. » Nous découvrons que l'extrême soumission de cet amant recouvre un fond de violence plus ou moins bien comprimée qui effraie sa partenaire : première ambiguïté de l'amour qu'il professe.

Il en est une autre, plus grave encore, à laquelle vient aboutir toute la logique nervalienne de l'amour : c'est celle qui, faisant du dévouement une soumission, tend à faire de la soumission une passivité. Voici ce que devient alors une requête

1. *Ibid.*, p. 710 ; de même p. 720 : «Ma position à votre égard [...] est ridicule peut-être, mais je me rassure en pensant que vous êtes la seule personne au monde qui n'ayez pas le droit de la trouver telle. »
2. *Ibid.*, p. 598-599 (cinquième lettre d'*Un roman à faire*).
3. *Ibid.*, p. 713. Et il compte, pour apaiser cette exaltation, sur un droit qu'elle lui a accordé, dit-il, à savoir : «de me regarder du moins comme ayant tout obtenu de vous en attendant l'instant de votre bon vouloir» ! Étrange pacte et pauvre amant !
4. *Ibid.*, p. 722.

d'amour : «[...] Ce n'est pas à un jour fixé [1] que je voudrais vous obtenir, mais arrangez les choses pour le mieux. Ah! je le sais, les femmes aiment qu'on les force un peu ; et elles ne veulent point paraître céder sans contrainte, mais songez-y, vous n'êtes pas pour moi ce que sont les autres femmes ; je suis plus peut-être pour vous que les autres hommes, sortons donc des usages de la galanterie ordinaire [2], que m'importe que vous ayez été à d'autres, que vous soyez à d'autres peut-être [...]. Que ce soit donc un hymen véritable où l'épouse s'abandonne en disant : c'est l'heure! Il y a de certaines façons de forcer une femme qui me répugnent. [...] La seule chose qui m'effraie serait de n'obtenir de vous qu'une complaisance froide, qui ne partirait pas de l'attachement, mais peut-être de la pitié. [...] Que je ne vous possède jamais si je ne dois avoir dans les bras qu'une femme résignée plutôt que vaincue [3]». Cette sorte de déclaration où l'amant se met d'emblée en dehors des règles du jeu et exige tout, y compris qu'on le dispense d'initiative, sans rien offrir que sa rhétorique, ne donne pas au désir qui le tourmente de grandes chances de se satisfaire. Mais souhaite-t-il vraiment la satisfaction ? On peut vraiment se le demander, quand on voit qu'il regrette le temps où il adorait sans prétendre à rien : «Ce n'était pas alors la femme que j'aimais en vous, c'était la divinité à qui je rendais hommage. Peut-être aurais-je dû me contenter toujours de cet humble rôle et ne pas chercher à faire descendre de son piédestal cette belle idole que jusque-là j'avais adorée de si loin [4].» Mieux, dans une lettre qui semble écrite au lendemain de la faveur enfin obtenue, se font jour d'étranges doutes : «Serez-vous jamais assez récompensée de vous sacrifier pour l'ivresse d'un pauvre cœur où le bonheur revêtira peut-être des apparences moins séduisantes que le désir et l'inquiétude... Tout cela me reviendra-t-il comme au temps où mon amour inconnu de vous était pur et céleste [5]! »

1. Il veut dire : pas à un jour fixé par moi.
2. L'usage ordinaire, dénoncé ici, donne en ce domaine l'initiative au sexe masculin. La phrase qui suit est une parenthèse, surgie par association d'idées, qui désavoue un autre usage, celui de la jalousie en amour. Nerval reprend aussitôt après le fil de sa pensée. Mais l'abandon de la jalousie et le renoncement à l'initiative masculine sont évidemment deux formes de la même passivité.
3. *Ibid.*, pp. 1751-1752 (texte d'un brouillon manuscrit).
4. *Ibid.*, p. 711.
5. *Ibid.*, p. 717.

Une telle attitude, peu usitée en littérature amoureuse, découle logiquement du type de sensibilité qui définit le romantisme d'infortune : elle proclame le mal essentiel du désir, qui se voit frustré dans la satisfaction. Ce modèle peut s'appliquer dans divers domaines. C'est ainsi que Gérard, amoureux des voyages, n'y prévoit que déception. En 1838, sur le point de passer pour la première fois le pont de Kehl vers l'Allemagne, il écrit : « Et voilà encore une illusion, encore un rêve, encore une vision lumineuse qui va disparaître sans retour de ce bel univers magique que nous avait fait la poésie [...] ; à chaque pas que nous faisons dans le monde réel, ce monde fantastique perd un de ses astres, une de ses couleurs, une de ses régions fabuleuses. Ainsi, pour moi, déjà bien des contrées du monde se sont réalisées, et le souvenir qu'elles m'ont laissé est loin d'égaler les splendeurs du rêve qu'elles m'ont fait perdre[1]. » Presque les mêmes termes se retrouvent dans des pages de Nerval écrites en 1840 et 1843 ; ainsi : « C'est une impression douloureuse, à mesure qu'on va plus loin, de perdre, ville à ville et pays à pays, tout ce bel univers qu'on s'est créé jeune, par les lectures, par les tableaux et par les rêves. Le monde qui se compose ainsi dans la tête des enfants est si riche et si beau, qu'on ne sait s'il est le résultat exagéré d'idées apprises, ou si c'est un ressouvenir d'une existence antérieure et la géographie magique d'une planète inconnue[2]. » Et quelques années plus tard : « J'ai déjà perdu, royaume à royaume et province à province, la plus belle moitié de l'univers, et bientôt je ne vais plus savoir où réfugier mes rêves ; mais c'est l'Égypte que je regrette le plus d'avoir chassée de mon imagination, pour la loger tristement dans mes souvenirs[3]. » Le paradoxe final trahit bien, par le dérisoire remède, l'amertume de cette position : « Je retrouverai à l'Opéra le Caire véritable, l'Égypte immaculée, l'Orient qui m'échappe [...]. C'est à cette Égypte-là que je crois et non pas à l'autre[4]. » Parfait ; mais pour l'amour, qui suppose une partenaire réelle et vivante, c'est proprement y renoncer que de vouloir l'enfermer dans l'imagination. Nerval

---

1. NERVAL, *Lorely, souvenirs d'Allemagne*, dans *Pl. II*, p. 744 (« Du Rhin au Main », chap. I, § 2).
2. NERVAL, *Voyage en Orient*, Introduction, IV, § 4 (*Pl. II, G.-P.*, p. 189).
3. Lettre à Théophile Gautier, publiée dans le *Journal de Constantinople* du 6 septembre 1843, § 9 (*Pl. I, G.-P.*, pp. 764-765).
4. Même lettre, dernier § (*ibid.*, p. 766).

nous montre dans ses «Lettres d'amour» (comme dans *Corilla*, peut-être contemporaine [1]) un amour passif, fiévreux et ambivalent, voué et se vouant à l'échec. Par rapport à cet amour, la personne de l'aimée, voire même son existence réelle, perdent beaucoup de leur importance. C'est ce qu'il faut bien avoir présent à l'esprit quand on s'interroge sur le rôle de Jenny Colon dans la vie de Nerval.

On peut, si l'on veut, voir partout Jenny, à partir de quelques traits conformes à ce qu'on croit savoir d'elle et de Gérard ; mais il faut alors la voir dans toute l'œuvre, où ces traits reparaissent ; on peut aussi bien, ignorant Jenny, nulle part formellement attestée, voir et retrouver en tous lieux Nerval, et le type d'amour qui le définit, indépendamment de toute partenaire particulière. La destinataire des Lettres est une actrice comme Jenny, et il en est de même de l'héroïne de *Corilla*, de l'Aurélie de *Sylvie*, de la primitive Aurélie d'*Aurélia* [2] ; toutes peuvent être Jenny, et confirmer son ubiquité dans l'œuvre de Nerval. Mais l'Actrice semble être aussi, pour Nerval, la Femme idéale par excellence, aimée et contemplée de loin ; et un tel amour peut se vivre seul, comme les amours d'enfants. Rien ne nous assure que Jenny, même si elle a été l'objet d'un tel amour, y ait pris part, ni ait été vraiment invitée à le partager. L'auteur des Lettres s'accuse, au moment de la rupture, d'une faute dont la Bien-Aimée l'a puni, et qu'il appelle mystérieusement une «imprudence probable [3]», et l'on rapproche cette situation de culpabilité de celle que Nerval s'attribue à lui-même dans le récit à la première personne d'*Aurélia* [4]. Mais la vérité autobiographique d'*Aurélia* est elle-même sujette à caution, et l'obsession d'une faute peut être, indépendamment de toute circonstance réelle, une donnée inhérente à l'uni-

---

1. La date des Lettres, avons-nous dit, n'est pas connue. Pour une ou deux d'entre elles, on discute sur des indices qui pourraient conduire à les dater de février 1838. Si on a cru pouvoir attribuer cette date à l'ensemble des Lettres, c'est parce que, Jenny s'étant mariée en avril de cette année, les Lettres, qui racontent une relation d'amour rompue, devaient leur être de peu antérieures ; mais c'est précisément le lien des lettres avec Jenny qui a besoin d'être démontré.

2. Dans *Pl. I*, «Fragments d'une première version d'*Aurélia*», fragment I, (éd. 1974, p. 417) ; dorénavant : «Fragments...».

3. Lettres d'amour, *Pl. I, G.-P.*, p. 719 : «J'accepte cette punition cruelle d'une imprudence probable. »

4. *Aurélia*, Ire partie, I, § 3 : «Condamné par celle que j'aimais, coupable d'une faute dont je n'espérais plus le pardon. »

vers fictif de Nerval. Dans plusieurs des Lettres, l'auteur évoque son caractère violent et s'en excuse : on peut imaginer entre Nerval et Jenny des incidents qui expliquent cette allusion ; mais la violence se retrouve chez le héros du *Roman tragique* et de *Pandora*, où l'héroïne, quoique actrice, ne figure pas nécessairement Jenny. Le témoignage des Lettres est donc en tous ces points ambigu, et ne crée pas la conviction d'une présence particulière et réelle de Jenny dans l'existence de Nerval.

Le début de la légende

Comment a pu naître la légende, si c'en est une ? Dès 1837, peu après la première de *Piquillo*, opéra-comique de Nerval et Alexandre Dumas, dont Jenny Colon était la principale interprète, Théophile Gautier avait publié dans *Le Figaro*, sous l'anonymat, un portrait de Jenny Colon : elle réalisait pleinement à l'Opéra-Comique, disait-il, le type de femme *biondo e grassotto*, cher à certains peintres italiens et célébré par Gozzi, que Nerval et lui avaient cherché en vain l'année précédente à Paris et en Flandre [1]. Voilà donc Gérard associé à Gautier par leur prédilection pour un type de femme qui est justement celui de Jenny. Et cette connivence des deux amis dans le « pourchas du blond » nous est confirmée l'année suivante par une allusion de Gérard lui-même [2]. En 1841, racontant une de ses aventures viennoises à un ami, Gautier très probablement, il écrit : « C'est une beauté de celles que nous avons tant de fois rêvées, [...] *bionda e grassotta*, la voilà trouvée [3] ! » La fameuse collection des *Belles Femmes de Paris*, où Gautier publia de nou-

1. *Le Figaro*, 9 novembre 1837. Gautier a dit plus tard, dans sa notice de 1867 sur Nerval, que Nerval lui avait commandé cet article ; mais il songeait peut-être à la publicité de son *Piquillo*.
2. *Du Rhin au Main*, dans *Le Messager* du 18 septembre 1838 : il dit avoir trouvé en Allemagne le blond tant cherché par eux (article reproduit dans *Lorely*, mais ce passage y a été supprimé).
3. *Les Amours de Vienne*, dans la *Revue de Paris*, 1er mars 1841 (article recueilli dans le *Voyage en Orient*, « Introduction », chap. VI (*Pl. II, G.-P.*, p. 203, et voir note 1, p. 1424). Autre évocation analogue dans la *Revue des Deux Mondes* du 15 décembre 1846 (*Pl. II, G.-P.*, p. 399) à propos de la blonde Mme Bonhomme, boutiquière française du Caire. Et voir ci-dessus, p. 234, note 1.

veau en 1839 son portrait de Jenny Colon [1], semble avoir joué un rôle important dans la genèse légendaire des amours de Nerval. C'est là que parut, en septembre 1839, un poème d'Arsène Houssaye, portant pour titre « Les Belles Amoureuses », où, parmi les souvenirs de l'impasse du Doyenné, est évoqué le Nerval de ces années-là ; Houssaye se revoit lui-même, apostrophant Gérard :

> *D'où vous vient, ô Gérard, cet air académique ?*
> *Est-ce que les beaux yeux de l'Opéra-Comique*
> *S'allumeraient ailleurs ? La Reine de Saba,*
> *Qui depuis deux hivers dans vos bras se débat,*
> *Vous échapperait-elle ainsi qu'une chimère ?*
> *Et Gérard répondait : — Que la femme est amère* [2].

Nerval ne commenta que plus tard ces vers, nous verrons comment. Dans ces années 1839-1840, tout indique en tout cas qu'il laisse s'établir l'image de lui-même que nous savons, et la rumeur de son amour dédaigné par Jenny. L'histoire jusque-là n'a cependant rien de bien tragique ; au moins n'est-elle pas du tout traitée sur ce ton. Mais le ton va changer, et Nerval, sans que Jenny soit jamais nommée, va fournir de plus en plus lui-même les éléments d'un drame d'amour dont il se dit le héros.

La Bien-Aimée perdue

Nerval pouvait-il ne pas se rendre compte, quand il publia en 1842 des lettres à une actrice d'un amoureux transi et impulsif, qu'il confirmait les bruits qui couraient sur lui ? Mais voici

1. *Les Belles Femmes...*, vol. I, p. 54, sous le titre *Mme J. Colon-Leplus* (Jenny avait épousé en avril 1838 le flûtiste Leplus), dans la livraison de février-mars 1839, selon M. Brix, *op. cit.*, p. 219, note 26.

2. *Les Belles Femmes...*, vol. II, p. 76 (septembre 1839, selon Brix, *op. cit.*, p. 217, note 18). Ces vers ne sont pas trop clairs : l'air « académique » (? grave ? maussade ?) de Gérard est attribué au fait que la cantatrice aux beaux yeux aime « ailleurs », ce que l'amant déçu confirme par sa réponse mélancolico-sarcastique. — Brix (*op. cit.*, p. 222) relève en outre dans le volume des *Lettres aux belles femmes...*, qui complète la collection (livraison de janvier 1840), l'histoire de deux poètes amoureux, dont l'un platonique et peu soucieux du réel, qui se nomme Gérard. Nerval a, ici encore, laissé dire.

bien autre chose. Jenny Colon meurt en 1842, et presque aussitôt apparaissent sous la plume de Nerval des allusions à une bien-aimée morte. Aussi dans le Carnet de notes qu'il rédigea au Caire en 1843 : «Amours laissées dans un tombeau — Elle — je l'avais fuie, je l'avais perdue — Je l'avais faite grande [1].» S'agit-il bien de Jenny [2]? Nous ignorons absolument ce qu'il pensait faire de ces notes. Mais, l'année suivante, nous trouvons quelque chose de semblable dans un article bel et bien publié ; accompagnant une adresse fervente à la mémoire de Nodier, où c'est bien le Nerval réel qui est censé parler, nous lisons les lignes suivantes : «Il ne m'a pas suffi de mettre au tombeau mes amours de chair et de cendre, pour bien m'assurer que c'est nous, vivants, qui marchons dans un monde de fantômes [3].» Il vient de déplorer d'être né d'un siècle sans illusions, où l'on veut toucher pour croire, de ne pas partager la foi de Nodier et des héros de son *Franciscus Columna* dans l'immortalité céleste ; il ne lui a pas même suffi d'enterrer sa bien-aimée pour être sûr que les morts sont les vrais vivants, et nous, vivants, des fantômes. Mais, sous cette profession de doute, l'allusion à la mort de l'Aimée et l'espoir de son immortalité sont parfaitement clairs. Il ne s'agit plus ici de pourchasser le blond et de comparer des types féminins. À ce qui va suivre, Théophile n'a plus de part.

C'est surtout dans les dernières années de la vie de Nerval, de 1852 à sa mort, que vont se multiplier dans son œuvre les allusions désormais pathétiques, et de plus en plus transparentes, à l'histoire de ses amours. La préface à Jules Janin qu'il a écrite pour *Lorely* au début de l'été de 1852 accrédite un nouvel élément, et non des moindres, de sa biographie légendaire. Il y met en relation de cause à effet l'échec de son amour et sa crise de folie. Évoquant la Lorelei naufrageuse des bords du Rhin, il écrit : «Une fois déjà je me suis trouvé jeté sur la rive, brisé dans mes espoirs et dans mes amours, et bien tristement réveillé d'un songe heureux qui promettait d'être éter-

---

1. «Carnet du Caire», dans *Pl. II, G.-P.*, p. 853.
2. Les plus-que-parfaits, doivent logiquement signaler des événements antérieurs à la mort de Jenny, s'il s'agit d'elle : il l'avait fuie et perdue (du fait de son mariage, en 1838?), il l'avait grandie (lors de sa folie, en 1841?).
3. *Voyage en Orient*, «Introduction», XIV, § 4 (chapitre publié dans *L'Artiste* en août 1844). Nerval n'a pas, que nous sachions, «mis au tombeau» Jenny. Nous ne savons pas s'il a assisté à sa mort, ni comment cette mort l'affecta.

nel[1].» Si Nerval, en écrivant cette phrase, ne pensait pas à Jenny, il a pu au moins se douter qu'on penserait à elle en le lisant. Il poursuit : «On m'avait cru mort de ce naufrage», etc., remémorant par cette phrase sa première crise de folie[2]. Nerval semble donc mêler dans ces quelques lignes la catastrophe de son amour[3] et ses troubles mentaux : liaison souvent admise dans sa légende, mais qu'on aura peine à admettre telle quelle, dès lors qu'un intervalle de trois ans sépare les deux événements (1838-1841). Nerval se comporte ici en véritable créateur de mythe, refaisant lui-même légendairement son histoire. Sans doute savait-il mieux que nous le secret de sa vie ; mais ce secret a tout l'air d'être celui d'un homme seul, qui dispute aux faits sa vérité intime.

Dans ce même été 1852, il revient, au début de ses feuilletons de *La Bohême galante*, sur le souvenir de ses amours au temps de l'impasse du Doyenné (1835-1836) ; dédiant ces feuilletons à Houssaye, directeur de *L'Artiste* où ils paraissaient, il reproduit sur sa demande des vers que celui-ci avait consacrés jadis à leur jeunesse, en particulier ceux, cités plus haut, où il avait montré Gérard à la fois obsédé de la reine de Saba et d'une cantatrice de l'Opéra-Comique. Or, loin de contester la véracité de Houssaye, voici ce qu'il écrit : «La reine de Saba, c'était bien elle, en effet, qui me préoccupait alors, — et doublement. — Le fantôme éclatant de la fille des Hémiarites tourmentait mes nuits. [...] ELLE m'apparaissait radieuse, comme au jour où Salomon l'admira s'avançant vers lui dans les splendeurs pourprées du matin. Elle venait me proposer l'éternelle énigme que le Sage ne put résoudre, et ses yeux, que la malice animait plus que l'amour, tempéraient seuls la majesté de son visage oriental. — Qu'elle était belle ! non pas plus belle cependant qu'une autre reine du matin dont l'image tourmentait mes journées. Cette dernière réalisait mon rêve idéal et divin. [...] Les oiseaux se taisaient en entendant

_____

1. *Lorely*, Préface «À Jules Janin», § 6. Cette préface est datée du 21 juin 1852.

2. Jules Janin avait écrit, au lendemain de l'internement de Nerval, une sorte d'article nécrologique sur l'esprit de Nerval ; d'où, ici : «on m'avait cru mort», ironique et évident rappel de la crise mentale.

3. Nerval situe cette catastrophe au temps de son premier contact avec les bords du Rhin (été 1838, quelques mois après le mariage de Jenny). Veut-il dire qu'il a fait le voyage d'Allemagne pour fuir la cruelle Jenny ? Ce lien de causalité n'est attesté nulle part ; sa correspondance le montre surtout préoccupé de l'argent qu'il attend et de ses affaires littéraires de Paris.

ses chants[1].» Ainsi Nerval confirme en tous points, à treize ans de distance, les dires de Houssaye.

Blonde, cantatrice au chant magique, image irréelle de la reine de Saba, inclémente et prématurément morte : tels sont jusqu'ici les traits de l'Aimée, avoués par Nerval, et qui semblent confirmer la vérité de ses amours avec Jenny. Poursuivons notre revue. Tout à la fin de 1852, Nerval reprit certains des feuilletons de *La Bohême galante*, notamment ceux qui nous intéressent ici, pour les combiner avec d'autres textes, anciens et nouveaux, en un volume intitulé *Petits Châteaux de Bohême*. Ce que nous avons cité plus haut de *La Bohême galante* se retrouve ici sans changement[2]. Mais voici une page nouvelle. Nerval vient d'évoquer les châteaux rêvés dans la jeunesse, et inaccessibles, et il écrit : «En attendant, je crois bien que j'ai passé une fois par le château du diable. Ma Cydalise, à moi, perdue, à jamais perdue!... Une longue histoire, qui s'est dénouée dans un pays du Nord, — et qui ressemble à tant d'autres[3]!» Il n'avait dit mot, jusqu'ici, de ce pays du Nord, ni de ce dénouement. Il le dira bientôt.

Après les *Petits Châteaux*, la publication de *Sylvie*, dans l'été de 1853, apporte des indications qui semblent éclairer cette fois les relations des amants et leur séparation. Le scénario de *Sylvie*, dans ses chapitres I et XIII, est, à cet égard, une variante de celui de *Corilla*, de celui aussi qui semble se dessiner dans les *Lettres d'amour* : tant d'années de distance ont laissé cet amant intact, toujours aussi peu fait pour aimer une femme réelle et être aimé d'elle. Le narrateur se donne pour l'adorateur d'une actrice qu'il contemple chaque soir sur la scène sans s'être déclaré à elle ; mais, lui ayant exposé enfin son amour et ses tourments, il se voit accusé de ne pas savoir aimer vraiment ; elle lui préfère un régisseur de théâtre, son compagnon de tra-

---

1. *La Bohême galante*, III et IV (dans *L'Artiste* du 1er et du 15 juillet 1852). Les vers de Houssaye apparaissent ici avec, au 3e vers, l'étrange variante «la reine *du Sabbat*» (comme dans l'édition des *Poésies* de Houssaye de 1852, celle dont Nerval probablement a disposé) : grosse bévue de Houssaye (?) que Nerval relève avec agacement. — Sur la reine de Saba biblique, Nerval avait publié assez récemment une *Histoire de la reine du Matin* (*Le National*, mars-avril 1850) avant de la recueillir dans son *Voyage en Orient* ; mais déjà en 1835-1836 il projetait un opéra de la reine de Saba qui n'aboutit pas (voir *La Bohême galante*, aux mêmes endroits). — Sur le fait qu'il appelle cette reine la «reine du Matin», voir p. 379, note 3.

2. *Petits Châteaux de Bohême*, «premier château«, III.

3. *Ibid.*, paragraphe d'introduction au «troisième château».

vail, en l'amour de qui elle se fie davantage. En composant ce scénario, Nerval a confirmé l'histoire d'amour malheureux qu'on racontait sur lui : beaucoup ont sans doute cru reconnaître dans l'actrice celle qu'ils croyaient pouvoir nommer ; d'autres, qui ignoraient l'histoire, l'ont apprise à cette source. On peut remarquer que le récit de *Sylvie* mentionne l'envoi à l'actrice d'une série de lettres, «les plus belles et les plus tendres que sans doute elle eût jamais reçues». Nerval pense-t-il aux fameuses Lettres d'amour[1]? En reprenant une de ces lettres dans *Octavie* en 1853, il n'a pas manqué de la faire précéder de détails sur sa destinataire (cantatrice de Paris à la voix de sirène, objet d'un «amour contrarié»), qui suggèrent son identification à Jenny[2].

Enfin *Aurélia*, dans un bref récit liminaire, offre une quintessence du drame d'amour nervalien, avant d'en développer les suites surnaturelles. Une version primitive de ce début d'*Aurélia*, restée à l'état de manuscrit, précise que c'est en Belgique que l'aventure eut son dénouement (on se souvient que les *Petits Châteaux* parlaient d'«un pays du Nord») : c'est là, nous dit Nerval, au théâtre de la Monnaie, que «je m'enivrais de revoir une charmante cantatrice que j'avais connue à Paris et qui tenait à Bruxelles les premiers rôles d'opéra[3]». Il est difficile de désigner plus clairement Jenny Colon. Il y a de l'émotion dans le ton de ce fragment, mais rien toutefois de douloureux ni de tragique dans le rappel de «cette ancienne passion parisienne». Dans la version définitive d'*Aurélia*, le début est tout autre. Bruxelles et la cantatrice ont disparu ; il reste une «dame» longtemps aimée, que Nerval a perdue en conséquence d'une sienne faute, et qu'il retrouve dans une ville innommée, où elle lui accorde un émouvant pardon[4].

1. *Sylvie*, XIII, § 8. — On peut remarquer, entre les Lettres d'amour et *Sylvie* un autre point commun : l'actrice de *Sylvie* avoue qu'il lui est «difficile de rompre un attachement plus ancien» (*ibid.*) ; et, dans une des Lettres (*Pl. I, G.-P.*, p. 713), il semble bien qu'il soit question d'une situation semblable de l'héroïne («une de ces raisons dont nous avons parlé», «qu'importent les hommes et les indignes obligations de l'existence?») : ici, comme on voit, l'amant suggère le partage. Faut-il voir ici et là un reflet de la position réelle de Jenny (voir à ce sujet sa lettre à Doche, *Pl. I*, p. 774, en complément aux Lettres) ou le retour d'un même motif de fiction romanesque?

2. *Octavie*, § I.

3. *Pl. I*, «Fragments...», I, § 1.

4. *Aurélia*, Iʳᵉ partie, I, § 3, et II, § 1. — Nerval a effectivement rencontré Jenny Colon à la fin de 1840 à Bruxelles : on y créait son *Piquillo*, où elle avait le premier rôle.

En recueillant, comme nous venons de le faire, au fil d'une quinzaine d'années, tous les éléments qui bâtissent ensemble une Histoire d'amour vécue par l'auteur, nous avons pu en constater la diversité, le vague, l'imparfaite liaison, la véracité souvent problématique. Nerval n'en apparaît pas moins, tout compte fait, comme le principal ouvrier de cette histoire, ce qui, même si nous ne sommes pas obligés de la croire, a son importance. Résumons-la : Gérard de Nerval a aimé Jenny Colon, il l'a d'abord adorée chaque soir du fond de sa stalle de l'Opéra-Comique, il l'a connue, il l'a heurtée, effrayée ou déçue, il a perdu ses chances avec elle, il s'est vu préférer un autre homme, il ne l'a jamais oubliée, elle lui a pardonné à Bruxelles, il n'en est pas moins devenu fou, l'a divinisée dans ses délires, d'elle vivante puis morte il a attendu le salut au-delà de ce monde. *Aurélia* va nous dire à travers quelles épreuves il a espéré obtenir ce salut, tremblé de le perdre, l'a gagné enfin ; mais l'échec semble inscrit dans la façon dont il est mort.

Rien n'interdit en toute rigueur de tracer ce bel enchaînement — sauf que le seul témoignage de Nerval ne peut faire foi dans une matière si fortement littéraire, et que ce scénario présente, pour une histoire d'amour, le caractère hautement insolite de ne comporter, en fait, qu'un seul personnage : la femme y paraît comme étrangère, n'intervenant que pour être aimée, pour rejeter, pour pardonner. Nous apprenons uniquement comment Gérard a aimé, tout seul, finissant par mêler les vicissitudes d'une quête spirituelle à l'image d'une femme inaccessible à son amour, de sorte que l'ensemble de son récit, quelle qu'en puisse être l'occasion réelle, a plutôt l'air d'une fiction que d'un récit autobiographique. Concédons au moins que Jenny a souvent et longtemps occupé sa pensée et sa plume. On peut supposer que, ses amis ayant remarqué son penchant pour elle, et aussi sa gaucherie, ils en ont fait une fable, tandis qu'il se mettait à vivre difficilement cette aventure offerte à son amour-propre, transformant la version semi-comique qu'on donnait de ses amours en un scénario pathétique dont il était lui-même le principal auteur. Dans ces conditions, la part que la Jenny réelle a pu tenir dans sa vie ne fait pas vraiment problème, car ce qui nous est raconté, ce n'est pas, à proprement parler, l'amour de Jenny et Gérard ; c'est plutôt l'insoluble mal d'amour de Gérard sous le prétexte ou l'invocation de Jenny.

Comment assurer d'ailleurs qu'en vingt ans de vie, Jenny, sitôt perdue, puis morte, ait été l'unique ? Nous allons parler de Marie Pleyel, qui a voisiné avec elle dans l'Histoire d'amour de Nerval. On peut supposer que d'autres femmes ont laissé leur trace dans ses pensées, même s'il n'en a rien dit [1]. Quelle que soit Aurélia, une — laquelle ? —, ou plusieurs, ou aucune, ce n'est pas elle qui nous est racontée. Nerval marche seul avec ce qu'il vit et imagine ; et si les femmes qu'il a connues sont ignorées de nous, c'est parce que ce qu'il voulait dire ne les concernait pas vraiment. C'est sa solitude qui le définit en amour, et non ses compagnes.

Marie Pleyel

Dans ce fragment de la première version d'*Aurélia*, où le narrateur dit avoir rencontré une dernière fois sa bien-aimée à Bruxelles, il fait mention aussi d'« une autre belle dame », rencontrée alors dans la même ville, qui au théâtre lui faisait signe de sa loge de monter auprès d'elle ; elle sympathisait avec la cantatrice et lui, et se montrait « bonne et indulgente pour cette ancienne passion parisienne [2] ». La version définitive d'*Aurélia* en dit bien davantage sur cette dame. Gérard dit l'avoir rencontrée d'abord dans une ville d'Italie où il était allé en temps de carnaval se consoler de son grand amour malheureux. Il s'agit d'« une femme de grande renommée », qui l'a pris en amitié et dont le charme a si bien agi qu'il s'est cru épris d'elle. Il lui déclare passionnément son amour par lettre ; mais ne pouvant retrouver le ton de sa lettre en lui parlant, il lui avoue, avec larmes, qu'il s'est trompé en croyant l'aimer. Cet étrange épisode finit pourtant bien, et l'amitié

---

1. Renvoyons ici aux recherches et aux intuitions du Père Jean Guillaume touchant un amour de Nerval pour Stéphanie Houssaye, femme d'Arsène, dont il a fait sortir de l'ombre l'émouvant profil. Voir ses articles dans *Les Études classiques* (Namur), t. XLI, 1973, p. 62 et suiv. ; t. XLIV, 1976, p. 148 et suiv. ; t. LVI, 1988, p. 347 et suiv. ; aussi son livre, *Nerval. Masques et visage*, Namur, 1988, pp. 106-107. Il s'agirait d'un amour des derniers temps, tout spirituel celui-là, qui ne supprime pas les phases antérieures de l'Histoire d'amour, plus solitaire en tout cas qu'aucun autre, et moins déclaré encore, s'agissant de la femme d'un ami.
2. Même fragment que ci-dessus, p. 290, note 3.

succède à l'illusion de l'amour. Nerval raconte ensuite la rencontre avec elle à Bruxelles (sans nommer la ville) en même temps qu'avec la dame aimée, et dit qu'elle intercéda en sa faveur auprès d'elle et l'inclina au pardon[1]. Nous pouvons identifier avec certitude cette autre dame, qu'il rencontra non pas dans une ville d'Italie, mais à Vienne[2] pendant le carnaval de 1840, et qu'il revit à Bruxelles, en même temps que Jenny, en décembre de la même année : c'est Marie Pleyel[3], pianiste de grand renom européen, qui se trouva dans ces deux villes en même temps que Nerval et fut indiscutablement, ici et là, en relation avec lui[4]. Quant à savoir si l'épisode sentimental qu'il raconte fut tel qu'il le dit, ou si même il a bien eu lieu, c'est une autre affaire. Rien de tel ne transparaît dans les lettres de Marie Pleyel, pas plus que dans les siennes. Elle parle de lui à Janin, à Gautier, sur un ton de gentillesse amicale, un peu protectrice[5]. C'était une femme fort belle, et nullement novice, que la gaucherie et la reculade d'un soupirant ont pu attendrir. Peut-être aussi a-t-elle deviné qu'il était amoureux d'elle sans qu'il ait jamais osé le lui dire. Quant à son intervention à Bruxelles, à laquelle Nerval dit avoir dû le pardon de Jenny, elle est aussi problématique que le pardon lui-même, dont on a vu que la première version d'*Aurélia* ne disait mot. Sur les relations de Nerval avec Marie Pleyel, il est donc permis de tout conjecturer, pourvu qu'on n'affirme rien.

1. *Aurélia*, I⁰ partie, I, II.
2. Il n'y était pas, que l'on sache, pour oublier une disgrâce amoureuse, qu'on situe presque trois ans avant, mais comme chargé de mission d'un ministère français.
3. Camille Marie Denise Moke (1811-1875), belge par son père, allemande par sa mère, épousa Camille Pleyel, compositeur et facteur de pianos, et fit une brillante carrière de pianiste virtuose en Europe.
4. Cette identification de l'«autre dame» avec Marie Pleyel ressort avec évidence de la correspondance de Nerval pendant ses séjours à Vienne (décembre 1839-février 1840) et à Bruxelles (décembre 1840). Ces lettres attestent des rencontres et des relations de société entre Nerval et Marie Pleyel ; rien sur le plan sentimental.
5. Voir la lettre de Marie Pleyel à Jules Janin (par qui Gérard lui avait été recommandé), du [14 mai 1840], dans *Pl. I*, pp. 870 et 871 : «Que fait ce bon petit Gérard qui vous est si tendrement attaché ? J'ai beaucoup d'amitié pour ce doux poète dont l'âme est incapable de rêver une méchanceté.» Aussi sa lettre à Gautier, du 1ᵉʳ décembre 1845, et de [1847], dans la *Correspondance générale* de Gautier (voir ci-dessus, p. 235, note 1), t. II, 1986, p. 309, et III, 1988, p. 236.

Il existe cependant une autre source de renseignements sur ce chapitre, qui le complique singulièrement : c'est *Pandora*, récit qui se déroule, celui-là, explicitement à Vienne, et dont la mystérieuse héroïne emprunte plusieurs attributs et situations fondamentales à Marie Pleyel [1]. Ce récit continue les « Amours de Vienne » racontées dès 1841 [2] ; le narrateur s'y donne d'emblée pour amoureux de Pandora ; quoiqu'il ne raconte ici ni déclaration ni rétractation, il ne nous laisse pas douter de l'importance de cet amour, usant des mêmes procédés d'allusion transparente qui ailleurs évoquent Jenny. C'est ainsi qu'il écrit : « Un nouvel amour se dessine déjà sur la trame variée des deux autres — Adieu, forêt de Saint-Germain [...] ! — Adieu aussi, ville enfumée qui t'appelais Lutèce [3]. » Saint-Germain, où il aima jadis sa cousine [4], Paris où il aima Jenny : voici donc un troisième amour, viennois, qu'il proclame. Et il n'a pas fait de grands efforts pour que nous ne découvrions pas Marie Pleyel dans Pandora : il écrit de Vienne à ses amis de Paris qu'il joue des charades à l'ambassade de France avec Marie Pleyel, et dans *Pandora* il se représente lui et son héroïne dans la même situation, au centre de son récit [5] ; il raconte qu'il revoit Pandora un an après dans une capitale du Nord [6], et nul n'ignore qu'il a vu Marie à Bruxelles à cette date. Ces rapprochements sont concluants, à une réserve près : ils prouvent que Nerval, en écrivant *Pandora*, pense à Marie Pleyel et veut nous faire

1. Bien qu'on admette généralement que la Pandora est un personnage composite mêlant les traits de plusieurs femmes réelles (voir *Pandora*, éd. J. Guillaume, Namur, 1976, Appendice VIII), les éléments les plus saillants du portrait désignent Marie Pleyel.

2. Dans un article de la *Revue de Paris*, reproduit ensuite dans l'Introduction du *Voyage en Orient*, chap. VI à X. Sur les rapports de *Pandora* et des « Amours de Vienne », voir la *Revue d'histoire littéraire de la France*, 1978, pp. 39-59.

3. Fragment manuscrit non retenu dans le texte définitif de *Pandora* ; reproduit dans J. Guillaume, *Aux origines de « Pandora » et d'« Aurélia »*, Namur, 1982, p. 13.

4. Il s'agit de sa cousine Sophie Paris de Lamaury ; voir, sur la jeunesse de Nerval à Saint-Germain, le livre d'Édouard Peyrouzet, *Gérard de Nerval inconnu*, Paris, 1965. Nerval évoque dans *Pandora*, même éd., p. 79, ses « belles cousines » de Saint-Germain, dont le souvenir l'éblouit encore à Vienne, et ajoute : « Pourtant, je n'aimais qu'elle, alors !... » (C'est-à-dire, je n'aimais que la Pandora, à Vienne.)

5. Lettres à son père, à Alexandre Dumas, à Monpou (30 janvier, 25 et 28 février [1840]) ; *Pandora*, même éd., p. 91 et suiv.

6. *Ibid.*, p. 104.

penser à elle ; ils ne prouvent pas que ce qu'il dit de leurs relations soit vrai.

Ce nouvel amour, tel qu'il apparaît dans *Pandora*, intéresse
au plus haut degré, surtout par le caractère prêté à la femme,
qui peut surprendre. L'héroïne est peinte comme une femme
coquette, dominatrice et humiliatrice, maléfique même, à la
fois aimée et redoutée à l'extrême, à l'opposé, en somme, de
la bienveillante dame d'*Aurélia*. C'est pourtant la même femme.
Une image fortement négative de Marie Pleyel a donc précédé
l'autre dans la littérature de Nerval. La première a de quoi
nous intriguer : non seulement elle n'a laissé aucune trace dans
la correspondance, où il est si souvent question de Marie, mais,
dans le texte même de *Pandora*, rien ne justifie les griefs dont
l'auteur l'accable : le lecteur a l'impression, en plusieurs
endroits, d'une sensibilité voisine du délire. En ce sens, *Pandora* tient à la folie de Nerval ; mais, nous bornant ici à définir
sa façon d'aimer, nous constaterons que l'image d'une Bien-
Aimée ennemie perturbe chez lui l'idéal amour, dont le chemin n'est ni bien frayé, ni tout semé de roses. Les Lettres
d'amour, qui sont la matrice de l'Amour nervalien, nous ont
fait entrevoir un Adorateur humilié, violent, coupable. Il y a
donc deux musiques de l'amour, la céleste et l'infernale. Il semble qu'on se trompe en invoquant ici le combat du charnel et
du spirituel ; c'est celui plutôt du malheur et du bonheur. Nerval
cherche où il peut souffrir le moins, étant ce qu'il est ; sa solution est celle qui, en spiritualisant le désir, exclut le combat ;
on pourrait l'appeler l'Amour en idée. Cette forme de passion
compense, par l'indifférence au réel qu'elle suppose, le sentiment de frustration qu'elle ne peut éviter : équilibre chimérique dont la Sensibilité moderne, dès Jean-Jacques, a fait
l'ingrate expérience.

L'Amour en idée

Retraçant dans *Sylvie* l'époque de ses vingt ans, Nerval écrit :
« Vue de près, la femme réelle révoltait notre ingénuité ; il fallait qu'elle apparût reine ou déesse, et surtout n'en pas approcher [1]. » Il demeura apparemment toute sa vie dans cette

---

1. *Sylvie*, I, *in fine*.

disposition : elle lui fait interpréter curieusement l'habitude musulmane de faire vivre séparément les deux sexes dans la famille ; il y voit « un certain reste du platonisme antique, qui élève l'amour pur au-dessus des objets périssables » ; il ajoute : « La femme adorée n'est elle-même que le fantôme abstrait, que l'image incomplète d'une femme divine, fiancée au croyant de toute éternité [1]. » Pendant son séjour au Caire, il avait écrit sur son *Carnet,* dans le même ordre d'idées : « Poursuivre les mêmes traits dans des femmes diverses. Amoureux d'un type éternel [2]. » Pourtant, Nerval n'applique guère pour son compte cette métaphysique amoureuse ; elle est plutôt à ses yeux spéculation qu'expérience. Plus sévère pour Restif qu'on ne pense, il ne le croit pas quand il prétend avoir aimé la même femme à travers plusieurs : « Cette théorie des ressemblances », estime-t-il, lui a surtout servi à construire des romans [3]. Ce dont il est, quant à lui, coutumier, c'est de vivre comme une expérience d'adoration l'amour d'une femme réelle transfigurée : choix dramatique, en ce qu'il détruit nécessairement le couple, sur lequel l'amour, par définition, repose.

Des amours de Nerval en Orient, un seul intéresse notre sujet, et même y projette une certaine lumière. Pendant son séjour à Beyrouth, Nerval rencontre, à l'école française de cette ville dirigée par Mme Carlès, une jeune fille druse, blanche et blonde, dont le visage a le « dessin pur de ce type aquilin qui, en Asie comme chez nous, a quelque chose de royal ». Elle lui sourit et, se sentant en danger de tomber amoureux d'elle, il abrège la visite : « Il fallait, écrit-il, prendre le temps de réfléchir sur tout un monde d'idées qui venait de surgir en moi. » Il imagine que l'ami parisien à qui ce récit est censé être adressé va sourire de cette passion subite : « Il te semble, non pas que je suis épris, mais que je crois l'être... comme si ce n'était pas la même chose en résultat ! J'ai

---

1. *Voyage en Orient,* « Les Femmes du Caire », I, 4, avant-dernier § (= *Revue des Deux Mondes,* 1er mai 1846). « Fantôme abstrait » est admirable, appliqué à la femme réelle .

2. « Carnet du Caire », dans *Pl. II, G.-P.,* p. 844 ; ce carnet date de 1843.

3. Les articles de Nerval sur Restif, intitulés *Les Confidences de Nicolas,* ont paru dans la *Revue des Deux Mondes* des 15 août, 1er et 15 septembre 1850, et ont été recueillis en 1852 dans *Les Illuminés.* Notre citation est dans ces *Confidences...,* IIe partie, III, 2e § avant la fin (*Pl. II, G.-P.,* p. 1011).

entendu des gens graves plaisanter sur l'amour que l'on conçoit pour des actrices, pour des reines, pour des femmes poètes, pour tout ce qui, selon eux, agite l'imagination plus que le cœur, et pourtant, avec de si folles amours, on aboutit au délire, à la mort, ou à des sacrifices inouïs de temps, de fortune ou d'intelligence. Ah ! je crois être amoureux, ah ! Je crois être malade, n'est-ce pas ? Mais, si je crois l'être, je le suis[1] !» Il refuse donc, contre tout le sens commun, la distinction entre ce qu'on croit être et ce qu'on est. Au moins dans ce cas particulier, les ravages de l'amour de tête n'allèrent pas trop loin. Nerval, avant même d'avoir parlé à Saléma — c'est son nom — célébrait son bonheur en ces termes : «Oh ! que j'étais heureux de me voir une idée, un but, une volonté, quelque chose à rêver, à tâcher d'atteindre ! [...] Je sentais que l'aiguille de ma destinée avait changé de place tout à coup, [...] la femme idéale que chacun poursuit dans ses songes s'était réalisée pour moi ; tout le reste était oublié[2].» Nerval, loin d'éprouver aucune des funestes conséquences qu'il assigne aux amours de cette sorte, projette de demander Saléma en mariage. De fait, l'histoire à partir de là tourne à l'humour. Le cheikh Séïd-Escherazy, père de Saléma, quand Gérard lui fait sa demande, le tient d'abord pour fou, et le lui dit[3]. Le mariage ne se décide que parce que Gérard a convaincu le cheikh que les Druses sont les francs-maçons de l'Orient et que lui-même est fils de francmaçon ; il se fait donc initier aux croyances des Druses, et le mariage s'apprête. Cependant, il n'est toujours pas question de Saléma elle-même ; Nerval a avec sa fiancée de «rares entretiens», dont il ne veut rien dire de plus. L'histoire devenant de plus en plus surprenante, voici comment Gérard la termine soudain (il a quitté le Liban et écrit de Constan-

1. *Voyage en Orient*, «Druses et Maronites», II, 3, §§ 8, 18, 20, 21 (= *Revue des Deux Mondes*, 15 août 1847).
2. *Ibid.*, §§ 23, 24. Cette exaltation est liée dans le texte à l'idée d'une régénération par la «terre maternelle» de l'Orient. Nerval y pensait avant d'avoir connu Saléma ; voir *ibid.*, II, 1 (*Pl. II, G.-P.*, p. 506) : «Cet enthousiasme [...], je l'avoue, depuis le commencement de mon voyage, a déjà eu plusieurs objets.»
3. *Ibid.*, IV, 6 (*Pl. II, G.-P.*, p. 593). Le nom du père de Saléma fait problème : Jean Gaulmier ne trouve nulle part au Liban la trace d'une famille de ce nom ; le prénom *Se ïd* ou *Sa ïd* est courant en arabe ; quant au nom, il faut lire, semble-t-il, *Ech-chirazi* («le Chirazien», natif de Chiraz). La réalité de toute l'histoire est évidemment problématique.

tinople) : «Mon ami, l'homme s'agite et Dieu le mène. [...] Au moment où je commençais à me rendre digne d'épouser la fille du cheikh, je me suis trouvé pris tout à coup d'une de ces fièvres de Syrie qui, si elles ne vous enlèvent pas, durent des mois ou des années. Le seul remède est de quitter le pays. [...] J'ai pris pied enfin sur la terre d'Europe.» S'il retourne en Syrie, observe-t-il, il y retombera malade ; quant à faire venir Saléma en Europe, ce serait l'exposer à «ces terribles maladies qui emportent, dans les pays du Nord, les trois quarts des femmes d'Orient qu'on y transplante[1]». Faut-il prendre au sérieux ce dénouement ? Nerval semble surtout se débarrasser ici d'une personne — ou d'un personnage — dont il ne sait plus que faire[2].

Convient-il de philosopher sur l'étrange nature de l'Amour nervalien, selon lequel l'Amant déréalise la Femme pour l'aimer et, s'interdisant ainsi toute chance de bonheur dans le réel, se voue aux satisfactions problématiques d'un Idéal à figure d'au-delà. Que Nerval se connaisse et se définisse tel, c'est évident pour qui le lit. La tradition de l'amour idéal est ancienne et puissante ; elle occupe la littérature de l'Occident depuis des siècles, et les adeptes de cet amour le donnent pour l'amour véritable. Nerval se distingue par un idéalisme amoureux qui pousse à l'extrême la séparation et l'angoisse, et où nous pouvons voir une des formes de ce culte de l'impossible, ultime formule du romantisme sans espoir. Cela dit, on peut bien chercher à définir psychologiquement et biographiquement cette attitude de Nerval, par-

---

1. *Ibid.*, V, 1, § 2 (= *Revue des Deux Mondes*, 15 octobre 1847).
2. Gautier, commentant plus tard (Notice sur Nerval, datée de 1867, en tête de l'édition Calmann-Lévy des *Deux Faust*, t. I des *Œuvres* de Nerval) l'épisode de Saléma, affirme qu'il s'agit d'une récurrence de l'amour pour Jenny, fondée sur la ressemblance des deux femmes, et développe à cette occasion toute l'histoire habituelle de cet amour (notamment, voyage en Orient «pour oublier»), et il expose la réminiscence suscitée par Saléma sur un ton ridiculement tragique, bien différent de celui de l'épisode raconté par Nerval ; son point de départ est le portrait de Saléma, fait sur le type cher aux deux amis (blonde, blanche, nez aquilin et royal), à peu près celui de Jenny. Il est certain que, par un tel portrait, Nerval, ici encore, a collaboré à sa légende. — De toute façon, vraie ou imaginée, l'histoire de Saléma, plutôt qu'une reprise du grand Scénario d'amour, en est une variante mineure, qui tourne à la parodie et se dénoue prosaïquement.

ler de son impuissance [1] ou de son obsession inconsciente de sa mère morte et jamais connue, et essayer d'expliquer par là ce qu'il fut. Mais il ne nous a nulle part engagé lui-même sur ce terrain. Ces explications possibles, mais par nature conjecturales, sont étrangères à l'héritage qu'il nous a laissé, et que ce livre s'est donné pour tâche d'explorer.

---

1. Sébillotte, dans son livre déjà cité, avait mis l'impuissance au centre des troubles de Nerval et avait, ce faisant, choqué passablement l'opinion nervalienne. Il faut toutefois s'entendre sur ce mot ; il y a, de toute évidence, chez Nerval, une impuissance avouée, affective au moins, de vivre un amour partagé (de sa vie sexuelle, nous ignorons tout). Le mot peut, il est vrai, ne pas plaire. Clouard, pourtant, éditeur et fervent de l'œuvre nervalienne, avait précédé Sébillotte, et avec moins d'égards que lui (voir, dans son édition des *Œuvres* de Nerval, au Divan, son Introduction aux *Filles du feu*, Paris, 1927, pp. VII et VIII). Quel que puisse être l'intérêt de cette conjecture, comme de beaucoup d'autres, une fois qu'on l'a admise, ou trouvée digne d'attention, ou rejetée, ou réprouvée, l'œuvre de Nerval n'en est en rien changée, et l'on risque de se découvrir à cent lieues d'elle et de son auteur, par la seule vertu de ce débat où il n'a pas ouvert la bouche.

VI

FOLIE ET LITTÉRATURE

Nous sommes bien mal renseignés sur la nature exacte des troubles mentaux dont Nerval a souffert. Ce que nous en savons suffit peut-être à des psychiatres pour émettre un diagnostic plausible [1], beaucoup moins pour nous instruire exactement de l'expérience qu'il a vécue. Nous pouvons établir, par les séjours en clinique dont nous connaissons les dates, un calendrier des principales crises mentales qu'il a traversées. La première que nous connaissions éclata dans les derniers jours de février 1841 (Nerval devait avoir trente-trois ans en mai) ; elle nécessita une longue période d'internement chez le docteur Esprit Blanche, à Montmartre, et ne prit fin qu'en novembre de la même année. Les premiers symptômes de la deuxième grande crise se manifestèrent plus de dix ans après, en septembre 1851, si l'on en croit *Aurélia*, à la suite d'une chute [2] ; l'état de sa santé ne cessa de s'aggraver (avec des hospitalisations, sur diagnostics divers, dans les premiers mois de 1852 et 1853) jusqu'en août 1853, où il dut être interné dans la clinique psychiatrique du docteur Émile Blanche (fils du précédent), à Passy ; il y resta jusqu'au mois de mai 1854. Après un voyage, traversé de mauvais moments, en Allemagne, en mai et juillet 1854, il doit retourner encore, au début d'août, chez le docteur Blanche. Il n'existe aucune preuve formelle qu'il ait été mentalement malade en d'autres périodes que celles-

---

1. Celui de psychose maniaco-dépressive : voir sur ce sujet l'ouvrage, déjà cité, de L.-H. Sébillotte.
2. *Aurélia*, Ire partie, IX, ne donne pas de date, mais il est question expressément de cette chute dans les lettres à ses amis des 23 et 26 septembre 1851, dates attestées par le cachet de la poste.

là, soit avant 1841, soit entre 1841 et 1851. Tout ce qu'on allègue ou soupçonne dans ce sens, à tort ou à raison, est dépourvu de certitude. Il est vrai que, selon lui, sa maladie n'a eu « rien d'extraordinaire », car, dit-il, « j'ai déjà éprouvé il y a longtemps de semblables attaques de nerfs[1] ». Il écrit cela au début de la crise de 1841. Faut-il le croire ? Il s'adresse à un personnage officiel, dont il apprécie l'appui, et il entend peut-être diminuer ainsi l'importance d'une maladie qui risque de le discréditer. On ne sait. Il a peut-être été, toute sa vie, sujet à des périodes d'angoisse ou d'imaginations morbides, sans commune mesure avec l'état qui a rendu, aux dates que nous connaissons, son internement nécessaire.

Des symptômes visibles de son mal nous savons peu de chose ; les médecins qui l'ont traité n'en ont rien dit, bien sûr, ni rien écrit qui soit parvenu à notre connaissance. Il est certain qu'il traversa des périodes d'excitation furieuse ; il dut subir deux fois la camisole de force[2]. Il n'est pas douteux non plus qu'il délira. Il semble que ses délires aient consisté surtout dans un grandissement mythique de sa personne : des identités fantastiques apparaissent dans les signatures de quelques-unes de ses lettres[3], dans les témoignages de tiers[4], aussi dans ses propres

1. Lettre du 5 mars 1841, à Edmond Leclerc, secrétaire particulier du ministre de l'Intérieur, Duchâtel.
2. Voir *Aurélia*, IIe partie, V, § 1, et lettre à Georges Bell du 31 mai 1854 : une nuit, à la halle, il donne « un rude soufflet » à un inconnu, et se querelle avec un facteur qu'il menace et fait pleurer ; *Aurélia*, *ibid.*, §§ 5 et 6 : emploi de la camisole de force.
3. Ainsi : lettre à Paul Bocage du [14 mars 1841], signé D.G. Labrunöe dye Nâwæ (on sait que Labrunie était son vrai nom, le reste est sujet à conjecture ; lettre à Jules Janin du [16 mars 1841], signée « il cav[aliere] G. Nap. della torre Brunya e [Pallaza] » (dernier mot incertain) : on retrouve ici (La)brunie avec une tour qui fait penser à celle du Desdichado ; lettre à George Sand du [23 novembre 1853], signée « Ammon-Ra, duc d'Égypte » et « Gaston Phoebus d'Aquitaine ».
4. Témoignage d'Alexandre Weill en 1841, affirmant que Nerval lui a dit être fils de Joseph Bonaparte ; douze ans après, Alexandre Dumas écrit dans *Le Mousquetaire* du 10 décembre 1853 que Nerval se croit parfois le roi Salomon ou le sultan Ghera-Gherai (« Gherai » est le nom de tous les souverains du khanat de Crimée du temps de l'appartenance de cette région à l'Empire ottoman, c'est-à-dire entre 1420 et 1783, date à laquelle la Crimée fut conquise et annexée par la Russie ; « Gherai » précédé de « Ghéra » n'apparaît, semble-t-il, nulle part ; cependant, Gérard connaissait le nom employé par Dumas, puisque, citant l'article de celui-ci dans la Préface des *Filles du feu*, il remplace « le sultan Ghera-Gherai » par « le sultan de Crimée », titre qui d'ailleurs, pas plus que le nom, n'était actuel).

dires, même réticents : il avoue s'être «laissé classer dans une *affection* définie par les docteurs et appelée indifféremment Théomanie ou Démonomanie dans le Dictionnaire médical[1]» ; il reconnaît, en certaine occasion, s'être pris récemment pour un demi-dieu[2]. Mais dans quelle mesure *croyait-il* vraiment à ces transfigurations, dont il semble s'amuser ? Il raconte lui-même — mais cela est moins délire qu'illusion ordinaire dans les périodes d'excitation maniaque — comment il a éprouvé, en plusieurs circonstances, le sentiment d'être doué d'une puissance surhumaine[3]. Au pôle opposé, il pouvait subir l'imagination catastrophique d'un double spoliateur ou d'un imminent cataclysme cosmique[4].

«Il voyait sa folie face à face»

Il saute cependant aux yeux, pour qui parcourt la correspondance de Nerval, qu'au cours même des deux grandes périodes de maladie, le délire n'a eu chez lui qu'un caractère très intermittent. Des lettres parfaitement sensées occupent ces deux périodes, au sein desquelles apparaissent par endroits des lettres où il plaisante obscurément, ou bien déraisonne tout à fait. Après les journées de crise aiguë qui le firent interner dans la dernière semaine de février 1841, nous avons, dès le 5 mars, plusieurs lettres des plus raisonnables ; or Alexandre Weill, qui alla le voir en réponse à l'une d'elles (il ne dit pas exactement quand), déclare l'avoir trouvé fou : lui faisant ôter ses chaussures pour discerner sa généalogie dans ses pieds nus, le déclarant descendant d'Isaïe, se disant lui-même fils de Joseph Bonaparte[5]. Vers le milieu

---

1. Lettre à Mme Alexandre Dumas, du [9] novembre [1841]. «Théomanie», «démonomanie» : délire de relation ou identification avec Dieu ou des êtres surnaturels.
2. Lettre au docteur Blanche, du [2 décembre 1853].
3. Voir *Aurélia*, *passim*, notamment lors de ses démêlés avec la ronde de nuit qui vient l'arrêter au début de sa crise (1re partie, III, § 3), ou quand il impose les mains à des malades, croyant pouvoir les guérir (IIe partie, V, § 5).
4. *Aurélia*, Ire partie, IX, X ; IIe partie, IV, avant-dernier §.
5. Voir la lettre de Nerval à Alexandre Weill, du 5 mars [1841], où il lui demande de venir le voir ; Weill a écrit sur cette lettre même le récit de sa visite : voir les Notes concernant cette lettre dans *Pl. I*, p. 1 463 ; et la lettre consécutive de Weill à Karr, de [mars 1841], *ibid.*, p. 898 ; (mêmes textes reproduits dans *Pl. I, G.-P.*, p. 1 993).

du mois, plusieurs lettres sont inquiétantes ou tout à fait extra-vagantes, comme celles à Bocage et à Janin, déjà citées[1] ; mais, dans le même temps, celle à Félix Bonnaire, concernant le triste feuilleton que Janin lui avait récemment consacré, est un chef-d'œuvre d'ironie lucide[2]. Dans beaucoup de lettres, jusqu'en novembre, il se dit guéri ou convalescent ; dans les dernières, il nie avoir jamais été fou[3] ; et la façon dont il plaide établit au moins qu'il ne l'est absolument pas quand il écrit.

La seconde crise, qui occupa la plus grande partie des années 1853 et 1854, présente, du point de vue où nous nous plaçons, des caractères semblables. Pendant cette période, les lettres de Nerval annoncent plus ou moins euphémiquement ses rechutes toutes récentes et sa convalescence présente. Les lettres étranges de novembre 1853, notamment celle à George Sand, sont précédées et suivies de lettres qui ne soulèvent aucun problème, consacrées en grande partie à ses projets littéraires. Il en fut ainsi jusqu'au bout. Les lettres d'Allemagne, de mai à juillet 1854, sensibles et claires, font état de crises d'« exaltation » temporaires. Il ne faut surtout pas oublier, si pénibles qu'aient pu être, quant à la santé de Nerval, les années 1853 et 1854, que ce fut le temps où il écrivit *Sylvie* et *Aurélia*. De retour à Paris, et bientôt de nouveau en clinique, il n'a plus qu'un souci, trouver des appuis familiaux ou officiels pour convaincre le docteur Blanche de le laisser sortir de sa maison : ce à quoi le docteur consent le 19 août en dégageant sa responsabilité. À partir de cette date, Nerval vécut en liberté jusqu'à la nuit du 25 au 26 janvier 1855, date de sa mort, sans doute volontaire.

1. Ou la lettre à Lingay du 7 mars 1841, publiée dans le volume de *L'Herne* sur Nerval, n° 32, 1980, p. 61, reproduite dans *Pl. I, G.-P.*, p. 1 374, et celle du même jour à Edmond Leclerc.

2. Lettre de Nerval à Félix Bonnaire, du [14 mars 1841] (cachet de la poste du 16) : « Faites donc d'immenses remerciements à Janin pour l'excellent, le cordial, l'étonnant article qu'il a bien voulu consacrer à mes *funérailles*. Assister soi-même, et vivant, à un tel panégyrique, c'est un honneur et une gloire à donner le vertige. Heureusement je sens toute la supériorité de celui qui peut me placer si haut, et je sais que je n'en dois remercier que son inaltérable amitié. » Janin, dans son feuilleton du *Journal des Débats*, le 1er mars 1841, avait outré l'éloge rétrospectif, tout en annonçant la folie de Nerval comme la mort de son esprit, en style d'oraison funèbre.

3. Ainsi dans sa lettre à Mme de Girardin du 27 avril [1841] et dans celle à Janin du 24 août 1841, sur laquelle nous reviendrons.

Tel est le mélange de raison et de folie au sein duquel s'exerça sa pensée. «M. Gérard de Nerval, a écrit le docteur Blanche au lendemain de sa mort, n'était pas assez malade pour qu'on pût le retenir malgré lui dans une maison d'aliénés, mais depuis longtemps, pour moi, il n'était plus jamais sain d'esprit[1].» Il dit, mieux encore : «Il voyait sa folie face à face[2].» Fou et lucide donc, c'est-à-dire engagé dans un combat héroïque. On peut trouver Baudelaire paradoxal quand il appelle Nerval «un écrivain [...] *qui fut toujours lucide*[3]». Il ne fait pourtant que répéter ce que Nerval lui-même a toujours dit. Écoutons ce qu'il déclare, dès les premiers jours de sa maladie : «J'ai toujours eu toute connaissance, même quand je ne pouvais pas parler[4].» Au printemps suivant, il écrit : «Heureusement, le mal a cédé presque entièrement aujourd'hui ; je veux dire, l'exaltation d'un esprit beaucoup trop *romanesque*, à ce qu'il paraît ; car j'ai le malheur de m'être cru toujours dans mon bon sens[5].» Au lendemain de sa dernière crise, à peu de mois de sa mort, il n'a pas changé d'attitude : «Je conviens officiellement que j'ai été malade. Je ne puis convenir que j'ai été fou ou même halluciné[6].»

Que penser de cette lucidité, sachant ce que nous savons de ses délires et excentricités ? On sent la délicatesse du problème quand on lit ces lignes où il essaie d'apprécier le degré de folie de Hamlet : «Sa folie n'existe que relativement aux autres ; il a en lui-même, et déduit logiquement dans sa pensée, la raison de tout ce qu'il fait[7].» Sa lucidité, à lui Nerval, était-elle de cet ordre-là, accessible à elle-même seulement ? Ce n'est pas ce qu'il nous fait entendre d'ordinaire, mais que les troubles

---

1. Le Dr Émile Blanche à l'archevêque de Paris (27 janvier 1855). Le docteur Blanche, en plaidant la relative santé de Nerval, s'absolvait sans doute de l'avoir laissé sortir ; et, en plaidant sa folie, il innocentait aux yeux de l'archevêque un probable suicide, qui, autrement, eût exclu des funérailles chrétiennes. Mais ce témoignage deux fois prudent était aussi la vérité même.

2. *Ibid.*

3. BAUDELAIRE, Préface à la traduction des *Histoires extraordinaires* d'Edgar Poe (1856), dans *Œuvres*, éd. Pichois, Bibliothèque de la Pliéade, t. II, p. 306.

4. Lettre à son père, du 5 mars 1841 (tout au début de sa crise).

5. Lettre, déjà citée, du 27 avril [1841], à Mme de Girardin.

6. Lettre du 24 octobre 1854, à Antoni Deschamps.

7. NERVAL, *Les Acteurs anglais*, dans *L'Artiste* du 22 décembre 1844 (= *Pl. I*, *G.-P.*, p. 888). Nerval critique dans cet article un acteur anglais qui joue Hamlet comme un fou pur et simple.

dont il souffrait, et qui constituaient sa maladie, ne lui ôtaient pas la disposition de la raison, au sens où tous entendent ce mot : faculté dont les opérations sont communicables à tous, et dont ses œuvres attestent qu'il a conservé l'exercice. Nous imaginons donc une situation, telle que la Correspondance la suggère, où des troubles mentaux qualifiés, mais passagers, traversent sans la rompre la continuité de la mémoire et de la logique : le sujet s'efforce d'élaborer ses troubles comme toute expérience. « Voir sa folie face à face » n'est pas autre chose : se constater partiellement altéré dans son être, et éprouver qu'on ne l'est pas de façon essentielle, par l'exercice d'une conscience qui domine l'ensemble de la situation. De tels désordres, surtout rêves, visions, pensées maladives, terreurs, sont déterminants chez Nerval, et l'effort qu'il fait pour leur donner un sens, aux yeux de ses lecteurs comme aux siens, est l'âme de sa littérature. C'est ainsi qu'il est conduit à valoriser spirituellement les symptômes de ce qu'ailleurs il appelle lui-même sa maladie, et à ne plus vouloir lui donner ce nom.

Vers la fin de sa première crise, il déclare regretter de ne plus vivre le rêve qu'il a vécu : « J'en suis même à me demander s'il n'était pas plus *vrai* que ce qui me semble seul explicable et naturel aujourd'hui » ; il prétend avoir été contraint par une sorte d'inquisition médicale à s'avouer malade, « ce qui, dit-il, coûtait beaucoup à mon amour-propre et même à ma véracité » ; le diagnostic qu'on lui a imposé (théomanie ou démonomanie : illusion d'être dieu ou démon) permet à la science d'« escamoter ou réduire au silence tous les prophètes et voyants prédits par l'Apocalypse, dont je me flattais d'être l'un ! [1] » Ainsi ce qu'on a appelé folie dans son cas ne serait qu'une voie de vérité spirituelle, opposable à la science. Nerval parle-t-il ici sérieusement ? Le ton de boutade de toute la lettre en fait douter. C'est un lieu commun romantique de dire que le rêve donne accès à un monde et à des vérités sur lesquels la science n'a pas de prise. Tous les romantiques l'ont professé, et confirmé par l'exemple de leur propre pensée, sans se croire par là, le moins du monde, suspects de folie. L'ambition de Nerval est d'être rangé dans cette famille spirituelle, quoiqu'il sache bien que son cas est particulier et qu'il a été indiscutablement

---

1. Lettre à Mme Alexandre Dumas, du [9] novembre [1841]. Nerval quitta la clinique du docteur Esprit Blanche le 21 du même mois.

malade [1]. Où placer la limite entre le délire et l'exaltation que produit une inspiration plus ou moins supranaturelle en un homme sain ? Le sens commun tient à cette distinction, sans bien en formuler les critères ; mais il semble que la santé suppose que la logique et la métaphysique de celui qui parle ne contredisent pas absolument la mentalité ambiante [2]. En ce sens, la défense que Nerval fait d'Hamlet ne saurait convaincre : s'il n'est logique que pour lui-même, comment le tenir pour sain ? Nerval, dans son propre cas, prétend tout autre chose.

Dans la difficile situation où il est, il fait tout pour minimiser ce qui, aux yeux de ses lecteurs, passerait évidemment pour fou : c'est «exaltation romanesque», non délire ; ou encore, comme on verra, mimétisme d'auteur envahi par ses personnages. Cette argumentation rassurante et l'humour même qu'il y met attestent d'ailleurs sa lucidité. L'important pour lui est que ce qu'il a appris soit valable pour tous. Ses visions lui ont appris qu'il retrouvera celle qu'il aime dans l'au-delà ; il dit davantage : «Ici je n'écoute pas la voix d'un songe, mais la promesse sacrée de Dieu [3]. » Promesse personnelle de Dieu, touchant les retrouvailles célestes des amants : thème presque banal depuis Lamartine, repris avec insistance par Nodier. Et, pour le fond, adhésion à l'enseignement de Platon et du christianisme sur l'immortalité des âmes. Nerval, loin de faire l'éloge de la folie, en tant qu'exaltation des vérités d'un esprit seul en lui-même, lutte pour nous donner, à travers une expérience sans équivalent, une version de l'immortalité valable pour chacun de nous. Il n'entend pas porter la folie telle quelle aux nues ; plutôt la dompter ou l'apprivoiser [4].

1. Il est vrai qu'il revient parfois sur cet aveu, fait à contrecœur, par lequel il craint de diminuer ses enseignements. Mais il est de fait qu'il donne lui-même souvent son bulletin de santé dans ses lettres : reprise ou amélioration du *mal*, qu'il ne peut nommer autrement, le connaissant bien.

2. Ce critère est, bien sûr, sociologique ; mais y en a-t-il un autre pour mesurer le degré de folie, surtout s'il s'agit de croyances surnaturelles ? On sait combien Nerval est préoccupé de *l'opinion* et de la façon dont elle le juge.

3. Lettre au docteur Blanche, du 27 novembre 1853.

4. On conçoit par ce qui précède combien il eût été souhaitable que les amis les plus proches de Nerval eussent ménagé en sa faveur l'opinion du monde littéraire, sachant que la conscience de son mal le rendait si vulnérable. Ils ont fait le contraire, ne cachant rien dans leurs écrits publics de l'état de santé de leur ami. Nous avons déjà dit quelque chose de l'article «nécrologique» de Jules Janin en 1841 ; Nerval lui écrivit, le 24 août, une lettre de douloureuse et vive

Nerval et Napoléon

La légende de Napoléon est un des domaines où les frontières de la raison et du délire sont, à cette époque, les moins bien tracées. Cette légende, éclose presque aussitôt après la défaite et la mort du Héros, tend naturellement, comme jadis celle de Charlemagne ou de Frédéric Barberousse, à envahir à la fois la tradition populaire et la littérature, en surhumanisant l'empereur et sa destinée ; la poésie fait à cette fin grand usage de métaphores excessives, appelant Napoléon : Soleil, Sauveur et Dieu, sans que ces hyperboles prétendent être prises à la lettre. Nerval en usa dans sa jeunesse : ses «poésies nationales» témoignent à cet égard d'un enthousiasme extrême, parfois démesuré. On fait un pas de plus quand on accorde à Napoléon cette fonction dite «providentielle» dont on décore souvent les personnages historiques ; on va plus loin encore quand on invoque une investiture messianique, expressément formulée comme telle, et une essence proprement surnaturelle. Cet étage, dans la célébration de l'«homme du siècle», est moins fréquenté que les premiers, mais il est loin d'être désert à l'époque qui nous intéresse, grande fabricatrice de mythes et de théologies nouvelles. Quand enfin le mythologue semble s'attribuer à lui-même, personnellement, un rôle dans sa fable et une affinité de nature avec le demi-dieu, la qualification d'esprit exagéré ou exalté ne semble plus suffire pour lui : c'est le cas de ce Towianski, ami de Mickiewicz, qui se donnait pour une ré-

---

protestation, lui demandant instamment de l'imprimer. Janin n'en fit rien. — En 1853, Alexandre Dumas, publiant *El Desdichado*, affectait lourdement de ne pas prendre au sérieux la maladie de Nerval, mais se croyait obligé de préciser l'opinion des médecins sur lui, et quelques-uns de ses délires. Nerval n'a jamais réprimandé publiquement ces étranges amis : puissants caciques des lettres, ils le protégeaient et l'aidaient, et continuèrent à le faire. Une humilité foncière le retenait, qui venait de loin. On en voit les effets, en tout temps, dans ses lettres à son père : révolté de son incompréhension et de sa dureté, il ne laisse pas de lui témoigner toujours amour et révérence. Quand il s'agit de ses amis et de sa maladie, il a de nouvelles raisons de plier : le sentiment d'infériorité né du mal même, et la crainte de ne pouvoir convaincre, mais de confirmer plutôt son mal par une réaction excessive. Il termine sa lettre pourtant indignée à Janin en signant «Votre ami de cœur» ; et il a reproduit longuement, dans la Préface de *Lorely*, l'article de Janin qui l'avait révolté, en n'en gardant que les parties élogieuses. Avec Dumas, il procède de même dans la Préface des *Filles du feu*, et il affecte de badiner comme lui.

incarnation de l'Empereur, et auquel Nerval s'est intéressé. D'ailleurs, les limites qui séparent ces étapes diverses sont indécises : on a peine à décider si telle qualification hors nature du grand homme est tenue pour fabuleuse par son auteur, ou s'il la donne pour vérité. Il ne faut en tout cas jamais perdre de vue que les critères de cette époque ne sont pas les nôtres ; devenus plus positifs, nous serions tentés de diagnostiquer démence ce que le monde littéraire contemporain de Nerval pouvait prendre plus calmement en considération.

Il semble que Nerval ait été repris, sous l'effet de sa crise de 1841, par la hantise de l'empereur. Il a alors franchi, indiscutablement, le degré délirant de la légende. Il a signé une lettre de 1841 des deux prénoms abrégés : «G. Nap.», c'est-à-dire Gérard Napoléon [1], alors que son état civil ignore ce dernier prénom ; et rappelons qu'Alexandre Weill, ayant visité Nerval dans les premiers jours de sa crise, en mars 1841, a noté cet étrange propos de son ami : «Moi je descends de Napoléon, je suis fils de Joseph, frère de l'Empereur; qui a reçu ma mère à Dantzig [2].» Un tel délire ne se retrouve plus, bien sûr, dans ce que Nerval écrit quelques années après, en période de santé. Mais il n'en continue pas moins à s'intéresser, du dehors, à la mythologie napoléonienne : à Napoléon-Messie et à sa possible survie. Il consacre en 1844 un article à une «lithographie mystique», où Napoléon est représenté «sous le voile et sous la couronne augurale, promenant son doigt sur une carte du monde où il trace de nouvelles divisions» ; la gravure en question porte cette légende : «Plus avant dans la vérité divine, plus fort pour la réaliser, il consomme ce qu'il a commencé», et sous l'image de Napoléon (en longue robe sacerdotale par-dessus son costume militaire) cette inscription : «Le magistrat du Verbe devant le Verbe.» L'auteur de la gravure imaginait donc Napoléon en mesure d'agir encore, surnaturellement. À cette occasion, Nerval évoque Towianski, dont il commente sérieusement et plutôt sympathiquement la doctrine, selon laquelle Napoléon fut le «Verbe visible de Dieu» ; il remarque que l'idée des incarnations surnaturelles a eu l'agrément de Platon, de Vico, de

1. Lettre à Jules Janin, du [16 mars 1841], déjà citée.
2. Voir ci-dessus, p. 301, note 4. Le propos de Nerval est contradictoire : fils du frère de l'Empereur, il ne *descendrait* pas de lui, il ne serait que son neveu.

Joseph de Maistre. Il ne déclare pas adhérer à cette doctrine, mais il est évident qu'il y a rêvé[1].

Il est revenu sur Towianski l'année suivante dans son article sur *Les Dieux inconnus*, où il évoque à nouveau la lithographie et l'empereur : «Son âme, écrit-il, s'est incarnée dans Towianski ; cette incarnation a eu lieu quelque temps après le retour des cendres de Napoléon. Les messianistes supposent que l'âme du grand homme, ayant profité de l'ouverture du cercueil faite à Sainte-Hélène, avait accompagné le corps jusqu'aux Invalides, et choisi pour nouvel asile l'enveloppe de Towianski. Avant de rien entreprendre de décisif pour l'humanité, Towianski, rempli de cette âme immense qu'il peut à peine contenir, est allé faire une retraite méditative sur le champ de bataille de Waterloo[2].» Ce sont là les idées des amis de Towianski, non celles de Nerval, en principe au moins. Cependant, dans un fragment manuscrit de la première *Aurélia*, où il revit le souvenir de son passage à Bruxelles à la fin de 1840, il écrit les lignes suivantes : «Un soir on m'invita à une séance de magnétisme. Pour la première fois je voyais une somnambule. C'était le jour même où avait lieu à Paris le convoi de Napoléon. La somnambule décrivit tous les détails de la cérémonie, tels que nous les lûmes le lendemain dans les journaux de Paris. Seulement elle ajouta qu'au moment où le corps de Napoléon était entré triomphalement aux Invalides, son âme s'était échappée du cercueil et, prenant son vol vers le Nord, était venue se reposer sur la plaine de Waterloo. Cette grande idée me frappa[3].» S'il a vraiment été frappé de cette idée à la fin de 1840 à Bruxelles, au temps du retour des cendres de l'Empereur, elle serait à ranger parmi les prodromes de sa crise, qui devait éclater deux mois plus tard[4] ; et il serait naturel que des symptômes de manie

1. *Une lithographie mystique*, dans *L'Artiste* du 28 juin 1844, article reproduit dans *Pl. I, G.-P.*, pp. 828-831. — Cet article a été repris en partie en 1849 dans *Les Prophètes rouges* (voir ci-dessus, p. 273), où Nerval indique en outre que la gravure concernant Napoléon «ministre du Verbe» a été distribuée au public du cours de Mickiewicz, alors professeur au Collège de France et influencé par Towianski. — La lithographie en question est reproduite dans J. Richer, *Nerval. Expérience et création*, planche D III.

2. Sur *Les Dieux inconnus*, voir ci-dessus, p. 273. — Waterloo était un lieu saint du napoléonisme mystico-humanitaire, son Golgotha.

3. Voir «Fragments... », I, §§ 3 et 4 (*Pl. I*, p. 417). Les cendres de Napoléon furent transférées aux Invalides le 12 décembre 1840.

4. Nous ignorons la date des fragments de la première *Aurélia* ; il n'est pas impossible qu'ils remontent eux-mêmes à 1841.

napoléonienne apparaissent au début de cette crise, et au cours de l'année 1841 dans les sonnets dont nous allons parler. Remarquons déjà que l'obsession napoléonienne de Nerval ne peut s'envisager seulement sous l'angle de sa maladie ; elle apparaît liée à une pensée, alors répandue, de messianisme impérial, écho ou sursaut des espérances frustrées de 1830.

Cependant, une dernière page de prose va nous montrer Nerval délirant cette fois pour lui seul. On lit dans un passage de *Pandora*, où il célèbre Vienne : «J'ai promené mes rêveries sur les rampes gazonnées de Schoenbrunn. J'adorais les pâles statues de ces jardins [...].» Tel est le texte imprimé [1]. Au château de Schoenbrunn, résidence des empereurs d'Autriche, est lié le souvenir du duc de Reichstadt, fils de Napoléon, qui y vécut et y mourut. Or un fragment manuscrit du passage ci-dessus porte un texte différent : *J'ai pleuré devant les statues sur les rampes gazonnées de Schoenbrunn, celui que j'appelais mon frère* [2]. La fraternité qui lie Nerval au duc défunt doit s'entendre au sens figuré : il ne faisait que *l'appeler* son frère, dans un mouvement, peut-on supposer, de fervente sympathie. Mais cette variante n'est que le dernier état de ce passage : Nerval a écrit en surcharge *celui que j'appelais*, sur quelque chose d'autre que nous ne discernons plus bien, peut-être, en reprenant le verbe initial, *j'ai pleuré*. Nerval aurait donc écrit d'abord, après *Schoenbrunn, j'ai pleuré (?) mon frère* [3]. Ce n'est pas tout ; ensuite vient une série de neuf mots biffés, mais qu'on arrive à lire sous la rature : *et sa mère et sa grande ayeule Maria-Térésa* ; mais les deux *sa* sont en surcharge sur deux *ma* [4]. Ainsi le premier jet du texte aurait été : *j'ai pleuré mon frère et ma mère et ma grande ayeule*, Nerval se voyant frère du duc de Reichstadt, et de ce fait fils de l'impératrice Marie-Louise et arrière-petit-fils de Marie-Thérèse d'Autriche : fils de Napoléon en somme, et Habsbourg par sa mère.

Non moins remarquable que cette pensée délirante est la façon dont il en a progressivement effacé les traces, réduisant à une hyperbole sa relation de fraternité avec le fils de l'empe-

---

1. *Pandora*, éd. Guillaume, p. 75.
2. *Ibid.*, Planche I (fragment 1 du manuscrit Marie).
3. Jean Guillaume (*Aux origines...*, p. 11 ; *Nerval. Masques...*, p. 126) lit : *j'ai placé mon frère*, dont le sens est obscur ; il ne semble pas impossible de lire : *j'ai pleuré mon frère*, par répétition lyrique du verbe précédent.
4. Le second *ma* et sa surcharge sont particulièrement visibles.

reur, et supprimant enfin tout le passage périlleux, pleurs y compris, dont il ne reste dans l'imprimé que des rêveries sur les gazons de Schoenbrunn. Ces corrections montrent Nerval, ici comme ailleurs, singulièrement attentif à sa folie et, pour ainsi dire, la surveillant de près. Faut-il faire remonter le premier libellé du passage vers les années 1840 ? On pourrait en risquer l'hypothèse, le calendrier de la genèse de *Pandora*, épisode de la chronique du voyage viennois de 1840, ne nous étant pas connu. Sinon, il faut admettre qu'en 1853, date de la rédaction finale du texte, le délire d'appartenance napoléonienne vivait encore en Nerval, au moins à l'état de souvenir. Il faut avouer que les traces affaiblies qui en subsistent dans l'*Aurélia* définitive gardent quelque chose d'inquiétant. Ainsi, se promenant un soir sur le pont des Arts avec un ami, « je lui expliquai les migrations des âmes, et je lui disais : "Il me semble que ce soir j'ai en moi l'âme de Napoléon qui m'inspire et me commande de grandes choses"» ; et peu après : «Je parcourais la galerie de Foy au Palais-Royal en disant : "J'ai fait une faute", et je ne pouvais découvrir laquelle en consultant ma mémoire que je croyais être celle de Napoléon [1]. »

Quatre sonnets napoléoniens

Rien n'établit mieux que les quatre sonnets que nous allons lire le lien qui unit l'obsession napoléonienne de Nerval à une pensée humanitaire [2]. Il est difficile de les aborder sans explications préliminaires, car ils manifestent chez Nerval un mode nouveau, étrangement plus libre, moins contrôlé, de la relation entre folie et littérature. En ce sens, ils constituent, en même temps qu'une source précieuse de renseignements sur l'expérience profonde de Nerval, une révolution dans la poétique française : ils défient de façon évidente, et leur auteur récuse formellement pour eux, la loi d'intelligibilité qui régit en principe toute littérature. Ayant inventé, peut-on dire, cette sorte de poésie, Nerval en a continué jusqu'au bout la pratique.

1. *Aurélia*, IIᵉ partie, V, §§ 3, 4.
2. J'emploie ce mot au sens qu'il avait alors : est «humanitaire» tout ce qui concerne ou essaie de définir les destinées terrestres et métaphysiques de l'Humanité.

Nous possédons en tout vingt textes de sonnets, qui relèvent, à divers degrés, du même type d'inspiration et d'élocution[1]. Les quatre sonnets napoléoniens sont parmi les plus anciens ; ils datent, croit-on, de 1841[2], c'est-à-dire de l'époque où Nerval éprouva sa première crise mentale. Une fois rétabli, il ne les a jamais publiés, soit qu'il les trouvât trop révélateurs de ses délires, soit, pour certains, parce qu'il les a utilisés comme matériaux pour des sonnets créés et publiés ultérieurement[3], mais il se rendait bien compte de la supériorité de cette poésie, soudain éclose en lui avec sa maladie, sur celle qu'il avait pratiquée précédemment. Il voulut seulement, dans les sonnets nouveaux qu'il publia au cours des années 1840, purger cette poésie de ses marques de démence pour la donner au public[4]. Dans la deuxième période de sa maladie, en 1853 et 1854, d'autres sonnets sont nés, les plus beaux peut-être et les plus inoubliables, et il a pu avant sa mort, avec les douze sonnets réunis par lui dans *Les Chimères*, dresser le monument mémorable de cette poésie ignorée avant lui.

On a souvent tenté d'éclairer le sens de ces sonnets, avec des résultats inégaux, rarement convaincants aux endroits où l'on en aurait le plus besoin : tout ce qui est intelligible dans ces vers va de soi ; ce qui ne l'est pas semble défier l'exégèse. Pour y voir un peu clair, il faudrait d'abord s'interdire toute association d'idées que le texte lui-même n'impose ou ne suggère avec une suffisante évidence ; ensuite, avoir en mémoire

1. Je ne compte pas la *Myrtho* composite de l'édition Helleu-Sergent, dont le manuscrit manque ; de plus, il y a dans deux cas deux versions très parentes du même texte ; restent 18 sonnets.

2. Le manuscrit Dumesnil de Gramont, édité par Helleu et Sergent (Gérard de NERVAL, *Poésies*, Éditions d'art E. Pelletan, 1924), donne, entre autres, trois de nos quatre sonnets ; on a daté longtemps ce manuscrit de 1853 ou 1854 ; voir une opinion différente (entre 1840 et 1845) dans mon livre *L'Écrivain et ses travaux*, 1967, pp. 150-154. Un examen de laboratoire récent a confirmé la date de 1841 (voir J. GUILLAUME, *Aux origines...*, p. 38). Ce manuscrit est reproduit dans l'édition Guillaume des *Chimères*, Bruxelles, 1966, Planche IX. Le quatrième sonnet, *La Tête armée*, qui figure dans un manuscrit de la collection Lovenjoul, très proche des trois autres sonnets napoléoniens par le sujet et le style, a de fortes chances d'être de la même date.

3. Seul le sonnet à *Louise d'Or Reine* du manuscrit Dumesnil de Gramont a été publié par Nerval dans ses *Chimères*, sous le titre *Horus*, mais expurgé de toute allusion napoléonienne.

4. Les sonnets publiés dans cette période avaient été rassemblés par Nerval dans ses *Petits Châteaux* en 1852 («troisième château») avant d'être repris dans *Les Chimères*.

la façon dont Nerval, en les publiant, les a définis : ce sont, dit-il, des sonnets composés dans un état de «rêverie *super- naturaliste*», qui «perdraient de leur charme à être expliqués si la chose était possible [1]». Sa poésie est donc une rêverie à distance de la logique, dont lui-même serait incapable ou peu désireux de rendre tout à fait compte. N'espérons pas y réussir mieux que lui. Mais nous aurions tort de croire que ses sonnets excluent tout sens suivi, ce qu'il ne dit pas, et ne saurait dire sans décrier son ouvrage ; toutes les sortes d'enchaînements peuvent s'y trouver ; ceux de l'imagination et du verbe traversent ceux de la logique : à nous de suivre Nerval dans cette aventure.

À HÉLÈNE DE MECKLEMBOURG

Ce sonnet [2] est peut-être le plus ancien de tous : c'est un commentaire du mariage du duc d'Orléans, alors héritier du trône français, avec une princesse allemande ; ce mariage a bien eu lieu en mai 1837, date que le sonnet porte en épigraphe, quoiqu'il ait pu, bien sûr, être écrit plus tard. Il est fortement visionnaire d'un bout à l'autre, et l'obscurité y résulte du fait que la vision y réduit le discours à la portion congrue, lui faisant dire les images sans le laisser les expliquer. Il en est de plus en plus ainsi à mesure qu'on avance dans le sonnet : à la fin, le sens des images est si incertain qu'on peut le supposer tel pour Nerval lui-même. Il semble que tout le sonnet, à l'occasion du mariage, envisage le sort de la monarchie française. On attend, au château de Fontainebleau, l'arrivée de la princesse allemande, dans l'espoir que son mariage avec le fils de Louis-Philippe sauvera la dynastie des Capets (dont les Orléans sont la dernière branche) et scellera la réconciliation de l'Allemagne avec la France : Charlemagne, attentif aux pas triomphants de la princesse vers le château, est évoqué en tant que réconciliateur naturel des deux pays dont il fut le souverain commun ; par sa médiation, Napoléon, empereur des Français, qui soumit récemment des terres germaniques, reçoit le pardon de Charles Quint, jadis chef du Saint-Empire :

---

1. Préface des *Filles du feu*, «À Alexandre Dumas», dernier §.
2. Épigraphe : «Fontainebleau, mai 1837.»

> *Le vieux palais attend la princesse saxonne*
> *Qui des derniers Capets veut sauver les enfants ;*
> *Charlemagne attentif à ses pas triomphants*
> *Crie à Napoléon que Charles Quint pardonne.*

Mais le second quatrain rabat aussitôt cet optimisme : ceux qui, en fait, attendent la princesse à la grille sont deux déplorables rois « pêcheurs de couronne », dont il est dit qu'un souvenir les tient tremblants : détenteurs de pouvoirs illégitimes donc, lâches au surplus. Qui sont ces deux rois ? Louis-Philippe, sûrement, père du marié, dont c'est le rôle d'attendre la mariée, et incontestable « pêcheur de couronne » aux journées de Juillet. L'autre est peut-être Léopold Ier, roi des Belges, gendre de Louis-Philippe, qui pouvait bien être à ses côtés, et qui devait lui aussi à une révolution un trône dont il n'était pas l'héritier. Ils peuvent l'un et l'autre, rois fragiles, trembler au souvenir des catastrophes de la royauté en Europe, et de leur hasardeux avènement. Charlemagne, à la vue de ces piètres monarques, voudrait les frapper, mais dédaigne de le faire, et s'en retourne :

> *Mais deux rois à la grille attendent en personne ;*
> *Quel est le souvenir qui les tient si tremblants,*
> *Que l'ayeul aux yeux morts s'en retourne à pas lents,*
> *Dédaignant de frapper ces pêcheurs de couronne.*

Rien à espérer donc des Orléans [1] ; mais les tercets s'ouvrent sur une invocation surprenante :

> *Ô Médicis ! les temps seraient-ils accomplis ?*
> *Tes trois fils sont rentrés dans ta robe aux grands plis,*
> *Mais il en reste un seul qui s'attache à ta mante.*

> *C'est un aiglon tout faible, oublié par hasard,*
> *Il rapporte la foudre à son père Caesar...*
> *Et c'est lui qui dans l'air amassait la tourmente !*

---

1. On mesure à ces vers quel peu de profondeur avait, dans le cœur et l'imagination de Gérard, son demi-philippisme.

D'abord, pourquoi Médicis? Il semble qu'ayant prononcé la ruine des Bourbons-Orléans, dynastie pour laquelle il n'a jamais eu de sympathie, Nerval soit aussitôt remonté en imagination aux jours où s'épuisa la race précédente des Valois, qui, portant le nom de sa province, lui fut toujours chère. Les «temps accomplis» se situent donc soudain au moment où, les trois fils Valois de Catherine de Médicis ayant successivement régné (François II, Charles IX, Henri III), ce trône va passer aux Bourbons. Mais, sitôt évoquée la fin des Valois, surgit l'annonce inattendue d'un espoir qui renverse le mouvement du sonnet : un fils reste à Catherine, qui, loin de s'engloutir avec les autres dans les plis de sa robe[1], s'y cramponne. Quel est ce fils inconnu, qui démentira l'accomplissement des temps? Ici la parole cesse de rendre compte d'une pensée plausible. L'Aiglon et son père César semblent ne pouvoir être que le roi de Rome et Napoléon : le fils rapporte à son père la foudre qui lui est tombée des mains à Waterloo. Tels avaient bien été quelque temps les espoirs fondés sur le fils de l'empereur; mais, en 1841, le père et le fils étaient morts tous deux depuis longtemps, et il n'y a rien que d'absolument fabuleux dans cette continuation des Valois par les Bonaparte, et surtout dans cet Aiglon né de Catherine de Médicis[2]. Nerval a-t-il vraiment *pensé* cela? l'a-t-il *cru*? qui le dira? D'ailleurs son esprit, vivant l'événement prodigieux, est occupé en même temps, si on l'en croit, par le fracas d'une tourmente aérienne; le dernier vers explique (découvre?) que c'était l'Aiglon porteur de foudre qui agitait l'atmosphère en remontant vers son père : ce «tout s'explique» n'est pas le moins fou du poème[3].

LA TÊTE ARMÉE

Régénération de la France par l'influence céleste de l'empereur assisté de son fils : un schéma mythique analogue, mais

1. Admirons la métaphore de la mort des fils comme retour sous l'abri de la mère, et la majesté des plis de la robe où ces trois règnes filiaux s'ensevelissent.
2. Le texte est, sur ce point, formel : «Tes trois fils sont rentrés dans ta robe [...] Il *en* reste un seul [...] C'est un aiglon [...].»
3. Quoiqu'il y ait dans ce sonnet un grand trouble d'esprit, aucune trace de première personne ne laisse supposer que l'Aiglon puisse être Nerval lui-même, napoléonide à l'occasion, comme nous savons. Même remarque possible au sujet de *La Tête armée*, que nous commentons ensuite.

s'étendant à l'univers surnaturel, se retrouve dans le sonnet de *La Tête armée*. On a rapporté que Napoléon, sur le point de mourir, prononça ces deux mots « Tête armée ». La façon dont Nerval les interprète est claire : l'empereur mourant désespère de la France décapitée. Il désespère aussi de son fils. Aussitôt mort, Dieu qui s'apprête à le juger, appelle Jésus-Christ pour l'aider ; mais Jésus ne vient pas, apparemment impuissant à exercer un tel jugement ; et le héros triomphe. C'est ce que disent les quatrains :

> *Napoléon mourant vit une* Tête *armée ...*
> *Il pensait à son fils, déjà faible et souffrant*
> *La Tête, c'était donc la France bien aimée,*
> *Décapitée au pied du César expirant.*
>
> *Dieu, qui jugeait cet homme et cette renommée,*
> *Appela Jésus-Christ ; mais l'abîme s'ouvrant*
> *Ne rendit qu'un vain souffle, un spectre de fumée :*
> *Le Demi-Dieu vaincu se releva plus grand.*

Échec donc et nullité du jugement divin. Puis, logiquement, dans les tercets, apothéose de Napoléon et de son fils :

> *Alors on vit sortir du fond du purgatoire*
> *Un jeune homme inondé des pleurs de la Victoire,*
> *Qui tendit sa main pure au monarque des cieux ;*

Le duc de Reichstadt ne fut un jeune homme que dix ans après la mort de son père, et n'atteignit vingt ans que pour mourir presque aussitôt ; il y aurait donc dix ans entre les quatrains, où Dieu essaie de juger le père défunt, et les tercets, où le fils arrive du ciel à son tour. Mais qu'est-ce que dix ans d'intervalle dans l'éternité où a lieu la vision ? On peut se demander pourquoi l'innocent jeune homme était en purgatoire : épreuve convenable, je suppose, avant l'apothéose. Le second vers du tercet est d'une beauté sublime : la Victoire pleure sur ce jeune homme qu'elle n'a pu favoriser — seules larmes maternelles que sa mort ait fait couler[1] ! Il tend sa main purifiée à son

---

1. Comme quoi il n'est pas prudent de déclarer trop vite l'allégorie morte avec la vieille poétique. Elle prospère encore dans la nouvelle, comme on voit ici chez Nerval, et bien après lui.

père, promu roi des cieux : ce fils et ce père auraient-ils détrôné le Père et le Fils des quatrains, Dieu qui n'a pu juger et Christ évanoui en fumée ? Le nouveau couple théologique est défini au dernier tercet :

> *Frappés au flanc tous deux par un double mystère,*
> *L'un répandait son sang pour féconder la Terre,*
> *L'autre versait au Ciel la semence des Dieux !*

La blessure au flanc, souvenir évangélique, et mystère de divinité souffrante, frappe cette fois le Père comme le Fils : ce sont, en somme, deux Christs. Cependant, le Fils seul verse sur terre, comme Jésus, un sang bénéfique, ce que le duc de Reichstadt n'a guère fait, à moins qu'on n'entende par ce sang versé son supplice moral, sa maladie et sa mort juvénile. Le Père peuple le ciel d'une semence de Dieux : de héros divinisés, interprète-t-on, les morts de la Grande Armée composant une sorte de panthéon de la foi nouvelle sous l'égide du Napoléon céleste. Ainsi entendue, la répartition des rôles démarque et supplante la théologie chrétienne, selon laquelle également le Fils sauve la terre, tandis que le Père gouverne les cieux.

À LOUISE D'OR REINE [1]

Voici une autre vision de renouvellement du monde par Napoléon, cette fois dans un contexte de mythologie gréco-égyptienne et avec une participation féminine, conforme aux habitudes de la théologie humanitaire. Les quatrains disqualifient rudement, par la bouche de la déesse Isis, un personnage mythique dit «le vieux père», qui n'est pas autrement nommé :

> *Le vieux père en tremblant ébranlait l'univers.*
> *Isis la mère enfin se leva sur sa couche,*
> *Fit un geste de haine à son époux farouche,*
> *Et l'ardeur d'autrefois brilla dans ses yeux verts.*

---

1. Cette dédicace-titre s'adresse certainement à Louise d'Orléans, fille de Louis-Philippe et reine des Belges par son mariage avec Léopold Ier. Nerval l'avait vue à Bruxelles en 1840 (voir dans *Pl. I*, p. 417, *in fine*, «Fragments...», I).

« *Regardez-le, dit-elle ! il dort ce vieux pervers,*
« *Tous les frimas du monde ont passé par sa bouche.*
« *Prenez garde à son pied, éteignez son œil louche,*
« *C'est le roi des volcans et le dieu des hivers !* »

Quel est ce dieu sénile, jamais mentionné auprès d'Isis, dont le tremblement secoue l'univers et qui reste muet sous l'insulte, proche apparemment de la mort, quoique encore dangereux, et avec qui la déesse souhaite qu'on en finisse [1] ? C'est l'image d'un dieu mâle, décrépit et haï, près d'être éliminé par une révolution céleste ; face à lui, se dresse la déesse mère, toujours jeune, qui proclame sa déchéance devant une assemblée en veine de révolte [2]. Isis a toujours eu la faveur de Nerval, et c'est à elle qu'il pense ici pour opérer la régénération du monde, en opposant ce type féminin à celui d'un Père, Roi ou Despote divin. Il a conçu ce personnage à son gré, l'imaginant à la fois souffleur de frimas et dieu des volcans, malfaisant de toute façon : il l'a appelé « le vieux père », sans plus. Pensait-il au Dieu-Père des Écritures judéo-chrétiennes, pour lequel il a, en plus d'un endroit, déclaré son antipathie ? C'est douteux, dans ce contexte tout païen. Ce dieu innommé [3] incarne en tout cas les puissances mauvaises du vieux monde. Isis ameute l'univers contre lui, mais l'appel vient de plus loin, de Napoléon dont elle semble être aussi, fabuleusement, l'épouse ; le premier tercet le dit :

« *L'aigle a déjà passé : Napoléon m'appelle ;*
« *J'ai revêtu pour lui la robe de Cybèle,*
« *C'est mon époux Hermès, et mon frère Osiris ;*

l'aigle est le messager naturel de Napoléon, et le porteur de son signal de guerre ; nous croyons comprendre que le couple

---

1. Second quatrain, vers 3 : Attention à ses coups de pied, et « éteignez son œil ». La version des *Chimères* donne un premier hémistiche différent : « Attachez son pied tors. »
2. Le second quatrain, appel à la révolte, suppose la présence de cette assemblée (« regardez », « prenez garde », « éteignez »).
3. Dans la version des *Chimères*, il a cru trouver ce nom : « le vieux père » y devient « le Dieu Kneph ». Kneph est en effet un dieu égyptien, mais Nerval le donne arbitrairement pour époux d'Isis. On peut penser aussi à la figure traditionnelle de Saturne.

conjugal Napoléon-Isis détrône le Père[1]. Ce tercet est peu différent dans la version des *Chimères*, intitulée *Horus* (1854) :

> *L'aigle a déjà passé, l'esprit nouveau m'appelle,*
> *J'ai revêtu pour lui la robe de Cybèle...*
> *C'est l'enfant bien-aimé d'Hermès et d'Osiris !»*

L'esprit nouveau s'est substitué à Napoléon, en raison peut-être de la désuétude du napoléonisme mystique sous le second Napoléon, peut-être aussi pour décourager tout soupçon de démence ; mais la variante confirme le caractère humanitaire et régénérateur du sonnet. Le dernier vers du tercet corrigé fait de Napoléon-Esprit nouveau, non plus l'époux de la déesse, mais son fils, ce que précise, dans le nouveau titre du sonnet le nom d'Horus, fils en effet, dans la tradition égyptienne, d'Isis et d'Osiris, et champion de la lutte contre l'esprit du mal[2]. Le sonnet finit dans une merveilleuse lumière de fin d'orage :

> *La Déesse avait fui de sa conque dorée ;*
> *La mer nous renvoyait son image adorée*
> *Et les cieux rayonnaient sous l'écharpe d'Iris.*

À MAD(AM)E IDA-DUMAS

Laissons fuir la déesse pour nous demander ce que peut signifier le très étrange sonnet adressé à Mme Alexandre Dumas, où Napoléon figure aussi. Ici surgit expressément le *je* du narrateur-auteur du sonnet, qui participe au scénario surnaturel :

1. Il faut convenir que les relations de parenté ou d'alliance proclamées dans ce fulgurant tercet sont inextricables. Isis, femme du Père, l'est également d'Hermès, et elle est sœur d'Osiris, quoique ces deux personnages n'en fassent qu'un dans Napoléon, identifié à l'un et à l'autre (on ne peut entendre autrement la séquence «Napoléon m'appelle [...] C'est mon époux», etc.). Il faut remarquer qu'Hermès et Osiris sont parfois confondus dans les cultes de l'Antiquité (voir Nerval, *Œuvres*, éd. H. Lemaître, Paris, 1966, p. 698, note 4).

2. Lequel est connu, cependant, sous le nom de Set ou de Typhon, et non de Kneph.

J'étais assis chantant aux pieds de Michael,
Mithra sur notre tête avait fermé sa tente,
Le Roi des rois dormait dans sa couche éclatante,
Et tous deux en rêvant nous pleurions Israël !

Grand lamento, donc, sur la ruine du peuple élu, qui rappelle un peu les pleurs du psalmiste au temps de la captivité de Babylone, et qui peut figurer n'importe quelle catastrophe passée ou présente, qu'on reproche à Dieu de considérer avec indifférence. Car c'est bien Dieu, le «Roi des rois» biblique, qui est en accusation ici. Mithra, dieu du soleil, n'a d'autre rôle dans le sonnet que d'avoir amené la nuit en fermant la tente du ciel [1]. C'est Jéhovah, le Dieu d'Israël, endormi dans cette nuit, qui laisse s'accomplir la ruine de son peuple. L'archange Michel (Michael est son nom hébraïque) n'est peut-être pas évoqué par hasard : c'est, dans l'Écriture, le combattant par excellence de la bonne cause, en particulier l'artisan supposé de la délivrance et du retour d'Israël captif [2]. Nous qui connaissons Nerval, nous pouvons soupçonner qu'Israël figure ici la France abattue à Waterloo. Le sonnet continue :

Quand Tippōo se leva dans la nuée ardente...
Trois voix avaient crié vengeance au bord du ciel :
Il rappela d'en haut mon frère Gabriel,
Et tourna vers Michel sa prunelle sanglante :

Tippoo Sahib, ennemi malheureux des Anglais dans l'Inde, se lia avec Bonaparte alors en Égypte en 1798, et mourut en 1799. Il vient participer ici à une scène où Nerval est également présent. Il s'agit donc, peut-on croire, d'un Tippoo *redivivus*, supposé ressuscité comme vengeur après l'éclatant triomphe des Anglais en 1815. Son apparition «dans la nuée» semble confirmer cette lecture : c'est ainsi qu'apparaissent souvent les héros célestes dans la littérature apocalyptique. Autre problème posé par ce quatrain : l'auteur, qui se disait déjà en compagnie d'un archange, se dit maintenant frère d'un autre archange. Qui est-il donc lui-même ? Le nombre des archanges et la frontière qui les sépare des anges sont indécis ; mais

---

1. Dieu asiatique farouche, et métaphore orientale.
2. Voir notamment les visions de Daniel (*Daniel*, X, 13, 20-21 ; aussi XII, 1).

on convient que l'Écriture, dans les livres du canon chrétien, n'en nomme que trois, le troisième, après Michel et Gabriel, étant Raphaël. Nerval s'identifie-t-il à celui-là[1]? Peut-on appeler Gabriel « mon frère » sans se situer soi-même, à quelque degré que ce soit, au-dessus de la nature humaine ? Gérard est ici en flagrant délit d'identité céleste.

Il s'en tient à cette allusion, surprenante mais sans conséquence dans un poème où les agents célestes n'agissent pas, toute l'action se bornant à l'action de Tippoo et à son discours, qui occupe les tercets :

> *« Voici venir le Loup, le Tigre et le Lion...*
> *« L'un s'appelle Ibrahim, l'autre Napoléon,*
> *« Et l'autre Abdel-Kader, qui rugit dans la poudre ;*

> *« Le glaive d'Alaric, le sabre d'Attila,*
> *« Ils les ont... Mon épée et ma lance sont là...*
> *« Mais le Caesar romain nous a volé la foudre ! »*

Le second quatrain, dans son second vers, évoquait trois voix qui « avaient crié vengeance au bord du ciel », semblant susciter ainsi la « levée » de Tippoo ; on peut supposer que ce sont les auteurs de ce triple appel, ses alliés en puissance, dont Tippoo annonce la venue dans le premier tercet sous les emblèmes du Loup, du Tigre et du Lion. Ce sont, dans l'ordre, Ibrahim Pacha, fils de Méhémet-Ali, brisé dans sa lutte contre le sultan par l'action de l'Europe en 1840-1841 ; Napoléon ; et Abd el-Kader, contre qui la France menait, au temps où ce sonnet fut écrit, une guerre sans merci. Il s'agit, avec Tippoo Sahib, Ibrahim et Abd el-Kader, d'une coalition mythique de champions de ce que nous appellerions aujourd'hui le Tiers Monde contre l'Europe, l'Angleterre principalement et la France postnapoléonienne. Il est surprenant, mais compréhensible, que Napoléon vaincu et humilié rallie cette cause ; dans l'esprit de Nerval, il est certainement l'âme de cette coalition vengeresse placée sous l'égide des archanges. Le dernier tercet confirme cette interprétation : Tippoo proclame comme

---

1. Raphaël est le moins illustre des trois archanges ; l'Écriture ne le connaît que dans le livre de *Tobie*, où il est le protecteur et le guide du héros. En s'identifiant à lui, Nerval ferait preuve d'une relative modestie.

ancêtres de son projet Alaric et Attila, jadis envahisseurs barbares de l'Europe. Mais le sonnet finit sur une obscurité impénétrable : qui peut bien être ce « Caesar romain » du dernier
vers ? Les conjurés, qui ne disposent que d'armes tranchantes
traditionnelles, se sentent impuissants devant sa foudre, comme
toujours les nations peu développées et mal armées devant les
grandes puissances. Cette foudre est-elle l'artillerie, dont Tippoo et ses alliés sont dépourvus ? est-elle, comme très souvent
chez Nerval, avec toutes les formes du feu, la figure suprême
de la puissance ? On est d'autant plus en peine d'en décider
que l'identité du détenteur de cette foudre est un mystère.
Empereur romain, symbole de tyrannie universelle ? ou Napoléon, qui domina l'Italie et donna à son fils le titre de roi de
Rome [1] ? Cette vision, comme il arrive, aboutit en tout cas au
non-sens, peut-être par l'effet d'un désarroi profond. Il faut
dire qu'à la différence des sonnets précédents, qui demandent
à l'imagination et obtiennent d'elle une sorte de réconfort triomphal, celui-ci met à nu une impuissance, niée et surmontée
ailleurs.

Au terme de ce quadruple commentaire, il est une question
qu'on ne peut éviter de poser : ce qui ici sort de l'ordinaire,
est-ce expérience ou littérature ? Nerval se raconte-t-il ou
compose-t-il un personnage ? On sait que ces deux voix s'entendent dans tout écrit. Ces sonnets aussi trahissent un trouble
et tentent de le gouverner, selon un équilibre, il est vrai, plus
périlleux que dans le cas ordinaire. Écoutons là-dessus Nerval
lui-même, qui a parlé au moins une fois, à son propre sujet,
du rapport de l'auteur et de ses créations.

L'illustre Brisacier

Alexandre Dumas, en un sens, parlait de la maladie de Nerval
comme Nerval lui-même : cette prétendue folie n'est, dit-il,
qu'un surcroît de verve et de poésie. Mais il racontait en même
temps, avec une désastreuse précision, les étranges fantaisies
de ce délicieux ami : « Tantôt il est le roi d'Orient Salomon,

---

1. Dernière hypothèse, que je n'ose hasarder qu'en note : s'agirait-il du Caesar
ou Czar russe, romain par son titre, et gros détenteur d'artillerie, mais qui
n'entend pas se joindre à une coalition contre l'Europe ?

il a retrouvé le sceau qui évoque les esprits, il attend la reine de Saba [...] ; tantôt il est le sultan Ghera-Gherai, comte d'Abyssinie, duc d'Égypte, baron de Smyrne, et il m'écrit à moi, qu'il croit son suzerain, pour me demander la permission de déclarer la guerre à l'empereur Nicolas[1]. » Nerval lui-même n'avait jamais fait état, dans ses explications sur sa santé mentale, d'aucune imagination semblable, et pour cause. Comment répondre à Dumas ? comment plaider encore, contre de telles charges ? La défense qu'il invoque semble d'abord de pure ingéniosité : narrateur de métier, il a simplement l'habitude, dit-il, de s'identifier aux êtres de sa création. Il avait déjà expliqué, treize ans avant, à Mme de Girardin, que ce qu'on appelait sa folie n'était que « l'exaltation d'un esprit beaucoup trop *romanesque*[2] » ; il va développer cette explication : les héros de ses récits empiètent sur sa vie réelle ; il le dit lui-même : « Je vais essayer de vous expliquer, mon cher Dumas, le phénomène dont vous avez parlé. [...] Il est, vous le savez, certains conteurs qui ne peuvent inventer sans s'identifier aux personnages de leur imagination. [...] Comprenez-vous [...] que l'on arrive pour ainsi dire à s'incarner dans le héros de son imagination, si bien que sa vie devienne la vôtre et qu'on brûle des flammes factices de ses ambitions et de ses amours ! C'est pourtant ce qui m'est arrivé en entreprenant l'histoire d'un personnage qui a figuré, je crois bien, vers l'époque de Louis XV, sous le pseudonyme de Brisacier[3]. »

Nerval fait ici allusion à un roman qu'il avait projeté en 1844, et dont le héros portait ce nom[4]. Il n'en avait publié que le début : une lettre du protagoniste, signée « L'illustre Brisacier ». C'est cette lettre qu'il va reproduire dans sa Préface à Dumas, comme exemple de sa faculté d'identification à ses héros. Avant de commenter ces pages remarquables, il faut avertir le lecteur que le fantastique Brisacier, avec ce nom fracassant, qui n'est nullement un pseudonyme, a bel et bien existé sous Louis XIV (et non sous Louis XV, comme semble croire Nerval).

1. Article du *Mousquetaire*, déjà cité.
2. Voir p. 304, note 5. C'est Nerval qui souligne le mot *romanesque*.
3. Préface des *Filles du feu*, « À Alexandre Dumas », §§ 5, 6.
4. Gérard de NERVAL, *Le Roman tragique*, dans *L'Artiste*, du 10 mars 1844 : soit une lettre de Brisacier, accompagnée seulement d'une note de l'auteur concernant le roman projeté ; ce *Roman tragique* devait faire suite au *Roman comique* de Scarron et représenter les mœurs des comédiens du temps de Louis XIV.

Il dit à Dumas qu'il avait oublié totalement ce personnage, dont il avait lu quelque part l'histoire, mais qu'il en était hanté, que Brisacier était devenu pour lui «une obsession, un vertige [1]». Nous ne pouvons croire à cet oubli total : il existe une page manuscrite, qui a dû faire partie d'une première version de la Préface à Dumas et n'a pu la précéder que de quelques mois au plus, où il apparaît que Nerval n'avait pas, en 1853, oublié autant qu'il le dit l'aventure du Brisacier historique [2]. Ce Brisacier, né d'une famille d'officiers royaux et d'ecclésiastiques [3], avait, quoique assez petit personnage, fait quelque bruit en 1676 à la cour de France : il brigua auprès de Louis XIV un brevet de duc et pair en se donnant pour un fils naturel du roi de Pologne Jean Sobieski, ce qui le fit mettre à la Bastille pour deux ans [4]. Or Nerval, dans ce manuscrit de 1853, raconte bien cette aventure-là, quoique avec de grosses variantes. La relative fidélité de ce canevas à l'histoire véritable de Brisacier est d'autant plus digne de remarque que, neuf ans auparavant, le Brisacier nervalien n'avait rien de commun avec le Brisacier historique, sauf le nom : à cette date de 1844, Nerval avait seulement baptisé Brisacier un triste sire de sa création, poète devenu comédien, lamentable et furieuse victime d'une machination de ses camarades. Cependant, ce Brisacier de 1844 n'est pas le seul que Nerval ait réinventé de toutes pièces. Il en existe un autre, de date incertaine, dans un scénario de drame resté inédit du vivant de Nerval, intitulé *La Forêt-Noire* [5]. Ce Brisacier-ci est encore tout autre : c'est, en 1702,

1. Préface des *Filles du feu*, «À Alexandre Dumas», § 6.
2. C'est le «manuscrit Marsan», reproduit dans *Pl. I, G.-P.*, p. 1742 ; cette page, où il est fait mention de *Sylvie*, parue en août 1853, est donc postérieure à cette date, et antérieure à janvier 1854, date de publication de la Préface à Dumas dans son texte définitif.
3. Les membres de cette famille occupent six articles dans le *Dictionnaire de biographie française* de Prévost et Roman d'Amat. Le nôtre, prénommé Mathieu, né après 1640, mort en 1686, avait hérité de son père la charge de secrétaire des commandements de la reine, qui lui donnait accès à la cour.
4. La prétention de Brisacier à la duché-pairie fut accompagnée de manœuvres fantastico-frauduleuses. C'est au moins ce que raconte l'abbé de Choisy, *Mémoires pour servir à l'histoire du règne de Louis XIV* (1727 ; voir l'édition Lescure, t. II, Paris, 1888, p. 100). Ces *Mémoires* furent réédités à Paris en 1828 et en 1839, et Nerval dut les connaître. Une lettre de Mme de Sévigné, de septembre 1676, raconte la même histoire, avec quelques variantes dans les circonstances. Certains pensent — à tort ou à raison ? — qu'il reste du mystère dans cette intrigue.
5. On peut lire ce scénario dans *Pl. I, G.-P.*, pp. 725-731 ; sur l'histoire du manuscrit, voir *ibid.*, pp. 1758-1759.

un capitaine de l'armée de Villars, dans le Palatinat, qui se croit enfant trouvé et, à la suite de diverses aventures où dominent les thèmes de la réminiscence et de l'amour juvénile ressurgi, découvre qu'il est né d'une noble famille protestante à laquelle il a été arraché étant enfant.

Ces récurrences du nom de Brisacier comme protagoniste dans des actions aussi diverses[1] sont peut-être l'effet d'une obsession, comme le prétend Nerval. Tous les Brisacier de sa création ont, si l'on y prend garde, un trait commun, où leur créateur semble avoir mis sa marque : ce sont des gens de condition ordinaire, pour qui il est question d'une haute origine[2]. Est-ce là, dans cette hantise, que gît l'« obsession », le « vertige », dont Nerval se dit victime, et que produit en lui le nom de Brisacier ? Il ne s'agit, en tout cas, pas d'autre chose, dans cette Préface à Dumas, que des identités imaginaires, du personnage et de l'auteur. Et est-ce par hasard que le Brisacier par lequel Nerval répond à Dumas est précisément un fils supposé de ce grand khan de Crimée, auquel Nerval était censé s'identifier lui-même ? C'est comme s'il voulait dire : — Je n'ai rêvé du khan de Crimée qu'à travers les aventures de mon héros ; comme conteur, je confonds volontiers l'imaginaire et le réel, mais vous vous doutez bien que je sais leur différence comme auteur.

Ces premières explications de Nerval ne disent mot de la frontière au-delà de laquelle le délire commence ; cependant, il la laisse bientôt voir. Car si, à partir d'un nom et d'une époque, il a réinventé un héros, s'il a imité et vécu les passions de sa créature, il ne s'en tient pas là ; son discours fait soudain un saut singulier ; il s'est convaincu, dit-il, d'avoir été jadis Brisacier : « J'ai cru tout à coup à la transmigration des âmes non moins fermement que Pythagore ou Pierre Leroux[3]. » Un

---

1. *Le Mousquetaire* du 26 janvier 1854 annonce encore la publication d'un Illustre Brisacier en deux volumes, qui n'a jamais paru.

2. Nous avons vu un Brisacier fils du roi de Pologne, ou prétendu tel (c'est celui de l'histoire) ; la version du « manuscrit Marsan » le fait descendre des Valois, dynastie chère à Gérard, porteuse du nom de son pays d'enfance ; celui de *La Forêt-Noire* se découvre issu d'une famille noble persécutée pour sa religion ; un autre, l'« illustre », passe pour le fils du khan de Crimée.

3. Pythagore et Leroux sont là pour attester que Gérard peut croire à la métempsycose tout en ayant comme eux l'usage de sa raison. Pythagore est bien lointain pour témoigner ; Leroux, qui professait en effet cette doctrine, n'en a jamais fait, que je sache, une application concrète à lui-même. Nerval introduit

second saut, plus prodigieux, suit le premier : «Du moment que j'avais cru saisir la série de toutes mes existences antérieures, il ne m'en coûtait pas plus d'avoir été prince, roi, mage, génie et même Dieu, la chaîne était brisée et marquait les heures pour des minutes[1]. » Cette série d'existences antérieures surgit soudain sans commentaire ; et tandis que nous essayions de comprendre ce qui peut arriver à un auteur qui vit tout entier dans ses personnages, Nerval nous révèle qu'il peut aussi bien se croire Dieu. A-t-il commencé aussi par créer Dieu ? Peut-être, si c'est en quelque sorte créer Dieu que le penser, et se voir à sa place. Brisacier ou l'Être suprême, l'exercice est le même, et les risques sont du même ordre : la déraison est au bout du jeu, si même elle n'est pas à son début.

L'auteur et son héros

Le Brisacier de Nerval est une étrange et saisissante création. Le cadre de son histoire est repris, situation et personnages, du *Roman comique* de Scarron[2], transposé en *Roman tragique*, non seulement parce qu'on y voit les comédiens représenter surtout la tragédie, mais aussi parce qu'ici le protagoniste est un être en tragique perdition. Cet être qui incarne jusqu'au délire l'infernal combat, dans un *moi*, de l'humilité et du désir de grandeur, a de toute évidence quelque chose de fou, de sorte que Nerval peut expliquer sa propre apparence de folie par le fait qu'il s'est identifié à lui. Mais l'identification n'est pas si complète qu'il ne reste, aussi longtemps qu'il écrit, un auteur manipulant sa créature : toute la rhétorique qu'il prête à son héros dénonce en lui la folie qu'il prétend en vain ignorer ; un terrible humour, involontaire chez ce mal-

intrépidement ce passage par l'axiome «Inventer, c'est se ressouvenir», affectant d'interpréter cette pensée empiriste (on n'invente qu'avec ce qu'on a déjà vu) en faveur d'une doctrine supranaturelle de réincarnation.

1. Préface des *Filles du feu*, «À Alexandre Dumas», §§ 6, 7. La chaîne de ressort brisée, comme symbole d'une marche arrière accélérée dans le temps, se trouvait déjà dans l'Introduction de Nerval aux *Deux Faust* en 1840 (voir ci-dessus, pp. 230 et 250).

2. Cela apparaît bien à la lecture ; et l'on peut s'étonner que, dans cette Préface même des *Filles du feu* où il reproduit la lettre qu'il a prêtée à Brisacier, il persiste à le situer sous Louis XV.

heureux, tissé par son auteur dans ce qu'il lui fait dire, le fait distinct de cet auteur : celui qui le fait parler est un être pleinement lucide, qui scrute et dévoile sa misère. De sorte que la lettre de Brisacier, c'est proprement Nerval regardant en face sa folie, et capable de la commenter ; le délire, en somme, se faisant littérature.

Le Brisacier de Nerval, poète qui s'est attaché à une troupe de comédiens ambulants et s'est fait acteur avec eux, est amoureux d'une *étoile* ce cette troupe, qui l'a accepté pour son *destin*. On reconnaît les noms, *Étoile* et *Destin*, du jeune couple d'acteurs de Scarron. Le premier de ces noms, surtout, revêt ici une intensité de sens propre à Nerval, qui a coutume de nommer *étoile* la Bien-Aimée inaccessible ; le destin, s'agissant de Brisacier, fait surtout penser à la mauvaise fortune qui est le partage ordinaire de Nerval comme amant [1]. Quand Brisacier écrit sa triste lettre à son Étoile, il est encore, dit-il, dans sa « prison » ; elle sait apparemment ce qu'il veut dire : nous, non. Il se dit « toujours imprudent, toujours coupable à ce qu'il semble » : imprudent, coupable, c'est, textuellement, et ce sera de plus en plus, la formule de contrition de l'amant nervalien maltraité. Il se répand ensuite en regrets d'un heureux passé, vite changés en amers reproches contre les comédiennes, qui méprisent à présent les poètes [2], les trahissent pour suivre des seigneurs chamarrés, les abandonnent dans quelque misérable auberge. Sur cette allusion cruellement actuelle, la plainte personnelle éclate : « Ainsi moi, le brillant comédien naguère, le prince ignoré, l'amant mystérieux, le déshérité, le banni de liesse, le beau ténébreux, adoré des marquises comme des présidentes, moi, le favori bien indigne de Mme Bouvillon, je n'ai

---

1. Notons que nous ne connaissons l'Étoile de Brisacier que par les griefs qu'il invoque contre elle dans sa lettre, et qui la montrent différente de l'irréprochable héroïne de Scarron, jeune fille de bonne condition que ses malheurs ont faite comédienne. En tout cas, Brisacier ne ressemble en rien au Destin de Scarron, jeune premier vaillant et parfait amant fidèlement aimé. Rien, en fait, dans *Le Roman comique*, n'annonce le caractère ni la conduite de notre Brisacier, qui est tout entier de Nerval. En somme, la Lettre n'emprunte à Scarron que la donnée générale (troupe de théâtre et mœurs d'époque), les noms des deux protagonistes et la mention de quelques autres personnages. L'idée que Nerval a eue de continuer *Le Roman comique* s'explique surtout par sa prédilection, et celle de Gautier, pour l'époque Louis XIII. De là le soin qu'il met à reproduire les noms et les détails du *Roman comique* dans le sien.

2. « Nous, les pauvres poètes toujours et les poètes pauvres bien souvent. »

pas été mieux traité que ce pauvre Ragotin, un poétereau de province, un robin ! » Grandeur et misère ! La grandeur est célébrée par des expressions si ambiguës qu'on ne sait pas bien si elles se réfèrent à Brisacier lui-même ou aux personnages qu'il a représentés sur le théâtre [1]. Peut-être ne fait-il pas, ne tient-il pas à faire la différence.

Nous apprenons, après ce prélude, l'ultime avanie : les comédiens l'ont traîtreusement abandonné : « L'hôte, séduit par les discours de La Rancune, a bien voulu se contenter de tenir en gage le propre fils du grand khan de Crimée envoyé ici pour faire ses études, et avantageusement connu dans toute l'Europe chrétienne sous le pseudonyme de Brisacier. » Grâce à cette inénarrable machination, La Rancune a pu faire accepter Brisacier par l'aubergiste, sans argent et vêtu d'une souquenille [2]. Sitôt les comédiens partis, l'aubergiste désabusé par la valise vide du malheureux l'a consigné dans sa chambre, devenue prison, en le traitant de « prince de contrebande » : « À ces mots, écrit-il, j'ai voulu sauter sur mon épée, mais La Rancune l'avait enlevée, prétextant qu'il fallait m'empêcher de m'en percer le cœur sous les yeux de l'ingrate qui m'avait trahi [3]. » Cette ridicule histoire d'épée inspire à Brisacier une tirade confuse sur l'impossibilité de son suicide, qui ne donne une haute idée ni de sa logique, ni de sa force d'âme. Il échappe à cette fâcheuse

1. « Prince ignoré », est-ce lui ou un rôle qu'il a joué ? « Amant mystérieux », « déshérité », « banni de liesse », « beau ténébreux », peuvent être aussi l'un ou l'autre, comme le Desdichado du fameux sonnet est à la fois un personnage imaginaire et Nerval. Le « brillant comédien », « adoré des marquises », etc., c'est sûrement Brisacier lui-même. — Mme Bouvillon, chez Scarron, est une très grosse dame, ni marquise ni présidente, parente seulement d'un conseiller au parlement de Rennes, qui se livre à une fougueuse tentative de séduction sur la personne de Destin (*Le Roman comique*, IIe partie, chap. X) ; de même, aussitôt après notre citation, Brisacier se plaint de l'emplâtre qu'on lui a mis sur la figure : or Destin, dans le tout premier chapitre du *Roman comique*, porte cet emplâtre pour ne pas être reconnu de ses persécuteurs. — Ragotin est chez Scarron un petit avocat ridicule, enflé de vanité littéraire et souffre-douleur de la troupe, constamment mortifié et grotesque.
2. La Rancune, un des personnages principaux du *Roman comique*, vieux comédien cynique, machinateur d'intrigues et de farces sans pitié.
3. Toutes les citations faites jusqu'ici proviennent du premier paragraphe de la Lettre. Plus loin (§ 6), Brisacier donne d'autres détails sur la machination montée par La Rancune : les comédiens ont abandonné Brisacier à Soissons, qu'ils n'ont fait que traverser, cachant leur profession et se faisant passer pour des personnes de haut rang ; ils ont raconté aux autorités de la ville la même fable qu'à l'aubergiste : Brisacier, prince, gravement atteint (d'une maladie ? d'un désespoir d'amour ?) ; eux, dans l'impossibilité de s'occuper de lui.

impression par un soudain discours de sa grandeur comme comédien, où il se jette à corps perdu, oubliant apparemment sa misère présente : « Vous souvenez-vous de la façon dont je jouais Achille [...] ? J'étais noble et puissant, n'est-ce pas, sous le casque doré aux crins de pourpre, sous la cuirasse étincelante, et drapé d'un manteau d'azur ? Et quelle pitié c'était alors de voir un père aussi lâche qu'Agamemnon disputer au prêtre Calchas l'honneur de livrer plus vite au couteau la pauvre Iphigénie en larmes ! J'entrais comme la foudre au milieu de cette action forcée et cruelle ; je rendais l'espérance aux mères et le courage aux pauvres filles, sacrifiées toujours [...] [1]. » Échauffé par sa propre éloquence, il ne se croit plus sur le théâtre, il agit en sauveur dans un monde réel ; l'Achille de Racine n'est plus à sa mesure, il le trouve « un peu rhéteur pour un homme d'épée » ; il sait, dit-il, que son auditoire est convaincu de son droit, il ne se tient plus : « J'étais tenté de sabrer, pour en finir, toute la cour imbécile du roi des rois, avec son espalier de figurants endormis ! Le public en eût été charmé. » Et que dire des autres rôles que celui d'Achille ? « Les Britannicus et les Bajazet, ces amants captifs et timides, n'étaient pas pour me convenir. La pourpre du jeune César me séduisait bien davantage. » Néron, à la bonne heure ! Néron, « ce beau lutteur, ce danseur, ce poète ardent », calomnié par l'histoire et par les poètes : « Néron ! je t'ai compris, hélas ! non pas d'après Racine, mais d'après mon cœur déchiré quand j'osais emprunter ton nom ! Oui, tu fus un dieu, toi qui voulais brûler Rome, et qui en avais le droit peut-être, puisque Rome t'avait insulté !... »

Remarquons, en ce point culminant de la Lettre, que Brisacier est fou par identification à ses personnages, comme Nerval en s'identifiant à lui. Cette sorte de déraison domine d'un bout à l'autre la Préface à Dumas, non pas sans doute comme pure fantaisie de Nerval, mais comme reflet et élaboration d'une expérience réelle [2]. Au moment où Brisacier exalte Néron, surgit le récit de l'incident catastrophique qu'il a tu jusqu'ici,

1. À partir d'ici, § 2 de la Lettre.
2. Une autre indication en faveur de sa véracité sur ce point se trouve, un an après la publication du *Roman tragique*, dans la Préface de Nerval à une édition du *Diable amoureux* de Cazotte, 1845 (= *Les Illuminés*, « Jacques Cazotte », II, § 7) : « Le voilà (écrit Nerval de Cazotte) qui s'est laissé aller au plus terrible danger de la vie littéraire, celui de prendre au sérieux ses propres inventions. »

et qui a été la source de tout. Que s'est-il passé ? Dans l'exaltation de ce rôle, a-t-il un jour faussé le texte ? s'est-il livré à quelque jeu de scène brutal ? en tout cas, on l'a sifflé : « Un sifflet, un sifflet indigne, *sous ses yeux*, près d'elle, à cause d'elle ! Un sifflet qu'elle s'attribue par ma faute (comprenez bien)[1] ! » J'ai eu, dit-il, un moment « l'idée d'être vrai, d'être grand, de me faire immortel enfin [...], l'idée sublime et digne de César lui-même [...], l'idée auguste enfin de brûler le théâtre, et le public, et vous tous ! et de l'emporter seule à travers les flammes ; échevelée, à demi nue [...] ; et soyez sûrs alors quel rien n'aurait pu me la ravir, depuis cet instant jusqu'à l'échafaud ! et de là dans l'éternité ! » Au lieu de cela, on lit, à travers la longue effervescence de sa haine, qu'il a seulement insulté le public siffleur, lequel a envahi la scène et l'a assommé. La représentation reprend ensuite[2], et Brisacier-Néron se voit triomphant des spectateurs : « Ces lâches n'osaient recommencer ! mon œil les foudroyait sans crainte, et j'allais pardonner au public, sinon à Junie, quand elle a osé... Dieux immortels !... [...] Oui, depuis cette soirée, ma folie est de me croire un Romain, un empereur ; mon rôle s'est identifié à moi-même, et la tunique de Néron s'est collée à mes membres qu'elle brûle, comme celle du centaure dévorait Hercule expirant[3]. »

À cette explosion de délire succède enfin l'aveu du véritable drame : comme Junie préfère Britannicus à Néron, l'Étoile préfère à Brisacier le jeune homme qui joue Britannicus ; c'est sans doute ce qu'au moment où Brisacier reprenait courage elle a osé manifester. Brisacier avait oublié le sens de Racine dans cette scène, il vivait le sien. Il le dit : « Mes amis ! comprenez surtout qu'il ne s'agissait pas pour moi d'une froide traduc-

---

1. *Ibid.*, § 3. Il l'a sans doute elle-même effrayée par son jeu, et le public a sifflé par sympathie pour elle (« à cause d'elle ») ; « un sifflet qu'elle s'attribue par ma faute » : le sifflet la désoblige elle-même, et elle en attribue la faute à Brisacier.

2. Tout l'épisode se situe pendant la représentation de *Britannicus* : le sifflet pendant le dialogue Néron-Junie (acte II, scène 3) ; le retour de Néron à l'acte II, scène 7, après qu'il a entendu l'entretien de Junie et Britannicus : au premier mot qu'il dit, Junie lui tourne le dos et fuit (c'est là, pour Brisacier, ce qu'elle a « osé » lui faire).

3. Le texte ne nomme que par une initiale, P..., la ville où a eu lieu ce scandale sur la scène, en pleine représentation, à la suite duquel la troupe a déguerpi et est allée se débarrasser de Brisacier à Soissons.

tion de paroles compassées, mais d'une scène où tout vivait, où trois cœurs luttaient à chances égales, où comme au jeu du cirque, c'était peut-être du vrai sang qui allait couler! Et le public le savait bien [...]; et l'autre, le Britannicus bien choisi, le pauvre soupirant confus, qui tremblait devant moi et devant elle, mais qui devait me vaincre à ce jeu terrible, où le dernier venu a tout l'avantage et toute la gloire...» Cependant, Néron a fait assassiner son timide rival, et Brisacier, finalement plus Nerval que Néron, le prend en pitié fraternelle : «Oui, mon frère, oui, pauvre enfant comme moi de l'art et de la fantaisie, tu l'as conquise, tu l'as méritée en me la disputant seulement.» Et aussi : «Le ciel me garde [...] d'attaquer son choix ou son caprice à elle, la toute-puissante, l'équitable, la divinité de mes rêves comme de ma vie[1]!...» La souveraineté féminine égalise la condition des adorateurs, heureux ou malheureux : la contemplation, mode nervalien de l'amour, est leur privilège. Mais Nerval sait bien qu'il n'est pas facile d'éteindre en soi tout ressentiment. Il a beau vouloir être magnanime, il ne peut s'empêcher, revenant sur le tour qu'on lui a joué et sur sa piteuse situation, d'éclater de nouveau, et contre l'Étoile : «L'ingrate qui est cause de mes malheurs n'y aura-t-elle pas mélangé tous les fils de satin les plus inextricables que ses doigts d'Arachné auront pu tendre autour d'une pauvre victime[2]?» Il faut supposer ce ressentiment toujours latent, même au plus profond de l'humilité, quand il supplie les comédiens de le reprendre : «Daignez me recevoir au moins en qualité de monstre, de phénomène, de *calot*[3] propre à faire amasser la foule, et je réponds de m'acquitter de ces divers emplois de manière à contenter les amateurs les plus sévères des provinces.» C'est à cette servile requête que Nerval fait aboutir la mégalomanie de son héros.

1. *Ibid.*, § 4.
2. *Ibid.*, § 5 et dernier.
3. *Calot* : en argot ancien, «teigneux», selon le *Trésor de la langue française*, publié sous la direction de Paul Imbs, Paris, C.N.R.S., t. V, 1977, article *calot*[2], où est cité ce passage de Nerval (une référence aussi à Anatole France, et plusieurs à des sources argotiques). Le mot a-t-il eu aussi des acceptions figurées, moins strictement matérielles? Je ne sais.

Invention et vérité

Ainsi s'achèvent ces pages extraordinaires où Nerval fait vivre ensemble Folie et Littérature ; œuvre consciente en même temps qu'expérience obscure ; discours à deux niveaux de lucidité, le héros, dès lors qu'il est capable de se raconter, donnant un certain sens aveugle à son histoire et l'auteur faisant en sorte qu'on voie la vérité au travers. Le pathétique augmente si nous nous hasardons à penser que, comme lecteurs, nous pouvons voir plus clair encore que l'auteur, ce qui nous est permis si nous n'abusons pas du privilège. Nerval nous dit que son *moi* vit ses inventions, et nous devons le croire ; il ne nous dit pas ce que ses inventions doivent à son *moi*. Il sait ce qu'il doit à ses héros ; sait-il ce que ses héros tiennent de lui ? Il nous serait précieux de pouvoir faire la part de ce qu'il a inventé pour le vivre et de ce qu'il a dû vivre avant de pouvoir l'inventer. Il serait vain de vouloir tenir la littérature hors du plan de la vie, et l'œuvre à part de l'homme, car toute œuvre est discours, et tout discours pose un problème de vérité.

Nous ne pouvons compter sur Nerval seul pour nous éclairer, tout son plaidoyer, dans cette Préface à Dumas, consistant à faire de sa vie, et de sa folie surtout, la conséquence d'une littérature. Voici comment il décrit sa carrière : « Une fois persuadé que j'écrivais ma propre histoire, je me suis mis à traduire tous mes rêves, toutes mes émotions, je me suis attendri à cet amour pour une *étoile* fugitive qui m'abandonnait seul dans la nuit de ma destinée, j'ai frémi des vaines apparitions de mon sommeil. » Il poursuit : « Puis un rayon divin a lui dans mon enfer ; entouré de monstres contre lesquels je luttais obscurément, j'ai saisi le fil d'Ariane, et dès lors toutes mes visions sont devenues célestes [1]. » Cette façon de présenter les choses met tout au compte de l'imagination. C'est par elle et en elle qu'un cheminement pénible et périlleux conduit de l'enfer au ciel. Le parcours est clairement résumé : *Brisacier* aboutit à *Aurélia*. Cet enchaînement pourrait surprendre, mais il a l'avantage de signifier clairement que la Femme et l'Amour sont la clef de l'odyssée spirituelle de Nerval, dont ils dominent le point

---

1. Préface des *Filles du feu*, « À Alexandre Dumas », 1er § après la Lettre de Brisacier.

de départ supposé et le terme. Ce dont on peut douter, c'est que l'invention du personnage de Brisacier ait tout déterminé ; en l'affirmant, Nerval prononce : Au commencement était l'Auteur, façon d'écarter ce qu'il est au profit de ce qu'il invente. Avant Brisacier, dans *Corilla* dès 1839, dans les Lettres du *Roman à faire* en 1842 ; après Brisacier, à travers les légendes mêlées de Jenny Colon et Marie Pleyel, — une constellation de motifs se forme et se déploie, touchant l'Amant et son destin, dans laquelle nous sommes obligés de voir l'être ou la nature de Nerval, autant au moins que sa littérature. C'est en ce sens qu'il est vrai, tout en nous payant de mensonges.

Était-il dupe de lui-même ? C'est peu probable, et c'est ce qui nous donne le droit de dire ce qu'il n'a pas dit. Il savait rire de lui-même et des autres[1]. Était-il sûr qu'on pouvait arriver par l'imagination à un salut quelconque, voire à un simple bonheur ? Gautier, dans sa simplicité, définit l'attitude de Nerval comme une sorte de confusion glorieuse de la réalité et du rêve, un éden où n'ont place ni la frustration ni la haine : « Il perdit, écrit-il, la notion du chimérique et du réel, et passa de la raison à ce que les hommes appellent folie, et qui n'est peut-être qu'un état où l'âme, plus exaltée et plus subtile, perçoit des rapports invisibles, des coïncidences non remarquées et jouit de spectacles échappant aux yeux matériels[2]. » Ainsi le sens du réel oblitéré, conduisant merveilleusement à la découverte des secrets du monde, telle est la formule de cet irrationalisme béat. Ce n'était certainement pas la pensée de Nerval, qui connaissait par expérience les difficultés du voyage. Il prie Dieu de le lui rendre possible, « de me laisser, dit-il, le pouvoir de créer autour de moi un univers qui m'appartienne, de diriger mon rêve éternel au lieu de le subir » ; mais c'est pour constater aussitôt tristement : « Alors, il est vrai, je serais Dieu[3]. » Il connaît le rêve comme servitude au moins autant que comme délivrance, il sait qu'en surévaluant le *moi* il en souligne

1. Par exemple : quand il se déclare enchanté de sa « folie », ou dans l'humour qu'il attache au tragique de Brisacier, ou dans certaines facéties, comme celle qui concerne le khan de Crimée, dont Dumas et lui se sont amusés ensemble, et où il a été, peut-on croire, le moins naïf des deux.
2. GAUTIER, Notice, déjà citée, de 1867, en tête de l'édition des *Deux Faust* de 1868, chez Michel Lévy, § 5 avant la fin.
3. NERVAL, *Paradoxe et vérité*, article déjà cité, *L'Artiste*, 2 juin 1844 (= *Pl. I*, *G.-P.*, p. 809).

l'impuissance, que l'absolu du *moi* est un pur rien. Il était engagé, par nécessité intime et dégoût du réel, dans une voie dont il craignait qu'elle ne fût sans issue aucune. La folie n'a jamais été pour lui un paradis, et il lui arrivait de douter qu'elle révélât quelque chose. Il écrit à son médecin : « Peut-être ce que j'ai éprouvé n'existe-t-il que pour moi, dont le cerveau s'est abondamment nourri de visions et qui ai de la peine à séparer la vie réelle de celle du rêve [1]. » Il n'est pas loin ici de réprouver cette confusion, bien loin de la préconiser ni de l'idéaliser. Mais il ne faut pas non plus l'imaginer trop prompt à renoncer à sa quête. Les concessions qui se font aux médecins procèdent de la raison ou de la gentillesse, alors que le fond du cœur reste fidèle à son projet. Ces visions traîtresses que Gérard désavoue n'en étaient pas moins sa vie.

PANDORA

Pandora, qui n'a été imprimée qu'en 1854, raconte pour l'essentiel une aventure semblable à celle de Brisacier, mais cette fois dans un tissu franchement autobiographique : le narrateur publiquement humilié par son actrice bien-aimée, et perdant la tête sous l'outrage, est Nerval lui-même. La scène a lieu non dans un théâtre anonyme de province, mais dans les salons de l'ambassade de France à Vienne, que Nerval fréquente dans l'hiver de 1839-1840, et où il a rencontré la belle Pandora. On y joue, en guise de divertissement, des charades, puis un proverbe, mais Nerval ne sait pas son rôle. Voici son récit de l'incident : « On frappa enfin les trois coups pour le proverbe intitulé *Madame Sorbet*. Je parus en comédien de province, comme le Destin dans *Le Roman comique* [2]. Ma froide Étoile

---

1. Lettre au docteur Blanche, 15 juillet 1854.
2. On appelait « proverbes » des comédies portant pour titre un proverbe dont elles représentaient une application. Il s'agit ici de *Madame Sorbet ou Un peu d'aide fait grand bien*, de Théodore Leclercq, auteur à succès dans ce genre sous la Restauration ; cette comédie sans intérêt particulier peut se lire dans les *Proverbes dramatiques* de cet auteur, 8 vol., Paris, 1835-1836, t. I (la Table, au t. VIII, la date de 1823). Un « Florimon, comédien de province », figure parmi les personnages : c'est apparemment le rôle que Nerval devait jouer. Destin et Étoile sont les noms du jeune couple d'amants dans *Le Roman comique* de Scarron avec lequel Nerval met en relation son histoire, ici comme dans *Brisacier*.

s'aperçut que je ne savais pas un mot de mon rôle et prit plaisir à m'embrouiller. Le sourice glacé des spectatrices accueillit mes débuts et me remplit d'épouvante. En vain le vicomte s'exténuait à me souffler les belles phrases perlées de M. Théodore Leclercq, je fis manquer la représentation. — De colère je renversai le paravent qui figurait un salon de campagne. Quel scandale ! Je m'enfuis du salon à toutes jambes, bousculant le long des escaliers des foules d'huissiers à chaînes d'argent et d'heiduques galonnés, et m'attachant des *pattes de cerf*[1], j'allai me réfugier honteusement dans la taverne des Chasseurs[2]. »
La parenté de cette étrange aventure avec celle de Brisacier est soulignée par l'allusion faite au *Roman comique*, et par l'expression «froide Étoile» appliquée dans les deux cas à l'héroïne[3]. Surtout, l'histoire est foncièrement la même, circonstances, personnages et action analogues aboutissant ici et là à la déconfiture du héros. La différence est que Nerval se peint ici lui-même, sans faire porter son mal par une créature imaginaire ; ce faisant, il aborde ce qui doit être son entreprise finale : la narration autobiographique d'une anomalie personnelle, consciente d'elle-même, comme littérature de salut ; telle sera *Aurélia*.
Non qu'il soit question d'établir une progression chronologique de *Brisacier* à *Pandora*, et de *Pandora* à *Aurélia*, vu l'incertitude où nous sommes touchant le calendrier de genèse et de rédaction des dernières œuvres de Nerval, et l'étroite liaison qui unit les deux grandes périodes de crise et de création, 1840-1842 d'une part, d'autre part 1853-1854[4]. Il faut nous

1. Façon imagée de parler pour figurer une fuite précipitée.
2. *Pandora*, éd. J. Guillaume, déjà citée, pp. 96-97.
3. Voir dans la Lettre de Brisacier, § 2 : «Pauvre Aurélie [...] Ne m'as-tu pas aimée un instant, froide Étoile ! », et dans *Pandora* (citation précédente) : «Ma froide Étoile [...] prit plaisir à m'embrouiller. »
4. Ce que nous savons sûrement de l'histoire de *Pandora*, c'est que sa première moitié a été publiée dans *Le Mousquetaire* en décembre 1854, et que sa seconde partie a fait l'objet d'une épreuve d'imprimerie parvenue jusqu'à nous et publiée seulement dans notre siècle. La première édition complète et cohérente de *Pandora* a été donnée par Jean Guillaume (Namur, 1968). Cependant, *Pandora*, par son contenu comme par sa forme, et selon l'indication expresse de Nerval lui-même, est la suite des *Amours de Vienne*, sorte de chronique de son séjour à Vienne entre novembre 1839 et mars 1840. Cette chronique parut dès le 1er mars 1841 dans la *Revue de Paris* ; et, le 16 mars suivant, Nerval écrivait à Félix Bonnaire, au bureau de la *Revue de Paris*, lui proposant instamment de lui donner sous peu de jours «la suite» : *Pandora* existait-elle déjà ? on ne saurait le dire ; Nerval venait d'entrer en clinique, et il se vantait peut-être ; mais

en tenir à comparer, comme nés du même projet, les divers essais de Nerval jusqu'à l'*Aurélia* finale. Ce qui est certain en tout cas, c'est que l'essai qui porte pour titre *Pandora*, avec toute sa puissance de vérité et de signification, fut un échec. Non seulement cet écrit est resté inachevé, mais il porte les traces d'une évidente impuissance de l'écrivain à contrôler son délire : la condition de lucidité impliquée dans le dessein de l'auteur y est gravement transgressée.

La lettre de Brisacier nous le montrait déjà hors de ses gonds, au moins en pensée, quand a éclaté l'incident ; il n'ose en préciser la nature, mais nous devinons que ce fut quelque action violente, suite logique de l'excitation qu'il avait peine, nous le savons, à contenir. Rien au contraire, depuis qu'a commencé dans *Pandora* la narration proprement dite [1], ne s'annonçait comme dramatique. L'atmosphère entre Pandora et Nerval, au cours de leur première rencontre, est plutôt aigre-douce, comme entre une coquette et un timide, avec quelques piques, mais sans plus. À l'ambassade, rien de désagréable non plus : on se distrait aimablement jusqu'au proverbe, quand Nerval, ayant fait manquer le spectacle, renverse soudain le paravent et s'enfuit. Le trouble apporté par Brisacier dans une représentation publique est chose grave pour ses camarades, et il est normal qu'il en ressente les effets. Mais la défaillance d'un amateur dans un divertissement de société, même si elle semble fâcheuse, finit ordinairement par des excuses et des rires, et non par la fuite discourtoise et panique que Nerval raconte. Ce dénouement surprend d'autant plus que le coupable, après

---

elle existait au moins en projet. — Voir, par contre, la correspondance de Nerval, qui ne mentionne qu'en novembre-décembre 1854 un manuscrit effectif de *Pandora* et d'*Aurélia* ; et le Père Guillaume signale une liaison matérielle possible des manuscrits de *Pandora* et d'*Aurélia* (*Aux origines...*, *passim* et p. 35 ; *Nerval, masques et visage*, *passim*, notamment pp. 105-106) ; il a établi pour *Pandora*, sur la base des manuscrits, deux textes successifs (dans *Aux origines...*, pp. 9-19 ; et *Nerval, masques et visage*, p. 123 et suiv., ces deux textes face à face : le premier date de 1853 ; le second, de 1854). — La difficulté d'établir une chronologie de composition des écrits de Nerval qui concernent sa folie s'accroît si l'on considère que le calendrier de genèse d'*Aurélia* ne nous est pas moins obscur que celui de *Pandora*, du fait que les fragments de l'*Aurélia* primitive qui nous sont parvenus pourraient dater de 1841-1842 (voir l'édition Richer d'*Aurélia*, Paris, 1965, p. VI et suiv.).

1. Cette narration commence, dans *Pandora*, après plusieurs paragraphes lyriques sur lesquels nous reviendrons, par celui dont les premiers mots sont : « Il faisait très froid à Vienne le jour de la Saint-Sylvestre » (rencontre du narrateur avec la Pandora dans son boudoir).

une nuit d'agitation, se rend le lendemain matin, comme si de rien n'était, au rendez-vous que la Pandora lui avait fixé avant l'incident pour une «partie fine» au Prater; et leurs relations n'ont rien alors que de normal, avec la façon qu'elle a, comme toujours, de le taquiner sur ceci ou cela, de le faire attendre, enfin de le quitter soudain sans plus penser au Prater. Le jour suivant, invité par elle à participer à une nouvelle représentation à l'ambassade — preuve du peu d'importance qu'on attache à l'incident de la veille —, il n'y répond pas et quitte Vienne. À s'en tenir à la seule charpente du récit, la conduite scandaleuse de Nerval à l'ambassade et son incorrection finale tranchent sur le reste, de sorte que Nerval est ici un Brisacier aggravé, qu'aucun œil d'auteur ne mesure : tour à tour sage et fou, à notre niveau et ailleurs, sans paraître s'en douter.

Bien plus, l'agréable récit est traversé tout entier d'allusions paniques, annonces ou échos de la folle fuite. Ainsi au milieu du récit, juste avant la réunion à l'ambassade : «le souvenir béni de l'autre... [1] me protégea encore contre les charmes de l'artificieuse Pandora». Nous avons vu Pandora seulement coquette et affectant l'autorité; il laisse entendre ici, pour la première fois, qu'il a besoin contre elle d'une pensée protectrice; mieux, qu'il a déjà dû y avoir recours [2], ce dont il ne nous a pourtant rien dit jusque-là [3]. Mais c'est dans le moment qui suit sa fuite hors de l'ambassade qu'il semble surtout hors de lui : «J'écrivis à la déesse, dit-il, une lettre de quatre pages d'un style abracadabrant. Je lui rappelais les souffrances de Prométhée, quand il mit au jour une créature aussi dépravée qu'elle. Je critiquai sa boîte à malice et son ajustement de bayadère. J'osai même m'attaquer à ses pieds serpentins que je voyais passer insidieusement sous sa robe. — Puis j'allai porter la lettre à l'hôtel où elle demeurait [4]». Cette lettre propre-

---

1. *Pandora*, éd. Guillaume, p. 90. «L'autre», déjà évoquée dans un passage précédent, est la cousine de Saint-Germain, qu'il avait aimée dans son adolescence.
2. C'est ce qu'il suggère quand il dit que le souvenir de l'autre le «protégea *encore*».
3. Autres étrangetés : *ibid.*, p. 92, Pandora, à trois lignes de distance, est dite «maligne», puis «adorable»; p. 95, un costume, dans lequel la «séduisante» Pandora apparaît pour chanter, est encore «un tour de sa façon» (comme si séduction et perversité ne faisaient qu'un en elle).
4. *Ibid.*, pp. 97-98. Cependant, le lendemain, quand Nerval et Pandora se revoient, il n'est question entre eux ni d'une telle lettre, ni de l'incident qui l'a motivée.

ment fantastique identifie la Pandora viennoise à l'héroïne mythologique dont le narrateur lui attribue le nom. Nerval privilégie la variante mythique qui représente Pandora comme un personnage funeste [1]. En fait, tout l'égarement du narrateur, dans ces pages étranges, tient à un fantasme de femme perverse et génératrice de malheur, pis encore, monstrueuse, comme l'attestent les « pieds serpentins » qu'il croit voir dépasser au bas de sa robe [2].

Le rêve fabuleux qu'il fait ensuite va dans le même sens. Mais est-ce bien un rêve ? n'est-ce pas plutôt une vision délirante, puisque Nerval nous dit, avant d'en faire le récit, qu'il n'a pu dormir de la nuit [3] ? Rêve ou vision, les métamorphoses de la Pandora s'y succèdent, ravissantes et terribles : « Je la voyais dansant toujours avec deux cornes d'argent ciselé [4], agitant sa tête empanachée en faisant onduler son col de dentelles gaufrées sur les plis de sa robe de brocart. Qu'elle était belle en ses ajustements de soie et de pourpre levantine, faisant luire insolemment ses blanches épaules huilées de la sueur du monde. Je la domptai en m'attachant désespérément à ses cornes, et je crus reconnaître en elle l'altière Catherine, impé-

1. En fait, tel est bien le caractère dominant de Pandore dans la légende grecque : créature suscitée par Zeus pour punir Prométhée voleur de feu, elle nuit aux hommes en ouvrant une boîte d'où s'échappent sur la terre tous les maux qui y étaient enfermés ; elle ne l'est pas moins quand cette boîte, selon une variante différente, est dite contenir des biens qui remontent au ciel quand elle l'ouvre, et cessent d'être accessibles aux hommes. Mais la Pandore grecque ne peut être tenue pour « dépravée », car elle et sa « boîte à malice » ne sont qu'un instrument de Zeus ; Nerval, en la qualifiant ainsi, la colore selon son obsession personnelle. — D'autre part, Nerval, en supposant Pandora créature de Prométhée, suit une version excentrique de cette légende aux formes multiples (voir H. ROUSSEAU, *Les Métamorphoses de Pandore*, dans *Revue des sciences humaines*, 1961, p. 323 et suiv., compte rendu de D. et E. PANOFSKY, *Pandora's Box, The Changing Aspects of a Mythical Symbol*, Londres, 1956).

2. La variante du manuscrit est pire : « *ses pieds de serpents rouges, que je voyais passer insidieusement sous sa robe comme d'énormes serpentins gonflés du sang des hommes* » (voir GUILLAUME, *Aux origines...*, p. 17, et *Pl. I*, p. 1 320, *in fine*).

3. Voir GUILLAUME, *ibid.*, p. 26, note 15, et p. 49, note 5 : le manuscrit donne pour titre à cette partie du récit « Le Rêve », mais en surcharge sur « Memorabilia », titre emprunté à Swedenborg, qui désignerait plutôt une vision (voir, tout au début d'*Aurélia* : « Swedenborg appelait ces visions *Memorabilia* »).

4. « Deux cornes majestueuses » ornaient déjà la tête de Pandora à l'ambassade, mais seulement figurées par ses nattes relevées en forme de lyre (coiffure, nous dit-on, jadis usitée). Ces cornes-ci confirment plutôt le caractère mythique du personnage.

ratrice de toutes les Russies[1].» Il n'est pas commun de décorer en imagination une Bien-Aimée du sang des hommes et de la sueur du monde. Sous la nouvelle identité de Catherine de Russie, qui fut si redoutable à ses amants et que Nerval doit dompter pour commencer, Pandora lui accorde la Crimée[2] : faveur grandiose, mais passagère, et qui ne balance pas sa malfaisance; car le narrateur ne se voit pas plutôt sur le trône qu'il la rend responsable de l'imminente fin du monde : «Malheureuse, lui dis-je, nous sommes perdus par ta faute — et le monde va finir! Ne sens-tu pas qu'on ne peut plus respirer ici? L'air est infecté de tes poisons [...][3].» Alors Pandora-Catherine s'élance vers le ciel du lit où son vol disparaît «pour l'éternité[4]». Le narrateur n'en revoit pas moins, dès le lendemain, la Pandora viennoise et, après quelques incidents légèrement mortifiants, finit, comme nous savons, par quitter Vienne.

Son récit dénoué de la sorte, il évoque l'épisode, plus tardif d'un an, où il la revoit, le jour même de la Saint-Sylvestre, «dans une froide capitale du Nord», toujours ensorcelante et toujours terrifique : «Sa voiture s'arrêta tout à coup au milieu de la grande place, et un sourire divin me cloua sans force sur le sol. — Te voilà encore, enchanteresse, m'écriai-je, et la boîte fatale, qu'en as-tu fait?» Elle veut en vain l'attirer : «Mais

---

1. Cette partie du rêve est autre dans un des manuscrits du fonds Marsan; pas de Catherine, mais ceci : «Un moment je fus prêt à céder aux enlacements de ses caresses lorsqu'il me sembla la reconnaître pour l'avoir vue au commencement des siècles» (voir *L'Herne*, n° 37, 1980, p. 46) : cette variante projette l'aimée dans l'origine du temps; le motif se retrouve au début de l'*Histoire du calife Hakem* (voir plus loin).

2. Il obtient ce territoire sous la personnalité imaginaire du prince de Ligne, avec qui il se confond et qui fut l'ami de Catherine : il visita en effet la Crimée avec elle et y reçut des terres. Nous avons déjà rencontré ce pays dans les imaginations fantastiques de Nerval (voir ci-dessus, pp. 301, 325, 333).

3. *Pandora*, éd. Guillaume, p. 100.

4. Il ne peut être fait état ici de tous les aspects de ce «rêve»; j'y relève seulement l'image obsédante de la Femme funeste. Dans un autre épisode, le narrateur a affaire à Rome à la célèbre Impéria, courtisane du temps de la Renaissance, qu'il interpelle sous le nom de «Jésabel» : la mauvaise reine du 1er livre des *Rois*, bien connue en France par le songe d'Athalie sa fille dans la tragédie de Racine? ou la prophétesse impie et corruptrice, du même nom, plus obscure, dans l'*Apocalypse*, I, 20? La vision s'achève par une percée fulgurante du narrateur à travers toute la terre, qui aboutit aux antipodes sur la plage de Tahiti; là, des jeunes filles le recueillent, qu'il appelle ses «sœurs du ciel» : contrepartie édénique de la Mauvaise femme.

je me pris à fuir à toutes jambes. [...] — Ô fils des dieux, père des hommes [1] : criait-elle, arrête un peu. [...] Où as-tu caché le feu du ciel que tu dérobas à Jupiter? » L'identification de Nerval à Prométhée est flatteuse, à moins qu'on ne l'interprète comme sarcastique, vu la faible puissance de feu générateur dont semble animé cet amant qui ne sait que fuir. «Je ne voulus pas répondre, écrit-il : le nom de Prométhée me déplaît toujours singulièrement, car je sens encore à mon flanc le bec éternel du vautour dont Alcide m'a délivré. Ô Jupiter! quand finira mon supplice [2]? » Gérard ne se voit Prométhée que comme éternel supplicié : il sait qu'en tant que Prométhée il a été délivré par Hercule, mais en tant que Nerval il attend encore sa délivrance; il change un mythe de révolte et de conquête, objet à ce titre de la prédilection romantique, en symbole de damnation.

Pandora, ainsi considérée, semble résulter de la combinaison de deux ensembles textuels sensiblement différents, l'un continuant une chronique viennoise touristico-romanesque, l'autre entremêlant à cette chronique des éruptions fantastiques [3] sur le thème d'une fabuleuse Ennemie de l'homme, de l'homme en général et du narrateur en particulier. Nerval a tout fait, nous l'avons vu, pour que son lecteur identifie la Pandora, ainsi que la dame de Vienne du début d'*Aurélia*, à Marie Pleyel, et nous nous sommes demandé dans quelle mesure une relation sentimentale, même fugitive, avait réellement existé entre elle et lui. Nous pouvons douter de même ici, si cette relation a existé, qu'elle ait été aussi follement douloureuse qu'il le dit. C'est pourtant ce qu'il veut faire croire quand il écrit, bien

1. Prométhée, auquel Pandora identifie ici Nerval, est fils des Titans, dieux au sens large, et il passe pour avoir créé les premiers hommes avec de l'argile.
2. *Pandora*, éd. Guillaume, pp. 104-105.
3. On peut conjecturer que l'invasion du fantastique dans *Pandora* a fait éclore la demi-douzaine de paragraphes, maintenus ou non dans le texte définitif, dont la narration proprement dite est précédée : le premier tout d'abord, celui qui présente «la belle Pandora du théâtre de Vienne», auquel Nerval applique les termes de la fameuse épitaphe de Bologne (*nec vir, nec mulier, nec androgyna*, [...] ni jeune ni vieille, ni chaste ni folle — etc., mais tout cela ensemble»; voir le texte complet de l'épitaphe dans *Pl. I*, p. 557); Nerval annonce d'emblée, par cette application, son personnage comme énigme, justifiant d'avance le peu qu'il va dire d'elle, hors le trouble qu'elle lui cause. Vient ensuite un panégyrique de Vienne, qui le conduit, bien loin de là, au souvenir du Saint-Germain de sa jeunesse et de ses belles cousines, antidote de la mémoire aux poisons présents.

avant la publication de *Pandora*, en 1847, dans un article où il évoquait les conditions dans lesquelles il avait quitté Vienne en 1840 : «Tu auras compris sans doute la pensée qui m'a fait brusquement quitter Vienne... je m'arrache à des souvenirs. — Je n'ajouterai pas un mot de plus, quant à présent. J'ai la pudeur de la souffrance, comme l'animal blessé qui se retire dans la solitude pour y souffrir longtemps ou pour y succomber sans plainte [1].» Écho, semble-t-il, d'une grande souffrance, qu'on est libre de croire réelle ; mais la date faussée de cette confidence en rend la vérité suspecte [2].

On peut se demander, en particulier, si l'incident de l'ambassade a jamais eu lieu effectivement. Une critique confiante estimera que le complexe romanesque du Piteux Acteur, de la Froide Étoile et de la Représentation mise à mal a pris sa source à Vienne en 1840 dans un événement réel ; qu'une version de ce fait, transposée quant aux personnages et aux circonstances, en a été donnée en 1844 dans la Lettre de Brisacier, et que ce scénario a reparu dans sa vérité autobiographique, sauf le nom de Pandora attribué à l'héroïne, dans un récit de 1853-1854. Mais une première difficulté surgit : dans l'histoire de Brisacier, l'héroïne, on l'a vu, se nomme Aurélie et elle préfère au narrateur un comédien de sa troupe ; or ces deux traits, qui caractérisent également en 1853 l'actrice inclémente de *Sylvie*, passent d'ordinaire pour des signaux par lesquels Nerval désigne Jenny Colon ; dans *Pandora*, qui suit de peu *Sylvie*, tout, sans la nommer, évoque au contraire Marie Pleyel [3]. L'identité de la dame importe-t-elle donc si peu, s'agissant d'un événement aussi mortifiant, dont sa présence et son attitude hostile font toute la cruauté ? Et, d'autre part, il n'existe aucun

---

1. *Voyage en Orient*, Introduction, XXI, 5ᵉ § avant la fin (= article du 21 novembre 1847 dans *L'Artiste*).
2. Cette Introduction réunit les souvenirs du voyage de Vienne (fin 1839-début 1840) et ceux de la traversée de l'Archipel (en route vers l'Orient, janvier 1843). En donnant ces deux ensembles l'un après l'autre, moyennant le raccord d'une navigation imaginaire dans l'Adriatique, Nerval a feint d'être passé, dans un unique voyage, d'Autriche en Méditerranée orientale. C'est pourquoi il parle, s'apprêtant à quitter l'Archipel, de son aventure viennoise comme toute récente, et de sa douleur comme toute vive. En réalité, trois années séparent son séjour à Vienne de sa présence dans l'Archipel ; et il avait quitté Vienne depuis presque huit ans quand cette page fut publiée pour la première fois (voir note précédente).
3. Voir ci-dessus, pp. 292-295, les pages consacrées à Marie Pleyel.

témoignage ni preuve positive qui établisse que l'incident catastrophique de l'ambassade de France, matrice prétendue du
thème, se soit réellement produit, surtout sous la forme que
Nerval lui donne [1]. Peut-être se réduisit-il à un embarras passager dans un divertissement de société, sans éclat final ni jeu
interrompu [2]. Il aurait retenti néanmoins dans l'âme fragile
de Nerval, et fécondé durablement son imagination : de là les
fureurs de Brisacier, et, par projection démesurée, l'infernale
malignité de Pandora. Arrivés à ce point, nous soustrayons à
la réalité l'histoire de la Représentation perturbée pour la rendre à l'esprit et à la littérature de Nerval. Il a pu y avoir drame
pour Nerval, s'il s'est convaincu après coup d'en avoir vécu
un, sans que le paravent de l'ambassade ait plus été renversé
que n'a été incendié par Brisacier le théâtre où il avait été sifflé.

Ainsi, l'exacte vérité biographique étant hors de notre portée, il faut nous contenter, touchant la relation du vécu à l'œuvre
chez Nerval, d'une échelle indécise de possibles. Les textes sont
notre seule réalité, mais ils figurent l'univers de Nerval, qui
est pour nous l'essentiel. La grande question est celle-ci : que
nous disent-ils ? quel signal émettent ces pages ? Avant tout,
un signal évident de désarroi et de péril. Le sourire divin de
la Bien-Aimée glace l'Amant et le met en fuite ; l'Idéal, incarné
dans une figure féminine, est une énigme maléfique ; il n'est
pas seulement hors d'atteinte, il accuse et il humilie. Le tout
n'est pas d'approcher l'Aimée, il faut se persuader qu'elle n'est
pas mortelle ennemie. Tout le romantisme de désenchantement
et de disgrâce, dans la génération de Baudelaire et la suivante,
devait opérer avec effroi cette conversion, en symbole de distance et d'inimitié, de l'Image féminine, comme de l'Idéal
qu'on figurait par elle. On ne lit pas sans surprise, parmi des
réflexions de Nerval publiées la même année que la Lettre de
Brisacier : « Qui pourrait dire quel abîme il y a déjà dans le
cœur d'une femme de vingt ans ? [...] Que de désirs à moitié

1. Nul écho n'en a été conservé, que nous sachions, ailleurs que dans
Pandora.
2. Nerval, qui, on l'a vu, parle souvent, dans ses lettres, des charades de
l'ambassade, ne signale, à ce sujet, aucun incident désagréable ; il écrit seulement, une fois : « Nous avons ici [...] Mme Pleyel, cette dernière vient à l'ambassade, nous jouons des proverbes où je ne sais pas mes rôles devant un parterre
de princes et de souverains. » (Lettre du 25 février [1840] à Alexandre Dumas.)
« Je ne sais pas mes rôles », en pareille occasion, signifie d'ordinaire : « je les sais
mal » ; n'y aurait-il eu que cela ?

développés, de trahisons presque écloses, de mauvaises pensées se mouvant comme un nid de reptiles! "Perfide comme
l'onde!" Oh! oui ; l'onde calme et dorée, l'onde bleue et profonde qui recouvre tant d'écueils cachés, de poissons hideux,
de vaisseaux perdus [1]. » Ce doute frappant l'Idéal féminin est
proprement destructeur de l'existence romantique. Il gîtait,
semble-t-il, au fond du cœur de Nerval ; et c'est à son encontre
et en s'efforçant de l'annuler qu'il cherche dans *Aurélia*, désespérément, une rédemption par la femme. Rien ne montre
mieux la division dont il souffre que le contraste des deux récits
qu'il a donnés de sa rencontre avec la dame de Vienne : la
méchante femme de *Pandora* est métamorphosée dans *Aurélia*
en amie compréhensive et affectueuse ; et que dire des deux
versions de leur ultime rencontre à Bruxelles, toute en invecti-
ves et panique à la fin de *Pandora*, et dans *Aurélia* amicale et
bénéfique!

Nerval cite en épigraphe de *Pandora* une phrase que Goethe
met dans la bouche de Faust : «Deux âmes, hélas! se parta-
gent mon sein, et chacune d'elles veut se séparer de l'autre :
l'une, ardente d'amour, s'attache au monde par le moyen des
organes du corps ; un mouvement surnaturel entraîne l'autre
loin des ténèbres, vers les hautes demeures de nos aïeux [2]. »
Mais cette antithèse du corps et de l'âme, chère à Platon et
au christianisme, est-elle bien la sienne ? Et le combat de l'âme
et du corps est-il vraiment ce qui le déchire dans *Pandora* ? On
ne le voit guère. C'est bien plutôt le tourment de ne pas savoir
s'il est aimé ou détesté, s'il aime lui-même ou s'il déteste.
Craint-il donc d'aimer ce qui n'est pas digne d'amour ? Ce
qu'on voit bien évidemment, c'est le jeu odieux de celle qui
provoque et séduit sans aimer, qui, aimée en vain, affole et
désespère l'amour, au point de le tourner en haine. Si le narrateur change de ton dans *Aurélia*, ce n'est pas pour avoir surmonté ou effacé la chair, mais pour avoir cru dissiper l'image
de l'Artificieuse et de la Maléfique. L'enfer de Nerval, c'est
le secours féminin refusé ; son salut, l'espoir de ce secours.
L'amour romantique divinise positivement la Femme sous

---

1. NERVAL, *Paradoxe et vérité*, dans *L'Artiste*, 2 juin 1844 (reproduit dans le
tome I des deux éditions Pléiade des *Œuvres*).
2. Un exorde abandonné de *Pandora*, voir *Pl. I*, p. 1311 (= planche II de
l'édition Guillaume) portait déjà le début de cette citation de Goethe.

l'antithèse générale de la terre et du ciel ; mais ce spiritualisme bipolaire, grand recours de l'optimisme romantique, est altéré chez Nerval en même temps que le statut de la femme. Même s'il semble s'en inspirer ou s'en approcher, la délivrance ne paraît pas lui être ouverte de ce côté. On pourra mieux le voir et le comprendre à propos d'*Aurélia*[1].

HISTOIRE DU CALIFE HAKEM

Napoléon, Brisacier, Pandora figurent de façon patente et, pourrait-on dire, avouée, parmi les fantasmes personnels de Nerval. Le calife Hakem, dont Nerval publia l'histoire en

---

1. Nerval n'a jamais, que je sache, déprécié fondamentalement la chair, comme ont pu le faire, mus par l'élan de leur spiritualisme, un Lamartine ou un Hugo. Nerval s'est dit une fois *vestal* : c'est dans sa lettre à Antony Deschamps, du 24 octobre 1854, quelques jours après avoir quitté pour la dernière fois la clinique de Passy, contre l'avis du docteur Blanche. Il était alors assez mal avec lui ; il avoue : « J'ai pu être assez vif, mais j'ai le cœur bon et sincère. [...] Tout s'expliquera et je rentrerai en grâce(s). La vertu dont j'ai fait preuve en diverses occasions me donne quelque droit au titre de *vestal*. » Peut-on voir là autre chose qu'un emploi amusant du vocabulaire de Fourier, qui prévoyait au phalanstère une confrérie de jeunes gens vierges par vocation (de seize à vingt ans, au maximum)? Nerval semble faire allusion à une chasteté qui, de sa part, a été plus d'une fois méritoire. Il ne dit rien d'autre ; on peut seulement se demander ce qu'avait à faire sa chasteté dans ses démêlés avec son docteur. Nous ne sommes pas instruits de ce mystère. Dans sa lettre au docteur Blanche du [17 octobre 1854], on lit ceci : « Je vous ai vu si jeune chez votre père [*allusion à son séjour en 1841, lors de sa première crise, dans la clinique montmartroise du docteur Esprit Blanche, père d'Émile ; Émile, né en 1820, avait alors 21 ans, 12 ans de moins que Nerval*] que j'abusais même de quelques avantages et de mon état présumé de folie pour aspirer à l'amitié d'une jeune dame. [...] Un jour que je l'avais embrassée par surprise, elle m'a dit [...] : Nous n'en sommes pas encore là ! Voulez-vous que je pense et laisse penser que, dès cette époque, une sourde jalousie vous a rendu injuste à mon égard... Peut-être même ce sentiment cruel se sera-t-il de nouveau manifesté ici... Je tremble d'aller trop loin et j'ai besoin, pour vous rassurer, de faire appel à toute ma vie. N'ayant jamais aspiré aux femmes ni aux maîtresses de mes amis, je veux toujours vous ranger parmi eux. » Cette lettre fait rêver. Qui fut cette dame? Il est vrai que la lettre devient ensuite passablement folle (sur le mode maçonnique). Dans sa lettre à Blanche du [2 décembre 1853], Nerval protestait déjà de sa chasteté à l'égard de l'entourage féminin du médecin, si tel est le sens de cette phrase : « Il n'était pas vrai que j'eusse eu les torts d'Ovide envers Octave. » Il est difficile de savoir quand Nerval plaisante ou non. Dans ses lettres de Cassel, 11 juillet 1854, et de Bar-le-duc, 19 du même mois, il avait félicité le docteur Blanche et sa femme de leur récent mariage.

1847[1], n'est pas censé être dans ce cas. Nerval déclare reproduire un récit que lui a fait le cheik druse Saïd Escherazy, au
temps où il se disposait à lui demander la main de sa fille. En
réalité, ce récit est fait d'emprunts de Nerval à Silvestre de Sacy,
qui avait publié en 1838 un livre sur la religion des Druses,
et d'imaginations qu'il a tirées de son propre fonds. Le ton
est donc celui d'un récit objectif concernant un calife théomane,
instaurateur dans l'islam d'une hérésie qui ne s'est perpétuée
que chez les Druses de Syrie. Mais, dans cette histoire telle
que la raconte Nerval, les traits et situations qui font écho à
sa propre expérience sont assez nombreux et évidents pour
qu'on puisse la faire figurer parmi celles de ses œuvres où folie
et littérature se donnent intimement la main.

Hakem ou Hakim bi-amri-llah, calife d'Égypte et de Syrie
vers l'an 1000, se donna pour Messie ; cette possibilité est toujours ouverte dans l'islam, qui admet des révélations successives de plus en plus complètes, celle de Mahomet ayant complété
celles de Moïse et de Jésus. L'islam n'en a pas moins contesté,
en fait, l'autorité des révélateurs parus dans son sein depuis
Mahomet, et Hakem est l'un d'eux. Mais son cas est particulier, du fait qu'il ne s'est pas dit seulement envoyé de Dieu ;
il s'est prétendu Dieu lui-même, Dieu l'unique, gouvernant
le ciel comme la terre, et se réincarnant périodiquement depuis
le début de l'humanité[2]. Cette théologie a pu intéresser Nerval, qui, on s'en souvient, avait donné en 1841 des signes de
«théomanie». On ne voit guère, dans cette théologie, d'autres
faits qui répondent aux prédilections de Nerval. Hakem fut surtout un despote, le «Caligula de l'Orient» selon certains historiens. La pensée de se déclarer Dieu ne lui vint que tard dans
son règne, et souleva l'opinion. Sa sœur le fit assassiner par
un homme auquel elle promit sa main, mais qu'elle fit assassi-

---

1. L'*Histoire du calife Hakem* a paru dans la *Revue des Deux Mondes* du 15 août
1847 ; on peut la lire dans le *Voyage en Orient*, «Druses et Maronites», III. Le
«Carnet du Caire», écrit pendant le séjour en Égypte (1843), contient déjà de
très nombreuses allusions à la religion des Druses et à Hakem.
2. Je ne fais que résumer l'essentiel. La théologie druse est plus complexe :
Hakem a des ministres célestes, sujets eux aussi à des incarnations périodiques ;
beaucoup de grandes figures de l'Histoire sainte chrétienne ou musulmane sont
tenues, dans la religion druse, pour de telles incarnations. Pour les humains,
la loi est la métempsycose perpétuelle, d'un corps mort dans un corps naissant ;
ils peuvent, dans cette carrière, se perfectionner et acquérir la conscience de leurs
vies successives. Voir «Druses et Maronites», II, 4.

ner à son tour après qu'il eut mis à mort le calife. Nerval adopte
en gros ces personnages et cette histoire, mais en les accompagnant de circonstances et de motivations qui les annexent à son
propre univers.

Il commence par mettre en présence Hakem, sous l'incognito, avec le jeune homme qui doit être son assassin ; il imagine d'emblée une singulière amitié entre eux, et les fait
communier sous les auspices du haschisch qu'ils prennent
ensemble dans une maison plus ou moins clandestine des bords
du Nil. Se confiant l'un à l'autre les visions que leur donne
la magique confiture, ils constatent qu'ils vivent la même expérience d'amour surnaturel. Yousouf, c'est le nom du jeune
homme, voit en rêve une femme céleste qui lui sourit et descend près de lui ; or, longeant un soir en bateau la rive du Nil,
il a vu une femme réelle, toute semblable à celle-là, se pencher
sur lui et lui donner la main. De même, le calife compare la
femme qu'il aime au « fantôme de ses visions », et cette femme
est sa sœur, pour laquelle il ressent un amour à la fois monstrueux et pur. Mais surtout, cet amour où la réalité communique avec le rêve implique aussi, pour les deux hommes, l'écho
d'un lointain passé dans l'extase présente. « Ce visage divin
m'était connu, dit Yousouf [...] ; quelle existence antérieure
nous avait mis en rapport ? c'est ce que je ne saurais dire ; mais
ce rapprochement si étrange, cette aventure si bizarre ne me
causaient aucune surprise » ; et pour s'adresser à cette femme,
« il me venait, dit-il, [...] des phrases mystérieuses où vibrait
l'écho des mondes disparus. Mon âme se grandissait dans le
passé et dans l'avenir ; l'amour que j'exprimais, j'avais la
conviction de l'avoir ressenti de toute éternité [1] ». De même le
calife parle de sa sœur en termes extratemporels : « Malgré le
nom dont la terre la nomme, c'est l'épouse de mon âme divine,
la vierge qui me fut destinée dès les premiers jours de la création ; par instants je crois ressaisir à travers les âges et les ténèbres des apparences de notre filiation secrète. Des scènes qui
se passaient avant l'apparition des hommes sur la terre me
reviennent en mémoire, et je me vois sous les rameaux d'or
de l'Éden assis auprès d'elle et servi par les esprits obéissants.

---

1. *Voyage en Orient* , « Druses et Maronites », III. L'histoire du calife Hakem
occupe toute la section III ; dans *Pl. II, G.-P.*, pp. 525-565 ; le texte cité ci-dessus,
p. 530. Nous renverrons dorénavant à : *Histoire du calife*.

En m'unissant à une autre femme, je craindrais de prostituer et de dissiper l'âme du monde qui palpite en moi. Par la concentration de nos sangs divins, je voudrais obtenir une race immortelle, un dieu définitif, plus puissant que ceux qui se sont manifestés jusqu'à présent sous divers noms et diverses apparences[1] ! »

On comprend ici que divers thèmes nervaliens de prédilection, celui de la simple nostalgie réminiscente, celui d'une femme tenue pour surnaturelle et d'un amour impérissable, celui d'une vie antérieure remémorée ou d'une vie à venir assurée, celui enfin d'une protectrice divine ou céleste, tous étrangers au personnage historique de Hakem, et qui tous peuvent apparaître comme des moyens par lesquels le moi nervalien tente d'annuler la menace du temps, peuvent aussi contenir en germe un vœu moins commun et moins avouable que celui-là : celui qui, égalant le moi à la divinité même, le garantit absolument de toute vicissitude. Le calife aime sa sœur, et il prétend par cet amour confirmer sa divinité ; mais il y trouvera sa punition : sa sœur indignée répondra à sa passion en le faisant assassiner. Hakem a dévoilé sa pensée à Yousouf ; il va, presque aussitôt, la rendre publique. Il crie que Mahomet et Jésus sont des imposteurs[2] ; et comme on lui demande qui il adore, il proclame : « Je n'adore personne, puisque je suis Dieu moi-même ! le seul, le vrai, l'unique Dieu, dont les autres ne sont que les ombres[3]. » Cette proclamation provoque naturellement l'horreur des assistants, qui se jettent sur lui et l'auraient assommé sans le secours que lui apporte Yousouf. En retraçant cette réaction sans la commenter, Nerval prend lui-même ses distances avec son héros.

Cependant Hakem poursuit son projet. Le voici déclaré Dieu à demi-mot sur une place publique par un mystérieux vieillard aveugle[4]. Puis il se fait conduire chez sa sœur Sétalmulc et lui annonce sa décision de la prendre pour épouse : « Sétal-

---

1. *Ibid.*, p. 531.
2. Les sectateurs de Hakem pensent en effet que les incarnations divines authentiques qui se sont opérées au temps de Jésus et de Mahomet se sont faites en dehors d'eux, dans d'autres personnages (voir *Pl. II, G.-P.*, pp. 522-523).
3. *Ibid.*, p. 532.
4. *Ibid.*, pp. 534-535. — Ce vieillard reparaîtra encore deux fois (pp. 541 et 543) ; la dernière, il annonce explicitement la divinité du calife aux fidèles : « Que le nom de Hakem soit glorifié sur la terre comme dans les cieux ! Louange éternelle au Dieu vivant ! »

mulc, dit Hakem, j'ai pensé longtemps à te donner un mari ; mais aucun homme n'est digne de toi. Ton sang divin ne doit pas souffrir de mélange. Il faut transmettre intact à l'avenir le trésor que nous avons reçu du passé. C'est moi, Hakem, le calife, le seigneur du ciel et de la terre, qui serai ton époux [1]. » Muette de saisissement, elle alerte, aussitôt Hakem parti, le vizir Argevan, fort respecté d'elle et ennemi du calife. Il fait saisir Hakem dans la maison du haschisch et le fait enfermer, comme délinquant et fou qui se croit le calife, dans le Moristan, alors prison des fous du Caire [2]. Pendant toute la période qui s'achève par cet internement, la théomanie de Hakem se colore d'angoisse et de doute. Ainsi il frémit quand il s'entend proclamer « Dieu vivant » par le vieillard aveugle en pleine mosquée : « Comme dans l'état de veille un rapport inattendu unit parfois quelque fait matériel aux circonstances d'un rêve oublié jusque-là [3], il vit, comme par un coup de foudre, se mêler la double existence de sa vie et de ses extases. Cependant son esprit luttait contre cette impression [...] [4]. » De même Yousouf, quand le calife lui demande de lui donner des nouvelles de ses amours et de lui dire qui est sa bien-aimée : « Le sais-je, hélas ! dit Yousouf. [...] J'arrive à croire parfois que tout cela n'était qu'une illusion de cette herbe perfide, qui attaque ma raison peut-être... si bien que je ne sais plus déjà même distinguer ce qui est rêve de ce qui est réalité [5]. » Cette inquiétude suppose, accompagnant le délire, une conscience qui le connaît ou le soupçonne tel. Cette situation, nous le savons, est familière à Nerval.

Hakem, une fois interné, ne trouve aucun secours auprès des médecins [6]. Ils le laissent « seul, abandonné aux impres-

---

1. *Ibid.*, pp. 539-540.
2. Cet internement est encore une invention de Nerval ; il n'a rien d'historique. Il reproduit évidemment une situation que Nerval a connue en 1841 : présence d'un fou pensant parmi des fous vulgaires.
3. On trouve par deux fois dans *Aurélia* une remarque sur l'interférence des événements du rêve avec ceux de la vie réelle (c'est-à-dire, pour Nerval, du monde supranaturel et du monde terrestre) : voir *Aurélia*, Ire partie, IX, § 3, premières lignes, et X, avant-dernier paragraphe.
4. *Histoire du calife, ibid.*, p. 543.
5. *Ibid.*, p. 544.
6. Il faut signaler, dans cette partie du récit, l'épisode hautement humoristique d'une consultation médicale donnée par Ibn Sina (plus connu sous le nom d'Avicenne), prince de la médecine arabe, venu visiter le Moristan ; c'est une caricature que Nerval fait du Psychiatre, foncièrement incapable de comprendre

sions les plus contraires, doutant qu'il fût dieu, doutant même parfois qu'il fût calife». Il n'en est pas moins convaincu d'avoir plus de raison que les malheureux fous qui l'entourent : position certainement semblable à celle de Nerval interné, telle qu'*Aurélia* nous la décrit. Il est surtout significatif que Nerval conclue ce chapitre de «Moristan» par une méditation personnelle sur le cas de Hakem ; la folie n'y est plus folie, mais en quelque sorte expérience sublime : «Si les mortels, écrit Nerval, ne peuvent concevoir par eux-mêmes ce qui se passe dans l'âme d'un homme qui tout à coup se sent prophète, ou d'un mortel qui se sent dieu, la Fable et l'histoire du moins leur ont permis de supposer quels doutes, quelles angoisses doivent se produire dans ces divines natures à l'époque indécise où leur intelligence se dégage des liens passagers de l'incarnation. Hakem arrivait par instants à douter de lui-même, comme le fils de l'homme au mont des Oliviers, et ce qui surtout frappait sa pensée d'étourdissement, c'est l'idée que sa divinité lui avait d'abord été révélée dans les extases du haschisch.» Ces lignes, étrangement sympathiques à son héros, sont le dernier mot de Nerval touchant la théomanie de Hakem. Elles suggèrent l'existence d'une corporation de «divines natures [1]», que l'appartenance à l'humanité ne suffit pas à définir : dieux doutant d'être dieux, parmi lesquels Gérard situe, très hérétiquement, Jésus [2]. Elles établissent bien évidemment la signification personnelle qu'il donnait à cette Histoire.

En fin de compte, Hakem ameute les fous et déchaîne une révolte dans la prison ; les révoltés surgissent dans la mosquée, acclamant Hakem, disant que c'est Allah qui vient juger le monde, de sorte que Nerval raconte cette insurrection et ses effets sous les couleurs d'un Jugement dernier. Hakem, dont un éclat surhumain environne la face, est reconnu même par les juifs et les chrétiens. Il annonce aux malheureux que leur jour est venu, qu'ils vivent une de ces époques de renouvel-

---

ses malades : au calife, qui lui adresse une sorte de sommation suppliante, il ne répond que par un radotage pédantesque adressé, de confrère à confrère, au médecin du lieu (voir *ibid.*, p. 546). On se souvient de la façon dont Nodier traite le Psychiatre dans *La Fée aux miettes*.

1. *Histoire du calife*, *ibid.*, p. 548. Nerval reprend l'expression même de Hakem, qui, dans ses premières confidences à Yousouf, parlait de son «âme divine» (*ibid.*, p. 531).

2. Hakem, dans sa supplication à Avicenne, se comparait déjà à Jésus, en tant que dieu méconnu, et impuissant dans son enveloppe charnelle.

lement périodique où se rétablissent les vraies valeurs, où le
repentir peut écarter le châtiment, où le feu doit purifier un
monde corrompu. Dans l'incendie et le massacre qui suivent,
Argévan est tué : c'était Satan incarné, qu'on voit s'enfuir de
sa dépouille mortelle ; et ses partisans, des démons qu'il rallie
autour de lui dans l'espace [1]. Tout s'apaise enfin, et le calife
est rétabli dans son pouvoir [2]. Le scénario apocalyptique
relève évidemment chez Nerval d'un désir de faire connaître
fidèlement la tradition druse ; on ne peut douter pourtant qu'il
réponde aussi, par son caractère de revanche des pauvres et
les nombreux échos qu'on y perçoit d'un Évangile interprété
sur le mode humanitaire, à l'atmosphère générale qui régnait
à la veille de 1848. Mais surtout l'intime participation de Nerval à son récit est attestée enfin par les réflexions qui suivent
l'assassinat du calife : «J'étais ému moi-même au récit de cette
passion, moins douloureuse sans doute que celle du Golgotha
[...]. Je me disais que, dieu ou homme, ce calife Hakem, si
calomnié par les historiens cophtes et musulmans, avait voulu
sans doute amener le règne de la raison et de la justice ; [...]
et je déplorais ce destin qui condamne les prophètes, les réformateurs, les messies, quels qu'ils soient, à la mort violente,
et plus tard à l'ingratitude humaine [3]. »

Hakem, dans le récit de Nerval comme dans l'histoire, finit
donc assassiné par Yousouf à l'instigation de Sétalmulc. Mais
Nerval a mis l'événement sous le signe de deux thèmes, étrangers à l'histoire du calife, qui occupent fortement son imagination : celui du Double rival et de la Femme ennemie. Hakem,
aussitôt rentré en possession de sa puissance, reprend son projet d'épouser sa sœur. Or, un soir, revenant à son palais, il
est surpris de le voir illuminé comme pour une fête. Il y entre,
il traverse une foule de danseuses et de serviteurs, tel un esprit
invisible que nul ne remarque ; il voit enfin, au fond d'une salle
splendidement illuminée et retentissante de musique, assis sur

1. *Histoire du calife, ibid.*, p. 551-554.
2. Sur une dernière intervention du mystérieux vieillard aveugle (*ibid.*, p. 554).
3. *Ibid.*, p. 563. — Il est difficile de ne pas rapprocher ces dernières lignes
de ce que Nerval avait écrit, sarcastiquement, en 1841 : « La science a le droit
d'escamoter ou réduire au silence tous les prophètes et voyants prédits par l'Apocalypse, dont je me flattais d'être l'un ! » (Lettre, déjà citée, du [9] novembre
[1841] à Mme Alexandre Dumas.) La science à laquelle Gérard pense ici est,
bien sûr, la psychiatrie.

un divan auprès de Sétalmulc, un homme couvert de pierre-
ries ; pour comble de stupeur, ce nouveau calife a ses propres
traits : dieu jaloux ? démon déguisé ? il ne sait que supposer ;
il songe au Double des légendes, dont l'apparition est, pour
les Orientaux, présage de mort. Il ressort, et voit passer deux
ombres : un jeune homme, accompagné d'un Noir qui le fait
mettre à genoux, brandit sur lui son sabre comme pour le déca-
piter, mais n'en fait rien, puis s'en va. Or ce jeune homme
n'est autre que Yousouf, que le calife reconnaît, se rendant
compte maintenant qu'il lui ressemble et qu'il est le Double
de tout à l'heure. Il raconte à Hakem comment il a été introduit dans le palais par la fabuleuse créature de ses rêves : cette
créature était donc Sétalmulc, hantise commune des deux hommes. Ayant aperçu son frère lorsqu'il s'est introduit dans la
fête, elle a décidé aussitôt de le faire tuer par Yousouf, dont
elle a voulu d'abord éprouver la force d'âme : d'où l'épisode
de Yousouf et du Noir porteur de sabre. L'épreuve ayant donné
un bon résultat, Sétalmulc a fixé un nouveau rendez-vous au
jeune homme. Le calife, qu'on s'attendrait à voir furieux,
s'étonne au contraire que ces révélations ne suscitent en lui nulle
colère. Il se sent attendri «par les grâces toutes-puissantes de
la jeunesse et de l'amour» [1] ; il se promet «d'apparaître le soir
même au nouveau rendez-vous qui était donné à Yousouf, mais
pour pardonner et pour bénir ce mariage». Cependant Sétalmulc le devance ; elle convainc Yousouf de tuer Hakem, elle
lui promet de l'épouser ensuite. C'est seulement après avoir
exécuté le meurtre que Yousouf reconnaît dans sa victime son
ancien compagnon de haschisch ; il se retourne alors contre les
esclaves qui l'ont assisté dans l'assassinat et meurt tué par eux.

Ainsi l'*Histoire du calife Hakem*, hérésiarque musulman, apparaît surtout, en fait, comme un recueil de mythes nervaliens.
Le premier, que Nerval emprunte à l'histoire réelle du calife,
et qui relève à la fois de la pathologie et de la haute littérature,
est celui qui situe la Conscience d'être Dieu dans un être
humain. Les variations dont Nerval a accompagné ce thème,
notamment le vertige de l'éternité dans l'amour, et le conflit
avec un Double comme rival, lui appartiennent en propre. Nous
n'avions jusqu'ici vu apparaître le Double chez Nerval que dans

---

1. *Ibid.*, p. 561. — Même attitude, notons-le, que celle de Brisacier envers
son rival heureux : voir, ci-dessus, p. 331, note 1 et le texte.

Le Roi de Bicêtre. Mais il s'agit ici de la variante tragique du Double frustrateur, que cette nouvelle ne comportait pas. Nerval n'a pu l'emprunter à l'histoire ou à la légende de Hakem, qui ignorent tout à fait le motif du Double ; c'est lui qui l'y a introduit. Sans doute Nerval en avait-il déjà l'expérience par lui-même quand il écrivait son *Hakem* dans les années 1840. En effet, le Double rival et frustrateur apparaît déjà avec force dans *Aurélia* parmi le rappel des fantasmes de la crise de 1841 [1]. Quant à la Femme ennemie, nous savons de reste qu'elle alterne dans la conscience de Nerval avec la Femme salutaire et auxiliatrice. Il en a trouvé un type impressionnant dans la Sétalmulc de l'histoire de Hakem, et s'en est emparé. Il faut cependant remarquer que cette instigatrice de meurtre, plus ou moins justifiée par son horreur de l'inceste et par la dangereuse folie de son frère-prétendant, demeure assez étrangère, malgré tout, à l'univers nervalien.

1. Nous lisons dans *Aurélia* que, mené au poste par la patrouille qui l'avait recueilli, et couché sur un lit de camp, il avait eu l'impression que ses amis venus le chercher avaient emmené son double à sa place (*Aurélia*, Ire partie, III, § 5). Il s'agit bien d'un Double dépossesseur, qui usurpe la liberté destinée à Nerval, lequel proteste vivement contre cette usurpation. — Dans plusieurs endroits de son œuvre, Nerval évoque les croyances orientales relatives au *ferouer*, ou double, celle particulièrement selon laquelle quiconque voit son double n'a plus qu'un jour à vivre : c'est ce que Hakem, dans le récit de Nerval, craint dès qu'il aperçoit son double aux côtés de sa sœur (voir *Pl. II, G.-P.*, p. 557 : il l'appelle aussitôt « usurpateur » ; sur le *ferouer*, voir *ibid.*, pp. 1 538-1 539). De même Nerval, dans l'épisode du poste de police : il ferme les yeux pour ne pas voir ce double, annonciateur d'une mort prochaine, selon une tradition, dit-il ici, « bien connue en Allemagne ». — Dans les rêves d'*Aurélia*, nous le verrons, le Double ennemi apparaît souvent, porteur de menace et de mort.

VII

EN QUÊTE D'UNE CROYANCE

L'expérience de l'Amour et celle de la Folie guident la quête de Nerval. Plus tard s'y ajoutera le Souvenir. Mais sa pensée, en même temps qu'elle puisait à ces sources intimes, cherchait hors du moi un aliment objectif dans les créations et les croyances de l'humanité. Pendant les années 1840, Nerval n'a pas cessé de poursuivre la solution d'un problème universel de foi et de salut, dont toute la pensée contemporaine était obsédée. Quelles croyances pouvaient s'offrir à l'humanité pour remplacer la foi traditionnelle ébranlée? Dans la mesure où il a essayé, comme tant d'autres de ses contemporains, de répondre à cette question, Nerval a été, comme eux, un penseur laïque, à la recherche d'une foi nouvelle.

Mort des Dieux. « Le Christ aux Oliviers »

On partait alors de la conviction que le christianisme avait fait son temps. On craignait que le monde ne fût, par la perte de toute religion, dépouillé de signification pour l'homme. C'est pour éloigner ce mal qu'on avait besoin de nouveaux appuis, la rédemption par Jésus-Christ ayant cessé d'en être un. Le Jésus romantique, rendu à son humanité désemparée, rejoignait les dieux morts. Ainsi dans *Le Christ aux Oliviers* de Nerval, groupe de cinq sonnets surgi en 1844[1], où la nuit de

1. Ils parurent dans *L'Artiste* du 31 mars 1844, avant de figurer dans les *Petits Châteaux de Bohême* en 1852 et dans *Les Chimères* en 1854. — Ces sonnets, tout au moins les quatre premiers, se distinguent, parmi ceux que Nerval a écrits

Gethsémani, thème presque inévitable de la méditation romantique, est évoquée sur le mode purement négatif et funèbre.
Non seulement Jésus, abandonné des hommes et voué à une
mort prochaine, constate, selon la tradition évangélique, que
ses disciples sont endormis, mais *la nouvelle* qu'il leur annonce
est aux antipodes de l'Évangile, de la Bonne Nouvelle chrétienne de l'imminence du royaume de Dieu : il crie que « Dieu
n'existe pas ! »

> *Ils dormaient.* « *Mes amis, savez-vous* la nouvelle ?
> *J'ai touché de mon front à la voûte éternelle ;*
> *Je suis sanglant, brisé, souffrant pour bien des jours !*
>
> *Frères, je vous trompais : Abîme ! abîme ! abîme !*
> *Le dieu manque à l'autel, où je suis la victime...*
> *Dieu n'est pas ! Dieu n'est plus !* » *Mais ils dormaient toujours !*

On reconnaît, dans ce scénario et cette annonce, le thème du
fameux *Songe* de Jean-Paul Richter, tant de fois cité et imité
dans le romantisme français[1] ; mais il s'agissait chez Jean-
Paul d'un mauvais songe, dont il se réveillait pour retrouver
le réconfort de la foi ; il n'y a pas ici de réveil. Jésus a exploré
l'univers, et n'y a trouvé que la mort, engloutisseuse universelle ; c'est le sujet du second sonnet :

> *Il reprit :* « *Tout est mort ! J'ai parcouru les mondes ;*
> *Et j'ai perdu mon vol dans leurs chemins lactés,*
> *Aussi loin que la vie, en ses veines fécondes,*
> *Répand des sables d'or et des flots argentés ;*
>
> *Partout le sol désert côtoyé par des ondes,*
> *Des tourbillons confus d'océans agités...*
> *Un souffle vague émeut les sphères vagabondes,*
> *Mais nul esprit n'existe en ces immensités.*

---

après 1840 : ils sont dans le grand style romantique, intelligibles dans leur profondeur, sans obscurité oraculaire, ni mystère poétique particulier.
    1. Nerval a mis, après coup, en épigraphe aux cinq sonnets une citation de
Jean-Paul : « Dieu est mort, le ciel est vide... Pleurez ! enfants, vous n'avez plus
de père ! » (Reprise du sonnet en 1852, dans les *Petits Châteaux de Bohême*.)

En cherchant l'œil de Dieu, je n'ai vu qu'un orbite
Vaste, noir et sans fond; d'où la nuit qui l'habite
Rayonne sur le monde et s'épaissit toujours;

Un arc-en-ciel étrange entoure ce puits sombre,
Seuil de l'ancien chaos dont le néant est l'ombre,
Spirale, engloutissant les Mondes et les Jours!

On saisit, dans ce second sonnet, la véritable nature de la plainte de Jésus, c'est-à-dire de Nerval. L'absence de Dieu est pour lui une dévitalisation universelle. Quand la foi en la divinité s'éteint dans le cœur de l'homme, elle cesse d'animer le monde, et l'homme lui-même subit l'extinction de la vie : à quoi il est difficile de remédier si l'on suppose en secret que le dieu n'existe que par la foi que l'homme lui porte. Tel est le cercle vicieux du Désenchantement. L'obsession d'une perte de vitalité qu'on voudrait croire son effet est en réalité sa cause, voire sa définition. Ce mal hante dès l'origine le romantisme, qui le combat de sa foi, de son espérance, de sa religion de l'amour. La tragédie du désenchantement le fait reparaître dans sa force et prend pour symbole central le Rédempteur désormais sans vertu, réduit lui-même à la condition d'homme et de victime du Destin [1].

On voit s'effacer, dans le troisième sonnet, la différence entre Dieu et un destin créateur de refroidissement et de mort, et apparaître l'idée — théologiquement monstrueuse — d'un Dieu que Satan a peut-être fini par mettre à mort :

« *Immobile Destin, muette sentinelle,*
Froide Nécessité!... Hasard qui t'avançant,
Parmi les mondes morts sous la neige éternelle,
Refroidis par degrés l'univers pâlissant,

Sais-tu ce que tu fais, puissance originelle,
De tes soleils éteints, l'un l'autre se froissant...
Es-tu sûr de transmettre une haleine immortelle,
Entre un monde qui meurt et l'autre renaissant?...

---

1. Vigny, dans son poème du *Mont des Oliviers*, avait déjà représenté un Jésus insatisfait et amer, enseignant à l'homme à ne compter que sur lui-même, mais n'était pas allé au-delà. Le romantisme désenchanté suppose également ruinée la foi dans l'homme.

> *Ô mon père! est-ce toi que je sens en moi-même?*
> *As-tu pouvoir de vivre et de vaincre la mort?*
> *Aurais-tu succombé sous un dernier effort*
>
> *De cet ange des nuits que frappa l'anathème...*
> *Car je me sens tout seul à pleurer et souffrir,*
> *Hélas! et si je meurs, c'est que tout va mourir!»*

Ainsi Jésus ne serait plus Christ que par le privilège de sentir Dieu mourir, ou déjà mort, et de savoir qu'il va mourir aussi, et tout avec lui.

Le quatrième sonnet, qui ouvre la Passion proprement dite, en modifie sensiblement le scénario : c'est Jésus qui insiste auprès de Judas pour qu'il accomplisse sa trahison ; mais Judas, par mécontentement et remords, y renonce ; et c'est Pilate qui, par pitié, envoie chercher Jésus. Ce nouveau scénario (exécution, sur sa demande, d'un malheureux désespéré) détruit complètement le sens surnaturel de la Passion selon l'Évangile et le dogme. Nerval n'en cherche pas moins, dans le cinquième et énigmatique sonnet, à situer sur un plan surnaturel la mort de Jésus :

> *Nul n'entendait gémir l'éternelle victime,*

lit-on déjà au premier vers du quatrième sonnet. «Éternelle», qu'est-ce à dire? Le cinquième sonnet développe apparemment cette idée :

> *C'était bien lui, ce fou, cet insensé sublime...*
> *Cet Icare oublié qui remontait les cieux,*
> *Ce Phaéton perdu sous la foudre des dieux,*
> *Ce bel Atys meurtri que Cybèle ranime!*

Jésus est le dernier d'une lignée de personnages mythiques incarnant un désastre de la condition mortelle : Icare, Phaéton, symboles appropriés d'un romantisme catastrophique. C'est apparemment en ce sens que « ce fou », victime d'une trop haute ambition comme ses prédécesseurs, peut être dit victime «éternelle»[1]. Avec Atys, nous sommes sur un autre registre.

---

1. La première publication du sonnet, dans *L'Artiste*, portait à cet endroit «la céleste Victime»; Nerval n'a pas conservé cette formule traditionnellement chrétienne.

L'amputation qu'il s'inflige lui-même, selon la tradition la plus courante, de sa propre virilité, ne constitue pas, à proprement parler, un châtiment : Atys appartient surtout au type, fréquent dans les religions de l'ancien Orient, du dieu tué et pleuré, que ressuscite son épouse[1]. Le vers qui le nomme, et qui dit ensemble la beauté juvénile, la meurtrissure et le salut par la Grande Mère, appelle la communion avec la victime sauvée[2]. Jésus, en continuant le lignage d'Atys, reproduit un parcours de mort et de résurrection, et Nerval pourrait apercevoir en lui une image de lui-même. Ce qui serait proclamé dans ce quatrain, ce ne serait plus la mort des religions, mais leur pérennité sous l'apparence de la désuétude : autre aspect de la pensée de Nerval, qui point ici. Ce dernier sonnet nous réserve encore un problème. Le second quatrain, surtout de décoration et de légende, peint, d'accord avec la tradition évangélique, l'ébranlement de l'univers au moment de la mort de Jésus ; mais les tercets proposent une énigme :

> *L'augure interrogeait le flanc de la victime,*
> *La terre s'enivrait de ce sang précieux...*[3]
> *L'univers étourdi penchait sur ses essieux,*
> *Et l'Olympe un instant chancela vers l'abîme.*

> *« Réponds ! criait César à Jupiter Ammon*[4]*,*
> *Quel est ce nouveau dieu qu'on impose à la terre ?*
> *Et si ce n'est un dieu, c'est au moins un démon... »*

1. Ainsi Osiris en Égypte, Adonis en Syrie ; Atys est la variante extrême de ce type : dieu victime de lui-même et chétif objet de la passion de la redoutable Cybèle ; Jésus ne lui ressemble que de fort loin, mais assez aux yeux de Nerval pour qu'il les rapproche l'un de l'autre.

2. Le vers était plus froid dans la version de *L'Artiste* : « C'est Athys immolé que Cybèle ranime. » Dans les manuscrits du fonds Marsan (n° 37 de *L'Herne*, sur Nerval, 1980, p. 29, on lit un vers tout différent : « Cet Inconnu vengeur attendu dans Solyme », évocation, trop contraire au contexte, du Messie triomphant attendu par les Juifs ; Nerval changea le vers pour l'impression dans *L'Artiste*.

3. Examiner les entrailles des bêtes sacrifiées n'était pas du ressort des augures ; peu importe. Signalons plutôt l'équivalence inattendue, signalée du premier vers au second, entre le corps d'un animal immolé (« flanc » inspecté) et celui du Christ mort (sang précieux dont la terre s'enivre) : ce rapprochement, qui peut s'autoriser du symbole, liturgiquement consacré, de l'*Agnus Dei*, n'en atteste pas moins l'extrême liberté d'imagination de Nerval.

4. Le temple de Jupiter Ammon, dans une oasis libyenne, était le lieu d'un oracle fameux dans l'Antiquité. L'empereur romain, en proie à l'inquiétude générale, le consulte.

> *Mais l'oracle invoqué pour jamais dut se taire ;*
> *Un seul pouvait au monde expliquer ce mystère :*
> *— Celui qui donna l'âme aux enfants du limon.*

L'oracle de Jupiter Ammon n'est pas autorisé à satisfaire la curiosité du César ; il semble que le détenteur du secret le lui interdise, et ait seul le pouvoir de le faire ; il est clairement désigné dans le dernier vers : celui qui a pétri les hommes avec de la boue est le Dieu de la Bible [1]. Ainsi Jéhovah peut seul expliquer Jésus : affirmation évidente, du point de vue même du christianisme. On peut l'entendre dans un sens édifiant, comme font les théologiens qui cherchent dans l'Ancien Testament des preuves de la divinité de Jésus. Mais comment croire que Nerval ait achevé ces sonnets d'angoisse et de négation par un acte de foi en le Dieu biblique, qui n'est certes pas le sien. Si la pensée bifurque ici, au-delà de l'initial constat de fatalité, c'est plutôt vers une mise en accusation de cet Adonaï, monopolisateur de toute puissance surnaturelle, qui a suscité et abandonné Jésus. Vigny avait ébauché une plainte semblable dans son *Moïse*, et il l'avait formulée explicitement, par la bouche de Jésus lui-même, dans ce *Mont des Oliviers* que Gérard connaissait sûrement. C'est à cette mise en cause que semblent aboutir les cinq sonnets de Nerval, sa première contribution au vaste domaine de l'hérésie romantique [2].

Il n'est peut-être pas indifférent de savoir que Victor Hugo, qui connaissait le thème nervalien de la mort de Dieu, le voyait lié à la faillite des espérances humanitaires. Il écrit en effet : «*Dieu est peut-être mort*, disait un jour à celui qui écrit ces lignes Gérard de Nerval, confondant le progrès avec Dieu et prenant l'interruption du mouvement pour la mort de l'Être [3]. » Hugo distingue Dieu, source éternelle de progrès, de la marche de ce progrès, sujette à des arrêts. Cette réflexion date de 1861 ;

---

1. C'est ainsi qu'il est qualifié (dans l'*Histoire de la reine du Matin*, incluse dans le *Voyage en Orient*) par les descendants de Caïn, possesseurs du feu comme moyen de création et ennemis mythiques d'Adonaï. L'intention de ce dernier vers a toutes chances d'être péjorative.

2. On trouvera contradictoire, après avoir proclamé la mort de Dieu, de laisser entendre qu'il détient la clef du mystère de Jésus. Mais Dieu mort et Dieu jaloux de ses secrets, ce sont deux façons de dire qu'il n'est d'aucun secours pour l'homme.

3. Victor Hugo, *Les Misérables*, V[e] partie, I, 20.

Hugo explique par le triomphe de la réaction politique et sociale en France le pessimisme dont Nerval a dû lui faire part avant l'exil. On aimerait savoir exactement quand. Le commentaire de Hugo suppose un désenchantement déjà partagé, lors de cette conversation, quoique à deux degrés différents, par les deux interlocuteurs : entre 1849 et 1851 donc ? Il est curieux que Hugo ait ici la même pensée que le jeune républicain qui essayait, vers 1853, de réconforter Nerval en lui rendant l'espoir dans l'avenir de l'humanité, et que Nerval ne repoussait pas.

« *Tout est sensible* »

Nerval a ceci pourtant de particulier qu'il ne se résigne pas à la désespérance, quoiqu'il sache la dire mieux que quiconque. Mort de Dieu, constat suprême de néant ; en fait, mort des religions consolatrices : car les religions sont mortelles en effet, et les modernes s'en sont rendu compte quand ils ont cru voir mourir la leur : « Il y a, certes, écrit Nerval, quelque chose de plus effrayant dans l'histoire que la chute des empires, c'est la mort des religions. [...] On frémit parfois de rencontrer tant de portes sombres ouvertes sur le néant[1]. » Ce pessimisme spirituel peut bien être né, comme le pense Hugo, du traumatisme infligé, en ce moment historique, à l'espérance humanitaire ; sur cette source de son mal, Nerval a choisi de se taire, ou à peu près ; s'exprimer en ce domaine, ce serait militer, entrer dans un mode de vie qui n'est pas le sien. Mais la foi, dans son prolongement supranaturel, veut continuer de vivre. L'oppression subie, au nom du réel et du positif, rendent plus précieux que jamais les intuitions et les pouvoirs propres de la Poésie, qui voit au-delà du visible, qui perçoit la vie là même où elle semble le plus manquer. Par l'idée d'un animisme universel, elle fournit une réponse radicale à l'obsession du néant. Tel est, peut-on croire, le sens profond du sonnet suivant[2] :

1. NERVAL, *Quintus Aucler* (article recueilli dans *Les Illuminés*), Pl. *II*, *G.-P.*, p. 1 136 (= *Revue de Paris*, novembre 1851).
2. Le sonnet parut dans *L'Artiste* du 16 mars 1845, sous le titre *Pensée antique* ; il fut reproduit en 1852, sous le titre *Vers dorés*, dans les *Petits Châteaux de Bohême* et, en 1854, parmi *Les Chimères*, dans l'édition originale des *Filles du feu* ; il en existe un manuscrit autographe : voir l'édition Guillaume des *Chimères*, p. 98. L'épigraphe accompagne toutes les versions du sonnet.

VERS DORÉS

Homme, libre penseur ! te crois-tu seul pensant
Dans ce monde où la vie éclate en toute chose ?
Des forces que tu tiens ta liberté dispose,
Mais de tous tes conseils l'univers est absent.

Respecte dans la bête un esprit agissant :
Chaque fleur est une âme à la Nature éclose ;
Un mystère d'amour dans le métal repose ;
« Tout est sensible ! » Et tout sur ton être est puissant.

Crains, dans le mur aveugle, un regard qui t'épie
À la matière même un verbe est attaché...
Ne la fais pas servir à quelque usage impie !

Souvent dans l'être obscur habite un Dieu caché ;
Et comme un œil naissant couvert par ses paupières,
Un pur esprit s'accroît sous l'écorce des pierres !

Le poème se présente sous la forme d'un sermon adressé à l'homme, réprouvant sa prétention d'être le seul être pensant de la création, et le rappelant, par des préceptes impératifs, à la modestie et au respect envers les autres êtres[1]. Plus précisément, par l'épigraphe («Eh quoi ! tout est sensible. PYTHAGORE»), reprise en écho au vers 8, et par le titre définitif («Vers dorés»), Nerval indique expressément son inspiration pythagoricienne[2]. Mais il ne faudrait pas croire cette inspira-

---

1. Ainsi : vers 5, respecter les bêtes ; vers 8, accepter d'être dépendant du reste des êtres ; vers 11, ne pas profaner l'esprit qui habite la matière en la faisant servir au mal par l'action de la liberté humaine : cela reprend les vers 3-4, qui évoquent un usage abusif de cette liberté quand elle prétend ignorer l'univers environnant (la version de *L'Artiste* portait *ta royauté* au lieu de *ta liberté*, allusion à la conception de l'homme roi de la nature, que Nerval n'a pas voulu avoir l'air de faire sienne, dans un poème qui justement la récuse ; la liberté, en tant que pouvoir souverain, n'en appelle pas moins, comme la royauté, les conseils dont il est question au vers suivant, et elle est plus coupable encore que la royauté de n'y pas faire participer l'univers).
2. De la masse des écrits pythagoriciens ou tenus pour tels que nous a légués l'Antiquité, le plus connu est celui qu'on attribue à Pythagore sous ce titre de *Vers dorés*, traduit du titre grec.

tion venue directement du pythagorisme antique, encore moins de Pythagore lui-même, dont aucune œuvre ne nous est parvenue. Nerval connaît surtout le pythagorisme tel qu'il apparaît dans les environs primitivisants et allégoristes de la philosophie des Lumières. C'est là qu'on a trouvé l'explication de l'épigraphe et du titre de notre sonnet[1]. L'idée de prêter aux bêtes et aux plantes une sensibilité plus ou moins accompagnée de pensée apparaît fréquemment chez les contemporains de Voltaire quand ils sont en veine d'imagination et en quête de mythes nouveaux ; de ce penchant du siècle précédent, Nerval a, bien sûr, conservé l'héritage. Il est vrai qu'on inclut rarement le minéral dans ce panpsychisme[2]. Nerval a donc été plus loin[3]. Dans l'âge romantique, l'animation universelle, sur le mode symbolique au moins, passe pour la fonction même de la poésie. Dès lors, la croyance une fois perdue, le symbole ne pourrait-il la remplacer ? C'est sous cet angle qu'il faut lire le sonnet : sous la rhétorique pythagoricienne qui en commande le mouvement apparent, les images proclament un dépassement poétique de la nature commune, l'accès à une supernature dont la Poésie a la clef, le chemin retrouvé de la croyance, ou d'un enchantement qui y ressemble. C'est

---

1. Voir l'article de Georges Le Breton, *Le Pythagorisme de Nerval*, dans *La Tour Saint-Jacques*, livraison spéciale sur Nerval, n° double 13-14, janvier-avril 1958, pp. 79-89, où il établit la liaison indiscutable du sonnet de Nerval avec l'ouvrage de Delisle de Sales, *De la philosophie de la nature* ; ce livre, qui a eu cinq éditions bien attestées entre 1769 et 1804 et qui a joui d'une grande notoriété jusqu'à la Restauration, consacre un grand chapitre (liv. II, chap. X, vol. II de l'édition en 6 vol. de 1777, pp. 385-451) à la question « Si l'homme est dans la nature le seul être sensible », et représente Pythagore se convaincant peu à peu, non sans surprise, de la sensibilité universelle ; c'est l'expression de cette surprise : « Quoy tout est sensible » (légende de la gravure p. 388-389 ; et voir exclamations analogues de Pythagore à chaque nouvelle découverte, p. 403, p. 408) qui a fourni à Nerval la curieuse épigraphe dont on ne comprend pas, autrement, le caractère exclamatif. Il n'aurait pas intitulé son sonnet *Vers dorés* s'il avait connu le recueil pythagoricien de ce titre, qui n'est qu'une collection de préceptes, où rien n'évoque le problème de la sensibilité dans l'univers. Mais c'est que Delisle de Sales a agrémenté son chapitre de prétendus « Vers dorés » où il n'est pas question d'autre chose, et Nerval y a été trompé.
2. L'animal et la plante suffisent pour ébranler la théologie traditionnelle de l'âme et du salut. Delisle de Sales lui-même, en fait de minéraux sensibles, s'en tient aux fossiles, et aux corps célestes, jusqu'où quelques autres s'aventuraient de son temps ; on trouvera dans mes *Mages romantiques*, à propos d'un sujet voisin, quelques renseignements sur celui-là (voir p. 417 et suiv. ; c'est Hugo qui devait, après Nerval, faire vivre puissamment la pierre : *ibid.*, p. 426 et suiv.).
3. Dans les vers 9 et 13-14 du sonnet.

surtout la force de quelques figures qui fait le prix de ce sonnet. Certaines de ces figures relèvent d'une tradition antérieure. Ainsi, «Chaque fleur est une âme» reprend un vieux symbole (la version de *L'Artiste* disait «Chaque *plante*», qui sur le plan du panpsychisme doctrinal avait plus de force; mais Nerval a préféré la fleur douée d'âme des poètes et du folklore); le «verbe attaché à la matière même» rend un écho théologique; au vers 12, le «Dieu caché dans l'être obscur» est une des idées mères du paganisme. Mais Nerval n'a trouvé que dans son génie propre l'*esprit agissant* qu'il donne à la bête (attribution fulgurante de l'*esprit* à l'animal sur l'évidence qu'il *agit*); le romanesque *mystère d'amour*, imaginé *dans le métal*, courait grand risque de rompre l'enchantement si Nerval n'y avait joint, avec le verbe *repose*, une métaphore salvatrice de sommeil, qui justifie merveilleusement le vers; au vers 9, le mur qui nous «épie» sans yeux, suggestion inquiétante, devance le futur Hugo; et surtout, dans les deux derniers vers, l'œil *naissant* sous la paupière encore fermée de l'embryon figure l'esprit qui *s'accroît* sous la pierre, et notre croyance qui renaît aussi. Ces images nous empêchent d'oublier que c'est une pensée poétique qui s'offre à nous dans ce sonnet plutôt que la doctrine d'une école. On a critiqué *l'écorce* des pierres: comment ne voit-on pas que cette «écorce», matière apparemment morte sous laquelle l'arbre est vivant, vitalise ici virtuellement la pierre?

Retour des dieux

À la crainte de voir mourir la croyance, Nerval veut répondre par un acte de foi dans toutes les divinités que l'homme a adorées. Si l'on accepte que les dieux meurent sans remède, et que d'autres ne les remplacent que pour disparaître à leur tour, on les réduit à n'être tous, y compris le nôtre, que des illusions de l'homme. Il faut donc qu'ils ne soient pas vraiment morts. À une époque où le renouveau de l'imagination païenne en poésie se fonde souvent sur des postulats esthético-édéniques des plus fragiles touchant l'antiquité grecque, la survivance ou le retour des dieux anciens est chez Nerval l'objet d'un vœu qui définit sa religion, dans la mesure où il en a une: vœu profond dans sa source, amer en tant qu'espérance inaccomplie. Il est difficile d'attribuer aux dieux païens l'éternité substantielle ; on pense plutôt à cette victoire sur le temps que remporte la mémoire quand elle franchit les années : on peut dire que la Réminiscence, dans ses moments fabuleux, ressuscite un passé disparu. Dans ce sens, l'éternité des dieux serait leur faculté illimitée de résurrection dans la mémoire des hommes : ainsi surgit à nouveau, du sein d'une existence éternelle, l'Hélène *rediviva* du second *Faust*. Mais ces résurrections manquent d'être et laissent le désir sur sa faim. Un cycle de réels retours des choses passées dans la durée, s'il était la loi du monde, suggérerait une espérance moins vaine ; encore faudrait-il voir agir cette loi. Dans un sonnet voisin par la date du *Christ aux Oliviers* et de *Vers dorés*, Nerval a mis en scène à la fois l'Attente du retour, la Réminiscence, puis l'amer Suspens de l'espérance [1].

DELFICA

La connais-tu, Dafné, cette ancienne romance,
Au pied du sycomore, ou sous les lauriers blancs,
Sous l'olivier, le myrthe ou les saules tremblants,
Cette chanson d'amour... qui toujours recommence !

Reconnais-tu le Temple au péristyle immense,
Et les citrons amers où s'imprimaient tes dents ?
Et la grotte, fatale aux hôtes imprudents,
Où du dragon vaincu dort l'antique semence.

Ils reviendront ces dieux que tu pleures toujours !
Le temps va ramener l'ordre des anciens jours ;
La terre a tressailli d'un souffle prophétique...

1. Ce sonnet a paru, daté de « Tivoli, 1843 » (?), dans *L'Artiste* du 28 décembre 1845, sous le titre *Vers dorés* ; il reparut en 1852 dans les *Petits Châteaux*, sous le titre *Daphné*, tandis que le titre *Vers dorés* passait dans le même recueil au sonnet « pythagoricien » commenté plus haut ; enfin, il reparut en 1854 dans *Les Chimères* sous le titre définitif de *Delfica*, sous lequel nous le désignerons. — Ces deux sonnets, et les cinq du *Christ aux Oliviers*, tous de la même époque, sont les seuls que Nerval ait osé publier si tôt, en un temps où il était inquiet des jugements que le public pouvait faire de son état mental ; œuvres d'un esprit visiblement sain et chargés de pensée, ils ne pouvaient pas le compromettre. *Delfica* est le plus étrange, mais à peu près dans les limites romantiques.

Cependant la sibylle au visage latin
Est endormie encor sous l'arc de Constantin :
— Et rien n'a dérangé le sévère portique[1].

La pensée du sonnet et sa ligne générale sont assez fortement marquées : le poète parle à une Daphné, femme ou sibylle grecque (sibylle de Delphes, selon le dernier titre ?) ; il évoque un exemple d'éternel retour : une romance d'amour toujours recommencée ; il fait surgir un lieu antique (temple et péristyle, grotte où dort la semence d'un dragon), objet d'une réminiscence mythique : il enchaîne sur le retour des Dieux morts, que sa compagne pleure[2] ; il croit sentir déjà passer le souffle de cette résurrection ; mais soudain, comme si tout cela n'avait été qu'une pure imagination, il constate que rien n'a bougé, que la sibylle est toujours dans sa tombe, et le décor architectural romain toujours à sa place. On ne peut guère en dire davantage sur le sens du sonnet[3]. Sa fin peut se lire comme un désenchantement ; d'autres y voient la persistance d'une

---

1. Le texte de ce sonnet a une histoire complexe : 1. Ses deux quatrains figuraient déjà dans un des sonnets du manuscrit Dumesnil de Gramont (1841), adressé *À J-y Colonna*, où ils étaient suivis de deux tercets avec lesquels Nerval ne les publia jamais. — 2. Les quatrains reparurent en décembre 1845 dans *L'Artiste* avec deux nouveaux tercets, composant le sonnet que nous reproduisons ci-dessus. — 3. De ces tercets, le premier avait été, semble-t-il, nouvellement écrit pour porter ce qui désormais était le thème principal du sonnet : l'espérance du retour des anciens dieux ; le dernier était emprunté, moyennant une légère adaptation, à un autre sonnet du manuscrit Dumesnil de Gramont, dont il était également la terminaison désenchantée ; ce sonnet adressé *À Madame Aguado* ne fut jamais réutilisé ni publié par Nerval. Par contre, les tercets, demeurés veufs, du sonnet *À J-y Colonna*, surmontés de deux quatrains nouveaux, ont été publiés par Nerval comme un sonnet nouveau, intitulé *Myrtho*, dans *Les Chimères* de 1854, et aussitôt après dans *L'Artiste* du 12 février 1854.
2. Cette idée antique d'un retour cyclique des temps (et des dieux qui y dominent) selon un ordre éternel est mise ici par Nerval sous le patronage de Virgile, qui dans sa quatrième *Bucolique* annonçait le retour de l'âge d'or. Nerval a emprunté à cette églogue les deux épigraphes successives de son sonnet : en 1845, « Ultima Cumaei venit jam carminis aetas », vers 4 de l'églogue ; Nerval, on le voit, pensait alors à la sibylle de Cumes, non à celle de Delphes ; en 1852, « Jam redit et Virgo », début du vers 6 ; entre ces deux vers, on lit dans Virgile : « Magnus ab integro saeclorum renascitur ordo », à quoi répond bien l'expression de Nerval « Le Temps va *ramener l'ordre des anciens jours* ».
3. Tous les éclaircissements proposés touchant les lieux et les personnes du sonnet sont conjecturaux. Il semble que, dans ce genre de poésie, le lecteur doive se contenter de ce qu'on lui dit, et y reconnaître la beauté, si elle y est, sans y rien ajouter. Quant à la nature du beau poétique, on en discourt depuis des siècles, sans résultat. Il abonde, indiscutablement, dans *Delfica*.

attente et d'une espérance : peut-être, quoiqu'il semble s'agir plutôt de l'espèce de consolation solitaire, et déprise du réel, qui gît au fond de toute nostalgie[1].

En 1843, Nerval visita l'Orient, et d'abord l'archipel grec. Le récit de cette partie de son voyage[2] respire, en même temps que le deuil des anciens dieux, une ferveur toujours vivante. À peine entré dans les eaux de l'Archipel, il élève cette plainte : « Le ciel et la mer sont toujours là ; le ciel d'Orient, la mer d'Ionie se donnent chaque matin le saint baiser d'amour ; mais la terre est morte, morte sous la main de l'homme, et les dieux se sont envolés[3] ! [...] Ainsi les dieux s'éteignent eux-mêmes, ou quittent la terre, vers qui l'amour des hommes ne les appelle plus ! [...] Ô Vénus Uranie ! [...] N'es-tu pas la source de tout amour et de toute noble ambition, la seconde des mères saintes qui trônent au centre du monde, gardant et protégeant les types éternels des formes créées contre le double effort de la mort qui les change, ou du néant qui les attire ?... Mais vous êtes là toutes encore, sur vos astres étincelants [...]. Ô vous, les trois grandes déesses, pardonnerez-vous à la terre

1. Je me permets de renvoyer à mon recueil *L'Écrivain et ses travaux*, Paris, 1967, où l'on trouvera, dans l'étude intitulée *Delfica et Myrtho*, plus de détails sur ces deux sonnets. Je ne reviens pas ici sur *Myrtho*, autre poème de nostalgie du paganisme, moins essentiel que *Delfica*. On trouvera, *ibid.*, des renseignements sur la problématique *Myrtho II*, qui aurait, avec les quatrains de *Myrtho I*, les tercets de *Delfica* : personne n'en a vu le manuscrit, et il est impossible, jusqu'à nouvel ordre, de lui accorder l'existence. — Quant au sonnet *À Madame Aguado*, qui figure sur le manuscrit Dumesnil, ce qui le fait remonter vers 1841, et dont il existe une seconde version, avec pas mal de variantes, sous le titre *Érythréa* (c'est le nom d'une autre sibylle), dans le manuscrit Eluard, c'est une suite de visions et d'appels, dont le théâtre est situé entre la Chine et l'Atlantique, et le ton entre apocalypse et poésie : aucun lien logique n'éclaire ce dont il s'agit, et une lecture passive s'impose pour cette rayonnante obscurité. Mais on ne peut pas ne pas percevoir qu'avec l'ultime tercet une crise universelle se termine en immobilité : c'est ce mouvement que Nerval a voulu communiquer à *Delfica*, en y transposant sur le mode latin ce tercet de couleur hindoue qui disait : «Cependant la prêtresse au visage vermeil — Est endormie encor sous l'arbre du soleil — Et rien n'a dérangé le sévère portique». Dans cette transposition, l'arc de Constantin venait à point, évoquant l'empereur qui avait exilé de l'empire les dieux païens en officialisant le christianisme.

2. Ce récit se trouve dans l'Introduction du *Voyage en Orient*, XII, XXI ; les neuf premiers ont paru dans *L'Artiste* en 1844-1845 ; le dernier, seulement en 1847 dans la même revue, avant d'être tous repris dans le *Voyage en Orient*.

3. *Voyage en Orient*, Introduction, XII, § 4. Tout ce qui suit dans cette citation ne se lit que dans la version de *L'Artiste* (30 juin 1844) : voir, pour cette partie du texte, *Pl. II, G.-P.*, p. 1444.

ingrate d'avoir oublié vos autels ? » On aura reconnu, non seulement à l'appellation de Mères, mais à leur fonction d'éternelle
conservation des types, les déesses que Goethe avait évoquées
dans son second *Faust*[1]. Les dieux antiques étaient la vie de
l'univers, et leur souffle animait indéfiniment toute l'échelle des
êtres. « La verte naïade est morte épuisée dans sa grotte, les dieux
des bocages ont disparu de cette terre sans ombre, et toutes ces
divines animations de la matière se sont retirées peu à peu comme
la vie d'un corps glacé. » Il rappelle le cri de deuil rapporté par
Plutarque, et dont il y a tant d'échos et de commentaires modernes ; « Pan est mort ! » « Mort, s'écrie-t-il, eh quoi ! lui [...], le
dieu qui bénissait l'hymen fécond de l'homme et de la terre ! il
est mort, lui par qui tout avait coutume de vivre[2] ! » On est ici
aux antipodes des mépris de Chateaubriand pour la Fable
païenne, « machine d'opéra[3] » : le romantisme, en s'éloignant
de ses débuts chrétiens, les a vite oubliés. Cependant, moins que
le paganisme en lui-même, c'est la vertu vivante des origines que
Nerval célèbre, partout où il croit la trouver, au Liban par exemple : « Il faut, écrit-il, que je m'unisse à quelque fille ingénue
de ce sol sacré qui est notre première patrie à tous, que je me
retrempe à ces sources vivifiantes de l'humanité, d'où ont découlé
la poésie et les croyances de nos pères[4] ! »

Syncrétisme et Féminin céleste

Un autre mérite du paganisme, outre le principe de vie qu'il
portait en lui, est d'inclure naturellement le féminin dans la
divinité. C'est un penchant général de l'hérésie romantique
d'augmenter la part du féminin dans le monde céleste ; on y

1. Goethe ne les avait pas dénombrées, ni désigné nommément aucune d'elles ;
pour Nerval, elles sont trois, et l'une est Vénus Uranie, la Vénus céleste. Il parle,
un peu plus loin, de trois Vénus différentes, non sans quelque confusion : voir
ibid., XV, §§ 3, 4 ; XVIII, §§ 1, 2.
2. *Voyage en Orient*, Introduction, XX, § 2 (= *L'Artiste*, 11 février 1844). La
dernière exclamation, qui évoque le pouvoir vitalisant du dieu païen, a été ajoutée en 1849.
3. *Génie du christianisme*, IIe partie, liv. IV, chap. Ier, § 10.
4. *Voyage en Orient*, « Druses et Maronites », II, 1, 4e § avant la fin. L'Orient
a supplanté l'Allemagne, qu'il appelait en 1838 « notre mère à tous » : source
de légendes et de poésie, tandis que l'Orient est source de croyances. — « Les
croyances de nos pères », expression rebattue du royalisme chrétien, prend ici
un sens inattendu.

aboutit souvent par l'extension des pouvoirs de la Vierge Marie, parfois en l'élevant jusqu'à la divinité[1]. Mais le paganisme avait peuplé la terre et le ciel de divinités féminines, qui hantaient encore la littérature de l'Europe. Abordant à Cythère, île anciennement consacrée au culte d'Aphrodite, Nerval se souvient du livre fameux de Francesco Colonna, déjà célébré par Nodier. Il exalte les deux amants séparés qui, dans ce *Songe de Poliphile*[2], se rencontrent en songe à Cythère pour y participer à des cérémonies en l'honneur d'Aphrodite : «Vous savez aujourd'hui quels sont les vrais dieux, esprits doublement couronnés : païens par le génie, chrétiens par le cœur[3].» Nerval se réclame, bien sûr, de Nodier : «Belle âme divine [...]! Comme toi je croyais en eux, et comme eux à l'amour céleste[4].» Mais il entend cet amour vainqueur de la mort dans un sens plus païen que Nodier; il ne le sépare pas de la reviviscence des dieux antiques et de leur puissance d'animation, toutes choses étrangères au spiritualisme presque orthodoxe de Nodier; il écrit : «Ainsi la sainte aspiration de deux âmes pures rendait pour un instant au monde ses forces déchues et les esprits gardiens de son antique fécondité[5].»

Aphrodite sous ses divers noms n'habite pas seule le ciel de Nerval; l'Égypte, «terre antique et maternelle[6]», y est présente avec Isis, déesse voilée des initiations, déesse de salut, déesse mère d'un enfant dieu. Nerval la met volontiers en parallèle avec la Vierge-mère chrétienne, par une analogie qui est, peut-on dire, l'âme de son syncrétisme. C'est ainsi qu'il demande, à propos des amants du *Songe de Poliphile* : «Crurent-ils voir dans la Vierge et son fils l'antique symbole de la grande Mère divine et de l'enfant céleste qui embrase les cœurs? Osèrent-ils pénétrer à travers les ténèbres mystiques jusqu'à la primitive Isis, au voile éternel, au masque changeant, tenant

1. Voir *Le Temps des prophètes*, p. 426 et suiv.
2. Voir ci-dessus, chapitre sur Nodier, dans les pages qui concernent *Franciscus Columna*. Nerval projeta d'écrire une pièce de théâtre sur les amours de ce couple (voir *Sylvie*, XIII, § 4, et les lettres à Hippolyte Lucas, [1853], dans *Pl. II*, 1974, pp. 1073-1075).
3. *Voyage en Orient*, Introduction, XIV, § 3 (= *L'Artiste*, 11 août 1844).
4. *Ibid.*, même §.
5. *Ibid.*, § 9, *in fine*.
6. *Voyage en Orient*, «Les Femmes du Caire», III, 1, dernier § : «La terre antique et maternelle où notre Europe, à travers le monde grec et romain, sent remonter ses origines.»

d'une main la croix ansée, et sur ses genoux l'enfant Horus sauveur du monde [1] ? » Il invoque à l'appui de ces « assimilations étranges », qui en ont fait toute sa sympathie, la seule autorité du néo-platonisme italien de l'époque où vivaient les deux amants. C'est surtout avec l'histoire des religions que se sont développés de tels rapprochements et parallèles. Le XVIIIe siècle critique et irréligieux en a beaucoup usé pour discréditer la dogmatique chrétienne, tandis que du côté de l'Église on s'efforçait de trouver dans la similitude des croyances la preuve de l'universalité d'une révélation première déformée hors du christianisme. Dans une longue étude sur le culte d'Isis, parue elle aussi en 1845 [2], Nerval prend soin de répudier la première attitude, et il est indiscutablement sincère quand il écrit : « Je me garderai certes de tirer de tous ces rapprochements les mêmes conclusions que Volney et Dupuis. » Mais la position purement chrétienne ne lui est pas moins étrangère. Immédiatement avant la phrase que nous venons de citer, on peut lire les lignes suivantes : « N'est-ce pas toujours la Mère sainte, tenant entre ses bras l'enfant sauveur et médiateur [...] ? Isis n'a pas seulement l'enfant dans les bras, ou la croix à la main comme la Vierge : le même signe zodiacal leur est consacré, la lune est sous leurs pieds, le même nimbe brille autour de leur tête », etc. [3]. Et plus loin, après une allusion au culte de Déméter et aux mystères d'Éleusis : « N'est-il pas vrai qu'il faut réunir tous ces modes divers d'une même idée, et que ce fut toujours une admirable pensée théologique de présenter à l'adoration des hommes une Mère céleste dont l'enfant est l'espoir du monde [4] ? » Le vœu de Nerval est, on le voit, de réconcilier et de faire vivre ensemble paganisme et christianisme.

Il n'ignore pas l'inconsistance de ce vœu ; il la souligne avec

---

1. *Voyage en Orient*, Introduction, XIV, § 7 ; la référence au néo-platonisme, § 8.

2. Article publié sous le titre *Le Temple d'Isis. Souvenir de Pompéi*, dans *La Phalange*, novembre-décembre 1845. Cet article reproduit et commente une documentation abondante sur le culte d'Isis. Il a été recueilli, sensiblement écourté, en 1854 dans *Les Filles du feu*, où il porte comme titre *Isis*. Je cite d'après la section IV de cette dernière version. Nerval a parlé aussi du culte d'Isis dans « Les Femmes du Caire », IV, 2 et, surtout, 3.

3. *Isis*, IV, § 5.

4. *Ibid.*, § 6. Le contenu de ces pages dépasse le sujet d'*Isis* ; Sérapis, Iacchus, Osiris, Atys, les dieux souffrants et martyrs du paganisme oriental y sont mis en relation avec le christianisme.

humour : «Enfant d'un siècle sceptique plutôt qu'incrédule, flottant entre deux éducations contraires, celle de la Révolution, qui niait tout, et celle de la réaction sociale, qui prétend ramener l'ensemble des croyances chrétiennes, me verrais-je entraîné à tout croire, comme nos pères les philosophes l'avaient été à tout nier ? » Il lit *Les Ruines* de Volney, et face à cette destruction, pièce à pièce, de «tout l'ensemble des traditions religieuses du genre humain », il est bien tenté de chercher secours dans la foi traditionnelle : «Ainsi périssait, écrit-il à la suite de cette lecture, sous l'effort de la raison moderne, le Christ lui-même, ce dernier des révélateurs, qui, au nom d'une raison plus haute, avait autrefois dépeuplé les cieux. Ô nature! ô mère éternelle! était-ce là vraiment le sort réservé au dernier de tes fils célestes[1] ? » Faut-il donc, dans notre refus de «tout prestige», accepter de nous trouver, sans remède, «face à face avec l'image de la Mort? [...] Si la chute successive des croyances conduisait à ce résultat, ne serait-il pas plus consolant de tomber dans l'excès contraire et d'essayer de se reprendre aux illusions du passé[2] ? » Mais quel appui trouver dans ce qu'on ne peut appeler que des prestiges et des illusions? Comment revenir au christianisme quand la tentation païenne est si forte, quand on écrit, à propos d'un discours qu'Apulée prête à Isis : «Certes, si le paganisme avait toujours manifesté une conception aussi pure de la divinité, les principes religieux issus de la vieille terre d'Égypte régneraient encore selon cette forme sur la civilisation moderne[3]. »

En fait, le paganisme se recommande moins par la pureté de ses conceptions que par une puissance de séduction que le christianisme ne peut faire oublier. Alors que la religion du Christ dépérit, le culte des anciens dieux, quoique déserté depuis longtemps, survit dans la mémoire et le cœur des hommes, et il peut faire profiter son cadet défaillant de son privilège de vitalité. Sa supériorité est évidente sur le plan du Féminin céleste ; et Nerval attend certainement davantage d'une Mère qui réconforte et fait vivre que d'un Père qui ordonne[4]. Surtout, la

1. Remarquons que *Le Christ aux Oliviers*, où Nerval lui-même désenchante le Sauveur chrétien, a précédé de peu ces pages.
2. Citations empruntées à *Isis*, III, avant-dernier et dernier §§.
3. *Isis*, IV, début du § 5.
4. Nerval, dans cet ordre d'idées, qui a hanté le romantisme, fait écho à une expression célèbre du second *Faust* : voir *Voyage en Orient*, Introduction, XVIII

religion des modernes meurt ; et il faut que toutes les croyances des hommes soient validées pour qu'aujourd'hui les nôtres
ne soient pas démenties. De là le caractère nécessairement
syncrétique de la démarche de Nerval, qui suppose parentes
et communicantes toutes les religions. Mais comment cette reviviscence universelle des dieux, que Nerval veuille ou non se
l'avouer, pourrait-elle se produire autrement que sur le mode
du Souvenir vainqueur du Temps, reflet et écho moderne de
la foi plutôt que foi proprement dite ? De là le ton mélancolique de l'entreprise, et son accent particulier, moins religieux
que poétique.

Lumières et religion

Nerval ne cesse de se dire fils d'une époque incrédule, sans
jamais abjurer cette filiation, en manifestant même à l'occasion un respect véritablement filial pour cette source de sa pensée : il pense au xviiie siècle, et surtout à la région de ce siècle
la plus proche de lui, à ce rationalisme sensible, enclin aux chimères et à la contagion illuministe, qui précéda et suivit la Révolution. Non qu'il reniât l'esprit même des Lumières ; il lui arrive
de louer l'action des écrivains du xviiie siècle, de faire gloire
à la littérature française « d'avoir sa tâche providentielle, et
d'avoir préparé l'avenir du monde [1] ». Cependant il a sa façon
particulière de continuer ce siècle. Il a beaucoup parlé de son
oncle Boucher, qui vivait à Mortefontaine, en Valois, et auprès
de qui il passa une partie de son enfance [2]. Dans le grenier de
sa maison, il dit avoir trouvé une masse de livres inclinant au
mysticisme ; c'est-à-dire, selon le langage de l'époque, à l'illuminisme théosophique. Cet oncle était, nous dit-il, d'un
« déisme mitigé [3] », c'est-à-dire tempéré de croyances moins

---

(= *L'Artiste*, 1er juin 1845), à propos de la filiation qui lui semble rattacher la
Marie-*Panagia* des Grecs modernes aux Aphrodites antiques : « Le principe fémi-
nin, et, comme dit Goethe, *le féminin céleste* régnera toujours sur ces rivages. »
Goethe dit, plus modestement, me semble-t-il, l'« éternel féminin » *(ewig Weibliche).*

1. Article de Nerval dans *Le Constitutionnel* du 28 janvier 1845 (compte rendu
du livre de Houssaye, *Portraits du xviiie siècle*) : voir Nerval, *Œuvres complémentaires,* éd. J. Richer, t. I (1859), p. 234.

2. C'était, plus exactement, son grand-oncle, frère de sa grand-mère maternelle ; il mourut en 1820, Nerval ayant douze ans.

3. *La Bibliothèque de mon oncle,* Préface aux *Illuminés* (1852), § 3.

strictement philosophiques ; il l'a dit ailleurs « imprégné des idées de Voltaire [1] ». L'oncle reparaît dans *Aurélia* : il collectionnait des trouvailles d'archéologie païenne locale, qu'il faisait vénérer à son petit-neveu, et qui impressionnaient l'enfant plus que les pauvres images et les statues informes de l'église du lieu. « Embarrassé, nous dit-il, au milieu de ces divers symboles, je demandai un jour à mon oncle ce que c'était que Dieu. Dieu, c'est le soleil, me dit-il. C'était la pensée intime d'un homme qui avait vécu en chrétien toute sa vie, mais qui avait traversé la Révolution, et qui était d'une contrée où plusieurs avaient la même idée de la divinité [2]. » Cet oncle voltairien, « mystique », déiste mitigé, païen et chrétien, a vraiment formé son neveu à son image, à moins que le neveu ne l'ait réinventé à la sienne [3].

L'allusion à la « contrée » de l'oncle, à ce Valois qui, si l'on en croit Nerval, partageait l'éclectisme religieux d'Antoine Boucher, laisse un peu sceptique. Le Valois est, pour Nerval, le lieu supposé d'une sorte de religion natale, tradition de pays, tradition des siècles, jamais tout à fait rompue, vivante encore, et qui demande à se renouer [4]. Mais si le Valois, lieu privilégié de son *moi* et de sa mémoire, est de plus en plus au centre de sa pensée, cette pensée, en tant que philosophie de la religion, est universelle dans son objet. En France, par exemple, dans toute la France, ce que le christianisme a détruit n'a jamais succombé tout à fait, moyennant quoi le christianisme aujourd'hui menacé pourrait survivre en acceptant la loi commune, et sur un autre mode de croyance que celui qu'il

---

1. Fragment manuscrit, reproduit dans *Pl. II*, p. 1476, § 2 du texte.
2. *Aurélia*, IIe partie, IV, 1er §. Le manuscrit portait d'abord (voir *Pl. II*, p. 1330, note 3 à la p. 394), au lieu de « avait vécu en chrétien », « avait *fait du bien* » ; la correction ultérieure est de convenance, ou de scrupule : évidemment, Nerval et son oncle étaient chrétiens, aussi.
3. Nous ne connaissons l'oncle Boucher que par Nerval. L'existence et le contenu de la bibliothèque font question (voir *Pl. II*, *G.-P.*, pp. 1713-1714).
4. En ce qui concerne le xviiie siècle hétérodoxe, Nerval aime à imaginer un de ses hauts lieux dans le Valois, au château d'Ermenonville : voir *Les Faux Saulniers*, *Pl. II*, *G.-P.*, p. 100 et suiv. (= *Le National*, 22 novembre 1850), texte repris dans *Angélique*, XIe lettre. Il fait défiler dans ce château, après Rousseau, tous les « illuminés » de la fin du siècle, auxquels il mêle Robespierre et Senancour ; il y situe assemblées, soupers et causeries de tout ce monde ; le décor est fourni par la tombe de Rousseau et les reconstitutions païennes du parc, qui lui suggèrent cette réflexion : « Toute cette mythologie avait alors un sens philosophique et profond » (p. 103). Voir aussi *Sylvie*, IX, « Ermenonville ».

prétend imposer. D'ailleurs, l'Église a toujours dû transiger :
« Le respect des peuples, écrit-il, pour certains endroits consacrés, pour les ruines des temples et pour les débris mêmes des
statues, obligea les prêtres chrétiens à bâtir les églises sur
l'emplacement des anciens édifices païens[1]. » Il relève avec
satisfaction les vestiges des anciens cultes qui survivent au sein
du christianisme européen, et les altérations de la croyance dogmatique depuis la Renaissance : ainsi le fait qu'au XVIIIe siècle des ecclésiastiques aient dû accepter de considérer les dieux
païens comme des « esprits élémentaires » doués d'existence
réelle[2], et que se soient élevées sans cesse des doctrines, parfois tolérées, qui entretinrent « un certain esprit de mysticisme
ou de supernaturalisme nécessaire aux imaginations rêveuses
ou délicates, comme à quelques populations plus disposées que
d'autres aux idées spiritualistes[3] ».

Tout est bon à Gérard pour établir la plasticité fraternelle
des religions : les syncrétismes de l'Antiquité, le néo-platonisme
de la Renaissance, la tradition pythagorique ou l'hérésie des
Druses, mais son appui le plus proche et sa source naturelle
se trouvent dans le XVIIIe siècle tel qu'il le voit et l'aime. C'est
là qu'il a trouvé ce Quintus Aucler, qu'il a si bien lu et si sympathiquement commenté[4] : doctrinaire, sous le Directoire, du
paganisme antique, des divinités intermédiaires et des astres-
dieux, en même temps qu'admirateur de Saint-Martin et adepte
d'une théosophie de chute et de régénération, et qui croyait
en une Trinité de l'Être, de son Épouse et du Verbe, l'effusion se faisant de l'Être dans la « vénérable Mère et réceptacle
de toutes les idées des choses [...], grande déesse, mère ineffable » par l'intermédiaire du Verbe ou Pallas[5]. Cette triade,

1. NERVAL, *Cagliostro*, I, § 3 (article paru en 1849 dans l'*Almanach cabalistique
pour 1850*, recueilli en 1852 dans *Les Illuminés*, où on peut le lire).
2. *Ibid.*, § 4.
3. *Ibid.*, II, § 1. « Mysticisme », « supernaturalisme », « spiritualisme » sont les
noms divers que Nerval donne à son hétérodoxie » ; « spiritualisme » était parfois
synonyme alors, dans le vocabulaire catholique, d'hérésie moderne.
4. L'article de Nerval sur Quintus a paru dans la *Revue de Paris* de novembre
1851 et a été recueilli l'année suivante dans *Les Illuminés* sous le titre *Quintus Aucler.
République française. La Thréicie*. Sur le rapport des citations de Nerval avec *La
Thréicie* originale, voir les Notes de *Pl. II, G.-P.*, pp. 1761-1767.
5. Selon les biographes, Gabriel-André Auclerc, né en 1750, avocat, qui publia
en l'an VII *La Thréicie* et y prêcha la restauration du paganisme, mourut en 1814
après avoir abjuré sa doctrine et publié en 1813 un ouvrage en faveur du christianisme. — L'hommage à Saint-Martin est, dans *La Thréicie*, aux pp. 284-285 ;

une des innombrables Trinités hérétiques de cette époque, et d'une façon générale la théologie de Quintus, intéressent moins Nerval en elles-mêmes que comme symptôme du mouvement général qui, depuis la Renaissance, ébranle la religion du Christ et son Église [1]. Donnant de très larges extraits de *La Thréicie*, il parle surtout pour son compte. Ce qu'il veut, c'est sauver le principe de toute croyance. Il n'entend pas se détacher du Christ et de la Vierge-mère, mais les faire se survivre à eux-mêmes, dit-il, comme «expression suprême de l'alliance antique du ciel et de la terre». L'arbre religieux vient d'être tranché tout entier, cœur, écorce et feuillage — «et le tout fut jeté aux ténèbres comme le figuier inutile; mais l'objet détruit, il reste la place, encore sacrée pour beaucoup d'hommes [2]». La place devenue vide, et qui ne doit à aucun prix le rester : c'est l'image qui est au cœur des rêves théologiques de Nerval. Mais comment la remplir? «Quintus Aucler, remarque-t-il, recommande aux néo-païens une certaine tolérance pour les croyants spéciaux d'Iacchus-Jésus, plus connu en France sous le nom du Christ [3].» Il approuve ce précepte de tolérance, qui désarme toute haine. Mais sa pensée est plus profonde : si Jésus et Iacchus [4] étaient reconnus comme un même dieu, ne revivraient-ils pas ensemble, l'un sauvant l'autre?

La foi de Nerval

Cela dit, il est bien permis de s'interroger sur la nature exacte de la croyance chez Nerval. Cette adoption de tous les dieux, dans sa ferveur même, est-elle foi, ou universel désir de secours, antichambre de la certitude, lieu d'attente permanent, où personne ne vient vous appeler, et que vous vous obstinez à ne pas quitter? On ne peut, si sensible qu'on soit, en lisant Nerval, à la magie des réminiscences, s'empêcher de se demander quel secours pouvaient apporter les dieux du paganisme à des

---

ce que je cite concernant sa Trinité, aux pp. 222-226; le plaidoyer en faveur du paganisme, *passim*; l'attaque contre le judaïsme et le christianisme, généralement très virulente.

1. Voir les réflexions de Nerval sur ce sujet dans *Quintus Aucler*, IV.
2. *Quintus Aucler*, I, deux derniers §§.
3. *Ibid.*, III, dernier §.
4. Iacchus, nom mystique de Bacchus.

âmes avides de foi sous le règne de Louis-Philippe. Le christianisme vivait encore, quoique son crédit eût été sévèrement diminué. Pourquoi priser davantage, comme source de réconfort, une Fable divorcée depuis des siècles de toute croyance, sinon parce que ce qu'on avait toujours appelé religion (référence à un surnaturel agissant, cultes, rites, prière, sentiment du sacré et du sacrilège possible), et que le christianisme maintenait, avait cessé d'être accepté ? Pouvait-on désirer vraiment ce qu'on n'acceptait plus ? Cette maladie ne veut pas s'avouer. Quand Nerval approuve Boileau soutenant que « la foi des chrétiens ne doit pas emprunter d'ornements à la poésie[1] », car, dit-il, « en effet, toute religion qui tombe dans le domaine des poètes se dénature bientôt et perd son pouvoir sur les âmes[2] », ne se rend-il pas compte que sa propre prédication syncrétiste a des chances de passer pour une entreprise poétique ? Le romantisme a beau vouloir mettre sur le même pied poésie et religion. Il y a difficulté à cela, et c'est un des points par où le désenchantement a accès. On sait quelle prise il a sur Nerval, même si ce paladin du rêve ne s'avoue pas volontiers vaincu.

« Je me demande, écrit-il en 1844, pourquoi il serait si ridicule de supposer que des esprits ardents tenteraient, au besoin, de relever de ses ruines cette vieille croyance du polythéisme, qui fut celle de nos aïeux mêmes et des époques les plus illustres de l'humanité[3]. » Cette suggestion, sous la forme d'un « pourquoi pas ? », Nerval l'étend à toutes les formes d'illuminisme, de magie, d'alchimie, à toutes les croyances occultes ou exotiques. Mais comment ignorer l'humour avec lequel il traite parfois des doctrines ou des fables auxquelles il affecte d'ajouter foi[4] ? L'usage qu'il fait de signes cabalistiques ou

---

1. « De la foi d'un chrétien les mystères terribles — D'ornements égayés ne sont point susceptibles » (Boileau, *Art poétique*, III, vers 199-200).
2. *Les Illuminés*, « Jacques Cazotte » (= préface de Nerval à une édition du *Diable amoureux* de Cazotte, 1845), I, § 15.
3. Lettre à M. le Directeur de la *Revue et Gazette des théâtres*, publiée dans ce journal le 16 mai 1844 (voir *Pl. I, G.P.*, p. 1413 ; et M. Brix, *op. cit.*, pp. 298 et 299, note 10 ; plus loin dans la lettre, il appelle le « polythéisme dépouillé de culte et de symboles » un « panthéisme ».
4. Les textes qui vont dans ce sens ne sont pas rares dans son œuvre. Pour ne citer qu'un exemple, dans l'article sur *Le Bœuf gras*, recueilli dans *Pl. II*, p. 1237 et suiv. (= *L'Artiste*, 9 février 1845), il veut, *in fine*, que ce cortège traditionnel du carnaval ait un sens mystique, et blâme quiconque, en honorant la boucherie, « n'en rapporterait pas la glorification aux intelligences célestes ».

d'allusions alchimiques peut attester plutôt un tour d'imagination que des pensées ou des convictions réelles. Et quand on voit cette disposition d'esprit multiplier ses effets chez lui dans les époques d'instabilité mentale, on supposerait bien arbitrairement que la déraison découvre le fond de sa pensée, qu'elle ne féconde pas plutôt sa fantaisie. Toute allégation d'obédience maçonnique n'est pas non plus à prendre nécessairement au sérieux [1]. Nerval accueille avec faveur toute occasion de se hasarder à croire, d'errer avec bonheur et de se perdre aux frontières de la croyance. Il faut le savoir pour éviter de lui prêter une doctrine ou un credo trop arrêtés. Il ne faut pas faire à ses sympathies ou tentations occultistes, quand on cherche la signification de son œuvre, une place plus grande que celle qu'il leur a accordée dans cette œuvre [2].

Il décrit lui-même son attitude fondamentale quand il écrit : « Oui, je me suis senti païen en Grèce, musulman en Égypte, panthéiste au milieu des Druses, et dévot sur les mers aux astres-dieux de la Chaldée [3]. » Une croyance ne lui suffit pas, il lui en faut une multitude. Il répondait, rapporte Théophile Gautier, au reproche de n'avoir pas de religion : « Moi, pas de religion ! j'en ai dix-sept... au moins [4] ! » Devant le « pourquoi pas ? » toutes les croyances se valent. Ainsi, à propos de la surprenante théologie des Druses : « Avons-nous le droit de voir dans tout cela des folies ? Au fond, il n'y a pas une religion moderne qui ne présente des conceptions semblables [5]. » Ou encore, sur la mythologie des Pyramides, les idoles qu'elles renferment et les esprits attachés à ces idoles : « Tout cela est-il

1. Son histoire libanaise, évoquée plus haut, avec la belle Saléma et son père, est édifiante à cet égard.
2. Sur Nerval et l'occultisme, voir notamment Jean RICHER, *Nerval et les doctrines ésotériques*, Paris, 1947 ; aussi sa thèse, déjà citée, sur *Nerval. Expérience et création*.
3. *Voyage en Orient*, dernière page, intitulée « Malte » (mai 1851). « Panthéiste » s'applique mal à la théologie druse. Mais Gérard emploie avec le même sens « polythéisme », « syncrétisme », « panthéisme ».
4. Théophile GAUTIER, *L'Orient*, Paris, 1877, t. I, « Syrie », p. 188 (= article sur *Le Voyage en Orient de Gérard de Nerval*, dans *Revue nationale et étrangère*, 25 décembre 1860).
5. *Voyage en Orient*, « Druses et Maronites », II, 4, paragraphe commençant par cette phrase ; Nerval poursuit : « Disons plus, la religion des Druses n'est qu'un syncrétisme de toutes les religions et de toutes les philosophies antérieures. » (= *Revue des Deux Mondes*, 15 août 1847.)

plus extraordinaire que tant de choses naturelles qu'il nous est impossible d'expliquer [1] ? » Nerval cherche, en somme, une vérité également indépendante du dogme rigide et de la science positive. Cette sorte de recherche, il faut bien le dire, n'est pas propre à lui seul. Commencée bien avant lui, elle s'est continuée inlassablement depuis cent cinquante ans, sous des formes diverses : les esprits positifs la qualifient de superstition renouvelée ; les religieux, selon leur degré de bienveillance, soit d'hérésie, soit de confuse aspiration vers le Ciel ; les humanistes peuvent y voir, sous le signe du désir, une des composantes modernes de l'esprit de poésie, et rien de plus.

---

1. *Ibid.*, « Les Femmes du Caire », III, 6, 8ᵉ § avant la fin (= *Revue des Deux Mondes*, 15 septembre 1846). La pointe est ici dirigée contre la science positive.

VIII

NERVAL MYTHOLOGUE :
LA FABLE CAÏNITE

Le romantisme français abonde en récits mythiques ou symboliques dont l'ensemble compose, pour ainsi dire, la Fable sacrée de la religion romantique. Nerval a sacrifié à sa façon à ce genre, en prose et en vers.

« HISTOIRE DE LA REINE DU MATIN »

Le long récit qu'il a publié en 1850, sous le titre *Histoire de la reine du Matin et de Soliman, prince des génies*[1], et qu'il feint d'avoir entendu de la bouche d'un conteur dans un café de Constantinople, est, comme la plupart des mythes romantiques, le remaniement tendancieux d'un épisode de l'Écriture, chargé d'un sens entièrement nouveau, et au surplus accommodé ici d'éléments légendaires d'origine orientale. Le sujet intéressait Nerval depuis longtemps, puisqu'il avait projeté dès 1836 un opéra de la reine de Saba, si nous en croyons les feuilletons de *La Bohême galante* et les *Petits Châteaux de Bohême* : à cette date de 1852, Gérard se souvient du charme qu'exerçait sur son esprit, au temps de sa jeunesse, la légendaire reine[2]. Il semble bien qu'en 1841 il peignait la reine de Saba sur les murs

---

1. Parue en feuilletons dans *Le National* en mars et avril 1850, elle a été incluse, comme celle de Hakem, dans le *Voyage en Orient*, « Les Nuits du Ramazan », III, 1-12 (soit la totalité de la section III). Nous renverrons dorénavant à *Histoire de la reine.*
2. *La Bohême galante*, articles du 1er et du 15 juillet 1852 dans *L'Artiste*, et *Petits Châteaux de Bohême*, premier et second châteaux ; les souvenirs évoqués dans ces pages remontent à 1835-1836 ; voir *Pl. II, G.-P.*, p. 1588.

de la clinique du docteur Blanche à Montmartre[1]. Le Carnet de notes de 1843, dit Carnet du Voyage en Orient, ou « Carnet du Caire », atteste en plusieurs endroits que Nerval était déjà préoccupé de l'*Histoire* qu'il allait écrire et de ses personnages ; et la reine reparaît dans *Aurélia*[2].

Cette *Histoire* a pour point de départ la visite que, selon la Bible, rendit à Salomon, roi d'Israël, une reine d'Arabie[3]. Le récit biblique est bref et tend principalement, venant après des chapitres consacrés à la construction du Temple, à exalter encore le prestige de Salomon, l'étendue de sa renommée qui donne à la reine le désir de venir le voir, ainsi que la magnificence de son accueil et la profondeur de sa sagesse, qui transportent la reine d'admiration. L'épisode fait donc partie de la légende glorieuse de Salomon, et n'a pas d'autre sens dans le texte biblique. C'est hors de la Bible que la rencontre de Salomon et de la reine s'est développée en légende amoureuse et fantastique, surtout dans la tradition arabe. Nerval a suivi en beaucoup de points cette tradition, surtout en ce qui concerne les attributs magiques de la reine[4] ; il lui a emprunté également l'idée de sa mythologie préadamite et caïnite[5]. Cependant, l'élément le plus original du récit de Nerval consiste dans une prise de position hostile au Dieu de la Bible[6] et au roi

1. Voir les deux témoignages cités par J. RICHER, *Nerval. Expérience et création*, éd. citée, pp. 438-440, et la description d'une de ces peintures dans un fragment de la première *Aurélia* (*Pl. I*, fragment VII).

2. Nerval se préoccupait encore de la reine à la veille de sa mort, puisque le Projet d'œuvres complètes qu'il rédigea alors mentionne, parmi les « sujets » auxquels il pense, *La Reine de Saba*, 5 a(ctes) avec Halévy comme compositeur. On ne sait s'il projeta ou écrivit des scénarios pour son opéra de 1836 ni pour celui-là, ni ce qu'ils devaient avoir de commun avec *L'Histoire de la reine du Matin*.

3. *I Rois*, 10, 1-10 et 13 ; l'histoire est répétée dans *II Chroniques*, 2, 1-10 et 12.

4. Ainsi la huppe, oiseau surnaturel qui accompagne la reine dans cette tradition, joue un rôle important ici, et dans l'imagination de Nerval.

5. Sur les emprunts de Nerval aux traditions fabuleuses de l'Orient, voir, dans *Pl. II, G.-P.*, la notice de Claude Pichois, notamment pp. 1378 et 1379, et ses notes sur l'*Histoire de la reine*, pp. 1586-1629.

6. Il l'appelle habituellement ici « Adonaï », qui a la valeur en hébreu de « mon Seigneur », et qui n'est qu'une désignation de Dieu, que les juifs lisent à la place du Nom proprement dit là où il est écrit ; ce nom est « Iahvé », improférable selon la piété juive, mais depuis longtemps adopté sous la forme « Jéhovah » dans la littérature courante. Nerval préfère dans son récit « Adonaï », sans doute comme évoquant mieux à ses yeux le judaïsme et l'Ancien Testament, dont, comme « païen », il réprouve le monothéisme strict.

d'Israël, son représentant terrestre, qu'il peint vulgaire, vaniteux, borné dans sa religion, grossièrement épicurien dans sa morale. Quoique Nerval célèbre la beauté et les pouvoirs surnaturels de la reine [1], il semble moins préoccupé de l'exalter que de rabaisser par elle le prestige du roi, et celui du Dieu hébraïque dont il est l'instrument. Cette refonte hétérodoxe de l'épisode biblique en est pour ainsi dire le contrepied [2]. Balkis [3], au lieu de s'extasier devant Soliman, se montre en tous points supérieure à lui, et le mortifie sans cesse [4].

Cet aspect du récit traduit évidemment l'intention antimonothéiste de Nerval, dont la source est dans son propre fonds d'idées et de sentiments. Cette façon d'utiliser des matériaux empruntés en les intégrant à un projet entièrement personnel se voit surtout dans la création de son héros principal. Ce personnage qu'il oppose à Salomon, et qui conquiert l'amour de la reine, est l'architecte du Temple. Il l'a trouvé dans les traditions maçonniques, où il occupait une place de premier plan comme adorateur du Grand Architecte de l'Univers et initiateur prétendu de la franc-maçonnerie : la légende le faisait mourir assassiné par trois ouvriers pervers, et le scénario de ce meurtre était reproduit symboliquement dans les cérémonies maçonniques. L'origine de cette légende est des plus obscu-

---

1. Voir le portrait qu'il fait d'elle, la comparant à la déesse Isis (*Pl. II, G.-P.*, p. 683).
2. Ainsi, par exemple, alors que la Bible raconte comment la reine « vint mettre Salomon à l'épreuve en lui posant des énigmes » et qu'« il n'y en eut aucune qui fût obscure pour le roi et dont il ne lui donnât la solution » (*I Rois*, 10, 1 et 3), Nerval écrit : « Soliman interpréta sans broncher les trois énigmes, grâce au grand-prêtre Sadoc qui, la veille, en avait payé comptant la solution au grand-prêtre des Sabéens » (*Pl. II, G.-P.*, p. 682).
3. Nerval appelle la reine de Saba « Balkis », selon la tradition arabe (après *La Fée aux miettes* de Nodier, ce nom allait de soi en France), quelquefois « la reine du Midi », selon l'expression employée pour elle dans les Évangiles (*Matthieu*, 12, 42 ; *Luc*, 11, 31 : βασίλισσα νότου) et qui correspond à la situation de son royaume au sud-ouest de l'Arabie). Quant à la reine *du Matin*, c'est le résultat d'une confusion de Nerval entre Saba (hébreu *Sheba*), nom du pays de la reine, et Sabah (arabe : « matin ») : voir sa note dans le « Carnet du Caire », *Pl. II, G.-P.*, p. 848, et dans l'*Histoire...*, *ibid.*, p. 678 (« Saba ou sabbat — matin »), qui suppose une confusion supplémentaire avec l'hébreu (*shabbat* — « samedi »). Il n'y a, en fait, aucun rapport entre ces trois mots. — Nerval nomme le roi Soliman, équivalent français traditionnel de son nom arabe (Suleyman).
4. Ces échanges de joutes fourrées auxquels le roi et la reine passent une bonne partie de leur temps, sur quelque sujet que ce soit, notamment à propos des ouvrages célèbres de Salomon (ou tenus pour tels) que la reine persifle allégrement, ne sont pas le meilleur du récit.

res ; la Bible ne connaît ni cet architecte ni aucun autre, et ne fait nulle mention d'un assassinat survenu pendant la construction du Temple. Nerval a été heureux de pouvoir adopter une figure aussi illustre pour l'opposer au triste Salomon et donner le pas aux prestigieuses antiquités maçonniques sur les hébraïques. Mais le nom qu'il lui a attribué fait problème : il l'appelle Adoniram, au lieu du nom de Hiram, qu'il porte chez les francs-maçons et qu'ils ont emprunté à la Bible : c'est celui d'un artiste fondeur de bronze que Salomon envoie chercher à Tyr pour exécuter ce qui, dans le Temple, relève de sa spécialité et qui s'acquitte en effet de cette tâche[1]. Pourquoi Adoniram ? Ce nom appartient dans la Bible à un personnage tout différent, censé aussi avoir pris part aux travaux du Temple : il est le chef préposé à une levée de trente mille ouvriers destinés à aller à tour de rôle chercher du bois au Liban pour la construction du Temple[2]. Si Nerval a voulu puiser à cette source et adopter ce nom, c'est qu'il projetait non seulement un récit antijéhoviste, mais quelque chose de plus : une perspective pleinement humanitaire sur l'histoire et sur l'avenir, où le peuple ouvrier devait figurer comme une puissance[3].

L'*Histoire de la reine du Matin* pose d'emblée Adoniram comme un personnage d'une envergure incomparablement supérieure à celle de Salomon. Il méprise la magnificence banale du roi, et le Temple même, pourtant grandiose, dont il est l'architecte, mais qu'il tient pour une œuvre mineure, à la mesure d'une humanité mesquine : « Plus l'ouvrage avançait, plus la faiblesse

---

1. *I Rois*, 7, 13-47. Ce Hiram tyrien porte le même nom que le roi de Tyr. L'épisode est plus ou moins répété dans *II Chroniques*, 3, 15-17 et 4, 1-18, mais le Tyrien s'appelle ici Houram (également comme son roi), et c'est un maître en tous travaux d'art, quoiqu'il ne soit dit nulle part architecte du temple. Le héros de Nerval est à la fois architecte, artiste universel, et bien mieux, philosophe de l'art et de l'humanité.

2. Voir *I Rois*, 5, 27-28 (= 5, 13-14 dans certaines bibles) : « Le roi Salomon leva dans tout Israël des hommes de corvée ; leur nombre était de 30 000, [...] et Adoniram dirigeait la corvée. » Cet Adoniram apparaît plusieurs fois comme chef des corvées (ainsi dans *I Rois*, 4, 6 ; ailleurs on le nomme, par abréviation, *Adoram*).

3. On trouve parfois le nom d'*Adonhiram*, avec un *h*, dans la documentation maçonnique (voir *Pl. II, G.-P.*, pp. 1588-1589), mais ce nom n'est que celui de Hiram auquel on a accolé le titre *Adon* (« seigneur » ou « maître Hiram ») ; *Adoniram*, sans *h*, est un autre nom, qu'il faut lire *Adoni-ram* (« mon Seigneur est haut » : sans doute nom hébraïque glorifiant Dieu).

de la race humaine lui paraissait évidente [...]. Adoniram rêvait des travaux gigantesques ; son cerveau, bouillonnant comme une fournaise, enfantait des monstruosités sublimes. » De ce personnage mystérieux, misanthrope et « comme étranger et solitaire au milieu de la lignée des enfants d'Adam », on ne connaît, nous est-il dit, ni l'origine, ni la race[1]. Une imagination surhumaine lui fait haïr en tant qu'artiste l'imitation de la nature commune. Il reproche à son disciple Benoni de ne pas chercher « des formes inconnues, des êtres innommés, des incarnations devant lesquelles l'homme a reculé, des accouplements terribles, des figures propres à répandre le respect, la gaieté, la stupeur et l'effroi[2] ». Il explique à la reine et à Soliman qu'il a découvert, en ruine sur les pentes du Liban, dans les entrailles du roc, « des légions de figures colossales, diverses, et dont l'aspect, dit-il, me pénétra d'une terreur enivrante ; des hommes, des géants disparus de notre monde, des animaux symboliques appartenant à des espèces évanouies ; en un mot, tout ce que le rêve de l'imagination en délire oserait à peine concevoir de magnificences [...]. C'est là que j'ai reçu la tradition de mon art, au milieu de ces merveilles du génie primitif[3] ».

Cette imagination et cette esthétique primitivistes, sur le mode colossal, sont une tentation fréquente du romantisme et de ses lendemains ; mais elles ont ici une signification particulière, que diverses allusions à l'origine secrète du héros rendent perceptible dès ce début. Étranger, on l'a vu, aux hommes qui l'entourent, Adoniram est d'une autre ascendance : « Sais-tu, dit-il à son disciple, ce que firent jadis les enfants d'Hénoch ? une œuvre sans nom... dont le Créateur s'effraya : il fit trembler la terre en la renversant, et, des matériaux épars, on a construit Babylone[4]. » Il s'agit ici, bien sûr, de la tour de Babel. Babel est le nom hébraïque de Babylone, que l'Écriture suppose située sur l'emplacement de la fameuse tour[5].

---

1. *Histoire de la reine*, I, « Adoniram » (*Pl. II, G.-P.*, p. 672).
2. *Ibid.*, (*Pl. II, G.-P.*, p. 675).
3. *Ibid.*, III, « Le Temple » (*Pl. II, G.-P.*, p. 695).
4. *Ibid.*, I (*Pl. II, G.-P.*, p. 674).
5. Voir *Genèse*, 11, 1-9, l'épisode de la tour de Babel. Nerval l'interprète comme un épisode de guerre entre Jéhovah et les caïnites, ce qui, dans le cadre chronologique de la Bible, est impossible. La *Genèse* raconte comment les hommes post-diluviens conçurent le projet orgueilleux de bâtir une ville et une tour, et comment Dieu, pour les en empêcher, diversifia leurs langues, de sorte que, ne pouvant

Mais la tour de Babel, dans la Bible, n'apparaît que plusieurs
générations après le déluge, où fut engloutie la race de Caïn
et de son fils Hénoch. Nerval, en attribuant la construction de
la tour aux «enfants d'Hénoch», suppose au contraire que la
lignée caïnite survécut au déluge : tout son récit et sa pensée
impliquent cette survivance ; nous verrons bientôt comment
il l'établit. Une race redoutable a donc été à travers les siècles,
et continue d'être, en guerre avec Adonaï ; quand Adoniram
exalte les monuments de cette race, il blasphème ouvertement
le Dieu d'Israël : «Forts de leurs inventions, ils pouvaient crier
à celui qui créa tout : ''Ces êtres de granit, tu ne les devines
point et tu ne pourrais les animer.'' » Et il met toute la génération présente au triste niveau de son Dieu : «Le Dieu multiple
de la nature [1] vous a ployés sous le joug : la matière vous
limite ; votre génie dégénéré se plonge dans les vulgarités de
la forme ; l'art est perdu [2].» On comprend la réaction de
Benoni, qui voit dans son maître un «génie rebelle» et s'écrie :
«Ta pensée rêve toujours l'impossible [3].» On comprend aussi
que Salomon, à peine il entend Adoniram évoquer avec enthousiasme les «figures terribles et grandioses du monde ancien»,
manifeste son mécontentement : «Plus d'une fois déjà, observe-
t-il, plus d'une fois, maître, j'ai réprimé en vous, comme une
tendance idolâtre, ce culte fervent des monuments d'une théo-
gonie impure [4].»

La reine, troublée dès qu'Adoniram lui est présenté et lui
parle, exprime le souhait de passer en revue sa «milice artistique», c'est-à-dire ses ouvriers. Adoniram fait un signe maçonnique, et ses 100 000 hommes dispersés dans l'immense foule
des spectateurs se mettent en mouvement, se groupent selon
leurs grades et leurs métiers et défilent devant elle. La reine

---

plus communiquer entre eux, ils renoncèrent à leur projet et se dispersèrent.
Il n'est pas question dans la Bible d'une destruction ou d'un renversement de
la tour, mais seulement dans la tradition orientale (voir *Pl. II*, *G.-P.*, p. 1590).

1. «Multiple» ne convient guère à Jéhovah, dieu un par excellence ; en outre,
cette épithète, employée péjorativement, étonne de la part d'un homme aussi
sympathique au polythéisme que Nerval. Mais Adoniram développe ici l'idée
d'un art *supranaturel*, transcendant la pluralité des formes créées.

2. *Histoire de la reine*, I (*Pl. II*, *G.-P.*, p. 675).

3. *Ibid.*, pp. 674, 675 : qualifications glorieuses, formules majeures du romantisme prométhéen.

4. *Ibid.*, III (*Pl. II*, *G.-P.*, p. 694) ; plus loin (p. 696) : «Anathème sur cet
art d'impiété et de ténèbres !»

est acclamée ; le roi se sent inquiet : «L'existence du peuple venait d'être révélée au sage Soliman [1]», écrit Nerval, soulignant le sens qu'il donne à l'épisode. Adoniram est donc, en même temps qu'un artiste prométhéen et un penseur hérétique, le chef prestigieux d'un peuple futur, porteur des progrès de l'industrie humaine. Le roi n'est pas ami de ce progrès : à la reine qui lui vante les travaux d'irrigation qu'on a faits dans son pays, il répond qu'«il ne faut point tenter Dieu, ni corriger ses œuvres». «Cette maxime, lui répond la reine, provient de votre religion, amoindrie par les doctrines ombrageuses de vos prêtres. Ils ne vont à rien moins [2] qu'à tout immobiliser, qu'à tenir la société dans les langes et l'indépendance humaine en tutelle. [...] Ô roi ! les préjugés de votre culte entraveront un jour les progrès des sciences, l'élan du génie, et quand les hommes seront rapetissés, ils rapetisseront Dieu à leur taille, et finiront par le nier [3].» Tout cela vise, bien sûr, le sacerdoce juif du temps de Salomon, mais plus encore, par voie d'héritage, l'Église catholique du XIXᵉ siècle, en tant qu'ennemie de la science moderne et du progrès [4]. Voilà établies par tous ces développements les valeurs contrastées, de signe positif et négatif, qui donnent son sens au récit. La reine, nous venons de le voir, incline du bon côté. Mais Soliman, usant de ruse, arrive à lui arracher un demi-consentement à leur mariage ; et bientôt après, Adoniram subit un grave échec. Exécutant son ouvrage majeur, la fonte d'un mémorable bassin de métal, d'une «mer d'airain» coulée d'un seul jet dans l'assiette creusée du plateau de Sion [5], il est salué d'abord par la reine éprise de lui, comme «la divinité du feu [6]» ; mais une explosion catastrophique le discrédite, causée exprès par trois

1. *Ibid.* (*Pl. II, G.-P.*, p. 700).
2. *Ibid.*, IV, «Mello» (*Pl. II, G.-P.*, p. 703) ; il veut dire «rien *de* moins» ; la confusion se constate avant Nerval chez de bons auteurs, et se perpétue jusqu'à nous.
3. *Ibid.* (*Pl. II, G.-P.*, pp. 703-704).
4. Nerval n'est pas toujours aussi favorable qu'ici à la science et au progrès ; mais cette faveur se comprend dans une composition humanitaire aussi caractérisée que cette *Histoire de la reine du Matin*. L'antinomie passé-futur, tradition-progrès, poésie-science est coessentielle au romantisme, qui n'a jamais surmonté tout à fait ce dilemme.
5. Cette mer d'airain est évoquée dans la Bible, comme «mer de métal fondu», parmi les ouvrages de Hiram (*I Rois*, 7, 23) ; mais l'accident est de l'invention de Nerval.
6. *Histoire de la reine*, V, «La Mer d'airain» (*Pl. II, G.-P.*, p. 712).

ouvriers rebelles, que Soliman laisse agir ; devant le désastre, Balkis est d'accord avec le roi pour blâmer Adoniram : «La vanité qui immole tant de victimes, prononce-t-elle, est criminelle[1].» Adoniram, qui aime passionnément la reine, rugit de douleur.

Les choses seraient donc au pire si un recours surnaturel ne le sauvait : une apparition colossale se forme devant lui dans les flammes, un fantôme qui l'appelle par son nom, l'encourage et lui demande de le suivre. Cet esprit s'annonce à lui comme «l'ombre du père de tes pères, l'aïeul de ceux qui travaillent et qui souffrent. [...] Ton aïeul, homme... artiste, ton maître et ton patron : je fus Tubal-Kaïn[2]». Adoniram descend donc de Caïn : tel est le secret inouï de son origine. Ici va commencer pour lui, sous la conduite de son aïeul, un fabuleux voyage dans les profondeurs de la terre, au centre de la chaleur et du feu, là où se perpétue la race de Caïn, où vit, autour de l'antique palais d'Hénoch[3], un peuple entier dans le fracas des métaux et les vapeurs fantastiques de leur fonte : «Ici, annonce l'aïeul d'Adoniram, règne sans partage la lignée de Kaïn. Sous ces forteresses de granit, au milieu de ces cavernes inaccessibles, nous avons pu trouver enfin la liberté. C'est là qu'expire la tyrannie jalouse d'Adonaï, là qu'on peut, sans périr, se nourrir des fruits de l'Arbre de la Science[4].» La race de Caïn n'a pas accepté l'interdiction obscurantiste de l'Éden ; le fruit de l'arbre de science est sa nourriture. Tel est, dans l'hérésie humanitaire, un des principes de la réhabilitation de l'Ange rebelle, dont Caïn suit l'exemple. Baudelaire, après Nerval, devait reprendre ce thème[5].

---

1. *Ibid.*, p. 716.
2. *Ibid.*, p. 718. Tubalcaïn, descendant d'Hénoch fils de Caïn, fut ouvrier en métaux, selon la *Genèse*, 4, 22 (cf. Victor Hugo : «Alors Tubalcaïn, père des forgerons», dans *La Légende des siècles*, «La Conscience»).
3. Cet Hénoch, assurément le fils de Caïn, mentionné dans *Genèse*, 4, 17, est ici confondu avec un homonyme très différent de lui ; Nerval écrit en effet : «[...] Là s'élève le palais souterrain d'Hénoch, notre père, que l'Égypte appelle Hermès, que l'Arabie honore sous le nom d'Édris.» Cet Hénoch-là, descendant de Seth et aimé de Dieu (*Genèse*, 5, 18 et 21-24), est en grand honneur dans les traditions orientales et l'illuminisme ; on en fait l'auteur du *Livre* «pseudépigraphe» dit d'*Hénoch* ou d'*Énoch* (autre confusion avec le fils de Seth, *Genèse*, 5, 6-7). Nerval avait pourtant bien distingué les deux Hénoch dans son article *Diorama*, dans *L'Artiste*, 15 septembre 1844 (= *Pl. I, G.-P.*, p. 840).
4. *Histoire de la reine*, VI, «L'Apparition» (*Pl. II, G.-P.*, p. 719).
5. Voir, dans ses *Litanies de Satan*, la prière finale : «Fais que mon âme un jour, sous l'Arbre de Science, — Près de toi se repose, à l'heure où sur ton front —

Science, intensité de pensée et de sentiment, puissance vitale, force émancipatrice et créatrice surabondante ne font qu'un dans l'esprit de Nerval, et le Feu est leur symbole ou leur source commune : fantasme proprement nervalien, sans doute antique métaphore d'existence active et redoutable, souvenir aussi de Prométhée voleur de feu, se mesurant avec un dieu injuste. La race de Caïn a pour ainsi dire le feu en privilège par droit d'origine. Si elle peut vivre et travailler à la température souterraine, double de celle des fourneaux où Adoniram dissout la fonte, c'est, explique Tubalcaïn, que « cette chaleur est la température naturelle des âmes qui furent extraites de l'élément du feu [1] ». C'est en vertu d'une telle origine que cette race, quoique maudite, entretient la chaleur sous la surface de la terre et en communique quelque chose à la race d'Adam, pétrie de terre et livrée au froid. C'est Caïn lui-même, survivant sous la terre avec ses descendants, qui prend la parole pour dire de quelle source sa race procède : « Héva fut ma mère ; Éblis, l'ange de lumière, a glissé dans son sein l'étincelle qui m'anime et qui a régénéré ma race ; Adam, pétri de limon et dépositaire d'une âme captive, Adam m'a nourri. Enfant des Éloïms, j'aimai cette ébauche d'Adonaï, et j'ai mis au service des hommes ignorants et débiles l'esprit des génies qui résident en moi [2]. » Éblis est le nom arabe de Lucifer-Satan. Caïn était donc fils de l'Ange rebelle, dont lui et sa race conservent l'esprit ; cet ange est un des Éloïm, esprits de feu antérieurs à la naissance d'Adam, lequel ne fut que le père nourricier de Caïn. Il se plaint de n'avoir pas été aimé, ni d'Adam ni de sa mère, et d'avoir souffert de leur préférence pour Abel ; Dieu lui-même agrée les offrandes d'Abel et repousse les siennes [3] : « C'est ainsi, continue Caïn, que ce Dieu jaloux a toujours repoussé le génie inventif et fécond, et donné la puissance avec le droit d'oppression aux esprits vulgaires [4] [...] De là provint la première lutte des djinns ou

---

Comme un Temple nouveau ses rameaux s'épandront ! » Naturellement, le Satan de Baudelaire n'est pas toujours celui-là, mais celui-là est une indiscutable version du Satan humanitaire, et bien corsée : régnant au lieu de Dieu, dans l'Éden même, avec l'Arbre de Science prospérant en forme de Temple nouveau, refuge des penseurs et des poètes.

1. *Histoire de la reine, ibid.*, pp. 720-721.
2. *Ibid.*, VII, « Le Monde souterrain », p. 723.
3. Voir *Genèse*, 4, 4-5.
4. Caïn, selon l'Écriture, était agriculteur ; Abel, pasteur, représente un état moins avancé de civilisation.

enfants des Éloïms, issus de l'élément du feu, contre les fils d'Adonaï, engendrés du limon[1].» C'est ainsi que Caïn en vient à tuer son frère. «Pour effacer mon crime, dit-il, je me suis fait bienfaiteur des enfants d'Adam. C'est à notre race, supérieure à la leur, qu'ils doivent tous les arts, l'industrie et les éléments des sciences. Vains efforts! en les instruisant, nous les rendions libres... Adonaï ne m'a jamais pardonné[2].»

Tubalcaïn reprend la parole pour encourager Adoniram et dire comment la race de Caïn a survécu au déluge. Tandis que Jéhovah amoncelait des eaux dans les réservoirs du ciel, Tubalcaïn appela le feu à son secours, lui ordonnant de creuser les galeries souterraines où sa race s'est réfugiée après en avoir cimenté les issues, et où elle survit. Après le déluge, quelques-uns remontèrent vers la terre ravagée, et parfois y séjournèrent. Tel fut le fils de Tubalcaïn, qui fut aimé de la femme de Cham, fils de Noé. De ce couple descendit donc un nouveau lignage de Satan et Caïn, quoique apparemment adamite, dont Adoniram apprend qu'il est issu lui-même[3]. Ce fils de Tubalcaïn, intervenant à son tour, fait savoir à Adoniram son descendant quel sort Adonaï lui a annoncé pour sa postérité sur la terre[4].

---

1. *Histoire de la reine, ibid.*, p. 724.

2. *Ibid.* — Adam ne lui a pas non plus pardonné le meurtre de son fils : la tombe d'Adam parle et lui demande encore, après si longtemps, ce qu'il a fait de son frère. Caïn, en raison de son fratricide, est plus difficile à réhabiliter que Satan même : quand il s'entend interpeller sur Abel, il roule par terre et entre en convulsion ; et notre narrateur hétérodoxe ne peut s'empêcher de s'écrier : «Tel est le supplice de Kaïn, car il a versé le sang.» (*Ibid.*, p. 724.) — D'autre part, Adonaï, si mal qu'il soit jugé dans ce récit, n'en est pas moins redoutable à ses ennemis, et conserve son pouvoir sur les mondes. Les discours caïnites ont beau railler sa débilité, et Tubalcaïn se moquer du «soleil d'Adonaï, fourneau manqué qui n'aurait même pas la force de cuire un œuf» ; l'homme et la terre, ses créatures ont beau ne disposer que d'une étincelle passagère de calorique vital, il garde le pouvoir de tenir les révoltés en respect (voir *ibid.*, pp. 720-721).

3. *Ibid.*, p. 727. — À ce lignage, d'après Nerval, est censé appartenir Nemrod, rebelle à Dieu ; Dieu reconnut en lui et les siens la descendance de Caïn. Nemrod a, paraît-il, ce caractère dans la tradition orientale (voir *Pl. II, G.-P.*, p. 1610, note 4) ; il l'a aussi, très prononcé, dans *La Fin de Satan* de Hugo, qui cependant n'altère pas sa généalogie ; dans la Bible (*Genèse*, 10, 9 et suiv.), il est seulement un puissant chasseur et dominateur de terres, et il descend en droite ligne de Seth et d'Adam.

4. Ce fils de Tubalcaïn, étant retourné sur la terre et y étant mort, est apparemment sous l'autorité d'Adonaï et n'a pas, après sa mort, l'immortalité visible et corporelle des caïnites qui ont achevé leur vie dans le monde souterrain ; son corps s'est dissous, seule sa parcelle d'âme survit dans l'air, et il parle sans être vu.

Et il ressort de cette annonce que la lignée des descendants de Caïn qui se perpétue dans notre monde n'est autre que celle des esprits supérieurs, penseurs, poètes et savants, telle que la conçoit, dans son excellence et ses épreuves, l'humanitarisme romantique : « Tes descendants naîtront faibles, a dit Adonaï ; leur vie sera courte ; l'isolement sera leur partage. L'âme des génies conservera dans leur sein sa précieuse étincelle, et leur grandeur fera leur supplice. Supérieurs aux hommes, ils en seront les bienfaiteurs et se verront l'objet de leurs dédains ; leurs tombes seules seront honorées. Méconnus durant leur séjour sur la terre, ils posséderont l'âpre sentiment de leur force, et ils l'exerceront pour la gloire d'autrui. Sensibles aux malheurs de l'humanité, ils voudront les prévenir, sans se faire écouter. Soumis à des pouvoirs médiocres et vils, ils échoueront à surmonter ces tyrans méprisables. Supérieurs par leur âme, ils seront le jouet de l'opulence et de la stupidité heureuse. Ils fonderont la renommée des peuples et n'y participeront pas de leur vivant. Géants de l'intelligence, flambeaux du savoir, organes du progrès, lumières des arts, instruments de la liberté, eux seuls resteront esclaves, dédaignés, solitaires. [...] Ils nourriront l'espérance, toujours déçue, ravivée sans cesse, et plus ils travailleront à la sueur de leur front, plus les hommes seront ingrats[1]. » Toutefois, démentant l'oracle d'Adonaï, Tubalcaïn prophétise à Adoniram un triomphe final : « De toi naîtra une souche de rois qui restaureront sur la terre, en face de Jéhovah, le culte négligé du feu, cet élément sacré. Quand tu ne seras plus sur la terre, la milice infatigable des ouvriers se ralliera à ton nom, et la phalange des travailleurs, des penseurs abaissera un jour la puissance aveugle des rois, ces ministres despotiques d'Adonaï. Va, mon fils, accomplis tes destinées...[2] »

Adoniram remonte sur terre. Sous l'inspiration et avec l'aide de Tubalcaïn, il répare la mer d'airain et retrouve son crédit. La suite raconte la réconciliation et l'union d'Adoniram et de Balkis. On apprend que la reine elle aussi est issue de Tubalcaïn par Nemrod, et qu'elle tient de ses ancêtres la huppe magique qui l'accompagne et le pouvoir qu'elle exerce sur les oiseaux des airs. De cette commune origine provenait l'invincible attirance entre Adoniram et elle. Cependant Nerval savait, en

1. *Ibid.*, pp. 728-729.
2. *Ibid.*, pp. 729-730.

choisissant son héros, qu'une fin heureuse n'était pas possible, une tradition maçonnique trop accréditée faisant mourir assassiné l'architecte du Temple. Peut-être même n'a-t-il choisi ce héros que parce qu'il entendait bien lui donner cette mort : les trois ouvriers criminels paraissent tôt dans son récit et conduisent leur projet jusqu'au bout ; tandis que Balkis, ayant rompu avec Soliman, fuit vers son royaume, Adoniram succombe avant d'avoir pu la rejoindre. De sorte qu'une vaste construction biblico-humanitaire aboutit, contre toutes les règles, à un dénouement sinistre.

L'*Histoire de la reine du Matin* est, dans l'œuvre de Nerval, une création unique. Faisant agir ici une faculté de synthèse rare chez lui, il y a combiné la légende biblique, les traditions maçonniques, des données occultistes et orientales diverses, auxquelles il se réfère à plusieurs reprises dans ses notes et qu'il mêle ou modifie à son gré, les vues théo-mythologiques et l'eschatologie de l'humanitarisme contemporain. L'ensemble, quoique se ressentant fortement de motivations personnelles, comme il est inévitable, atteste un dessein de prédication objective : Nerval a essayé cette fois de proposer à son lecteur une définition de l'histoire et des destinées de l'humanité, selon une vocation romantique profonde, que le désenchantement ne devait jamais éteindre tout à fait. Ce qui frappe d'abord a trait au drame de la Faute et du Châtiment : sur ce point, tout l'humanitarisme refond la version biblique en disculpant ou justifiant plus ou moins le Coupable aux dépens du Dieu punisseur, mais sans aller jusqu'à une franche accusation de Dieu et en recherchant une réconciliation, dont on ne voit pas l'idée chez Nerval. En prenant le problème au niveau de Caïn, et non de Satan comme on faisait presque toujours, il s'obligeait à demander l'absolution d'un crime. Revendication radicale, mais aussi, de ce fait, insoutenable. Or, demander ce qui ne peut être accordé, n'est-ce pas signe de peu de foi ? Caïn, dans son esprit, n'incarne-t-il pas l'irrémédiable ?

Cette impression est balancée chez le lecteur par l'importance qu'il a tenu à donner, sous l'invocation maçonnique, au Travail industriel et au Peuple ouvrier [1]. L'espérance et les

---

1. Le surhomme Adoniram est appelé en un endroit « l'ouvrier », et il est dit que, parmi le monde souterrain s'adonnant à ses bruyants travaux, cet ouvrier, « dans ce monde où les ouvriers étaient rois », ressent une allégresse et un orgueil profonds (*ibid.*, p. 726).

vues d'avenir en ce domaine ont, nous le savons, toujours persisté chez Nerval, faciles à ranimer ; mais c'étaient, surtout après juin 1848, des survivances. On pourrait s'étonner qu'à côté du Prolétaire il n'ait pas glorifié la Femme, autre type fondamental des constructions humanitaires. En fait, la merveilleuse reine du Matin est, dans cette histoire, très en retrait de son partenaire masculin : elle a failli abandonner Adoniram au moment critique, et son prestige tient plus à sa beauté et à quelques privilèges magiques qu'à d'éminentes vertus. Peut-être a-t-il cédé, dans la représentation du couple Adoniram-Balkis, à l'image du Travailleur-Artiste d'obscure origine subjuguant et convertissant une dame aristocrate. Par contre, il a exalté, sur un pied d'égalité avec l'homme d'action et de travail, et comme étant de même race que lui, le représentant moderne de la pensée spéculative, Poète, Penseur, Artiste : il a uni les deux types en Adoniram ; il les a confondus dans toute la lignée caïnite passée et à venir, d'accord avec tout l'humanitarisme qui magnifie l'alliance des Travailleurs et des Intellectuels.

Il y a encore un mot à dire de l'extraordinaire origine d'Adoniram. Il est, comme on l'a vu, d'une lignée tout entière issue apparemment de Cham, fils de Noé, et par Noé de Seth, fils d'Adam, et d'Adam lui-même ; c'est donc, à première vue, un « enfant du limon » ; mais en réalité cette lignée a été faussée, au niveau de Cham, par l'adultère de sa femme avec le fils de Tubalcaïn, et c'est de cette branche adultérine, et non de Cham, que descend en réalité Adoniram. En outre, le fils de Tubalcaïn, auteur de cette branche, et Tubalcaïn lui-même, fils de Caïn, ne doivent rien à Adam : Caïn est né de l'adultère de Satan avec Ève. Par la grâce de deux adultères, intervenus à la source d'abord, puis dans le cours de son lignage, Adoniram tient plus du feu des Éloïm que du limon d'Adonaï. Cette très étrange affabulation, qui établit la surhumanité secrète d'un héros cher à Nerval, ne peut pas ne pas faire penser à la prétention délirante que nous avons aperçue chez lui : celle qui le fait descendre, non du docteur Labrunie, mais d'un personnage illustre qui s'est uni clandestinement à sa mère. Si la participation au feu est le privilège qui résulte de cette naissance secrète, c'est que ce remède mythique répond bien à la quête anxieuse de vitalité et de force qui obséda Nerval, et généralement tout le romantisme désenchanté[1]. On ne saurait peut-être mieux définir l'*Histoire de la reine du Matin* que comme une vaste célébration du « feu vital » contre l'oppression de Dieu et des siens[2].

Tout cela dit, il convient de souligner la résonance plutôt sombre de cette fable, même en ses pages glorieuses. Le fait que Caïn soit le patron de son héros en écarte le ton triomphal. Adoniram meurt, Adonaï l'emporte et Balkis se retire dans son obscur royaume. La prophétie d'un avenir réparateur est d'autant plus incertaine que la mission des penseurs est proclamée, dans une page fortement sentie, sur le mode exclusif de l'épreuve et de la douleur. Nous savons que Nerval était désillusionné depuis les lendemains de 1830 ; faut-il mettre au compte de l'influence de 1848 la velléité d'optimisme dont témoigne d'une certaine façon l'*Histoire de la reine du Matin* ? Peut-être ; mais l'espérance s'y prononce à peine ; elle est faible et éloignée, comme elle l'était vite devenue dans la France de la IIe République[3].

1. Nous avons déjà vu cette obsession chez Musset. Dans la génération suivante, elle affecte Baudelaire : voir, par exemple, dans le groupe de poèmes intitulés *Spleen*, dans *Les Fleurs du mal*, les deux qui ont respectivement pour premier vers *J'ai plus de souvenirs que si j'avais mille ans* et *Je suis comme le roi d'un pays pluvieux*.

2. À propos de l'obsession du feu chez Nerval, on évoque souvent le premier tercet du sonnet *À J-y Colonna*, qui, figurant dans le manuscrit Dumesnil de Gramont, doit remonter à 1841. Dans ce tercet, Nerval, au sein du paysage napolitain, s'adressant à une femme qu'il nomme Daphné, lui dit :

> *Sais-tu pourquoi là-bas le volcan s'est rouvert ?*
> *C'est qu'un jour nous l'avions touché d'un pied agile*
> *Et de sa poudre au loin l'horizon s'est couvert !*

Il imagine donc un pouvoir du couple sur le feu souterrain. Ces vers peuvent bien, à ce titre, être rattachés au thème général du feu comme puissance cosmique pouvant obéir à l'homme. — Sur le sort ultérieur des tercets de ce sonnet, voir plus haut, p. 364, note 1. Il faut remarquer aussi que, dans les deux sonnets où ils ont figuré successivement, *À J-y Colonna* et *Myrtho*, le thème dominant est la nostalgie des divinités païennes. Mais ni le décor ni l'esprit même de ces vers n'ont rien de caïnite ; nulle allusion ne va dans ce sens, nulle révolte n'y paraît contre le Dieu unique : le rapport de cette imagination napolitaine avec le caïnisme est lointain, et peut sembler problématique. — On peut en dire autant du titre des *Filles du feu* : est-on sûr que Nerval l'ait entendu en rapport avec le thème qui nous intéresse ? Il ne l'a pas adopté, en tout cas, sans hésitation : voir sa lettre à Daniel Giraud [vers le 10 janvier 1854].

3. Peut-être convient-il de joindre à ce chapitre sur Nerval mythologue, à condition de prendre ce mot au sens large, une mention du drame intitulé *L'Imagier de Harlem ou La Découverte de l'imprimerie*, qui fut représenté le 27 décembre 1851 au théâtre de la Porte Saint-Martin et dut être retiré de l'affiche le 23 janvier suivant. Ce drame-légende à grand spectacle en cinq actes et dix tableaux, en prose et en vers, avec grands effets de décors et métamorphoses scéniques, avait

ANTÉROS

Dans un sonnet des *Chimères*[1], un personnage qui s'exprime à la première personne incarne le ressentiment contre le «dieu vainqueur», nommément Jéhovah. Quel rapport entre ce contenu et le titre du sonnet ? Il semble qu'il faille entendre «Antéros» comme étant le dieu de l'amour dédaigné, vengeur de ce dédain[2] ; la haine vouée à Jéhovah serait donc née du mépris par lequel il a répondu à un hommage : nous avons vu, dans l'*Histoire de la reine du Matin*, Caïn se plaindre que Dieu n'ait pas accueilli son offrande. Le sonnet toutefois n'en vient pas à Caïn pour commencer :

> *Tu demandes pourquoi j'ai tant de rage au cœur*
> *Et sur un col flexible une tête indomptée*[3] *;*
> *C'est que je suis issu de la race d'Antée*[4]*,*
> *Je retourne les dards contre le dieu vainqueur.*

---

pour auteurs conjoints Méry, Lopez et Nerval. Comme on ignore quelle fut la part exacte de Nerval dans cet ouvrage, nous n'en dirons que quelques mots. — Ce qui relie cette pièce au thème de l'Imprimerie et au type de Faust — deux obsessions de Nerval — est étudié en détail par J. Guillaume et Cl. Pichois dans leur édition Pléiade des *Œuvres* de Nerval, t. II, pp. XV-XXIV ; on trouvera *ibid.*, pp. XXV-XXXI, des détails sur le contenu de l'œuvre. Ce qui nous intéresse surtout ici est le mythe historico-humanitaire sur lequel ce drame est bâti : l'imprimerie, supposée inventée par Laurent Coster de Harlem et ses assistants, est soutenue par la Providence et combattue par le Diable, en tant que source de progrès pour l'humanité, dans une succession d'épisodes : à Harlem, à Aix-la-Chapelle, à la cour de Louis XI en France, dans l'Espagne de la même époque, dans l'Italie des Borgia. Le Diable et son auxiliaire féminine sont incarnés, à chaque épisode, dans des personnages humains, inventés ou historiques, qui essaient de perdre Coster ; sa femme et sa fille le sauvent et font enfin annuler surnaturellement le don qu'il a fait de son âme à Satan. La lutte de Dieu et de Satan à travers l'histoire humaine est un thème chrétien, largement naturalisé dans le romantisme, et en somme assez banal, comme la plupart des types et éléments de cette volumineuse construction.

1. Le sonnet n'est connu que par sa publication parmi *Les Chimères* (édition originale des *Filles du feu*, 1854) ; nous n'en avons pas de manuscrit ; date de composition non connue.

2. Ἀντέρως, en grec, est susceptible de plusieurs sens : «dieu de l'amour réciproque», «dieu et vengeur de l'amour dédaigné», «dieu ennemi de l'amour» ; le second sens semble le mieux convenir ici.

3. Ce col est à rapprocher du «col rigide» que Dieu reproche aux juifs indociles (*Exode*, 32, 9). Notre héros est fragile, mais inébranlable pourtant.

4. D'après ce vers, celui qui parle ne saurait être Antéros, qui n'a rien à voir, généalogiquement, avec le géant Antée, qui se mesura avec Hercule. Le *Je* du

Cette référence à un mythe païen [1] est une harmonique préalable au motif caïnite qui surgit aussitôt :

> *Oui, je suis de ceux-là qu'inspire le Vengeur,*
> *Il m'a marqué le front de sa lèvre irritée,*
> *Sous la pâleur d'Abel, hélas! ensanglantée,*
> *J'ai parfois de Caïn l'implacable rougeur!*

Le héros se réclame d'un Vengeur qui peut bien être le dieu Antéros, mais pourquoi pas, plus simplement, Caïn ? Le Meurtrier réhabilité aux dépens de Jéhovah est le vengeur naturel de ceux que Jéhovah opprime [2] ; c'est lui qui, de son souffle ou de sa morsure, a marqué le front du héros, lui communiquant le rouge de sa colère. L'allusion au pauvre Abel pâle et sanglant, auquel Nerval s'identifie aussi, ne doit pas étonner : il est, comme vaincu, de la race d'Abel, et comme vengeur, de celle de Caïn ; il suggère, par cette double sympathie, que ni l'un ni l'autre n'est coupable du crime provoqué par l'iniquité de Jéhovah. Dans le premier tercet retentit le cri d'un dieu païen vaincu le dernier par Jéhovah, et non soumis :

> *Jéhovah ! le dernier, vaincu par ton génie,*
> *Qui du fond des enfers, criait : « Ô tyrannie ! »*
> *C'est mon aïeul Bélus ou mon père Dagon...*

Tout est mythologie dans ce héros : fils et petit-fils de dieux naturellement ennemis de Jéhovah, un triple bain dans le Cocyte l'a rendu invulnérable. Avec sa mère, nous revenons à l'Écriture : sa mère est d'une race illustre, ennemie d'Israël et de son Dieu, et il doit la protéger contre leur haine ; mais il use pour cela d'un moyen renouvelé des Grecs : il sème les

---

sonnet, apparemment, est un héros imaginaire, supposé de haut lignage mythique, auquel Nerval s'identifie.

1. Antée retrouvait ses forces en touchant la Terre, sa mère, et reprenait aussitôt la lutte contre son vainqueur.
2. En 1869, Caïn est nommé « Le Vengeur » par Leconte de Lisle dans son *Quaïn* (strophes 78, 90, 99) recueilli dans les *Poèmes barbares*. Je ne saurais dire si cette appellation lui avait déjà été donnée dans la littérature concernant Caïn au temps de Nerval.

dents d'un dragon pour qu'elles lui donnent des hommes d'armes ; c'est ce que dit le dernier tercet :

> *Ils m'ont plongé trois fois dans les eaux du Cocyte,*
> *Et protégeant tout seul ma mère Amalécyte,*
> *Je ressème à ses pieds les dents du vieux dragon* [1].

Peut-on dire que ce sonnet relève de la légende personnelle de Nerval parce qu'il est tout entier à la première personne ? C'est plutôt, à première vue, une rêverie ou une fabrication mythologique, quoique le feu des Éloïm et d'Adoniram soit le même qui brûle, comme désir de puissance, au fond du cœur de Nerval. C'est pourtant bien le poète mythologue qui parle ici, recomposant de son mieux, pour lui-même et pour ses lecteurs, des fables d'Orient. La légende intime et particulière de Gérard de Nerval est autre chose.

---

1. Bélus ou Baal, dieu phénicien ; Dagon, dieu philistin : rejetés dans les enfers par le triomphe de Jéhovah ; Amalek, peuple ennemi par excellence des Hébreux dès la sortie d'Égypte ; les dents du dragon, semées par Jason ou Cadmus, et produisant des hommes armés.

IX

LA LÉGENDE PERSONNELLE

L'autobiographie a peu de place dans ce que Nerval a écrit jusqu'en 1850. La référence au *moi* y est modeste, sauf dans les récits de voyage qui sont naturellement à la première personne, mais sur un tout autre plan que celui de l'expérience intime, et dans quelques sonnets mythiques, dont le *je* n'est pas censé être nécessairement celui du poète. C'est seulement dans les dernières années de Nerval que ses souvenirs, ses amours, son passé et son présent se font connaître comme les expériences d'un *moi avoué*. Nous l'avons vu, dans les années 1840, en quête d'une croyance et engagé dans des démarches où se laisse deviner sans doute sa personnalité, mais sans qu'il nous la fasse lui-même connaître comme telle autrement que par quelques allusions. Son désir de donner un sens à l'univers apparaissait au premier plan, implicitement supposé commun à toute humanité, et la façon dont il répondait à ce désir pouvait valoir pour son lecteur comme pour lui. L'œuvre ne perdra jamais cette portée universelle ; le lecteur de Nerval sera toujours son adepte virtuel, mais désormais dans la communion de ses espoirs et de ses déceptions. Une expérience malheureuse de l'amour, une santé mentale fragile, l'afflux des souvenirs d'enfance et d'adolescence, l'obsédante nostalgie des lieux de sa jeunesse, une double dépendance par rapport à la réalité et au rêve accompagneront jusqu'à la dernière heure sa quête de salut — ou de bonheur : il serait vain de vouloir chez lui distinguer l'un de l'autre. Pour ce qui concerne l'amour et la folie, nous avons dû déjà beaucoup anticiper sur ce que nous avons à dire ici, parce que ces deux données de sa personne se manifestent chez lui dès les années 1840, et qu'on ne peut en parler sans faire état déjà de plusieurs des confidences de la fin de sa vie : il n'y a pas de calendrier selon lequel puissent s'ordonner aisément, sans anticipations ni retours en arrière, la carrière et les écrits de Nerval. Ses dernières œuvres, surtout *Sylvie* et *Aurélia*, reprennent et résument toute la matière de sa vie, dans une perspective de constante interrogation sur le salut plutôt que de narration pure ou d'effusion. Nous tâcherons de le suivre dans cette marche en ajoutant nos questions aux siennes.

Approche psychologique ?

Du fait que le *moi* domine l'œuvre des dernières années, il ne résulte pas, bien sûr, qu'une approche psychologique suffise à nous en livrer le sens. Nous aurions d'ailleurs du mal à pratiquer cette approche de Nerval, vu le peu que nous savons de sa vie personnelle, hors ce qu'il nous en dit lui-même, et qui peut tromper autant qu'éclairer. Curieusement, dans de tels cas, où l'information disponible indépendamment de l'œuvre se réduit à presque rien, on croit trouver un secours dans la psychanalyse ; mais cette méthode, dans le traitement médical de ses patients, corrige la qualité douteuse du témoignage de l'intéressé en le lui faisant prolonger à l'infini au long des séances. Tant de choses donc auraient besoin d'être connues pour éclaircir le cas d'un malade, et si peu pour éclairer les sources intimes d'une œuvre ! Nous savons que Nerval a perdu à deux ans et demi sa mère, morte en Silésie où elle avait suivi son mari, médecin des armées napoléoniennes ; Nerval, quand il commence à entrer en confidence, c'est-à-dire plus de quarante ans après cette mort, l'évoque souvent avec douleur ou dévotion [1]. Il passa toute son enfance dans sa famille maternelle, dans le Valois, où son père, si l'on en croit son récit, vint soudainement le chercher à sept ans pour l'emmener avec lui à Paris [2].

---

1. Voir *Lorely*, Préface « À Jules Janin » (1852), début du 6ᵉ paragraphe avant la fin ; lettre au docteur Émile Blanche, 25 novembre 1853, et à Dublanc, 27 novembre 1853 ; lettre à Liszt, 23 juin [1854], dans Nerval, *Lettres à Franz Liszt*, éd. J. Guillaume et Cl. Pichois, Namur, 1972, p. 33 ; Nerval, *Promenade et souvenirs*, III, § 8 ; IV, §§ 10 et 11 ; *Aurélia*, fragment III du manuscrit primitif, Pl. I, p. 420 ; *Aurélia*, IIᵉ partie V, deux mentions.
2. *Promenades et souvenirs*, IV, derniers paragraphes.

Il est probable qu'il souffrit de cette transplantation, comme en général les enfants dans ce cas. De ses relations avec son père dans la suite de sa vie, nous pouvons nous faire une idée par une longue correspondance qui se continua jusqu'à la fin. Les lettres de Nerval [1] — les seules que nous ayons, celles du docteur Labrunie sont perdues — le montrent fort attaché à son père et témoignent de son affection et de son respect ; mais elles attestent aussi qu'une entière et réciproque confiance ne régnait pas entre le père et le fils. Gérard, qui souhaite ardemment être estimé de son père, sait qu'il ne l'est pas : son refus d'imiter la carrière paternelle (il interrompit des études de médecine commencées), son état et ses fréquentations de littérateur sans glorieuse célébrité, la dilapidation rapide après 1834 de l'héritage de son grand-père maternel, ses besoins et ses demandes d'argent, tout cela mécontentait son père, qui ne s'en cachait pas. Nerval ressentait douloureusement, mais avec une inlassable révérence, cette attitude paternelle, qu'il justifiait quelquefois par ce qu'il croyait être ses torts. Cependant, il ne cachait pas toujours son amertume et maintenait son droit à une carrière indépendante, essayant en vain de faire valoir auprès de son père ses mérites littéraires, ses relations, ses succès, et la sagesse de son budget [2].

Une mère morte jeune, jamais connue, et un père désapprobateur ne font rien prévoir de bon quant à l'épanouissement futur de leur enfant ; et l'on peut penser si l'on veut que les thèmes du Féminin céleste et de Jéhovah tyran, si ancrés dans la littérature de Nerval, doivent quelque chose à une telle situation. Mais, outre qu'un tel schéma d'explication est contestable dans son excessive simplicité, il ne peut répondre qu'aux préoccupations du psychologue ou du psychiatre, en ce qu'il les éclaire peut-être sur la source des difficultés dont souffre leur patient, et sur les moyens éventuels d'y porter remède. Notre intérêt à nous est sensiblement différent. Nous ne cherchons

1. Nous avons une quarantaine de lettres de Nerval à son père (une seule subsiste de son père à lui, début [1852 ?], s'inquiétant de sa santé). Les lettres de Nerval datent surtout de ses périodes de voyage ou de séjours en clinique.

2. Sur cette situation psychologique, voir notamment ses lettres du [26 novembre] et du 2 décembre [1839] (demande, longuement justifiée, d'un prêt de 200 francs, qui ne lui fut pas accordé ; aussi, entre autres, lettre du 30 janvier [1840] ; lettre du 3 mars 1841 (quelques jours après sa première crise, discussion générale de leurs rapports) ; lettre d'Allemagne, du 20 juin 1854, affectueuse et mécontente.

pas à guérir Nerval, mais à comprendre à quelles valeurs, à quels enseignements, si l'on préfère, il aboutit, touchant la condition humaine que nous avons, lui et nous, en commun. Ce qui se situe derrière cette lumière qu'il nous propose de partager avec lui, de conscience à conscience, ne nous intéresse qu'accessoirement, et comme pouvant aider au principal ; renverser l'ordre, réduire l'héritage du poète aux causes, extérieures ou psychiques, vraies ou supposées, qui ont pu l'influencer, c'est proprement tourner le dos à celui que nous prétendons connaître et consulter.

Puisque nous parlons de psychanalyse, rappelons que nous ne savons à peu près rien de certain de la vie amoureuse et sexuelle de Nerval. Il fait état, dans ses récits de voyage, de conquêtes faciles : la Kathi et la Wahby à Vienne, la Javanaise Zaynab achetée au Caire et gardée jusqu'à Beyrouth. Peut-être se vante-t-il parfois de succès imaginaires. Qui le saura ? Sur le chapitre de son grand amour, nous avons vu le peu que nous savons : cet amour a le langage de la solitude plus que celui de la passion ; Nerval l'a-t-il réellement vécu ? ou bien en imagination, surtout ? Pour ne rien omettre de notre chétive information sur le Nerval réel en matière d'amour, rappelons qu'une lettre de Théophile Gautier en 1836, écrite de Belgique où il voyageait avec Nerval [1], fait état de son « priapisme » et du scandale qui en résulte : plaisanterie, sans doute, aux dépens d'un camarade vainement en quête de succès féminins ; Gautier était très capable de ce genre de gaieté. D'autre part, nous avons cité le titre de *vestal* [2] que Nerval s'attribue lui-même avec humour. Nous aimerions, bien sûr, en savoir davantage. Mais nous ne savons, pratiquement, de Nerval que ce qu'il a imaginé et écrit lui-même à notre intention. Heureusement, c'est pour nous l'essentiel.

Sur « El Desdichado » et « Artémis »

Nous considérerons d'abord ces deux sonnets, les plus fameux entre ceux que Nerval a écrits. Ils ne sont pas différents abso-

---

1. GAUTIER, lettre à Eugène Piot (cachet de la poste, 30 juillet 1836), dans *Correspondance générale*, édition déjà citée.
2. Voir ci-dessus, p. 344, note 1.

lument des autres sonnets mythiques, déjà commentés, où l'auteur figure lui-même, comme *Delfica* ou *Antéros* ; mais la situation imaginaire qu'il assume n'est plus ici fixée en un thème doctrinalement conçu, Retour des dieux ou Révolte caïniste. La substance d'*El Desdichado* ou d'*Artémis* ne saurait tenir dans une formule. Un mouvement lyrique, qui n'obéit qu'à sa propre loi, y module la fable de surprise en suprise. Ce que Nersal poursuit dans ces rêveries, tout irréelles qu'elles sont, c'est sa propre légende. Ces sonnets sont bien, à cet égard, du dernier temps de sa vie[1]. Ce que Nerval nous dit, qu'il les a écrits en rêvant et qu'ils perdraient leur charme à être expliqués[2], est de saison ici plus qu'ailleurs : en tant que textes écrits à la première personne, ils font plus que d'autres l'impression d'évoquer des souvenirs dont l'auteur connaît la vérité sans vouloir la découvrir toute. Mais qui peut percer ce qu'un autre pense, et ne juge pas bon de lui dire, alors qu'il ne s'agit de rien de notoire ? C'est bien pourquoi, d'un lecteur à l'autre, la conjecture diffère. En pareil cas, il convient de se contenter de ce que le texte a nécessairement d'explicite, étant fait de mots et de tours familiers, de refaire sur cette trame le lien de la rêverie, et d'ignorer surtout ce qui en aucune façon n'est dit ni suggéré impérativement.

El Desdichado se prête merveilleusement à ce commentaire réceptif. J'en donne le texte d'abord pour avoir le moins possible à dire :

EL DESDICHADO

Je suis le ténébreux, — le veuf, — l'inconsolé,
Le prince d'Aquitaine à la tour abolie :
Ma seule étoile *est morte, et mon luth constellé*
Porte le *Soleil noir de la* Mélancolie.

1. *El Desdichado* parut dans *Le Mousquetaire* d'Alexandre Dumas le 10 décembre 1853 ; *Artémis*, dans *Les Filles du feu*, parmi les sonnets des *Chimères*, vers la mi-janvier 1854. Deux manuscrits portent l'un et l'autre le texte de ces deux sonnets, avec quelques variantes (les manuscrits Lombard et Eluard : voir l'édition critique Jean Guillaume des *Chimères*, pp. 58 et suiv., 74 et suiv.). On pense d'ordinaire qu'*El Desdichado* et *Artémis* ont été composés peu avant leur publication ; mais nous ne savons, à vrai dire, ni la date certaine de leur composition, ni celle des manuscrits.

2. Préface des *Filles du feu*, « À Alexandre Dumas », dernier §.

Dans la nuit du tombeau, toi qui m'as consolé,
Rends-moi le Pausilippe et la mer d'Italie,
La fleur qui plaisait tant à mon cœur désolé,
Et la treille où le pampre à la rose s'allie.

Suis-je Amour ou Phébus ?... Lusignan ou Biron ?
Mon front est rouge encor du baiser de la reine ;
J'ai rêvé dans la grotte où nage la syrène...

Et j'ai deux fois vainqueur traversé l'Achéron :
Modulant tour à tour sur la lyre d'Orphée
Les soupirs de la sainte et les cris de la fée.

Nerval ouvre ce sonnet par une impressionnante figuration de sa personne, sous le double signe du deuil et de la haute légende chevaleresque. La chevalerie est évoquée par le personnage littéraire auquel renvoie le titre[1], par l'allusion au

1. On ne peut que contredire, à propos de ce titre, ce qu'on voit trop souvent écrit : *desdichado* n'a jamais signifié en espagnol « déshérité », mais simplement « malheureux » (de *dicha*, « bonheur » ; *desdicha*, « malheur »). Il vaut la peine de signaler cette erreur, pour l'amour de l'espagnol : à l'égard du sonnet, elle est sans importance, car il y a toutes les chances que Nerval, en employant le mot espagnol, l'ait partagée, par la faute de Walter Scott. *Ce Desdichado* est, comme on sait, un chevalier qui, dans *Ivanhoe*, se présente au grand tournoi d'Ashby sous l'incognito, et que Scott introduit en disant : « The device on his shield was a young oaktree pulled up on the roots with the Spanish word *Desdichado*, signifying Disinherited » ; et il l'appelle toujours ensuite, jusqu'à ce que son vrai nom d'Ivanhoe soit dévoilé, « The Disinherited Knight ». C'est un jeune noble saxon que Jean sans Terre a dépouillé de son fief pendant son séjour à la croisade et qui, à son retour, essaie de le regagner. C'était donc bien un déshérité dans l'esprit de Walter Scott. Pourquoi s'est-il trompé sur l'espagnol, nul ne le sait. Les traducteurs français lui ont emboîté le pas, attribuant pour devise au chevalier anonyme « le mot espagnol *desdichado*, c'est-à-dire déshérité » (ainsi *Ivanhoe*, traduction Albert-Montémont, 4 vol., Paris, t. I, 1829, p. 199, et dans la suite de l'ouvrage « le chevalier déshérité »). Les traducteurs d'*Ivanhoe* en espagnol ont corrigé sans mot dire la méprise de W. Scott : ainsi celui qui publia en 1826 le roman traduit dans cette langue (4 vol., chez Alzine, à Perpignan) écrit (t. I, p. 485) que le chevalier inconnu portait sur son écu la « divisa en lengua espanola del *Desheredado* » : c'est le mot qui a toujours signifié « déshérité » en espagnol ; et naturellement il n'a besoin de le faire suivre d'aucune explication. Nerval, ayant lu *Ivanhoe*, en anglais ou plus probablement en français, fit confiance à Walter Scott et, employant dans le sens de ces éditions le mot espagnol, crut pouvoir l'appliquer aussi bien à son « prince à la tour abolie », lui aussi déshérité. — Mais s'inspirait-il déjà d'*Ivanhoe* quand il traçait, en 1844, la première version, caricaturale, de son Desdichado dans l'autoportrait de Brisacier-Destin :

(Beau) Ténébreux, qui est un des noms d'Amadis, par le mythique prince d'Aquitaine, double imaginé de Nerval, avec sa tour et son luth fatidique [1]. Le deuil est présent dès le premier vers, dans la funèbre énumération d'attributs, puis dans le néant assigné à la tour, dans l'*étoile*, bien-aimée morte [2], dans le *Soleil noir* [3], et dans la *Mélancolie*, noir rayonnement de la parole poétique depuis la chevalerie [4].

Ce premier quatrain se continue naturellement, au début du second, par un *de profundis* : prière du fond de l'abîme, nommé tombeau, à une consolatrice dont la bienfaisance a déjà été éprouvée. Mais ce rappel suffit à illuminer la nuit ; un Éden apparaît : colline et golfe illustres, jardin dont la fleur enchante le cœur, treille de vigne et de roses [5]. Le *toi* qui surgit ici rappelle invinciblement les quatrains de *Myrtho*, qui sont sans doute de la même époque :

> *Je pense à toi, Myrtho, divine enchanteresse,*
> *Au Pausilippe altier, de mille feux brillant,*
> *À ton front inondé des clartés d'Orient,*
> *Aux raisins noirs mêlés avec l'or de ta tresse.*
>
> *C'est dans ta coupe aussi que j'avais bu l'ivresse. [...]*

Est-ce, dans les deux sonnets, le même souvenir ? Ou, seulement, deux rêves de la même veine ? Mais surtout, que dit Nerval en passant du deuil et de la légende à cette lumière toute proche, sinon qu'il est partagé entre le désespoir et la pensée du bonheur, et sans cesse porté d'un de ces deux pôles à l'autre ?

Le début des tercets énumère soudain quatre noms propres

«Moi, le brillant comédien naguère, le prince ignoré, l'amant mystérieux, le déshérité, le banni de liesse, le beau ténébreux.» Rappelons que *Le Destin*, qui est le mot de théâtre du Brisacier de Nerval, fut aussi (dans le manuscrit Eluard) le premier titre du *Desdichado*.

1. «Constellé», au sens premier : «fabriqué sous l'influence d'un astre».
2. L'Étoile-femme aimée : figure familière à Nerval.
3. On cite, comme prédécesseur de Nerval dans l'usage de ce motif, Dürer, J.-P. Richter, William Blake. Il faut renvoyer aussi à Nerval lui-même, dans son poème de 1831, intitulé *Le Soleil et la Gloire* (ou *Le Point noir*).
4. Mélancolie, non au sens adouci du romantisme, mais au sens ancien d'humeur noire et sombre tristesse.
5. Comparer les vers 6 et 8 du *Desdichado* avec les vers 2 et 4 de *Myrtho*.

qui ont embarrassé cruellement les commentateurs : quatre
noms nus, dont on ne sait ni ce que chacun d'entre eux représente pour le poète, ni comment ils sont supposés s'apparier
ou s'opposer dans ce quatuor. Il est peu probable que Nerval
ait cru être explicite à cet égard quand il l'était si peu. Et s'il
ne se souciait pas de l'être, pourquoi vouloir l'être plus que
lui ? A priori, toute hypothèse précise est arbitraire, donc insoutenable. Acceptons seulement que dans ce vers :

Suis-je Amour ou Phébus ?... Lusignan ou Biron ?

le poète se voit successivement identifié à quatre personnes de
grand nom sans se fixer en aucune, qu'il parcourt dans l'espace
d'un alexandrin quatre identités fabuleuses en s'interrogeant
sur toutes [1]. Il n'y pense plus au vers suivant, où il est déjà
en bouleversante aventure avec «la reine», le front rouge d'un
baiser (du feu de ce baiser ? de l'émotion de l'avoir reçu ? de
quelque empreinte extraordinaire ?). Quand tant d'indécisions
se pressent, que la parole du poète impose, osera-t-on lui
demander *qui* est cette reine qu'il ne songe pas à nommer ?
Demandera-t-on aussi quelle est la grotte du vers suivant ?
Quelle est la sirène ? Ces questions sont inappropriées à une
telle poésie ; elles n'ont aucune chance d'en rien tirer ; elles la
méconnaissent, elles refusent d'en voir la vertu là où elle est,
dans la lumière des mots et des choses dites.

Aux prouesses circonstancielles du premier tercet succèdent,
dans le second, une geste véritablement mythologique de l'Ego :
la double traversée victorieuse du fleuve infernal. Le modèle
est ici Orphée, qui sera bientôt nommé. Mais est-il exact de
dire qu'Orphée ait «deux fois vainqueur traversé l'Achéron» ?
On peut penser qu'en ce genre de voyage il n'y a vraiment
de victoire que dans le retour ; et Orphée n'est allé et venu

---

1. Remarquons que, des quatre noms, *Amour* est le seul qui offre une représentation précise ; mais c'est d'ordinaire un dieu enfant ; il nous faut l'imaginer
au moins adolescent pour que Nerval puisse décemment s'identifier à lui. —
Phébus peut être un dieu grec, ou un comte de Foix. — *Lusignan* est le nom d'une
famille poitevine née, dit-on, de la fée Mélusine et qui, du xiᵉ au xvᵉ siècle,
régna à Jérusalem, à Chypre, en Arménie. — *Biron* est le nom de deux maré-
chaux de France, père et fils, qui servirent Henri IV ; le fils, accusé de trahison,
fut exécuté : à qui penser ? Le charme de ce vers consiste bien évidemment, pour
le lecteur, dans l'écho légendaire de ces noms, indépendamment de toute attribution précise. Avaient-ils une valeur plus précise pour Nerval ?

qu'une fois. On peut penser aussi qu'un seul va-et-vient suffit, l'aller sans accident étant lui-même une victoire ; mais le
retour en tout cas ne l'a pas été pour Orphée, qui y a reperdu
Eurydice, objet de son voyage ; et ce retour manqué fait de toute
sa tentative un échec. Nerval s'est vu dans ce tercet comme
un super-Orphée, vainqueur et non victime des Enfers [1]. Tel
est le glorieux final de ce sonnet à l'exorde si désolé. Gérard
porte la lyre d'Orphée, non pour pleurer Eurydice perdue, mais
pour accompagner le chant de deux divinités féminines : la
sainte du ciel, soupirante, et le cri païen de la fée ; ces deux
chants ennemis ne le déchirent plus : sa lyre souveraine les
module en un seul chant [2].

*

La lecture d'*Artémis* est moins facile, les choses qui y sont
dites se liant moins évidemment, même dans l'ordre affectif
et sensible, les unes aux autres :

ARTÉMIS

> *La Treizième revient... C'est toujours la première ;*
> *Et c'est toujours la seule, — ou c'est le seul moment :*
> *Car es-tu reine, ô toi ! la première ou dernière ?*
> *Es-tu roi, toi le seul ou le dernier amant ?...*

1. On pense, à propos de Nerval «deux fois vainqueur», aux pages du *Voyage
en Orient* («Les Femmes du Caire», IV, 2, 3), où il prétend retracer le cycle
d'épreuves que subissaient, dans l'intérieur de la Grande Pyramide, les aspi-
rants à l'imitation isiaque. Orphée fut l'un d'eux ; il fallait à un moment décisif
traverser à la nage une rivière tumultueuse : il y échoua deux fois, et perdit ainsi
Eurydice (*ibid.*, IV, 3). On mesure la distance de cet Orphée deux fois vaincu
(où Nerval l'a-t-il pris ?) à celui dont il revêt l'identité dans ces vers. — Il s'est
identifié ailleurs à l'Orphée traditionnellement malheureux : voir *Aurélia*, début
de la IIe partie : «Eurydice ! Eurydice ! — Une seconde fois perdue !» Mais notre
Gérard est si peu résigné au malheur qu'après avoir perdu son Eurydice deux
fois, il se voit à nouveau glorieusement avec elle (voir *ibid.*, «Mémorables»,
§§ 5-9).
2. On a souvent voulu voir dans ce tercet une allusion autobiographique :
les deux traversées de l'Achéron figureraient les deux grandes crises mentales
que Nerval a franchies victorieusement. Lire ainsi ces vers, c'est réduire, en
faveur d'une conjecture métaphorique gratuite sur un non-dit, la vertu de ce
qui est dit.

Aimez qui vous aima du berceau dans la bière;
Celle que j'aimai seul m'aime encor tendrement :
C'est la mort — ou la morte... Ô délice! ô tourment!
La rose qu'elle tient, c'est la Rose trémière.

Sainte napolitaine aux mains pleines de feux,
Rose au cœur violet, fleur de sainte Gudule :
As-tu trouvé ta croix dans le désert des cieux?

Roses blanches, tombez! vous insultez nos dieux :
Tombez, fantômes blancs, de votre ciel qui brûle :
— La sainte de l'abîme est plus sainte à mes yeux!

Le premier vers se trouve éclairci par un titre antérieur du sonnet, à savoir *Ballet des heures*[1] : il s'agit donc de l'apparition périodique, sur les cadrans horaires, après la douzième heure, d'une treizième, qu'on nomme de nouveau première[2] Cette façon de compter le temps intéresse Nerval parce qu'elle offre l'image d'un recommencement cyclique : une convention d'horlogerie, d'ordre purement pratique[3], lui paraît figurer ce qu'il voudrait tenir pour une loi de l'univers ; le retour des chiffres horaires est à ses yeux l'image, et peut-être la preuve, du retour des choses et des événements[4], qui annulerait le temps, au moins dans ce qu'il a d'irréversible. Mieux, si la treizième heure *est* toujours la première, si elle n'est pas seulement sa pareille, on peut dire — et Nerval le dit en effet — qu'elle est toujours la seule, toutes les autres s'effaçant indéfiniment devant elle, quoiqu'il y ait là une nouvelle entorse à la logique[5]. Voici en tout cas le temps immobilisé, et un moment déclaré toujours le seul[6]. Les deux vers qui suivent

1. On lit ce titre dans le manuscrit Lombard du sonnet.
2. Voir la note ajoutée par Nerval sur le manuscrit Eluard, comme commentaire au mot «Treizième» : «La XIIIᵉ heure (pivotale)».
3. Convention adaptée à l'exiguïté des cadrans et à la commodité humaine, qui divise le temps en demi-journées.
4. C'est une illusion, vieille au moins comme Pythagore, de confondre les nombres et la réalité qu'ils mesurent.
5. Pourquoi ce privilège de la première heure? La deuxième, la troisième, etc. reparaissent aussi sous le même nom dans la quatorzième, la quinzième et ainsi de suite des autres, et pourraient aussi bien prétendre absorber l'éternité. Nerval soumet tout à la première, simplement *quia nominatur prima*.
6. En somme, si on appelle n une série de moments successifs, il est déclaré que $n + 1 = 1$, autrement dit que n = zéro, c'est-à-dire que le temps est nul.

vont plus loin encore : l'espèce de souveraineté dont vient d'être investie la première heure la transforme soudain en reine (allégorique ? réelle ?) ; et la rêverie allant toujours, et débordant de son premier cadre, à cette reine vient s'ajouter un roi inopiné : nous voici devant un couple humain, qui échappe évidemment à la douzaine des heures et à son recommencement, qui se compte sur une série totale, embrassant le temps entier, *premiers ou derniers*, les *seuls* en somme, *amants* de toujours[1]. Éternité, existence unique, royauté, amour ne semblent accompagnés d'aucune angoisse dans l'énigmatique ritournelle de ce quatrain, avec sa ronde de mots qui nous tient à distance du monde ; seule l'interrogation qui, dans toute la deuxième partie du sonnet, succède aux certitudes initiales, atteste quelque inquiétude. Le poète n'y apparaît que de biais, par le *tu* qu'il adresse à la reine, et qui le fait interlocuteur ; et quand il l'adresse au roi, faut-il imaginer que c'est à lui-même qu'il parle ?

La chimérique rêverie s'arrête ici. Le second quatrain continue le premier dans la forme, par l'usage des mots répétés ou opposés, mais l'éternité que l'amour revendique y montre le visage de la mort :

Aimez qui vous aima du berceau dans la bière,

ce vers pathétique est, à vrai dire, d'une insoutenable étrangeté. Rien ne semble obscur à première vue dans ce précepte funèbre et passionné. Pourtant, il suffit de vouloir lui attribuer un sens précis, pour s'apercevoir, non seulement qu'on peut grammaticalement hésiter entre plusieurs sens, mais qu'aucun d'eux n'est logiquement possible. Comme cette double démonstration risquerait d'être fastidieuse, disons seulement que, de deux personnes que le poète envisage, l'une au moins est toujours supposée avoir aimé dès son propre berceau et du fond de sa tombe, ou bien se voit exhortée à le faire dans ces deux situations, où l'être humain est aussi impropre à l'amour que sourd aux exhortations[2]. En fin de compte,

---

1. Toute cette rêverie à la fois abstraite et fantastique présente l'aspect typique de certaines associations d'idées subtiles et dominatrices du demi-sommeil, que la veille est impuissante à reproduire.

2. Je suppose qu'on peut faire dépendre « du berceau dans la bière » de « aima » ou de « aimez » : soit 1. « Aimez qui *vous aima du berceau dans la bière* » ; 2. « *Aimez du berceau dans la bière* qui vous aima ». Il est facile de voir qu'aucune des deux

l'analyse, impuissante à justifier rationnellement ce vers, oblige à penser que Nerval ne s'est arrêté, ici, ni à la grammaire, ni à la logique. Il a conçu et glorifié dans ce vers un amour entier, ayant sous sa loi le moment de la naissance et de la mort et le temps même du tombeau. La volonté de vaincre le temps n'est plus ici une représentation traversant l'esprit, c'est un paroxysme sentimental, formulé en une hyperbole. Cette volonté se déploie dans les vers suivants, toujours en dehors de l'usage logique du langage.

Un amour réciproque se confirme d'abord, reprenant en écho le vers précédent par l'emploi double, aux mêmes temps, du verbe *aimer* ; mais, sous cette correspondance de forme, l'évocation change. « Aimez qui vous aima », adressé apparemment à l'Amie, est exaucé dans « Celle que j'aimai m'aime ». Mais pourquoi ce passé, *j'aimai* ? Parce que celle qu'il aima n'est plus ? Et il l'aima *seul* : parce que lui seul sut l'aimer, amant unique, amant sans pair ? ou parce qu'il l'aima dans la solitude, ni reconnu ni payé de retour, vivant seul de sa passion ? Pourtant, répondant à l'impératif de réciprocité du premier vers, celle qu'il aima l'aime ; elle l'aime *encore* : elle l'a donc toujours aimé ? ou veut-il qu'il en soit ainsi ? et elle l'aime *tendrement*, du fond de sa tombe ? À travers l'indécision constante du sens, l'histoire de cet amour nous est dérobée, quoiqu'on puisse la deviner déchirante. Au vers suivant surgit, expressément, cette Bien-Aimée morte, si souvent évoquée dans l'œuvre de Nerval. Elle est dite ici, curieusement, quoiqu'elle soit donnée pour la Bien-Aimée elle-même, non « la morte », mais « *la mort — ou* la morte ». On pourrait s'étonner que Nerval hésite entre une allégorie de la mort et une femme morte, et en concevoir des doutes sur l'existence réelle et personnelle de cette femme. Mais il a donné, une autre fois au moins, un exemple de cette même équivalence : dans les fragments qui nous sont parvenus de l'*Aurélia* primitive, il raconte l'hallucination qu'il a eue, au début de sa crise de 1841, d'une femme encore jeune à la figure blême et aux yeux caves ; « je me dis : C'est la Mort », écrit-il ; or, peu de temps après, il vit apparaître au pied de

---

constructions ne donne un sens satisfaisant. — Mais il y a plus : quelque construction qu'on ait choisie, faut-il entendre « de *votre* berceau dans *votre* bière », ou bien « de *son* berceau dans *sa* bière » ? Voilà donc 2 × 2 = 4 possibilités. De toute façon, aucune ne fait sens.

son lit une femme vêtue de noir qui lui semblait avoir les yeux
caves, avec au fond des orbites des larmes brillantes ; « cette
femme, ajoute-t-il, était pour moi le spectre de ma mère, morte
en Silésie [1] ». Cette sorte d'identité établie entre la mort et un
être qu'elle a frappé a quelque chose d'intimement tragique :
elle confond la sinistre puissance et sa victime, condamnant
le cœur de l'amant à un partage indistinct d'amour et d'horreur : « Ô délice ! ô tourment ! » Sous le masque de l'amour éternisé, la face de la mort est apparue [2]. Quel autre remède que
l'apparition de la Bien-Aimée, tenant à la main le signal d'une
rose ? Il précise de quelle espèce : « c'est la *Rose trémière* », dit-
il, comme si ce nom contenait une révélation et appelait une
émotion particulière : s'il sait à quel titre, il ne nous le dit pas ;
un frisson, pur de toute circonstance, doit naître pour nous de
cette rose-là [3].

Qui fut, dans la réalité, cette Morte à la rose ? On ne sait ;
on ne peut même pas assurer, si obsédante qu'elle soit dans
l'œuvre de Nerval, que la Bien-Aimée morte ait été dans sa
vie plus qu'un mythe personnel. Nerval l'a nommée surtout
Aurélia ; il la nomme ici Artémis, si l'on a raison de supposer
que le titre de son sonnet en désigne la figure centrale [4]. Et
dans une note au manuscrit Eluard du sonnet, il nomme la
Rose, ou celle qui la tient, Philomène, du nom d'une sainte
italienne. Pourquoi Artémis, et pourquoi sainte Philomène, si
ce n'est parce que ces noms sont en bonne place dans sa pléiade

---

1. Voir *Pl. I*, « Fragments... », I, p. 418 ; III, p. 420. Ces textes peuvent être
très antérieurs à *Artémis*, ou presque contemporains du sonnet, selon la date qu'on
attribue à cette première rédaction d'*Aurélia* ; voir une variante du premier passage dans l'*Aurélia* définitive, Iʳᵉ partie, 2, § 2.

2. *Bière* est à cet égard plus impressionnant que *tombe* ou *cercueil*, que l'usage
littéraire et figuré a adoucis ; et *dans* la bière est plus funèbre encore.

3. La rose trémière se retrouve dans un rêve d'*Aurélia* (Iʳᵉ partie, 6, avant-
dernier §), entourant le bras d'une dame dont Nerval voit avec douleur l'image
s'agrandir et se dissiper dans la nature : il interprète ce rêve comme annonçant
mort et ténèbres.

4. Il semble en effet qu'Artémis soit la morte ; elle apparaît ailleurs comme
l'équivalent d'*Aurélia* : dans le Projet d'œuvres complètes (manuscrit de Nerval
déjà cité), figure, parmi les « ouvrages commencés ou inédits », *Artémis ou Le Rêve
et la Vie* ; or *Aurélia* parut ensuite sous le titre *Le Rêve et la Vie* : Nerval semble
donc avoir hésité entre les deux noms féminins ; également dans un passage
manuscrit de *Pandora* (fragment 3 du manuscrit Marie, reproduit dans J. Guillaume, *Masques et visage*, p. 127), après avoir évoqué Aurélia comme morte il
avait écrit : « la tombe d'*Arthémis (sic)* », puis barré ce nom.

intime de femmes surnaturelles ? Évidemment, un mythe élaboré subjectivement peut se nourrir, en même temps que de références légendaires, d'associations et de souvenirs empruntés à la vie. Quelle est, par exemple, dans la Bien-Aimée morte, la part de Jenny Colon, à qui la plupart des auteurs pensent surtout ici ? Nous n'en savons rien de façon certaine — nous l'avons dit déjà — même si cette part, imaginaire ou réelle, a des chances d'être grande. Quelle part, le souvenir de sa mère morte ? Nous pouvons, de façon plausible, faire de ce fantasme de morte la clef de son caractère et de son affectivité ; nous quittons alors le terrain du texte pour celui d'une psychologie intéressante, mais hypothétique. Car il a plusieurs fois suggéré Jenny comme bien-aimée morte, preuve au moins qu'il pensait à elle sous cet angle ; mais il n'a jamais dit, ni laissé entendre, qu'il considérât sa mère sous le même angle [1].

Les tercets d'*Artémis* semblent oublier soudain le Temps, l'Amour et la Mort pour tout autre chose. Quelle chose, on ne le voit pas d'emblée. Le premier tercet interpelle sans la nommer une sainte du Midi, puis nomme une sainte du Nord. La première, dite napolitaine, est-elle Philomène, sainte de Rome et de Campanie ? Une note de Nerval nomme ainsi la Morte à la rose ; de sorte que la multiplication des saintes, commencée par cette note à la fin des quatrains et continuée dans les tercets, serait un lien au moins entre les uns et les autres ; elle culmine dans la sainte de l'abîme du dernier vers. Un autre lien s'établit par les roses, qui, ayant commencé avec la rose trémière qui clôt les quatrains, se répètent avec la rose au cœur violet et la pluie de roses blanches de la fin. Mais ce caractère de répétition ou de récurrence verbale qui domine indiscutablement, d'un bout à l'autre, l'élocution propre à ce poème, n'empêche pas qu'un hiatus de sens semble s'ouvrir après les quatrains. Nous entrevoyons seulement que la Morte à la rose a appelé au sein du sonnet les saintes ses sœurs, et que sa rose a suscité les leurs.

Ce qu'il faut surtout remarquer, c'est qu'une sorte de polémique semble animer ces tercets : interrogation ironique du

---

1. Ne cherchons pas chez Nerval, à travers ce qu'il ne dit pas, une réalité voilée ; cherchons, dans ce qu'il dit, les questions qu'en se posant il nous pose, et les chemins qu'il essaie de nous montrer. Son œuvre ne peut nous donner autre chose ; mais cela, elle peut seule nous le dire.

vers 11, injonctions apocalyptiques des vers 12 et 13, profession de foi du dernier vers : le poète demande à une sainte chrétienne si elle a trouvé sa croix (le signe et la confirmation de sa foi) dans un ciel dont Dieu est absent, il appelle la catastrophe du monde céleste et finit par déclarer que sa préférence va à la sainte de l'abîme (c'est-à-dire, peut-on supposer, du néant, du mal et du doute) ; dans cette ligne d'interprétation antichrétienne, les dieux — «*nos* dieux» —, qu'il est reproché au monde céleste d'insulter, sont les dieux étrangers au christianisme que le ciel chrétien exclut et calomnie. Il est difficile de contester cette lecture, que le mouvement et le texte des tercets imposent. Cependant, il se trouve que Nerval, dans une note du manuscrit Eluard, nous donne le nom de la sainte de l'abîme : c'est Rosalie, autre sainte chrétienne honorée à Naples. Qu'en conclure, sinon que le syncrétisme de Nerval met volontiers à contribution le christianisme : la Vierge, nous le savons, y a toujours place ; ici, les saintes. Trois saintes chrétiennes sont évoquées dans *Artémis* ; Nerval ne les exclut pas, mais il les exhorte seulement à sortir de leur ciel de convention à la suite de sa Morte et à explorer avec lui l'abîme [1].

Ces deux sonnets ne peuvent bien évidemment se lire ni se commenter comme relevant de la poétique du romantisme. Ils nous montrent Nerval rompant, par le mode d'évocation et d'élocution, avec les habitudes de son temps, y compris les siennes des années 1830. On ne peut qu'admirer cette soudaine nouveauté des *Chimères*, et comment, sans toucher à la syntaxe

---

1. Ces trois saintes sont seulement l'objet d'allusions, assez confuses. Ce sont : une «sainte napolitaine» (vers 8, 9 : Philomène selon la note du manuscrit Eluard) ; sainte Gudule (vers 10, patronne de Bruxelles, où elle a une église fameuse) ; et «la sainte de l'abîme» (vers 14 : Rosalie, selon le manuscrit Eluard). Touchant les deux premières, la lecture hésite sur la construction grammaticale des vers 9 et 10 dans leurs trois substantifs, «sainte», «rose», «fleur» ; le premier semble une apostrophe qui commande la suite ; en somme, la Napolitaine est seule apostrophée, et Gudule seulement évoquée par association à elle. — Cependant, il y a des variantes : au premier hémistiche du vers 9, on lit dans le manuscrit Lombard (au lieu de «sainte napolitaine») : «Ô sainte de Sicile» ; et dans le second du vers 10 (au lieu de «*fleur* de sainte Gudule») : «sœur de sainte Gudule». — Philomène et sainte Rosalie sont toutes deux italiennes, et on les représente l'une et l'autre couronnées de roses (noter que Nerval, dans *Octavie*, § 12 de la Lettre, fait porter à sainte Rosalie une couronne de roses violettes). En fait, aucune des deux ne figure nommément dans le sonnet. — Il ne faut sans doute pas chercher d'autre sens aux tercets que celui, global, et expressément formulé par Nerval, qui oppose la sainte de l'abîme à celles du ciel.

ni à la versification, Nerval a pu parler à tel point *autrement*, et accentuer si fortement la prise de distance, par rapport au monde réel et à la pensée positive, de la parole poétique. Il est juste d'ajouter que ce fut aussi là un des premiers coups portés, en profondeur, aux vertus séculaires de la poésie comme puissance de communication large et d'action.

Mémoire et lignage

Le temps vaincu, telle est pour Nerval une des définitions du salut ; la foi qu'il cherche est celle qui opérerait cette victoire ; la mémoire est la faculté qui nous en donne l'idée : c'est dans le ressouvenir que Gérard cherche un germe et une expérience d'éternité. Ce que, dans les années 1840, il poursuivait à travers l'histoire religieuse de l'humanité, cette pérennité conquise sur le néant, il la trouve de plus en plus dans la réminiscence personnelle. Le retour aux choses natales est devenu le mouvement de sa pensée, et le *je* la loi de son discours. Il donne, dès 1850, une annonce de cette disposition nouvelle quand il écrit : « Les souvenirs d'enfance se ravivent quand on a atteint la moitié de la vie. — C'est comme un manuscrit palimpseste dont on fait reparaître les lignes par des procédés chimiques[1]. » Il le redit peu avant sa mort : « Il y a un âge [...] où les souvenirs renaissent si vivement, où certains dessins reparaissent sous la trame froissée de la vie[2] ! » Mais il ne s'agit pas seulement pour Nerval d'une observation psychologique, ni de purs souvenirs, quelque émotion qui les accompagne ; bien plutôt, une sorte d'éden du passé retrouvé devient un au-delà du temps. L'inoublié, expérience commune, préfigure l'impérissable. Les dernières œuvres sont pleines de cet alliage.

Il y a plusieurs niveaux de profondeur dans la nostalgie de Nerval. Quand il écrit : « Jusqu'ici rien n'a pu guérir mon cœur, qui souffre toujours du mal du pays », il parle, semble-t-il, comme pourrait parler tout un chacun loin de son lieu d'enfance. Il date ces mots « de Morfontaine », c'est-à-dire pré-

---

1. *Les Faux Saulniers*, article du *National*, 8 novembre 1850, *Pl. II, G.-P.*, p. 57 (= *Angélique*, 6ᵉ lettre, § 8).
2. *Promenades et souvenirs*, III, § 6.

cisément du pays de son premier âge, auquel sans doute une
présence passagère lui permet de mesurer son attachement ;
mais il amène curieusement ces lignes par le souvenir de son
ancien voyage à Cythère, et d'une inscription grecque qu'il
dit y avoir vue sur les débris d'une ancienne arcade, *kardion
therapia* [1] » : l'idéale guérison, dans cette association d'idées,
semble transcender tout site particulier [2]. Le Valois de jadis
est le symbole du pays qu'il voudrait partout retrouver. Ainsi
sa sensibilité à la réminiscence et sa chimère d'absolu se fondent en un charme unique. C'est en quoi, dans ce domaine
des souvenirs de village et des amours d'enfance, il dépasse Restif, quoi qu'il puisse d'ailleurs lui devoir [3]. Ses admirateurs,
à la fin du dernier siècle et au nôtre, ont voulu lire dans ses
dernières œuvres un hymne du cœur aux sources françaises
de son être : passé local, paysage exquis, figures féminines
jamais oubliées, souvenirs d'histoire de France. Mais l'univers
natal est bien plutôt pour lui l'occasion d'une magie, un secret
de mémoire et de félicité à distance du monde réel : une essence
de poésie et d'éternité que le romantisme conquérant avait à
peine soupçonnée [4].

Le temps de l'enfance est, pour Nerval, au-delà du temps :
le pays de cet autrefois peut avoir plusieurs noms : « Mes jeunes années me reviennent, écrit-il, — et l'aspect des lieux aimés
rappelle en moi le sentiment des choses passées. Saint-Germain,
Senlis et Dammartin sont les trois villes qui, non loin de Paris,
correspondent à mes souvenirs les plus chers [5]. » Il est ques-

1. Καρδιῶν θεραπεία, « guérison des cœurs ».
2. Fragment manuscrit adressé « À A. Houssaye », publié en 1862 par son
destinataire, reproduit dans *Pl. I*, 1974, p. 461 ; pour le voyage à Cythère et
l'inscription grecque que ce fragment évoque, voir le *Voyage en Orient*, « Introduction », chap. XV, *in fine* (= article de *L'Artiste*, 1ᵉʳ juin 1845). En réalité,
Nerval n'a vu cette inscription que dans un livre, dont il reproduit ici l'information (voir *Pl. II, G.-P.*, p. 1454, note 3 à la p. 242). — Ce fragment a toutes
chances d'être contemporain des feuilletons de *La Bohême galante*, fin 1852, qui
étaient adressés aussi à Houssaye, directeur de *L'Artiste*.
3. Les articles où Nerval a fait le portrait et la biographie d'un Restif-d'après-
lui-même ont précédé de peu les feuilletons des *Faux Saulniers* dans *Le National*,
où, à partir du 8 novembre 1850, le Valois apparaît pour la première fois dans
l'œuvre de Nerval. Voir ci-dessus, p. 296, note 3. On peut lire ces *Confidences
de Nicolas* dans *Les Illuminés*.
4. On connaît les pages mémorables que Marcel Proust a écrites sur ce sujet
dans *Contre Sainte-Beuve*, Paris, 1954, pp. 157-169.
5. *Promenades et souvenirs*, III, avant-dernier §.

tion du Valois dans la première partie des *Faux Saulniers* (autrement dit *Angélique*), ainsi que dans *Sylvie*; de Saint-Germain, puis du Valois, l'un suivant l'autre, dans les *Promenades et souvenirs*; de Saint-Germain encore dans *Pandora* et *Aurélia*. Les deux pays se fondent curieusement dans une rêverie historique commune qui évoque ensemble les Médicis, alliés des Valois, et les Stuarts. Décrivant, par le souvenir, le château de Saint-Germain, il évoque « les hautes fenêtres et les balcons dorés, les terrasses où ont paru tour à tour les beautés blondes de la cour des Valois et de la cour des Stuarts, les galants chevaliers des Médicis et les Écossais fidèles de Marie Stuart et du roi Jacques [1] ». Marie Stuart, reine de France en tant qu'épouse de François II, séjourna en France de 1558 à 1560; au siècle suivant, Jacques II Stuart, roi d'Angleterre en exil, fut recueilli par Louis XIV et résida avec sa cour au château de Saint-Germain jusqu'à sa mort; quant aux Médicis, ils s'unirent aux Valois par le mariage de Henri II avec Catherine. Nerval, qui montre envers cette reine une étrange faveur, prête à son égard ses propres sentiments à la population du Valois; il croit trouver dans le français de cette province des tournures italiennes, et une influence de la musique du XVIᵉ siècle dans les chansons que chantent les petites filles de Senlis [2].

Le Valois et Saint-Germain se mêlent, plus particulièrement, dans la légende des amours de jeunesse, fontaine rêvée et illusoire de jouvence, comme on verra à propos de *Sylvie*. Si les bien-aimées de jadis, pour Nerval, tendent à se confondre dans une mémoire unique, c'est que le « jamais plus » qui les réunit semble avoir la valeur d'un « toujours ». La pensée des vieillards de jadis a la même vertu. C'est pourquoi les amours disparues et les vieux parents défunts revivent ensemble dans sa mémoire : « La mémoire de vieux parents morts se rattache mélancoliquement à la pensée de plusieurs jeunes filles dont l'amour m'a fait poète, et dont les dédains m'ont fait parfois

---

1. *Ibid.*, II, § 6.
2. Sur Catherine de Médicis, voir *Les Faux Saulniers* (1850) dans *Pl. II, G.-P.*, p. 73 (= *Angélique*, 8ᵉ lettre, § 3); aussi *Les Illuminés*, chapitre sur *Quintus Aucler* (1851), I, *ibid.*, p. 1137 ; — sur l'italianisation mythique du Valois, *ibid.*, p. 42 (langage) (= *Angélique*, 4ᵉ lettre, § 4) et pp. 57-58 (musique) (= *Angélique*, 6ᵉ lettre, paragraphe précédant « Delphine »); aussi *Sylvie* (1854), VII, § 2 (religion).

ironique et songeur [1]. » Le peuple ancestral et féminin qui habite la légende de Nerval, en même temps qu'il subit l'empire du temps, semble porter témoignage contre lui. Sortant d'une fête à Saint-Germain, vers la fin de sa vie, il s'imagine vivre en 1827 : « Parmi les jeunes filles présentes à cette petite fête, j'avais reconnu des yeux accentués, des traits réguliers, et, pour ainsi dire, classiques, des intonations particulières au pays, qui me faisaient rêver à des cousines, à des amies de cette époque, comme si dans un autre monde j'avais retrouvé mes premières amours [2]. » Même expérience dans le Valois : « Un vieillard passe : il m'a semblé voir mon grand-père ; c'est presque sa voix ; cette jeune personne a les traits de ma tante, morte à vingt-cinq ans ; une plus jeune me rappelle une petite paysanne qui m'a aimé [...] [3]. » En alliant, dans le charme du souvenir, des images de jeunesse avec la pensée des disparus, on se flatte d'arrêter le temps dans une permanence.

La terre et le lignage peuvent sembler garants de cette permanence. Nerval emploie volontiers en ce domaine les formules patriotiques communes : « La terre paternelle, c'est deux fois la patrie [4]. » Ou encore : « Quoi qu'on puisse dire philosophiquement, nous tenons au sol par bien des liens. On n'emporte pas les cendres de ses pères à la semelle de ses souliers [5]. » Mais l'idée du terroir et de la race ne donne guère matière chez lui à une doctrine, comme on a dit plus tard, nationaliste. Elle aboutit, bien au-delà, à des imaginations fantastiques qui embrassent les profondeurs du passé et de l'espace terrestre ; bien plus que sur la politique, elle débouche sur le mythe. Il faut dire que l'explication géo-ethnographique d'événements de l'histoire était à cette époque fort répandue, sans conduire à des conclusions fixes en politique. Ainsi, la vieille théorie aristocratique qui faisait descendre les nobles des Francs,

1. *Promenades et souvenirs*, III, avant-dernier §. — Les « vieux parents morts » ; ceux du Valois sont connus, ce sont ses grands-parents maternels, sa grand-mère Marguerite Boucher, épouse Laurent, morte en 1828, et son mari, mort en 1834 ; son grand-oncle Antoine Boucher, qui l'avait élevé, était mort en 1820 ; ceux qu'il semble, dans ces lignes, situer à Saint-Germain, sont d'une réalité moins confirmée, en tout cas d'une parenté moins proche.
2. *Ibid.*, § 10.
3. *Ibid.*, VII, dernier §. — La tante morte jeune est Eugénie Laurent, sœur de sa mère, morte en 1826.
4. *Ibid.*, 3e § avant la fin.
5. *Les Faux Saulniers*, Pl. I, G.-P., p. 55 (= *Angélique*, 5e lettre, dernier §).

conquérants de la Gaule, et le tiers état du peuple gallo-romain et gaulois, théorie soutenue encore comme telle sous la Restauration [1], avait été reprise par des historiens libéraux, Augustin Thierry, et Guizot même à ses débuts, pour justifier la révolution finale du peuple contre l'envahisseur. Nerval avait adopté cette doctrine, ainsi interprétée, dans une de ses « poésies nationales » de 1830 [2] ; en 1849, il prête encore, rétrospectivement, cette façon de voir à un des personnages de son *Marquis de Fayolle*, qui la soutient au moment des premiers troubles révolutionnaires de Rennes [3]. En 1850, dans *Les Faux Saulniers*, il ne semble plus beaucoup vouloir croire à cette théorie, ni même à la conquête effective de la Gaule par les Francs ; il imagine plutôt le pays de son enfance autrefois aux mains de « ces rudes tribus des *Sylvanectes* » celtiques, auquel le Valois doit selon lui la tradition de l'arc et des compagnies d'archers. Il ne voit se signaler les luttes entre Gaulois et Francs, si surprenant que cela puisse paraître, qu'au temps de la Ligue : « On peut penser, écrit-il bravement, que les descendants des Gallo-Romains favorisaient le Béarnais, tandis que l'autre race, plus indépendante de sa nature, se tournait vers Mayenne, d'Épernon, le cardinal de Lorraine et les Parisiens [4]. » Une

1. Par le comte de Montlosier notamment ; on trouve des traces nettes de cette doctrine chez Vigny (voir *Les Mages romantiques*, p. 127 et note 5).

2. *Le Peuple*, déjà cité, dans *Le Mercure de France au dix-neuvième siècle*, 14 août 1830 : « Les temps sont accomplis, le sort s'est déclaré, — Des Francs sous les Gaulois l'orgueil enfin s'abaisse, — Le coq du peuple a dévoré — Les fleurs de lis de la noblesse », vers 5-8 du poème ; les trois derniers ont été modifiés dans une version publiée dans *L'Artiste* en 1848, et il n'y est plus question du conflit des Francs et des Gaulois en 1789 (voir J. RICHER, *Revue des sciences humaines*, 1958, p. 401 et suiv.).

3. Voir *Le Marquis de Fayolle*, chap. IV, « Le Café de l'Union » (*Pl. I, G.-P.*, p. 1154 et suiv.). Nerval fait parler Chasseboeuf (c'est le vrai nom de Volney) dans une réunion de révolutionnaires bretons, en 1788-1789, contre l'égalité de tous les fils d'Adam, pour la distinction des races en conquérantes et conquises (en France, race « Franke » indo-germanique, et race indigène) ; il devine un Franc dans Georges, héros du roman, roturier, mais bâtard à son insu de parents nobles. — On trouve en effet dans *Les Ruines*, fameux ouvrage de Volney, une théorie générale de ces deux types de races dans le monde (voir VOLNEY, *Œuvres complètes*, éd. Bossange, t. I, 1821, pp. 54-56, 96). — Cette doctrine, dans *Le Marquis de Fayolle*, rencontre une forte opposition chez les patriotes bretons et ne peut leur paraître acceptable, comme à Volney lui-même, qu'en tant qu'elle décrit une situation que la révolution doit effacer. Nerval l'entendait sans doute de même, mais ses chimères d'illustre origine le tiraient vers l'interprétation opposée ; l'ambiguïté du personnage de Georges trahit peut-être cette hésitation.

4. Voir *Les Faux Saulniers*, *Pl. II, G.-P.*, p. 74 (= *Angélique*, 8e lettre, § 7).

fois délaissé ce type d'explication de l'histoire de France, des spéculations raciales plus vastes, opposant par exemple Aryens et Sémites, devaient occuper des esprits comme Michelet et Renan. Entre-temps, Nerval avait ourdi pour son compte quelques fils aberrants d'un vaste mythe ethnographique et linguistique. Le Valois des Sylvanectes et des Médicis, et l'affrontement des races franque et gauloise sous les guerres de religion ne sont rien à côté d'une lettre, souvent citée, qu'il avait écrite en 1841 à Auguste Cavé, directeur des beaux-arts au ministère de l'Intérieur, où il lui expose un projet de mission scientifique en France : il incluait dans son itinéraire une trentaine de villes de Belgique et de France, théâtre, disait-il, « des deux races gothiques ou wisigothiques et austrogothiques » ; il espérait, en suivant les fils de Charlemagne, « reconnaître nos frères d'origine en Allemagne, en Russie, en Orient, et surtout encore dans l'Espagne et dans l'Afrique ». Il se vante de pouvoir « démontrer dans les patois mêmes de nos provinces celtiques des affinités extraordinaires avec les langues portugaises, arabes (de Constantine), franques, slaves et même avec le persan et l'hindoustani ». Il offre à la Direction des beaux-arts de retrouver pour elle « les premiers monuments des migrations celtiques dans l'Égypte, dans la Perse et dans la presqu'île des Indes ». D'ailleurs, « le *Cantal* d'Auvergne correspond au *Cantal* des monts *Himalaya*. Les Mérovingiens sont des *Indous*, des *Persans* et des *Troyens* ». Et le héros du Ramayana a jadis traversé les Pyrénées, venant du Nord, pour aller conquérir l'Inde ; enfin Nerval, natif du sud-ouest de la France, prétend retrouver les dialectes de ces régions par le grec et par l'allemand : « Ces rapports, ces migrations, ces filiations ne sont-ils pas bien importants à définir [1] ? » Nerval venait d'entrer en clinique, et sa lettre semble folle ; mais faisait-elle au même degré cette impression alors, dans l'enfance de l'ethnologie et de la linguistique [2] ? Disons plutôt qu'elle est plus caricaturale que démente.

Nous nous approchons ici d'un terrain qui est celui de Nerval

1. Lettre du 31 mars 1841 à Auguste Cavé.
2. On aperçoit bien dans cette lettre le projet d'explorer tout le domaine de la grande expansion celte des siècles qui précédèrent l'ère chrétienne ; on en situe ordinairement les points extrêmes en Espagne, Crimée et Asie Mineure ; à la vaste étendue ainsi délimitée, Nerval a ajouté de son cru, si je ne me trompe, l'Afrique, la Perse et l'Inde.

mythologue, et où l'imagination des origines confine au surnaturel. Nous connaissons ce Nerval ; nous l'avons vu dans ses contes orientaux ; il reparaîtra dans certaines pages d'*Aurélia*. Mais dans quelle mesure séparer, chez Nerval, la mythologie de la légende personnelle ? Hakem, Adoniram ne sont-ils pas aussi lui-même ? Le mythe du Valois n'est-il pas une fable, pour ainsi dire intimisée, où son *moi* cherche le contact d'une expérience proche, pour se garder peut-être du délire ? Y réussit-il ? Le péril le hante de près, et le Valois même nourrit ses chimères. Sa personne puise aux mythes et y sécrète les siens. On connaît le document dit « généalogie fantastique », où il a tissé autour de sa propre ascendance un écheveau de liaisons délirantes [1]. Les proportions gigantesques du monde primitif et l'usurpation d'un moi fabuleux s'allient curieusement dans le sonnet qu'il adressa vers 1841 à George Sand :

À MAD(AM)E SAND

« *Ce roc voûté par art, chef-d'œuvre d'un autre âge,*
« *Ce roc de Tarascon hébergeait autrefois*
« *Les géants descendus des montagnes de Foix,*
« *Dont tant d'os excessifs rendent sûr témoignage.* »

Ô seigneur Du Bartas ! Je suis de ton lignage,
Moi qui soude mon vers à ton vers d'autrefois ;
Mais les vrais descendants des vieux Comtes de Foix
Ont besoin de témoins *pour parler dans notre âge !*

J'ai passé près Salzbourg sous des rochers tremblants,
La Cigogne d'Autriche y nourrit les Milans,
Barberousse et Richard ont sacré ce refuge.

La neige règne au front de leurs pics infranchis ;
Et ce sont, m'a-t-on dit, les ossements *blanchis*
Des anciens monts rongés par la mer du Déluge [2].

1. Ce document a été reproduit par Aristide Marie (*Gérard de Nerval*, p. 389) et par Jean Richer (*Gérard de Nerval, Expérience et création*, manuscrit I des planches, et p. 33 et suiv. du texte), qui en a donné une lecture et un commentaire.
2. Ce sonnet, qui figure dans le manuscrit Dumesnil de Gramont, fut sans doute écrit par Nerval au temps de sa première crise en 1841, ou peu avant ;

Le premier quatrain, mis entre guillemets, est en effet
emprunté, avec quelques variantes, à Du Bartas, dans son *Dialogue des Neuf Muses Pyrénées présentées au roi de France*. Nerval avait
fait place à ce poète, et au sonnet qui s'ouvre par ce quatrain,
quand il avait publié en 1830 son choix des poètes du xvie siècle. Il a été certainement impressionné par ce tableau d'un
rocher antique de forme étrange et d'ossements humains gigantesques [1]. Cependant, après ces quatre vers, il se sépare de
son modèle : Du Bartas écrivait un sonnet moral ; dans son
second quatrain, il déplorait les changements produits par le
temps, pour développer ensuite le contraste entre le passé,
quand les géants voleurs, pourchassés et punis, devaient se réfugier dans les montagnes, et le présent, où les innocents sont
obligés de se réfugier dans les bois et les rochers, alors que les
plus grands voleurs gouvernent les villes. Cette moralité n'a
nullement intéressé Nerval ; il proclame qu'il descend littérairement de Du Bartas au moment où il se sépare de lui ; fasciné
par le tableau du premier quatrain, il le transfigure : ces géants
pyrénéens ne semblent plus être de simples brigands, ce sont
des êtres démesurés du monde primitif, qui ont pris naissance
au haut des montagnes [2] ; et il leur associe en idée d'autres
colosses pyrénéens, plus historiques, colosses par métaphore,
les vieux comtes de Foix, comme il va, dans les tercets, passer
des montagnes de Foix aux Alpes de Salzbourg ; même motifs
aux deux moments de cette rêverie analogique : ici aussi rochers
menaçant ruine, figures géantes et légendaires consacrant le
paysage [3], ossements et formes montagneuses mêlés dans
l'imagination et, pour clore le sonnet, perspective reculée vers
l'immémorial avec l'évocation du Déluge.
Ces vers magnifiques sont, il faut le remarquer, de facture

---

il figure de nouveau partiellement, avec quelques variantes, dans une lettre que
Nerval écrivit à George Sand lors de sa seconde maladie, et qui porte le cachet
de la poste du [23 novembre 1853]. — Ce sonnet a été étudié récemment par
Jean-Luc Steinmetz, *Un disciple de Du Bartas : Gérard de Nerval*, dans *Du Bartas,
poète encyclopédique du xvie siècle* (Actes du collogue Du Bartas de Pau), Lyon, 1988.
   1. Le Tarascon évoqué par Du Bartas est celui qui se situe non loin de Foix.
   2. Les géants de ce sonnet, selon Nerval, n'ont pas gravi les Pyrénées pour
échapper à des poursuites : ils en sont *descendus* comme du lieu de leur origine.
   3. Cette consécration du lieu semble résulter d'une décision poétique de Nerval ; dans la réalité historique, ni Frédéric Barberousse ni Richard Cœur de Lion
ne se sont apparemment signalés à Salzbourg.

fortement classique et de sens limpide, dans l'irréalité même des évocations dont ils sont faits. Le second quatrain seul pose des problèmes : il introduit dans le sonnet, qui s'ouvrait sur tout autre chose, le motif du lignage, par le biais de l'affiliation littéraire de Nerval à Du Bartas, et de la chaîne qui unit le nouveau sonnet à l'ancien, mais ces préludes vont conduire à tracer une autre généalogie, grandiose et fantastique, qui est suggérée, non sans obscurité, dans les deux derniers vers du quatrain. C'est ici que gît le mystère de ce poème : les vieux comtes de Foix ont bien leur place ici, mais pourquoi est-il question de leurs *vrais descendants* ? Y a-t-il contestation et conjectures sur ce lignage ? On sait que Nerval s'est imaginé quelquefois qu'il en faisait partie : dans *El Desdichado*, où il se dit prince d'Aquitaine, et peut-être Phébus [1], et surtout dans la lettre à George Sand, citée plus haut [2], dans laquelle il lui reparle de notre sonnet, une douzaine d'années après le lui avoir adressé : il la signe tout simplement «Gaston Phoebus [3] d'Aquitaine, pour copie : Gérard de Nerval [4].» Faut-il penser que «les vrais descendants des vieux comtes de Foix» sont une périphrase pudique pour désigner l'auteur du sonnet ? Vrai descendant, assurément ; mais à qui il faudrait, pour pouvoir le prétendre tout haut «dans notre âge», de bons *témoins* ; le mot reprend celui de *témoignage* (vers 4) : la preuve était faite, quant aux géants du roc de Tarascon de leur existence passée en cet endroit. Gérard avoue mélancoliquement que, pour confirmer son antique lignage, de tels *témoins* [5] lui manquent.

Tout écrivain romantique a sa légende personnelle : une image et une histoire de lui-même qu'il entretient à son propre usage et à celui de son public. Ce n'est donc pas par là que Nerval se distingue, ni davantage par le fait que sa légende,

---

1. «Suis-je Amour ou Phébus ? [...]» (*El Desdichado*, vers 9.)
2. Voir ci-dessus, p. 415, note 2.
3. Gaston de Foix, dit Phébus, l'un des comtes de cette lignée (voir notre commentaire d'*El Desdichado*, ci-dessus, p. 401). Foix et son comté, Tarascon, Montfort patrie de Du Bartas (près d'Auch), Agen lieu d'origine des Labrunie appartiennent en gros à la même région de la France.
4. La lettre est, dans l'ensemble, passablement folle. Une folle signature, en 1853, et notre sonnet, en 1841, attestent un fantasme persistant ou récurrent sur une longue durée.
5. Naturellement, il faut entendre ce mot dans son sens premier en français (aujourd'hui vieilli et ne survivant que dans quelques expressions) de «preuve» : c'est un des sens du latin *testimonium*, d'où *témoin* dérive en droite ligne populaire.

telle qu'il nous la propose, tient parfois du délire. Sa folie, en effet, altère rarement le sens et la pertinence de ce qu'il écrit, et il arrive qu'elle féconde sa poésie. Elle aggrave seulement sa vraie différence, qui est de faire peu de place, dans ce qu'il dit de lui-même, à la visée publique et au souci de large communion. Ses aînés prétendaient user d'un moi légendaire pour guider la foule ; lui cherche, par la même voie, à se guider surtout lui-même et ceux qui l'aimeront. L'imagination sans réalité et la solitude sont sa loi, et celle de sa légende : elle exclut l'optimisme des grands aînés, comme démentie par le présent ingrat ; mais elle ignore le pessimisme poético-rhétorique et l'esthétisme vers lesquels ses contemporains commencent à s'orienter. Dans cette légende, qui est aussi sa vérité, et qui figure son invincible désir de bonheur, nous percevons, à l'état natif et pur, le désenchantement romantique.

X

« OCTAVIE »

Nous voyons, dans une des Lettres d'amour, la recherche amoureuse compliquée de circonstances particulières qui appellent le commentaire : l'amant se trouve partagé entre deux femmes de figure semblable. Cette lettre, une de celles que Nerval publia en 1842 dans *Un roman à faire*, reparaît en 1853-1854 au sein d'un nouveau récit, qui introduit une troisième femme : c'est *Octavie*, qu'on peut lire dans *Les Filles du feu*[1]. Presque dans le même temps, *Sylvie* avait représenté trois femmes autour du narrateur, dont deux se ressemblaient, selon lui, à s'y méprendre.

Le thème de la ressemblance entre deux femmes est d'un fréquent usage dans la littérature romanesque en général, surtout dans celle qui fait plus de cas du merveilleux que du plausible. Il a bien des formes et des emplois possibles. Nous avons

---

1. Sur *Un roman à faire*, voir ci-dessus, p. 279, et notre section « Les Lettres d'amour » ; des six lettres publiées sous ce titre par Nerval en 1842, la nôtre est la troisième ; Nerval l'a de nouveau publiée, intitulée « L'Illusion », dans *L'Artiste* du 6 juillet 1845, avec quelques variantes : on peut lire la version de 1842 dans *Pl. I, G.-P.*, p. 694 et suiv. (variantes de 1845, *ibid.*, pp. 1739-1740). Il existe une autre version, manuscrite, de cette lettre dans la collection Lovenjoul des « Lettres d'amour » (reproduite dans *Pl. I*, qui la donne comme texte de base, pp. 758-760, variantes du manuscrit, p. 1385) ou dans *Pl. I, G.-P.*, pp. 722-723 et 1756-1757. — Enfin, *Octavie*, qui inclut cette lettre dans un cadre nouveau, a paru dans *Le Mousquetaire* du 17 décembre 1853 et dans *Les Filles du feu* (janvier 1854) ; voir *Pl. I*, pp. 287-290 (variantes du *Mousquetaire*, pp. 1293-1294). — Signalons que les quatre versions imprimées de la lettre qui nous intéresse (1842, 1845, 1853, 1854) n'offrent que des variantes relativement peu importantes entre elles ; par contre, elles diffèrent fortement de la version manuscrite, brouillon certainement antérieur à 1842, qui nous fait entrevoir certains aspects de la genèse du texte.

vu Nerval l'utiliser de façon très approximative dans sa *Corilla*.
Ce dont il va être question maintenant est autre. Il s'agit, sur
le mode grave, d'un amant attiré par deux femmes en raison
de la ressemblance entre elles. Il en est ainsi à la fois dans *Octavie*
et dans *Sylvie*; quoique le thème revête, d'une nouvelle à l'autre,
une forme très différente [1], dans les deux récits le *je* du narrateur et celui de l'auteur ne font qu'un, assez manifestement
pour qu'on puisse y voir les premiers exemples du genre autobiographique chez Nerval [2].

La Parisienne, la Napolitaine

La lettre parue en 1842 dans le *Roman à faire*, et qui devait
reparaître dans *Octavie*, raconte un épisode survenu à Naples
au cours du premier voyage de Nerval en Italie, en 1834 [3].
Cette lettre, qui fut donc composée entre ces deux dates, est
adressée à une actrice parisienne [4]. Elle commence par un discours de l'auteur sur son dévouement et ses souffrances
d'amour, dans le style habituel des Lettres d'amour, discours
qui aboutit à l'offre de son entier service, mort comprise : « Tout
mon bien est de vivre, et serait de mourir pour vous [5] ! » Suit
une méditation allégorique sur la Mort amie et consolatrice,
par laquelle est introduit le récit napolitain qui nous intéresse :
l'auteur de la lettre se souvient que l'idée d'une mort volontaire s'est déjà offerte à lui à Naples, il y a trois ans, et il va
dire dans quelles circonstances : « J'avais fait rencontre à la Villa
Reale d'une Vénitienne qui vous ressemblait : une très bonne
femme, dont l'état était de faire des broderies d'or pour les orne-

---

1. *Sylvie* a paru en août 1853, *Octavie* en décembre de la même année ; mais
Octavie, composée pour moitié d'une lettre publiée en 1842, a besoin d'être
considérée la première.
2. Entendons par « autobiographique », non pas réellement « vécu », mais « tenu
ou donné pour tel ».
3. Telle est bien l'année de ce voyage, qui fait l'objet dans *Octavie*, parue plus
tard, d'une date inexacte.
4. Seule la version du manuscrit évoque cette qualité d'« artiste » de la destinataire, laquelle est confirmée ailleurs dans les Lettres et au § 1 d'*Octavie*.
5. Tout ce début de la lettre offre des variantes entre le manuscrit et les versions imprimées, mais cet aboutissement, que nous citons selon le manuscrit,
se trouve partout dans des formes très voisines, étant le point de départ nécessaire à toute la suite.

ments d'église.» Ils passent la soirée au théâtre, puis soupent ensemble «très gaiement». «Tous ces détails me reviennent, observe-t-il, parce que tout m'a frappé beaucoup, à cause du rapport de figure qu'avait cette femme avec vous.» Il veut l'accompagner chez elle, mais elle résiste, craignant que son amant, qui est dans les officiers suisses du roi de Naples, ne survienne au petit jour et ne les surprenne ; il faudrait que son ami se réveille avant l'aube, le pourra-t-il ? «D'abord, dit Gérard, il y a un moyen fort naturel, c'est de ne pas dormir du tout.» Cette galante pensée la décide ; mais voilà qu'à une certaine heure ils s'endorment l'un et l'autre malgré eux. Mais, au bruit des premières cloches, sa compagne le réveille : «En un clin d'œil, je me trouvai habillé, conduit dehors, et me voilà sur le pavé de la rue de Tolède, encore assez endormi pour ne pas trop comprendre ce qui venait de m'arriver.» Il prend des petites rues derrière Chiaia et se met à gravir le Pausilippe [1]. Telle est, pour cette première partie de l'histoire, la version du manuscrit.

Ce début de l'épisode est le même en substance dans la version manuscrite et dans celle qui fut imprimée en 1842, sauf que la narration est fortement abrégée dans l'imprimé : la mention du théâtre et du souper a disparu ; il la reconduit chez elle, apparemment, aussitôt après l'avoir rencontrée ; le militaire suisse est à peine l'objet d'une allusion : le dialogue vaudevillesque sur sa possible apparition fait place à ces quelques lignes : «Je la reconduisis chez elle, bien qu'elle me parlât d'un amant qu'elle avait dans les gardes suisses et qu'elle tremblait de voir arriver.» Ayant ainsi éliminé un développement qui pouvait choquer, la version imprimée introduit les considérations susceptibles d'excuser aux yeux de sa destinataire sa défaillance d'une nuit : «Que vous dirai-je ? il me prit fantaisie de m'étourdir pour tout un soir, et de m'imaginer que cette femme, dont je comprenais à peine le langage, était vous-même, descendue à moi par enchantement ! Pourquoi vous tairais-je toute cette aventure, et la bizarre illusion que mon âme accepta sans peine [...] ?» Naturellement ce raccommodage ne pouvait suffire à dignifier la Nuit napolitaine ; il fallait surtout donner à l'héroïne et au décor de l'aventure un prestige poétique qui rendît l'épisode digne de mémoire et

1. Voir *Pl. I*, pp. 758-759, ou *Pl. I, G.-P.*, pp. 723 et 1756.

justifiât la lettre[1]. C'est ce que Nerval a fait par une addition de toute une grande page, où le sosie de la femme aimée va devenir une créature érotico-fantastique habitant un étrange logis.

Dans cette nouvelle version, Nerval nous décrit le logis de l'Italienne : « La chambre où j'étais entré avait quelque chose de mystique par le hasard ou le choix singulier des objets qu'elle renfermait. Une madone noire, couverte d'oripeaux et dont mon hôtesse était chargée de rajeunir l'antique parure, figurait sur une commode, près d'un lit aux rideaux de serge verte ; une figure de sainte Rosalie, couronnée de roses violettes, semblait plus loin protéger le berceau d'un enfant endormi ; les murs, blanchis à la chaux, étaient décorés de vieux tableaux des quatre éléments, représentant des divinités mythologiques. Ajoutez à cela un beau désordre d'étoffes brillantes, de fleurs artificielles, de vases étrusques ; des miroirs entourés de clinquant, qui reflétaient vivement la lueur de l'unique lampe de cuivre, et sur une table un traité de la divination et des songes, qui me fit penser que ma compagne était un peu sorcière ou bohémienne pour le moins. » Cette femme cependant s'inquiète de lui, lui répète : « Vous êtes triste ! », et se met à parler tout à coup dans une langue inconnue : « C'étaient des syllabes sonores, gutturales, des gazouillements pleins de charme, une langue primitive sans doute ; de l'hébreu, du syriaque, je ne sais : elle sourit de mon étonnement et s'en alla à sa commode, d'où elle tira des ornements de fausses pierres, colliers, bracelets, couronnes ; s'étant parée ainsi, elle revint à table, puis resta sérieuse fort longtemps[2]. »

C'est peut-être la profession de l'héroïne, brodeuse d'or pour les ornements d'église, qui a donné à Nerval l'idée de ce décor où il a voulu la situer. Cette métamorphose de la « très bonne femme » dont parlait seulement le manuscrit s'est faite dans le sens du fantastique et de l'irréel. C'est l'ambiance que Gérard souligne lui-même, comme s'il craignait que son lecteur ne l'ait

---

1. Le manuscrit nous informait seulement de la profession de l'héroïne et passait directement de son consentement à sa brusque intervention matinale, sans mot dire de la Nuit elle-même. — Rappelons que rien n'atteste la réalité biographique de cet épisode, ni l'existence effective d'une destinataire des Lettres d'amour ou, si cette destinataire a existé, l'intention de Nerval de les lui adresser autrement qu'en imagination.

2. Je cite d'après la version de 1842 (*Pl. I, G.-P.*, p. 696, ou *Pl. I*, p. 1388).

pas assez sentie : « Cette femme, aux manières étranges, dit-il, royalement parée, fière et capricieuse, m'apparaissait comme une de ces magiciennes de Thessalie à qui on donnait son âme pour un rêve. » C'est sous cette impression qu'il écrit : « Je m'arrachai à ce *fantôme* qui me séduisait et m'effrayait à la fois [1]. »

Le caractère adventice de la transformation ainsi subie par la brodeuse ne semble pas douteux. Si les additions de la version imprimée répondaient à des souvenirs authentiques, pourquoi Nerval les aurait-il omis dans sa première rédaction ? Il ne lui prêtait, dans ce premier jet, rien d'insolite que sa ressemblance avec la dame de Paris. Il n'est évidemment pas exclu, quoique rien ne le prouve, que cette ressemblance au moins corresponde à une réalité ; mais ce qui y a été ajouté a tout l'air d'une floraison imaginaire. Cependant, si la page nouvelle a changé sensiblement l'atmosphère, elle a laissé intact l'essentiel du récit. L'épisode napolitain comportait, nous le savons depuis le début, une tentation de suicide : c'est par là, nous a dit le narrateur, qu'il est revenu à sa mémoire. Nous allons voir, en effet, que cette tentation a surgi au matin, après la bonne fortune de la nuit [2]. Comment sont-elles liées l'une à l'autre ? C'est là, de toute évidence, que réside le sens de l'étrange récit.

Nerval, en bon conteur, a fait en sorte que ce sens n'apparaisse pas tout de suite. Rien, dans ce que le narrateur nous dit de ses relations avec l'Italienne ne nous est rapporté comme ayant pu lui faire désirer la mort. Sorti au point du jour [3] et ayant gravi le Pausilippe, il contemple du haut de la colline la mer bleue et les îles dorées : « Je n'étais pas, dit-il, attristé le moins du monde [4], je marchais à grands pas, je courais, je descendais les pentes, je me roulais dans l'herbe humide. » Et

---

1. *Pl. I, G.-P.*, pp. 696-697. C'est moi qui souligne. — Nerval, reproduisant *Octavie*, dans *Les Filles du feu*, ajoute, à l'endroit où il rencontre la Napolitaine pour la première fois : « Elle semblait égarée d'esprit » (*Pl. I*, p. 288). Ailleurs, il dit, parlant de cette rencontre : « le mystère de cette apparition » (*Octavie*, 3ᵉ § avant la fin).

2. Le récit de cette seconde partie est, pour l'essentiel, le même dans les diverses versions.

3. À partir d'ici, le manuscrit et la version imprimée se rejoignent.

4. Au lieu d'*attristé*, le manuscrit porte *fatigué*. Il y a aussi quelques variantes, peu importantes, dans le spectacle que le narrateur contemple du haut du Pausilippe.

c'est ici que surgit soudain la pensée triste, que rien ne faisait prévoir : «Mais dans mon cœur il y avait l'idée de la mort.» L'explication ne vient qu'après : il a vécu dans cette nuit une tristesse couverte, qui vient d'éclater ; il se voit cruellement privé d'amour : «J'avais vu comme le fantôme du bonheur, j'avais usé de tous les dons de Dieu, j'étais sous le plus beau ciel du monde [...], mais à trois cents lieues de la seule femme qui existât pour moi et qui ignorait jusqu'à mon existence[1]. N'être pas aimé et n'avoir pas l'espoir de l'être jamais[2].» Ainsi une rencontre sans lendemain avec une inconnue a aggravé le sentiment de solitude de l'amant frustré : tel est le lien qui unit les deux moments du récit. La ressemblance de l'inconnue avec la bien-aimée a été imaginée pour rendre l'expérience plus désolante : celle qui proscrit l'amour à Paris et celle qui, à Naples, n'en offre que le simulacre ont le même visage. La version manuscrite seule dit ensuite : «Cette femme étrangère qui m'avait présenté votre vaine image et qui servait pour moi au caprice d'un soir [...], cette femme m'avait offert tout le plaisir qui peut exister en dehors des émotions de l'amour. Mais l'amour manquant tout cela n'était rien.» Toute cette phrase a disparu dans les versions imprimées[3] ; peut-être Nerval a-t-il trouvé qu'elle répétait, de façon moins délicate, ce qui précédait.

Quand il a compris la signification pour lui de cette nuit, la tentation de la mort l'envahit : «C'est alors, écrit-il, que je fus tenté d'aller demander compte à Dieu de mon incomplète existence.» Deux fois il s'élance vers la falaise et, deux fois, «je ne sais quel pouvoir, écrit-il, me rejeta vivant vers la terre

1. Ce dernier membre de phrase laisse perplexe. Comment Nerval peut-il dire que la dame de Paris ignore son existence, alors qu'il lui écrit ? Cependant le manuscrit porte à cet endroit «qui ignorait *alors* jusqu'à mon existence», ce qui voudrait dire que la Parisienne ignorait encore son existence en 1834, date de l'aventure napolitaine qu'il raconte, mais qu'elle le connaissait au moment où il écrit la lettre quelque temps après (entre 1834 et 1842, date de sa publication). Reste que Gérard a pu être, si on l'en croit, passionnément amoureux d'une femme qui ignorait son existence. On ignore la date à laquelle Jenny a fait la connaissance de Nerval. Il écrit dans sa lettre, en commençant son récit : «C'était à Naples, il y a trois ans» ; il écrit donc à la Parisienne en 1837 ; Jenny, quand elle interpréta, le 31 décembre de cette même année, le *Piquillo* de Nerval, connaissait sûrement son existence, quoiqu'elle pût ne pas se douter de sa passion pour elle, si passion il y eut.
2. *Pl. I, G.-P.*, p. 697, ou *Pl. I*, p. 759.
3. Voir, pour le manuscrit : *Pl. I*, pp. 759-760, ou *Pl. I, G.-P.*, pp. 1756-1757 ; et pour les éditions (1842 et suivantes) : *Pl. I, G.-P.*, p. 697, ou *Pl. I*, p. 1389.

que j'embrassai. Non, mon Dieu ! vous ne m'avez pas créé pour mon éternelle souffrance ; je ne veux pas vous outrager par ma mort. Mais donnez-moi la force, donnez-moi le pouvoir, donnez-moi surtout la résolution qui fait que les uns arrivent au trône, les autres à la gloire, les autres à l'amour [1] ». Il n'est pas douteux que Nerval se place lui-même parmi ces derniers. La Nuit napolitaine est un des témoignages les plus explicites et les plus nus de sa détresse en amour.

L'Anglaise

La nouvelle qui, dans *Les Filles du feu*, s'intitule *Octavie* englobe, onze ans après leur création, la Nuit napolitaine et son prélude épistolaire au sein d'un récit nouveau, précédant ces anciens textes et s'achevant après eux [2]. Ce récit concerne une troisième femme, dont le nom sert de titre à l'ensemble ainsi composé. Il commence au temps où Nerval a dû quitter Paris pour l'Italie [3] ; nous apprenons qu'il voulait fuir un amour malheureux pour une cantatrice : celle, comprenons-nous, à qui il écrivit, trois ans plus tard, la lettre que nous connaissons et qu'il va reproduire. Il parle des associations d'idées italiennes qui jaillissaient pour lui des coulisses d'un petit théâtre : « Une voix délicieuse, comme celle des sirènes, bruissait à mes oreilles. [...] Il fallut partir, laissant à Paris un amour contrarié, auquel je voulais échapper par la distraction [4]. » Ces lignes, pour ceux qui savaient (ou croyaient savoir), pouvaient sembler désigner, dans la cantatrice parisienne comme dans la femme aimée sans succès, Jenny Colon [5].

1. Ce sont là, dans toutes les versions, les derniers mots de la lettre.
2. *Octavie* a paru sous ce titre dans *Le Mousquetaire* du 17 décembre 1853, et avec quelques variantes dans *Les Filles du feu* au début de 1854.
3. Nerval date ce départ de 1832 dans *Le Mousquetaire*, et de 1835 dans *Les Filles du feu*, dates toutes deux inexactes ; c'est en automne 1834 qu'il partit pour l'Italie.
4. Tel est le texte dans *Les Filles du feu* : mais, dans *Le Mousquetaire*, il y a : *Il fallait partir*, et c'est tout ; le reste de la phrase manque ; cet « amour contrarié » est donc l'objet d'une confidence — si c'en est une — de la dernière heure : voir *Pl. I*, p. 285 et p. 1293 (note 5 à la p. 285).
5. Ce passage (*Octavie*, § 1), à vrai dire, est peu net. Il y est question d'abord d'un chant délicieux qui rappelle à Nerval l'Italie et l'oblige à y partir, puis, sans transition, d'un amour contrarié qui produit le même effet ; ce sont deux motivations bien différentes ; mais l'amour, tel que Nerval l'éprouve, peut pro-

Il fuit donc cet amour, et c'est à Marseille, nous dit-il, qu'il rencontre Octavie, jeune fille anglaise. Elle s'intercale donc dans la narration entre la Parisienne et l'Italienne, sans avoir rien de commun avec aucune des deux. Elle a, elle aussi, sa poésie : l'ayant connue aux bains du Château-Vert, il l'appelle «cette fille des eaux»; elle «vint un jour à moi, écrit-il, toute glorieuse d'une pêche étrange qu'elle avait faite : elle tenait dans ses blanches mains un poisson qu'elle me donna». Ayant gagné par terre Florence, Rome et Civita-Vecchia, il la rencontre à nouveau dans cette ville; à bord du bateau qui les conduit de là à Naples, «impatiente de la lenteur du navire, elle imprimait ses dents d'ivoire dans l'écorce d'un citron»; il échange quelques mots avec elle, elle est tendre et rieuse; surtout elle a un caractère de grâce et de bonté qui la distingue des deux autres femmes d'*Octavie* : «Elle accompagnait son père, qui paraissait infirme, et à qui les médecins avaient recommandé le climat de Naples.» Elle donne rendez-vous à Gérard pour le lendemain : «Si vous m'aimez, vous irez m'attendre demain à Portici. Je ne donne pas à tout le monde de tels rendez-vous[1].»

Après une promenade dans la ville, et une soirée dans une famille lettrée de Naples[2], s'ouvre la Nuit dont il a écrit le récit à Paris et qu'il réintroduit en ces termes : «La rencontre que je fis cette nuit-là est le sujet de la lettre suivante, que j'adressai plus tard à celle dont j'avais cru fuir l'amour fatal en m'éloignant de Paris.» Cette fois, Nerval est clair, et la dame de Paris, jusque-là traitée avec modération, prend les traits de cette Pandora, conçue elle aussi vers la fin de 1853 : amour fatal, inspirateur de fuite[3]. Ici se place donc la reproduction de la Lettre et de l'aventure qu'elle raconte, entracte désormais au roman avec l'Anglaise. La transition qu'il imagine ensuite pour revenir à Octavie est de reprendre après sa lettre, en le variant, l'épisode de sa montée au Pausilippe avant

---

duire à la fois, nous le savons, l'attirance et la fuite. — Pour les allusions transparentes à Jenny que Nerval multiplie à la même époque, voir ci-dessus, section «Jenny Colon», p. 288 et suiv.

1. *Octavie*, §§ 2-6.

2. Selon une lettre de Nerval à son père, de décembre 1843 (voir *Pl. I*, pp. 954 et 1481), Nerval n'a connu cette famille Gargallo de Naples qu'à son passage dans cette ville en revenant d'Orient, fin 1843.

3. *Octavie*, dernier § avant la Lettre.

et après son quasi-suicide ; il décrit une lumière éclairant les fenêtres avant l'aube, une poussière volcanique envahissant tout tandis qu'il gagne l'air pur au sommet de la colline : épisode bien fait pour préluder à une visite à Pompéi. Autre épisode vésuvien : arrivé à Portici, il va visiter Herculanum aux rues saupoudrées de cendre, descend dans la ville souterraine : « Je me promenai longtemps d'édifice en édifice, demandant à ces monuments le secret de leur passé. Le temple de Vénus, celui de Mercure parlaient en vain à mon imagination. Il fallait que cela fût peuplé de figures vivantes[1]. » Il remonte et s'arrête pensif : c'est avec Octavie qu'il va refaire vivre le passé tout à l'heure.

« Elle ne tarda pas à paraître, guidant la marche de son père, et me serra la main avec force en me disant : C'est bien[2]. » Elle le suit à Pompéi, parmi les ruines, au temple d'Isis : « J'eus le bonheur, dit-il, de lui expliquer fidèlement les détails du culte et des cérémonies que j'avais lus dans Apulée. Elle voulut jouer elle-même le personnage de la Déesse, et je me vis chargé du rôle d'Osiris, dont j'expliquai les divins mystères[3]. » En somme, cette femme, merveilleusement dévouée et poétique, intervenant au milieu des angoisses suscitées par les deux autres, semble offrir à Gérard une chance d'amour heureux. Mais il n'ose lui parler d'amour, et elle lui fait reproche de sa froideur. « Alors je lui avouai que je ne me sentais plus digne d'elle. Je lui contai le mystère de cette apparition qui avait réveillé un ancien amour dans mon cœur, et toute la tristesse de cette nuit fatale où le fantôme du bonheur n'avait été que le reproche d'un parjure[4]. » La nuit de Naples a pris ici figure définitive d'épisode anxieux et fantomatique ; mais « le reproche d'un parjure », c'est-à-dire le remords d'une infidélité à la

1. *Ibid.*, § 2 après la Lettre.
2. *Ibid.*, § 3 après la Lettre. On a quelquefois rapproché d'*Octavie*, je ne sais pourquoi, une anecdote de voyage racontée par Nerval : à table d'hôte, à Marseille, un convive demande du champagne, et sa femme, pour lui en laisser boire le moins possible, vu sa santé, en offre à toute la compagnie ; lui s'obstinant à en commander et le manège ayant été répété plusieurs fois, il se sent vexé et quitte la table (lettre de Nerval à divers, du 6 novembre 1834). Nerval a raconté cette histoire une seconde fois, comme ayant eu lieu à Constance, où il se trouva en novembre 1839 ; le couple est anglais, les détails autres (*Voyage en Orient*, Introduction, IV, § 2). Mais quel rapport avec Octavie et son père ?
3. *Octavie*, même §.
4. *Ibid.*, § 4 après la Lettre.

Parisienne, ne surgit qu'ici. Pas trace de *mea culpa* de l'amant infidèle dans cette lettre, pourtant adressée à la Bien-Aimée elle-même, et où il lui dit tout. Il n'allègue une telle culpabilité que pour refuser l'amour d'une autre. Il dit en substance à l'Anglaise : infidèle à celle que j'aime, je suis indigne de vous. Il ne nous dit pas ce qu'elle a répondu à cet étrange propos, sur lequel il arrête l'histoire. Ce scénario annonce curieusement celui qui nous le montrera dans *Aurélia*, rétractant sa déclaration d'amour à la dame de Vienne en lui confiant son amour malheureux pour une autre[1]. On finit par avoir l'impression que le grand amour frustré, mais fidèle quand même, sert à colorer ses reculs devant l'amour présent.

Octavie et lui se séparent donc, et il ne la revoit que longtemps après, au retour de son voyage en Orient, en 1843. Il la retrouve à Naples, mariée à un peintre paralytique[2] et jaloux, et partageant son dévouement entre cet époux et son père, fidèle donc à cette charité qui semble sa loi, et définitivement hors de portée de Nerval. On peut se demander pourquoi la lettre-récit publiée en 1842 avait besoin de s'encadrer en 1853 dans une nouvelle intrigue. La principale raison est sans doute qu'à l'automne de 1853 Nerval, en quête de texte pour nourrir son recueil des *Filles du feu* et faisant flèche de tout bois, a jugé avec raison que cette Lettre de jadis était digne de ne pas être oubliée ; mais elle n'a que quelques pages, et il fallait quelque chose de plus consistant. Or il avait, quelques mois avant, publié *Sylvie*[3], où reparaissait, sous une forme renouvelée, le scénario des deux Femmes Sosies et de l'Amant désespéré qui cherchait ici sa consolation dans une troisième femme, sans succès non plus. En 1853, Nerval a voulu compléter l'ancien épisode napolitain en un récit plus ample ; il a repris, semble-t-il, le dispositif triple de *Sylvie* : Octavie elle aussi semble offrir, comme Sylvie, un espoir que n'offrent ni l'une ni l'autre des deux femmes de figure semblable, ni la

---

1. *Aurélia*, Ire partie, I, *in fine* (rétractation, et confidences dont l'objet est évidemment la dame de Paris, si on juge par ce qui suit au début de II).

2. On suppose parfois que l'Anglais dont parle Nerval à son père dans sa lettre du 3 décembre 1843, et qui se faisait porter sur un brancard pour voir Pompéi avant de mourir, a du rapport avec le mari paralysé d'Octavie. Mais ce rapport ne s'impose en rien.

3. *Sylvie* parut en août 1853, et *Octavie*, complétée sans doute à l'automne suivant, fut publiée en décembre.

Parisienne, ni la Napolitaine. Mais le narrateur, en s'abstenant délibérément de saisir cette chance, ou de la tenter au moins, nous révèle un des aspects de Nerval, que *Sylvie* faisait déjà soupçonner : l'impossibilité, inscrite en lui, d'un amour heureux. Il souligne bien la parenté des scénarios d'*Octavie* et *Sylvie* quand il clôt *Octavie* par cette réflexion : «Le bateau qui me ramena à Marseille emporta comme un rêve cette vision chérie, et je me dis que peut-être j'avais laissé là le bonheur. Octavie en a gardé près d'elle le secret.» Il avait dit de même, à propos de Sylvie mariée : «Là était le bonheur peut-être[1].»

---

1. *Sylvie*, XIV, § 3, *in fine*. Un mot encore : rien ne nous garantit qu'Octavie ait réellement existé ; la femme qui imprime ses dents dans des citrons se trouve déjà en 1841 dans le sonnet *À J.-y Colonna*, et «une fille blonde qui mange des citrons» se retrouve dans un texte de date incertaine (*Pl. I*, p. 431).

XI

« SYLVIE »

Voici l'œuvre la plus connue de Nerval, et la plus remarquable des nouvelles jamais parues en langue française. Nerval l'a écrite entre le printemps et l'été de 1853, dans une période de relative détente psychique. Il y raconte, avec un art délicat et serein, le tourment fondamental de sa vie.

L'Actrice et Adrienne

Sylvie doit-elle à la Nuit napolitaine la première idée du thème des Deux Dames de même figure ? C'est en tout cas sur ce thème, il est vrai singulièrement approfondi cette fois, que le nouveau récit commence. La première femme qui paraît dans *Sylvie* est encore l'Actrice parisienne, mais chargée d'un prestige pour l'imagination et le cœur dont Nerval nous fait pour la première fois l'entière confidence. Il vient contempler chaque soir sur la scène cette étoile de théâtre qu'il idéalise avec ferveur, selon l'esprit, nous dit-il, de toute une génération dégoûtée par la platitude du réel et de la société environnante : « L'avide curée qui se faisait alors des positions et des honneurs nous éloignait des sphères d'activité possibles », lit-on au début de *Sylvie*, ainsi placée dès l'abord sous le signe d'un désenchantement général. Nerval a, nous dit-il, un rival heureux, et s'y résigne : « Moi, c'est une image que je poursuis, rien de plus. » Il fait soudain un héritage, qui pourrait le faire préférer à son rival, mais cette idée lui répugne. L'annonce, dans un journal, de la Fête du Bouquet provincial à Loisy, dans le Valois de son enfance, suffit à retourner le cours de ses pensées :

«Demain, les archers de Senlis doivent rendre le bouquet à ceux de Loisy [1]. » Il se retire chez lui, gagne son lit, revoit dans une demi-somnolence une scène de son enfance. Le page est célèbre à bon droit : des jeunes filles dansent en rond sur la pelouse d'un château au soleil couchant en chantant d'anciennes chansons. Il est là avec Sylvie, petite fille du hameau voisin dont il est l'amoureux. Mais il voit devant lui, au milieu de la ronde, «une blonde, grande et belle qu'on appelait Adrienne», et le hasard de la danse fait qu'il doit l'embrasser ; il lui presse la main, il se sent troublé. Elle chante au clair de lune ; elle se tait : «Nous pensions être en paradis.» Il la couronne de lauriers : «Elle ressemblait à la Béatrice de Dante qui sourit au poète errant sur la lisière des saintes demeures. [...] C'était, nous dit-on, la petite-fille de l'un des descendants d'une famille alliée aux anciens rois de France; le sang des Valois coulait dans ses veines.» Il rentre à Paris pour ses études, laissant Sylvie affligée et fâchée contre lui. Aux vacances suivantes, il apprend que les parents d'Adrienne l'ont fait entrer en religion [2].

Ce souvenir était en même temps une révélation. «Tout, dit-il, m'était expliqué par ce souvenir à demi rêvé. Cet amour vague et sans espoir, conçu pour une femme de théâtre [...] avait son germe dans le souvenir d'Adrienne [...]. La ressemblance d'une figure oubliée depuis des années se dessinait désormais avec une netteté singulière.» D'où l'idée que les deux femmes pourraient n'en être qu'une seule, et le cri : «Aimer une religieuse sous la forme d'une actrice!... et si c'était la même! — Il y a de quoi devenir fou [3]!» Ces paroles saisissantes mesurent la profondeur nouvelle du thème des deux femmes ressemblantes. Dans la Nuit napolitaine de 1844, la ressemblance soulignait seulement la primauté de l'Aimée, et la facile conquête de son double ne faisait qu'accentuer la solitude de l'amant; pas un instant, malgré tous les prestiges dont Nerval a fini par charger l'Italienne, la ressemblance ne frappait de confusion la conscience du narrateur; l'Aimée était seule aimée; l'autre l'inquiétait à peine. Il le disait en propres termes : «Pourquoi n'ai-je pas craint de vous faire ce récit? C'est que vous savez bien que ce n'était aussi qu'un rêve, où seule

1. *Sylvie*, I.
2. *Ibid.*, II.
3. *Ibid.*, III.

vous avez régné[1]!»... Que se produit-il donc dans *Sylvie*? C'est que le grand amour solitaire y déploie toute sa puissance perturbatrice : comme il est, par essence, ennemi du réel, il en altère la faculté chez l'amant ; c'est ainsi que Nerval double l'Aimée d'une figure du passé, qu'il découvre soudain semblable à elle, et à laquelle il donne plus de prestige qu'à elle ; c'est dans Adrienne qu'il place la source de son amour, l'Actrice n'en a que l'écho ; c'est dans Adrienne qu'il développera les caractères du féminin céleste. Il croit comprendre : — C'est donc la même femme que j'ai toujours aimée ; religieuse, actrice, la même ! Et soudain, se ressaisissant : « Il y a de quoi devenir fou ! » : un effroi interrompt la rêverie à la frontière du délire[2]. Ce n'est peut-être pas par hasard que cette rêverie a mis en présence une religieuse et une actrice : nous savons que le grand amour contemplatif fait hésiter ses adeptes entre une Sainte protectrice et une Fée, brillante des séductions fatales de ce monde.

On ne peut méconnaître, dans ce début générateur de *Sylvie*, la présence d'un autre élément puissamment irrationnel, latent chez Nerval, le refus d'accepter le temps dans son ordre : en confondant Adrienne et l'Actrice, c'est le passé et le présent que Nerval veut confondre. Un vœu d'éternité, que nous avons rencontré chez lui déjà sous diverses formes, dédouble la Bien-Aimée : elle fut, elle est, c'est une autre et c'est elle. L'amour serait, s'il pouvait en être ainsi, le lien intérieur de l'éternité. Cette chimère est meurtrière ; et Nerval, en l'appelant folie, fait acte de santé ; dans la mélancolie lucide de sa *Sylvie*, tous reconnaissent une rémission de son mal et une prise de conscience. Ainsi s'explique aussi qu'il passe instantanément de l'intuition du mal à l'idée du remède : « Reprenons pied sur le réel. »

Adrienne a-t-elle existé ? Devons-nous croire ce que Nerval nous dit d'elle et de lui ? Nous n'avons aucune preuve ni témoignage qui nous y oblige. Et si nous en étions assurés, quel usage ferions-nous de cette certitude ? *Sylvie* raconte, aussi explicitement qu'il est possible, l'Amour solitaire se faisant écho à lui-même, d'Adrienne à l'Actrice, créant l'angoisse et l'irréalité, et la nécessité d'un remède. Ce remède va échouer ; il nous sera dit, non moins clairement, pourquoi.

---

1. *Pl. I, G.-P.*, pp. 696-697.
2. *Sylvie*, III.

Sylvie

Nerval attend le salut d'une troisième femme, apparemment pour lui l'incarnation même du réel : c'est la Sylvie dont il a été jadis l'amoureux. «Elle existe, elle, bonne et pure de cœur sans doute. [...] Elle m'attend encore... Qui l'aurait épousée ? elle est si pauvre[1] !» Il faut donc retourner à Loisy, tout éclaircir avec elle et lui demander son amour. Le narrateur se résout aussitôt à ce voyage. Mais, tandis que la voiture l'entraîne sur la route de Flandre, il s'abandonne encore au souvenir ; il va revivre d'anciens séjours dans le Valois, situés entre l'épisode d'Adrienne et le moment présent. Ainsi se confirme un mode de disposition chronologique du récit qui s'annonçait dans la rêverie rétrospective de Paris : à deux reprises, le compte rendu du voyage actuel, après quelques lignes, sera coupé par une longue réminiscence du passé. Cette construction est significative : elle crée l'impression que ce prétendu voyage vers le réel est une excursion vers ce qui n'est plus[2].

Le narrateur revit d'abord un séjour de jadis à Loisy au moment de la fête patronale. Cette fête se retrace tout entière dans son imagination : le cortège des chevaliers de l'arc parmi lesquels il a pris place, la promenade à travers les villages, l'excursion à la Watteau dans une île. Au repas qui se donne dans ce «Voyage à Cythère», il se trouve près de Sylvie, qui toujours jalouse le boude, mais finit par se laisser embrasser tendrement[3]. Il la raccompagne chez elle à Loisy, puis passe la nuit à la belle étoile dans les parages du couvent de Saint-Sulpice, celui peut-être où est Adrienne, songe-t-il : preuve que cette obsession ne l'abandonne pas. Il est même tenté de jeter un coup d'œil par-dessus les murs ; «mais en y réfléchissant, dit-il, je m'en gardai comme d'une profanation» ; ce n'est certes pas par hasard qu'il a donné au double de la Bien-Aimée un caractère quelque peu sacré, interdit, qui attire et fait fuir : «Le jour en grandissant chassa de ma pensée ce vain souvenir

---

1. *Ibid.*
2. Même une fois arrivé à Loisy et ayant retrouvé Sylvie dans le présent, il n'y aura pas de page où Nerval ne fasse allusion, parfois de façon détaillée, à quelque épisode du passé.
3. *Sylvie*, IV.

et n'y laissa plus que les traits rosés de Sylvie.» Il veut, pour le moment, être tout à elle. Il va la réveiller, et elle l'emmène voir sa grand-tante à Othys.

Ils y vont à travers prés, et il lui lit chemin faisant des passages de *La Nouvelle Héloïse* [1]. À Othys, les deux jeunes gens, étant montés dans la chambre du haut pour y chercher des dentelles anciennes, découvrent les habits de mariage de la tante et de son défunt mari, les revêtent, Sylvie d'abord, lui ensuite [2]. «En un instant je me transformai en marié de l'autre siècle. Sylvie m'attendait sur l'escalier, et nous descendîmes tous deux en nous tenant par la main. Pendant le repas, la tante chante des chansons de noces de jadis, qu'ils reprennent après elle : «Nous étions l'époux et l'épouse pour tout un beau matin d'été [3].» L'épisode est plein de sens : en simulant la répétition des noces des ancêtres dans celles des jeunes, en identifiant les gestes de jadis et ceux d'aujourd'hui, il trahit le désir d'annuler le temps. Que va donc chercher Nerval dans le Valois? le réel comme il le croit? ou la chimère d'un temps éternisé?

Pause brève aux réminiscences, et retour au présent voyage et au parcours de la voiture [4]. Mais aussitôt, à propos d'un site, le souvenir reparaît : «C'est par là qu'un soir le frère de Sylvie m'a conduit dans sa carriole à une solennité du pays. C'était, je crois, le soir de la Saint-Barthélemy [5].» La cérémonie a lieu dans l'abbaye de Châalis, un des monuments les plus vénérables du Valois. On y donnait ce soir-là une représentation allégorique où devaient figurer des pensionnaires d'un couvent voisin : «Ce que je vis jouer était comme un mystère des anciens temps. Les costumes, composés de longues robes, n'étaient variés que par les couleurs de l'azur, de l'hyacinthe ou de l'aurore. La scène se passait entre les anges, sur les débris du monde détruit. Chaque voix chantait une des splendeurs de ce globe éteint, et l'ange de la mort définissait les causes

---

1. *Ibid.*, V.
2. Un épisode analogue se retrouve plusieurs fois, on le sait, dans l'œuvre de Nerval : déjà en 1849 dans *Le Marquis de Fayolle*, X, «L'entrevue»; puis dans *Promenades et souvenirs*, V, et dans la «Lettre à Stadler» (Pl. I, p. 465).
3. *Sylvie*, VI.
4. *Ibid.*, VII.
5. On sait la sympathie de Nerval pour les Valois, les Médicis, et leur histoire; il la prétend, ici, partagée par la population du Valois de son temps.

de sa destruction. Un esprit montait de l'abîme, tenant en main l'épée flamboyante, et convoquait les autres à venir admirer la gloire du Christ vainqueur des enfers. Cet esprit, c'était Adrienne transfigurée par son costume comme elle l'était déjà par sa vocation. Le nimbe de carton doré qui ceignait sa tête angélique nous paraissait bien naturellement un cercle de lumière ; sa voix avait gagné en force et en étendue, et les fioritures infinies du chant italien brodaient de leurs gazouillements d'oiseaux les phrases sévères d'un récitatif pompeux [1]. »

Cette nouvelle apparition, mystique cette fois, d'Adrienne, dans le goût des Jugements derniers du romantisme néochrétien, semble une version sacrée des apparitions de l'Actrice sur la scène de son théâtre, qui illuminent le début de *Sylvie*. La mysticité, dans l'univers de Nerval, menace le sentiment du réel : « En me retraçant ces détails, avoue-t-il, j'en suis à me demander s'ils sont réels, ou bien si je les ai rêvés. » Un peu angoissé par cette pensée — écho de celle qui rend Adrienne identique à l'Actrice —, il accumule, pour se rassurer, le souvenir des impressions réelles qu'il a gardées de cette visite de l'abbaye : « Mais l'apparition d'Adrienne est-elle aussi vraie que ces détails et que l'existence incontestable de l'abbaye de Châalis ? » Et il évoque encore d'autres détails précis, mais n'en conclut pas moins, quant à l'apparition : « Ce souvenir est une obsession [2] peut-être. »

On ne sait comment situer dans le temps ce souvenir de Châalis parmi la série des épisodes passés qui se trouvent remémorés dans *Sylvie* [3]. En tout cas, Nerval l'avait déjà raconté en

1. *Ibid.*
2. « Une obsession » : ce mot a tardé à adopter le sens que nous lui donnons actuellement. Une *obsession*, en dehors de la psychiatrie pure, est aujourd'hui une pensée intérieure insistante, tyrannique, impossible à chasser ; mais Nerval pense moins à l'acharnement de l'obsession qu'à son défaut de fondement dans la réalité : *obsession* est voisin ici de *délire*.
3. La chronologie des événements racontés dans *Sylvie* ne peut se conjecturer que très approximativement. Quatre époques s'y distinguent. Ce sont, en remontant du présent vers le passé : A. Celle où Nerval écrit ; cette époque ne paraît que tout à la fin (XIV, « Dernier feuillet ») ; il faut donc la situer au plus tard vers 1853, année où Nerval publia la nouvelle. — B. Celle qu'on peut appeler le présent du récit : épisodes parisiens I et III (l'Actrice, la résolution de partir pour Loisy, le début du voyage) ; le début de VII et sa fin (divers moments de ce voyage) ; de VIII à XII (séjour à Loisy et désillusion) ; enfin, le XIII (relations nouées avec l'Actrice, ici nommée du nom d'Aurélie, et rupture) ; tout cet ensemble, qui fournit la trame de tout le récit, peut se situer en 1837 et l'année

1850 dans un des feuilletons des *Faux Saulniers*, sous d'autres noms de lieu et de personnes : «J'ai assisté autrefois à une représentation donnée à Senlis, dans une pension de demoiselles. On jouait un mystère, — comme aux temps passés. — La vie du Christ avait été représentée dans tous ses détails, et la scène dont je me souviens était celle où l'on attendait la descente du Christ dans les enfers. Une très belle fille blonde parut avec une robe blanche, une coiffure de perles, une auréole et une épée dorée, sur un demi-globe qui figurait un astre éteint. Elle chantait :

> *Anges ! descendez promptement,*
> *Au fond du purgatoire !...*

Et elle parlait de la gloire du Messie, qui allait visiter ces sombres lieux. — [...] Ceci se passait dans une époque monarchique. La demoiselle blonde était d'une des plus grandes familles du pays et s'appelait Delphine. Je n'oublierai jamais ce nom [1]. »

_____

suivante (dans III, § 6, Nerval dit qu'il dissipe depuis trois ans son héritage ; or il reçut cet héritage en 1834). — C. L'époque d'un précédent voyage à Loisy au temps de la fête patronale (IV-V-VI), qu'on peut situer en 1834 (voir III, § 3, où Nerval dit : «Et Sylvie [...] pourquoi l'ai-je oubliée depuis trois ans ?») — D. La représentation à Châalis, dont le souvenir surgit dans VII, peu après la longue remémoration de C, semble appartenir aussi à cette époque ; mais il y a une difficulté majeure : nous apprendrons, à la fin de *Sylvie*, qu'Adrienne, actrice dans cette représentation, est morte en 1832 ; il faudrait donc supposer un autre voyage de Gérard à Loisy, avant 1832 (?) et après E, dont nous allons parler. — E. L'époque, resurgie dans la mémoire du narrateur dès Paris, où il a connu Adrienne pour la première fois (II) ; si l'on en croit Nerval, cet épisode fameux a eu lieu «quelques années» avant C, et c'est «un souvenir d'enfance» ; mais quelques années avant 1834, où Nerval avait vingt-six ans, ne suffisent pas pour situer un souvenir d'enfance. — Ainsi toute l'histoire (B, C, D et E) est un ensemble de souvenirs que Nerval met par écrit au temps de A ; C, D et E sont des souvenirs remémorés au temps de B, mais dans l'ordre inverse de leur ancienneté, et sans qu'aucune date se puisse exactement fixer. Et il faut ajouter à tout cela le grand nombre des souvenirs d'enfance qui surgissent en dehors des épisodes principaux, au cours des séjours à Loisy. — L'art qui gouverne cette construction n'est pas exempt, on le voit, de négligences, qui trahissent le caractère imaginaire de cette autobiographie. *Sylvie* est proprement le roman de la réminiscence, mais racontée selon l'ordre d'apparition des souvenirs, naissant les uns au sein des autres, non selon l'ordre des temps. Rien mieux que cette disposition ne montre que la réminiscence chez Nerval vise secrètement au refus du temps. Le lecteur lui-même se défend mal de ce vertige en lisant l'incomparable *Sylvie*.

1. *Les Faux Saulniers*, feuilleton du 8 novembre 1850 dans *Le National* (*Pl. II*, *G.-P.*, p. 58) ; le récit se retrouve dans *La Bohême galante*, article du 1er octobre 1852 dans *L'Artiste*, et dans *Les Filles du feu* (*Angélique*, 6e lettre : «Delphine»).

S'il ne l'a pas oublié, il l'a remplacé, on l'a vu, par celui
d'Adrienne. Les deux récits n'en font évidemment qu'un [1], et
il semble peu prudent de leur attribuer un fond réel. Quand
la voiture s'arrête à l'endroit où Nerval doit descendre, nous
quittons le souvenir pour rentrer dans le présent. Le narrateur, descendu de voiture, gagne Loisy tout proche, et le bal
où il va retrouver Sylvie : nous reprenons l'histoire commencée à Paris, dont voici la suite.

Le Présent ennemi

Le voyageur arrive au bal de Loisy au petit jour ; il demande
Sylvie, il la revoit. Un jeune homme qui se tient près d'elle,
son danseur, se retire. Le dialogue qui s'engage bientôt entre
son ancien amoureux et elle, quand il la raccompagne, ne
présage rien d'heureux. Nerval, aussitôt qu'il se voit face au
présent, se sent perdant : «— Sylvie, lui dis-je, vous ne m'aimez
plus ! Elle soupira. — Mon ami, me dit-elle, il faut se faire une
raison ; les choses ne vont pas comme nous voulons dans la vie.
Vous m'avez parlé autrefois de *La Nouvelle Héloïse*, je l'ai lue
[...]. Vous souvenez-vous du jour où nous avons revêtu les
habits de noces de la tante ?... Les gravures du livre présentaient aussi les amoureux sous de vieux costumes du temps
passé, de sorte que pour moi vous étiez Saint-Preux, et je me
retrouvais dans Julie. » Autre déguisement du couple en personnages anciens, de légende littéraire cette fois : vaines fictions
se faisant écho l'une à l'autre. «Ah, dit Sylvie, que n'êtes-vous
revenu alors ! » Et elle le taquine, lui supposant des amours en
Italie et à Paris : «— À Paris... Je secouai la tête sans répondre. Tout à coup je pensai à l'image vaine qui m'avait égaré
si longtemps. — Sylvie, dis-je, arrêtons-nous ici, le voulez-vous ?
— Je me jetai à ses pieds ; je confessai en pleurant à chaudes
larmes mes irrésolutions, mes caprices ; j'évoquai le spectre
funeste qui traversait ma vie. — Sauvez-moi ! ajoutai-je, je
reviens à vous pour toujours. — Elle tourna vers moi ses regards

---

1. Nerval lui-même ne les distinguait pas l'un de l'autre : les vers qu'il faisait chanter par Delphine en 1850 ne se retrouvent plus dans la bouche d'Adrienne
dans *Sylvie*, VII ; mais, dans XI, ils sont cités comme ayant été chantés par
Adrienne, à Châalis.

attendris [1]. » Tout ce qui pouvait être dit entre lui et elle est dans ce peu de mots ; il est évident que ce qu'il est venu chercher n'est pas devant lui. Le frère de Sylvie et son galant du bal reviennent à point, un peu gris l'un et l'autre, pour que Sylvie n'ait pas à répondre davantage, et que la tristesse du moment garde un dehors léger.

Les promenades solitaires du narrateur, pendant les heures qui suivent cette aube, donnent de plus en plus à son récit le caractère d'un pèlerinage mélancolique dans le passé perdu. Après une visite à la maison de son oncle, où il a vécu enfant [2], « plein, écrit-il, des idées tristes qu'amenait ce retour tardif en des lieux si aimés, je sentis le besoin de revoir Sylvie, seule figure vivante et jeune encore qui me rattachât à ce pays ». Mais à Loisy tout dort encore en ce lendemain de fête, et il lui vient l'idée d'une promenade à Ermenonville [3]. Il retrouve, dans ce parc et ce château, tout ce qu'il y a connu jadis, mais « que tout cela est solitaire et triste » ! Il reprend le chemin de Loisy, va voir Sylvie chez elle, la trouve dans une toilette de demoiselle parmi des meubles modernes. « J'étais pressé, dit-il, de sortir de cette chambre où je ne trouvais rien du passé [4]. » Elle a cessé d'être dentellière pour être gantière, métier en quelque sorte industriel. Elle s'explique prosaïquement : « Nous travaillons ici pour Dammartin, cela donne beaucoup en ce moment. » Ils prennent ensemble le chemin de Châalis à travers la forêt, s'arrêtent : « La conversation entre nous,

---

1. *Sylvie*, VIII. On aura remarqué comment est qualifiée l'obsession de l'Étoile de théâtre et de son double mystique ; « image vaine », « spectre funeste » ; ces expressions donnent une terrible idée de l'amour idéal. Hélas ! Sylvie, invoquée comme salvatrice, ne saurait l'être : Gérard est son passé, et elle accepte que son présent soit ailleurs ; ce qui est désenchantement pour Nerval est pour elle loi de vie et de sagesse.

2. À Montagny, dit-il, mais ce nom recouvre certainement celui de Morte-fontaine, où son grand-oncle avait habité, et qui est à quelques kilomètres de Loisy ; Montagny est à l'opposé, et beaucoup plus loin.

3. *Ibid.*, IX. Bien sûr, Rousseau est présent, à Ermenonville ; mais il faut noter cette invocation : « Ô sage ! tu nous avais donné le lait des forts, et nous étions trop faibles pour qu'il pût nous profiter. Nous avons oublié tes leçons que savaient nos pères et nous avons perdu le sens de ta parole, dernier écho des sagesses antiques. Pourtant ne désespérons pas, et, comme tu fis à ton suprême instant, tournons nos yeux vers le soleil ! » (IX, § 7.) — Ce sentiment de décadence par rapport aux grands inspirateurs du siècle précédent est un des traits profonds du désenchantement de Nerval.

4. *Ibid.*, X.

dit Nerval, ne pouvait plus être bien intime.» Ils échangent pourtant encore quelques souvenirs d'enfance, sans grand écho[1]. Nerval évoque la tante d'Othys : il apprend qu'elle est morte. Au cours de cette promenade, il a compris de plus en plus clairement que le Valois n'est plus le Valois, ni Sylvie Sylvie.

Ils sont arrivés aux étangs de Châalis[2]. Il espère encore renouveler «le moment d'expansion du matin», mais n'en trouve pas l'occasion. Alors il prend un parti étrange : «J'eus le malheur, dit-il, de raconter l'apparition de Châalis, restée dans mes souvenirs. Je menai Sylvie dans la salle même du château où j'avais entendu chanter Adrienne. — Oh! que je vous entende! lui dis-je; que votre voix chérie résonne sous ces voûtes et en chasse l'esprit qui me tourmente, fût-il divin ou bien fatal! — Elle répéta les paroles et le chant après moi :

Anges, descendez promptement
Au fond du purgatoire!...»

Il tient donc son obsession de la religieuse pour un véritable maléfice, et c'est une sorte d'exorcisme qu'il attend de l'intercession de Sylvie. Mais elle ne comprend pas ce qu'il lui fait faire, et son chant est naturellement sans vertu. Et lui, de plus en plus désemparé, et toujours torturé par le doute quant à l'existence réelle d'Adrienne, y revient encore, maladivement, en passant devant le couvent de Saint-Sulpice-du-Désert : «Qu'est devenue la religieuse? dis-je tout à coup. — Ah! vous êtes terrible avec votre religieuse... eh bien! cela a mal tourné. — Elle ne voulut pas m'en dire un mot de plus[3].»

Bien curieusement, à partir de là, et sans désemparer, pourrait-on dire, sa rêverie se retourne vers l'Actrice[4] : «Une

---

1. *Ibid.* notamment le souvenir de la noyade (voir plus loin), quand le frère de lait de Nerval, le *grand frisé*, l'avait tiré de l'eau après lui avoir dit qu'on pouvait la passer! (On apprendra plus tard que c'est son rival actuel.)
2. *Ibid.*, XI.
3. Il a répété cette conduite étrange avec Octavie, quand il lui fait confidence de sa «nuit fatale» avec l'Italienne, en parlant aussi d'«apparition», quoiqu'il n'en soit pas du tout question dans ce cas.
4. *Ibid.*, après un bref détour, peu vraisemblable, par la pensée de séduire Sylvie sur place, aussitôt rejetée, bien sûr.

tout autre idée vint traverser mon esprit. À cette heure-ci, me
dis-je, je serais au théâtre... Qu'est-ce qu'Aurélie doit donc
jouer ce soir? Évidemment le rôle de la princesse dans le drame
nouveau. Oh! le troisième acte, qu'elle y est touchante!... Et
dans la scène d'amour du second! avec ce jeune premier tout
ridé... [1]». À peine, au retour vers Loisy, un léger renouveau
d'intérêt, fugace, pour Sylvie, une nouvelle tentation de se jeter
à ses pieds et de lui offrir le mariage, «mais en ce moment nous
arrivions à Loisy, on nous attendait pour souper [2]». Il est difficile de ne pas sourire à de telles raisons. Nerval a perdu courage dès le tout premier moment. Au cours de ce souper se
décide, parmi une compagnie de voisins invités, le dénouement
du voyage de Nerval à Loisy. À travers des conversations de
village très animées, Nerval apprend que le galant de Sylvie
n'est autre que le *grand frisé*, son frère de lait, qui l'a jadis tiré
de l'eau; il apprend surtout qu'il va épouser Sylvie et aller établir avec elle une pâtisserie à Dammartin. «Je n'en demandai
pas plus, écrit-il laconiquement. La voiture de Nanteuil-le-
Haudouin me ramena le lendemain à Paris [3].»

Aurélie

Nerval a donc compris que ce qu'au début de son voyage
il appelait *le réel* n'était en fait qu'un passé impossible à ressaisir. Dans le mouvement de cette prise de conscience qui l'éloi-
gne de Sylvie, il se rejette vers Aurélie, seule réelle et
contemporaine; il ne veut plus faire état de son double fantastique, même si ce double demeure un problème pour lui. Il
reprend donc le soir même sa place accoutumée au théâtre. Mais
ses intentions ne sont plus les mêmes: il va chercher dans Aurélie une présence, non plus distante, mais proche et effective.
Bien timidement, il est vrai; car, s'il se déclare à elle, c'est
dans une lettre, et une lettre qu'il signe «Un inconnu»; mieux,
il part le lendemain en Allemagne. Là, il compose pour elle
un drame des amours de Colonna et de Laura (type exemplaire,
notons-le, de couple séparé). Puis il revient en France, lui fait

1. *Ibid.*; c'est ici qu'on apprend le nom de l'actrice.
2. *Ibid.*, XI-XII.
3. *Ibid.*, XII, *in fine*.

accepter le rôle principal dans son drame, lui révèle qu'il est l'inconnu des lettres, cherche en somme à établir, entre elle et lui, une relation humaine couronnée par l'amour. Elle ne le repousse pas et, ayant rompu une liaison antérieure[1], lui écrit avec effusion. Il accompagne la troupe d'Aurélie en province en qualité de *seigneur poète*[2], lie amitié avec le régisseur, «ancien Dorante des comédies de Marivaux[3]», le persuade de donner des représentations dans le Valois, en particulier à Senlis et à Dammartin. De Senlis sans doute, il les mène faire une promenade à cheval aux étangs de Commelle, près de Chantilly, et de là, avec une intention très précise, à Orry[4].

«J'avais projeté, nous dit-il tranquillement, de conduire Aurélie au château, près d'Orry, sur la même place verte où pour la première fois j'avais vu Adrienne.» Pourquoi cette nouvelle version de la singulière épreuve subie à Châalis par Sylvie? C'est pire ici: il s'agit de savoir si Aurélie va se troubler, reconnaître qu'elle et Adrienne ne font qu'un. D'un tel aveu, s'il se produisait, il résulterait certainement pour Nerval une vive angoisse. Outre le sentiment d'un égarement morbide qui l'a empêché de percevoir dès l'origine l'identité des deux femmes, une effrayante découverte: il a été joué par un être à deux visages, à la fois céleste et mondain, qui dépasse la mesure terrestre. Si, au contraire, ce furent vraiment deux êtres différents, il aura beau jeu d'exalter et d'adorer la Bien-Aimée présente, en oubliant l'amour de son adolescence. De fait, menée à Orry, Aurélie ne semble rien reconnaître: «Nulle émotion, dit Nerval, ne parut en elle.» Adrienne, si elle est une femme réelle, peut être insignifiante; il va être tout à la seule aimée, hors de toute duplicité. Le malheur est qu'il n'est pas trop sûr de lui; il a besoin d'elle pour s'assurer. Aussi fait-il la dernière chose à faire, il lui «raconte tout», comme il a fait à Sylvie et comme il fera à Octavie. «Alors je lui racontai tout;

---

1. Liaison avec le rival que Nerval mentionne au début (I, §§ 7-9) et qu'il juge «digne d'avoir été choisi» (*ibid.*).

2. Souvenir du *Roman comique* de Scarron.

3. Apparemment le même qui, selon le chapitre IX («jeune premier tout ridé»), avait joué avec Aurélie.

4. Senlis et Dammartin limitent, au nord et au sud, le Valois de Nerval et sont dans cette région les deux localités susceptibles d'accueillir une troupe de théâtre. Orry est, plus à l'ouest, à égale distance des deux: Nerval veut nous faire entendre que, s'il a conseillé des représentations dans ces deux villes, c'est pour pouvoir réaliser son projet de mener Aurélie à Orry.

je lui dis la source de cet amour entrevu dans les nuits, rêvé plus tard, réalisé en elle. » La folle confidence produit aussitôt son effet : «Elle m'écoutait sérieusement et me dit : — Vous ne m'aimez pas ! Vous attendez que je vous dise : La comédienne est la même que la religieuse[1] ; vous cherchez un drame, voilà tout, et le dénouement vous échappe. Allez, je ne vous crois plus. » Voilà donc Nerval, qui pourtant se croyait en proie à une sorte d'amour fou, convaincu de ne pas aimer. Il a laissé voir dans son discours, non ce qu'il pouvait donner, mais ce dont il a besoin, l'appui qu'il implore, qu'en fait il exige ; en parlant d'amour, c'est de lui-même qu'il a parlé. «Cette parole, avoue-t-il, fut un éclair. Ces enthousiasmes bizarres que j'avais ressentis si longtemps, ces rêves, ces pleurs, ces désespoirs et ces tendresses... ce n'était donc pas l'amour ? Mais où donc est-il ? » Le Fabio de *Corilla*, traité de même, n'avait dit mot. L'interrogation du narrateur de *Sylvie* est pathétique. Aurélie épousera le régisseur ; Nerval se souvient qu'elle a dit un jour : «Celui qui m'aime, le voilà !» Car celui-là lui est dévoué, il l'aime pour elle et pour lui, non pour son seul rêve[2].

Cette histoire occupe, on l'a vu, plusieurs niveaux du passé et un présent qu'on situe vers 1837. Avec le dernier chapitre[3] surgit, seize ans plus tard, le présent véritable, celui où l'histoire est écrite, celui aussi de l'épilogue et des ultimes nouvelles. Ce «Dernier feuillet», précieux parce qu'il essaie de rassembler le sens du récit, lui donne aussi son dernier ton, lointain, et apaisé autant qu'il se peut : «Telles sont, commence-t-il, les chimères qui charment et égarent au matin de la vie. [...] Les illusions tombent l'une après l'autre comme les écorces d'un fruit, et le fruit, c'est l'expérience. » Beaucoup de choses ont changé, mais Nerval, en 1853, continue ses visites à Sylvie, au *grand frisé* son mari et à ses enfants ; il va les voir à Dammartin où ils sont établis. On lit avec émotion le détail de ces visites, et avec surprise une dernière révélation de l'auteur, qu'il a voulu garder pour la fin. Il avait «oublié de dire» qu'il avait fait jadis encore un dernier test touchant la relation Adrienne-

---

1. Non, ce n'est pas cette réponse-là qu'il attendait ; il la redoutait plutôt ; mais elle a raison au fond : elle compend que l'amour de Nerval ne la concerne pas vraiment.
2. *Sylvie*, XIII, comme tout ce qui suit le retour à Paris.
3. *Ibid.*, XIV.

Aurélie : «Le jour où la troupe dont faisait partie Aurélie a donné une représentation à Dammartin, j'ai conduit Sylvie au spectacle, et lui ai demandé si elle ne trouvait pas que l'actrice ressemblait à une personne qu'elle avait connue déjà. — À qui donc? — Vous souvenez-vous d'Adrienne? Elle partit d'un grand éclat de rire en disant : — Quelle idée! Puis, comme se le reprochant, elle reprit en soupirant : — Pauvre Adrienne! elle est morte au couvent de Saint-S..., vers 1832.» Pourquoi Nerval a-t-il reculé jusque-là cette information? Peut-être parce qu'elle est décisive : Adrienne a bien existé séparément, et la date de sa mort, antérieure aux relations de Nerval avec l'Actrice, la situe hors de notre histoire. Ainsi Nerval a voulu que sa nouvelle prît fin en même temps que le doute délirant dont elle était née et qui l'avait accompagnée de bout en bout.

Le sens de «Sylvie»?

Une fois admis que le projet de Nerval dans *Sylvie* n'est pas tant de commenter le cours et les événements réels de sa vie, que d'inventer un récit qui rende compte de façon figurée de certains problèmes de cette vie, *Sylvie* nous apparaît comme une sorte de roman d'apprentissage, à distance de toute biographie particulière et susceptible de contribuer à l'enseignement de tous. Dans ce récit signifiant, la question du sens n'est certes pas la seule, mais elle vient au premier plan. Nerval en avait sans doute le sentiment, lui qui, dans le «Dernier feuillet» de sa nouvelle, a essayé de condenser ce sens dans un adieu : «Ermenonville! [...] tu as perdu ta seule étoile, qui chatoyait pour moi d'un double éclat. Tour à tour bleue et rose comme l'astre trompeur d'Aldébaran, c'était Adrienne ou Sylvie, — c'étaient les deux moitiés d'un seul amour. L'une était l'idéal sublime, l'autre la douce réalité[1].» Mais est-ce bien le duo de l'idéal et du réel qu'incarnent les deux jeunes filles? On ne le trouve pas dans le cours du récit. Peut-être a-t-il voulu apaiser son lecteur en évoquant, pour finir, ce duo familier à la sensibilité romantique, en taisant ce que disait si bien son récit : que le réel déçoit et que l'idéal torture. Il est significatif qu'il ne dise rien d'Aurélie, de qui tout est parti, et en qui s'incarne

1. *Ibid.*, § 2.

un idéal créateur de délire. Il faut, pour entendre la vérité de
Sylvie, voir les choses de plus près.

Genèse de l'amour nervalien

Sylvie, en tant que type féminin, a des sœurs dans l'œuvre
de Nerval : filles du Valois et villageoises comme elle, chan-
teuses de chansons populaires transmises oralement par les aïeu-
les, créatures du lieu, porteuses du charme naïf et fort du passé
local, qui survit en elles. Ainsi Émerance de Senlis et Célénie
de Chantilly : avec elles, un Éden perdu semble survivre[1].
Ces figures, comme celle de Sylvie, sont-elles réelles? imaginaires[2]? Si elles représentent le réel, c'est un réel poétisé :
comment Nerval aimerait-il sans idéaliser ce qu'il aime? La
simplicité du village est chez elles fine et noble à sa manière.
Bien mieux, il donne à Sylvie un sourire «athénien[3]», il en
fait une «Minerve souriante et naïve[4]». Cependant Sylvie
diffère de ses pareilles; si elle peuple, elle aussi, sa mémoire
de souvenirs, elle est la seule qu'il ait revue dans le présent,
et détachée décidément du passé. En voulant l'imaginer toujours porteuse de ce passé, pouvait-il ignorer qu'il poursuivait
une chimère? Il la revoit à peine qu'il met en elle, avec le
charme et la gentillesse, la volonté d'oublier l'enfance, la parole
sans illusion; aux premiers mots, il voit s'élever entre elle et
lui le mur du présent. Il faut lire tout entière la phrase quasi
finale de *Sylvie* : «Là était le bonheur peut-être; cepen-

---

1. Sur Émerance, voir *Pl. I*, p. 462. Couturière à Senlis, elle fait chanter les
vieilles chansons aux petites filles sur la place de la cathédrale, assise sur la pierre
d'un puits : «Il y avait des moments où sa voix était si tendre [...] que nous
nous serrions les mains avec une émotion indicible.» — Sur Célénie, «qui m'a
aimé et qui m'appelait son petit mari, qui dansait et chantait toujours, et qui,
le dimanche, au printemps, se faisait des couronnes de marguerites», voir *Promenades et souvenirs*, VII, *in fine*, et VIII (*Pl. I*, p. 142).
2. Celle de Sylvie semble avoir subi de fortes variantes : dans les brouillons
de Nerval (voir *Pl. I*, p. 1283), elle est parfois fille entretenue ou actrice.
3. Voir *Sylvie*, IV, § 3 : «son sourire, éclairant tout à coup des traits régulier
et placides, avait quelque chose d'athénien»; VIII, § 2 : «son œil noir brillait
toujours du sourire athénien d'autrefois»; XIV, avant-dernier § : «le sourire
athénien de Sylvie illumine ses traits charmés».
4. Voir sa lettre à Maurice Sand, du 6 novembre 1853; il lui demande de
faire les illustrations de *Sylvie*, qu'il projette à cette date de publier en un petit
livre séparé, et lui décrit les scènes et types féminins qu'il aura à dessiner; pour
Sylvie : elle a «le type grec : Minerve souriante et naïve, si cela peut se concevoir».

dant... ¹» Ce *peut-être*, ce *cependant* affaiblissent singulièrement le regret qui précède ; la phrase inachevée trahit une pensée qu'on n'ose déclarer. Ce qui n'est pas dit ici se découvre clairement dans une phrase d'*Aurélia* ; il est à Saint-Germain, où il est venu chercher le souvenir des jours heureux de sa jeunesse : « Il y avait là, écrit-il, une terrasse ombragée de tilleuls qui me rappelait aussi le souvenir de jeunes filles, de parentes parmi lesquelles j'avais grandi. L'une d'elles... ² Mais opposer ce vague amour d'enfance à celui qui a dévoré ma jeunesse, y avais-je songé seulement ³ ? »

Nerval est-il donc venu à Loisy avec l'espoir, comme il semble le dire, d'y trouver le bonheur, ou plus secrètement pour affronter, par Sylvie, la déception d'où l'on sort lucide, pour trouver, au cœur du passé, la voix qui en délivre, en un mot, pour se faire homme ? Mais l'adieu est douloureux à l'extrême, l'amour à l'âge adulte redoutable, le charme du passé invincible. Aussi la leçon apprise à Loisy ne doit pas être considérée comme un moment unique et décisif de la vie de Nerval, mais comme un aspect d'une expérience, toujours recommencée. Les *Promenades et souvenirs*, écrits sensiblement après *Sylvie*, sont de nouveau pleins des paradis de l'enfance, auxquels *Aurélia*, dans le même temps, tourne le dos. Si l'on considère *Sylvie*, plutôt que comme un roman, comme une parabole de l'impossibilité du bonheur en amour, on conviendra que l'amour adulte en est le sujet principal. Le héros apprend dans *Sylvie* que la solution de son mal n'est pas à Loisy, autrement dit que le remède ne s'en trouve pas dans le passé. Mais y a-t-il un remède ? C'est en désespoir de cause qu'il est allé à Loisy. Comment se présente cet amour de l'âge d'homme ? Le type féminin qui en est l'objet est, aux antipodes d'une villageoise, une actrice parisienne adorée contemplativement, du nom d'Aurélie. Mais ce

---

1. *Sylvie*, XIV, § 3 *in fine* ; et voir les dernières lignes d'*Octavie*. La phrase se trouve pour la première fois dans les articles de Nerval sur Restif (*Revue des Deux Mondes*, 1850) repris dans *Les Illuminés* (1852), voir *Pl. II, G.-P.*, p. 1036) ; il cite Restif, parlant de sa Jeannette : « C'était le bonheur peut-être. » Il se trouve que le passage contient, à propos de Jeannette revue plus tard par Restif, d'autres prémices de *Sylvie* : « C'est bien cette figure de Minerve, à l'œil noir. » Comparer, pour l'œil noir, *Sylvie*, *passim*, et, pour la Minerve, la lettre à Maurice Sand (voir note précédente).

2. Il veut parler, sans doute, de ses cousines de Saint-Germain (voir plus haut, p. 294, note 4), et de Sophie en particulier ; voir aussi p. 446, notes 2 et 4.

3. *Aurélia*, II⁰ partie, II, *in fine* (*Pl. I*, p. 390).

type est lié,. dans *Sylvie*, à celui d'Adrienne, dont Nerval l'a rendu inséparable dès le début de l'histoire, puisque c'est de la liaison de ces deux figures, données pour physiquement semblables, que le trouble du narrateur a pris naissance. Or Adrienne est, comme type d'héroïne, très différente de l'Actrice. C'est une jeune fille du Valois, que Nerval a connue dans l'enfance comme les jeunes villageoises, mais distincte d'elles par sa condition aristocratique, et prêtant à des comparaisons de haute littérature[1]. Bien que, dans sa première apparition, la couleur édénique de la scène et le chant d'une vieille romance semblent l'apparenter à ses sœurs paysannes, ce qui la concerne est toujours écrit sur un ton plus haut et avec plus de solennité que ce qui a trait aux filles du pays.

Ce type féminin apparaît plusieurs fois ailleurs dans les écrits des dernières années de Nerval : telles sont les «belles cousines» de Saint-Germain[2], surtout cette Sophie dont il se souvient avec tant d'émotion dans *Pandora*; un portrait de l'archiduchesse Sophie, vu à Vienne, la lui rappelle, par le double effet de l'homonymie et apparemment — cette fois encore — de la ressemblance : «Auguste Archiduchesse, [...] tu me rappelais l'autre..., rêve de mes jeunes amours, pour qui j'ai si souvent franchi l'espace qui séparait mon toit natal de la ville des Stuarts[3]!» Ces cousines étaient, paraît-il, d'un milieu noble et militaire qui put impressionner le jeune Nerval : «Le souvenir de mes belles cousines, ces intrépides chasseresses que je promenais jadis dans les bois, belles toutes deux comme les filles de Léda, m'éblouit encore et m'enivre[4].» Dans un type

---

1. «Elle ressemblait à la Béatrice de Dante qui sourit au poète errant sur la lisière des saintes demeures» (*Sylvie*, II, § 4, *in fine*). Cette comparaison prélude, évidemment, au développement religieux du personnage.

2. Il s'agit, croit-on, des sœurs Paris de Lamaury, Justine et Sophie, cousines éloignées de Nerval, qui habitaient en effet à Saint-Germain. Il aima Sophie, la cadette.

3. *Pandora*, éd. Guillaume, pp. 76-77. La ville des Stuarts est Saint-Germain, où Jacques II d'Angleterre détrôné et exilé eut sa résidence et sa cour.

4. *Ibid.*, p. 79. — Noter la comparaison mythologique, qui achève d'aristocratiser, avec leur qualité de chasseresses, les cousines Paris de Lamaury. — Voir également, pour ces cousines, une allusion dans *Aurélia*. — Autre mention de deux cousines, qu'il dit avoir été fier d'accompagner dans les forêts (*Promenades et souvenirs*, V, § 8), mais il les situe près de Mortefontaine, dans le Valois (?); le manuscrit Marsan de la même page dit, dans un passage raturé, qu'elles habitent Marly, près de Saint-Germain (voir *Cahiers de l'Herne*, n° 37, p. 39 et note 16).

analogue se situe Héloïse, dite aussi la Créole, brodeuse, évoquée dans un passé plus enfantin. Les servantes, dit Nerval, lui ménagèrent une entrevue secrète avec elle, dans une chambre où un tableau la représentait, de sorte qu'il put — ce n'était certainement pas pour lui déplaire — adorer son image avant de l'avoir vue. Dans ce tableau, «une épingle d'argent perçait le nœud touffu de ses cheveux, et son buste étincelait comme celui d'une reine, pailleté de tresses d'or sur un fond de velours. Éperdu, fou d'ivresse, je m'étais jeté à genoux devant l'image ; une porte s'ouvrit, Héloïse vint à ma rencontre et me regarda d'un œil souriant. — Pardon, reine, m'écriai-je, je me croyais le Tasse aux pieds d'Éléonore [..] !... Elle ne put rien me répondre, et nous restâmes tous deux muets dans une demi-obscurité. Je n'osai lui baiser la main, car mon cœur se serait brisé [1]». Ce silence vaut, comme poésie, le chant d'Adrienne, et l'épisode nous découvre peut-être davantage le cœur de Nerval [2].

Il y a donc, dans son enfance telle qu'il la retrace, deux types de jeunes filles de deux classes sociales différentes, auxquelles correspondent deux tons différents dans l'amour et dans la poésie. Telle fut peut-être l'expérience adolescente de Nerval, et en ce sens il a raison d'opposer, dans les dernières pages de *Sylvie*, Adrienne à Sylvie comme l'idéal au réel — à condition, bien sûr, d'entendre cette antithèse, non comme celle du ciel et de la terre, mais comme opposant deux modalités, la fabuleuse et la pastorale, de l'amour-sentiment. Adrienne, d'un certain point de vue, prête à la même remarque que Sylvie : elle aussi diffère singulièrement de ses parentes nervaliennes. Une coloration mystique affecte en elle le type de la fille de sang

1. *Promenades et souvenirs*, VI. On pourrait être tenté de ranger parmi les sœurs de Sylvie cette Héloïse qu'il loue, dès la première ligne, de «la sereine placidité de son sourire grec», s'il ne l'avait vêtue de tissus resplendissants et appelée deux fois reine, comparée à l'Éléonore du Tasse et pourvue d'une «gouvernante», ce qui la fait plutôt parente d'Adrienne et des cousines chasseresses ; le paroxysme d'amour dès la première rencontre et l'émotion extatique vont dans le même sens.

2. Les souvenirs d'amour de Nerval sont rapportés à des époques diverses, difficiles à ordonner chronologiquement. Ceux de Saint-Germain touchent à l'âge d'homme : c'est vers 19-20 ans qu'il a séjourné dans cette ville ; ceux qui concernent Héloïse remontent plus haut (aux premières années de collège, à Paris ; ceux d'Adrienne à l'adolescence ; ceux de Loisy et de Sylvie s'échelonnent depuis l'enfance jusqu'au présent. Nerval ne se soucie pas d'établir le calendrier d'un passé à demi imaginaire ; pour lui, tout ce qui relève du passé est de même nature et de même vertu.

noble : aussitôt après qu'elle est apparue, elle entre en religion, et nous ne la revoyons plus que dans le rôle d'un ange dans un drame surnaturel. Par là, elle diffère, non seulement de ses sœurs de village, mais aussi des jeunes filles bien nées, plus semblables à elle : aucune, chez Nerval, sauf elle, n'a rien à voir avec l'au-delà. Elle gagne, par son entrée en religion et sa vie hors du monde, un caractère sacré qu'elles n'ont pas ; mais la nature ambiguë du sacré, où voisinent la promesse du salut et l'appel de la mort, la gagne en même temps. Cette couleur tragique d'Adrienne va de pair avec une autre nouveauté : il se crée en elle une alliance avec un type différent du sien, voire opposé à lui, celui de l'Actrice, symbole de beauté mondaine et pécheresse. Un caractère commun d'aristocratie unit les deux types ; la fille noble peut voisiner dans l'imagination romantique avec l'actrice, anoblie par la distance, le costume, les feux de la rampe, la fable qu'elle représente. Voici la comédienne parcourant les bois à cheval : « Aurélie, en amazone, avec ses cheveux blonds flottants, traversait la forêt comme une reine d'autrefois, et les paysans s'arrêtaient éblouis [1]. » Nerval imagine ailleurs son Aurélie « blonde, le type bourbonien — Louise d'Orléans par exemple [2] ». En même temps que l'actrice prend l'allure aristocratique, la descendante des rois, devenue religieuse, monte sur le théâtre sacré : dans le grand amour comme l'entend Nerval, l'opéra-comique et le drame théologique se font écho.

Comment s'est constitué, se détachant du paradis des amours d'enfance, le fantasme torturant d'Aurélie-Adrienne ? Il a dû naître quand Nerval, s'avançant vers l'âge adulte, a laissé derrière lui, pour toujours, le temps des premières amours ; Sylvie ne fut plus de saison, ni Célénie, ni Émerance. L'autre amour restait seul en vue, avec des prestiges et des représentations féminines dignes de l'âge adulte. Il put y trouver l'exaltation et la souffrance, comme il le laisse entendre, et laisser son cœur s'aïmanter de ce côté. Les filles du Valois aimaient toutes, semble-t-il, le petit Parisien et l'admiraient sans rien lui demander ; là était proprement l'Éden. Les autres étaient moins vite

---

1. *Sylvie*, XIII, § 11.
2. Lettre à Maurice Sand, déjà citée. — Louise d'Orléans, fille de Louis-Philippe et reine des Belges ; Nerval la vit à Bruxelles à la fin de 1840 ; un des sonnets napoléoniens de 1841 lui est adressé.

séduites : Adrienne, de toute façon hors de portée, Héloïse, qui la première, dit-il, lui fit connaître la douleur, et Sophie sa cousine, «l'ingrate Sophie», dont il nous dit qu'elle «trahit son jeune cavalier pour un garde du corps de la compagnie de Grammont [1]». Il faut avec elles pouvoir se mesurer au rival, à moins de se contenter de les aimer de loin, en se faisant une jouissance morose de leur inaccessibilité. Cet amour produit l'épreuve et la frustration ; il est sublime et mortifiant : on y est, bien évidemment, hors du paradis. On y peut adorer, mais aussi haïr parce qu'on adore en vain. Sur la femme mise au rang d'une divinité, on peut se poser les questions qu'on se pose sur Dieu : est-il notre ami ou notre persécuteur ? Le souvenir de l'Éden ne s'effacera jamais ; la douleur présente le ressuscitera sans cesse ; on le recherchera, le sachant perdu. Amère diversion ; toute la vérité est dans le tourment d'aujourd'hui.

Le mal d'amour selon Nerval

Sylvie, qui veut être, d'un bout à l'autre, une école de résignation à la solitude, voile ces déchirements. Mais les figures de la Religieuse et de l'Actrice attestent qu'il s'agit bien ici du grand amour fatal, et non plus d'enfantillages. *Sylvie* semble réduire le Mal d'amour à l'angoissante confusion de deux figures adorées ; mais il n'y a, en fait, qu'une seule figure, celle de l'Actrice, et c'est de sa division que souffre Nerval : ne pouvant considérer et aimer Aurélie dans sa réalité, il lui crée un double fantastique, supposé issu d'un merveilleux épisode d'enfance, mais qui va incarner son vertige d'irréel et d'intemporel. La fonction de ce double, indiscutablement torturante, fait écho au caractère de son amour même. Les seuls endroits de *Sylvie* où soit rompue la sérénité du récit sont ceux où il avoue cette torture, dont il place indistinctement la source dans Adrienne et dans Aurélie. C'est Adrienne qu'il appelle un «vain souvenir», heureux que la lumière du jour l'ait chassé de sa pensée [2]. Mais c'est à Aurélie qu'il pense quand il évoque

---

1. *L'Herne*, cahier Nerval, p. 40, manuscrit Marsan.
2. *Sylvie*, V, § 3 : il vient de passer la nuit près du couvent d'Adrienne ; il pense à elle au réveil.

« l'image vaine qui m'avait égaré si longtemps[1] » ; aussitôt après et dans le même mouvement, « le spectre funeste qui traversait ma vie », dont il demande à Sylvie de le délivrer, doit être aussi Aurélie, mais le « spectre funeste » fait plutôt penser à Adrienne, créature obsédante de douteuse réalité[2]. Enfin, « l'esprit qui me tourmente, fût-il divin ou bien fatal », se rapporte de nouveau, sans équivoque, à Adrienne[3]. Dans *Sylvie*, cet amour torturé n'apparaît que par allusions : Nerval raconte ici ce qu'il a fait pour s'en guérir, en affectant d'y avoir réussi. Mais toute son œuvre est remplie d'un fantôme féminin adoré et persécuteur : la Cantatrice inclémente à qui sont destinées les Lettres d'amour ; Corilla, l'ironique Étoile d'opéra ; l'Étoile de tragédie (Aurélie déjà) qui désespère l'illustre Brisacier ; l'Aurélie de *Sylvie* à la froide sagesse et son double, l'obsédante et fantastique Adrienne ; la divine et malfaisante Pandora du théâtre de Vienne — toutes composent ensemble l'objet ambigu de cet amour banni du réel et qui ne sait se satisfaire.

Quoique Nerval, dans *Sylvie*, ne parle qu'à demi-mot, il ne laisse pas de nous dire qu'il est venu à Loisy pour guérir ce mal. Il nous dit qu'il a appris, avec Sylvie, à se libérer du passé, et qu'ayant voulu aimer Aurélie sans chimère, il a su par elle qu'il y était impropre. L'aboutissement de *Sylvie* serait donc une sagesse. Sagesse, ou deuil résigné ? L'un et l'autre, car la raison n'y triomphe que par une suite de renoncements, dont la nouvelle de la mort d'Adrienne est le point d'orgue, qui lui laisse le cœur désert. *Sylvie*, sur ce chapitre de la mort, est aussi discrète que sur celui du mal d'amour, bien que le sentiment du néant y soit partout présent sous le charme d'ancienne France qui y règne et la parole claire de Nerval. Des trois bien-aimées de *Sylvie*, l'une est morte, les deux autres perdues : aucune sagesse n'empêche que morte et perdue ne soient, au fond du cœur, synonymes[4]. Nerval, qui

---

1. *Ibid.*, VIII, § 6 : Sylvie vient de le taquiner sur ses amours à Paris : il pense alors à « l'image vaine » — etc., c'est-à-dire évidemment à Aurélie

2. *Ibid.*, § 8 : ce passage fait suite presque immédiatement au précédent.

3. *Ibid.*, XI, § 4 : c'est pendant la visite de Nerval à Châalis avec Sylvie, quand il lui fait répéter l'air qu'Adrienne avait chanté au même endroit, afin de chasser de lui l'esprit tourmenteur ; c'est donc bien d'Adrienne qu'il s'agit ici.

4. Sylvie elle-même fut sans doute, dans un premier temps, une amoureuse morte. En effet, le Sylvain des *Faux Saulniers*, frère de Sylvie (quand Nerval lui rappelle que c'est sa sœur qui, dans leur enfance, s'est mise à plat ventre sur la rive pour le tirer de l'eau par les cheveux, lui Nerval), dit en pleurant : « Pauvre Sylvie ! », ce qui a tout l'air d'une oraison funèbre (*Pl. II, G.-P.*, p. 92).

ne veut pas le dire dans *Sylvie*, le dit ailleurs : «Héloïse est mariée aujourd'hui; Fanchette, Sylvie et Adrienne[1] sont à jamais perdues pour moi : — le monde est désert. Peuplé de fantômes aux voix plaintives, il murmure des chants d'amour sur les débris de mon néant! Revenez pourtant, douces images; j'ai tant aimé! j'ai tant souffert[2]!» La célébration d'une bien-aimée morte semble le chant suprême de l'amour. Morte ou immortelle? On connaît le début des *Cydalises* :

> *Où sont nos amoureuses?*
> *Elles sont au tombeau!*
> *Elles sont plus heureuses*
> *Dans un séjour plus beau*[3].

La foi de Nerval n'est pas aussi bien assise que le disent les deux derniers vers; les fantômes féminins angoissent Nerval autant qu'ils l'attirent. C'est le cas de se souvenir des vers d'*Artémis* :

> *Celle que j'aimai seul m'aime encor tendrement :*
> *C'est la Mort — ou la Morte... Ô délice! ô tourment!*

Et que dire d'une jeune fille morte qu'on *aurait pu* aimer, comme cette fille de l'hôtelière de Chantilly : «Je l'avais vue toute jeune, et certes je l'aurais aimée si à cette époque je n'avais eu le cœur occupé d'une autre[4]»? Et il pense aussitôt à la ballade de *La Fille de l'hôtesse* de Uhland et aux regrets des trois compagnons, dont le dernier dit, selon lui : «Je ne t'ai pas connue... mais je t'aime et t'aimerai pendant l'éternité.» Cette citation de Nerval fausse le texte allemand, qui dit seulement : «Je t'ai toujours aimée, je t'aime encore aujourd'hui, et je t'aimerai dans l'éternité[5].» Nerval va plus

---

1. Oublie-t-il que, selon *Sylvie*, Adrienne est morte, et non pas seulement perdue pour lui? Confond-il les deux catégories? Difficile à croire, si Adrienne a existé.

2. *Promenades et souvenirs*, VI, dernier §.

3. *Les Cydalises*, poème publié pour la première fois dans les *Petits Châteaux de Bohême* (1853).

4. *Promenades et souvenirs*, VIII, § 8.

5. «Dich liebt'ich immer, dich lieb'ich noch heut, — Und werde dich lieben in Ewigkeit» : voir J. GUILLAUME, *Les Études classiques*, Namur, t. XLI, n° 1, 1973, p. 66.

loin : il suppose cet amour éternel voué à une femme que l'amant vient de voir pour la première fois, déjà morte. Il faut bien reconnaître ici une variante inusuelle — nervalienne — de l'Amour éternisé.

XII

« AURÉLIA »

Voici la dernière œuvre de Nerval. Il l'a écrite à la fin de 1853, étant à la clinique du docteur Blanche, et l'a achevée ou remaniée en Allemagne en mai-juin 1854. *Aurélia* parut en deux parties dans les livraisons du 1er janvier et du 15 février 1855 de la *Revue de Paris*, la mort de l'auteur étant survenue entre ces deux dates.

La Fable d'amour de Nerval

Aurélia est comme *Sylvie* un récit de forme autobiographique, mais plus grave, et se développant en une véritable odyssée spirituelle. Le point de départ reste une histoire d'amour que l'œuvre de Nerval a donnée à connaître sous plusieurs formes. Si un amour malheureux est bien à l'origine d'*Aurélia*, cet amour est déjà le sujet des Lettres à une actrice qu'on date de 1837-1838. En 1839, une autre actrice et un amoureux qui ressemble beaucoup à celui des Lettres se retrouvent dans *Corilla* : ici aussi un amour transi aboutit à l'échec. Plus tard, l'«illustre Brisacier», dans sa Lettre supposée, attribue le nom d'Aurélie à la comédienne qu'il exalte avant de se déclarer victime de sa perfidie : «Pauvre Aurélie! [...] ne m'as-tu pas aimé un instant, froide Étoile[1]!» Ce morceau a paru en 1844. Le héros des «Lettres d'amour», celui de *Corilla*, Brisacier, quoique n'étant pas expressément Nerval, disent *je* et l'on peut voir Nerval en

---

1. Préface des *Filles du feu*, Lettre de Brisacier, § 2.

eux[1]. La comédienne adorée ne reparaît, après une latence de neuf ans, que dans *Sylvie*, comme héroïne d'un récit dont Nerval lui-même se donne cette fois pour le protagoniste. Elle est toujours nommée Aurélie ; sa figure est assez nettement tracée, et son aventure avec le narrateur, contée de façon parfaitement claire jusqu'à la mésentente et au rejet. Mais les sous-entendus orageux ou violents des Lettres et l'épisode d'humiliation et de rage de la Lettre de Brisacier ont disparu sans laisser de trace. Par contre, chose toute nouvelle, Nerval a donné ici à son Aurélie un double fantastique en la personne d'Adrienne, jeune fille aimée jadis, puis entrée en religion, dont l'amour oublié lui semble avoir été la source de son adoration actuelle pour l'Actrice. L'angoisse que lui cause cet inquiétant dédoublement atteste bien le trouble inhérent chez lui à l'amour d'adoration. *Sylvie*, parue en 1853, prétend aboutir à une sorte d'apaisement de ce trouble ; mais, quelques mois après, Nerval écrivait *Pandora*, où reparaît, on l'a vu, transposée en un incident viennois, l'humiliation de Brisacier par son Étoile, assumée dans ce récit nouveau par Nerval lui-même comme un épisode de sa propre vie. L'héroïne ne s'appelle plus Aurélie ; elle porte le nom calamiteux de Pandora, comme si Nerval avait voulu, pour garder son héroïne d'amour pure de tout mal, détacher d'elle un nouveau double, celui-là franchement ennemi et maléfique.

Cette séparation de deux types féminins, l'un adorable, l'autre mauvais, masque difficilement un être unique, adoré et funeste. Un fragment manuscrit, qui date vraisemblablement de la même époque[2], montre comment, dans le cœur et dans l'invention de Nerval, restaient dépendants d'une même femme tous les aspects de son Histoire d'amour. Dans ce fragment, évoquant la Lettre de Brisacier publiée par lui en 1844, Ner-

---

1. Par contre, Nerval n'est nulle part dans l'objective *Histoire du calife Hakem*, publiée en 1847 ; cette histoire, très étrangère par l'affabulation, à la lignée de textes que nous considérons ici, n'aurait aucune raison d'être évoquée en cet endroit si elle ne racontait un amour d'adoration presque divinisante pour une femme ; et cette femme, funeste aux deux hommes qui l'adorent, fait tuer l'un d'eux par l'autre, en sorte qu'on peut à la rigueur considérer l'histoire de Hakem comme une version, tout à fait excentrique, virée au noir et au démoniaque, de la fable d'amour de Nerval.

2. C'est, apparemment, une première ébauche de la Préface des *Filles du feu*, «À Alexandre Dumas» qui, en tête du volume, reproduit précisément la Lettre de Brisacier.

val écrit : «Quelques passages retraçaient dans ma pensée le portrait idéal d'Aurélie la comédienne, esquissé dans *Sylvie*[1].» Voilà donc l'identité établie entre l'Aurélie humiliatrice de Brisacier et celle de *Sylvie*, qui n'est que sévèrement franche : toutes deux, au demeurant, adorables et adorées. Chose plus remarquable, dans la fin de sa Préface «À Alexandre Dumas», Nerval, s'identifiant à son infortuné Brisacier, écrit ceci : «Une fois persuadé que j'écrivais ma propre histoire, je me suis attendri à cet amour pour une *étoile* fugitive qui m'abandonnait seul dans la nuit de ma destinée, j'ai pleuré, j'ai frémi des vaines apparitions de mon sommeil. Puis un rayon divin a lui dans mon enfer ; entouré de monstres contre lesquels je luttais obscurément, j'ai saisi le fil d'Ariane, et dès lors toutes mes visions sont devenues célestes. Quelque jour j'écrirai l'histoire de cette ''descente aux enfers'', et vous verrez qu'elle n'a pas été entièrement dépourvue de raisonnement si elle a toujours manqué de raison[2].» Ainsi notre *Aurélia* — c'est elle qu'il annonce ici — se situe, nous ne pouvons en douter, au point d'aboutissement d'une suite de scénarios relatifs aux démêlés amoureux de Nerval et d'une cantatrice jamais conquise. Elle est toujours cantatrice, et elle a gardé son nom d'Aurélie, dans ce qui nous est parvenu d'une version primitive d'*Aurélia*[3], et jusque dans les épreuves de la version imprimée[4]. C'est à la lumière de cette suite de textes, échelonnés sur une quinzaine d'années, qu'il faut lire le début de l'*Aurélia* définitive, où cette Fable d'amour est pour la dernière fois résumée[5].

Ce très court récit diffère de toute la série des versions antérieures, d'abord par le fait que la bien-aimée cesse d'être une femme de théâtre, et qu'elle n'a plus exactement le même nom : «Une dame, écrit Nerval, que j'avais aimée longtemps et que j'appellerai du nom d'Aurélia, était perdue pour moi.» Ce qui

1. Il faut entendre, bien sûr, «esquissé *plus tard* dans *Sylvie*». Le texte de ce manuscrit est reproduit dans *Pl. I*, p. 1266.
2. Préface des *Filles du feu*, avant-dernier §.
3. Sur ces fragments d'une *Aurélia* primitive, voir J. RICHER, *Nerval. Expérience et création*, 2e éd., Paris, 1970, p. 420 et suiv. : le passage qui nous intéresse ici peut se lire dans *Pl. I*, p. 417 : Nerval a retrouvé à Bruxelles la «reine du chant», que, dit-il, «je nommerai désormais Aurélie».
4. Voir, sur l'emploi du nom d'Aurélie par Nerval, l'enquête détaillée de Jean GUILLAUME, *Aurélia. Prolégomènes à une édition critique*, Namur, 1972, I. Le Problème du prénom, pp. 1-25.
5. Ce résumé se lit dans *Aurélia*, Ire partie, I, § 3.

surtout attire l'attention, c'est qu'Aurélia, contrairement à celles qui l'ont précédée, soit absolument aimée et digne de l'être. Le nouveau récit, dès sa version primitive, efface tout ce qui, dans la Fable d'amour nervalienne, est persécution, rancune, rejet ou fuite. Il se peut bien que le changement de nom, quoique matériellement infime, consacre cette purification qui marquera *Aurélia* tout entière [1]. Enfin et surtout, Nerval introduit dans la Fable deux épisodes nouveaux : celui, à Vienne, d'un nouvel amour, dont il se désabuse vite, pour une dame qu'il nous aide à identifier comme étant Marie Pleyel, et celui, à Bruxelles, où il revoit cette dame, en même temps que la Bien-Aimée. Nous avons commenté ailleurs ces épisodes [2]. Mais nous connaissons aussi par *Pandora* les relations de Nerval, à Vienne et à Bruxelles, avec Marie Pleyel. Or, de *Pandora* à *Aurélia*, écrites à quelques mois de distance, tout change dans la nature de ces relations : fortement acrimonieuses et tourmentées dans *Pandora* et s'achevant à Bruxelles par une fuite éperdue du héros ; dans *Aurélia*, imprégnées de tendre bienveillance et aboutissant, à Bruxelles, à l'intervention de la dame de Vienne en faveur de Nerval auprès de la Bien-Aimée. On constate ici le même travail de purification de la fable d'amour, dont *Aurélia* est sortie. Du combat de Nerval avec ses démons a surgi la dernière image de la Bien-Aimée, l'Aurélia clémente et presque céleste de Bruxelles ; aussi celle de l'amant victorieux, au moins par le pardon [3]. Tout lecteur de Nerval sait que cette victoire est passagère, que le combat continue, que sa reprise est le sujet d'*Aurélia*. Mais il a été transporté sur un terrain nouveau. Le mal qui menace n'est plus dans la femme aimée, élevée au rang d'une déité propice : les périls naîtront désormais hors d'elle et, pour mieux dire, contre elle, dans d'obscures puissances ennemies du couple.

---

1. Voir sur ce point l'étude de Jean Guillaume citée plus haut.

2. Voir ci-dessus, «Marie Pleyel» , p. 292 et suiv., et «Pandora», p. 334 et suiv. Dans *Aurélia*, ces deux épisodes additionnels de l'Histoire d'amour se trouvent dans la Ire partie, I, § 4-5 et II, § 1.

3. La liaison d'*Aurélia* avec les versions antérieures de l'histoire d'amour de Nerval a été vue déjà par Pierre AUDIAT, *L'Aurélia de Gérard de Nerval*, Paris, 1925. Et la relation qui unit, sur le plan de la composition, *Pandora* à *Aurélia* ne semble pas douteuse (voir Jean GUILLAUME, *Aux origines de «Pandora» et d'«Aurélia»*, Namur, 1982, p. 36 ; *Nerval. Masques et visage*, Namur, 1988, p. 105).

La faute et le pardon

Nerval ne dit pas clairement dans *Aurélia* comment ni pourquoi fut « perdue » pour lui celle qu'il avait aimée longtemps. Les héroïnes précédentes reprochaient quelquefois à Nerval de ne pas savoir vraiment aimer ; rien de tel ici : il a été condamné pour une faute dont il ne pouvait espérer le pardon. Quelle faute ? Cette situation nous ramène plutôt dans l'ambiance des Lettres d'amour, où l'amant s'accuse souvent de violence, jure de s'amender, proteste de son dévouement. Il est certain que l'esprit de contrition de l'amant paraît en Nerval dès la naissance de son histoire amoureuse. Il y a loin, pourtant, des Lettres à *Aurélia*. Dans les Lettres, l'amant a manqué aux égards et aux devoirs que dicte le véritable amour ; il a été brusque ou indiscret, violent tout au plus en quelque conduite. La faute qu'il croit impardonnable dans *Aurélia* semble d'une nature plus grave ; le ton est autre en tout cas, il tient de la religion plus que du roman profane.

Qu'on en juge d'après le récit de ce qui s'est passé à Bruxelles, où il rencontra de nouveau la dame de Vienne, alors que s'y trouvait celle qu'il continuait à aimer sans espoir : « Un hasard les fit connaître l'une à l'autre, et la première eut l'occasion, sans doute, d'attendrir à mon égard celle qui m'avait exilé de son cœur. » Et voici le pardon, ou plutôt l'absolution réconciliatrice, qui en résulte de la part de l'aimée : « Un jour, me trouvant dans une société dont elle faisait partie, je la vis venir à moi et me tendre la main. Comment interpréter cette démarche et le regard profond et triste dont elle accompagna son salut ? J'y crus voir le pardon du passé ; l'accent divin de la pitié donnait aux simples paroles qu'elle m'adressa une valeur inexprimable, comme si quelque chose de la religion se mêlait aux douceurs d'un amour jusque-là profane, et lui imprimait le caractère de l'éternité [1]. » C'est dans *Aurélia* que la Fable d'amour spiritualisée tend à devenir une quête de salut à deux, elle bientôt morte et émigrée dans un ciel incertain, lui toujours pénitent d'amour devenu par surcroît pénitent de salut et de retrouvailles célestes. Le roman, apaisé en principe sur le plan humain, débouche donc sur un souci de nature extra-

1. *Aurélia*, Iʳᵉ partie, II, § 1.

terrestre, dont le trouble mental de Nerval va fournir les matériaux et les motifs fantastiques. On peut dire que, par cette
alchimie héroïque, la partie malade de lui-même se dignifie et
devient avouable. *Aurélia* est la première œuvre de Nerval où
il se soit senti libre de raconter explicitement et sans honte sa
folie : elle cesse d'en être une, dans la mesure où elle donne
accès, en matière d'immortalité, à des intuitions ayant valeur
d'enseignement.

La certitude par le rêve

Le caractère supranaturel qui transfigure dans *Aurélia* la quête
amoureuse tient étroitement à la valeur de révélation que Nerval, dans ce nouvel écrit, prête à ses rêves et visions. Mais cette
conviction datait de loin ; elle naquit, ou se confirma en lui en
1841, à travers l'expérience de sa crise. Il écrivait alors à
Mme Alexandre Dumas qu'il lui restait au moins de cette
épreuve «la conviction de la vie future et de la sympathie
immortelle des esprits qui se sont choisis ici-bas[1]». Il dit la
même chose douze ans plus tard, dans une lettre à son médecin, associant plus étroitement encore la femme aimée à la survie ; il vient de parler de la mort, et il écrit : «C'est dans une
autre vie qu'elle me rendra celle que j'aime. Ici je n'écoute
pas la voix d'un songe, mais la promesse sacrée de Dieu[2].»
On est fondé à croire qu'il n'a jamais, dans l'intervalle, renoncé
à cette espérance[3]. Il fait précéder tout le récit, dans *Aurélia*,
d'une profession de foi sur le Rêve, comme d'une solennelle
ouverture : «Le Rêve, écrit-il, est une seconde vie. Je n'ai pu
percer sans frémir ces portes d'ivoire ou de corne qui nous séparent du monde invisible[4].» Il y a donc un monde invisible ;

1. Lettre à Mme Alexandre Dumas, 9 novembre [1841].
2. Lettre du docteur Émile Blanche, 27 novembre 1853. Nerval n'a jamais
dit avoir reçu des communications directes de Dieu ; il s'agit peut-être ici aussi,
malgré la formule qui veut s'en défendre, d'un message par rêve ou par vision,
particulièrement formel.
3. La conviction fut sans doute permanente, quoique sujette à l'intermittence
et au doute, comme la foi romantique en général. Ce doute apparaît dans l'invocation de 1844 à Nodier, déjà citée (*Voyage en Orient*, Introduction, XIV, § 4).
4. Premiers mots d'*Aurélia* ; ce préambule occupe les deux premiers paragraphes de la Iʳᵉ partie, avant même le rappel du passé et des épisodes de Vienne
et de Bruxelles.

il dit parfois : un monde «extérieur», c'est-à-dire, dans son
langage, situé par-delà celui que nous connaissons; et le
Rêve[1] nous donne de ce monde une connaissance refusée à la
raison, et qui a son évidence propre, irrésistible : «Parfois,
ajoute-t-il au même endroit, je croyais ma force et mon activité doublées, il me semblait tout savoir, tout comprendre;
l'imagination m'apportait des délices infinies. En recouvrant
ce que les hommes appellent la raison, faudra-t-il regretter de
les avoir perdues[2]...?» Cette prétendue maladie n'en est donc
pas une, au sens ordinaire de déficience ou de débilité,
puisqu'elle nous fait voir des vérités auxquelles la santé est aveugle. Nerval n'est certes pas le premier à avoir cherché hors de
la raison les suprêmes certitudes : cette façon de penser est,
séculairement, celle des religions. Sa reviviscence moderne, où
l'accent est mis sur les visions du sommeil et la folie comme
moyens de connaissance extra-rationnelle, est en grande partie un fait poético-littéraire. Le poète et l'écrivain y trouvent
l'occasion d'une mission spirituelle; ainsi, le modeste Nerval
lui-même ne craint pas de dire qu'en écrivant ce qu'il a vu il
accomplit «la mission d'un écrivain» et qu'il se propose un but
qu'il croit utile[3]. Le romantisme français n'avait été irrationaliste que modérément; Nerval se détache très en avant,
contraint par son mal, mais il avait un précurseur immédiat
dans Nodier, dont il était le fervent admirateur. À la connaissance par le rêve, ils demandent l'un et l'autre un remède contre
les limitations du réel — la prose —, mais aussi et surtout contre
la mort[4].

On comprend, d'après ce qui précède, qu'*Aurélia*, histoire
d'amour et odyssée de salut de Nerval, puisse se présenter
comme une histoire de sa folie. Car les imaginations qu'il
raconte ne sont pas extérieures à lui ni occasionnelles, mais
mêlées au tissu de sa vie, qu'elles transforment en une «Vita
nuova[5]». «Ici, dit-il encore [*c'est-à-dire aussitôt après son premier*

---

1. Nerval comprend sous ce mot toute représentation visuelle étrangère au
réel, songe, vision, rêverie — sommeil et veille, et surtout folie et santé n'ayant
pas lieu d'être distingués.
2. *Aurélia*, Ire partie, I, § 2, *in fine*; «délices de l'imagination», seulement?
3. *Ibid.*, III, § 4.
4. La Bien-Aimée survivant dans l'étoile est déjà l'obsession d'un personnage de Nodier (voir dans *Les Tristes* (1808), «Une heure ou La Vison»); et la
triade Amour-Rêve-Immortalité occupe plusieurs de ses derniers contes.
5. *Aurélia*, Ire partie, I, § 3, début.

épisode délirant], a commencé pour moi ce que j'appellerai l'épanchement du songe dans la vie réelle [1].» *Aurélia* emprunte donc le cadre chronologique de la maladie de Nerval. Ce cadre souffre de quelque imprécision dans la période intermédiaire entre les deux grandes crises, mais ces deux ensembles, sans doute aussi les plus producteurs d'émotion et de pensée créatrice, sont bien distingués et situés. C'est plutôt la représentation qu'il nous offre de son mal qui fait question : l'essentiel des symptômes décrits consiste en visions et affects de toute sorte, rapportés par un narrateur en état de parfaite conscience, mais qui ne peuvent être qu'un aspect, particulièrement susceptible de littérature, de sa maladie. Il nous dit fort peu de chose du reste. L'authenticité des imaginations remémorées est hors de notre contrôle : nous n'avons sur elle que son témoignage. Certaines, qui remontent à la première crise, sont vieilles de douze ans au moins quand il les écrit [2]. Force nous est, tout en ajoutant une foi raisonnable aux événements rapportés, dont certains sont confirmés d'autre part, de tenir la substance visionnaire et pensante d'*Aurélia*, plutôt que pour une histoire fidèle, pour un ensemble à la fois signifiant, édifiant et visant à la beauté, où se reconstruit une expérience : un roman d'aventure spirituelle, véridique au sens le plus essentiel et le moins assujetti à la vérité littérale.

L'immortalité du lignage

Aussitôt après l'épisode de Bruxelles, dès le retour à Paris, apparaissent les premiers symptômes de la crise : la rencontre, en rentrant chez lui la nuit, d'une femme qui lui semble avoir les traits d'Aurélia : «Je me dis : C'est *sa mort* ou la mienne qui m'est annoncée [3]!» Puis un grand rêve angoissant : une

1. *Ibid.*, III, début.
2. Nerval écrit bien (*ibid.*, I, § 3) : «Cette *Vita nuova* a eu pour moi deux phases. Voici les notes qui se rapportent à la première»; mais ces «notes» sur la première crise ne sont pas nécessairement contemporaines des faits qu'elles retracent; elles peuvent avoir été rédigées bien plus tard, récemment peut-être.
3. *Ibid.*, II, § 2 (il pense finalement que c'est lui que concerne le présage de mort); dans les «Fragments...» (*Pl. I*, fragment I), rencontre aussi d'une femme funèbre, qu'il tient elle-même pour la Mort (il n'est pas question d'Aurélia), et elle présage à ses yeux la fin du monde; cf. *ibid.*, III, dans de tout autres circonstances une femme aux yeux caves comme les précédentes, qui lui semble le spectre de sa mère.

sorte de monstre volant qui s'effondre à terre, et le réveille en sursaut. Et peu après, le délire de la marche vers l'Orient, vers une étoile : «Dans cette étoile, dit-il à l'ami qui l'accompagne, sont ceux qui m'attendent. [...] Laisse-moi les rejoindre, car celle que j'aime leur appartient, et c'est là que nous devons nous retrouver[1]!» Peu après, au poste de police où la patrouille a emmené Nerval, il a la «vision céleste» d'un au-delà, à références asiatiques, une révélation «de l'Âme délivrée[2]». Mais c'est surtout en se convainquant par ses visions de la survie de son lignage que Nerval va transcender le temps mortel. Cette survie fait l'objet d'une longue et splendide vision, rêve du sommeil peut-être[3]. Un soir, Nerval se trouve transporté sur les bords du Rhin ; il entre dans une maison riante au soleil couchant : la maison d'un oncle maternel, peintre flamand mort depuis plus d'un siècle[4]. Le décor est ancien, et sur une horloge rustique est perché un oiseau parleur en qui semble survivre l'âme de cet oncle : «L'oiseau me parlait de personnes de ma famille vivantes ou mortes en divers temps, comme si elles existaient simultanément, et me dit : ''Vous voyez que votre oncle avait eu soin de faire *son* portrait d'avance... maintenant, *elle* est avec nous.'' Je portai les yeux sur une toile qui représentait une femme en costume ancien à l'allemande, penchée sur le bord du fleuve, et les yeux attirés vers une touffe de myosotis.» Qui est *elle*? Aurélia? la mère morte de Nerval, hypothèse plus probable dans ce contexte familial? Le portrait fait d'avance par cet oncle de jadis est, semble-t-il, un portrait prophétique, qui annule l'obscurité du futur. Tout ce début de la vision semble dire qu'avoir été, être et devoir être sont la même chose, et que le temps ne crée ni

1. *Ibid.*, *Aurélia*, Ire partie, II, dernier §, *in fine* ; il s'adresse à son ami, qui se transfigure à ses yeux, et semble vouloir l'attirer vers une «tentation biblique» entre deux Esprits : «Non, lui dit-il, je n'appartiens pas à ton ciel», et à ce ciel il oppose ses amis qui l'attendent dans son étoile, et qui, dit-il, «sont antérieurs à la révélation que tu as annoncée». Cette opposition au ciel judéo-chrétien n'est pas pour étonner chez Nerval.
2. *Ibid.*, III, § 4, et voir «Fragments...», II, § 4 : «Je vis resplendir les sept cieux de Brahma.»
3. Nerval l'appelle «vision» : *Aurélia*, Ire partie, IV-V (sauf le dernier § de V) ; et «Fragments...», VI, §§ 1-3.
4. *Ibid.*, IV, § 1. L'image problématique de cet oncle, peintre flamand ancien, recouvre probablement celle du grand-oncle Boucher, de Mortefontaine, souvent évoqué par Nerval.

ne détruit rien : vieux thème de l'Introduction de Nerval aux deux *Faust*, repris selon une pensée d'immortalité plutôt que d'éternité[1], et appliquée de façon saisissante à la mémoire et à la parenté du narrateur.

Là-dessus tout se confond dans l'esprit du rêveur, qui croit tomber dans un abîme et traverser le globe de part en part. Nous avons déjà vu, dans l'histoire d'Adoniram, le thème du lignage retrouvé lié à un voyage dans les profondeurs de la terre, au royaume du feu : ici mille fleuves de métal fondu, différents chimiquement et par la couleur, sillonnent l'intérieur du globe, pareils au système circulatoire d'un cerveau, et ces courants sont composés d'«âmes vivantes, à l'état moléculaire». On peut conjecturer que le narrateur, après avoir représenté la permanence des êtres, a voulu imaginer l'inépuisable fabrique souterraine qui les produit. Le voyageur, au terme de cette descente, débouche dans une nouvelle et mythique lumière, et reconnaît dans un vieillard cultivateur l'aïeul qui lui avait parlé par la voix de l'oiseau. Le paysage vers lequel ce vieillard le conduit est décrit comme rappelant si bien les lieux de son enfance qu'on y soupçonne une figure du Valois, ainsi que, dans l'ancêtre, l'oncle Boucher, éducateur de son enfance, dont le souvenir, vivace chez lui, est peut-être la matrice de cette vision. «Seulement, écrit Nerval, la maison où j'entrai ne m'était point connue. Je compris qu'elle avait existé dans je ne sais quel temps, et qu'en ce monde que je visitais alors, le fantôme des choses accompagnait celui des corps[2].» Dans cette maison, il trouve réunie une foule nombreuse : «Partout je retrouvais des figures connues. Les traits des parents morts que j'avais pleurés se trouvaient reproduits dans d'autres qui, vêtus de costumes plus anciens, me faisaient le même accueil paternel[3].»

1. L'Introduction aux *Deux Faust* est de juillet 1840, et cette vision, si nous en croyons Nerval, est de février ou mars 1841.

2. L'immortalité, privilège habituel des âmes, est rarement attribuée aux choses. Mais l'immortalité nervalienne, étroitement liée à la réminiscence, fait toujours revivre les objets et les lieux en même temps que les personnes.

3. Ce passage, dans le fragment VI de l'*Aurélia* primitive, est moins abstrait : il y a dans cette réunion les patriarches, Salomon, la reine de Saba, et Nerval est plein de sympathie et d'orgueil en reconnaissant, dit-il, «les traits divins de ma famille». Mais point d'Aurélia, on le voit, dans cette immortalité d'un lignage auquel elle n'appartient pas. Le souvenir de cette «vision» remonte sans doute à un temps où l'image d'Aurélie-Aurélia ne se situait peut-être pas encore au premier plan dans l'imagination de Nerval.

Son oncle vient à lui, l'embrasse, et se tient en intime communication avec lui sans qu'il entende sa voix. «Cela est donc vrai, disais-je avec ravissement, nous sommes immortels et nous conservons ici les images du monde que nous avons habité. Quel bonheur de songer que tout ce que nous avons aimé existera toujours autour de nous!»

Interdictions et obstacles

C'est à ce moment que son oncle le met en garde contre un contentement excessif, en lui rappelant qu'il appartient toujours au «monde d'en haut», et que le feu central même qui continue d'animer les morts est sujet au dépérissement. Cet avertissement inaugure dans le récit une suite d'inquiétudes et de soucis qui vont altérer l'euphorie de la révélation initiale. L'idée apparaît, dans cette conversation avec l'oncle, d'une existence vouée à l'épreuve, modifiable selon le bien et le mal et solidaire à travers les générations, et qui s'accompagne, dans la supputation de généalogies infinies, d'une sorte de vertige numérique. Or, cette infinité se réduit à sept pour chaque famille, combinés en mille aspects, «et par extension, sept fois sept, et davantage». Pensée obscure pour le narrateur lui-même, et plus obscure encore si l'on envisage «le rapport de ce nombre de personnes avec l'harmonie générale» de l'univers [1].

Ce trouble d'esprit semble annoncer un péril, une interdiction : «Étais-je allé trop loin dans ces hauteurs qui donnent le vertige? Il me sembla comprendre que ces questions étaient obscures ou dangereuses, même pour les esprits du monde que je percevais alors. Peut-être aussi un pouvoir supérieur m'interdisait-il ces recherches.» Ainsi l'idée d'une existence immortelle attestée par la vision ou par le rêve, si elle a pour Nerval un pouvoir fortement consolateur, se charge néanmoins d'angoisse dès qu'elle touche à l'arithmétique des générations et de l'universelle puissance animatrice. Pourquoi? Peut-être en vertu du sentiment traditionnel qui réserve à un Dieu jaloux le secret de la vie; peut-être, plus précisément, parce que la spéculation généalogique à longue portée risquant de soulever

---

1. Toutes les citations qui précèdent proviennent d'*Aurélia*, Ire partie, IV; celles qui vont suivre, de Ire partie, V.

le mystère des filiations cachées, naturelles ou surnaturelles, touche de trop près à la folie même de Nerval.

Quoi qu'il en soit, le récit va bientôt mêler aux aspects édéniques de la révélation une idée de menace et de prohibition. Telle est en effet la vision de la Ville étagée, qui vient ensuite, et qui figure sur le mode architectural la succession des générations. Conduit désormais, non plus par son oncle, mais par un jeune homme, Nerval gravit les rues escarpées et les escaliers d'une ville bossuée de collines ; la vue découvre des terrasses, des jardins, une sorte d'oasis où vit une race heureuse. Il redescend, s'enfonçant dans les couches successives d'édifices des différents âges, et se trouve enfin dans une chambre où un vieillard, dit-il, travaille devant une table « à je ne sais quel ouvrage d'industrie ». Il faut croire que la connaissance de cette industrie est interdite aux profanes, car une intervention hostile se produit alors : « Au moment où je franchissais la porte, un homme vêtu de blanc, dont je distinguais mal la figure, me menaça d'une arme qu'il tenait à la main ; mais celui qui m'accompagnait lui fit signe de s'éloigner. » L'alerte est donc passagère, et la promenade dans cette sorte d'éden va se poursuivre ; mais comme il n'est plus question du vieillard ni de son industrie, nous devons croire que le jeune guide a réussi à conjurer le péril en détournant son protégé de la chambre interdite [1]. Nerval comprend qu'on a voulu l'empêcher de pénétrer un mystère, mais il continue à admirer la beauté et la pureté d'âme des habitants de cette ville. « C'était comme une famille primitive et céleste, dont les yeux souriants cherchaient les miens avec une douce compassion. Je me mis à pleurer à chaudes larmes, comme au souvenir d'un paradis perdu. » Car la vision est déjà en train de s'effacer, et le narrateur retourne à la vie réelle.

Dans la maison de santé où il séjourne, des amis le visitent ; plusieurs ne voient chez lui que dérangement d'esprit ; d'autres s'intéressent à ses récits : « L'un d'eux me dit en pleurant : ''N'est-ce pas que c'est vrai qu'il y a un Dieu ? — Oui'', lui dis-je avec enthousiasme. Et nous nous embrassâmes comme

---

1. Qui est cet homme armé et pourquoi cette chambre est-elle interdite ? Le récit n'en dit mot ; on peut supposer que l'épisode symbolise le péril inévitable et l'épreuve nécessaire dans toute exploration de l'au-delà. Périls et épreuves prendront forme par la suite.

deux frères de cette patrie mystique que j'avais entrevue. Quel bonheur je trouvai d'abord dans cette conviction ! Ainsi ce doute éternel de l'immortalité de l'âme qui affecte les meilleurs esprits se trouvait résolu pour moi. Plus de mort, plus de tristesse, plus d'inquiétude. Ceux que j'aimais, parents, amis, me donnaient des signes certains de leur existence éternelle [1].» Ici s'achève un premier ensemble de visions, par une profession de foi en l'immortalité. Si la Bien-Aimée n'y apparaît pas, elle va figurer, comme protagoniste, dans ce qui suit.

Femme morte, femme divine

Nerval raconte à cet endroit, comme étant survenu, semble-t-il, après la longue vision précédente, un rêve — il le nomme lui-même ainsi — qui, parti d'un début paradisiaque, se termine sur le mode funèbre : la femme aimée n'y entraîne à sa suite Nerval redevenu enfant que pour lui être bientôt ravie [2]. Dans une salle de la demeure de son aïeul [3], il voit trois femmes qui lui semblent représenter, chacune ayant les traits de plusieurs personnes, et les traits de toutes variant et se communiquant sans cesse merveilleusement de l'une à l'autre, des femmes et des amies de sa jeunesse. La plus âgée lui parle avec une voix qu'il reconnaît, et il se voit vêtu d'un gracieux habit d'enfant. «Alors, dit-il, l'une d'elles se leva et se dirigea vers le jardin.» Il la suit, se laisse guider par elle. Ils traversent un petit parc, avec des treilles en berceaux, puis sortent en espace découvert : culture négligée, plantes sauvages, arbres à lianes, statues noircies par le temps, rochers d'où jaillit une source d'eau vive. «La dame que je suivais, développant sa taille élancée, dans un mouvement qui faisait miroiter les plis de sa robe en taffetas changeant, entoura gracieusement de son bras nu une longue tige de rose trémière, puis elle se mit à grandir sous un clair rayon de lumière, de telle sorte que peu à peu le jardin prenait sa forme, et les parterres et les arbres devenaient les rosaces et les festons de ses vêtements, tandis que sa figure et ses bras imprimaient leurs contours aux nuages

1. Ce sont ici les dernières lignes d'*Aurélia*, Iʳᵉ partie, V.
2. Le récit de ce rêve occupe *Aurélia*, Iʳᵉ partie, VI en entier.
3. Il s'agit toujours, apparemment, de l'«oncle» des chapitres précédents.

pourprés du ciel. Je la perdais de vue à mesure qu'elle se trans-
figurait, car elle semblait s'évanouir dans sa propre grandeur.
''Oh ! ne fuis pas ! m'écriai-je... car la nature meurt avec toi !''
Disant ces mots, je marchais péniblement à travers les ronces,
comme pour saisir l'ombre agrandie qui m'échappait, mais je
me heurtai à un mur dégradé, au pied duquel gisait un buste
de femme. En le relevant, j'eus la persuasion que c'était *le sien*...
Je reconnus des traits chéris, et, portant les yeux autour de moi,
je vis que le jardin avait pris l'aspect d'un cimetière. Des voix
disaient : L'Univers est dans la nuit !»

L'infantilisation de l'amant par la femme aimée, puis cette
façon muette et grandiose de disparaître à ses yeux, en envahissant de son être la nature entière, marquent l'accablante
distance entre la Femme divinisée et son adorateur impuissant, auquel ce départ ne laisse que les signaux tangibles de
la mort : un buste de femme gisant à terre dans un jardin
devenu cimetière [1]. Tel est bien le sens que Nerval donne à
ce rêve : il ne peut en expliquer le dénouement que par l'identification de la protagoniste à son Aurélia ; c'est ce qu'attestent, à propos du buste de femme tombé à terre, «la
persuasion que c'était *le sien*», et les «traits chéris» qu'il reconnaît en lui. «Ce rêve [...], dit Nerval, me jeta dans une grande
perplexité. Que signifiait-il ? Je ne le sus que plus tard. Aurélia
était morte [2].» Mais cette explication du rêve, en tant que
message de la mort d'Aurélia transmis à son sommeil, n'est
pas compatible avec l'identification d'Aurélia à Jenny Colon,
qui résulte de tant d'allusions de Nerval, antérieures et postérieures à ce passage-ci : car le rêve, par la place que Gérard
lui donne dans son récit, doit dater du début de son séjour
en clinique (vers mars 1841), et Jenny n'est morte qu'en juin
1842, alors que Nerval avait quitté la clinique depuis novembre précédent. De fait, dans la Fable d'amour, telle qu'elle
se constitue à travers l'œuvre de Nerval, la Bien-Aimée apparaît pour la première fois comme morte dans un écrit de

1. La contradiction pourrait sembler manifeste — elle l'est, littéralement —
entre le «clair rayon de lumière» sous lequel s'accomplit la sorte d'apothéose
de la dame et la «nuit» que Nerval projette sur l'Univers. Mais cette nuit est
le lot subjectif de l'amant que la divinité abandonne ; elle a probablement sa source
dans les ténèbres que la tradition évangélique (au moins celle de *Marc* et de *Luc*)
fait régner sur la terre à la mort de Jésus.
2. *Aurélia*, Ire partie, VII, début.

1843 [1], date plausible s'il s'agit de Jenny. Pourquoi Nerval, dans le récit de son rêve, n'a-t-il pas hésité à fausser la cohérence chronologique de la Fable qu'il tenait tant à accréditer ? Il lui aurait été facile d'écrire que ce rêve fut interprété par lui comme présageant la mort d'Aurélia, sans être obligé d'avancer le temps de cette mort. On ne peut éviter l'impression qu'il voulait en finir avec la mort de Jenny, pour n'avoir pas à la raconter à sa vraie date, quelque part après sa sortie de clinique. En effet, il n'en dit plus mot : peut-être n'en a-t-il rien su quand elle s'est produite, et ne l'a-t-il apprise qu'après un certain temps [2], et — qui sait ? — sans émotion excessive, l'obsession et le deuil n'ayant envahi que progressivement son imagination.

Il peut donc, à l'endroit où il a placé ce rêve au milieu d'une suite de visions réconfortantes sur l'immortalité, et en prenant soin d'indiquer qu'il ignora quelque temps la mort d'Aurélia, ce qui au moins est vrai, accompagner des réflexions suivantes la funèbre vision finale : « Par suite de l'état de mon esprit, je ne ressentis qu'un vague chagrin mêlé d'espoir. Je croyais moi-même n'avoir que peu de temps à vivre, et j'étais désormais assuré de l'existence d'un monde où les cœurs aimants se retrouvent [3]. » La mort apparaît ici surmontée par l'amour comme tout à l'heure par le lignage ; mais ici aussi l'angoisse affleure sous l'espérance : le frisson de la mort s'est fait sentir et la nuit a envahi un moment l'univers. En tout cas, moyennant l'annonce anticipée de sa mort, nous ne connaîtrons plus Aurélia vivante, mais telle que Nerval l'imagine depuis longtemps quand il écrit, transfigurée en créature de l'au-delà.

Nerval reprend le ton enthousiaste de toute cette première partie de son récit en évoquant avec ravissement le printemps dans le jardin de la clinique et sur la colline de Montmartre, ainsi que les fresques murales où il divinise Aurélia. Il les traçait avec des morceaux de charbon et de brique : « Une figure dominait toujours les autres : c'était celle d'Aurélia, peinte sous les traits d'une divinité, telle qu'elle m'était apparue dans mon rêve. Sous ses pieds tournait une roue, et les dieux lui faisaient

---

1. Dans le «Carnet du Caire» : voir ci-dessus, p. 287.
2. S'il en est ainsi, sa phrase : «Je n'eus d'abord que la nouvelle de sa maladie» serait, quant à elle, véridique.
3. *Aurélia*, Ire partie, VII, § 2.

cortège. Je parvins à colorier ce groupe en exprimant le suc des herbes et des fleurs. — Que de fois j'ai rêvé devant cette chère idole[1] ! » Mais cette idole était-elle bien Aurélia ? Un des fragments primitifs parle d'un dessin sur une feuille, non d'un croquis mural, et la « divinité » peinte semble autre ; on y lit : « J'ai essayé de retracer l'image de la divinité de mes rêves. Sur une feuille imprégnée du suc des plantes, j'avais représenté la Reine du Midi, telle que je l'ai vue dans mes rêves, telle qu'elle a été dépeinte dans l'Apocalypse de l'apôtre saint Jean[2]. » La reine du Midi est dans les Évangiles la reine de Saba biblique, et c'est à elle que Nerval pense ici[3] ; quant à l'auteur de l'*Apocalypse*, il ne nomme cette reine ni ne songe à elle, et la Femme qu'il célèbre est, indiscutablement, une figure de la Vierge Marie[4]. Le portrait luxuriant que Nerval fait de son héroïne dans le fragment ci-dessus coïncide seulement avec la Femme de l'*Apocalypse* par sa couronne d'étoiles et sa vertu salvatrice : dans l'*Apocalypse*, elle accouche du Sauveur ; dans le fragment de Nerval, « elle apparaît, prête à sauver le monde », selon la théologie volontiers féminine du romantisme. En tout cas rien, dans ledit fragment, n'évoque Aurélia, qui n'est nommée comme l'héroïne des peintures murales que dans l'*Aurélia* définitive. Il est vrai que Nerval confond volontiers, dans son image d'une divinité féminine, des figures de type voisin, empruntées aux traditions les plus diverses. Ainsi, dans le même fragment, il écrivait que la reine du Midi, outre ses attributs mythologiques habituels, prend, quand sa figure se réfléchit dans l'orbe céleste, les traits de sainte Rosalie[5]. Aurélia, divinisée, a rejoint en son temps ce groupe de déesses ; dans l'*Aurélia* définitive, elle est seule nommée.

1. *Ibid.*, § 5.
2. *Pl. I*, « Fragments... », VII, § 3. — Maxime Du Camp, *Souvenirs littéraires*, 1882, t. II, p. 117, dit avoir reçu un tel dessin de Nerval ; il en est question dans une lettre de Nerval à lui (voir *Pl. I*, p. 1179) ; mais cette lettre est supposée être de 1854 ; si le dessin est de 1841, il est distinct en tout cas des fresques.
3. On fait état de deux articles, l'un de 1841-1842, l'autre de 1843, dont les auteurs disent avoir vu, dans la clinique montmartroise du docteur Esprit Blanche, les traces d'un dessin mural représentant, selon l'un (auteur anonyme) une femme coiffée d'un diadème, selon l'autre (Alphonse Esquiros) la reine de Saba et un roi ; les deux auteurs attribuent, allusivement ou nommément, le dessin à Nerval. Voir, sur ce sujet, J. Richer, *Nerval. Expérience et création*, pp. 438-440.
4. Voir *Apocalypse*, 12.
5. *Pl. I*, « Fragments... », VII, § 3, *sub finem*.

La Femme martyre

Dans ces dernières pages du récit de sa crise de 1841, où il nous rend compte de ce qu'il a dessiné ou écrit dans la saison de sa convalescence, un type nouveau apparaît, pour la première fois, semble-t-il, dans son œuvre : celui de la Femme martyre. Il a entrepris, dit-il, de «représenter, par mille figures accompagnées de récits, de vers et d'inscriptions en toutes les langues connues, une sorte d'histoire du monde mêlée de souvenirs d'études et de fragments de songes [1]» : cette histoire fantastique, dans le détail de laquelle nous ne pouvons entrer ici, consiste en visions où le narrateur, à l'occasion, se voit lui-même agissant. C'est, à l'origine, un monde peuplé d'animaux monstrueux sous le gouvernement des Éloïm ; puis «une déesse rayonnante» guide l'univers vers l'ordre et l'harmonie. Mais ces Éloïm, dont nous avons vu la descendance glorifiée, comme porteuse de la civilisation humaine, dans l'*Histoire de la reine du Matin* [2], opposent ici une résistance néfaste à cette marche de l'humanité. C'est comme une nouvelle version, sinistre, de leur légende. Après des millénaires de combats sanglants, trois d'entre eux, relégués avec les Esprits de leur race au midi de la terre, y formèrent des royaumes : c'étaient des nécromants, despotes et geôliers souterrains, nourris de sang humain, rois d'un monde stérile et déchu. Survint un déluge, au cours duquel trois Éloïm, réfugiés au sommet des montagnes d'Afrique, se livrent un combat. C'est de ce point culminant de l'histoire d'une race mauvaise que surgit l'image de la Femme victime : «Ici ma mémoire se trouble, et je ne sais quel fut le résultat de cette lutte suprême. Seulement, je vois encore debout, sur un pic baigné des eaux, une femme abandonnée par eux, qui crie les cheveux épars, se débattant contre la mort. [...] Fut-elle sauvée ? Je l'ignore. Les dieux, ses frères, l'avaient condamnée ; mais au-dessus de sa tête brillait l'Étoile du soir, qui versait sur son front des rayons enflammés [...]. Tels sont les souvenirs que je retraçais [...] ; je frémissais en repro-

---

1. *Aurélia*, Ire partie, VII, § 6 et VIII en entier.
2. On se souvient que les Éloïm y sont représentés comme issus du feu et adversaires irréconciliables du tyran Jéhovah, et que Nerval les donne pour ancêtres de Caïn et de sa race prestigieuse de constructeurs et de métallurgistes.

duisant les traits hideux de ces races maudites. Partout mou-
rait, pleurait ou languissait l'image souffrante de la Mère
éternelle [1]. »

Ainsi, Nerval n'a éliminé d'*Aurélia* la Femme ennemie que
pour y introduire la Femme victime [2]. Ce changement notable, en bannissant la haine du sein du couple, va rendre les
amants solidaires, et dépendants des mêmes épreuves. Nerval,
dans cette première partie de son histoire, a pu être relativement pacifié par une « promesse » surnaturelle de retrouvailles. Mais il faut que la Bien-Aimée lui ait été accordée par Dieu,
ou qu'il le suppose. Comprenons que la conscience d'une faute
l'habite toujours, et que le sentiment des douleurs de la féminité n'est pas fait pour l'innocenter. Malgré sa confiance en
l'appui de Dieu, Nerval va continuer à faire dépendre d'Aurélia,
à travers ses visions, son salut ou sa perte.

Le sosie usurpateur

Le récit de cette première crise, qui occupa l'année 1841,
s'achève par une ultime lamentation sur la malfaisance des
Éloïm. Nerval passe aussitôt aux prodromes de la seconde époque, moyennant une transition laconique : le calme est revenu
dans son esprit, il a quitté la clinique. « Des circonstances fatales, écrit-il, précipitèrent, longtemps après, une rechute qui
renoua la série interrompue de ces étranges rêveries [3]. » Dix

1. *Ibid.*, VIII, § 6 et 8. L'hétérodoxie romantique n'ignore pas une telle figure
et prête parfois une portée théologique à la souffrance de Marie ; ainsi, on trouve
chez l'abbé Constant, en 1844, une doctrine et une description de la Passion
de Marie, comme instrument de rédemption de l'humanité : transfiguration et
majoration démesurée de l'ordinaire « mater dolorosa ». Chez Nerval, ce fantasme mythique rencontre visiblement une forte résonance affective.
2. Dans la première *Aurélia* (« Fragments... », VII), cette espèce d'histoire de
l'humanité est tout autre dans le texte définitif : histoire non mythique, mais
terrestre, embrassant sur une vaste échelle les pays et les peuples, et aussi étrange
que celle qu'on trouve dans la fameuse lettre à Auguste Cavé du 31 mars 1841.
Le motif de la Femme victime n'y paraît pas encore, au moins dans ce que nous
en avons.
3. *Aurélia*, Ire partie, IX, 1er §. Il est remarquable qu'à si longue distance,
les rêves et visions de la seconde crise fassent si bien suite à ceux de la première,
et en remémorent parfois certains éléments. La possibilité de délires reparaissant semblables après une longue latence ne semble pas exclue en psychiatrie :
voir là-dessus L.-H. Sébillotte, *op. cit.*, p. 102.

ans en effet ont séparé sa sortie de clinique, en novembre 1841, de l'accident survenu en septembre 1851 sur les hauteurs de Montmartre (faux pas, chute, évanouissement, hématome à la poitrine et genou douloureux [1]), auquel il attribue le retour de son mal : car il remarque, dit-il, que sa chute avait eu lieu dans un endroit d'où il pouvait apercevoir le cimetière d'Aurélia ; il crut voir en cela un signe et regretta que la mort n'eût pas, à cette occasion, opéré leur réunion. « Puis, ajoute-t-il, en y songeant, je me dis que je n'en étais pas digne. Je me représentai amèrement la vie que j'avais menée depuis sa mort, me reprochant, non de l'avoir oubliée, ce qui n'était point vrai, mais d'avoir, en de faciles amours, fait outrage à sa mémoire. » Ce thème de culpabilité va se développer et charger le scénario d'*Aurélia* d'obstacles insurmontables.

Les rêves, qu'il décide de consulter, ne l'apaisent en effet plus, et l'un d'eux va fournir le point de départ d'un enchaînement de désastres. Ce ne sont d'abord que scènes confuses et sanglantes, comme si une « race fatale » s'était déchaînée au sein du monde idéal que ses visions lui avait montré autrefois. Mais, plus précisément, reparaît et s'accuse le seul signe funeste qui l'avait alors arrêté dans cet Éden : « Le même Esprit qui m'avait menacé, — lorsque j'entrais dans la demeure de ces familles pures [...] — passa devant moi, non plus dans ce costume blanc qu'il portait jadis, ainsi que ceux de sa race, mais vêtu en prince d'Orient » ; il le tient si évidemment pour son ennemi qu'il s'élance vers lui, le menaçant : « Ô terreur ! ô colère ! c'était mon visage, c'était toute ma forme idéalisée et grandie [2]... » Il interprète bien comme un symbole de culpabilité cette image idéale de lui-même qui le persécute ; en effet, convaincu qu'en tout homme dédoublé l'un est bon, l'autre mauvais [3], il se

---

1. Voir ses lettres du 25 septembre 1851. Un ébranlement psychique certain est mêlé à cet accident, dont le récit dans *Aurélia* est précédé par la mention d'un oiseau semblant parler sur son chemin.
2. Il songe à ce propos à un autre sosie, apparu fugitivement tout au début de sa première crise.
3. Nerval cite, à ce propos cette phrase, qu'il attribue à « un Père de l'Église » : « Je sens deux hommes en moi » ; ne se souvient-il pas de ces vers assez connus du 3ᵉ Cantique spirituel de Racine : « Mon Dieu, quelle guerre cruelle ! — Je trouve deux hommes en moi » ? Cette « Plainte d'un chrétien, sur les contrariétés qu'il éprouve au-dedans de lui-même » est dite tirée de saint Paul, *Aux Romains*, 7, où le sujet est en effet traité, mais où la phrase ne figure pas (remarque déjà faite par J. Richer dans son édition d'*Aurélia*, Paris, Minard, 1965, p. 49, note *d*).

demande aussitôt avec angoisse : lequel des deux suis-je ? Or cette angoisse lui interdit Aurélia. De sorte que le double, signe de culpabilité, est signe aussi d'impuissance et de frustration : l'arme à la main cette fois encore [1], il incarne, sous la forme d'un sosie humiliant, celui que Nerval voudrait être et ne peut être, celui qui peut obtenir ce que Nerval n'obtient pas, un rival donc et un spoliateur. Ainsi, à l'expression de la culpabilité, succède aussitôt, dans « un éclair fatal », le cri : « Aurélia n'était plus à moi ! » Cri saisissant, qui proclame d'emblée le rival vainqueur ; cri mensonger, puisque nous savons qu'Aurélia n'a jamais été à lui qu'en espérance, et ne lui a accordé d'autre faveur qu'un pardon ; cri délirant, sur la seule apparition du double. Cependant la Bien-Aimée, en puissance virtuelle de rival, ne peut cette fois être accusée de trahison ; elle est la dupe du sosie imposteur : « Je croyais entendre parler d'une cérémonie qui se passait ailleurs, et des apprêts d'un mariage mystique qui était le mien, et où *l'autre* allait profiter de l'erreur de mes amis et d'Aurélia elle-même. » Il n'est plus question ici de *mea culpa* : dans cette conscience affolée et farouche, le doute de soi n'est pas long à se changer en accusation virulente de l'autre. Face au malheur, inscrit, semble-t-il, dans l'ordre des choses, se dessine une volonté héroïque, aux antipodes de la prière : « Eh bien, me dis-je, luttons contre l'esprit fatal, luttons contre le dieu lui-même avec les armes de la tradition et de la science. Quoi qu'il fasse dans l'ombre et la nuit, j'existe, et j'ai pour le vaincre tout le temps qu'il m'est donné encore de vivre sur la terre [2]. »

Le scénario se poursuit dans un nouveau rêve : voyage au centre de la terre, métaux en fusion, feu central, puis arrivée sur une plage, château au haut d'une côte, ville immense sur l'autre versant, descente dans les rues [3]. On affiche l'ouverture d'un casino dont une partie est encore en construction. Il entre dans un atelier où des ouvriers modèlent en glaise un

---

1. *Aurélia*, Ire partie, IX, §§ 1, 2. Nerval entend dire dans son rêve que c'est avec cette arme que le sosie l'a frappé ; et, selon une note qu'il ajoute au texte, il comprend qu'on veut parler du coup qui a causé sa chute à Montmartre : confusion du monde du rêve avec le monde réel, qu'il relève lui-même avec quelque surprise (*ibid.*, § 2 et note).
2. *Aurélia*, Ire partie, IX s'achève ici.
3. *Ibid.*, X, § 1, 2. Itinéraire et configuration rappellent ceux d'*Aurélia*, Ire partie, IV, § 1.

animal énorme, de la forme d'un lama, mais avec de grandes ailes. « Ce monstre, écrit-il, était comme traversé d'un jet de feu qui l'animait peu à peu, de sorte qu'il se tordait, pénétré par mille filets pourprés, formant les veines et les artères [...]. Je m'arrêtai à contempler ce chef-d'œuvre, où l'on semblait avoir surpris les secrets de la création divine. » Les ouvriers déclarent disposer en effet, pour ce travail, du feu primitif qui anima les premiers êtres, et dont les sources se sont taries ; mais ils attirent l'attention du rêveur sur le fait qu'ils ne peuvent en aucune manière créer des hommes, car « les hommes viennent d'en haut et non d'en bas[1]. » Dans ce prologue à la lutte qui s'annonce entre les deux rivaux, c'est donc bien la question du feu animateur et de la puissance génératrice de vie qui se pose à Nerval, le partageant entre la pensée dépressive d'une déchéance de la vie et l'ambition chimérique d'en posséder la source[2].

Le milieu où se trouve à présent Nerval ne lui semble guère favorable. Les personnes qu'il rencontre ne l'accueillent plus comme dans sa précédente descente aux régions de la survie ; on semble ici ne pas le voir, ou ne pas le connaître. Il arrive à une grande salle luxueusement tendue, avec un sofa en forme de trône. Et voici le drame : « On parlait d'un mariage et de l'époux qui, disait-on, devait arriver pour annoncer le moment de la fête. Aussitôt un transport insensé s'empara de moi. J'imaginai que celui qu'on attendait était mon *double*, qui devait épouser Aurélia, et je fis un scandale qui sembla consterner l'assemblée. » Il éclate avec violence, expliquant ses griefs, mais on blâme sa conduite. « Alors je m'écriai : Je sais bien qu'il m'a frappé déjà de ses armes, mais je l'attends sans crainte et je connais le signe qui doit le vaincre[3]. » On va reconnaître ici le continuateur des violences de Brisacier, incendiaire en projet, et du héros de *Pandora*, renverseur de paravents dans une réception d'ambassade : le vieux scénario est vivace, même si la Femme y est cette fois exempte de reproche.

Au moment même où Nerval lance son défi au milieu de

---

1. *Ibid.*, X, § 3.
2. Puissance vitale-dévitalisation : ce couple de concepts est au centre des obsessions du romantisme désenchanté. Il revêt chez Nerval la forme d'une mythologie du feu, qu'on peut dire — à défaut d'une meilleure expression — mégalo-dépressive, dont le héros dédoublé de cet épisode occupe les deux pôles.
3. *Ibid.*, § 4.

l'assemblée en émoi, un des ouvriers de l'atelier visité dans le rêve précédent [1] s'avance vers lui, porteur d'une longue barre dont l'extrémité est une boule rougie au feu : le feu primitif de vie et de puissance est aux mains des ennemis de Nerval ; l'emportera-t-il sur eux ? « On semblait autour de moi, écrit-il, me railler de mon impuissance… Alors je me reculai jusqu'au trône [2], l'âme pleine d'un indicible orgueil, et je levai le bras pour faire un signe qui me semblait avoir une puissance magique. » Mais si ce signe est doué vraiment de quelque vertu — ce que nous ne saurons pas —, voici qui empêche Nerval de le faire agir : « Le cri d'une femme, distinct et vibrant, empreint d'une couleur déchirante, me réveilla en sursaut ! Les syllabes d'un mot inconnu que j'allais prononcer expiraient sur mes lèvres… Je me précipitai à terre et je me mis à prier avec ferveur en pleurant à chaudes larmes. » Cette voix, selon lui, « n'appartient pas au rêve ; c'était la voix d'une personne vivante, et pourtant c'était pour moi la voix et l'accent d'Aurélia… » Il est convaincu qu'une femme a vraiment crié dans le voisinage, quoique le cri ne se soit pas répété, et que personne au-dehors n'ait rien entendu. Il croit voir dans cet événement un exemple des liaisons mystérieuses entre ce monde et l'autre : « Selon ma pensée, dit-il, les événements terrestres étaient liés à ceux du monde invisible. » Que veut-il dire ? Que le cri de douleur entendu sur la terre n'a pas simplement coïncidé avec sa défaite dans le monde des esprits, qu'il l'a surnaturellement accompagnée, la signalant comme un châtiment. Aussi se demande-t-il aussitôt : « Qu'avais-je fait ? » Voici sa réponse : « J'avais troublé l'harmonie de l'univers magique où mon âme puisait la certitude d'une existence immortelle. J'étais maudit peut-être pour avoir voulu percer un mystère redoutable en offensant la loi divine ; je ne devais plus attendre que la colère et le mépris [3] ! »

Cette réponse est confuse. Est-il coupable d'avoir porté le trouble dans « l'univers magique », ou bien d'avoir offensé « la loi divine ? » Il est vrai qu'entre l'un et l'autre la distinction ne sera jamais bien nette pour Nerval. D'ailleurs, la fuite dans

---

1. Un personnage imaginaire, reparaissant d'un rêve à l'autre, n'est pas chose commune ; mais ce n'est pas non plus chose impossible.
2. C'est le sofa mentionné plus haut.
3. *Ibid.*, §§ 5-9.

la conscience de ses péchés, pour cet homme vaincu d'avance, est un recours ; sa contrition peut n'être que l'honnête déguisement d'une vocation de l'échec, que son esprit de chimère combat malgré tout inlassablement. Ne négligeons pas le fait qu'il lui a semblé que c'était Aurélia elle-même qui criait : la voix bien-aimée entendue dans ce cri atteste-t-elle qu'Aurélia a été arrachée à Gérard malgré elle ? qu'elle est à lui de cœur, et qu'il faut une violence atroce pour les séparer ? Mais le cri entendu n'est pas seulement signal ; il est *cause* de défaite. Il anéantit la force de Nerval au moment où il s'apprêtait à en user : ainsi, paradoxalement, la pensée d'Aurélia souffrante, surgissant tandis qu'il lutte pour la faire sienne, épouvante et paralyse en lui la virilité. On a peine à croire qu'il n'ait pas aperçu lui-même, plus ou moins distinctement, cette articulation de son récit. Mais il n'en dit rien, et s'échappe aussitôt vers le surnaturel. Le nœud de son mal serait-il là ? Mais comment l'entendre sans son aide ? Soulignons seulement ce qui est patent : souffrance féminine et fragilité virile forment chez Nerval la définition la plus désastreuse du couple humain, et, à ce titre, un des motifs les plus insurmontables de son désarroi[1]. L'auto-accusation peut être une façon d'y répondre.

Culpabilité, recours à Dieu, désespoir

Avec la seconde partie d'*Aurélia*[2] s'ouvre, en présence de l'irrémédiable, un nouvel ordre de pensée, dont la faute constitue le centre. Nerval va, de plus en plus, saisir toutes les occasions de se dire coupable. Les torts qu'il s'attribue à l'égard d'Aurélia vivante, avant leur rupture, nous demeurent inconnus ; ceux qu'il a pu avoir après cette rupture se réduisent à ses « amours faciles », mais en quoi sont-ils coupables à l'égard d'une femme qui l'avait repoussé ? La prétendue faute ne

---

1. Plus insurmontable et plus profond dans sa nature que celui de la femme maléfique et de l'homme victime, dont il avait usé aussi, et dont le romantisme désenchanté, de Musset à Baudelaire et au Parnasse, fera le plus grand usage. D'un certain point de vue, la Femme victime est une obsession encore plus redoutable, pour l'accomplissement viril de Nerval, que la Femme ennemie.

2. On aura noté que la division d'*Aurélia* en deux parties ne coïncide pas avec celle qui distingue dans la biographie deux périodes de crise (1841 et 1851-1854). La Iʳᵉ partie d'*Aurélia*, qui va des premières révélations à la perte par Nerval de l'Aurélia céleste, s'étend jusqu'à 1851 et quelque peu au-delà.

masque-t-elle pas le mal, bien plus grave, de ne pas pouvoir aimer, que la comédienne de *Corilla* et celle de *Sylvie* lui reprochent et qu'*Aurélia* passe sous silence ? Quant au crime, dernier surgi, d'avoir transgressé l'ordre divin, il résulte, dans le texte même, d'une simple conjecture. Il s'agit donc d'une attitude d'auto-accusation fondamentale, c'est-à-dire d'un refuge dans l'humilité. Voyons le développement de cette nouvelle phase.

Nerval va commencer par un examen de conscience touchant sa relation avec le Dieu du christianisme, illustré de divers épisodes significatifs[1]. Il constate que c'est la première fois depuis bien longtemps qu'il pense à Dieu, après l'avoir méconnu ; il se rappelle avoir surpris Aurélia invoquant Jésus et en avoir pleuré d'émotion : «Cette larme, mon Dieu ! rendez-la-moi !» Mais sa pensée est plus hésitante que son vœu : «Pour nous, écrit-il quelques lignes plus loin, nés dans les jours de révolutions et d'orages, où toutes les croyances ont été brisées [...], il est bien difficile, dès que nous en sentons le besoin, de reconstruire l'édifice mystique dont les innocents et les simples admettent dans leurs cœurs la figure toute tracée. [...] Pouvons-nous rejeter de notre esprit ce que tant de générations intelligentes y ont versé ?» Il argumente, fidèle à cette Philosophie qu'il vient de condamner : «Il ne faut pas faire si bon marché de la raison humaine, que de croire qu'elle gagne quelque chose à s'humilier tout entière, car ce serait accuser sa céleste origine.» Il en est venu à souhaiter, sur le mode humanitaire, une science épurée, constructrice de l'avenir et réconciliée avec la religion, que Dieu bénira. De tels vœux n'étaient pas catholiques en ce temps-là ; aussi les rétracte-t-il aussitôt comme des «blasphèmes» inspirés par Satan. On n'en est que plus surpris de lire aussitôt après : «J'avais réuni quelques livres de cabale. Je me plongeai dans cette étude, et j'arrivai à me persuader que tout était vrai dans ce qu'avait accumulé là-dessus l'esprit humain pendant des siècles.» Et ces réflexions se poursuivent sur la validité des rites de toutes les religions passées, l'hiéroglyphe perdu qu'il faut retrouver, le soleil-feu composé d'âmes, et «l'esprit de l'Être-Dieu, reproduit et pour ainsi dire, reflété sur la terre», et d'où sont nés les Éloïm[2].

---

1. Cet ensemble occupe tout le début de la IIe partie d'*Aurélia*, à savoir I, II, III et IV jusqu'au milieu.
2. *Aurélia*, IIe partie, I, §§ 3-10.

Tel est Nerval. Mais rien n'est aussi surprenant que l'idée à laquelle il aboutit, jugeant rétrospectivement sa conduite, que c'est lui-même qui a chassé Dieu, qui l'a menacé et maudit; car : «C'était bien lui, ce frère mystique, qui s'éloignait de plus en plus de mon âme et qui m'avertissait en vain! Cet époux préféré, ce roi de gloire, c'est lui qui me juge et me condamne, et qui emporte à jamais dans son ciel celle qu'il m'eût donnée et dont je suis indigne désormais [1].» Il faut convenir que cette identification à Dieu de son spoliateur-sosie, même parmi les inventions les plus singulières de l'hérésie romantique, a quelque chose de peu ordinaire; on se sent ici à la limite de la région, largement fréquentée et riche d'intérêt humain, qui sépare l'imagination théologique du délire. L'étrange idée du Double de nature divine est venue à Gérard au sortir d'une visite à un ami [2], qui lui a dit avoir appris en rêve que «Dieu est partout», que «c'est toi et *moi*». Il interprète ces mots vagues selon son penchant; et sitôt sorti de chez l'ami : «Dieu est avec lui, m'écriai-je..., mais il n'est plus avec moi! ô malheur! je l'ai chassé de moi-même», etc. Mais, de quelque façon qu'il ait abouti à cette très étrange conclusion — à la suite d'une conversation, comme il le dit, ou par une solitaire flambée d'angoisse — il ne va pas s'y tenir. Il va continuer à osciller entre Aurélia et ce Dieu qui le prive d'elle, comme entre deux pôles de son adoration.

Son premier mouvement est de s'avouer coupable d'avoir méconnu la primauté de Dieu sur la Femme aimée : «Je comprends, me dis-je, j'ai préféré la créature au créateur; j'ai déifié mon amour et j'ai adoré selon les rites païens celle dont le dernier soupir a été consacré au Christ [3].» Il accepte donc de ne pouvoir tenir une Aurélia chrétienne que du pardon de Dieu. C'est dans cette pensée que, le hasard d'un convoi funèbre l'ayant conduit au cimetière où Aurélia se trouve enterrée [4], il renonce au projet d'aller prier sur sa tombe : «Non, me dis-je, je ne suis pas digne de m'agenouiller sur la tombe d'une chrétienne; n'ajoutons pas une profanation à tant d'autres [5]!» Dans son désarroi,

1. *Ibid.*, I, dernier §.
2. *Ibid.*, § 13.
3. *Ibid.*, II, § 1.
4. Ce cimetière est le cimetière Montmartre; la tombe de Jenny Colon s'y trouve en effet.
5. *Ibid.*, § 2.

il se réfugie à Saint-Germain, lieu de sa jeunesse, il y passa la nuit et, dans le rêve qu'il fait alors, Aurélia[1] reprend la première place ; il lui semble la voir reflétée dans une glace : « Elle semblait triste et pensive, et tout à coup, [...] cette figure douce et chérie se trouva près de moi. Elle me tendit la main, laissa tomber sur moi un regard douloureux et me dit : Nous nous reverrons plus tard... à la maison de ton ami[2]. » Il ne peut croire, pensant à son mariage[3], qu'elle revienne à lui : « 'M'avez-vous pardonné ?', demandai-je avec larmes. » C'est donc le pardon d'Aurélia qui lui importe toujours ; et même si cette fois il ne semble pas qu'elle soit en mesure de le donner, il ne peut douter qu'elle lui soit favorable : elle est de son côté, et la puissance qui les sépare les opprime tous deux. Mauvais présage : avant qu'elle n'ait répondu, tout a disparu. Il se trouve dans un lieu désert et sinistre, cherchant péniblement à gagner une maison où il se croit attendu ; en vain : « Une certaine heure sonna... Je me dis : *Il est trop tard !* Des voix me répondirent : *Elle est perdue !* » Pas seulement perdue pour lui, mais châtiée elle aussi : il croit comprendre qu'elle a fait, en le visitant en rêve, un dernier effort pour le sauver, et qu'il a manqué le moment où le pardon était encore possible quand, « du haut du ciel, dit-il, elle pouvait prier pour moi l'Époux divin » ; elle ne le peut plus, car elle aussi maintenant est perdue : « L'abîme a reçu sa proie ! Elle est perdue pour moi et pour tous !... Il me semblait la voir comme à la lueur d'un éclair, pâle et mourante, entraînée par de sombres cavaliers...[4]. »

Ce qui s'est passé est obscur. En quoi Nerval a-t-il failli ? Quelle occasion a-t-il manquée ? À quel avertissement est-il resté sourd, entraînant Aurélia dans sa perte ? Il faut supposer que sa faute est de n'avoir jamais été prêt à un acte de foi véritable. Les actes d'humilité ne manquent pas, mais non plus l'aveu

---

1. *Ibid.*, § 3. Il écrit ici A***, au lieu d'Aurélia en toutes lettres, on ne sait pourquoi, quoiqu'il s'agisse évidemment d'elle. Sur ce séjour à Saint-Germain, voir plus haut, p. 445.

2. *Ibid.* : il s'agit d'un ami (dont il a appris le suicide dans la journée) qui est censé l'accompagner dans le rêve. Cette scène rappelle celle de Bruxelles (voir *Aurélia*, Ire partie, II, § 1) : main tendue, regard profond et triste, salut ; ici aussi, il va être question de pardon.

3. Il s'agit apparemment du mariage d'Aurélia avec le double, et non de celui de Jenny, évoqué dans *Sylvie* seulement. L'un serait-il la transfiguration fantastique de l'autre ? Comment le dire ?

4. *Ibid.*, IIe partie, II, § 4.

des résistances d'un esprit formé aux idées modernes. Les pages qui suivent immédiatement le récit du «rêve fatal» de Saint-Germain peignent bien cette division et l'insurmontable désespoir où elle aboutit. Sa première réponse au rêve est une prière des plus humbles : «Mon Dieu, mon Dieu! pour elle et pour elle seule, mon Dieu, pardonnez! m'écriai-je en me jetant à genoux.» Et il décide aussitôt de détruire les deux papiers qu'il a gardés en souvenir d'Aurélia : la dernière lettre reçue d'elle, et le papier du cimetière où est indiqué l'emplacement de sa tombe. Il croit comprendre qu'il a tout perdu en n'allant pas la veille sur cette tombe, et qu'il est inutile désormais d'y aller [1]. Non content de brûler les reliques qui le rattachent à Aurélia pour apaiser Dieu («J'espérais encore! Peut-être Dieu se contenterait-il de ce sacrifice»), il minimise son amour devant ce qu'il doit à Dieu : «Ici je m'arrête, écrit-il; il y a trop d'orgueil à prétendre que l'état d'esprit où j'étais fût causé seulement par un souvenir d'amour. Disons plutôt qu'involontairement j'en parais les remords plus graves d'une vie follement dissipée [2].» Ainsi, il affecte de faire de toute son aventure une quête de Dieu par le rejet du péché, l'amour n'étant dans son récit qu'un ornement que la complaisance humaine à soi (c'est sans doute ce qu'il veut dire par «trop d'orgueil») ajoute à l'entreprise autrement grave et importante du salut. Cette ligne de culpabilité issue du rêve se poursuit dans la nuit suivante. Il se voit reprocher dans son sommeil ses fautes passées : notamment de n'avoir pas pleuré autant ses vieux parents que «cette femme». Et toujours : il n'a pas compris l'enseignement universel, et maintenant il est trop tard. Il se croit à son dernier jour, comme au début de sa première crise : «Dieu m'avait laissé ce temps pour me repentir, et je n'en avais point profité. — Après la visite du *convive de pierre*, je m'étais rassis au festin [3]!»

Tous ces développements, consécutifs au rêve funeste qui a détruit l'espoir du salut, sont inspirés du même mouvement chrétien ou christianisant, qui subordonne l'amour humain au salut, mais d'un christianisme, pourrait-on dire, négatif, de péché et de désespérance. Ce qui vient ensuite dans le texte d'*Aurélia* commente la même situation, mais dans un esprit et

---

1. *Ibid.*, §§ 5, 6.
2. *Ibid.*, III, § 1.
3. *Ibid.*, §§ 2-3.

un style différents, et avec une matière tout autre[1]. Ce n'est plus, ici, le tracé d'une aventure spirituelle en un enchaînement impressionnant de visions ; c'est la chronique d'une existence désorientée dans ses interrogations et ses épisodes fortuits. Dans l'état de mésestime de lui-même où il se trouve, il se demande pourquoi il ne s'est pas présenté au confessionnal, et c'est une question, en effet, qui peut être posée. Il n'ignore pas d'où viennent ses hésitations, énumère plusieurs causes, diverses : l'emprise, profonde sur lui, de la pensée libre des philosophes du siècle précédent ; le fait que sa mère soit morte quand il était enfant, et qu'il ne l'ait jamais connue ; l'influence d'«un de ses oncles», sorte d'illuministe un peu adorateur du soleil ; les superstitions païennes de son pays d'enfance ; sa faible éducation chrétienne. En sens contraire, la mort d'Aurélia l'a incliné vers des idées d'immortalité. Mais aussi les encouragements de son ami Georges lui ont fait reprendre confiance dans les idéaux de 1848[2]. Il s'efforce de mériter l'indulgence en entreprenant de réparer le mal qu'il a pu faire à des personnes, mais n'accomplit guère ce projet ; et, à la suite de la mort d'un ami, revient à son obsession centrale : «Qu'arriverait-il si je mourais ainsi tout à coup[3] ?»

Vers une nouvelle crise

À partir de là, le décousu du récit s'accentue ; les épisodes délirants et les actes incontrôlés, parfois violents, se multiplient. La narration prend l'allure d'un parcours à pas perdus dans Paris, ponctué d'incidents étranges et d'imaginations consternantes. Arrivé à la place de la Concorde, il est saisi par la

---

1. Il faut dire ici quelques mots de l'histoire du texte. Le rêve et ses suites, tels que nous les avons commentés jusqu'ici, occupent, dans la IIe partie d'*Aurélia*, les sections II et III. La section IV, qui les suit dans le texte usuel d'*Aurélia*, répond en réalité à des feuillets manuscrits différents, qu'Ulbach a placés là en publiant après la mort de Nerval cette IIe partie d'*Aurélia*. À vrai dire, on ignore ce que Nerval pensait faire de ces feuillets : voir, sur cette question, J. Guillaume, *Nerval. Masques et visage*, pp. 73-78, 144-147.

2. Voir ci-dessus, p. 275.

3. C'est ici, au milieu de la section IV, que s'achève, dans les éditions, le texte des feuillets intercalés à cet endroit par Ulbach : il aboutit à cette réflexion angoissée touchant le salut. La narration continue sur un ton semblable dans la IIe partie, IV, §§ 6-10 et V, §§ 1-4.

pensée du suicide, bientôt traversée par la certitude d'assister
à la fin du monde : «Je croyais voir un soleil noir dans le ciel
désert et un globe rouge de sang au-dessus des Tuileries. Je
me dis : la nuit éternelle commence et elle va être terrible [1].»
La promenade recommence le lendemain et aboutit chez un
ami, poète allemand — Heine assurément : «En entrant, je
lui dis que tout était fini et qu'il fallait nous préparer à mourir.» Il appelle sa femme, et elle fait conduire Nerval en fiacre
à la maison Dubois [2], où on le soigne, sur le diagnostic de fièvre, pendant un mois et demi. Il en ressort et reprend, dit-il,
ses pérégrinations autour de Paris. Il compose *Sylvie*. Puis
recommencent des errances diverses, de corps et d'esprit, et
des démarches d'imagination de plus en plus délirantes à tout
propos. Pour finir, trois amis le conduisent à l'hospice de la
Charité dans un fort état d'excitation [3]. De là, après lui avoir
mis par deux fois la camisole de force, on le conduit à Paris,
à la clinique du docteur Émile Blanche, où il va rester huit
mois [4].

Retour au Féminin

Ici s'ouvre une nouvelle période. La précédente a vu le rapt
et le châtiment présumé d'Aurélia, qui ont signifié pour Nerval le rejet de la part de Dieu et l'ont, semble-t-il, abîmé dans
la culpabilité et le désespoir. Cependant ce désespoir même est
l'aveu de sa répugnance à la pure soumission. En apprenant
par le rêve qu'Aurélia lui était enlevée, il a poussé «un cri de
colère et de rage [5]». L'Époux divin, comme il l'appelle, lui a
ravi Aurélia après qu'elle eut donné à son ami — tel était le

---

1. *Aurélia*, IIe partie, IV, § 9.
2. *Ibid.*, § 10.
3. *Ibid.*, V, §§ 1-4. On ne saurait rendre compte de ces pages déliées et pathétiques ; il faut les lire.
4. Rappelons que ces prodromes de la deuxième crise ont commencé, selon
Nerval lui-même, avec la chute qu'il a faite le 24 septembre 1851 (Ire partie,
IX, § 1 : voir ci-dessus, pp. 470 et 471, et ses lettres) ; que l'hospitalisation pour
«fièvre» dont il fait état a duré du 6 février au 27 mars 1853 ; et qu'il est entré
le 27 août suivant à la clinique de Passy. C'est cette période de deux ans, particulièrement sombre, que nous venons de parcourir. Le séjour chez le docteur
Émile Blanche présente d'autres caractères.
5. *Ibid.*, IIe partie, § 4, *in fine*.

début du rêve — un signe de faveur et un espoir de rencontre :
il a agi en rival jaloux, qui n'a pu supporter cette marque de
clémence envers son rival ; il est devenu ennemi et punisseur
des amants ; par là, il a renoué leur lien. Comment Nerval
trouverait-il la paix dans la contrition, quand au fond de lui
il a moins que jamais renoncé à Aurélia, quand tous ses *mea
culpa* restent sans vertu contre l'image féminine qui l'habite ?
Au plus fort de ses courses dans un Paris d'apocalypse, le rêve
lui apporte une vision merveilleuse : «Il me semblait que la
déesse m'apparaissait, me disant : Je suis la même que Marie,
la même que ta mère, la même aussi que sous toutes les formes tu as toujours aimée. À chacune de tes épreuves, j'ai quitté
l'un des masques dont je voile mes traits, et bientôt tu me ver-
ras telle que je suis [1].» À cette Isis dépouillant successivement
ses voiles, il assimile la Vierge des chrétiens, mère comme elle,
et sa propre mère morte ; et Aurélia, si l'on comprend bien,
se trouve être, parmi toutes les figures du Féminin céleste, la
plus dévoilée et la plus proche.

On a vu que la déesse est censée soumettre ses adeptes à des
épreuves progressives. À peine entré dans la clinique de Passy,
Nerval fait profession d'une doctrine d'initiation et d'épreuves où il semble avoir trouvé une sorte de sérénité. «Du
moment, écrit-il, que je me fus assuré de ce point que j'étais
soumis aux épreuves de l'initiation sacrée, une force invincible entra dans mon esprit [2].» Cette déclaration se trouve au
milieu d'un tableau de l'universelle harmonie, arithmétique,
magnétique, cabalistique, astrale, qui gouverne l'univers et à
laquelle il sent lui-même qu'il participe [3]. «Je me sentais un
héros vivant sous le regard des dieux ; tout dans la nature prenait des aspects nouveaux, et des voix secrètes sortaient de la
plante, de l'arbre, des animaux, des plus humbles insectes, pour
m'avertir et m'encourager [4].» On est loin, dans ces transfigurations fabuleuses de la nature et sous l'empire d'une divinité
féminine, de l'emprise de Dieu et de la pensée obsédante du
péché. La «communication générale», comme Nerval l'appelle,

1. *Ibid.*, V, § 3.
2. *Ibid.*, VI, § 6.
3. Cette longue rêverie, et aussi journal, à bâtons rompus, et d'une verve
d'imagination inépuisable, s'étend, dans la IIe partie d'*Aurélia*, section VI, sur
les six premiers paragraphes.
4. *Ibid.*, § 6.

travaille «à la régénération de l'univers[1]». Nerval, en d'autres temps et en toute santé d'esprit, a professé des pensées analogues, en poète et en explorateur des religions déchues. Maintenant qu'il veut en faire la clef de son salut, y pourvoiront-elles? Y a-t-il place en lui pour cette espérance plus que pour une autre? Écoutons là-dessus son propre témoignage.

Le mal trouve sa place partout. La communication générale elle-même peut être un lieu d'action propice aux esprits mauvais, aux nécromants asservisseurs des générations anciennes : « Car nous revivons dans nos fils comme nous avons vécu dans nos pères, — et la science impitoyable de nos ennemis sait nous reconnaître partout[2]. » À l'angoisse resurgie d'une écrasante fatalité, la Déesse-mère saura-t-elle nous soustraire? «Je reportai ma pensée à l'éternelle Isis, la mère et l'épouse sacrée; toutes mes aspirations, toutes mes prières se confondaient dans ce nom magique, je me sentais revivre en elle, et parfois elle m'apparaissait sous la figure de la Vénus antique[3], parfois aussi sous les traits de la Vierge des chrétiens.» Mais voici sa conclusion : « La nuit me ramena plus distinctement cette apparition chérie, et pourtant je me disais : Que peut-elle, vaincue, opprimée peut-être, pour ses pauvres enfants?[4]» À cette «apparition chérie» d'une déesse multiple, il faut assurément joindre l'image d'Aurélia, digne plus qu'aucune autre d'être dite vaincue et opprimée : Nerval l'a vue victime de la force et ne l'a certes pas oublié. À ce rappel de la Féminité martyre s'enchaîne dans la suite des visions, de façon terriblement significative, le tableau suivant : «Je crus alors me trouver au milieu d'un vaste charnier où l'histoire universelle était écrite en traits de sang. Le corps d'une femme gigantesque était peint en face de moi, seulement ses diverses parties étaient tranchées comme par le sabre; d'autres femmes de races diverses et dont les corps dominaient de plus en plus, présentaient sur les autres murs un fouillis sanglant de

---

1. *Ibid.*, § 4.
2. *Ibid.*, § 7. Dans cette montée d'angoisse, la merveilleuse «communication» de toutes choses finit par apparaître comme le lieu d'une destinée sans merci.
3. L'«alma Venus» de Lucrèce est mère universelle : voir *De Natura rerum*, I, vers 5, 6 et 22, 23 : «per te [...] genus omne animantum — Concipitur», et «nec sine te quidquam dias in luminis oras — Exoritur» (par toi est conçue toute race de vivants; sans toi nul n'aborde aux divins rivages de la lumière).
4. *Ibid.*, *Aurélia*, IIᵉ partie, VI, § 8.

membres et de têtes, depuis les impératrices et les reines jusqu'aux plus humbles paysannes. C'était l'histoire de tous les crimes, et il suffisait de fixer les yeux sur tel ou tel point pour voir s'y dessiner une représentation tragique[1].» Ce tableau montre assez la place que tient, dans l'univers de Nerval, l'idée de la souffrance féminine. Cette représentation, qui a dû jouer un grand rôle dans l'altération anxieuse de sa sensibilité et dans sa conduite maladive en amour, l'a rendu aussi impropre à envisager sans trouble la Déesse meurtrie que le Jéhovah tyran[2].

Faudra-t-il donc admettre qu'il n'y a de recours pour lui, ni dans le Dieu qui lui a ravi Aurélia, ni dans son amie céleste frappée en même temps que lui? Le texte d'*Aurélia*, dans ses dernières pages, dément une telle conclusion. Nerval, soucieux de sa mission d'écrivain et qui pense avoir quelque chose à enseigner à partir d'une expérience peu commune, ne veut pas que ce quelque chose soit le désespoir. Il a réuni, à la fin d'*Aurélia*, des pages réconfortantes, qui sont la moralité de ce qu'il ne veut pas considérer seulement comme une maladie. Il les a mises exprès là, pour rendre courage à son lecteur; ou peut-être, ayant vécu réellement à cet endroit de son récit, aux approches de sa sortie de clinique, des jours plus heureux, s'est-il abstenu d'aller au-delà[3].

Nerval guérisseur

Il y avait parmi les malades de la clinique un jeune homme, ancien soldat d'Afrique, qui se refusait à manger, et qui sem-

---

1. *Ibid.*, § 12. Il a été enfermé dans une chambre du rez-de-chaussée parce qu'il chantait trop fort; c'est là qu'il a eu cette vision.
2. La Femme martyre est sans doute un des types de prédilection de la littérature et de l'imagination humanitaires; mais on lui annonce sa délivrance sur terre, on célèbre la vertu rédemptrice de ses souffrances, on confie à la Vierge Marie le salut de l'humanité, on fait de la Femme l'héroïne salutaire d'un drame qui doit finir bien. C'est cet aboutissement optimiste qui manque à Nerval; les lignes qui suivent l'atroce vision sont négatives : «Voilà, me disais-je, ce qu'a produit la puissance accordée aux hommes. Ils ont peu à peu détruit et tranché en mille morceaux le type éternel de la Beauté, si bien que les races perdent de plus en plus force et perfection.» (II° partie, VI, § 12, *in fine*.) Comment oser assumer, dans de telles conditions, le caractère et la puissance viriles?
3. *Aurélia* s'arrête au moment où Nerval a quitté la clinique. L'internement qui eut lieu de nouveau, du début d'août à la fin octobre 1854, n'y est pas évoqué.

blait ne pouvoir ni parler, ni voir, ni entendre ; on le nouris-
sait par un tuyau introduit dans son estomac. Le médecin ayant
fait assister Nerval à cette opération, il se prit d'amité et de
compassion pour ce malade : «Je passais, dit-il, des heures
entières à m'examiner mentalement, la tête penchée sur la
sienne et lui tenant les mains. Il me semblait qu'un certain
magnétisme réunissait nos deux esprits, et je me sentis ravi
quand la première fois une parole sortit de sa bouche. On n'en
voulait rien croire, et j'attribuais à mon ardente volonté ce
commencement de guérison[1].» Le fait que Nerval apparaisse
comme le bienfaiteur de ce malade et l'amélioration presque
immédiate de son propre état par des rêves de salut ont permis de penser que le narrateur d'*Aurélia* racontait comment il
avait été sauvé par la charité. Nerval, rapportant l'initiative
de son médecin, qui le mit en contact avec le jeune malade,
déclare avoir été rendu par là «au monde des vivants» : il s'agit
donc surtout de communication, plutôt que de charité ; Nerval le confirme plus loin : «Abandonné jusque-là au cercle
monotone de mes sensations et de mes souffrances morales,
je rencontrai un être indéfinissable, taciturne et patient, assis
comme un sphinx aux portes suprêmes de l'existence[2].» Le
bon docteur l'a mis en contact direct avec un de ses semblables, malade comme lui, qu'il puisse aimer : «Je me pris à
l'aimer à cause de son malheur et de son abandon, et je me
sentis relevé par cette sympathie et par cette pitié.» Il est très
compréhensible que cet épisode de communication ait amélioré
l'état des deux malades, et allégé, en particulier, le sentiment
de culpabilité de Nerval ; et l'on est prêt, comme Nerval, à louer
le docteur Blanche d'en avoir eu l'idée. La signification supérieure de cette expérience, si l'on s'en tient à ce que dit Nerval, réside dans un phénomène magnétique et dans le pouvoir
de sa volonté. La seule référence religieuse est dans le passage

1. *Aurélia*, §§ 13-14.
2. *Ibid.*, ainsi que tous les textes qui, ci-dessous, concernent cet épisode. Nerval,
à la même époque (vers la fin de 1853), a plusieurs fois exprimé la même plainte :
voir sa lettre au docteur, du 10 décembre 1853 : «Je tourne dans un cercle étroit.»
Il le dit aussi à son père (lettre du 2 décembre 1853) : «Je travaille beaucoup,
mais cela tourne un peu dans le même cercle» ; et encore mieux à George Bell
(lettre du [début de décembre] 1853) : «Ce que j'écris en ce moment tourne trop
dans un cercle restreint. Je me nourris de ma propre substance et ne me renou-
velle pas.»

où il dit que le jeune malade lui semble « placé entre la mort et la vie, comme un interprète sublime, comme un confesseur prédestiné à entendre ces secrets de l'âme que la parole n'oserait transmettre ou ne réussirait pas à rendre. C'était l'oreille de Dieu sans le mélange de la pensée d'un autre ». Nouvelle version du sacrement de pénitence, à ajouter aux infatigables créations de la religion romantique, et où le prêtre, déclaré importun, est remplacé par un médium inconscient, et toutefois sublime.

Dans le récit de Nerval, cet épisode, réconfortant en lui-même et terminé par un commencement de guérison du malade, est suivi, immédiatement et sans alinéa, par un rêve heureux : « Cette nuit-là j'eus un rêve délicieux, le premier depuis bien longtemps. » Il est dans une tour, profonde du côté de la terre et haute du côté du ciel, où il s'épuise à monter et descendre ; il va manquer de courage quand une porte s'ouvre, un esprit se présente et lui dit : « Viens, frère ! » « Je ne sais, poursuit-il, pourquoi il me vint l'idée qu'il s'appelait Saturnin. Il avait les traits du pauvre malade, mais transfigurés et intelligents. » Ils sont dans une campagne, sous les étoiles ; l'esprit étend la main sur son front : « Aussitôt une des étoiles que je voyais au ciel se mit à grandir et la divinité de mes rêves m'apparut souriante, dans un costume presque indien, telle que je l'avais vue autrefois[1]. » Elle se met à marcher entre eux et lui explique que l'épreuve à laquelle il était soumis est venue à son terme, que les escaliers qui l'épuisaient figuraient « les liens des anciennes illusions » qui embarrassaient sa pensée, et elle ajoute ce surprenant éclaircissement : « Rappelle-toi le jour où tu as imploré la Vierge sainte et où, la croyant morte, le délire s'est emparé de ton esprit[2]. Il fallait que ton vœu lui fût porté par une âme simple et dégagée des liens de la terre. Celle-là s'est rencontrée près de toi, et c'est pourquoi il m'est permis à moi-même de venir et de t'encourager[3]. » Cette version pieuse, échafaudée après coup, de son aventure atteste le désir de Nerval de met-

---

1. On pense ici à la reine de Saba, dont Nerval avait été obsédé dès le temps de l'impasse du Doyenné.
2. Cette allusion renvoie à un bref épisode qui figure dans *Aurélia*, IIe partie, IV, § 8, et se situe à Notre-Dame-de-Lorette, au cours d'une des promenades désespérées de Nerval dans Paris.
3. Tout ce qui concerne l'épisode du jeune malade et le rêve qui a suivi se trouve dans *Aurélia*, IIe partie, VI, §§ 13, 14.

tre sa religion en accord avec l'orthodoxie ou, pour être plus exact, d'inclure l'orthodoxie dans sa religion, et Marie principalement : nous savons qu'elle est pour lui une divinité semblable à Isis ou à Vénus, semblable surtout à celle qu'il nomme la divinité de ses rêves, et en qui nous reconnaissons Aurélia.

Les *« Mémorables »*

Ici se situent un groupe d'invocations et de rêves auxquels Nerval a donné le titre de «Mémorables»[1]. Tous ces textes ont en commun qu'étant destinés à former la conclusion heureuse de la quête de Nerval ils sont purgés de toute angoisse : ils célèbrent, avec une sorte d'exaltation messianique, peu fréquente chez lui, l'harmonie d'un monde régénéré et la confiance dans l'avenir. Nous retiendrons de cet ensemble surtout ce qui concerne le souci central de Nerval, et a trait à son destin final et à celui d'Aurélia[2].

C'est d'abord une nouvelle version, beaucoup plus spectaculaire que celle du rêve précédent, de leurs retrouvailles : «Oh ! que ma grande amie est belle ! Elle est si grande, qu'elle pardonne au monde, et si bonne, qu'elle m'a pardonné.» La mention du pardon désigne sans la nommer Aurélia-Jenny. Cependant, il la poursuit dans une épuisante cavalcade sans pouvoir atteindre le palais où elle est couchée. Il la rejoint enfin le lendemain, grâce, cette fois encore, à l'entremise de Saturnin : «Cette nuit, le bon Saturnin m'est venu en aide, et ma grande amie a pris place à mes côtés, sur sa cavale blanche caparaçonnée d'argent. Elle m'a dit : Courage, frère ! car c'est la dernière étape. Et ses grands yeux dévoraient l'espace, et elle faisait voler dans l'air sa chevelure imprégnée des parfums de l'Yémen.» Les parfums du Yémen semblent identifier, sans

---

1. Ce titre, emprunté aux *Memorabilia* de Swedenborg figurait déjà dans le manuscrit de *Pandora*, comme sous-titre projeté, puis barré, pour le grand rêve du narrateur.

2. Pour le détail des «Mémorables», et plusieurs morceaux, plus obscurs que ceux qui nous intéressent ici, notamment ceux qui concernent la participation des dieux germaniques à l'harmonie de l'univers et l'état de l'Europe en 1854, et aussi le très beau prologue lyrique, je renvoie le lecteur aux excellents commentaires de Pierre-Georges CASTEX, *Ordre et aventure dans «Aurélia». Sur quelques passages obscurs des «Mémorables»*, L'Herne, cahier Nerval, pp. 321-327.

ambiguïté possible, la grande Amie à la reine de Saba ; il est clair que Nerval ne répugne nullement à lui attribuer plusieurs identités à la fois : c'est ainsi qu'on lit, aussitôt après la phrase que nous venons de citer : «Je reconnus, les traits divins de [Sophie] ¹. » Or cette Sophie semble bien être celle qu'il aima dans sa jeunesse à Saint-Germain. Cependant, la huppe mentionnée comme guidant du haut des cieux la chevauchée triomphale nous ramène indiscutablement à la reine de Saba.

D'autre part, un syncrétisme luxuriant règne sur cette description ; Nerval continue : «l'arc de lumière éclatait dans les mains divines d'Apollyon», et : «Le cor enchanté d'Adonis résonnait à travers les bois ². » Après ces diverses évocations, Nerval n'hésite pas à faire figurer dans la chevauchée, entre lui et sa grande amie, le Messie chrétien, garant d'immortalité : «Ô Mort, où est ta victoire, puisque le Messie vainqueur chevauchait entre nous deux ? » Ce Messie, dans l'esprit de Nerval, ne peut évidemment être que Jésus-Christ : il le fait, dans les lignes suivantes, entrer en cette qualité à Jérusalem ³, et s'attribue superbement à lui-même quelque chose de la mission des apôtres ⁴. Cette intégration du Christ dans l'univers syncrétique de Nerval se poursuit dans le rêve suivant, où est proclamée la vertu rédemptrice du sang de Jésus : «Je sors d'un rêve bien doux : j'ai revu celle que j'avais aimée transfigurée

1. «Sophie» est la variante raturée du manuscrit, remplacée pour l'impression par ***.
2. Apollyon est le nom de l'Ange de l'Abîme dans l'*Apocalypse*, 9, 11 ('Απολλύων, c'est-à-dire, en grec, «celui qui fait périr» ; la Vulgate latine le nomme au même endroit «Exterminans» ; cet ange est le roi des sauterelles fabuleuses, sorties du puits de l'abîme avec la mission de torturer les hommes qui n'ont pas la marque de Dieu sur le front, *ibid.*, 9, 4). La présence de cet agent de la colère divine ne se comprend pas trop bien dans cet épisode euphorique ; et pourquoi Nerval met-il entre ses mains un arc de lumière ? ne le confond-il pas, exprès peut-être, avec Apollon ? — Quant à Adonis, c'est, comme on sait, un dieu syrien, aimé d'Aphrodite, mort et ressuscité annuellement.
3. Cette entrée messianique dans la Ville sainte est un reflet, et une version à l'usage des temps nouveaux, de celle qui est racontée dans les Évangiles (*Matthieu*, 21, 1-10 ; *Marc*, 11, 1-10 ; *Luc*, 19, 28-38 ; aussi *Jean*, 12, 12-15) ; ici Jésus est vêtu splendidement, et il entre dans la Jérusalem «nouvelle», celle de la régénération finale : cette expression, qui sert souvent pour opposer la Jérusalem chrétienne à la juive, vise ici plus loin, comme dans l'illuminisme, particulièrement swedenborgien.
4. «C'est alors que je suis descendu parmi les hommes pour leur annoncer l'heureuse nouvelle.» Les citations des «Mémorables» sont tirées des paragraphes 5-8 de ce texte.

et radieuse[1]. Le ciel s'est ouvert dans toute sa gloire, et j'y ai lu le mot *pardon* signé du sang de Jésus-Christ[2].» Un nouvel avènement du Christ serait-il à la fois la clef du pardon d'Aurélia-Jenny pour Gérard et celle de la rédemption pour l'univers, à laquelle Nerval assiste en rêve? Cependant le Christ ne figure plus dans l'hymne magnifique, tout nervalien, qui vient ensuite, et qui célèbre la structure musicale de l'univers et du temps, et la vibration d'amour qu'échangent les éléments du cosmos. Gérard en a été instruit directement par une étoile : «Une étoile a brillé tout à coup et m'a révélé le secret du monde et des mondes.» C'est après avoir développé cette révélation[3] que Nerval en vient au sort des divinités germaniques dans le nouveau monde céleste, et à l'Europe troublée par la question d'Orient : dans un dernier rêve, il voit cette question résolue par un groupe de princesses, défuntes et vivantes, des diverses nations de l'Est européen, sous l'arbitrage de la France[4].

Nerval a conclu *Aurélia* par quelques réflexions sans apprêt, sur ce qui lui tenait le plus au cœur : la valeur significative des rêves et la preuve qu'ils apportent d'un lien entre ce monde et l'autre ; la conviction qu'il a acquise d'être purifié de ses fautes ; la certitude de la survie et de la réunion des personnes qui s'aiment ; l'importance pour lui de sa rencontre avec celui qu'en rêve il nomme Saturnin. Sur ce dernier point, il écrit : «Je bénissais l'âme fraternelle qui, du sein du désespoir m'avait fait rentrer dans les voies lumineuses de la religion[5].» Mais

---

1. Il convient de signaler que le manuscrit porte ici : «j'ai revu *toutes celles que j'aimais* transfigurées et radieuses». Toutes les femmes aimées sont donc l'Aurélia divine, comme Aurélia est Marie, et Marie Isis ou Vénus? Mais la correction, et le scrupule qui l'a dictée, sont-ils de Nerval ou d'Ulbach?

2. «Mémorables», § 9.

3. *Ibid.*, § 10. C'est une version, en forme de musique, de la création du monde (ou de sa régénération?), la première semaine de la Genèse étant comparée à une octave : «Sois bénie, ô première octave qui commenças l'hymne divin!» Toute la création chante en écho cet hymne : «Un soupir, un frisson d'amour sort du sein gonflé de la terre, et le chœur des astres se déroule dans l'infini ; il s'écarte et revient sur lui-même, se resserre et s'épanouit, et sème au loin les germes des créations nouvelles.»

4. «Mémorables», §§ 19, 20. Le rôle inspirateur de la France parmi les nations était un autre des articles habituels du credo humanitaire.

5. *Aurélia*, IIe partie, VI, § 3 après les «Mémorables». Nerval raconte qu'il a revu «Saturnin» et encore amélioré son état. En quittant la clinique, il l'a laissé toujours malade, mais s'imaginant qu'il est en purgatoire et qu'il accomplit son expiation : donc converti à la doctrine de l'épreuve et à l'espérance de salut qu'elle

doit-on le croire sur la solidité de toutes ces acquisitions ? En
ce qui concerne, en particulier, son retour au sein de *la* religion, nous avons assez constaté qu'il s'agit bien plutôt de *sa*
religion. Ne voulait-il pas voir la différence ? ou peut-être,
rebelle comme il l'était à toute orthodoxie, n'y prêtait-il pas
attention. Quant aux vérités surnaturelles dont il dit éprouver
la vertu réconfortante, nous sommes fondés à les imaginer fra-
gilement ancrées en lui, et sujettes à des retours d'angoisse.
Quelques semaines à peine après qu'il eut remis le manuscrit
de la fin d'*Aurélia* à la *Revue de Paris*, et avant que ces pages
aient eu le temps de paraître, Nerval fut trouvé pendu, sans
doute de sa propre main, dans une ruelle obscure de Paris :
c'était à l'aube du 26 janvier 1855. Désespoir ou délire, cette
fin jette un doute sur la fin sereine d'*Aurélia*. Il nous faut pourtant, par égard pour la parole de Nerval et pour sa volonté,
clore cette étude par ce qu'il a voulu être le dernier mot de
son témoignage sur lui-même : «Je pouvais juger plus saine-
ment le monde d'illusions où j'avais quelque temps vécu. Toutefois, je me sens heureux des convictions que j'ai acquises,
et je compare cette série d'épreuves que j'ai traversées à ce qui,
pour les anciens, représentait l'idée d'une descente aux
enfers [1].» Il dit ici, sinon ce qu'il a pu atteindre, du moins ce
à quoi il aspirait de tout son être. Si la foi chez lui est fragile,
l'espérance, ou la volonté d'espérer, est tenace, et il a voulu
finir par elle.

*

L'œuvre de Nerval nous a obligés à un long voyage critique. Cet esprit ne se saisit pas simplement, ni de façon suivie : son allure est irrégulière, et ses créations tournées de
plusieurs côtés ; la permanence en lui est masquée par la diversité des moments et des projets ; elle est là pourtant, mais il
faut en chercher et en rassembler les éléments dispersés. Quant
à expliquer ou définir son charme, mieux vaut y renoncer. On
y échouerait, et la limpidité de son élocution fait d'avance honte
à qui voudrait la commenter. Il faut le suivre dans ses ima-

---

implique ; d'où cette réflexion : «Je reconnus en moi-même que je n'avais pas
été loin d'une si étrange persuasion.»
1. Dernières lignes d'*Aurélia*.

ginations et tâcher de saisir le fil de ses pensées sans trop prétendre les organiser ; car s'il est vrai qu'il est penseur autant que narrateur et poète, sa pensée a ceci de particulier que, dominée par les problèmes qui occupent généralement le romantisme français, elle vise moins à les résoudre qu'à les trouver insolubles.

Il aimerait, comme tant d'autres, à reconstruire, sur la ruine des croyances mortes, une croyance vivante touchant l'Amour, l'Idéal, l'Avenir. Mais l'amour — l'amour partagé — lui manque absolument, l'idéal à ses yeux condamne le réel ; le vertige du temps ruine la religion de l'avenir : l'époque des reconstructions humanitaires survit et meurt en lui. Le vide des croyances perdues, que chacun combla ou tenta de combler par cet enthousiasme du cœur, de la raison et de l'imagination qu'on nomme en France romantisme, ce vide reste ouvert devant lui. De là une tentation de retour aux religions, à celles de tous les temps et de tous les pays, y compris la chrétienne. Cette tentation est plus marquée chez lui que chez ses aînés ; mais, en fait, son syncrétisme désenchanté est plus ruineux encore pour la foi traditionnelle que leur déisme. Le désenchantement, chez lui plus encore que chez Musset, son contemporain d'âge, a la forme essentielle d'un Amour malade, frappé d'échec, d'ambivalence et de culpabilité. C'est de ce mal, autant que de sa folie, que le salut auquel il aspire doit le délivrer. Amour frustré et délire semblent indistincts chez lui et cherchent le même remède. C'est cette primanté de l'amour, à laquelle il ne saurait renoncer, qui fait qu'il reste romantique, au sens français. Mais il cesse de l'être quand il se sépare, pour entreprendre une quête hasardeuse, de la foi humaine des aînés.

Il a beau dire — et croire, quand il le dit — qu'il a retrouvé par le rêve, et par le privilège même de la folie, la certitude de l'immortalité et de l'éternelle réunion des êtres chers, toute son œuvre, *Aurélia* y comprise, semble dire seulement qu'il ne peut supporter sans désespoir la croyance contraire. Cette sorte d'Idéal hors du monde, où il se réfugie, a tout l'air d'une mélancolique chimère. Dans la génération cadette et désabusée du romantisme français, à laquelle il appartient — et ce sera beaucoup plus vrai dans la génération suivante, celle de Baudelaire et de Flaubert —, on comble volontiers le même vide en portant au premier plan une des composantes de l'inaccessible

Idéal, à savoir l'Art. On compense, par le culte et le sacerdoce du Beau, le désaveu des autres aspects du même Idéal : l'Amour, le Bien, l'Humanité progressive, Dieu. Cette solutoin n'est assurément pas celle de Nerval, esprit non résigné, à qui la Beauté ne saurait tenir lieu de bien suprême. Peut-être est-ce la principale grandeur de son désenchantement de n'avoir voulu sacrifier l'espérance, même désespérée, à aucune valeur moindre.

On l'a longtemps tenu pour un esprit mineur, un écrivain moindre que Gautier, que Houssaye peut-être. La vérité, c'est qu'il a vécu son désarroi de façon plus exemplaire et complète que quiconque ; un génie unique a présidé chez lui à l'altération de l'élan romantique. Il n'a pas cru y remédier en construisant, pour le poète et pour l'artiste, l'abri d'un pessimisme et d'une esthétique. Il a seulement cherché, dans sa mémoire et dans ses rêves, en remplacement d'une foi perdue, une certitude nouvelle, et il ne l'a pas trouvée. Mais ce qu'il a finalement laissé est sans prix.

Théophile Gautier

Gautier, parmi les cadets de la génération de 1830, est le seul en qui ait semblé survivre, jusque sous le second Empire, l'esprit du grand Cénacle et de la bataille d'Hernani. Et il est aussi, paradoxalement, celui en qui on voit paraître de la façon la plus nette, par rapport aux aînés, une marque de différence : cette doctrine, qu'on incarne en lui, de l'art pour l'art seul et du mépris de tout le reste. Adepte, jusqu'au bout, du dieu Hugo, et cependant peu soucieux des destinées de l'humanité ; quoique vétéran et historien des batailles du romantisme, précurseur et maître en esprit de la génération de 1850, Baudelaire, Banville, Flaubert, Leconte de Lisle, dans ce qui la distingue de celle de 1830. Cette double position n'est pas sans embarrasser les commentateurs : doivent-ils dire que Gautier continue le romantisme, ou qu'il l'altère ? La réponse dépend de ce qu'on fait entrer dans la définition du romantisme ; mais, quoi qu'on décide de ce mot, la littérature de Gautier, dès les années 1830, diffère du romantisme ambiant ; il s'agit de dire en quoi. Au commencement était le Cénacle ; mais, dès les lendemains de Juillet, les Jeune-France du petit Cénacle sont quelque chose d'autre, né de la déception qui a suivi les journées révolutionnaires. Gautier l'a ressentie avec ses amis [1]. Tout ce qu'il a écrit sous la monarchie de Juillet est, d'une certaine façon, la suite et la mise en forme de cette réaction première [2].

1. Ce premier choc a été décrit, dans ses grands traits, aux dernières pages d'un ouvrage précédent, *Le Sacre de l'écrivain*, IX, « 1830 et les Jeune-France », 6, « Théophile Gautier », pp. 452-461.
2. Après 1850, Gautier a vécu et écrit plus de vingt ans encore ; il est mort en 1872. Nous ne le suivrons pas jusque-là. C'est surtout entre 1830 et 1850 que s'affirma son originalité comme créateur et comme philosophe de la littérature.

Aucun des *juniores* du romantisme ne devait fixer au même degré que lui l'attention de la génération suivante. La plupart des Jeune-France disparurent de la scène après quelques années. Nerval fait exception, mais il passa jusqu'à sa mort et longtemps après pour un écrivain mineur, quoique exquis. Quant à Musset, on sait le peu de cas que faisaient de lui, si aimé qu'il fût du public, les auteurs graves du postromantisme français, Baudelaire en particulier. Il en est tout autrement de Gautier, dont les choix et pensées directrices — pessimisme et esthétisme — préfiguraient et orientaient la littérature à venir. Là est la source de la considération dont il a joui jusque dans sa vieillesse. Ce crédit s'est effacé ensuite. Les formules, souvent inconsidérées, de sa polémique, l'apparence de sacrifier en poésie l'esprit à la forme, sa constante oscillation entre un sentiment tragique des choses et un hédonisme à courte portée ont fait tort à son image. Peut-être aussi, comme il s'en est souvent plaint lui-même, un immense éparpillement de production journalistique et feuilletonesque a-t-il nui à son génie.

Il n'est pas douteux pourtant qu'il ait ressenti pleinement des problèmes que le romantisme, dont il était issu, ne pouvait ou ne voulait envisager dans toute leur acuité. Entre le Réel et l'Idéal, il était de ceux qui ne voyaient pas de chemin praticable, ni de ministère spirituel possible. Il l'a dit, et bien dit, dans ses deux œuvres majeures, *Mademoiselle de Maupin* et *La Comédie de la mort*[1]. Mais cet amer refus ouvre aussi la voie, chez lui, à une espèce d'insouciance, jetée en défi aux profanes, qui fait douter de son sérieux. C'est ainsi que *Mademoiselle de Maupin* a été éclipsée par sa bruyante préface ; ou bien, l'aventure d'Icare le rendant sage, il ne vise plus pour la poésie qu'à l'excellence d'un art mineur, il enclôt l'essentiel Regret dans des *Émaux et Camées* qui font oublier *La Comédie de la mort*. Malgré tout, les grandes œuvres restent, et Gautier doit être considéré dans sa profondeur. Il mérite mieux que le relatif discrédit qui fut son lot dans les générations récentes. Sa réhabilitation, commencée dans le même temps, doit être poursuivie[2].

---

1. Ce titre est employé ici pour désigner l'ensemble du volume de poésies qui parut, ainsi intitulé, en 1838, et qui comprend, d'une part, trois grands poèmes sous le titre global de «La Comédie de la mort», puis une cinquantaine de «Poésies diverses» (dignes d'un titre moins modeste) et datées «1833-1838».

2. L'œuvre de Gautier n'est pas étudiée ici dans toute son étendue. La foule de romans et de nouvelles de toutes sortes qu'il a publiés tout au long de sa car-

1830. *Le Bourgeois*

Gautier avait appartenu à l'entourage de Hugo, et pris une part mémorable à la bataille d'*Hernani*. Mais il avait une dizaine d'années de moins que le maître, et il est bien naturel qu'après la secousse de Juillet il se soit groupé à part avec quelques compagnons de son âge. D'abord dans le petit Cénacle, au cours des deux ou trois années qui ont suivi 1830. À cette «camaraderie» des Jeune-France fit suite en 1834 le groupe, de composition et de nature un peu différentes, qui réunissait dans un appartement de l'impasse du Doyenné, divers jeunes poètes et artistes autour de Nerval, de Gautier et du peintre Camille Rogier[1]. Cette nouvelle société gardait, la fièvre initiale en moins, l'esprit de la précédente. C'était, dit Gautier, «un cénacle de rapins ayant l'amour de l'art et l'horreur du bourgeois; fous, les uns de poésie, les autres de peinture; celui-là de musique, celui-ci de philosophie; poursuivant bravement l'idéal à travers la misère et les obstacles renaissants »[2]. Gautier écrit ces lignes en 1849, à propos des *Scènes de la vie de bohème* de Murger, qui lui rappellent, dit-il, «celle que nous avions installée, il y a quelque quinze ans au fond de la rue du Doyenné[3]». Arsène Houssaye, qui, nouveau venu à Paris, fit partie de ce groupe, évoque lui aussi, vingt ans plus tard, «notre poétique bohême de l'impasse du Doyenné (la mère-patrie de toutes les bohêmes)[4]»; mais le groupe du

rière et l'infinité d'articles et de feuilletons qu'il n'a cessé d'écrire ont été généralement laissés de côté. C'est qu'on a voulu rendre compte principalement de ce qui, dans son œuvre, contribue à la naissance d'un nouveau romantisme. C'est pour la même raison qu'on n'a guère dépassé, dans la carrière de Gautier, l'année 1851 : à cette date, Gautier, tout en continuant à écrire abondamment, et quelques-unes même de ses œuvres les plus célèbres, semble avoir épuisé sa contribution originale à la mutation littéraire qui sépare les deux moitiés du siècle.

1. Dans le quartier de l'ancien Carrousel, alors en démolition.

2. GAUTIER, article sur *La Vie de bohème*, de Murger, mise au théâtre, dans *La Presse* du 26 novembre 1849, recueilli dans l'*Histoire de l'art dramatique en France depuis vingt-cinq ans*, de Gautier, 6 vol., 1858-1859, t. VI, p. 130.

3. Gautier emploie encore ailleurs le mot «bohême» («une petite bohême pittoresque et poétique» : il veut dire, je pense, composée de peintres et de poètes) pour désigner la société du Doyenné : voir son article du 5 février 1869 dans *La Vogue parisienne*, recueilli dans *Ménagerie intime*, Paris, 1869, p. 262.

4. Arsène HOUSSAYE, article en tête de NERVAL, *Le Rêve et la vie* (recueil d'écrits de Nerval), Paris, 1855, p. 22. — Gautier et Houssaye ne sont pas les seuls à avoir évoqué, en maints endroits de leurs œuvres, le groupe de l'impasse du

Doyenné, si bohême il fut — il ne se nomma jamais lui-même ainsi en son temps —, habitait les hauteurs de la poésie et de l'art. Sainte-Beuve a mis les choses au point : il ne croit pas la *Bohème* de Murger, qui ne parut que dix à quinze ans plus tard, comparable à celle du Doyenné, qu'il estime, avec raison, « d'un degré plus élevé [1] ».

Si l'on cherche ce qui distingue les jeunes gens de ce groupe des maîtres auxquels les lie leur admiration et leur dévouement, on trouve, d'abord, une sensible différence d'humeur : les aînés méditent et prophétisent ; les cadets enragent, scandalisent, lancent l'anathème contre le bourgeois. Ceux qui ont connu Gautier jusque dans les dernières années de sa vie disent son obsession du « bourgeois » comme type inférieur et odieux [2]. On peut se demander ce que signifie vraiment le choix d'une telle bête noire, dans notre société où la condition bourgeoise tend à tout envahir, poètes et artistes compris. Mépriser le bourgeois, ce ne peut être, dans ces conditions, que vouloir incarner contre lui un type de supériorité auquel il serait par définition étranger. Cette supériorité, autrefois propre aux aristocrates, serait passée aux gens de lettres et aux artistes ; ceux-ci en eurent l'idée dès le XVIIIe siècle, quand leur influence s'accrut et qu'ils purent oser comparer avantageusement les valeurs qu'ils incarnaient à la richesse et au rang. C'est dire qu'ils ne se confondaient pas tout à fait en pensée avec le tiers état ; ils se distinguaient, par leurs prétentions à une nouvelle sorte de « qualité », de la simple bourgeoisie, même s'ils en étaient issus et s'ils se trouvaient solidaires d'elle dans le fait. C'est cette situation que l'on retrouve au siècle suivant.

Les données restaient les mêmes. Quand, en 1830, le patriciat et la prêtrise furent décidément dépouillés du prestige suprême, toute valeur paraissant se concentrer désormais dans l'utilité matérielle et le confort libéral, le ministère de l'Idéal

---

Doyenné. Nerval l'a mis en belle place dans sa *Bohème galante* (articles de 1852 dans l'*Artiste*, repris dans ses *Petits Châteaux de Bohème*, « premier château ». Pour plus d'informations sur ce groupe mémorable, voir les excellentes pages de René Jasinski dans *Les Années romantiques de Théophile Gautier*, Paris, 1929, chap. VIII.

1. Sainte-Beuve, article sur Gautier dans *Le Constitutionnel* du 16 novembre 1863, recueilli au tome VI des *Nouveaux Lundis*, p. 281.

2. Ainsi Edmond de Goncourt, dans sa Préface au livre de Bergerat sur Gautier, premières pages.

put sembler vacant. Les aînés romantiques avaient songé à cela pendant le déclin des Bourbons, et 1830 ne contredisait pas leurs réflexions; au lieu de perdre courage, ils se sentirent requis au contraire d'accomplir, dans le nouvel ordre de choses la mise en crédit de valeurs spirituelles modernes sur la ruine des anciennes. Grâce à eux, Progrès et Liberté devaient acquérir, au-delà de toute interprétation limitée et prosaïque, leur pleine valeur. La réaction des Jeune-France fut autre. D'une déception brutale subie à leur entrée dans la vie, ils conclurent d'emblée au désastre, et le jugèrent irréparable. Ils virent l'argent détrôner toutes les vieilles suprématies, et celle dont ils se croyaient eux-mêmes revêtus tenue pour néant dans un monde ennemi. Le bourgeois, véritable vainqueur de la révolution de Juillet, s'établit au centre de leur imagination, et ils n'eurent pas d'autre recours, pour maintenir ce qu'ils pensaient être leur préséance, que de le mépriser avec éclat, reprenant à son égard, les attitudes de l'ancienne aristocratie.

Ils refaisaient un portrait traditionnel du bourgeois, accrédité par des siècles de supériorité aristocratique et de raillerie populaire, et devenu usuel dans la littérature et le théâtre. Ce portrait prétend établir les caractères du bourgeois selon l'infériorité de sa condition initiale : il était, sous Louis XIV même, passablement conventionnel par rapport à la réalité de la bourgeoisie contemporaine, déjà éminente sous beaucoup d'aspects; à plus forte raison en 1830. C'est pourtant ce portrait-là que publicistes et poètes refont sous la monarchie de Juillet. Gautier, en particuler, écrivit en 1836 une *Monographie du bourgeois parisien*[1], où l'on voit répétés les thèmes moliéresques sous la couleur romantique. Cette fixité dans la caricature se justifie en partie par la permanence, dans la masse de la bourgeoisie moderne moyenne et petite, des limitations ancestrales. Gautier ajoute au vieux portrait un trait qui n'y figurait pas jadis, mais qui importe beaucoup aux Jeune-France, parce qu'il établit la supériorité particulière des gens de lettres et des artistes sur la bourgeoisie : c'est que le bourgeois est totalement fermé à la poésie et à l'art. Ce nouveau grief ne se soutient,

---

1. GAUTIER, *Monographie du bourgeois parisien*, dans la *Revue du dix-neuvième siècle*, 25 septembre et 2 octobre 1836 (articles recueillis dans *La Peau de tigre*, 2ᵉ édition, 1865, pp. 243-269).

comme les anciens, que si l'on définit *a priori* la bourgeoisie
par des traits moralement négatifs, sans se soucier d'une définition sociologique réelle. En 1830, beaucoup de bourgeois
authentiques étaient amateurs de poésie et d'art. Gautier ne
pouvait l'ignorer, mais il lavait de toute bourgeoisie ces bourgeois amis du beau, comme il faisait de ses amis Jeune-
France et de lui-même. On peut néanmoins se demander
pourquoi une caricature du bourgeois faite par ses ennemis
a pu avoir tant de crédit dans l'opinion générale. C'est que
la bourgeoisie la plus éclairée restait honteuse d'elle-même
ou se comportait comme telle. La défection bruyante des écrivains et des artistes nés parmi elle, et qui se tournaient contre
elle au moment même où elle accédait au pouvoir, n'était
pas pour l'enhardir. Plutôt que de réfuter sa caricature, elle
était préoccupée de ne pas lui ressembler. En ce sens, on
peut dire que l'agression romantique a autant profité que
nui à la bourgeoisie : une satire institutionnelle de ses
défauts, sortie en permanence de son sein, a fait son éducation moderne.

Cependant, le bourgeois est pour les Jeune-France quelque
chose de plus qu'un type humain particulier. Ce n'est pas assez
de dire qu'ils le méprisent ou s'amusent de lui, comme on avait
fait avant eux. On remarque une fureur au fond de leur satire.
C'est qu'ils voient la bourgeoisie victorieuse dans un monde
où rien n'est plus au-dessus d'elle. Devenue dès lors un symbole
de toute l'humanité, mis à part les fervents de la littérature et
de l'art, l'antipathie qu'elle suscite en eux prend la forme d'une
misanthropie, d'un pessimisme qui s'étend à toutes choses en
ce monde. Le bourgeois manifeste la prépondérance du réel
sur l'idéal, l'abîme qui les sépare l'un de l'autre sans remède
au cœur d'une métaphysique d'échec. Ce désenchantement
guettait le romantisme dès sa source ; il existe, comme virtua-
lité menaçante, dans tout dualisme de l'idéal et du réel. Le
romantisme des aînés écarta la menace, puissamment et —
peut-on dire — héroïquement, pendant la durée entière d'une
génération. En prenant le parti contraire, les cadets se déli-
vrent des servitudes et des naïvetés de l'espérance ; mais le pessimisme leur en réservait d'autres, non moindres. N'ayant ni
le moyen, ni le désir véritable de détruire ce qu'ils disent détester, ils font soupçonner dans leur colère l'alibi d'un conformisme
profond. Le reproche a été répété cent fois contre eux et leurs

continuateurs dans la génération suivante ; une fureur stérile, et connue pour telle par qui s'y abandonne, n'inspire guère de respect : hypocrites, dit-on, instruments honteux de l'ordre qu'ils maudissent.

Le gendre de Gautier, qui l'a connu sur la fin de sa vie, soulève le voile quand il écrit : « Je l'ai entendu parler à plusieurs reprises, mais assez mystérieusement, d'un recueil de pensées qu'on n'aurait publié qu'après sa mort. Il aurait révélé là ce qu'il pensait réellement des hommes, des choses, de la vie et du monde. Son grand esprit rêvait de léguer un testament de vérité à l'humanité tout entière. Ce sera terrible, disait-il, les cheveux vous dresseront sur la tête ! car je dirai ce qui est [1] ! » Un tel recueil n'a jamais vu le jour. A-t-il existé ? Gautier lui-même l'a-t-il détruit, ou l'un de ses héritiers ? Nous ne savons. Mais il n'a donc dit que la moitié de ce qu'il avait sur le cœur. On ne peut s'empêcher de penser aux écrits intimes et posthumes de Baudelaire, à *Mon cœur mis à nu*, à *Fusées*, à ses allusions si fréquentes à l'âcreté du fond de son cœur [2]. La filiation est ici patente, sur un point qui n'est pas insignifiant, entre le maître et le disciple. Ces Alcestes du romantisme traumatisé sont à prendre au sérieux comme le héros de Molière, non dans tout ce qu'ils disent, mais dans leur mal, qui est réel, et qui témoigne de quelque chose : de la passion qu'ils portent à un Idéal hors de portée, et d'une condition altérée.

Gautier et la politique

La désillusion, en 1830, fut immédiate et radicale. Il est naturel que Gautier déclare répudier toute politique :

> *Avec ce siècle infâme il est temps que l'on rompe ;*
> *Car à son front damné le doigt fatal a mis*
> *Comme aux portes d'enfer : Plus d'espérance ! — Amis,*
> *Ennemis, peuples, rois, tout nous joue et nous trompe.*

---

1. Émile Bergerat, *Théophile Gautier. Entretiens, Souvenirs et Correspondance*, Paris, 1879, pp. 148-149.
2. Ni Gautier, mort en 1872, ni Bergerat en 1879, n'ont vraisemblablement connu les *Journaux intimes* de Baudelaire, dont pratiquement rien n'a été imprimé avant 1880, et qui n'ont été l'objet d'une édition d'ensemble qu'en 1887.

La nouvelle monarchie est semblable en tout à l'ancienne, en moins généreux et moins brillant, et les promesses faites en juillet n'ont pas eu de suite :

> *[...] Seule, la poésie incarnée en Hugo*
> *Ne nous a pas déçus, et de palmes divines*
> *Vers l'avenir tournée ombrage nos ruines* [1].

Cette attitude : négation de la politique et refuge dans la poésie, est assurément, et restera, le fond de Gautier. Mais elle s'exprime, selon les occurrences, en langages divers. On lira plus tard, sous la plume de Gautier, des lignes comme celles-ci, à l'occasion de son voyage en Espagne : « L'Espagne en est aujourd'hui, dans le pire sens du mot, aux idées libérales, constitutionnelles et antireligieuses, c'est-à-dire hostile à toute couleur et à toute poésie [2]. » Entre les deux termes, poésie et progrès, que le romantisme français avait plutôt glorieusement alliés, Gautier ne voit plus qu'une antinomie, rejoignant par là un des thèmes les plus constants de la contre-révolution. Dans le même ordre d'idées, on le voit prêcher, contre la philosophie humanitaire, le dogme du péché originel ; à propos de Lamennais converti à l'humanitarisme, et qui ne croyait plus pouvoir expliquer les maux du genre humain par la volonté divine, il écrit ceci : « M. de Lamennais se trompe en cela : Dieu a voulu qu'il en fût ainsi, car on ne peut supposer qu'il se passe quelque chose dans le monde en dehors de la volonté

---

1. *Sonnet VII*, publié en 1833 avec *Albertus*, très probablement plus ancien. On peut le lire dans l'édition Jasinski des *Poésies complètes* de Gautier, 3 vol., Paris, nouvelle édition, 1970, t. I, p. 113. Il porte en épigraphe une citation d'un poème politique de Nerval : « Liberté de juillet ! femme au buste divin, — Et dont le corps finit en queue ! » (poème intitulé *En avant marche !* paru en mars 1831).
2. Article du 15 juillet 1842 dans la *Revue des Deux Mondes*, p. 262 ; le passage a été fortement adouci dans l'édition en volume (*Tra los montes*, 1843, t. II, p. 76), on y lit : « L'Espagne en est aujourd'hui au Voltaire-Touquet et au *Constitutionnel* de 1825, c'est-à-dire hostile », etc. C'est ce texte que reproduit l'édition Charpentier (*Voyages en Espagne*, 1845, p. 236). L'édition Touquet des œuvres de Voltaire et *Le Constitutionnel*, quotidien, étaient les lectures favorites du bourgeois supposé libéral et antiromantique de 1825. Ainsi un trait relativement anodin a remplacé la phrase un peu forte de l'article, franche profession de foi passéiste et antilibérale. Cependant, dans son récit de voyage, Gautier déplore sans cesse que les Espagnols de la classe cultivée veuillent paraître civilisés à l'européenne et soient honteux des traditions et du caractère particulier de leur pays.

de Dieu ; nous portons tous la peine de la faute du premier père, nous expions la souillure originelle [1]. » On se demande, dans ce cas comme dans d'autres : le croyait-il vraiment ? ou bien est-ce encore ici ce côté atrabilaire du postromantisme, grondant à l'unisson des doctrines d'extrême droite, dont tout par ailleurs le sépare ?

Il faut tenir compte de cette inclination de Gautier, de quelque façon qu'on l'apprécie ; on la retrouve dans la génération suivante [2]. Mais résulte-t-elle d'un choix philosophique ou politique conséquent ? Il écrivait sa défense de la doctrine du péché originel dans *La Charte de 1830*, publication philippiste comme l'indique son titre, semblant oublier que ce dogme avait beaucoup servi à condamner les constitutions d'origine humaine et le régime représentatif. Il n'avait pas lui-même ce régime en habituelle vénération ; cependant il avait, l'année précédente, dans la même publication, félicité le roi des Français de restaurer Versailles, démontrant par là que l'art peut prospérer sous un gouvernement constitutionnel ; il était allé jusqu'à écrire : « Le roi est un des plus grands artistes de l'époque [3]. » En 1840, il célébra les morts de Juillet en glorifiant la nouvelle dynastie dans un grand poème d'allure officielle [4]. Tout cela ne va guère avec le violent dédain qu'il affecte ailleurs de toute politique. Il espérait simplement, semble-t-il, une décoration (qu'il n'eut que deux ans plus tard) ; en privé, il ne mettait aucune sourdine à ses sarcasmes [5]. Sainte-Beuve prétendait

1. Compte rendu de Lamennais, *Le Livre du peuple*, publié par Gautier dans *La Charte de 1830*, 28 mai 1838, cité par Jasinski (*A travers le xix* siècle*, Paris, 1975, «Théophile Gautier et la politique», p. 236).

2. Voir notamment Baudelaire, *Mon cœur mis a nu*, XXXII (éd. Pichois des *Œuvres complètes*, t. I, Paris, 1975, p. 697) : «[...] la vraie civilisation [...] est dans la diminution des traces du péché originel» ; et la lettre de Baudelaire à Alphonse Toussenel du 21 janvier 1856, dans sa *Correspondance*, éd. Pichois, t. I, 1966, p. 337 : «La nature entière participe du péché originel. » — Voir aussi Baudelaire, *Œ.C.*, édition citée, t. I, p. 669 : «De Maistre et Edgar Poe m'ont appris à raisonner. »

3. Article sur les *Sculpteurs contemporains*, dans *La Charte de 1830*, 2 février 1837, (repris dans le recueil *Fusains et Eaux-Fortes*, 1880, voir pp. 59-60).

4. Ce poème, intitulé *Le 28 juillet*, parut à cette date, en 1840, dans *Le Moniteur universel*, mais ne fut recueilli dans les œuvres de Gautier qu'après sa mort, dans l'édition des *Poésies complètes* de 1875-1876, t. II ; on peut le lire dans l'édition Jasinski des *Poésies*, déjà citée (désormais : *Jas.*), t. III, p. 229. Le poème va aussi loin qu'il est possible dans la glorification de la nouvelle monarchie, en même temps que des héros de Juillet.

5. Il écrit à sa mère, de Grenade : «J'attends toujours la réponse du père Lingay relativement à la boutique de juillet que j'ai torchonnée [tant] bien que

pourtant l'avoir rencontré, après 1830, à une procession commémorative pour les quatre sergents de La Rochelle ; mais Gautier, sous l'Empire, refusait de se rappeler cette rencontre[1]. Il n'avait eu en 1848 qu'un moment passager d'optimisme ; il continua au moins à espérer, sous la seconde République, un épanouissement de l'art à la faveur de la liberté[2]. Vint le coup d'État, puis l'Empire : il s'y rallia, il y trouva des avantages, pourvu qu'on le laissât libre de parler de Hugo comme il l'entendait. Ses dernières années furent plutôt amères ; le régime ne l'enchantait pas. Ce fut enfin la guerre, la défaite, la Commune, qui l'horrifia. La nouvelle république ne lui fit certes pas fête ; il mourut en 1872.

Flaubert écrivit à l'occasion de cette mort : « Il est mort du dégoût de la vie moderne. » Il ajoutait : « Nous sommes de trop. On nous hait et on nous méprise[3]. » Haine et mépris publics, dans la situation de Gautier ? Il avait subi, comme d'autres, la longue et épuisante servitude du feuilleton, mais sa renommée brilla longtemps plus qu'aucune autre. Son mal était autre : éclos au zénith du romantisme, il gardait au fond de lui l'idée d'un haut rang propre au poète, et d'une supériorité naturelle de la poésie sur tout ce qui n'est pas elle. Cette conviction démentie entretenait une source éternelle d'amertume : de là, face aux affaires de l'humanité, une réaction de rejet absolu, mais aussi une tentation contraire à la moindre apparence d'espoir, une bouffée de dépit tournée en conservatisme virulent à chaque déception, et le plus souvent une insultante indifférence.

---

mal en deux cents vers qui m'ont coûté plus de peine que la *Comédie de la mort.* » (Lettre de juillet 1840 dans GAUTIER, *Correspondance générale* déjà citée, t. I, pp. 203-204.) Et ailleurs : « Il paraît que l'ode que j'ai envoyée a fait beaucoup d'effet et que le résultat espéré est presque certain ; M. Lingay l'a lue lui-même au Mamamouchi qui se l'est fait répéter deux fois. » (Août 1840, à la même, *ibid.*, p. 206 ; le « Mamamouchi », *alias* M. Jourdain, est Louis-Philippe, souvent appelé « le roi bourgeois ».)

1. Voir le *Journal* des Goncourt, éd. Ricatte, t. VI, Monaco, 1856, p. 77 ; signalé par JASINSKI, *Les Années...*, p. 81.

2. Voir la *Revue de Paris* d'octobre 1851, « Liminaire » signé Théophile Gautier (qui faisait alors renaître cette revue sous sa direction), notamment p. 6.

3. Lettre de Flaubert à la princesse Mathilde, 28 octobre 1872, dans FLAUBERT, *Œuvres complètes*, éd. du Club de l'honnête homme, t. XV, 1975, « Correspondance », pp. 175-176.

Les premiers poèmes

Gautier a commencé, en littérature, par écrire et publier des vers : son premier livre a été un volume de *Poésies*, paru à Paris en 1830. La plupart de ces premiers poèmes [1] relèvent, sensibilité et style, du modèle romantique courant ; l'originalité de Gautier n'a paru que quelques années plus tard ; mais la marque Jeune-France y est déjà présente par la vive inquiétude que suscite l'esprit du siècle. Retenons surtout un thème sur lequel le jeune Gautier s'exalte avec prédilection : la lamentation sur les croyances perdues. De cette plainte, alors universelle, sur la foi ruinée et qui manque au désir, il donne une variante particulière : sa poésie, en 1831 et dans les années suivantes, évoque avec nostalgie l'unité de la foi et de l'art, telle que l'a connue le catholicisme médiéval. Des disciples de Lamennais, dès avant 1830, nourrissaient l'espoir d'une résurrection moderne de la synthèse médiévale [2]. Gautier semble suivre ce courant ; il a pu être influencé aussi par la doctrine saint-simonienne de l'excellence des époques «organiques» où la société, la religion, la littérature et l'art sont unis par les mêmes dogmes [3]. Mais les vues d'avenir des saint-simoniens lui sont totalement étrangères ; et s'il est plutôt porté, comme les catholiques, à regretter le passé, ce regret n'enferme aucun espoir de résurrection du passé mort : l'humeur âcre et négative du Jeune-France domine son discours ; elle lui fait renier la foi romantique sans en embrasser aucune autre. Ainsi, en 1831, dans un poème sur *Notre-Dame* [4], il exalte, à l'exemple de Hugo, la cathédrale et l'art gothiques, mais pour humilier surtout, en comparaison, le monde et la vie modernes. Il est

1. Il convient d'y comprendre, outre les poèmes du recueil de 1830, ceux qui parurent en 1833 avec *Albertus*, *Albertus* lui-même et quelques autres, qui datent probablement des mêmes années, mais ne parurent que plus tard.
2. Voir, sur les débuts de ce mouvement, qui culmina dans la doctrine de l'«art chrétien», quelques indications dans *Le Temps des prophètes*, pp. 187-188, 190 et suiv.
3. Les saint-simoniens, dans une perspective toute différente, quant au présent, de celle du néo-catholicisme, tenaient eux aussi le Moyen Âge pour une époque parfaitement organique.
4. Publié seulement en 1834, ce poème est daté, dans le manuscrit, du 2 octobre 1831 (voir Spœlberch de Lovenjoul, *Histoire des œuvres de Théophile Gautier*, 2 vol., Paris, 1887, t. I, p. 52). Le poème peut se lire dans *Jas.*, t. II, p. 147.

monté aux tours de Notre-Dame, le livre de Hugo en main, dit-il,

> *Las d'étouffer ma vie en un salon étroit,*
> *Avec de jeunes fats et des femmes frivoles*
> *Échangeant sans profit de banales paroles ;*
> *Las de toucher toujours mon horizon du doigt,*

> *Pour me refaire au grand et pour m'élargir l'âme.*

Et il finit en accablant les bâtisseurs d'aujourd'hui, «maçons du siècle, architectes athées». Alors que Hugo, dans le livre même où il exaltait la cathédrale, lui donnait comme glorieux successeurs modernes le livre imprimé et la pensée critique, son disciple ne veut voir dans son siècle que futilité et platitude. Dans d'autres poèmes des mêmes années, le temps présent est décrit comme frappé de dégénérescence et moribond. L'abaissement des modernes y est attribué, selon un motif familier à la contre-révolution de 1800 et que le romantisme désenchanté ressuscite volontiers, à l'excès de l'esprit d'examen et de négation, qui tue la poésie et la vie. C'est ainsi que Gautier en vient à maudire les types mêmes du romantisme, Werther et René, «poisons du cœur», Byron, créateur d'un désespoir sans remède, et à définir son propre Albertus comme un «cadavre sans illusions»[1].

Gautier, par cette obsession de la décadence et de la perte de vitalité, est bien proche du Musset de la même époque[2] ; plus encore par la mise en accusation, comme auteurs du mal, des adeptes modernes de l'esprit d'analyse : ce réquisitoire se retrouvera dans *La Coupe et les lèvres* et dans *Rolla* ; citons encore le discours que Gautier a mis dans la bouche de Raphaël, adressé aux «analyseurs damnés, abominable race[3]» :

1. Voir, outre *Notre-Dame*, l'ode *À Jehan Duseigneur* (septembre 1831 ; *Jas.*, t. III, p. 133), *Pensée de minuit* (janvier 1832 ; *Jas.*, t. II, p. 124), évidemment *Albertus* (fin 1832), et surtout *Melancholia* (mars 1834 ; *Jas.*, t. II, p. 83) : tableau de l'universel vieillissement, sans espoir de résurrection. — Voir aussi l'article intitulé *De l'originalité en France*, paru dans *Le Cabinet de lecture* du 14 juin 1932. (Je donne les dates de publication, celles des manuscrits quand on les connaît.)

2. Il se trouve qu'ils étaient du même âge, à huit mois près, Musset né en décembre 1810, Gautier en août 1811.

3. C'est Raphaël qui parle, ou plus exactement une tête de mort, qui déclare être celle de Raphaël : voir *La Comédie de la mort* (*La Vie dans la mort*, III, Discours de Raphaël, strophes 5, 10, 13). Les pages intitulées *La Vie dans la mort* ont, dans

Il est donc vrai ! le ciel a perdu sa puissance,
Le Christ est mort, le siècle a pour dieu la science,
Pour foi la liberté.
Adieu les doux parfums de la rose mystique ;
Adieu l'amour, adieu la poésie antique ;
Adieu sainte beauté !

[...] L'aiguille a fait son tour. Votre tâche est finie ;
Comme un pâle vieillard le siècle à l'agonie
Se lamente et se tord.
L'ange du jugement embouche la trompette,
Et la voix va crier : Que justice soit faite,
Le genre humain est mort !

Cette prétendue diatribe de Raphaël, dans la bouche de Gautier, son auteur véritable, c'est le XIXᵉ siècle qu'elle flétrit, Gautier y compris. L'agonie du monde est celle-là même dont l'accusateur se croit atteint. À tant de portraits d'une époque moribonde, fait écho un autoportrait ; la fureur porte en elle le gémissement :

Je n'aime rien parce que rien ne m'aime,
Mon âme usée abandonne mon corps ;
Je porte en moi le tombeau de moi-même,
Et suis plus mort que ne sont bien des morts [1].

Le catholicisme de Gautier, déjà mal greffé sur le désenchantement agressif qui est sa vraie passion, n'a pas eu longue consistance. Sur le chapitre de l'art, qui lui importe vraiment, sa sympathie pour l'école néo-chrétienne a subi de fortes vicissitudes, et n'a pas duré : *Notre-Dame*, qui va dans ce sens, est à peu près contemporain de l'ode *À Jehan Duseigneur*, où toute sa nostalgie va à la Renaissance italienne, que l'esthétique christianisante prisait peu ; en 1834, dans *Melancholia*, il préfère Albert Dürer et la peinture religieuse allemande ; mais, en 1834

leur section I, été publiées en 1832 ; le reste n'a paru qu'en 1838 et comprend ce que je cite, mais semble bien, par les thèmes, remonter aux premières années 1830.
1. *Le Trou du serpent*, avril 1834, *Jas.*, t. II, p. 104.

ou 1835, dans la Préface de *Mademoiselle de Maupin*, il fustige
sévèrement la mode et la doctrine de l'esthétique chrétienne [1] ;
et dans le corps du roman lui-même, nous constaterons une prise
de position décidée en faveur de la beauté et du sentiment païens.
Il semble, dans les années suivantes, s'être maintenu sur cette
ligne distante par rapport au christianisme littéraire [2].

Il faut mentionner, à cette occasion, l'étrange poème, paru
en 1838, qui s'intitule *Magdalena* [3]. Il commence, comme
beaucoup d'autres de ce temps-là, par une méditation dans une
vieille église ; il s'agit surtout ici d'un tableau représentant un
Christ en croix entouré de saint Jean, de la Madeleine et de
la Vierge. Le poète s'apitoie fortement sur Jésus,

> *Adorable victime entre toutes bénie,*

puis — c'est ici que paraît l'intention peu commune du poème
— il en vient à supposer que le Christ n'a pas pu parcourir
sa carrière terrestre sans l'appui d'un amour de femme, « sans
avoir une épaule, lui dit-il, où reposer ta main »,

> *Sans une âme choisie où répandre avec flamme*
> *Tous les trésors d'amour enfermés dans ton âme.*

Il craint de choquer par une telle suggestion ; il supplie les esprits
religieux de ne pas s'alarmer, il allègue que son ange gardien
a agréé cette pensée qui lui est venue, et que les « poètes divins »
possèdent, surtout au crépuscule, le privilège des intuitions surnaturelles. S'étant ainsi excusé, il revient à son idée :

---

1. Voir cette Préface (éd. Matoré, déjà citée, p. 6) : « C'est la mode maintenant d'être vertueux et chrétien [...] ; alors l'on parle de la sainteté de l'art, de
la haute mission de l'artiste, de la poésie du catholicisme, de M. de Lamennais,
des peintres de l'école angélique, du concile de Trente, de l'humanité progressive et de mille autres belles choses. » (La fin de cette phrase raille la contamina-
tion, chez certains, de l'art chrétien avec la foi humanitaire.)

2. Nouveaux sarcasmes sur l'art catholique dans son article sur le *Salon de
1836*, paru dans *Ariel*, le 5 mars 1836 ; dans son article *Statues de Michel-Ange*,
dans *La Charte de 1830* du 22 mai 1837 (recueilli dans *Fusains et Eaux-Fortes*, 1880,
voir p. 138) ; aussi dans son *Salon de 1841*, paru dans la *Revue de Paris* d'avril
1841, p. 153, où il maltraite l'école picturale contemporaine de Munich que prenaient pour modèle les tenants de l'art chrétien.

3. *Magdalena* parut pour la première fois en 1838, parmi les « Poésies
diverses » qui accompagnaient *La Comédie de la mort* (*Jas.*, t. II, p. 154 et
suiv.).

Ô mystère d'amour! ô mystère profond!
Abîme inexplicable où l'esprit se confond!
Qui de nous osera, philosophe ou poète,
Dans cette sombre nuit plonger avant la tête?
[...] Qui nous dira le nom de cette autre Éloa?
Et quelle âme, ô Jésus, à t'aimer se voua [1] *?*

Il essaie d'imaginer ces «amours divines», d'en détailler lyriquement le tableau, pour finir par laisser entendre qu'il pense à Marie-Madeleine; il l'exalte longuement, jusqu'à douter si c'est elle ou Marie qu'il faut dire reine des cieux. Il suppose que l'auteur du tableau avait eu, en le peignant, la même pensée que lui, et il invite les poètes à aller voir le tableau :

Peut-être un chérubin détaché de la toile,
À vos yeux, un moment, soulèvera le voile,
Et dans un long soupir l'orgue murmurera
L'ineffable secret que ma bouche taira [2].

Le jour où Gautier écrivit ce poème, il a fait la preuve des hasards que pouvait courir une poésie de sujet chrétien entre les mains des enfants du siècle. Comment en jugeait-il lui-même? Il semble certain qu'il n'a mis, dans ce poème, aucune malice. Les épisodes de l'Écriture remaniés en toute liberté par les poètes abondent dans la littérature de ce temps. Ces refontes, inégalement heureuses, attestent l'écart qui séparait de l'ancienne croyance la poésie nouvelle [3].

---

1. Il imagine d'abord, pour s'unir au Christ, un ange féminin, comme l'Éloa de Vigny; mais tel ne fut nullement le rôle d'Éloa, qui se perdit pour avoir, par pitié, voulu sauver Satan.
2. S'il l'a tu, il l'a laissé aisément deviner, ne serait-ce que par le titre même du poème.
3. On se souvient que Musset avait eu avant Gautier, en 1830, dans son *Tableau d'église* (voir plus haut la section «Musset et la religion»), l'idée d'un sujet semblable (méditation sur une vieille peinture religieuse représentant le Christ et la Madeleine, pensées diverses sur Jésus et supposition d'un amour entre Madeleine et lui). Il paraît évident que Gautier a connu les pages de Musset et s'en est inspiré, l'idée d'un tel amour l'ayant séduit.

Trois préfaces

C'est dans les premières préfaces de Gautier, celle d'*Albertus* en octobre 1832, des *Jeunes-France* en août 1833 et de *Mademoiselle de Maupin* en 1834, que s'expriment le mieux ses paradoxes et ses colères. Avant tout, le mépris répété de la politique et de la société en général : « L'auteur du présent livre [...] n'a vu du monde que ce que l'on en voit par la fenêtre, et il n'a pas eu envie d'en voir davantage. Il n'a aucune couleur politique, il n'est ni rouge, ni blanc, ni même tricolore ; il n'est rien, il ne s'aperçoit des révolutions que lorsque les balles cassent les vitres[1]. » « Qu'est-ce qu'une révolution ? des gens qui se tirent des coups de fusil dans une rue [...] ; ceux qui restent dessus mettent les autres dessous ; l'herbe vient là plus belle le printemps qui suit ; un héros fait pousser d'excellents petits pois. [...] Le premier drôle venu grimpe furtivement au trône, et s'assoit dans la place vide. Et l'on n'en continue pas moins d'avoir la peste, de payer ses dettes, d'aller voir des opéras-comiques, sous celui-là comme sous l'autre[2]. » « Qu'importe que ce soit un sabre, un goupillon ou un parapluie qui vous gouverne ! — c'est toujours un bâton[3]. » Cela, alors que la littérature ambiante, romantique surtout, s'interroge gravement sur le présent et l'avenir, traduit moins l'indifférence que la déception et le rejet.

De la même source procède l'affectation d'inaptitude à toute activité ou fonction sociale : l'auteur de ce livre, écrit Gautier, « aime mieux être assis que debout, couché qu'assis. [...] Il fait des vers pour avoir un prétexte de ne rien faire, et ne fait rien sous prétexte qu'il fait des vers[4] ». Il se défend d'avoir mis une idée quelconque dans sa préface des *Jeunes-France* : « Je hais, dit-il, de tout mon cœur tout ce qui ressemble de près ou de loin à un livre : je ne conçois pas à quoi cela sert[5] » ; mieux, il n'éprouve d'intérêt pour rien, c'est à peine s'il existe : « Je

---

1. Préface d'*Albertus* (*Jas.*, t. I, p. 81), datée « octobre 1832 ».
2. Préface des *Jeunes-France*, éd. Jasinski, Flammarion, 1974, p. 33. Cette orthographe du titre est celle de Gautier.
3. Édition Georges Matoré de la Préface de *Mademoiselle de Maupin* (Paris, 1946, p. 36), datée « mai 1834 ».
4. Préface d'*Albertus* (*Jas.*, même page).
5. Préface des *Jeunes-France*, éd. citée, pp. 25-26.

ne suis rien, je ne fais rien ; je ne vis pas, je végète […]. Hormis les chats, je n'aime rien, je n'ai envie de rien ; je n'ai qu'un
sentiment et qu'une idée, c'est que j'ai froid et que je m'ennuie
[…] ; c'est pourquoi, n'étant bon à rien, je me suis mis à faire
des vers. […] Je vous jure, en tout cas, que c'est un piètre divertissement […]. On m'a dit plusieurs fois qu'il faudrait faire
quelque chose, penser à mon avenir. Le mot n'est-il pas ridicule dans notre bouche, à nous qui ne sommes pas sûrs d'une
heure ? […] Ainsi, n'étant bon à rien, pas même à être Dieu,
je fais des préfaces et des contes fantastiques ; cela n'est pas
si bien que rien, mais c'est presque aussi bien, et c'est quasi
synonyme. […] Par suite de ma concentration dans mon *ego*,
cette idée m'est venue, maintes fois, que j'étais seul au milieu
de la création ; que le ciel, les astres, la terre, les maisons, les
forêts, n'étaient que des décorations[1]. » Ainsi la réalité du
monde tend à s'évanouir avec celle de l'auteur. L'art est le seul
remède peut-être — futile lui-même et subjectif — au mal de
l'existence ; si le livre passe inaperçu, l'auteur ne regrettera
quand même pas sa peine : « Ces vers lui auront usé innocem-
ment quelques heures, et l'art est ce qui console le mieux de
vivre[2]. »

Ce n'est pas que l'art ait une valeur intrinsèque quelconque :
« Quant à mon opinion sur l'art, dit Gautier, je pense que c'est
une jonglerie pure[3]. » Et il raconte comment deux ou trois de
ses camarades, le trouvant par trop « ours et maniaque », l'ont
formé au rôle de Jeune-France ; il en profite pour faire, dans
l'histoire de ses propres progrès, une caricature sans ménagement du personnage et annonce que, de Jeune-France accompli, il prétend devenir à présent Don Juan universel. Nous
voyons que le Jeune-France à l'exubérante violence, original
et coloré, jetant feu et flamme en tous sens, peut avoir un double
tout différent de lui : inactif, solitaire, ramenant tout à rien
et ironique envers lui-même jusqu'à l'inexistence ; ils sont frères pourtant, par l'insatisfaction mordante et le besoin de scandaliser. On peut mettre une gloire provocante à ne servir à rien :
la poésie et l'art portent naturellement cette couronne d'inuti-
lité. Gautier n'est pas gêné de défendre cette cause : « Quant

1. *Ibid.*, pp. 30, 31, 32.
2. Préface d'*Albertus*, *in fine*.
3. Préface des *Jeunes-France*, éd. citée, p. 33.

aux utilitaires, utopistes, économistes, saint-simonistes et autres qui lui[1] demanderont à quoi cela rime, — il répondra : Le premier vers rime avec le second quand la rime n'est pas mauvaise, et ainsi de suite. À quoi cela sert-il ? — Cela sert à être beau. — N'est-ce pas assez ? [...] En général, dès qu'une chose devient utile, elle cesse d'être belle. — Elle rentre dans la vie positive, de poésie, elle devient prose, de libre, esclave. — Tout l'art est là. — L'art, c'est la liberté, le luxe, l'efflorescence, c'est l'épanouissement de l'âme dans l'oisiveté[2]. »

Ces déclarations ont pour modèle les quelques lignes où Hugo, dans la préface de l'édition originale des *Orientales*, se supposant interrogé sur le sens de « ce livre inutile de pure poésie » et sur la raison pour laquelle il l'a écrit, répond seulement que « c'est une idée qui lui a pris [...] d'une façon assez ridicule, l'été passé, en allant voir coucher le soleil ». Gautier reprend le ton et la polémique du maître. La Préface de *Mademoiselle de Maupin*, de beaucoup le plus mémorable de nos trois textes, revient longuement sur ce point. Aux critiques ennemis du romantisme qui, en ces années-là précisément, reprenaient l'offensive au nom des mœurs[3], Gautier fait savoir que la littérature et l'art ne sont sous aucune dépendance étrangère. Ni la religion ni la morale ne les gouvernent ; quant à l'utilité, c'est, à la réflexion, une notion vide de sens : « Y a-t-il quelque chose d'absolument utile sur cette terre et dans cette vie où nous sommes ? D'abord il est très peu utile que nous soyons sur cette terre, et que nous vivions. Je défie le plus savant de la bande de dire à quoi nous servons. » Quant aux convenances de la vie positive, elles n'ont rien à voir avec la beauté : « Il n'y a de vraiment beau que ce qui ne peut servir à rien ; tout ce qui

---

1. Gautier parle ici de « l'auteur », c'est-à-dire de lui-même, à la troisième personne, en style de préface. Hugo (voir un peu plus loin) faisait de même dans sa préface des *Orientales*.
2. Préface d'*Albertus*, éd. citée, p. 82.
3. Voir, sur les circonstances qui entourèrent la publication de cette préface, Jasinski, *Les Années...*, p. 169 et suiv. ; aussi l'édition Matoré de cette préface, Introduction, p. XXIV et suiv., et l'édition Robichez de *Mademoiselle de Maupin*, Paris, 1979, pp. 13-16. — Nous laissons ici de côté tout ce qui a surtout rendu cette préface fameuse : les charges de Gautier contre la critique d'inspiration morale ou chrétienne, et en général la dénonciation virulente du critique comme un jaloux et un impuissant, avec, pour finir, une sortie provocante contre le principe même de la liberté de la presse. Je m'attache à ce qui, sous le feu d'artifice des paradoxes et des outrances, appartient aux débats contemporains sur la nature et la destination de l'art.

est utile est laid; car c'est l'expression de quelque besoin; et
ceux de l'homme sont ignobles et dégoûtants, comme sa pauvre et infirme nature[1]. » Voilà qui répond bien à la misanthropie de Gautier; mais ce dégoût de la nature n'est pas trop
conséquent chez lui, qui invoque aussi bien, ainsi qu'on l'a vu,
comme loi suprême de l'art, le plaisir et l'épanouissement[2].

Cette critique de l'idée d'utilité, qui défie le sens commun,
vaut pour ébahir l'adversaire et affoler sa logique. Mais comment croire qu'il n'y ait pas de différence, même en poésie,
entre ce qui porte fruit ou non? On voudrait au moins que
Gautier s'explique; il s'en garde bien, il faut que le bourgeois enrage. Mais est-ce seulement le bourgeois qui est en
cause? À peine Gautier a-t-il réprouvé les «critiques utilitaires» qu'en parodiant leur discours il confond et semble identifier utilitarisme et humanitarisme : «Comment, leur fait-il
dire, au lieu de faire la grande synthèse de l'humanité, et de
suivre, à travers les événements de l'histoire, les phases de
l'idée régénératrice et providentielle, peut-on faire des poésies et des romans qui ne servent à rien, et qui ne font pas
avancer la génération dans le chemin de l'avenir? [...] La
société souffre, elle est en proie à un grand déchirement intérieur. [...] C'est au poète à chercher la cause de ce malaise
et à le guérir. — Le moyen, il le trouvera, en sympathisant
de cœur et d'âme avec l'humanité. [...] Ce poète, nous l'attendons, nous l'appelons de tous nos vœux. Quand il paraîtra,
à lui les acclamations de la foule, à lui les palmes, à lui les
couronnes, à lui le Prytanée[3]...»

1. Édition, déjà citée, de *Mademoiselle de Maupin*, pp. 30, 31, 32.
2. Son *Fortunio*, qui est de 1837, est, dit-il lui-même, «un hymne à la beauté,
à la richesse, au bonheur, les trois seules divinités que nous reconnaissions»
(recueilli dans les *Nouvelles*, éd. de 1845, voir p. 2). D'ailleurs, ici même (Préface de *Mademoiselle de Maupin*, p. 32), il exalte le superflu, défie les modernes
de s'élever, dans les jouissances, au niveau de Sardanapale et de Lucullus
(pp. 33-35). Selon lui, semble-t-il, jouir est ignoble, à moins de jouir «hors du
commun». Gautier oscille, en somme, entre deux attitudes extrêmes : la beauté
suppose, selon lui, ou le dégoût et l'exclusion de la nature, ou son accomplissement effréné; la soif d'absolu Jeune-France a peine à éviter ces contradictions.
3. Préface de *Mademoiselle de Maupin*, éd. citée, pp. 26-27. Ce discours, qui
reproduit avec fidélité les lieux communs humanitaires, déjà dans leur jeune floraison en 1833-1834, atteste que Gautier avait quelque familiarité avec cette région
de l'opinion et de la littérature; les sarcasmes dont il jalonne, entre parenthèses,
cette parodie nous intéressent moins; qu'il suffise de dire comment, pour finir,

Après l'utilité et l'humanité, voici la perfectibilité, « cette perfectibilité du genre humain dont on nous rebat les oreilles » [1] !
Ce nouveau concept est évidemment inséparable des précédents : il suppose une loi de progrès, et encourage les spéculations sur l'avenir. La critique imbue de cet esprit est la « critique
prospective », qui apprécie les livres d'aujourd'hui en fonction
de ce que seront les livres futurs. Les auteurs, influencés par
elle, « se font sociaux, progressifs, moralisants, palingénésiques,
mythiques, panthéistes, buchézistes » [2]. Ce défilé d'écoles est
significatif [3] ; il nous oblige à comprendre que Gautier dans
cette préface, par-delà le rejet des contraintes surannées de la
morale et de la religion, affecte de rompre avec l'emprise, celle-
là toute neuve et envahissante, de la philosophie humanitaire.
On ressent le besoin de mesurer jusqu'où va et ce que signifie
une telle rupture chez Gautier, quand on sait quelle place
l'humanitarisme a tenue dans l'œuvre des grands aînés romantiques, dès ces années-là et jusqu'au terme de leur carrière.

Ce que développent les préfaces de Gautier n'a rien d'une
doctrine cohérente ; c'est plutôt un état d'humeur, farouchement contraire à l'embrigadement de la poésie dans un système
idéologique. On a vu qu'il répète Hugo à cet égard ; mais Hugo
complétait ailleurs ses boutades sur la gratuité de l'art : un art,
expliquait-il, indépendant de toute loi étrangère et attaché à
des valeurs qui lui sont propres, mais compatibles avec le Progrès humain, voire inséparables de lui. Une telle synthèse ne
s'aperçoit pas dans les préfaces de Gautier, qui, dans sa fièvre
Jeune-France, tient l'humanité pour rien et l'art même pour
« jonglerie », comme on a vu [4]. Dans le désenchantement virulent d'où il part et le sacerdoce bafoué qu'il croit vivre, il
ne sait ce qui, de l'amertume ou du pur hédonisme, même

---

il répond globalement à ces interlocuteurs supposés : « Non, imbéciles, non cré-
tins et goitreux que vous êtes ! » (*Ibid.*, pp. 27-28.)
    1. *Ibid.*, p. 33.
    2. *Ibid.*, pp. 44-45.
    3. On le retrouve dans *Macédoine de poètes* (dans la *Chronique de Paris* du
3 juillet 1836, p. 4 : article recueilli notamment dans *Fusains et Eaux-Fortes*,
Paris, 1886).
    4. Voir, dans *La France littéraire* de septembre 1835, l'article sur *Chapelain*,
p. 92 : « Un poète, quoi qu'on dise, est un ouvrier ; il ne faut pas qu'il ait plus
d'intelligence qu'un ouvrier [...] : je trouve très parfaitement absurde la manie
qu'on a de les guinder sur un socle idéal ; rien n'est moins idéal qu'un poète. »
(Article recueilli dans *Les Grotesques*, éd. de 1844, t. II, p. 96.)

bourgeois, doit être son dernier mot[1], s'il doit conclure à la révolte ou à l'opportunisme. Il accepterait sans doute que l'art fût tenu pour la plus haute des valeurs ; mais comment le hausserait-il à ce rang s'il ne veut pas suivre les philosophes spiritualistes qui ont dignifié le beau en le rendant solidaire du bien et du vrai ? Il a vécu toujours enfermé dans cette difficulté, comme on verra, et s'efforçant de la surmonter, se voyant imputer généralement un culte de la «forme pure» difficile à concevoir, et se défendant de cette imputation sans pouvoir s'empêcher d'y donner lieu.

LES JEUNES-FRANCE

En août 1833, Gautier publie *Les Jeunes-France*, recueil de six nouvelles, très diverses de contenu et de ton. «Jeune-France» était, en ces années, une dénomination imprécise, non nécessairement attachée à un milieu littéraire ; mais des articles satiriques du *Figaro*, à partir d'août 1831, en avaient fait l'étiquette particulière du jeune romantisme. On s'attendrait à voir Gautier relever le gant et célébrer, dans de fraternels portraits, la gloire du petit Cénacle. Mais ce qu'il fait dans ce livre est tout différent : le sous-titre qu'il lui donne, *Romans goguenards*, en avertit le lecteur. On a remarqué que celles des six nouvelles qui avaient paru avant le recueil, à savoir *Onuphrius*[2] et *Élias Wildmanstadius*[3], ne trahissent nulle intention chez l'auteur de composer un recueil proprement Jeune-France : dans les premières rédactions de ces deux nouvelles, l'expression même de «Jeune-France» n'apparaît pas, ni le mot «romantique», ni le rattachement explicite des héros à cette école ; les deux récits n'ont été retouchés qu'ensuite dans ce sens[4]. Onuphrius,

1. Voir dans *Fortunio*, déjà cité (1837), même édition, p. 2 : «Le spiritualisme est sans doute une belle chose, mais nous dirons avec le bonhomme Chrysale, dont nous estimons fort la bourgeoise raison : Guenille si l'on veut, ma guenille m'est chère.»
2. Paru dans *La France littéraire* d'août 1832, puis en octobre de la même année dans *Le Cabinet de lecture*.
3. Paru dans les *Annales romantiques pour 1833*, publiées en novembre 1832, puis en décembre dans *Le Cabinet de lecture*.
4. Je n'entre pas ici dans le détail de ces variantes ; on en trouvera l'essentiel dans l'édition Jasinski des *Jeunes-France*, Paris, 1974, pp. 240-242 et 250-251. Quant au fond, la rédaction première des deux nouvelles publiées en 1832 était

obsédé de surnaturel et de fantastique et finissant dans la folie, et Élias Wildmanstadius, qui vit en imagination dans le Moyen Âge et ignore le présent jusqu'à son dernier jour, sont indiscutablement deux types romantiques ; mais leur peintre les situe, par l'ironie, à sensible distance de lui. La même ironie se déploie dans les quatre nouvelles qui parurent, l'année suivante, dans le recueil, et elle se donne aussi libre cours à l'égard du romantisme que de ses ennemis. Chez un partisan aussi déterminé que Gautier de l'école nouvelle, la chose pourrait surprendre. On pourrait être tenté de l'expliquer par le caractère même de l'attitude Jeune-France ; forçant exprès la note anticlassique dans le sens du scandale, le Jeune-France tient naturellement à faire entendre qu'il n'est pas dupe de sa propre outrance : celui qui prétend ne rien épargner peut vouloir ne pas s'épargner soi-même, pour déconcerter à la fois l'imitation et la critique. Toute forme d'extrême négation, comme celle qui tenta les Jeune-France, peut être entraînée dans cette direction. Mais on substitue alors à la révolte la dérision pure, et le risque de platitude qui y est attaché.

Les deux nouvelles qui encadrent le recueil, *Sous la table* et *Le Bol de punch*, sont deux morceaux de bravoure romantiques traités sur le mode goguenard : l'un est un dialogue bachique sur les femmes, l'autre une peinture d'orgie dans le goût de l'époque. Mais il y a aussi autre chose dans *Les Jeunes-France*, quand la verve scandalisatrice n'accrédite, en fin de compte, que la sagesse la plus mesurée. Qu'on lise, dès les premières versions d'*Onuphrius*, la conclusion qui commente sa folie : «Cette belle intelligence était à tout jamais éteinte, elle n'avait pu se supporter dans la solitude et s'était dévorée elle-même faute d'aliments [...]. À force d'être spectateur de son existence, Onuphrius avait oublié celle des autres, et, depuis bien longtemps, il ne vivait plus qu'au milieu de fantômes [...] ; son génie

---

sans doute plus sympathique à l'idéalisme romantique, mais l'ironie, germe de la «goguenardise», y était déjà. On ne peut trouver le ton Jeune-France proprement dit, grave et voisinant au tragique, que dans un passage du premier *Onuphrius*, où il est dit du héros qu'il cultivait la poésie et la peinture «avec un emportement frénétique, un enthousiasme sauvage, qui surprenaient beaucoup de gens qui s'imaginaient que tout artiste est une espèce de loustic, de *clown* qui fait des charges, un paillasse de société». Ce passage a été supprimé dans le volume (comparer le texte de 1832, éd. Jasinski, p. 241, et *ibid.*, p. 62, celui qui lui a été substitué en 1833).

s'épuisa dans des rêveries déréglées ; il aurait pu être le plus grand des poètes, il ne fut que le plus extraordinaire des fous [1]. » Revoyant cette conclusion pour son livre, Gautier y a intercalé encore les lignes suivantes : « Sorti de l'arche du réel, il s'était élancé dans les profondeurs nébuleuses de la fantaisie et de la métaphysique ; mais il n'avait pu revenir avec le rameau d'olive ; il n'avait pas rencontré de terre sèche où poser le pied et n'avait pas su retrouver le chemin par où il était venu ; il ne put, quand le vertige le prit d'être si haut et si loin, redescendre comme il l'aurait souhaité, et renouer avec le monde positif [2]. » Amant de l'inaccessible idéal, ou apologiste du sens commun ? De ces deux rôles, l'auteur des *Jeunes-France* semble ici choisir le second.

Ce choix est plus manifeste encore dans les deux nouvelles dont nous n'avons encore rien dit, *Daniel Jovard ou La Conversion d'un classique* [3] et *Celle-ci et celle-là*. La première commence par le portrait fortement satirique d'un jeune bourgeois « de haute espérance » formé dans les lettres classiques ; Daniel Jovard, à l'âge près, est la caricature typique du littérateur anti-romantique d'alors : « voltairien en diable, de même que monsieur son père », « esprit fort » et « prêtrophobe », tonnant contre les « corrupteurs du goût » et les « novateurs rétrogrades [4] ». Cependant le personnage ainsi décrit subit une soudaine transformation quand il rencontre un jour au Théâtre-Français un certain Ferdinand de C***, camarade de collège, « un jeune merveilleux », « un Beau de la nouvelle école », dont les discours sont une réjouissante parodie des professions de foi romantiques. Il enseigne à Jovard les procédés de fabrication et de diffusion de la nouvelle littérature ; à la suite de quoi le jeune bourgeois, « de classique pudibond qu'il avait été et qu'il était encore la veille, devint par réaction le plus forcené Jeune-

---

1. Texte du *Cabinet de lecture*, éd. Jasinski, pp. 241-242.
2. Texte définitif dans *Les Jeunes-France*, *ibid.*, p. 87.
3. Ce titre fait écho à *La Conversion d'un romantique* d'Antoine Jay (Paris, 1832), qui imagine Joseph Delorme, le héros de Sainte-Beuve, revenu aux saines idées.
4. Voir ce portrait, *ibid.*, p. 93. — Au commencement des polémiques entre les deux écoles, sous la Restauration, le romantisme passait plutôt pour royaliste et catholique, le néo-classicisme pour libéral et voltairien ; cette vue simpliste garda son crédit jusqu'après 1830 ; en 1833, Gautier y conforme encore sa satire. Les romantiques étaient dits, selon une expression doublement péjorative, novateurs (en littérature) et rétrogrades (en politique et en religion).

France, le plus endiablé romantique qui ait jamais travaillé sous
le lustre d'Hernani[1]». Il se fait faire un habillement romantique, apprend les différents styles et espèces du genre Jeune-
France; il prend un pseudonyme, se fait peindre et sculpter
par des amis; «tous les moyens de détourner l'œil sur lui, il
les emploie[2]». Enfin, «avant qu'il soit peu, grâce aux leçons
de Ferdinand, à sa barbe et à son habit, M. Daniel Jovard sera
une des plus brillantes étoiles de la nouvelle pléiade qui luit
à notre ciel littéraire[3]».

Que penser de cette satire? En lisant l'allusion ironique au
lustre d'*Hernani*, on ne peut oublier que Théo avait été un des
héros de la mémorable bataille; on lit plus loin que Daniel Jovard
a fini par «l'hugolâtrie la plus cannibale et la plus féroce[4]»:
or on sait bien que Gautier a, précisément, été hugolâtre avec
constance de l'adolescence à la mort. En 1832-1833, à l'époque même où furent écrites les pièces qui composent le livre
des *Jeunes-France*, le petit Cénacle vivait son brûlant et bref apo-
gée. Gautier a-t-il pu, dans le même temps, renvoyer dos à dos
classicisme et romantisme, comme deux variantes de la vanité
littéraire? Jugeait-il que la littérature était, d'une certaine façon,
comme il le dit de l'art dans la Préface du recueil, «une jonglerie pure»? C'est possible; quelques mots qu'il adresse au lecteur à la fin de la nouvelle le laissent entendre : «Lecteur, mon
doux ami, je t'ai donné ici, [...] la manière de devenir illustre,
et la recette pour avoir du génie ou du moins pour s'en passer
fort commodément. [...] Il ne tient qu'à toi d'être un grand
homme, tu sais comment cela se fait; en vérité, ce n'est pas difficile, et si je ne le suis pas, moi qui te parle, c'est que je ne
l'ai pas voulu : j'ai trop d'orgueil pour cela[5].» Est-ce déjà, en
cette année 1833, oubli de l'élan premier, amertume grave?

Gautier annonce, à la fin de *Daniel Jovard*, qu'il va traiter
de la passion dans ses rapports avec les Jeune-France : c'est
en effet le sujet, au moins projeté[6], de *Celle-ci et celle-là ou La*

---

1. *Ibid.*, pp. 95 et 99.
2. *Ibid.*, p. 106.
3. *Ibid.*, p. 107.
4. *Ibid.*, p. 104.
5. *Ibid.*, p. 107, dernier paragraphe de la nouvelle.
6. Projeté seulement, car, selon la narration réelle, la passion Jeune-France
n'a pas d'existence véritable. — Cette nouvelle, la plus longue du recueil, a autant
d'étendue à elle seule que les cinq autres réunies. Gautier y multiplie épisodes
burlesques et digressions. Tenons-nous-en à la ligne principale, celle d'une quête

Jeune-France passionnée. Rodolphe rêve au type de femme qu'il voudrait aimer, et tâche en vain de trouver, dans la rue, une femme conforme à cet idéal ; elle lui apparaît enfin au théâtre, accompagnée de son mari. Il s'imagine vivant avec elle plusieurs situations violentes, « byroniennes », et enrage de ne pas apercevoir le moyen de passer du rêve à l'action. Tout le récit qui suit développe le contraste comique entre l'idée de la passion Jeune-France, excentrique, violente, romanesque, et la réalité à laquelle, en dépit de ses efforts, il est assujetti. Ses rêves de passion ne l'empêchent pas d'être, quand commence le récit, l'amant de sa servante et de faire l'apologie de ce genre de liaison, comme confortable et douce. Et le narrateur remarque que ses préparatifs de toilette pour plaire à l'idéale Madame de M*** « sentaient le bourgeois d'une lieue à la ronde [...]. Notre poétique héros, ajoute-t-il, patauge en pleine prose[1] ». Il fait bien la conquête de la dame, mais rien, dans ce qui conduit à cet événement, ni dans l'événement lui-même, ne sort de l'ordinaire ; il n'arrive même pas à provoquer la jalousie du mari, heureux qu'on le dispense de s'occuper de sa femme[2].

Faisant réflexion sur sa conduite, le héros ressent une horrible honte : « Ô Rodolphe ! ô Rodolphe !! ô Rodolphe !!! tu te vautres dans la prose comme un porc dans un bourbier [...]. Tu es entré par la porte comme un homme, tu t'es assis sur la causeuse comme un bourgeois, et tu as triomphé comme un second clerc d'huissier. Pourtant c'était là une belle occasion de te servir de ton échelle de soie, et de casser un carreau avec ta main enveloppée d'un foulard [...]. Tu n'aurais eu ensuite qu'à pousser ta belle dans un cabinet, où tu l'aurais violée avec tout l'agrément possible. Tu n'avais qu'à vouloir pour faire de l'Antonysme[3] première qualité, mais tu n'as pas voulu :

---

d'amour Jeune-France, tournée en vaudeville d'adultère mondain ultra-goguenard, et s'achevant par un repli vers une idylle ancillaire de teinte semi-sentimentale.
1. *Ibid.*, p. 133.
2. Le récit du tête-à-tête où Madame de M. succombe, et de la séduction finale dans ses détails, occupe 18 pages (pp. 136-153), occasionnellement licencieuses, mais plates, de l'aveu de l'auteur : « Le lecteur aura sans doute remarqué que ces dernières pages ne valent pas le diable ; cela n'est pas difficile à voir. Tout cela est d'un fade et d'un banal à vous donner des nausées » (p. 159).
3. Antony est le héros du drame d'Alexandre Dumas qui porte ce titre (1831) ; ce personnage est resté le type du héros romantique passionné et violent, qui enthousiasmait ou scandalisait alors.

c'est pourquoi je te méprise et te condamne à peser du sucre pendant l'éternité ! [...] Je vois décidément que je suis né pour être un marchand de chandelles, et non pour être un second tome de lord Byron. Ceci est douloureux, mais c'est la vérité[1]. » Gautier affecte de partager, en l'aggravant, ce mépris de son héros pour lui-même : «Je crains bien, lui dit-il, qu'il ne te faille rester bourgeois toute ta vie [...] ; car ta passion d'artiste n'est, il faut bien l'avouer, qu'un menu fait de cocuage bien bête et bien commun [...]. Si j'étais toi, je me serais déjà pendu une vingtaine de fois [...]. Mon cher Rodolphe, je t'en supplie à deux genoux, fais-moi l'amitié de te tuer. Un suicide [...] te relèverait peut-être un peu, aux yeux de mes lecteurs, qui te doivent trouver un bien misérable héros[2]. »

Rentré chez lui, Rodolphe retrouve Mariette sa servante, qui va fournir la moralité de l'histoire. Humble et aimante, digne quand elle se croit méprisée de son maître et amant, reconquise quand elle le croit mortifié de ses aventures et revenu à elle[3], tout le dénouement a pour thème sa supériorité sur l'autre, et déclare «celle-ci» préférable à «celle-là». Cette leçon est offerte à Rodolphe, une fois bien converti à Mariette, par son fidèle ami Albert, «l'homme positif», suivant la qualification de Gautier[4]. Il célèbre le charme du chez-soi et des choses familières et les histoires de tous les jours à l'encontre des chimères exotiques : «Je te le dis, ô mon ami, la poésie, toute fille du ciel qu'elle est, n'est pas dédaigneuse des choses les plus humbles ; elle quitte volontiers le ciel bleu de l'orient, et ploie ses ailes dorées au long de son dos pour se venir seoir au chevet de quelque grabat sous une misérable mansarde ; elle est comme le Christ, elle aime les pauvres et les simples, et leur dit de venir à elle. La poésie est partout : cette chambre est aussi poétique que le golfe de Baia[5]. »

Gautier, parlant pour son propre compte, parle le même langage à la fin de son récit : «Mariette, c'est la vraie poésie, la

1. *Ibid.*, p. 160-161.
2. *Ibid.*, p. 173.
3. Voir le grand morceau dialogué, pp. 182-187.
4. Cet Albert figure dans le récit dès le début, comme ami, spectateur et conseiller de Rodolphe ; il joue dans l'histoire le rôle du sage et de l'honnête homme de comédie.
5. *Ibid.*, pp. 189-190. Le golfe de Baia a été chanté par Lamartine ; c'est le titre d'une de ses *Premières Méditations*.

poésie sans corset et sans fard, la muse bonne fille qui convient à l'artiste, qui a des larmes et des rires, qui chante et qui parle, qui remue et palpite, qui vit de la vie humaine, de notre vie à nous [...]. Albert, qui ramène Rodolphe dans le droit chemin, est la véritable raison, amie intime de la vraie poésie, la prose fine et délicate qui retient par le bout du doigt la poésie qui veut s'envoler de la terre solide du réel, dans les espaces nuageux des rêves et des chimères [1].» Il y a là une poétique et une morale. La poétique est tout opposée à celle des Jeune-France ; la morale aussi : c'est un romantisme déçu qui se rabat sur le terre-à-terre et affecte de s'en contenter. Une répudiation de la Chimère en est le premier article ; une sorte d'épicurisme, plus ou moins «sensible», le second. Il semble qu'étant monté trop haut et ne sachant où se prendre dans ces altitudes, on respire en reprenant pied au sol, et on jure de s'y tenir. Ce signal d'échec donne à penser.

Désenchantement et reniement sont-ils donc synonymes ? C'est une question. Ni Nerval, ni Baudelaire ne l'accepteraient. Peut-être pas non plus Gautier. Car, curieusement, dans la proclamation même d'une sagesse et d'une sensibilité bourgeoise, le Jeune-France reste au-dessus de toute bourgeoisie et ne se prive pas de le faire savoir. Il lui est permis, à lui, poète et artiste, de coucher confortablement avec sa servante sans perdre la marque qui le distingue, comme à un aristocrate de manger quand il lui plaît avec ses doigts sans cesser d'être qui il est. Une conscience idéaliste, bannie de l'Idéal et le tournant en dérision, décide d'orienter vers la prose son bon plaisir : telle est, semble-t-il, pour Gautier, ne disons pas la logique, mais une des logiques, commode et piteuse, du désenchantement. On peut, à l'occasion d'un tel aveu, louer au moins Gautier de sa sincérité.

MADEMOISELLE DE MAUPIN

Les œuvres de Gautier que nous avons commentées jusqu'ici méritaient la lecture attentive que nous leur avons consacrée moins par leur valeur intrinsèque, qui est, comme on a pu le voir, d'ordre plutôt mineur, que par la lumière qu'elles jettent

1. *Ibid.*, pp. 192-193.

sur les ambiguïtés de l'esprit Jeune-France dès son origine. Voici, par contre, une œuvre forte et curieuse, dont le crédit n'a pas faibli de nos jours, au contraire[1]. Il faut, pour la commodité du lecteur, rappeler au moins sommairement l'intrigue de ce roman avant d'en commenter l'esprit. Un gentilhomme, que l'auteur nomme d'Albert, écrivant à un ami, lui explique qu'il est obsédé d'un type féminin idéal, dont il cherche vainement l'équivalent dans la réalité[2]. Il devient, faute de mieux, l'amant de Rosette, jeune veuve faite à l'amour, belle et estimable en tout point, mais qui ne répond pas vraiment à l'image qu'il poursuit ; la lassitude naît, et Rosette l'emmène dans un château qu'elle possède à la campagne, où elle décide d'inviter des amis pour un divertissement de théâtre[3]. Parmi les invités de Rosette se trouve un cavalier Théodore, dont Rosette a été et est toujours passionnément amoureuse, quoiqu'il lui déclare, sans s'en expliquer clairement, qu'il ne peut l'aimer en retour. Cependant Rosette découvre, à l'occasion d'un incident de chasse, que le page qui accompagne Théodore est une fille déguisée[4]. D'autre part, d'Albert, trouvant en ce Théodore l'absolue perfection de son idéal, tombe à son tour éperdument amoureux de lui, malgré l'effroi qu'il ressent de ne pouvoir résister à une telle passion pour un homme, et se réfugie dans l'idée que ce doit être une femme travestie[5].

Une histoire rétrospective de Théodore commence ici : nous apprenons qu'en effet ce déguisement masculin cache une femme. Madeleine de Maupin[6] raconte par lettre à l'une de

---

1. *Mademoiselle de Maupin* a paru en deux volumes, Paris, 1835 et 1836 ; d'autres éditions en ont été données en 1845, 1877, 1883 ; de nos jours, plusieurs éditions préfacées et commentées en ont paru, notamment celles d'Adolphe Boschot (Classiques Garnier, 1930, puis 1955) ; de Michel Crouzet (Gallimard, Folio, 1973) ; de Jacques Robichez (Lettres françaises, collection de l'Imprimerie nationale, n° 8, 1979). Je cite d'après cette dernière. — Le roman a été étudié longuement par Jasinski (*Les Années...*, pp. 283-326).

2. Il ressemble en cela comme un frère, sur le mode grave, au ridicule Rodolphe des *Jeunes-France*.

3. Chap. I-V (lettres de d'Albert à un ami).

4. Chap. VI et VII (récit du narrateur).

5. Chap. VIII et IX (suite des lettres de d'Albert).

6. Il a existé, sur la fin du xviie siècle, une femme de ce nom, cantatrice, duelliste et scandaleuse aventurière, vite entrée dans la légende (voir l'Introduction de l'édition Boschot, 1955, p. XIII et suiv., et Jasinski, *Les Années...*, p. 285 et suiv.). — Certains éditeurs donnent le nom de l'héroïne avec un *a* (Madelaine, contrairement à l'étymologie) ; d'autres donnent l'orthographe courante, que j'ai préférée.

ses amies comment, jeune fille et vierge, mécontente de la condition féminine, elle a pris des habits d'homme et le nom de Théodore de Sérannes pour courir le monde et connaître de plus près le caractère masculin, dont les représentants lui inspirent peu de sympathie, en raison de leurs mensonges et de la grossièreté qu'ils ne révèlent qu'entre eux. Un cavalier dont elle a fait la connaissance dans une auberge, nommé Alcibiade, se prend de sympathie pour le pseudo-jeune homme, et le conduit dans un vieux château de famille où vivent sa sœur et sa tante. Or cette sœur est Rosette, déjà veuve, et ce château n'est autre que celui où, en un temps plus récent, nous avons vu Rosette conduire son amant d'Albert. C'est au cours de cette première visite que Madeleine, travestie et crue Théodore, a vu s'enflammer pour elle la passion de Rosette. La jeune femme, lasse de provoquer vainement à l'amour le soi-disant Théodore, finit par l'entraîner dans une cabane isolée, transformée en luxueux boudoir, où elle s'offre passionnément à lui ; cette situation scabreuse, à laquelle Madeleine, sous sa fausse identité masculine, se complaît indiscutablement, est interrompue par l'irruption du frère. Finalement, la nuit qui précède le départ de celui qu'on croit toujours Théodore, Rosette vient, à demi nue, le surprendre dans sa chambre, quand le frère surgit de nouveau et tire l'épée. Madeleine, sans se découvrir, le blesse en duel et s'enfuit à cheval. Elle continue ses aventures sous l'habit masculin, toujours choquée par la grossièreté des hommes, et cherchant en vain un partenaire masculin digne de ce nom. Elle se voit un jour obligée d'enlever une toute jeune fille qu'un personnage odieux est près de séduire, et se prend d'une vive tendresse pour elle : c'est cette fille qu'elle a déguisée en garçon et dont elle a fait son page. Elle a plusieurs fois revu dans son château Rosette, qui l'aime toujours sous son déguisement d'homme. C'est dans la dernière de ces visites que nous l'avons vue, toujours sous le vêtement d'un homme et le nom de Théodore, inspirer un insolite amour à d'Albert, nouvel amant de Rosette [1].

1. Chap. X, XII, XIV-XV (lettres de Madeleine à une amie). Cette biographie rétrospective de personnages apparus au cours du roman central est une façon de composer fréquente dans l'ancien roman. Le récit, repris en arrière, de la vie du prétendu Théodore s'intitulerait, dans un roman du type de *L'Astrée*, «Histoire de Théodore». Ici les nouveaux venus (Théodore-Madeleine et son prétendu page), surgis à la fin du chapitre V, s'insèrent aussitôt dans l'intrigue

Revenons donc à cette action principale. Nous avons laissé d'Albert soupçonnant la féminité de Théodore. Il sent se raviver cet espoir, quoique toujours incertain, en voyant Théodore jouer en vêtements de femme le personnage de Rosalinde dans la représentation du *Comme il vous plaira*, de Shakespeare, organisée par Rosette entre les invités du château[1]. Convaincu que c'est vraiment une femme, il lui écrit une longue déclaration d'amour[2]. Madeleine, qui a deviné dès le début sa passion pour elle, décide de s'initier à l'amour avec lui quoiqu'elle ne puisse l'aimer vraiment[3]. Elle vient dans sa chambre la nuit, vêtue en Rosalinde, et se donne vierge à lui. Au matin, elle va dans la chambre de Rosette et y reste plusieurs heures, dont le narrateur, quoique omniscient par état, affecte d'ignorer l'emploi. Puis elle quitte le château et disparaît. Une lettre reçue peu après explique à d'Albert son départ par le refus de s'exposer à la lassitude qui menace toute passion, et le prie de consoler Rosette[4].

Ce sont évidemment d'Albert et Madeleine qui portent en eux l'esprit de ce roman. Rosette, toute charmante, est seulement victime d'une erreur de fait, qui lui interdit d'être aimée ; si Théodore était homme, tout indique qu'elle serait heureuse, autant et aussi longtemps qu'on peut l'être ; on ne la voit nullement convaincue que le bonheur soit impossible. Il l'est pour les deux autres, en proie à l'idée d'un bien inaccessible ; d'Albert peut croire qu'il a finalement atteint son but ; mais c'est Madeleine qui a raison quand elle lui dit qu'il ne s'y tiendrait pas longtemps : son obsession de l'idéal, âme de tout le roman,

---

en cours et y participent pendant les chapitres suivants (VI, VII, VIII, IX). Leur histoire passée n'est racontée qu'à partir du chapitre X, et occupe les huit derniers chapitres, alternativement avec l'action principale : soit chapitres X, XII, XIV, XV pour le récit rétrospectif, et XI, XIII, XVI et XVII pour l'histoire actuelle. On aura remarqué aussi que Gautier, qui use de la technique épistolaire pour l'Histoire de Théodore, emploie, pour le récit principal, tantôt ce procédé (lettres des deux protagonistes), tantôt le discours d'un narrateur (Gautier lui-même).

1. Ce chapitre XI est sans doute le plus beau du roman ; il mêle des développements profonds sur le mal de l'idéal à un commentaire où *Comme il vous plaira* et *Mademoiselle de Maupin* se répondent, et à une extraordinaire apologie du théâtre de fantaisie.

2. Chap. XI et XIII (lettre de d'Albert à son ami, et à Théodore, soupçonnée Madeleine).

3. Fin du chapitre XV.

4. Chap. XVI-XVII (récit du narrateur).

exclut la satisfaction. Aussi a-t-on pu écrire : « *Maupin* est la jonction du réel et de l'idée [1]. » Mais cette jonction qui, pour le romantisme des aînés, est un lieu de vie et de création, devient, pour peu que le vent tourne, un désert d'angoisse. Ce vent contraire souffle à travers le roman ; tout lecteur le perçoit.

On ne peut négliger le fait qui distingue ce roman, et auquel il doit, pour une grande part, sa séduction et son exceptionnelle qualité parmi l'abondante littérature de l'Idéal inaccessible : les intrigues d'amour qui le composent sont enveloppées d'un bout à l'autre d'une indécision touchant le sexe de l'être aimé. Le travestissement de Madeleine en Théodore suffit à produire cette indécision générale [2]. Le travesti comme motif d'intrigue était fort usité, du temps de *L'Astrée*, et dans la littérature de fiction de cette époque Louis XIII, dont on sait que Gautier était grand amateur. Ces déguisements d'un sexe dans l'autre avaient été parmi les divertissements préférés de l'imagination baroque ; ils donnaient lieu, au mépris des susceptibilités sévères de la morale sexuelle, et sans enfreindre vraiment ses impératifs, à un jeu d'illusions et de désillusions, parmi d'autres de diverse nature, dont se nourrissait alors l'imagination littéraire. Dans *Mademoiselle de Maupin* nous voyons, du fait du déguisement de Madeleine, une amoureuse affronter, sans s'en douter, une relation tendre avec une femme qu'elle croit homme, tandis qu'un amoureux, épris de la même Madeleine, s'imagine aimer un homme et s'en inquiète. Aucun des deux ne se trouve dans la situation où il croit être ; mais leur double erreur suffit pour que l'amour homosexuel, masculin ou féminin, obsède un récit où personne n'en fait vraiment profession. Selon les habitudes baroques, la levée du déguisement ferait cesser tout vertige, et rétablirait l'ordre souhaité. Ce n'est pas tout à fait ce qui a lieu ici. La tentation de l'amour défendu paraît exister au moins chez Madeleine, comme il ressort de sa complaisance envers son aveugle adoratrice [3], et elle semble, avec son amie, être passée de la tentation à l'expérience à la fin du roman, quoiqu'on nous laisse ignorer jusqu'où elles sont allées. Par là, les suites du travesti excèdent décidément

1. Michel Crouzet, « *Mademoiselle de Maupin* » ou *L'Éros romantique*, dans *Romantisme*, n° 8, 1974, pp. 2-21.
2. En fait, il n'y a ici qu'un seul déguisement, mais qui retentit diversement.
3. Et aussi de sa tendresse quasi amoureuse envers sa jeune protégée, qu'elle a déguisée en page.

les libertés admises ; mais, en outre, l'auteur a fait courir tout le long de son récit les harmoniques et le pressentiment de cette transgression. Ce faisant, l'auteur romantique a ignoré la limite, respectée de ses prédécesseurs baroques, qui sépare en ce domaine le licite du scandaleux, ce qui n'est pas pour surprendre : ce rejet du convenu est le propre du romantisme, surtout Jeune-France, et on pourrait philosopher à ce sujet.

Cependant, ce qui nous intéresse se résume plus précisément dans cette question-ci : liberté romantique à part, existe-t-il une liaison particulière entre l'ambiance érotique propre à *Mademoiselle de Maupin* et la philosophie de l'Idéal hors d'atteinte qui règne dans ce roman ? En fait, ces deux aspects de l'œuvre semblent plutôt d'inspiration opposée, la liberté des amours dans *Mademoiselle de Maupin* ayant pour fonction d'adoucir par une enveloppe de fantaisie poétique, empruntée à une tradition littéraire prestigieuse [1], le pessimisme immodéré que tout le roman professe. C'est ce pessimisme qu'il nous faut scruter plus complètement pour en savoir davantage sur les intentions de Gautier.

Femme et Idéal

L'idéal, dans *Mademoiselle de Maupin*, est conçu et recherché avant tout dans l'amour. La littérature du romantisme négatif préfère ce domaine à tout autre : c'est celui où l'infortune et l'insatisfaction sont le plus communément expérimentés, et le plus susceptibles de sublimation littéraire. Dès l'ouveture du roman, il s'agit d'un amour dont l'objet, imaginé incomparablement autre que tout ce qui est, pourrait bien ne pas être. Gautier a attribué cette incommensurabilité du désir surtout à son héros masculin, parce que, sans doute, une femme trop

---

1. Rappelons qu'un des épisodes principaux du roman de Gautier est la représentation, par les invités de Rosette dans son château, du *Comme il vous plaira* de Shakespeare, chef-d'œuvre en ce genre d'imagination et de poésie. Le faux Théodore, acteur que chacun croit homme, y joue le rôle féminin de Rosalinde, et la vue de son jeu confirme d'Albert dans le sentiment que ce Théodore est réellement une femme ; pour comble de faux-semblants, Rosalinde, dans la pièce de Shakespeare, se déguise à un moment donné en homme laissant deviner la femme. Ces ambiguïtés enchevêtrées affolent le pauvre d'Albert, qui joue le rôle d'Orlando, amant de Rosalinde.

métaphysicienne ne lui aurait pas semblé séduisante. Cela dit, il est indiscutable que son héroïne surpasse son héros, sinon dans le discours et la philosophie de l'insatisfaction, du moins dans l'insatisfaction elle-même : elle n'a pas un instant, semble-t-il, en se donnant au héros, l'illusion d'avoir atteint ce qu'elle cherchait ; tandis qu'il semble, quant à lui, trouver la plénitude en elle, même si l'on soupçonne qu'il ne peut pas ne pas en déchanter tôt ou tard. D'autre part, le tourment de l'idéal altère à quelque degré, en même temps que l'amour, la faculté même de sympathie et de communication : or, sur ce plan, Madeleine va aussi plus loin que son ami ; car tout en elle part d'un dégoût et d'une défiance à l'égard du sexe opposé, qui combattent l'attirance : éloignement inné et solitude plus dramatique que le simple mépris que d'Albert éprouve pour l'humanité commune. En ce sens, il est juste que Madeleine ait donné son titre au roman, et qu'elle y ait le dernier mot : sa relation à l'idéal est plus négative que celle de d'Albert.

Celle de d'Albert est plus ambiguë, et par là plus riche. Il déclare d'abord qu'il poursuit un bien qu'il est incapable de nommer, et qu'il se partage entre cette agitation insensée et une vie purement végétative[1]. Cette contradiction, qui est déjà celle de *René*, est la formule mère du romantisme : elle pose un désir ressenti comme inassouvible, une passion par définition frustrée, un bien dont l'insaisissable idée exclut la possession. Une telle dualité du rêve et du réel, matrice de pessimisme à première vue et source de plaintes infinies, est cependant susceptible d'inspirer, sur le plan de la vie, des attitudes et des choix sensiblement divers. C'est pourquoi elle a pu, sous la même formule générale, servir le romantisme à travers ses variations. Son registre s'étend de l'héroïsme à l'angoisse, du défi à l'amertume, du chant d'espérance au chant de deuil. Entre Prométhée et Icare, il y a place pour bien des figures ; la forte vitalité romantique n'accepte qu'à toute extrémité, et quand les temps la trahissent, de s'avouer vaincue. Le héros de *Mademoiselle de Maupin*, d'emblée désabusé, pro-

---

1. Ainsi : « Ma vie est celle du coquillage sur le banc de sable, du lierre autour de l'arbre, du grillon dans la cheminée. En vérité, je suis étonné que mes pieds n'aient pas encore pris racine. » (*Mademoiselle de Maupin*, chap. Iᵉʳ, § 4.) Et, une page plus loin : « Je ne sais pas seulement où j'irai ; mais il faut que j'aille, et je croirais mon salut compromis si je restais. » (*Ibid.*, § 10.)

clame qu'il ne sait ce qu'il veut ; il avoue pourtant qu'il veut
et cherche une femme, et qu'il espère bien trouver celle dont
il rêve : « Jusqu'ici, dit-il, je n'ai aimé aucune femme, mais
j'ai aimé et j'aime l'*amour* […] ; je n'aimais pas celle-ci ou celle-
là, l'une plutôt que l'autre, mais quelqu'une que je n'ai jamais
vue et qui doit exister quelque part, et que je trouverai, s'il
plaît à Dieu. Je sais bien comme elle est, et, quand je la ren-
contrerai, je la reconnaîtrai [1]. » Il la cherche donc ; il croit
assez vite l'avoir trouvée en Rosette, mais en est bientôt
détrompé. Il ne sait quoi reprocher à Rosette, sinon qu'elle
ne remplit pas vraiment son attente. Gautier aurait pu multiplier les expériences de son héros, nous le montrer quêtant en
vain l'Idéal à travers la femme et ne pouvant l'y trouver. Cependant, il rencontre Madeleine, et dès lors ne doute pas d'être
en présence de ce qu'il cherchait. Se trompe-t-il ?

Dans la lettre où il déclare son amour à Madeleine, il retrace
lui-même toute son aventure. Il lui dit l'émotion que lui inspiraient dans son enfance les portraits de saintes et de déesses :
« Je finissais par trouver que ces figures avaient une vague ressemblance avec la belle inconnue que j'adorais au fond de mon
cœur. […] Lorsque j'avançai en âge, le doux fantôme m'obséda
encore plus étroitement. Je le voyais toujours entre moi et les
femmes que j'avais pour maîtresses. […] Il me faisait trouver
laides des femmes […] faites pour rendre heureux quiconque
n'aurait pas été épris de cette ombre adorable dont je ne croyais
pas que le corps existât et qui n'était que le pressentiment de
votre propre beauté [2]. » Il ne croyait pas que ce corps existât,
mais il avait tort, et doit en convenir : « Dès que je vous ai vue,
quelque chose s'est déchiré en moi, un voile est tombé, une
porte s'est ouverte, je me suis senti intérieurement inondé par
des vagues de lumière ; j'ai compris que ma vie était devant
moi, et que j'étais enfin arrivé au carrefour décisif. » Il n'y a
ici nul pressentiment d'impossibilité ; ce qui domine, c'est l'existence d'une femme réelle incarnant tout l'idéal, et merveilleusement trouvée après avoir été espérée dès l'enfance. La
frustration finale du héros tient au fait qu'il n'est pas payé de

---

1. *Ibid.*, chap. Ier, p. 83
2. *Ibid.*, chap. XIII, p. 335 ; et, p. 334 : c'est d'elle qu'il a toujours rêvé,
c'est elle qui fut « la dame à la fenêtre du château mystérieux », et « la pétulante
amazone » traversant au galop la forêt (ces images de femmes lui sont, comme
on sait, communes avec Nerval).

retour : la Bien-Aimée lui inflige d'abord l'énigme de son sexe[1], puis, aussitôt qu'elle s'est donnée à lui, s'enfuit, ne partageant pas son optimisme[2].

L'optimisme qui suppose l'idéal incarné en une femme réelle existe incontestablement dans le héros de Gautier tel qu'il a voulu le peindre. Il atteste un penchant, profond chez cet auteur, à résoudre dans la possession de la beauté visible le tourment de l'infini. D'Albert n'en postule pas moins, dans ses professions de foi générales sur la condition de l'homme et de l'artiste, le divorce radical de l'idéal et du réel ; il suppose par définition hors de portée ce à quoi nous aspirons. Le roman mêle donc deux orientations différentes. Nous devons entendre, apparemment, que le traitement du mal de l'Idéal par la jouissance de la beauté est un recours fragile ou incertain, mais que Gautier ne saurait s'interdire de le pratiquer et d'y croire. C'est Madeleine qui met cette solution à sa juste place dans l'univers de Gautier quand elle la rejette pour des raisons qu'aucun quêteur d'absolu ne saurait contester, à savoir l'inconstance et la caducité foncière du désir[3].

---

1. *Ibid.*, même lettre, p. 338 : «J'ai vu qu'en effet vous existiez, que mes pressentiments ne m'avaient pas menti sur ce point ; mais vous vous êtes présentée à moi avec la beauté ambiguë et terrible du Sphinx. Comme Isis, la mystérieuse déesse, vous étiez enveloppée d'un voile que je n'osais soulever de peur de tomber mort.»

2. *Ibid.*, chap. XVII, lettre d'adieu de Madeleine : «Cela durerait six mois, deux ans, dix ans même, mais il faut toujours que tout finisse. [...] À quoi bon attendre d'en venir là ? Et puis, ce serait peut-être moi qui cesserais de vous aimer.» (§§ 3-4 de la lettre.)

3. Il faudrait se garder d'évoquer, à propos de d'Albert en quête de la femme idéale, le type du «don Juan romantique». Quelle que soit l'ingéniosité avec laquelle le romantisme a voulu refondre et remanier don Juan pour l'intégrer dans son univers, il faut se souvenir que tout type, quoique susceptible par définition de variantes, relève d'une définition fondamentale, hors de laquelle il se dénature et ne mérite plus son nom. Si don Juan n'est pas d'abord un effréné séducteur, il n'est plus don Juan. Le romantisme, en entreprenant de faire de lui un amant de l'idéal, a dû concilier ce nouveau caractère avec sa frénésie de séduction, traditionnellement réprouvée. L'imagination inclinait dès lors vers le type, en voie de forte implantation dans la fiction humanitaire, du Satan justifié. Mais cette «fin de don Juan» avait besoin de quelque souffle de contrition, qui menaçait de défigurer dans son essence l'altier personnage. Faute de vouloir user de cet ingrédient, force était d'annuler la perversité du héros, et de penser à un paladin d'amour, Titan ou don Quichotte, voyageur inassouvible de l'Idéal. C'est celui que Gautier décrit, à propos du don Juan de Mozart (voir son article du 27 janvier 1845 dans *La Presse*, recueilli dans son *Histoire de l'art dramatique*, t. IV, p. 36 et suiv.) : «Don Juan représente, surtout agrandi comme il l'a été

Un nouveau mal du siècle

Partout s'exprime, dans les lettres de d'Albert, un dégoût du monde réel et de ses habitants : « Ces gens-là, écrit-il, peuvent s'assouvir ou se distraire ; — moi, cela m'est impossible. » Partout surgissent, dans ses déclarations, les formules et les métaphores d'un pessimisme amer ; l'élan qui pourrait faire de l'âme humaine une médiatrice entre le réel et l'idéal est brisé en lui, les deux pôles le rejettent : « Je ne puis ni marcher ni voler ; le ciel m'attire quand je suis sur terre, la terre quand je suis au ciel ; en haut l'aquilon m'arrache les plumes ; en bas les cailloux m'offensent les pieds[1]. » Cette image de double rejet sera l'une des obsessions du romantisme désenchanté ; elle dit, en même temps que la terre opprimante, le ciel ennemi, figure dramatisée de l'Idéal non accessible, autant dire non existant. Ce Dieu manquant appelle le blasphème ; et ses inventeurs, la malédiction : « Poètes, peintres, sculpteurs, musiciens, pourquoi nous avez-vous menti ? [...] Soyez maudits, imposteurs !... et puisse le feu du ciel brûler et détruire tous les tableaux, tous les poèmes, toutes les statues et toutes les partitions[2]. » Sur ce thème, l'héroïne du roman fait écho au héros : « Idéal [...] ! fleur maudite, comme tu avais poussé dans mon âme ! tes rameaux s'y étaient plus multipliés que les orties

---

dans les derniers temps, l'aspiration à l'idéal. Ce n'est pas une débauche vulgaire qui le pousse ; il cherche le rêve de son cœur avec l'opiniâtreté d'un titan qui ne redoute ni les éclairs ni la foudre. » La difficulté est que, s'il brave à bon droit la foudre divine, il ne peut plus être question qu'il la subisse ; son mérite convainc en effet Dieu lui-même : « Non seulement, écrit Gautier, don Juan ne va pas en enfer, mais il va en paradis, et à la plus belle place encore, car il a cherché de toutes ses forces l'amour vrai et la beauté absolue. » Mais don Juan en paradis est, par rapport au type du Séducteur foudroyé, plus aberrant encore que don Juan pénitent. Et que devient, dans l'économie de son nouveau rôle, la souffrance de ses victimes et leur humiliation ? Ce sont elles, dit Gautier, qui l'ont trompé, en décevant son espoir, et elles méritent son mépris. Le don Juan romantique serait donc, par nécessité logique, misogyne endurci, en même temps que saint du paradis : triste figure en vérité ! — Ce qu'on appelle le don Juan romantique pourrait bien être une des créations mythiques les plus faibles du romantisme.

1. *Ibid.*, chap. XI, p. 265.
2. *Ibid.*, chap. II, pp. 95-96. L'excès de cet anathème, réaction hyperbolique à ce que Mallarmé appellera le « glorieux mensonge » de l'art, engendre aussitôt l'autodérision fanfaronne chez Gautier, qui s'écrie : « Ouf ! [...] Quelle tartine ! »

dans une ruine. [...] Plante de l'idéal, plus venimeuse que le mancenillier ou l'arbre upas [1], qu'il m'en coûte, malgré les fleurs trompeuses et le poison que l'on respire avec son parfum, pour te déraciner de mon âme [2]!» Dans cette nouvelle célébration romantique de l'idéal, l'hymne est devenu malédiction [3].

En fait, toutes ces plaintes sont en même temps des cris d'orgueil, la passion de ce cruel et fuyant idéal restant le signe d'élection des âmes hautes. «L'impossible m'a toujours plu [4]», se dit sans humilité : on sous-entend qu'il est beau de désirer ce à quoi nul ne peut prétendre. Vus sous cet angle, impuissance et échec peuvent être les signes d'excellence d'une nouvelle race d'esprits, séparés du vulgaire et dignes de louange : «Ah! si j'étais poète, s'écrie d'Albert, c'est à ceux dont l'existence est manquée ; dont les flèches n'ont pas été au but, qui sont morts avec le mot qu'ils avaient à dire et sans presser la main qui leur était destinée ; c'est à tout ce qui a avorté et à tout ce qui a passé sans être aperçu, au feu étouffé, au génie sans issue, à la perle inconnue au fond des mers, à tout ce qui a aimé sans être aimé, à tout ce qui a souffert et que l'on n'a pas plaint que je consacrerais mes chants ; — ce serait une noble tâche [5].» Le tourment de l'Idéal, en prenant un caractère plus farouche, tend vers le paradoxe, dans l'expression comme dans la pensée. La notion même d'«impossible», doublant celle d'idéal à titre de quasi-synonyme, signale cette nouveauté, et autorise à parler d'un «second mal du siècle», sensiblement différent du premier [6]. Du réel à l'idéal, on

---

1. Arbre vénéneux d'Asie.
2. *Ibid.*, chap. X, pp. 250-251.
3. Le pouvoir meurtrier de l'idéal est illustré dans un conte de Gautier des mêmes années, *Le Nid de rossignols* (publié en 1833 dans *L'Amulette*, recueil collectif, recueilli dans les *Nouvelles* de 1845, pp. 261 et suiv.) : trois jeunes filles chantent merveilleusement ; un rossignol meurt de l'effort qu'il fait, vainement, pour les égaler ; mais elles aussi dépérissent à mesure que leur chant s'approche de la perfection, et elles finissent par mourir.
4. *Mademoiselle de Maupin*, chap. V, p. 167. Aussi *ibid.*, p. 168 : «Il n'y a que les sommets les plus escarpés qui me tentent. [...] Tout ce que je peux faire n'a pas le moindre intérêt pour moi.»
5. *Ibid.*, chap. II, p. 94.
6. J'emprunte cette expression à René Jasinski (*Les Années...*, pp. 305-306) : «C'est ce second mal du siècle, plus profond, plus aigu», etc. ; et je renvoie le lecteur aux pages remarquables que l'auteur consacre (*ibid.*, pp. 303-312), à propos de *Mademoiselle de Maupin*, au mal romantique et à Gautier.

n'avait jamais ignoré les difficultés ni les épreuves de la route, mais on n'aurait jamais voulu la dire impraticable. C'est ce qu'on commence à faire, moyennant un fort ébranlement et un remaniement général de la construction romantique. On est tenté de renier cet Idéal hors d'atteinte, de le déclarer étranger et ennemi. Le culte en persiste pourtant, faute de quoi le romantisme lui-même serait renié. Quels chemins va prendre cette religion de l'Idéal, à la fois vivace et condamnée par ses propres fidèles?

Il s'agit, en fait, d'un nihilisme parfaitement ruineux pour la communication humaine : la différence du bien et du mal tend à s'y effacer, et la misanthropie à envahir l'existence sociale : «En vérité, rien ne me paraît louable ou blâmable, et les plus étranges actions ne m'étonnent que peu. — Ma conscience est une sourde et muette. [...]; il me semble que je trahirais mes amis sans le moindre remords.» Le genre humain est son ennemi : «J'éprouve à voir quelque calamité tomber sur le monde le même sentiment de volupté âcre et amère que l'on éprouve quand on se venge enfin d'une vieille insulte. Ô monde! que m'as-tu donc fait pour que je te haïsse ainsi? [...] qu'attendais-je donc de toi pour te conserver tant de rancœur de m'avoir trompé? à quelle haute espérance as-tu menti? [...] Quelles portes devais-tu ouvrir qui sont restées fermées, et lequel de nous deux a manqué à l'autre[1]?» Cette ultime interrogation laisse entrevoir, sous un comportement surtout accusateur en apparence, un secret *mea culpa*, comme si l'incrimination du genre humain par un seul et le renfermement en soi ne pouvaient, même fondés sur de fortes raisons, être tout à fait exempts de faute. Répondre par la haine à la frustration d'une demande démesurée, n'est-ce pas avoir choisi de manquer au monde autant qu'il vous a manqué? Aussi chez le héros de Gautier la haine est-elle plus fragile que le désespoir. Une fraternité l'unit au moins à tous ceux, à quelque étage de la société et à quelque degré du talent que ce soit, dont l'existence n'a pas atteint son but. Il fait lui-même, nous l'avons vu, la liste de ces diverses sortes de victimes : fraternité du *guignon*[2], comme on dira bientôt. Par quoi il affecte de donner un sens et une dignité à

1. *Mademoiselle de Maupin*, chap. VIII, p. 204.
2. Voir les poèmes de Baudelaire et de Mallarmé qui portent ce titre.

l'infortune ; et dans le néant désastreux des valeurs, d'en rétablir une.

Narcisse, l'Androgyne, Caligula

Le chercheur d'Idéal, réfléchissant sur son insatisfaction,
l'explique par ce repliement sur soi, qui fausse sa vie : «Cela
tient peut-être à ce que je vis beaucoup avec moi-même [...].
Je m'écoute trop vivre et penser [...]. — Si j'agissais davantage, [...] au lieu de poursuivre des fantômes, je me colletterais
avec des réalités ; je ne demanderais aux femmes que ce qu'elles
peuvent donner : — du plaisir, — et je ne chercherais pas à
embrasser je ne sais quelle fantastique idéalité parée de nua-
geuses perfections. — Cette tension acharnée de l'œil de mon
âme vers un objet invisible m'a faussé la vue.» Il ajoute : «Peut-
être aussi que, ne trouvant rien dans ce monde qui soit digne
de mon amour, je finirai par m'y adorer moi-même, comme
feu Narcisse d'égoïste mémoire [1].» Mais Gautier est déjà Narcisse, en tant qu'il est, comme il se le reproche, l'objet principal
de son attention. C'est au point, nous dit-il, que tout ce qui
est extérieur à lui manque à ses yeux de réalité : «Quoi que
je fasse, les autres hommes ne sont guère pour moi que des
fantômes, et je ne sens pas leur existence [...]. L'existence ou
la non-existence d'une chose ou d'une personne ne m'intéresse
pas assez pour que j'en sois affecté d'une manière sensible et
convaincante [2] [...]. Je n'ai pu venir à bout de faire entrer
dans ma cervelle l'idée d'un autre, dans mon âme le sentiment
d'un autre, dans mon corps la douleur ou la jouissance d'un
autre. — Je suis prisonnier de moi-même et toute évasion est
impossible ; [...] il m'est aussi impossible d'admettre quelqu'un
chez moi que d'aller moi-même chez les autres [3].»
Il déclare n'éprouver jamais autant cette clôture que dans
sa relation avec l'autre sexe. Son âme ne participe pas aux

---

1. *Mademoiselle de Maupin*, II, pp. 108-109.
2. Sur ce sentiment d'irréalité du monde extérieur, nous avons déjà cité un
passage de la Préface des *Jeunes-France* (voir p. 511, note 1 et le texte correspondant, *in fine*).
3. *Ibid.*, chap. III, pp. 121, 123-124 : aussi, p. 122 : sa nature repousse «toute
alliance et toute mixtion» : «Je suis, dit-il, comme une goutte d'huile dans un
verre d'eau.»

voluptés de son corps ; traînée de force au baiser, «elle s'est toujours reculée en s'essuyant, aussitôt que je l'ai lâchée [1]». Avec Rosette, une seule fois, dans un seul baiser, il a cru avoir aimé, il a aimé, le temps d'une minute, et il célèbre hyperboliquement cette divine minute : «Je me sentais réellement un autre. L'âme de Rosette était entrée tout entière dans mon corps. — Mon âme m'avait quitté et remplissait son cœur comme son âme à elle remplissait le mien [2].» Dans cette célébration d'un chimérique et fugace absolu de la communion amoureuse, d'Albert essaie de faire oublier le défaut profond qu'il vient d'avouer : sa claustration en lui-même. On ne peut douter qu'il soit, en tout cela, le porte-parole de Gautier. La vérité éclate surtout dans le jugement que le romancier fait porter à Rosette sur son amant. Il nous fait connaître ce jugement par les confidences que la jeune femme fait à Théodore-Madeleine dans une intime conversation, et que rien, dans le roman, ne taxe d'injustice. Elles reflètent peut-être la façon dont telle femme réelle a effectivement jugé Gautier ; s'il les a purement imaginées, elles attestent sa clairvoyance et son équité. Elles permettent en tout cas de répondre à la question : quelle réaction féminine envisage-t-il au caractère d'homme qu'il se prête à travers son héros ?

Il fait dire à Rosette qu'elle n'a jamais cru être aimée passionnément de ce d'Albert ; qu'elle croyait les premiers jours à une liaison banale, et supposait qu'il avait simplement du goût pour elle. «Mais, explique-t-elle, ce n'était pas cela ; il ne passait à travers moi que pour arriver à autre chose. J'étais un chemin pour lui, et non un but. — Sous les fraîches apparences de ses vingt ans, il cachait une corruption profonde. Il était piqué au cœur ; — c'était un fruit qui ne renfermait que de la cendre. Dans ce corps jeune et vigoureux s'agitait une âme aussi vieille que Saturne, — une âme aussi incurablement malheureuse qu'il en fut jamais. — Je vous avoue, Théodore, que je fus effrayée et que le vertige faillit me prendre en me penchant sur les noires profondeurs de cette existence [...]. — Si je l'avais plus aimé, je l'aurais tué.» Cette étrange tirade, qui juge si impitoyablement Narcisse, le taxant d'une sorte de déchéance intime et sénile de la vitalité, est ce qu'une femme

1. *Ibid.*, p. 123.
2. *Ibid.*, p. 129.

pouvait dire de pire d'un tel homme. Gautier ne s'est donc pas fait d'illusion sur le ressentiment que pouvait provoquer son héros ; il a été lucide en cela : pessimisme oblige. Rosette répond au dédain par le dédain, se vante d'avoir joué la comédie à son amant : «J'ai voulu, ne pouvant le guérir, [...] lui donner au moins le bonheur de croire qu'il avait été passionnément aimé [1].» Gautier admet donc qu'elle ait peu estimé et grandement abusé son héros, et il semble penser lui-même qu'il n'a pas mérité mieux [2]. Est-ce pourtant toute la moralité qu'il a voulu donner à son histoire? L'esprit général de *Mademoiselle de Maupin* ne va pas dans ce sens.

La sévère diatribe de Rosette fait nécessairement penser aux sermons que Nerval, plusieurs années après Gautier, a mis dans la bouche de ses héroïnes Corilla et Aurélie pour congédier leurs soupirants respectifs, Narcisses l'un et l'autre de l'amour idéal, et plus amants de leurs rêves que de leurs dames [3]. Mais les héros dans lesquels s'est peint le timide Nerval acceptent en gémissant la leçon non moins sévère, quoique moins injurieuse, qui leur est faite, tandis que Gautier a voulu entremêler dans le réquisitoire, et dans la bouche même de l'honnête Rosette, quelque chose qui ressemble à un plaidoyer : «C'est un de ces hommes, lui fait-il dire, dont l'âme n'a pas été trempée assez complètement dans les eaux du Léthé avant d'être liée à son corps, et qui garde du ciel dont elle vient des réminiscences d'éternelle beauté qui la travaillent et la tourmentent, qui se souvient qu'elle a eu des ailes, et qui n'a plus que des pieds [4].» Voilà éclairé le versant glorieux de la misère à laquelle est voué l'amant du seul Impossible : comment lui reprocher qu'il rebute les femmes et que rien en ce monde ne le satisfasse? L'étoile qu'il porte au front et le martyre qu'il endure le justifient de tout, sans rien promettre à personne, et encore moins à lui.

Il ne suffit pas, pour être Narcisse, de s'enfermer en soi ;

---

1. *Ibid.*, chap. VI, pp. 181-183.
2. Toute cette page montre Gautier terriblement ironique envers son héros trompé autant qu'homme peut l'être sur les sentiments de sa maîtresse ; d'Albert, se reprochant de ne pas aimer assez Rosette, mais ne doutant pas qu'elle l'aime, écrit :«Rosette ne jouait pas de rôle, et si jamais femme fut vraie, c'est elle.» (Chap. V,§ 1er.)
3. Corilla, dans la comédie du même nom (1839) ; Aurélie, dans *Sylvie* (1853).
4. *Mademoiselle de Maupin*, chap. VI, p. 182.

il faut ajouter, au dégoût de tout, l'amour de soi. Mais il faut alors trouver en soi ou y incorporer quelque reflet de cet Idéal qu'on ne peut atteindre ; lorsqu'on le cherche dans la femme, il faut l'appeler Beauté, et pouvoir allier cette beauté à sa propre image. De là naissent de nouveaux tourments : « L'éternel désespoir, dit d'Albert, c'est de ne pouvoir faire palpable la beauté que l'on sent et d'être enveloppé d'un corps qui ne réalise point l'idée du corps que vous comprenez être le vôtre. » Et il évoque son irritation d'autrefois contre un jeune homme parfaitement beau qu'il estimait, dit-il, « m'avoir volé la forme que j'aurais dû avoir [1] ». On comprend qu'en vertu de la même logique de réponse narcissique à la frustration surgisse l'image de l'Hermaphrodite, qui remédie à la division des sexes et à leur tourment en les représentant joints dans une même créature : « C'est une des plus suaves créations du génie païen que ce fils d'Hermès et d'Aphrodite. Il ne se peut rien imaginer de plus ravissant au monde que ces deux corps tous deux parfaits, harmonieusement fondus ensemble, que ces deux beautés si égales et si différentes qui n'en forment plus qu'une supérieure à toutes deux [2]. » D'Albert-Gautier déclare s'exprimer ici en « adorateur exclusif de la forme », et c'est en effet l'esprit de ces lignes. Mais nous savons que bien autre chose est en question, à l'origine au moins des étrangetés que nous considérons ici : à savoir le rêve du *moi*, d'enclore en son propre sein, unis en plénitude, le désir et quelque chose de son inaccessible objet [3]. Nous voici,

1. *Ibid.*, chap. XI, p. 214-215. Le jeune homme en question lui ressemblait, trait pour trait, mais en beau ; il était jaloux, raconte-t-il, de sa beauté, de ses conquêtes, de ses succès : l'aventure du Narcisse insatisfait se rapproche curieusement ici d'une légende de Double frustrateur. — Sur l'importance que Gautier attachait au souvenir de sa propre beauté juvénile, et sur son irritation quand ses enfants avaient l'air de ne pas prendre au sérieux ce qu'il en disait, voir le témoignage de son gendre Émile Bergerat (Théophile GAUTIER, *Entretiens, Souvenirs et Correspondance*, Paris, 1879, pp. 223, 224).
2. *Mademoiselle de Maupin*, chap. IX, p. 226. — Gautier est revenu sur ce thème de l'Hermaphrodite dans un poème d'*Émaux et Camées*, intitulé *Contralto* (1849) ; il s'agit de la voix de femme ainsi désignée, qu'il célèbre comme unissant les deux timbres masculin et féminin : « Que tu me plais, ô timbre étrange ! — Son double, homme et femme à la fois, — Contralto, bizarre mélange, — Hermaphrodite de la voix ! »
3. Je ne dis rien du fait que les protagonistes du roman déclarent occasionnellement qu'ils aimeraient appartenir au sexe opposé (pour d'Albert, voir, chap. III, le § qui débute par : « J'ai commencé par avoir envie d'être un autre homme » ; puis [...] « j'aurais préféré d'être femme » ; pour Madeleine, voir chap. XV, le § « Ma chimère serait d'avoir tour à tour les deux sexes ».

je pense, à la source de l'érotique ambiguë de *Mademoiselle de Maupin* : la confusion des sexes y est d'inspiration narcissique, et non homosexuelle ; au moins est-ce ainsi au niveau de l'œuvre, le seul qui nous soit accessible. Elle se rattache bien, de façon organique et non purement fortuite, à la doctrine de l'Idéal-hors-d'atteinte, en tant qu'elle résulte du repliement sur le moi d'une quête condamnée au-dehors ; mais elle n'est, par rapport à cette doctrine générale, qu'un motif particulier, une variante propre à Gautier, de nature mineure : l'indécision des sexes en tant qu'élément de poésie n'a pas prospéré ailleurs ; les continuateurs de Gautier l'ont ignorée [1].

À Narcisse et à l'Hermaphrodite, figures du moi réfléchi sur lui-même, il faut en ajouter une autre, plus provocante encore et plus inattendue, celle de Néron et de ses semblables, auxquels le malheureux d'Albert prétend s'identifier : « Tibère, Caligula, Néron, grands Romains de l'Empire, ô vous que l'on a si mal compris, et que la meute des rhéteurs poursuit de ses aboiements, je souffre de votre mal et je vous plains de tout ce qui me reste de pitié ! Moi aussi je voudrais bâtir un pont sur la mer et paver les flots ; j'ai rêvé de brûler des villes pour illuminer mes fêtes ; j'ai souhaité d'être femme pour connaître de nouvelles voluptés. — [...] Mes cirques sont plus rugissants et plus sanglants que les vôtres, mes parfums plus âcres et plus pénétrants, mes esclaves plus nombreux et mieux faits ; j'ai aussi attelé à mon char des courtisanes nues, j'ai marché sur les hommes d'un talon aussi dédaigneux que vous. — Colosses du monde antique, il bat sous mes faibles côtes un cœur aussi grand que le vôtre, et, à votre place, ce que vous avez fait je l'aurais fait et peut-être davantage [2]. Que de Babels j'ai entassées les unes sur les autres pour atteindre le ciel, souffleter les étoiles et cracher de là sur la création ! Pourquoi donc ne suis-je pas Dieu, — puisque je ne puis être

---

1. On ne la trouve pas chez Baudelaire, Flaubert ou Mallarmé, qui continuent l'esthétisme de Gautier indépendamment de cette particularité.
2. *Ibid.*, chap. V, pp. 168-169. L'apologie des « existences énormes » de l'Antiquité, comme liées à un besoin social, reparaît dans *Une nuit de Cléopâtre*, nouvelle parue dans *La Presse*, nov.-déc. 1838 ; recueillie dans les *Nouvelles* de 1845. Voir aussi dans un article de *La Presse* du 20 décembre 1842, les mêmes idées appliquées par Gautier à la société actuelle dans ses riches et ses pauvres (recueilli dans son *Histoire de l'art dramatique*, t. II, p. 310 et suiv.).

homme ? » Le thème est celui du *moi* glorifié par le crime et la destruction [1]. Il répond au sentiment d'une impuissance, comme l'aveu en est fait naïvement un peu plus loin, et prétend répondre à la misère par la prétention à la divinité. D'Albert transfigure une amertume misanthropique en un comble de grandeur, puissance, luxe et cruauté. Mais ce héros du crime, tout imaginaire, sait pourtant qu'il est un héros de l'échec : «Personne, dit-il, n'a eu plus d'inspirations et d'élans vers le beau que moi, personne n'a essayé plus opiniâtrement de déployer ses ailes ; mais chaque tentative a rendu ma chute plus profonde, et ce qui devait me sauver m'a perdu [2].» C'est le cas de demander : Néron ou Icare ?

L'Idéal renié ?

Nous avons suivi jusqu'ici, dans *Mademoiselle de Maupin*, la ligne de cime des pensées de Gautier. Plusieurs ont douté que cette recherche haute et douloureuse correspondît à sa vraie nature ; ils y ont vu plutôt une fabrication littéraire, une pose d'écrivain sur des thèmes à la mode. Mais si mode il y a, Gautier et quelques autres l'ont lancée et non suivie ; et une mode de pensée qui s'étend et s'enracine dans deux ou trois générations après celle de ses initiateurs ne peut plus raisonnablement s'appeler mode. Il est vrai que l'imposible n'est tenable pour personne, et que tous les adeptes de ce culte ont cherché des diversions ; Gautier, c'est vrai, plus que tout autre : il semble parfois tenté de se défaire de l'idéal comme d'un vêtement importun. L'amant déçu de l'impossible cherche naturellement sa revanche dans le rêve intérieur, en répudiant le monde réel et l'action. Ainsi il préférera au voyage la méditation immobile et vague en un lieu clos, l'Orient imaginaire à l'Orient

---

1. Cette variante sinistre du culte de l'Impossible a fini par obséder les modernes. Camus en a donné, dans son *Caligula*, ce qu'on pourrait appeler une version critique.

2. *Mademoiselle de Maupin*, chap. V, p. 170 : on voit, dans la même page, émise par le héros l'affirmation, typiquement mégalomaniaque, qu'il est étranger à sa lignée familiale apparente : «Je ne suis pas de ma famille.» Ce motif est interprété sur le mode amer : «Je ne suis pas une branche de ce noble tronc, mais un champignon vénéneux poussé par quelque lourde nuit d'orage entre ses racines.» Mais il peut y avoir plus de gloire à être champignon vénéneux que noble branche.

réel, la littérature à la vie[1]. Mais, chez Gautier, le refus de
l'action tourne volontiers, tout prosaïquement, à l'apologie du
chez-soi, des habitudes, des amitiés familières; toute idée
d'aventure ou de quête est alors découronnée, et la pensée même
de l'idéal s'évapore dans les mouvements de la sensibilité la
plus commune.

Une logique paradoxale relie ces deux pôles opposés; elle
se déploie avec naïveté à cette aurore du Désenchantement;
les maîtres de l'école, dans sa maturité, ne l'avoueront plus.
La voici chez Gautier : «Je commence à le croire, — je suis
dans mon tort, je demande à la nature et à la société plus
qu'elles ne peuvent donner. Ce que je cherche n'existe point,
et je ne dois pas me plaindre de ne pas le trouver. Cependant, si la femme que nous rêvons n'est pas dans les
conditions de la nature humaine, qui fait donc que nous
n'aimons que celle-là [...]? Qui nous a donné l'idée de cette
femme imaginaire? de quelle argile avons-nous pétri cette
statue invisible[2]? [...] Le moyen qu'une femme réelle [...]
puisse soutenir la comparaison avec une pareille créature!
on ne peut raisonnablement l'espérer, et cependant on
l'espère, on cherche. — Quel singulier aveuglement! cela
est sublime ou absurde[3].» Désabusé de cette chimère, il se
retourne vers les formes communes du bonheur; il envie
son ami, heureux en mariage, il craint d'avoir manqué sa
destinée : «Peut-être ai-je été aimé obscurément par un humble cœur que j'aurai méconnu ou brisé. [...] J'ai commis
une grande faute : j'ai demandé à l'amour autre chose que

1. Voir, par exemple, le poème intitulé *La Chanson de Mignon*, publié dans
Le Cabinet de lecture du 24 avril 1833, recueilli parmi les «Poésies diverses» qui
suivent l'édition de *La Comédie de la mort* en 1838 (= *Jas.*, t. II, p. 129) : le poète
s'adresse à une jeune fille qui voudrait voyager, et la dissuade de sortir de chez
elle : «Ah! restons tous les deux près du foyer assis, [...] — Restons pour être
aimés, et pour qu'on se souvienne — Que nous sommes au monde»; le poème
finit par une célébration du foyer domestique. — Voir aussi *Départ*, poème publié
dans la *Revue des Deux Mondes* du 15 septembre 1841, et recueilli dans *España*
(= *Jas.*, t. II, p. 251) : le poète déplore d'être parti, laissant sur le seuil de sa
maison «l'habitude au pied sûr qui toujours y ramène», ses «chers ennuis», et
les amis prêts à l'oublier, car : «Le voyage est un maître aux préceptes amers;
— Il vous montre l'oubli dans les cœurs les plus chers.» Voilà de nouveau, sous
l'aventurier de l'idéal, le poète intimiste que nous avons entrevu déjà dans *Les
Jeunes-France*.
2. *Mademoiselle de Maupin*, chap. II, p. 92.
3. *Ibid.*, p. 94.

l'amour et ce qu'il ne pouvait pas donner[1].» On entend ici, jusque dans les hauteurs de *Mademoiselle de Maupin*, l'écho des amours du Jeune-France Rodolphe avec sa servante Mariette.

Le débat de l'idéal et du réel, envisagé sous cet angle, reparaît encore chez Gautier quelques années plus tard, amplement repris dans une nouvelle à moralité intitulée *La Toison d'or* [2]. Gautier, empruntant à un de ses récits de voyage antérieurs [3] le motif du «pourchas du blond» féminin en Flandre, le transposait du niveau érotico-touristique à la dignité d'un symbole de quête spirituelle. La chevelure blonde devient Toison d'or idéale, que recherche, nouveau Jason, le peintre Tiburce. Il s'éprend de la Madeleine blonde de la *Descente de croix* de Rubens, et ne s'attache à la jeune Gretchen, ouvrière anversoise, que pour sa ressemblance avec la sainte du tableau. Gretchen souffre de n'être pas aimée pour elle-même, et Gautier prend la parole pour faire la leçon à Tiburce : «Allez acheter un autre bouquet à Gretchen qui est une belle et douce fille ; laissez là les morts et les fantômes, et tâchez de vivre avec les gens de ce monde. [...] Où aboutiront ces élans insensés ? N'exigez pas de la vie plus qu'elle ne peut donner [4].» Mais il faut concilier le prestige d'un culte sacré avec l'espèce d'apostasie qui est prêchée ici : «L'abîme n'a-t-il pas son magnétisme et l'impossible sa fascination ?» Aussi Gretchen ne prétend-elle pas convertir son ami : «Après tout, ce n'est pas votre faute, dit-elle, si vous ne savez pas aimer, si l'impossible seul vous attire, si vous n'avez envie que de ce que vous ne pouvez atteindre [5] ?» Moyennant quoi, elle l'épousera, et sera, nous est-il dit, la femme d'un grand peintre. Ainsi prospéreront ensemble la grande peinture et la sagesse commune. Chemin faisant, Gautier est allé jusqu'au bout de sa pensée, adressant à l'artiste une apologie implicite du bourgeois : «Un pareil homme est

---

1. *Ibid.*, p. 90. — Plus loin, chap. VIII, p. 208, il félicite ce même ami de se contenter de «l'amour pur et simple».

2. *La Toison d'or* a paru dans *La Presse* du 6 au 12 août 1839, et a été recueillie dans les *Nouvelles* de 1845, pp. 163-216.

3. Voir *Un tour en Belgique*, paru dans la *Chronique de Paris* de novembre à décembre 1836 (recueilli dans le volume *Zigzag*, 1845 ; rééditions sous le titre *Caprices et Zigzags*). Gautier, dans ce tour, «pourchassait le blond» en compagnie de Nerval (août 1836).

4. *La Toison d'or*, pp. 202 et 204.

5. *Ibid.*, pp. 212 et 214.

pour vous au-dessous de la brute, dit-il à Tiburce ; cependant il est de ces bourgeois dont l'âme (ils en ont) est riche de poésie, qui sont capables d'amour et de dévouement, et qui éprouvent des émotions dont vous êtes incapables, vous dont la cervelle a anéanti le cœur [1]. » Interrogeons encore : le Navire Argo ou les joies du foyer ?

Idéal et Beauté

Il est sans doute vrai de dire de Gautier et de ses pareils qu'« atteints dans leur jeunesse du divin mal, ils n'en guériront jamais [2] ». Aussi avouent-ils plus volontiers d'autres remèdes à ce mal — s'ils en avouent — que le bonheur de tout le monde. Le plus proche du bien qu'on a d'abord rêvé, et le plus honorable, est celui par lequel on substitue à l'Idéal insaisissable la Beauté visible, non celle de l'imparfaite nature, mais celle de l'Art [3]. Gautier a dit plus d'une fois que l'imperfection de la nature réelle oblige à lui préférer les créations des artistes : « Je préfère le tableau à l'objet qu'il représente [4]. » Dès sa jeunesse, dans l'atelier de Rioult, il était déçu par les défauts qu'il trouvait dans les modèles : « D'après cette impression, j'ai toujours préféré la statue à la femme et le marbre à la chair [5]. » De telles déclarations, qui établissent la position séparée de l'artiste par rapport à la vie, retentiront maintes fois dans la génération suivante, et d'abord chez Baudelaire. Elles sont paradoxales, et glorieuses d'apparence si l'on entend qu'elles situent l'artiste loin de la foule, et au-dessus de la femme, dont il ne daigne pas considérer l'existence spirituelle : « Dans les femmes je n'ai cherché que l'extérieur, dit d'Albert, et, comme jusqu'à présent celles que j'ai vues sont loin de répondre à l'idée que je me suis faite de la beauté, je me suis rejeté sur les tableaux

1. *Ibid.*, p. 204.
2. Jasinski, *Les Années...*, p. 312.
3. Baudelaire a voulu définir Gautier surtout par là. — Voir ci-dessous, p. 558.
4. Préface des *Jeunes-France*, éd. Jasinski, p. 28.
5. *Sommités contemporaines. M. Th. Gautier*, dans *L'Illustration* du 9 mars 1867 (sorte d'autobiographie sommaire, reproduite dans Gautier, *Portraits contemporains*, 1874, p. 6).

et les statues [1]. » Dans cette position, l'artiste ou le poète peut même s'estimer supérieur à Dieu, dont les créations le cèdent aux siennes.

Cependant l'art, enclos dans les limites des sens, n'est, selon la logique première de l'idéal, qu'un pis-aller. Gautier, tout en affectant de donner de l'art une définition avant tout sensorielle, ne peut évidemment renoncer à y voir la figure de l'Idéal. De là le malentendu de ce qu'on nomme l'« art pour l'art ». Gautier qui, pour définir la beauté, met toujours l'accent sur ses attributs matériellement sensibles, sent bien qu'il faudrait y ajouter autre chose : « L'air, dit-il confusément, le geste, la démarche, le souffle, la couleur, le parfum, tout ce qui est la vie » ; pour rien au monde il ne dirait : l'esprit, ni : l'âme, même si c'est à peu près à quoi il pense. Sa solution à cet embarras est d'être, ou de se dire, païen, terme qui, à ses yeux, implique un culte de la Beauté idéale, mais excluant tout spiritualisme ; et il confirme cette position en désavouant avec véhémence le christianisme : « Je suis un vrai païen [...] — quoique au fond je ne sois pas précisément ce qu'on appelle irréligieux, personne n'est de fait plus mauvais chrétien que moi. — Je ne comprends pas cette mortification de la matière qui fait l'essence du christianisme [2]. » Mieux : « Le Christ n'est pas venu pour moi [...], et le fleuve profond qui coule du sang du crucifié et fait une ceinture rouge au monde ne m'a pas baigné de ses flots : — mon corps rebelle ne veut point connaître la suprématie de l'âme, et ma chair n'entend point qu'on la mortifie [...]. Le Christ a enveloppé le monde dans son linceul [...]. Une pensée ténébreuse et lugubre remplit seule l'immensité du vide [3]. »

En 1835, il y avait déjà des exemples d'une telle dénonciation du christianisme, particulièrement dans sa censure de la chair [4]. Cependant Gautier, en cherchant dans une direction

1. *Mademoiselle de Maupin*, chap. V, pp. 166-167 ; voir aussi *ibid.*, p. 161 : « Je n'ai jamais demandé aux femmes qu'une seule chose, — c'est la beauté ; je me passe très volontiers d'esprit et d'âme. [...] J'adore sur toutes choses la beauté de la forme ; — la beauté pour moi, c'est la Divinité visible. »
2. *Ibid.*, chap. V, p. 162-163.
3. *Ibid.*, chap. IX, p. 216 et 219.
4. La doctrine saint-simonienne, déjà largement diffusée en milieu intellectuel quand Gautier écrivit *Mademoiselle de Maupin*, proclamait le moment venu de réhabiliter la chair en corrigeant et dépassant le christianisme. Il est très peu probable que Gautier, en 1834-1835, ait ignoré cette thèse saint-simonienne. D'ailleurs,

païenne et hédoniste le remède au tourment de l'Idéal, s'écarte indiscutablement de l'esprit romantique ; il y était conduit par le postulat pessimiste qui ouvre un abîme entre réel et idéal : il faut qu'il renonce à les concilier, et vise moins haut que l'infini. D'ailleurs, l'affectation euphorique de Gautier dans son paganisme ne saurait tromper ; l'inconsistance de ce paganisme édénique dans la France moderne, invinciblement aux prises avec l'inquiétude natale du siècle, est trop évidente. Le mythe de la Grèce bienheureuse n'a joui, dans la poésie du postromantisme français, que d'un crédit limité. Baudelaire, admirateur et, jusqu'à un certain point, disciple de Gautier, ne l'a pas longtemps suivi sur ce point ; il a fustigé sévèrement l'«École païenne»[1]. À vrai dire, la rhétorique de cette école et ses nostalgies hyperboliques n'ont pas grand sens comme réponse aux angoisses de l'idéalisme et du désenchantement modernes.

Gautier lui-même l'atteste, en revenant constamment sur le sujet de sa foncière insatisfaction : «J'avais une pensée caressée entre toutes, une espèce de but, un idéal [...]. Peu à peu, ce qu'il y avait d'incorporel s'est dégagé et s'est dissipé, et il n'est resté au fond de moi qu'une épaisse couche de grossier limon. Le rêve est devenu un cauchemar, et la chimère un succube ; — le monde de l'âme a fermé ses portes d'ivoire devant moi : je ne comprends plus que ce que je touche avec les mains ; j'ai des songes de pierre ; tout se condense et se durcit autour de moi, rien ne flotte, rien ne vacille, il n'y a pas d'air ni de souffle ; la matière me presse, m'envahit et m'écrase ; je suis comme un pèlerin qui se serait endormi un jour d'été les pieds dans l'eau et qui se réveillerait en hiver les jambes prises et emboîtées dans la glace[2].» Ainsi, il n'a pas plus tôt tenté de prendre ses distances avec l'idéal qu'il a eu maille à partir avec la

---

l'ascétisme chrétien avait été fortement critiqué déjà au siècle des Lumières. Au XIXᵉ siècle, Fourier, qui n'est nullement antichrétien et qui cite souvent l'Évangile comme une autorité, n'y voit rien de contraire à la doctrine harmonienne et au projet d'épanouissement illimité des jouissances humaines ; or, nous savons que Gautier a été en sympathie avec des disciples de Fourier (voir P.S HAMBLY, *Théophile Gautier et le fouriérisme*, dans *Australian Journal of French Studies*, t. XI, 1974, pp. 210 et suiv.).

1. Voir son article de ce titre, paru en janvier 1852 et recueilli dans *L'Art romantique*, (éd. Pichois des *Œuvres complètes*, Bibliothèque de la Pléiade, t. II, pp. 44-49).

2. *Mademoiselle de Maupin*, chap. IX, pp. 223-224.

matière : « Ah ! malgré l'étreinte furieuse dont j'ai voulu enlacer le monde matériel au défaut de l'autre, je sens que je suis mal né, que la vie n'est pas faite pour moi, et qu'elle me repousse [1]. » Cette oscillation entre la matière qui l'opprime et l'idéal qui le fuit engendre, en fin de compte, chez le héros de Gautier, par une sorte de solitude métaphysique, le sentiment de sa propre irréalité : « Ce que je fais a toujours l'apparence d'un rêve ; mes actions semblent plutôt le résultat du somnambulisme que celui d'une libre volonté [2]. » C'est, en fait, dans cette position de suspens et de vide, la vie qui manque : « Je ferai sans doute un excellent mort, car je suis un assez pauvre vivant, et le sens de mon existence m'échappe complètement [3]. »

Il est naturel de se demander ce que devient, dans de telles conditions, le ministère humain du poète. Sa position entre terre et ciel ne semble plus qu'un cumul d'exils, et son dernier refuge même, l'espoir de la Beauté réalisée dans l'œuvre, ne paraît pas à sa portée. Écoutons son aveu : « J'ai désiré la beauté ; je ne savais pas ce que je demandais.— C'est vouloir regarder le soleil sans paupières, c'est vouloir toucher la flamme. — [...] N'avoir aucun moyen de la rendre et de la faire sentir [4] ! » « Jusqu'à présent, je n'ai rien fait, et j'ignore si je ferai jamais rien [5] [...] J'ai si présente l'idée de la perfection que le dégoût de mon œuvre me prend tout d'abord et m'empêche de continuer [6]. » Mais le sacerdoce poétique n'abdique pas par ces

---

1. *Ibid.*, chap. XI, p. 265.
2. *Ibid.*, p. 268.
3. *Ibid.* Les lignes citées ci-dessus sont précédées de celles-ci, très éclairantes quant à la logique intime de Gautier : « Par une espèce de réaction instinctive, je me suis toujours désespérément cramponné à la matière, à la silhouette extérieure des choses, et j'ai donné dans l'art une très grande place à la plastique. »
4. *Ibid.*, chap. VIII, p. 207.
5. *Ibid.*, chap. XI, p. 273. Rappelons que c'est d'Albert qui parle. Gautier lui attribue une impuissance créatrice qu'il ne peut certainement pas alléguer dans son propre cas, vu sa patente fécondité ; entendons, en ce qui le concerne, appréhension, trac, jugement inquiet sur lui-même. Ainsi feront Baudelaire, Flaubert, Mallarmé, hyperbolisant à son exemple le chant de l'impuissance.
6. *Ibid.*, chap XI, p. 278. Même remarque. Dans son article écrit douze ans plus tard, Gautier a devancé une obsession proprement mallarméenne : « Quoi de plus funèbre qu'une grande page blanche, morne, glacée, posée sinistrement sur un pupitre, et qu'il faut remplir d'un bout à l'autre de caractères menus ! À cet aspect le frisson saisit les plus intrépides, et l'on se sent triste jusqu'à la mort. » (*Du beau dans l'art*, dans la *Revue des Deux Mondes* du 1ᵉʳ septembre 1847, p. 887.)

aveux. D'Albert s'écrie : « Quoique l'univers ne doive jamais rien en savoir, et que mon nom soit d'avance voué à l'oubli, je suis un poète et un peintre [1] ! » Il a dans la tête, dit-il, des Rubens, des Raphaël, des Michel-Ange et des Rembrandt de sa propre manière ; personne sans doute ne le croira : « Qu'y faire ? Chacun naît marqué d'un sceau noir ou blanc [2]. » Ainsi il serait faux de dire que le sacerdoce du beau visible dignifie pleinement, selon Gautier, la condition du poète et de l'artiste. S'il en était ainsi, le poète et l'artiste auraient le pouvoir de se désintéresser de l'Idéal en lui-même. En fait, ils caressent le projet d'un tel désintérêt, mais ils ne le vivent jamais vraiment.

Nouvelle condition du Poète

Les poèmes de Gautier qui traitent, entre 1836 et 1840, du rôle du poète ne font souvent que reprendre les vues du premier romantisme. Tel est le grand poème en terza rima, qui s'intitule *Le Triomphe de Pétrarque*, selon le titre d'un tableau alors célèbre de Louis Boulanger, que Gautier transpose en poésie [3]. Dans des exhortations aux poètes, qui closent cette œuvre d'apparat, il exalte le rôle réconciliateur de la poésie, célébré par le mythe grec :

> *Lorsqu'Amphion [4] chantait, du creux de leurs retraites*
> *Les tigres tachetés et les grands lions roux*
> *Sortaient en balançant leurs monstrueuses têtes ;*

> *Les dragons s'en venaient, d'un air timide et doux,*
> *De leur langue d'azur lécher ses pieds d'ivoire,*
> *Et les vents suspendaient leur vol et leur courroux.*

1. *Ibid.*, chap. XI, p. 274.
2. *Ibid.*, chap. XI, p. 275.
3. Le poème a paru dans *Ariel*, le 30 avril 1836 (= *Jas.*, II, p. 76 et suiv.). C'est une « terza rima » (ABA, BCB, CDC, DED, etc, plus le vers final pour clore la dernière rime), qui décrit avec une splendeur assez froide les éléments du tableau (décor, poète en char, cortège) et s'achève par des exhortations aux poètes sur leur fonction. Recueilli en 1838 dans les « Poésies diverses » qui accompagnent *La Comédie de la mort*, avec sept strophes initiales en plus, de deuil et tristesse sur une bien-aimée morte, qui précèdent la contemplation du tableau.
4. C'est à Orphée qu'on attribue d'ordinaire le don de charmer et d'entraîner à sa suite par sa musique les bêtes sauvages ; la lyre d'Amphion, musicien-bâtisseur, fait d'ordinaire mouvoir les pierres.

Faire sortir les ours de leur caverne noire,
En agneaux caressants transformer les lions,
Ô poètes! voilà la véritable gloire;

Et non pas de pousser à des rébellions
Tous ces mauvais instincts, bêtes fauves de l'âme,
Que l'on déchaîne au jour des révolutions.

Sur l'autel idéal entretenez la flamme,
Guidez le peuple au bien par le chemin du beau,
Par l'admiration et l'amour de la femme.

[...] Que votre douce voix, de Dieu même écoutée,
Au milieu du combat jetant des mots de paix,
Fasse tomber les flots de la foule irritée[1].

Gautier est ici un peu en retard : cette image du « poète dans les révolutions » était surtout chère aux années 1820, et particulièrement au Hugo des *Odes*. Après 1830, on imagina davantage le poète animant les luttes et annonçant l'avenir ; mais le « poète saint » n'en fustigeait pas moins la démagogie. Cette corde reste toujours présente, au moins secondairement, dans la lyre romantique ; c'est celle que Gautier touche de préférence. Ou bien il prêche, contre toute action, le pur bonheur d'amour et de poésie[2]. Mais ce Gautier-là ne peut dissimuler l'autre, le Gautier désenchanté, imbu du néant de la vie, et pour qui la fonction du poète est de proclamer ce néant. À la limite, est-ce encore une fonction ? Face à la Beauté, il pouvait avoir le sentiment de remplir un rôle ; face au néant, il n'est plus qu'un homme, semblable aux autres, énonçant la condition commune et fatale. C'est ce qu'il a fait dans l'ensemble de poèmes intitulé *La Mort dans la vie*[3] :

1. *Le Triomphe de Pétrarque*, tercets 41-45, 47.
2. Voir *À un jeune tribun*, (1838), *Jas.*, t. II, p. 114 ; *Consolation* (1841), *Jas.*, t. II. p. 290.
3. C'est le troisième et dernier des groupes de poèmes (après *Portail* et *La Vie dans la mort*, sections I à III) qui composent *La Comédie de la mort* (1838) ; *La Mort dans la vie* contient les sections IV à IX (*Jas.*, t. II, pp. 23-49).

Toute âme est un sépulcre où gisent mille choses[1],

telle est la formule de cette poésie. Peindre le tableau de la vie humaine, c'est descendre une spirale aux détours maudits, avec la Mort pour conductrice. Cette descente est longuement mise en scène avec son guide funèbre et ses rencontres : Faust, symbole de la science stérile, don Juan de l'amour insatisfait, tous deux désabusés et envieux l'un de l'autre ; enfin Napoléon qui proclame le néant de la gloire[2]. Le poète, ombre de lui-même, essaie de fléchir la Mort :

Laisse-moi vivre encor, je dirai tes louanges ;

[...] Je te consacrerai mes chansons les plus belles :
Pour toi j'aurai toujours des bouquets d'immortelles
Et des fleurs sans parfum.
J'ai planté mon jardin, ô Mort, avec tes arbres [...][3],

en vain ; après une invocation inutile à la Nature pourvoyeuse de vie et à la Muse grecque, la «vieille infâme» surgit, et son apparition clôt le poème.

Il est bien évident que, dans un univers ainsi conçu, le Mage romantique n'a pas sa place. La poésie replie ses ailes ; elle ne chante plus que la déchéance du monde et l'impuissance du poète. De là surgit cette nostalgie monacale des enfants du siècle, que nous connaissons : souvenons-nous de Nodier, au début du siècle, réclamant des cloîtres pour sa génération. Ce vœu chez Gautier est encore moins religieux, s'il se peut, que chez son prédécesseur ; jugeons-en par sa prière d'entrée en solitude, dans le poème intitulé *Thébaïde* :

Donc, reçois dans tes bras, ô douce Somnolence,
Vierge aux pâles couleurs, blanche sœur de la Mort,
Un pauvre naufragé des tempêtes du sort !

1. *La Mort dans la vie*, IV, strophe 12.
2. *Ibid.*, V-VIII. Quelques belles strophes où Napoléon regrette de n'avoir pas vécu berger en Corse (VIII, strophes 16-20).
3. *Ibid.*, IX, strophes 7-8. — *La Comédie de la mort* est toute composée dans une strophe AA[12] B[6] CC[12] B[6] (sauf *Portail* qui en est la première partie : voir plus loin).

Exauce un malheureux qui te prie et t'implore,
Égrène sur son front le pavot inodore [...][1].

C'est de Hamlet qu'il se réclame, de celui qu'il appelle «mon beau prince danois», et que le souci a failli conduire «à l'abrutissement ou bien à la folie» :

C'est à ce degré-là que je suis arrivé.
Je sens ployer sous moi mon génie énervé;
Je ne vis plus ; je suis vraiment une lampe sans flamme,
Et mon cœur est vraiment le cercueil de mon âme[2].

Et il multipliait, pour se présenter lui-même, les métaphores les plus humbles : vieux mendiant, petit enfant qui demande à dormir. Aussi rêve-t-il moins d'un monastère, trop proche encore du monde et de ses satisfactions[3], que d'une thébaïde désolée : c'est dans un désert qu'il convient de vivre l'universelle déchéance :

L'univers décrépit devient paralytique,
La nature se meurt, et le spectre critique[4]
Cherche en vain sous le ciel quelque chose à nier.
Qu'attends-tu donc, clairon du jugement dernier[5]?

L'héritier romantique des prophètes ne veut plus annoncer que la fin du monde. Si, au fond de lui, il ressent encore cet héritage comme glorieux, il affecte d'en détruire la valeur en pleurant la misère d'un échec personnel. C'est ce que laisse entendre cet hymne aux «martyrs de la pensée» :

Ah! que de nobles cœurs et que d'âmes choisies,
Vainement, à travers toutes les poésies,
Toutes les passions,

---

1. *Thébaïde*, poème paru dans *La Charte de 1830* du 1er mai 1837 ; *Jas.*, t. II, pp. 65-72 (alexandrins continus); la citation ci-dessus, p. 66.
2. *Ibid.*, p. 67.
3. *Ibid.*, p. 69-71 : longue tirade sur la félicité monacale : «Ah! grands voluptueux, sybarites du cloître», etc.
4. «Le spectre critique», sorte d'allégorie de la Pensée critique sous forme spectrale.
5. *Ibid.*, p. 72.

Ont poursuivi le mot de la page fatale,
Dont les os gisent là sans pierre sépulcrale
    Et sans inscriptions [1] *!*

[...] Leurs tourments ne sont point redits par le poète ;
Martyrs de la pensée, ils n'ont pas sur leur tête
    L'auréole qui luit ;
Par les chemins du monde ils marchent sans cortège,
Et sur le sol glacé tombent comme la neige
    Qui descend dans la nuit [2].

Gautier affecte de prendre rang parmi ces malheureux :

Taisez-vous, ô mon cœur ! taisez-vous, ô mon âme !
Et n'allez plus chercher de querelles au sort ;
Le néant vous appelle et l'oubli vous réclame.

Mon cœur, ne battez plus, puisque vous êtes mort ;
Mon âme, repliez le reste de vos ailes,
Car vous avez tenté votre dernier effort.

[...] La pierre qui s'abîme en tombant fait son bruit ;
Mais vous, vous tomberez sans que l'onde s'émeuve,
Dans ce gouffre sans fond où le remords nous suit.

Vous ne ferez pas même un seul rond sur le fleuve,
Nul ne s'apercevra que vous soyez absents,
Aucune âme ici-bas ne se sentira veuve,

Et le chaste secret du rêve de vos ans
Périra tout entier sous votre tombe obscure
Où rien n'attirera le regard des passants [3].

Ainsi Gautier s'attribue à lui-même, mythiquement en quelque sorte, une destinée toute différente de la sienne. Cette espèce de convention, par laquelle un poète plaint son sort au-delà

---

1. *La Mort dans la vie*, VI, strophe 4.
2. *Ibid.*, strophe 9.
3. *Ténèbres*, poème en terza rima de 66 tercets, plus un vers, paru dans *La France littéraire* de mars 1837 (= *Jas.*, t. II, pp. 56 et suiv.), tercets 1-2, 8-10.

de la vérité et se disqualifie à plaisir, appelle, par contraste, l'image d'un poète heureux et envié :

> *Que voulez-vous ? hélas ! notre mère Nature,*
> *Comme toute autre mère, a ses enfants gâtés,*
> *Et pour les malvenus elle est avare et dure.*
>
> *Aux uns tous les bonheurs et toutes les beautés !*
> *L'occasion leur est toujours bonne et fidèle :*
> *Ils trouvent aux déserts des palais enchantés ;*
>
> *Ils tettent librement la féconde mamelle ;*
> *La chimère à leur voix s'empresse d'accourir,*
> *Et tout l'or du Pactole entre leurs doigts ruisselle.*
>
> *Les autres moins aimés ont beau tordre et pétrir*
> *Avec leurs maigres mains la mamelle tarie,*
> *Leur frère a bu le lait qui les devait nourrir* [1].

Curieusement, Gautier ne semble pouvoir évoquer la puissance et la gloire poétiques que du dehors, comme si elles lui étaient interdites, comme s'il était au nombre de ceux qui, par nature, en sont privés. Cette disposition pessimiste se déclare chez lui en des années où pourtant le romantisme conquérant est en plein essor ; tandis que Lamartine, Hugo, Vigny touchent au zénith, et qu'il suit apparemment leurs traces, il dédouble en imagination la maison de poésie : rayonnante ailleurs, envahie de ténèbres pour lui, et pour une race nouvelle de poètes victimes du guignon. Cette idée s'est transmise ensuite de lui à Baudelaire, puis à Mallarmé [2] ; en cela, il est précurseur ; il fonde un nouveau dispositif de la conscience poétique. Que signifie ce paradis de poésie dont l'accès est fermé au poète qui le chante ? N'est-ce qu'une figure du bien rêvé, pure antithèse

---

1. *Ibid.*, tercets 11-14. — Voir la même antithèse des heureux et des autres dans un sonnet posthume de date incertaine, *Quand il touche le but...*(*Jas.*, t. III, p. 191) : «Quand il touche le but, bienheureux le poète ! [...] Mais nous, pauvres enfants dont nul ne sait la voix», etc.
2. Voir Baudelaire, *Le Guignon*, sonnet écrit en 1852, où il s'imagine mourant obscur, et son œuvre inconnue ; Mallarmé, *Le Guignon*, poème en terza rima de 1862, remanié en 1887, où il développe surtout, comme Gautier, le contraste entre poètes glorieux et maudits.

du mal, seul réel ? Mais le panégyrique des poètes heureux et de leur gloire ne donne nulle part une impression d'artifice, bien au contraire : il exprime une nostalgie de la plénitude aussi forte que l'affliction ressentie ; il décrit le romantisme de 1830 dans sa génération majeure. Baudelaire devait donner, long-temps après, l'expression la plus directe et la plus vive de ce regret dans *Le Coucher du soleil romantique* :

> — *Courons vers l'horizon, il est tard, courons vite,*
> *Pour attraper au moins un oblique rayon !*

> *Mais je poursuis en vain le Dieu qui se retire ;*
> *L'irrésistible Nuit établit son empire. [...]*

La distinction des deux sortes de poètes, les favorisés du sort et les malchanceux, se poursuit longuement[1]. Ce parallèle, remarquons-le, semble ramener à une pure ques-tion de succès ou d'échec toute la condition du poète ; l'idée d'une mission s'efface, et, dans l'excès de la plainte et des appels à la pitié, la figure du poète est quelque peu dimi-nuée. Seule lui reste sa dignité de poète et de penseur, fami-lier des choses spirituelles, qui le maintient au-dessus du commun des hommes[2]. Ce qu'il a perdu, sa fonction d'inspirateur et de guide, est remplacé, mais non compensé par sa fonction nouvelle de Cassandre du genre humain et d'annonciateur de la fin des temps. Car c'est bien à une apocalypse qu'aboutit cette version à la fois exaspérée et défaillante de la mission du poète ; un nouveau Déluge, mais sans retour à la vie :

---

1. GAUTIER, *Ténèbres*, tercets 15-42, détail des misères, notamment : « Rien ne leur réussit ; tout les trompe et leur ment. — Ils se perdent en mer sans quitter le rivage. [...] Tout buisson trouve un dard pour déchirer leur chair », etc. ; — tercets 43-49, détail des gloires, notamment : « Il est beau — [...] — D'unir heu-reusement le rêve à l'action. » (Cf. BAUDELAIRE, *Le Reniement de saint Pierre*, vers 30.)
2. Voir dans *Jas*, II, pp. 171-172, le poème intitulé *Terza Rima*, publié en 1838 avec *La Comédie de la mort* : Michel-Ange, ayant peint la chapelle Sixtine couché au haut d'un échafaud, en perdit quelque temps l'usage de la marche sur terre et de la vue des objets au niveau ordinaire (allégorie des poètes étran-gers au monde : symbole parent de l'Albatros de Baudelaire, et gloire poétique inaliénable).

L'eau s'avance et nous gagne, et pas à pas la vague,
Montant les escaliers qui mènent à nos tours,
Mêle aux chants du festin son chant confus et vague[1].

[...] Le soleil désolé, penchant son œil de feu,
Pleure sur l'univers une larme sanglante;
L'ange dit à la terre un éternel adieu.

Rien ne sera sauvé, ni l'homme ni la plante;
L'eau recouvrira tout : la montagne et la tour;
Car la vengeance vient, quoique boiteuse et lente.

Les plumes s'useront aux ailes du vautour[2],
Sans qu'il trouve une place où rebâtir son aire,
Et du monde vingt fois il refera le tour;

Puis il retombera dans cette eau solitaire
Où le rond de sa chute ira s'élargissant :
Alors tout sera dit pour cette pauvre terre.

Rien ne sera sauvé, pas même l'innocent.
Ce sera, cette fois, un déluge sans arche;
Les eaux seront les pleurs des hommes et leur sang[3].

La ruine du Ciel chrétien consomme ce désastre universel :

Le Christ, d'un ton railleur, tord l'éponge de fiel
Sur les lèvres en feu du monde à l'agonie,
Et Dieu, dans son Delta[4], *rit d'un rire cruel.*

Quand notre passion sera-t-elle finie ?
Le sang coule avec l'eau de notre flanc ouvert;
La sueur rouge teint notre face jaunie.

---

1. *Ténèbres*, tercet 51. Ce tercet mêle l'image du Déluge au souvenir d'un autre épisode catastrophique, celui du festin de Balthazar (*Daniel*, 5).
2. Ce vautour remplace la colombe du Déluge biblique, qui, lâchée à plusieurs reprises, trouve enfin la terre sèche et ne revient plus. Le vautour de Gautier, fatigué de voler sans voir émerger la terre, tombe et se noie.
3. *Ibid.*, tercets 54-58.
4. Sans doute le delta de l'alphabet grec (Δ), symbole de l'Unité jointe à la Trinité.

Assez comme cela ! nous avons trop souffert ;
De nos lèvres, Seigneur, détournez ce calice,
Car pour nous racheter votre Fils s'est offert.

Christ n'y peut rien : il faut que le sort s'accomplisse ;
Pour sauver ce vieux monde il faut un Dieu nouveau,
Et le prêtre demande un autre sacrifice.

Voici bien deux mille ans que l'on saigne l'Agneau ;
Il est mort à la fin, et sa gorge épuisée
N'a plus assez de sang pour teindre le couteau.

Le Dieu ne viendra pas. L'Église est renversée[1].

L'imagination romantico-humanitaire se plaît à représenter le tableau final des destinées humaines[2]. Gautier sacrifie ici à ce penchant. Mais quelle distance entre cette mythologie désolée et les apocalypses régénératrices de l'humanitarisme ! C'est l'Humanité qui est ici le Christ en croix ; et c'est le Christ-bourreau qui lui tend l'éponge de fiel, sous le rire cruel du Père. Le poète, cependant, adresse à ce Dieu sans pitié la prière de Jésus au mont des Oliviers, en se réclamant du sacrifice de ce Fils ; mais son sacrifice est désormais sans vertu, l'Agneau ayant été saigné à mort au long des siècles[3].

L'Idéal et l'Œuvre

Gautier affectionne, pour représenter la quête de l'Idéal, les symboles d'ascension, ce en quoi il suit l'usage romantique, et plus généralement l'universel emploi du bas et du haut comme

1. *Ténèbres*, cinq derniers tercets et vers final.
2. Sur ces créations symbolico-théologiques du romantisme, je me permets de renvoyer, pour quelques exemples, à mon *Temps des prophètes*, chap. XII.
3. Ces scénarios surnaturels, en refondant à des fins étrangères la matière religieuse traditionnelle, n'en améliorent pas la cohérence : dans le cas présent, Dieu est à la fois désavoué et imploré, et le Fils, d'abord complice de la cruauté de son père, semble redevenir ensuite victime expiatoire selon la tradition chrétienne, mais dans une désastreuse perspective d'échec et de mort. — Gautier emploie ailleurs, en en retournant le sens, le symbole humanitaire de la « caravane humaine » : voir *La Caravane*, sonnet de 1838 (*Jas.*, II, p. 145) : à l'humanité, épuisée dans sa marche, Dieu n'offre que le repos des cimetières.

figures du matériel et du spirituel. L'ascension, en tant qu'elle est image de progrès, peut relever d'une imagination optimiste, même si elle se donne un but seulement approchable, non accessible : la montée, dans ce cas, est humainement méritoire et glorieuse. C'est ainsi que l'entend le romantisme humanitaire. Mais on peut aussi, selon un autre postulat, tenir pour marque d'impuissance et de malédiction l'inaccessibilité du but : l'ascension est vue alors non comme progrès, mais comme éternelle frustration. Ce second choix est celui de Gautier, et il dominera après lui. La variante symbolique la plus simple est celle de l'ascension d'une montagne ; grimpeur insatiable, il ne se satisfait pas d'avoir atteint au niveau des aigles, il lui faudrait toucher le ciel :

> *Lorsque l'on est monté jusqu'au nid des aiglons,*
> *Et que l'on voit, sous soi, les plus fiers mamelons*
> *Se fondre et s'effacer au flanc de la montagne,*
> *Et, comme un lac, bleuir tout au fond la campagne,*
> *On s'aperçoit enfin qu'on grimperait mille ans,*
> *Tant que la chair tiendrait à vos talons sanglants,*
> *Sans approcher du ciel qui toujours se recule,*
> *Et qu'on n'est, après tout, qu'un Titan ridicule.*
> *On n'est plus dans le monde, on n'est pas dans les cieux,*
> *Et des fantômes vains dansent devant vos yeux*[1].

Il n'entend plus la chanson de la terre, et pas encore les musiques du ciel ; il continue à monter :

> *Votre guide, effrayé, redescend et vous quitte,*
> *Et, roulant une larme au fond de son œil bleu,*
> *La dernière des fleurs vous jette son adieu*
> *La neige cependant descend silencieuse,*
> *[...] Et la mort, dans ses doigts tordant ce fil qui tombe,*
> *Vous tisse un blanc linceul pour votre froide tombe*[2].

Dans deux poèmes parus la même année 1838, l'ascension se fait vers le sommet d'une cathédrale. Gautier y substitue

---

1. Montée sur le Brocken, poème publié en 1838 avec *La Comédie de la mort*, *Jas.*, t. II, p. 173.
2. *Ibid.*, p. 174.

au souci de l'Idéal celui de l'œuvre, par un mouvement de repli vers la beauté visible et l'art : mouvement que nous connaissons déjà et qu'imiteront ses successeurs. La cathédrale est l'œuvre par excellence colossale, de long travail et de haute portée spirituelle. Dans l'un de ces poèmes, *Le Sommet de la tour*[1], un escalier en spirale conduit progressivement, de la région ténébreuse et spectrale des fondements de l'édifice à des zones de plus en plus lumineuses : on est déjà plus haut que les toits de la ville, on voit le ciel, on aperçoit d'une plate-forme toute la cité ; on monte encore dans l'ultime et vertigineuse tourelle d'où l'on embrasse tout le paysage, campagne, golfe, vaisseaux partant pour les extrémités du monde. C'est ici que Gautier passe de l'ascension au sommet du clocher à ce dont elle est le symbole, l'achèvement de l'œuvre poétique, et substitue pour un temps à la figure de la montée sans terme celle du voyage sans fruit :

> *Hélas ! et vous aussi, sans crainte, ô mes pensées!*
> *Livrant aux vents du ciel vos ailes empressées,*
> *Vous tentez un voyage aventureux et long.*
>
> *Si la foudre et le nord respectent vos antennes,*
> *Des pays inconnus et des îles lointaines*
> *Que rapporterez-vous, de l'or ou bien du plomb*[2]*?...*

Cependant l'ascension est à son terme, et son sens symbolique se déclare :

> *La spirale soudain s'interrompt et se brise.*
> *Comme celui qui monte au clocher de l'église,*
> *Me voici maintenant au sommet de ma tour.*
>
> *J'ai planté le drapeau tout au haut de mon œuvre [...]*[3]

Il a lui aussi fait sa cathédrale, mais il doute : vaudra-t-elle la peine qu'il y a mise, et que découvrira-t-il de son sommet ?

---

1. *Le Sommet de la tour*, 57 tercets disposés AAB CCB DDE FFE, etc., par groupes de deux dont les dernières rimes se répondent ; poème daté sur le manuscrit «janvier 1838», paru avec *La Comédie de la mort* (*Jas.*, t. II, p. 209-215).
2. *Ibid.*, tercets 41-42.
3. *Ibid.*, tercets 43-44.

> *Du haut de cette tour à grand'peine achevée,*
> *Pourrai-je t'entrevoir, perspective rêvée,*
> *Terre de Chanaan où tendait mon effort ?*

Le clocher qu'il a construit dépassera-t-il seulement les toits de la ville ? lui permettra-t-il d'apercevoir les astres lointains,

> *Et la gloire, la gloire, astre et soleil de l'âme,*
> *Dans un océan d'or, avec le globe en flamme,*
> *Majestueusement monter à l'horizon*[1] *!*

Ce final humble, avec le doute du succès, et la crainte de la gloire refusée, nous ramène au thème du guignon.

L'autre poème, *Portail*, est écrit sur le même rythme (tercets de même disposition que ceux du *Sommet de la tour*), et développe un symbole très analogue : l'auteur feint d'avoir bâti une cathédrale dont il présente d'abord l'entrée et la première assise avec ses dalles funéraires et ses ombres. Ce « portail » est en même temps celui de son livre, *La Comédie de la mort*, dont *Portail* est l'ouverture :

> *Ne trouve pas étrange, homme du monde, artiste,*
> *Qui que tu sois, de voir par un portail si triste*
> *S'ouvrir fatalement ce volume nouveau.*
>
> *Hélas ! tout monument qui dresse au ciel son faîte,*
> *Enfonce autant les pieds qu'il élève la tête.*
> *Avant de s'élancer tout clocher est caveau :*
>
> *[...] Mon œuvre est ainsi faite*[2]

Suit une description architecturale somptueuse de ce portail et de ses sépultures ; puis l'énoncé du symbole :

> *Mes vers sont les tombeaux tout brodés de sculptures ;*
> *Ils cachent un cadavre, et sous leurs fioritures*
> *Ils pleurent bien souvent en paraissant chanter.*

1. *Ibid.*, tercets 52 et 57.
2. *Portail*, 42 tercets, en tête de *La Comédie de la mort* (*Jas.*, t. II, p. 3 et suiv., tercets 1-2 et 7).

Chacun est le cercueil d'une illusion morte ;
J'enterre là les corps que la houle m'apporte
Quand un de mes vaisseaux a sombré dans la mer ;

Beaux rêves avortés, ambitions déçues,
Souterraines ardeurs, passions sans issues,
Tout ce que l'existence a d'intime et d'amer[1].

[...] Le flux jette à la côte entre le corps du phoque,
Et les débris de mâts que la vague entre-choque,
Mes rêves naufragés tout gonflés et tout verts ;

Pour ces chercheurs d'un monde étrange et magnifique,
Colombs qui n'ont pas su trouver leur Amérique,
En funèbres caveaux, creusez-vous, ô mes vers !

Puis montez hardiment comme les cathédrales,
Allongez-vous en tours, tordez-vous en spirales,
Enfoncez vos pignons au cœur des cieux ouverts[2].

Enfin, le cri triomphe de l'œuvre accomplie, mais aussitôt, aboutissement de tout le poème, le doute essentiel :

J'ai brodé mes réseaux des dessins les plus riches,
Évidé mes piliers, mis des saints dans mes niches,
Posé mon buffet d'orgue et peint ma voûte en bleu.

Le peuple est à genoux, le chapelain s'affuble,
Du brocart radieux de la lourde chasuble ;
L'église est toute prête ; y viendrez-vous, mon Dieu[3] *?*

Dans l'œuvre si bien achevée, est-il sûr que doive circuler le souffle suprême ? Le poète l'a-t-il bien mise en état de signifier cet absolu hors duquel toute beauté est vide ?

C'est dans ce groupe de poèmes composés autour de 1838 que Gautier a donné, avec sa vraie pensée, toute sa mesure

1. *Ibid.*, tercets 27-29.
2. *Ibid.*, tercets 34-36.
3. *Ibid.*, tercets 41 et 42.

comme poète. On y voit que ce qu'on appelle la forme était loin d'être l'essentiel pour lui, et qu'il situait la poésie, en tant que référence à l'Idéal, au-delà de toute beauté sensible. C'est parce que cet au-delà lui paraissait cruellement hors de portée qu'il a pensé se borner à jouir de l'art dans ses limites, et de la poésie comme si elle était seulement un art, en la faisant fraterniser avec les autres, peinture, sculpture, musique. Baudelaire a écrit de lui : «Il a introduit dans la poésie un élément nouveau, que j'appellerai la consolation par les arts[1].» Cette phrase se trouve dans un article où il incarne en Gautier, en tant qu'*idée fixe*, l'amour exclusif du Beau. Il faut retenir comme essentiel ce mot de «consolation», qui institue l'art comme un moindre mal dans l'impossible possession de la Beauté ; il suggère que la passion du Beau est par nature insatisfaite. C'est ainsi que l'entend Gautier dans les poèmes de cette époque, et Baudelaire, bien sûr, ne l'entend pas autrement. L'équation qu'ils semblent parfois établir entre beauté selon l'art et Idéal ne doit pas tromper sur leur pensée : cette prétendue équivalence est une hiérarchie ; la beauté n'a de prix en art que comme référence à l'Idéal. L'ambiguïté naît quand on veut séparer le Beau des autres figures de l'Idéal, du Bien en particulier, ce qu'on a fait dans le milieu de Gautier et dans les générations suivantes : désabusés de tout le reste, on souhaita alors se réfugier dans l'Art comme dans l'unique valeur étrangère aux intérêts humains, quels qu'ils soient, et à la foule. On professa alors, à la fois, que le beau de l'art est le seul idéal, sans cesser de tenir l'Idéal pour inaccessible ; autrement dit, on affirma ensemble la royauté de la forme et son insuffisance. L'esthétisme pessimiste dans lequel on se trouvait installé était nécessairement tenté par une doctrine de la Forme souveraine, qu'il ne pouvait professer réellement sans se renier, mais qu'on lui prêta faute de le comprendre. La poésie de Baudelaire, jamais purement sensorielle ni plastique, toujours pensante, décourage une telle interprétation ; celle de Gautier aussi, dans les poèmes que nous venons de parcourir, mais non toujours dans le reste de son œuvre. C'est ce qui fait le prix de ces poèmes-là, restés relativement peu connus ou peu cités, tandis que les *Émaux*

---

1. Article sur *Théophile Gautier* dans *L'Artiste* du 13 mars 1859 (reproduit dans BAUDELAIRE, *Œ. C.*, éd. Pichois, Bibliothèque de la Pléiade, t. II, p. 126).

et Camées consacraient sa vaine réputation de poète de la forme
et du métier purs.

Encore l'«art pour l'art»

On aura remarqué que, dans ce que nous avons parcouru
jusqu'ici de l'œuvre de Gautier depuis 1830, nous n'avons
jamais rencontré une doctrine en forme de l'«art pour l'art»;
cette formule même, semble-t-il, n'est apparue nulle part. Par
contre, les déclarations à l'emporte-pièce y abondent, qui reven-
diquent l'indépendance de l'art par rapport à la morale, à toute
doctrine philosophique ou sociale, à toute valeur autre que l'Art
même, et presque à toute pensée étrangère. Ces déclarations,
qui ne laissent à l'Art d'autre objet que la Beauté, et à la Beauté
d'autre définition que d'être l'inspiratrice de l'Art, ont créé
l'impression que Gautier professait le culte exclusif des formes
et des sensations esthétiques, et préconisait sous le nom d'Art
et de Poésie quelque chose comme un hédonisme supérieur,
agressivement dressé contre tout ce qui n'est pas le souci de
sa propre satisfaction. Hugo a subi lui aussi semblable interprétation de sa pensée, et y a répondu : l'autonomie de l'Art,
loin de signifier sa nullité dans l'ordre de l'esprit, manifeste
au contraire sa nature spirituelle originale. Il est vrai qu'il y
a chez Gautier un penchant à tirer du côté plastique et senso-
riel le culte de l'art. En cela il ne fait qu'exagérer l'une des
tendances du Cénacle et de Hugo lui-même, pour qui la mission spirituelle de l'art s'exerce naturellement par le moyen des
formes et des sensations libérées des vieilles censures. Gautier
va plus loin, il semble enfermer tout l'Art dans une expérience
sensorielle : rythmes, couleur, dureté de la matière, éclat, métier
de l'artisan [1]. Mais ces prédilections ne se détachent chez lui
que parce qu'il refuse d'abord ce qui, dans le romantisme,
accompagnait étroitement le renouveau des formes, et que
résume la notion d'apostolat humain, par l'art et au-delà.
L'esthétique sans horizon de Gautier est fille de son pessimisme;
et c'est ce pessimisme, et le fait qu'il semble défier tout remède,
qui le séparent de Hugo.

---

1. On connaît, dans cet ordre d'idées, le poème intitulé *L'Art* (1857), recueilli
dans l'édition de 1858 d'*Émaux et Camées* (*Jas.*, t. III, p. 128).

Ceux qui doutent de la sincérité de son mal, et voient dans *La Comédie de la mort* et les poèmes de la même époque un exercice de pose littéraire, sont abusés par cet hédonisme simultané de sa nature, qui semble lui faire accepter l'art pour remède et plénitude possible. Il a même fini par subir, dans une certaine mesure, la contagion de l'idée qu'on se faisait de lui et de l'«art pour l'art»; mais ce ne fut pas sans mélancolie ni arrière-pensée. En 1863, il écrivait à Sainte-Beuve : «Depuis 1837, je n'ai pu exprimer ma pensée véritable»; il s'est trouvé, dit-il, gêné dans l'expression de sa pensée, en raison notamment des contraintes du journalisme : «jeté dans la description purement physique, je n'ai plus énoncé de doctrine, et j'ai gardé mon idée secrète [1].» À la fin de sa vie, il éprouvait encore l'amertume de ce renoncement : «Oui, oui, disait-il, c'est une tactique, je la connais, ils font de moi un *larbin descriptif* [2].» Il se sentait donc méconnu sous l'étiquette de l'art pour l'art tel qu'on l'entendait. À quelle idée secrète songeait-il, dont la publication l'eût disculpé d'être un pur «descriptif»? À une poétique Jeune-France, où l'Idéal absolu aurait eu sa place? Nous ne savons. En tout cas, il avait exposé une telle conception dans *Mademoiselle de Maupin*, où d'Albert en est l'interprète. Et il exagère quand il dit n'avoir plus jamais, depuis ses débuts, «énoncé de doctrine». Il l'a fait au moins une fois en 1847, en rendant compte, longuement et posément, des *Réflexions et menus propos d'un peintre genevois*, de Rodolphe Töpffer [3]. Mais alors c'est de l'esthétique de Hugo et des vues communes à tout le romantisme humaniste qu'il semble se réclamer.

Töpffer avait développé une doctrine idéaliste du beau en art : «Le beau de l'art, écrivait-il, procède absolument et uniquement de la pensée humaine affranchie de toute autre servitude que celle de se manifester au moyen de la représentation

---

1. Cité par Adolphe Boschot, *Théophile Gautier méconnu*, Principauté de Monaco, Société de Conférences, 1925 (conférence du 31 janvier 1925, p. 43).
2. Edmond de Goncourt, Préface au *Théophile Gautier* d'Émile Bergerat, datée de septembre 1878, p. XXVI.
3. Le compte rendu de Gautier, intitulé *Du beau dans l'art*, parut dans la *Revue des Deux Mondes* du 1er septembre 1847, pp. 887-908, et fut repris dans le recueil de Gautier intitulé *L'Art moderne* (1856), pp. 129-166. L'ouvrage de Töpffer, 7 livres en 2 vol., qui avait paru cette année 1847 à Paris avec la date de 1848, était fait d'études diverses, soit inédites, soit déjà publiées entre 1833 et 1839.

des objets naturels [1].» Ou encore : «Dans l'art, les objets naturels figurent, non pas comme signes d'eux-mêmes, mais essentiellement comme signe d'un beau dont la pensée humaine est absolument et exclusivement créatrice [2].» Et cette liberté créatrice ne doit pas être entravée par l'influence d'une doctrine sociale, religieuse, politique, ni par un souci de vérité ou de moralité [3]. La dignité de l'art se fonde, en fait, sur une ontologie du Beau, l'esprit humain communiquant par lui avec Dieu directement et sans l'intermédiaire nécessaire du Vrai ni du Bien. «Le beau dans son essence absolue, écrit Töpffer, c'est Dieu [4].» Cette doctrine est celle que Cousin avait formulée et répandue en France dès le début de la Restauration, et que le romantisme français avait généralement adoptée [5]. Cependant, s'appuyant sur cette doctrine, Töpffer attaquait vivement l'art pour l'art, pure dévotion de la forme selon lui, qu'il rattachait à la philosophie matérialiste ou panthéiste [6]. Il est remarquable que Gautier, ayant entrepris de rendre compte longuement de cet ouvrage, ne traite nullement en adversaire un auteur qui rejette aussi catégoriquement l'art pour l'art.

Dès le début de son compte rendu, on le voit développer des idées analogues à celles du critique suisse, notamment sur la source vraie de l'œuvre d'art, qu'il situe dans le monde intérieur de l'artiste et non dans le modèle [7] ; et quand il en vient à la formule même de l'art pour l'art, ce n'est pas pour la défendre telle que Töpffer l'entend et la condamne, mais pour reprocher à Töpffer de ne l'avoir pas entendue ; au sens de Töpffer, il la rejette lui aussi : «L'art pour l'art, écrit-il, veut dire, non pas la forme pour la forme, mais bien la forme pour le beau, abstraction faite de toute idée étrangère, de tout détournement au profit d'une doctrine quelconque, de toute utilité

1. Töpffer, *Réflexions...*, t. II, p. 33.
2. *Ibid.*, pp. 103-104.
3. *Ibid.*, liv. VII, chap. 29 et 30.
4. *Ibid.*, p. 60 ; voir aussi t. II, p. 184, et t. II, liv. VII, chap. 32.
5. Töpffer fait un grand éloge (notamment, t. II, pp. 183-184 et note) du livre d'Augustin-François Théry, *De l'esprit et de la critique littéraires chez les peuples anciens et modernes*, Paris, 1832. Théry était universitaire, professeur de littérature, et il porte aux nues Cousin et l'éclectisme dans son livre. Töpffer le nomme par erreur Thiéry.
6. Töpffer, *Réflexions...*, t. II, p. 10 ; et liv. V, chap. 24, intitulé : «D'une absurdité célèbre intitulée : l'art pour l'art.»
7. Gautier, *Du beau dans l'art*, article cité, p. 890-891.

directe[1]. » Dans l'esprit de Gautier, «la forme pour le beau»
n'est pas autre chose que la forme pour l'idée, étant admis que
«la forme ne peut se produire sans idée, et l'idée sans forme».
C'est là du Victor Hugo tout pur ; Gautier rappelle au critique genevois, trop philosophe, la part des formes naturelles dans
l'art : «Les formes de l'art ne sont pas des papillotes destinées
à envelopper des dragées plus ou moins amères de morale ou
de philosophie[2]. » Il y a un rapport de génération réciproque
entre la forme et l'idée à laquelle elle est jointe, et c'est par
cette relation remarquable que l'art se montre agent de liaison
exemplaire entre le réel et l'idéal.

On doit seulement remarquer que cette vue des choses, pleinement romantique au sens des grands poètes français qui ont
porté ce nom, est fondamentalement optimiste à l'égard de la
fonction de l'artiste, et qu'elle occupe, dans la pensée de Gautier, un autre versant que la notion Jeune-France de l'Idéal
inaccessible et meurtrier. Il y a ainsi chez lui, et il y aura dans
tout le romantisme désenchanté, côte à côte, un optimisme de
l'art et un pessimisme de l'Idéal, qui s'entendront toujours mal.
Les générations de Baudelaire et de Mallarmé sont restées plus
ou moins indécises entre une haute et tragique exigence et une
complaisance parfois plate aux objets d'art. En ce qui concerne
Gautier, son optimisme éclate quand, démentant ses propres
affirmations (dans les préfaces de sa jeunesse) concernant l'inu-
tilité de la poésie, il écrit : «La poésie est plus utile que les religions, que les lois, que les sciences et toutes les inventions
industrielles ; la poésie, c'est la beauté, l'intelligence et l'harmonie[3]. » Il est probable que Gautier a toujours pensé cela,
même quand il affectait d'exclure toute utilité de la poésie.
Concluons qu'il y a dans son esprit, quant au sens à donner
au mot «utilité», deux degrés d'élévation différents, et que seul
le plus haut des deux convient selon lui à la poésie. Cela aussi
se retrouverait, et chez Hugo, et chez Cousin. On peut en dire
autant de ce que, reprenant la formule de Töpffer et faisant
acte de spiritualisme esthétique, il n'hésite pas à écrire : «Le
beau dans son essence absolue, c'est Dieu. Il est aussi impos-

---

1. *Ibid.*, p. 901.
2. *Ibid.*, p. 900.
3. Gautier, *Revue littéraire. Poésie nouvelle*, dans la *Revue des Deux Mondes*,
15 juin 1841, p. 907.

sible de le chercher hors de la sphère divine, qu'il est impossible de trouver hors de cette sphère le vrai et le bon absolus [1]. » Et quant aux relations du Poète avec l'humanité, dans cet article même où il défendait le «beau dans l'art», il pouvait écrire : « Est-ce à dire pour cela que l'art doive se renfermer dans un indifférentisme de parti pris, dans un détachement glacial de toute chose vivace et contemporaine, pour n'admirer, Narcisse idéal, que sa propre réflexion dans l'eau et devenir amoureux de lui-même? Non, un artiste est avant tout un homme [2]. » Il n'est donc pas facile de tracer une ligne de démarcation nette entre la philosophie esthético-poétique de Gautier et celle de son maître Hugo, et de dire en quoi il se sépare, dans ce domaine, des idées du grand Cénacle.

Il était convaincu, quant à lui, de n'avoir jamais dévié de l'esprit qui régnait dans la jeune poésie au temps des *Orientales* et d'*Hernani*. Dans une lettre de 1857 à Sainte-Beuve, il écrit : « Je relis pour la troisième fois [...] votre admirable article sur Théodore de Banville [3], où vous relevez d'une main si ferme la bannière du romantisme, sous laquelle nous avons combattu ensemble. [...] Oui, nous avons cru, nous avons aimé, nous avons été ivres du beau, nous avons eu la sublime folie de l'art [4] ! » Il n'a visiblement conscience d'aucune différence entre lui et les autres. Saint-Beuve, quelque vingt ans plus tôt, avait précisé à son sujet : « Il est de ce qu'on appelle l'école de *l'art pour l'art*, et il en a même poussé quelques-uns des principes dans l'application avec une rigueur et une nouveauté qui lui ont fait une place à part [...]. M. Théophile Gautier était trop jeune, avant 1830, pour se produire dans le premier mouvement de la poésie romantique ; mais il entra et persévéra dans cette ligne lorsque plusieurs l'abandonnaient ou songeaient du moins à en modifier le développement [5]. » Sainte-Beuve consi-

1. GAUTIER, *Du beau dans l'art*, p. 905.
2. *Ibid.*, pp. 900-901.
3. L'article de Sainte-Beuve avait paru dans *Le Moniteur* du 12 octobre 1857 ; il y saluait en Banville un rejeton du romantisme, auquel il se proclamait lui-même fidèle et qu'il définissait surtout par le culte de l'art. — On peut lire cet article au tome XIV des *Causeries du lundi*, pp. 69-85.
4. Lettre à Sainte-Beuve du 12 octobre 1857, citée par SPOELBERCH DE LOVENJOUL, *Histoire des œuvres de Théophile Gautier*, t. I, p. XIX.
5. SAINTE-BEUVE, *Premiers Lundis*, t. II, p. 339 et suiv. ; ces lignes reproduisent la première partie d'une « Revue littéraire » de Sainte-Beuve parue dans la *Revue des Deux Mondes* du 15 septembre 1838, p. 863 et suiv.

dérait donc, comme Gautier lui-même, que le romantisme était avant tout une école de poésie artiste, dont Gautier a continué l'authentique tradition quand le maître et l'ensemble du mouvement s'orientaient vers une poésie plus philosophique et missionnaire.

Cette vue très discutable s'explique chez deux hommes qui, quoique d'âge inégal, n'ont approché le Cénacle que peu avant 1830, au temps où on y exaltait l'Art avec passion. En fait, le romantisme des poètes s'était déclaré au moins six ans plus tôt, et son idée dominante était celle d'une mission spirituelle et humaine de la poésie. L'étape artiste de 1830 eut pour objet la conquête des instruments de cette mission. Quand Hugo et d'autres ont repris leur route après cette étape, ils n'abandonnaient rien, quoi qu'en dise Sainte-Beuve ; ils poursuivaient leur marche première avec des moyens appropriés. Aussi n'est-ce pas la fidélité de Gautier au culte de l'art qui a pu le séparer de Hugo. Baudelaire est plus perspicace quand il met en cause dans ce débat la misanthropie de Gautier : il a bien vu que c'est là le point essentiel. Certains, dit-il, ont reproché à Gautier sa froideur, son manque d'*humanité* ; et naturellement il accepte pour lui ce reproche comme un éloge. Hugo, qui aimait Gautier et à qui Baudelaire avait envoyé son article, acceptait au moins la discussion sur ce terrain, en opposant optimisme et pessimisme et « art pour le progrès » à « art pour l'art » [1]. L'Art pour le progrès ne pouvait guère convaincre Gautier, quel que fût son désir d'être d'accord avec Hugo, et c'est là qu'ils se séparaient.

« Tout amoureux de l'humanité, continue Baudelaire, ne manque jamais, en de certaines matières qui prêtent à la déclamation philanthropique, de citer la fameuse parole : *Homo sum, nihil humani a me alienum puto.* Un poète aurait le droit de répondre : "Je me suis imposé de si hauts devoirs, que *quidquid humani a me alienum puto* [2]. Ma fonction est extra-humaine !" Mais sans abuser de sa prérogative, celui-ci pourrait simplement répliquer : [...] "Ce que vous appelez indifférence n'est que la rési-

---

1. Baudelaire, article du 13 mars 1859, déjà cité (voir ci-dessus, p. 558) ; — Lettre de Hugo à Baudelaire du 6 octobre 1859 (reproduite dans les *Œuvres complètes*, édition déjà citée, t. II, p. 1128-1129).
2. Baudelaire prend le contre-pied du « Je suis homme, je n'estime *rien d'humain* étranger à moi » de Térence (*Heautontimoroumenos*, scène première) ; il imagine le poète (= Gautier) disant : « Je tiens *toute chose humaine* pour étrangère à moi. »

gnation du désespoir ; celui-là ne peut s'attendrir que bien rarement qui considère les méchants et les sots comme des incurables''[1].» Voilà quelques lignes qui appellent bien des
commentaires : sur la nature du romantisme et sur ses orientations, sur Gautier, et sur Baudelaire lui-même. Il est certain
que le romantisme n'a pas entendu la «prérogative» du poète
et son «extra-humanité» comme misanthropiques par essence.
Ce sont Gautier et Baudelaire qui, par une telle orientation,
loin de maintenir la ligne authentique du romantisme français,
en ont sensiblement dévié, en affectant de rompre avec le *souci
de l'humanité* qui l'a occupé dès ses origines.

On est volontiers tenté de croire que le *quidquid humani a me
alienum*, si démesuré, si insoutenable, est une façon de parler,
une boutade ; c'est ce que Baudelaire lui-même semble suggérer, quand il suppose que le poète à qui il l'attribue a pu abuser de sa prérogative, et qu'il croit nécessaire de mettre dans
sa bouche un discours plus raisonnable en substituant au sar-
casme le désespoir. En fait, le romantisme dépressif, dont ce
sont les deux registres essentiels, les mêle constamment, comme
se mêlent les pleurs à la colère dans les dépits d'enfant. Le dépit,
dans les deux poètes dont nous parlons, est à son niveau le plus
grave : il a pour objet l'humanité entière et se donne pour une
composante nécessaire du type poétique. Il est difficile d'éviter l'aspect politique de cette disposition d'esprit, qui postule
le caractère incurable des vices et de la sottise du genre humain,
source des réactions du poète : postulat aussi indémontrable
que le postulat contraire, cette incertitude laissant place à la
libre volonté humaine de progrès d'agir selon l'espérance et la
probabilité. Par ses présupposés négatifs, le romantisme désenchanté communique solidement avec la philosophie conservatrice, avec laquelle il a cependant, en raison de tout ce qu'il
garde de ses origines, le malheur de ne pas pouvoir s'entendre.

Cette foncière ambiguïté est génératrice d'indécisions dans
la pensée, et d'écarts entre le discours et l'œuvre. Il serait difficile de prétendre que l'indifférence à l'humanité domine dans
l'œuvre de Baudelaire, poète désireux, comme ses prédécesseurs, non seulement de plaire, ce qui va de soi, mais d'impressionner et de convaincre. Pour nous en tenir à Gautier, aurait-il
écrit, comme son disciple : «La fameuse doctrine de l'indisso-

---

1. Baudelaire, même article.

lubilité du Beau, du Vrai et du Bien est une invention de la philosophaillerie moderne[1]»? On peut en douter quand on l'a vu, avec Töpffer, identifier le Beau à Dieu, support ordinaire de cette indissolubilité; il demanderait sans doute que le Beau soit indépendant de l'autorité du Vrai et du Bien, tout en découlant de la même source divine. Baudelaire suppose son poète concluant en ces mots le discours qu'il adresse aux hommes : «C'est pour éviter le spectacle désolant de votre démence et de votre cruauté que mes regards restent obstinément tournés vers la Muse immaculée[2].» Dans ce nouveau sacerdoce poétique, la mythique Muse, immaculée ou non, pouvait-elle suffire à remplacer l'Humanité vivante et le Dieu supposé infini, entre lesquels croyait exercer sa mission le poète romantique? Comment Gautier aurait-il pu ne pas sentir qu'un romantisme qui se réfugie dans l'art par manque de foi et de sympathie est un romantisme rétréci? Mais d'autre part pouvait-il, tel que nous le connaissons, ne pas craindre qu'on fît ce reproche à son œuvre[3]? Quoique complaisant à son image de poète orfèvre, nous avons vu pourtant qu'elle ne le satisfaisait pas. De là, regrets et palinodies.

Infidélités à l'art pour l'art

Baudelaire connaissait bien les infidélités de Gautier à l'art pour l'art; aussi sent-il, dans l'éloge fervent qu'il fait de lui, le besoin de s'expliquer sur ce sujet : «C'est sans doute, écrit-il, ce même désespoir de persuader ou de corriger qui que ce soit, qui fait qu'en ces dernières années nous avons vu Gau-

---

1. *Ibid.*, p. 111. La doctrine qui unit en Dieu ces trois entités ne date pas, quoi qu'en dise, inconsidérément et péremptoirement Baudelaire, des philosophes modernes et de Victor Cousin, qui l'a professée; c'est à Platon, je crois, que l'a empruntée une longue tradition philosophique, voire théologique.

2. *Ibid.*, p. 128.

3. On n'a pas cessé, jusqu'à nos jours, de répéter ce reproche; on le trouve chez des critiques qui tiennent Gautier en estime et lui donnent toute son importance : «romantisme douloureusement replié», «romantisme de vaincus» (René Jasinski à propos de l'école de l'art pour l'art, dans l'Introduction à son édition des *Poésies complètes* de Gautier, t. I, p. XCI). «Gautier romantique, rasséréné et restreint.» (Jean Prévost, *Baudelaire*, 1953, posthume, chap. III, «Le Moment de l'art pour l'art», résumé en tête dudit chapitre.) Les deux qualifications différentes de Gautier faites par ces deux critiques lui conviennent ensemble.

tier faiblir, en apparence, et accorder par-ci par-là quelques paroles laudatives à monseigneur Progrès et à très puissante dame Industrie. En de pareilles occasions, il ne faut pas trop vite le prendre au mot, et c'est bien le cas d'affirmer que *le mépris rend quelque fois l'âme trop bonne*[1].» La façon dont Baudelaire explique et justifie les récents péchés de Gautier, par une sorte de mépris conciliant, est peu convaincante ; elle répond plutôt à l'image que Baudelaire se faisait de lui-même qu'au caractère de Gautier. Voyons plutôt en quoi consistent ces péchés. Les oscillations entre un Idéal vertigineux et la réalité la plus terre à terre, en passant par les divers degrés de la religion et de l'amour des formes, ne datent pas seulement chez Gautier de «ces dernières années», c'est-à-dire, peut-on croire, des années 1850 ; elles occupent toute sa vie ; elles n'appellent ni réprobation ni justification, étant le lot du romantisme dès lors qu'il rejette l'espérance et prend congé de l'humanité. Nous avons pu constater qu'elles furent, en tout temps, le lot de Gautier lui-même. Il est remarquable que Baudelaire ne s'émeuve que des concessions que Gautier a pu faire à la philosophie du progrès[2]. C'est sur ce point d'idéologie concrète, en effet, que se marque le plus visiblement, dans le romantisme, la séparation entre l'élan des aînés et le désenchantement des cadets ; c'est donc là que, selon Baudelaire, Théophile a failli ; sur le reste, poétique, philosophie de l'art, relation lyrique du poète avec son lecteur, la scission, plus indécise, autorise davantage les sinuosités et les retours de pensée. Mais comment pardonner à celui en qui on veut voir le maître de la nouvelle école ses complaisances pour le progrès et pour l'avenir de la commune humanité ?

Gautier a eu assez tôt quelques tentations de ce côté-là. Ses nombreuses campagnes et articles pour l'absolue incompatibilité du Beau et de l'Utile ne l'ont pas empêché de s'intéresser aux applications possibles de l'art à l'industrie. Il constate que les créations de l'industrie ne sont pas belles : «C'est, dit-il, ce qui explique l'aversion instinctive des poètes et des artistes pour les merveilles de la civilisation. Les engins, les machines et tous les produits des combinaisons mathématiques sont

1. Article plusieurs fois déjà cité sur Gautier, p. 128.
2. Claude Pichois en fait très opportunément la remarque aux Notes de son édition des *Œuvres complètes* de Baudelaire (t. II, p. 1138).

empreints de laideur. — Cela vient d'une chose : ils sont trop récents pour que l'art s'en soit encore occupé. Il leur manque le vêtement de la forme, — l'épiderme, pour ainsi dire [1]. » Lui qui avait rompu tant de lances contre l'art utile, le voilà donc qui souhaite que les artistes emploient leur talent à revêtir de beauté les produits et les instruments de l'industrie ! L'intérêt de Gautier pour une conjonction possible de l'industrie moderne et de l'art n'était pas nouveau à cette date de 1844 ; on en trouve déjà des exemples chez lui en 1836 [2]. Il est vrai qu'aucune adhésion à la doctrine du progrès n'est impliquée formellement dans une telle pensée, qui relève surtout de la volonté de modernité commune au romantisme dans ses diverses générations. Avec le Cénacle, les choses, les mots et les modes d'élocution du monde présent ont fait irruption en littérature et en art aux dépens de la tradition antérieure. Il en est résulté une veine d'*actualité* [3] propre en tout temps à l'art et à la poésie romantiques. C'est dans cet esprit que Gautier écrit, par exemple, de Gavarni : « L'antiquité et la tradition n'ont rien à revendiquer dans son talent ; il est complètement, exclusivement moderne. Ni Athènes, ni Rome n'existent pour lui : c'est un tort aux yeux de quelques-uns, c'est une qualité pour nous [4]. »

L'accueil que Gautier propose de faire, dans le domaine de l'art, aux créations de l'industrie relève de ce penchant pour l'*actuel*. Dans un fameux article de 1848, intitulé *Plastique de la civilisation*, Gautier reprend cette idée de donner aux machines un aspect de beauté : « Il faut que l'art donne l'épiderme [5]

---

1. Article du 31 juillet 1844 dans *La Presse*, recueilli dans *Caprices et Zigzags* (1852), rééd. en 1884, pp. 189-190.

2. Voir l'article de Gautier dans *Le Figaro* du 31 octobre 1836 (anonyme), *Les Beaux-Arts et l'industrie* ; et ceux de *La Presse* des 13 et 27 décembre 1836, *De l'application de l'art à la vie usuelle* et *Beaux-arts. Applications de l'art* : articles aux titres significatifs. Non repris en recueils.

3. Ce mot est peut-être, pour désigner ce dont nous parlons ici, meilleur que celui de « modernité », tellement employé aujourd'hui à tout propos, qu'on ne sait plus bien quelle étape du temps il évoque entre la Renaissance et notre siècle, voire le prochain.

4. Article du 2 juin 1845 dans *La Presse* sur *Gavarni* ; version finale dans *Souvenirs de théâtre, d'art et de critique*, 1883, p. 171.

5. « L'épiderme » : cette figure fait partie de la comparaison, déjà faite par Gautier dans son article du 31 juillet 1844 et qu'il reprend ici, entre l'organisation interne du corps humain (os, nerfs, muscles, veines, artères) et la machine : celle-ci aurait besoin que ses rouages et organes soient recouverts d'une enveloppe de beauté comme celle que la chair et la peau fournissent à la machine humaine.

à la civilisation, que le peintre et le sculpteur achèvent l'œuvre du mécanicien. [...] Il est bien entendu que nous acceptons la civilisation telle qu'elle est avec ses chemins de fer, ses bateaux à vapeur, ses machines [...], ses calorifères, ses tuyaux de cheminée et tout son outillage cru jusqu'à présent rebelle au pittoresque » ; cependant, le monde de marbre et d'azur de l'art antique peut être balancé « par un monde nouveau tout resplendissant d'acier et de gaz, aussi beau dans son activité que l'autre dans sa rêverie sereine [1]. » Voilà les matériaux mêmes de l'industrie moderne élevés à la dignité du marbre de Paros par celui qui s'est tant de fois dit adorateur de l'art grec ! Cet article a paru dans *L'Événement*, journal fondé au début d'août 1848 par Victor Hugo et ses amis, lesquels, suppose-t-on, après la révolution de 1848, ont influé sur Théophile dans ce sens [2]. Mais nous venons de voir qu'il y inclinait depuis longtemps par la logique du romantisme.

Gautier ne s'est pas borné à souhaiter l'accord de l'art et de l'industrie ; il a fait quelques pas de plus, surtout après février 1848, vers la république et la philosophie de l'Humanité. Au lendemain de la révolution de Février, craignant apparemment de voir la république censurer le luxe et les arts (on se souvient qu'il s'était radouci envers la monarchie de Juillet en voyant qu'elle encourageait les beaux-arts), il écrivait : « Le luxe est saint. [...] Ce n'est pas la république de Lacédémone qu'il nous faut, c'est celle d'Athènes. [...] Que le beau soit le vêtement du bon [3]. » Mais il entre vite dans la logique républicaine selon laquelle le développement des arts doit s'accompagner de leur diffusion dans la masse, étant entendu que l'éducation artistique du peuple élève en même temps son niveau moral, et contribue au bien commun : « Il faut donner

---

1. *Plastique de la civilisation. Du beau antique et du beau moderne*, article paru dans *L'Événement* le 8 août 1848, recueilli dans les *Souvenirs de théâtre...*, pp. 97-104. On pourrait discerner ici une influence saint-simonienne ; elle semble très probable en tout cas dans l'article intitulé *Paris futur* paru dans *Le Pays*, les 20 et 21 décembre 1851, repris dans *Caprices et Zigzags*, édition de 1884, p. 321 et suiv.

2. « Il nous a promis la plastique de la civilisation — tout un livre ! », écrivait Charles Hugo dans un feuilleton d'annonce (n° de spécimen de *L'Événement*, 30-31 juillet 1851) ; il y citait Gautier parmi les collaborateurs du journal, dont le premier numéro devait paraître le lendemain ; l'article promis par Gautier parut huit jours après.

3. GAUTIER, article du 6 mars 1848 dans *La Presse*, recueilli dans son *Histoire de l'art dramatique*, t. V, pp. 240-241.

aux masses le sentiment de l'art [...] ; le beau a un énorme puissance morale. [...] Le beau et le bon sont deux formes du vrai » ; et qu'on n'objecte pas l'incompréhension du peuple : « La grande âme collective qui plane sur les assemblées d'hommes sincères se met tout de suite en communication avec l'élément divin, la portion céleste de l'œuvre[1]. » Nous retrouvons ici la métaphysique cousinienne, appuyant un projet d'éducation populaire. Quelques mois après, Gautier spécule encore plus franchement sur la « république de l'avenir[2] » : il la veut « opulente, splendide, spirituelle et polie » ; et comme il faut toujours une aristocratie, il se plaît à penser que « celle des poètes » aura place dans cette république, étant admis que « le conquérant, l'artiste, le législateur sont des poètes[3] » ; l'art survivra à la disparition des cours, il y aura de grands édifices publics et des lieux de réunion du peuple : « Nous croyons fermement que les artistes trouveront d'aussi nobles formes pour ces Versailles populaires qu'ils en ont inventé autrefois pour les fantaisies de Louis XIV[4]. » À ces textes de 1848, on pourrait en ajouter d'autres de la même année qui vont dans le même sens, et où l'influence humanitaire est même plus marquée. Ainsi un article sur la navigation aérienne, qui la glorifie[5] : peinture enthousiaste de ce que sera le monde quand on saura diriger les aérostats ; plus de douane, ni frontières, ni guerre, transformation universelle. Presque en même temps, Gautier publiait un compte rendu des projets de peinture murale au Panthéon, dont Ledru-Rollin avait chargé le peintre Chenavard ; cette vaste décoration devait représenter toute l'histoire humaine : religions, phases sociales, symboles, grands hommes, selon le plan des habituelles synthèses humanitaires[6].

---

1. Article du 20 mars 1848 dans *La Presse*, recueilli *ibid.*, t. V, p. 243-244.
2. *La République de l'avenir*, article du 28 juillet 1848 dans *Le Journal* (recueilli dans *Fusains et Eaux-Fortes*, 1880, pp. 229-238).
3. Cette pensée, qui vise à réunir tous les hauts talents humains sous le nom du Poète, se trouve fréquemment chez les saint-simoniens.
4. Les citations de *La République de l'avenir* sont faites d'après *Fusains et Eaux-Fortes*, pp. 231, 234-235.
5. *À propos de ballons*, article du 25 septembre 1848, dans *Le Journal*, recueilli *ibid.*, p. 253 et suiv.
6. *Le Panthéon, peintures murales de Chenavard*, articles parus dans *La Presse* du 5 au 11 septembre 1848, recueillis dans *L'Art moderne*, 1856, pp. 1-94. Selon Jean Richer (voir *Archives des lettres modernes*, n° 43), ces articles ont été préparés en collaboration avec Nerval.

On aura remarqué qu'un grand nombre des textes que nous citons date des mois qui ont suivi la révolution de 1848 ou ne la précèdent que de quelques années. C'est assez pour pouvoir supposer que Gautier a été influencé par l'atmosphère qui a régné alors. La rupture avec l'esprit humanitaire dans la génération cadette du romantisme français, déclarée dès après 1830, a été un événement dramatique, et sujet à des retours, surtout dans la période de 1848. Ces velléités ont duré, dans le cas de Gautier, jusqu'au coup d'État[1]. Gautier publia dans *La Presse*, en septembre 1851, une série d'articles sur l'exposition qui se tenait alors à Londres ; on y lit cette profession de foi moderne et progressiste : « Nous ne sommes pas de ces Janus dont le masque tourné vers l'avenir a les yeux crevés, et qui ne voient que par le masque tourné vers le passé ; nous ne poussons pas, au milieu d'un siècle, le plus grand que les évolutions des temps aient amené, des gémissements élégiaco-romantiques, et nous comprenons, quoique artiste, la beauté de notre époque, bien que souvent la fantaisie nous ait poussé vers les temps et les pays barbares où persiste l'individualité locale de l'homme[2]. »

En 1851, la *Revue de Paris*, disparue depuis 1844, ressuscite sous la direction de Gautier, qui la présente dans un « Liminaire » signé de lui. Il y soutient que l'art et l'action sont parfaitement compatibles l'un avec l'autre, et gagnent à être réunis, et il cite les exemples d'Eschyle combattant de Salamine, de Dante prenant part aux luttes de Florence, de Byron luttant pour l'indépendance de la Grèce, de Lamartine en février 1848[3]. Cette conjonction de l'art et de la poésie avec l'action publique est un des articles les moins discutés du credo de la génération aînée ; la cadette tend à s'éloigner d'un tel idéal[4].

1. On les observerait dans ces années chez Baudelaire même, dans sa prose comme dans ses vers.
2. *Le Palais de cristal : les Barbares*, série d'articles parus dans *La Presse* du 5 au 11 septembre 1851 ; recueillis dans *Caprices et Zigzags* (1852) sous le titre *L'Inde*, voir réédition de 1884, p. 246. — En préambule de l'article, hommage rendu aux machines, qui libèrent l'esprit de l'homme. — Gautier, évidemment, ne conteste jamais la valeur esthétique particulière des productions de l'art « barbare ».
3. *Revue de Paris*, « volume d'octobre 1851 », *Liminaire*, pp. 6-7.
4. Dans celle-là et la suivante, on déplore généralement que l'art et l'action ne puissent s'accorder. Baudelaire flétrit « un monde où l'action n'est pas la sœur du rêve » (*Le Reniement de saint Pierre*, dernière strophe). Mallarmé, par contre, écrit : « La sottise d'un poète moderne a été jusqu'à se désoler que *l'Action ne fût pas la sœur du Rêve* » (lettre du 3 juin 1863 à Henri Cazalis (*Correspondance*, t. I,

Elle proclamerait plutôt l'art seul, et la primauté de la forme. Or, dans cette sorte de manifeste, Gautier explique justement que, si le Cénacle a accordé tant d'importance aux questions d'art et de forme, c'est qu'«il fallait bien forger ses outils et ses armes [1]» en vue de renouveler la littérature; mais, la victoire étant acquise, chacun peut désormais envisager à sa guise les relations de la forme et du fond. Tout ce *Liminaire* ne conduit assurément pas vers l'art pour l'art. «Nous n'avons, dit enfin Gautier, nulle envie de nous enfermer, même dans une tour d'ivoire, hors du mouvement contemporain. Hommes de rêverie et d'action, gens d'étude et de voyage, ayant éprouvé la vie avec ses phases changeantes, nous baignons pleinement dans le milieu de notre époque; nous n'en répudions rien [2].»

La mue pessimiste du romantisme français, dans sa génération cadette, s'était accomplie depuis la déception de 1830, à tâtons et douloureusement. Si accusée qu'elle fût, ce que cette mue entendait dépouiller, la communion avec le présent et l'espoir dans l'avenir, restait objet de profond regret. Février 48 survient et l'espérance renaît, et le monde social semble reprendre sa vie et ses promesses. Gautier n'est pas seul à avoir subi l'influence de ce moment; il s'agit d'un fait général, bien observable chez Baudelaire lui-même, et qui mériterait d'être considéré dans son ensemble. Les journées répressives et sanglantes de juin 1848 et les années de réaction politique qui ont suivi n'ont pu y mettre fin. Il y a fallu le coup d'État. Si, dans les pages qui précèdent, on a insisté sur cet aspect de l'œuvre de Gautier, c'est moins pour l'intérêt qu'il présente en lui-même que parce qu'il aide à mieux comprendre l'histoire des générations romantiques. Un sursaut passager d'optimisme, non confirmé, est la plus sûre ruine de l'espérance. Ce dont la génération de Gautier et la suivante ont cru se convaincre, c'est de la vanité finale de toute foi dans la perfectibilité humaine. Le nouveau romantisme n'en est pas moins, à beaucoup d'égards, la nostalgie de l'ancien, et le chagrin de devoir renoncer à ses aspirations. Si les présentes réflexions naissent à propos de Gautier plutôt que de tout autre de ses contemporains

---

éd. Mondor, 1959, p. 90) : le Poète n'a que faire de l'action, seul lui importe le rêve; ainsi va-t-on raffinant, en poésie, sur le rejet du monde.

1. *Liminaire*, p. 10.
2. *Ibid.*, p. 11.

d'âge et frères en désenchantement, c'est parce qu'il a, plus qu'aucun autre, fourni la figure du futur Poète : insatisfait de toutes choses, mécontent des hommes et ne voulant avoir de commun avec eux que le mal d'exister, n'évoquant la divinité que par le ressentiment, artiste pour toute satisfaction et pour unique gloire, et, au nom du rêve, répudiant la vie. Baudelaire, qui estimait hautement Nerval, ne l'appelait pourtant ni son maître, ni son modèle. Entre les Cénacles et ce qu'on peut appeler le romantisme du second Empire, c'est Théophile, avec ses indécisions et ses limites, qui trace le chemin nouveau.

*Réflexions
sur le romantisme français*

Ces réflexions ne portent pas seulement sur la matière du présent volume, mais sur l'ensemble qu'il forme avec ceux qui l'ont précédé, et qui constitue une sorte de tableau idéologique en même temps que littéraire du romantisme français; on y a considéré surtout les courants de pensée dont les écrivains et poètes de cette époque se sont inspirés en y mettant leur marque, ou dont ils ont été les initiateurs. Les problèmes qui furent posés au cours de cette période créatrice de notre société restent pour beaucoup les nôtres, et le fait qu'ils ont été débattus par des littérateurs plutôt que par des philosophes ne diminue en rien leur pertinence. Je n'ai rien d'essentiel à ajouter à ce que j'ai déjà dit, dans le cours de ce travail, de la perspective dans laquelle je me suis placé pour tracer ce tableau. J'ai eu pour objet constant de saisir le lien qui unit dans les œuvres, de façon vitale et organique, la pensée à la création littéraire. L'étiquette «histoire des idées» n'est ici acceptable que faute d'une meilleure appellation. Elle a le défaut de paraître se référer à la vie du pur intellect et de ses productions, et on aimerait que soit mieux évoqué ce qui — relation réciproque avec les besoins de la société, écho affectif des idées, accompagnement figuratif et suggestion de valeurs — apparaît, surtout en littérature, inséparable de la pensée proprement dite.

L'espèce d'hétérogénéité que certains établissent entre la chose littéraire, considérée dans son essence, et les idées, qui lui seraient par nature étrangères, et ne pourraient que la parasiter et en diluer la vertu, est, sous cette forme extrême, une invention — toute récente, à vrai dire — d'auteurs et de critiques dominés eux-mêmes par une *idée* : ils forgent le concept d'une littérature ou d'une poésie pure, séparée de « tout ce qui n'est pas elle-même » ; mais, par une flagrante pétition de principe, ils ne savent définir ce qu'elle est que par cette chimérique séparation ; et ce qu'ils pensent isoler comme essentiellement littéraire n'existe nulle part seul. Le germe d'une telle doctrine se trouve précisément dans la génération à laquelle est consacré le présent volume. C'est là qu'a commencé à poindre la notion d'une littérature séparée du reste : notion, et théorie, abondamment professées en prose et en vers. La littérature se trouvant au confluent de plusieurs réalités qui se rencontrent en elle, son étude peut s'ouvrir naturellement dans plusieurs directions, majeures ou mineures, entre lesquelles le critique est libre de choisir. Mais il perd tout crédit s'il semble oublier cette multiplicité d'horizons ; il ne peut considérer exclusivement les formes, style et figures, ni les thèmes et motifs, ni les moyens employés et l'effet produit, et le « je ne sais quoi », ni ce qui vient de la société et s'adresse à elle, — ni non plus, bien sûr, les pensées seules.

PREMIER ET SECOND ROMANTISME

Quand j'ai entrepris le travail qui a abouti à ces livres, je m'intéressais surtout à cette position séparée et au parti pris d'amertume et de solitude qui sont, dans le second romantisme, les caractères dominants de la haute littérature. Cette attitude que les écrivains — surtout Baudelaire et Flaubert — adoptèrent autant comme une infortune subie que comme un choix volontaire, et dont hérita la génération suivante, celle du jeune Parnasse, de Mallarmé et de Verlaine, me semblait requérir une explication. M'étant bientôt convaincu que cette époque ne répudiait pas l'ambition de l'époque précédente, mais la continuait sous un signe opposé, et que cette filiation *a contrario* avait été favorisée par les graves changements survenus en France dans la société et l'esprit public vers le milieu du siècle, je me suis alors intéressé à ce qu'avait pu être cet élan premier du romantisme, avant de se métamorphoser en contemplation pessimiste. J'ai cru constater que le mouvement romantique, dont la plupart des autorités critiques de ma jeunesse n'osaient défendre — et encore — que la fécondité lyrique et la riche imagerie, était bien autre chose : le lyrisme du *moi* romantique ne pouvait se séparer d'un vaste mouvement de pensée dont le principe était une foi nouvelle dans les destinées conjointes de la poésie et de l'humanité.

Le romantisme n'avait pu prendre que peu à peu conscience de cette foi, qui ne gagna d'abord la poésie qu'à travers le renouveau du sentiment religieux : *Le Génie du christianisme* marque ce moment d'une initiale et mémorable empreinte. Mais cette première ébauche d'un romantisme chrétien, accommodation de la foi traditionnelle à la sensibilité et aux idées modernes, contient en puissance une hétérodoxie : les mérites de la religion y sont considérés et célébrés dans une perspective de fécondité civilisatrice et esthétique plutôt que de salut. La postérité de Chateaubriand devait être, en fait, néo-chrétienne, et pour un temps seulement. Autour des premières années 1820, le jeune romantisme catholicisant commence à repenser la religion non seulement selon le présent, mais selon l'avenir, sous l'inspiration de Ballanche en particulier, et à la réviser avec toute la modération possible, en faisant place aux idées du siècle précédent et à la philosophie de la liberté et du progrès. Cette évolution ne fit que s'accentuer, de cénacle en cénacle, jusqu'à la veille de 1830. À cette date, le romantisme de tendance religieuse et son homonyme libéral, se donnant pour tâche commune de libérer la littérature de ses formes monarchiques et courtisanes, s'étaient rapprochés et confondus. C'est cette fusion qui a constitué le Romantisme tel que nous l'entendons aujourd'hui, comme révolution des lettres et des esprits.

Dans ce romantisme, tout moderne, de 1830, l'inspiration religieuse originelle ne s'éteint pas, mais elle s'émancipe des dogmes. Elle rejoint le spiritualisme des philosophes libéraux contemporains, et bientôt sa version humanitaire ; elle favorise la libre interprétation de l'Écriture et des destinées de l'homme. Le Romantisme finit de la sorte par apparaître, dans ses grandes créations de la première moitié du siècle, comme une synthèse, à la fois enthousiaste et tempérée, de la philosophie des Lumières et d'un spiritualisme parareligieux, sous l'égide de la Poésie. La mission humaine du poète romantique semble mêler dans sa définition l'idée d'un sacerdoce de

source céleste, sur le modèle chrétien, à celle, que le xvıııᵉ siècle avait mise en circulation, du ministère de l'Homme de Lettres laïque dans la société moderne. Cette combinaison
correspondait bien au vœu général du siècle, qui entendait réaliser le progrès selon les Lumières, mais en en modérant l'idée
par le postulat de quelque transcendance. La doctrine, si répandue à cette époque, d'un Progrès guidé par la Providence,
résume bien cette synthèse. Écrivains et poètes, tout en conce-
vant l'histoire humaine comme une marche ascendante, veulent qu'elle soit le déroulement d'un projet divin : ils réconcilient
superbement Condorcet et Bossuet. C'est ainsi que la poésie
romantique, fille à la fois de la terre et du ciel, peut occuper
le premier rang parmi les œuvres de l'esprit humain et se sent
capable de guider spirituellement la marche de l'humanité
moderne.

À qui voit le romantisme sous cette lumière, la perspective
purement littéraire, le plus souvent choisie pour le décrire,
paraît singulièrement réductrice. L'extraordinaire révolution
des formes, du style, des genres et des sujets, ce bouleversement, en quelques années, de tous les principes et habitudes
littéraires consacrés en France et imités en Europe, ne fut que
l'instrument nécessaire d'une révolution plus profonde, qui
mettait en jeu non seulement les modalités de la littérature,
mais son statut et la forme du pouvoir spirituel au sein de
la société. Cela dit, la question qui se pose est celle-ci : pourquoi cette promotion des créations littéraires et en particulier
de la poésie, à une dignité et à un crédit qu'elles n'avaient
jamais eus dans les siècles précédents a-t-elle été suivie d'un
si soudain désenchantement? Ce qu'on nomme le « grand
romantisme», celui des poètes pensants, communicatifs et agis-
sants, qui avaient l'ambition d'enseigner l'humanité nouvelle,
n'a duré que le temps d'une génération : celle des hommes
nés aux environs de 1800, qui se firent connaître vers 1820
ou peu après, et tinrent le devant de la scène jusqu'au milieu
du siècle, exceptionnellement au-delà. La génération suivante,
celle de Baudelaire, née vers 1820, qui entra en littérature
dans les derniers temps de la monarchie de Juillet, offre un
profil tout différent. Et même on a pu voir — c'est précisément l'objet de ce volume-ci — que déjà les cadets de la génération précédente, nés vers 1810, plus jeunes que leus aînés
de dix ans à peine, se distinguaient déjà sensiblement

d'eux[1]. Cependant, c'est surtout en poésie qu'on constate les effets de cette mutation. Le système d'opinion progressiste qui s'est constitué sous la Restauration continue d'exister tout au long du siècle et de combattre le système conservateur adverse, qui a repris de nouvelles forces après 1848. En poésie, la foi tombe pour ainsi dire en ruine du dedans, et essaie d'inventer ses compensations propres. L'alliance proclamée par la poésie entre ses inspirations et les destinées du genre humain, article fondamental et constitutif du «grand romantisme» français, se voit répudiée. On ne croit plus, on ne veut plus croire, ni à un avenir providentiel d'humanité ascendante, ni en un rôle privilégié des poètes dans cette marche de l'homme vers l'idéal. C'est cette foi qui avait animé l'élan premier du romantisme poétique; pour ceux qui la perdirent, tout changea de visage.

En même temps que l'Humanité se transformait, aux yeux des poètes, en une foule stupide et méchante, et son histoire en un non-sens permanent, la Providence fit place à un «néant vaste et noir», et Dieu à un «Idéal» ennemi. Pour expliquer un retournement si dramatique, on peut dire que la poésie, dans sa récente promotion quasi sacerdotale, demeurait passablement fragile; que l'esprit public, au temps même de cette promotion, continuait à considérer les poètes comme des êtres plus faits pour célébrer, imaginer et charmer que pour juger, enseigner et prédire. Le poète, en dépit des souvenirs ou des légendes de la primitive humanité, avait toujours été, dans la société européenne, un personnage marginal, peu apte par nature à prendre part aux affaires humaines. Sa promotion à un haut rang, moyennant une liaison supposée de son ministère avec la providence divine, était née du besoin qu'éprouvait la société postrévolutionnaire de conserver le sacré en le laïcisant. Mais cette promotion survenait dans une époque où l'intervention de Dieu dans les affaires humaines, et la possibilité d'un sacerdoce quel qu'il fût, avaient cessé justement d'être l'objet d'une

---

1. Ce que j'ai pu voir de la très nombreuse armée poétique de ce premier demi-siècle donne nettement l'impression d'un partage d'inspiration selon l'âge des poètes; les plus tard survenus sont les plus amers. Au ton des vers, à la couleur des formules, la date de naissance du poète se devine souvent: autour de 1800, ou bien de 1810-1815; ce sont deux registres différents. Quand, après une première lecture, on vérifie, on trouve qu'on s'est rarement trompé. Les premiers ont atteint l'âge d'homme au temps des espoirs premiers de la Restauration, les autres parmi les déceptions qui suivirent les Trois Glorieuses.

véritable croyance. Cette espèce de demi-religion que le Romantisme prétend être, et la position à la fois supraterrestre et militante de ses poètes, peuvent bien n'avoir été qu'un moment de transition, une sorte d'éblouissement passager entre l'ancienne société catholique et le nouveau monde positif. On comprend, s'il en est ainsi, que cet éblouissement n'ait pas résisté aux réalités, apparues dès 1830, de la nouvelle société, et que la critique littéraire elle-même soit si vite devenue incapable de percevoir ce qu'avait été la foi romantique. Une altération sensible, après les déceptions de 1830, puis de 1848, des circonstances qui avaient favorisé cette foi a précipité la poésie des sommets de l'enthousiasme aux plus sombres pensées sur le monde environnant et sur son propre statut.

Quelles furent ces pensées? Ayant renoncé à la foi qu'elle avait proclamée, la Poésie l'a-t-elle, à proprement parler, reniée? La jeunesse romantique, déçue par les médiocres lendemains de 1830, et la génération littéraire qui lui succéda ont-elles fait l'humble *mea culpa* de leurs illusions? Se sont-elles converties à la réalité? à l'ordre établi, qui est la forme politique du réel? au conservatisme religieux et social? Il arrive qu'on le croie, sur la foi de quelques déclarations provocantes des intéressés, mal et trop vite interprétées. S'ils avaient pris vraiment ce chemin, une acclamation chaleureuse de l'opinion conservatrice aurait accueilli écrivains et poètes dans leur conversion. Au lieu de cela, les deux plus notables d'entre eux furent traduits en justice pour l'immoralité de leurs écrits. Voilà qui mérite réflexion. C'est que le mouvement de retrait de la seconde génération romantique n'a rien d'une palinodie réelle ; sur ce qui pouvait leur sembler l'essentiel, les poètes n'ont guère changé. Ils renonçaient à des ambitions spirituelles, qu'ils avaient crues et continuaient de croire légitimes, mais cette renonciation se faisait sous le signe du deuil, et avec un dépit profond. En réalité, ni la religion de l'Idéal, ni l'investiture spirituelle du Poète, proclamées par la génération aînée, n'étaient abandonnées par la cadette : elle continue à se réclamer implicitement d'un pacte du Poète avec l'Humanité et avec Dieu, auquel Dieu et l'Humanité ont manqué, non le Poète. Le souvenir de ce pacte restait gravé au cœur de la poésie : l'amertume dont elle est empreinte, la plainte qu'elle exhale inlassablement tiennent à la douleur d'une frustration ; ce n'est pas par hasard que l'Éden perdu est l'emblème et le motif le plus constant de cette poésie. Le Poète est un dieu tombé, dont la souffrance proclame l'imprescriptible titre. Ce n'est pas par hasard non plus que la société établie le rejette : bien qu'il n'en espère plus une autre, il persiste à juger de haut celle où il vit : il n'abjure nullement, en tant que valeur suprême, ce en quoi il ne peut plus espérer, et il met en accusation le monde tel qu'il le voit fait.

C'est dans ce sens que le second romantisme continue le premier, même si la différence de l'un à l'autre se traduit dans le ton, dans les thèmes et jusque dans les formes. Hugo, prêchant l'espoir à Baudelaire, constate l'écart entre eux, mais atteste la filiation. Certains vont jusqu'à penser que le second romantisme est le romantisme authentique, que celui des grands initiateurs n'en était que l'annonce, encore imparfaite et impure. On peut ne voir là qu'un débat de terminologie ou de préférence individuelle, dire qu'il y a eu seulement, au sens chronologique, un premier et un second romantisme, qui ont droit l'un et l'autre à la glorieuse appellation commune. Il n'en faut pas moins convenir que le premier est celui qui, en France, a ébranlé la tradition, tout transformé dans les lettres, renouvelé le statut du poète, et produit une éclosion extraordinaire de talents dans tous les genres. Baudelaire lui-même ne songeait pas à rompre l'usage traditionnel : il ne se disait pas, que je sache, romantique, bien qu'il ne doutât certainement pas d'être de cette lignée, et d'en être digne à sa manière.

Il faut avouer aussi que la foi des aînés portait, dans son intimité même, et pas seulement dans son aptitude à convaincre le siècle, des germes de fragilité. Le romantisme — c'est sa grandeur — allie le doute à la foi. Il ignore, dans les articles de son credo, l'architecture fixe et le ton péremptoire dont la Foi avait usé jusque-là. Il fait place, au cœur de son expérience, aux angoisses de la condition humaine et ne leur oppose pas de remède certain. Il connaît la tentation du blasphème, quoiqu'il ne veuille pas lui laisser le dernier mot. Comme c'est précisément par cette inquiétude et ces libres vicissitudes de la foi que le romantisme prétend se distinguer de la religion, et confirmer l'homme moderne dans sa nouvelle situation, on pouvait, dès que le monde réel et le public semblaient désavouer la hasardeuse entreprise, s'engager dans la voie du pur désespoir sans penser avoir changé de direction. Le Poète maudit, succédant au Mage, peut même se convaincre qu'il exerce plus purement que lui le sacerdoce de poésie. Le Mage reçoit sa lumière de Dieu, et il la communique à l'Humanité : sa grandeur est dans cette liaison avec deux êtres plus grands que lui, et dans le double service qu'elle implique. Le Poète maudit, entre un Idéal avare de communication et un auditoire sourd, vit dans l'échec ; mais il est souverain dans sa solitude ; il peut dédaigner ce qui, des deux parts, se refuse à lui ; il incarne une aspiration infinie, qui vit d'elle-même. C'est en ce sens, beaucoup plus que par la religion vaine de l'art, où il se réfugie volontiers, que le second romantisme peut sembler reproduire, à un degré plus pur et plus authentique, l'essence du premier. Purification, toutefois, ou altération ? Tels sont les termes véritables de l'insoluble débat où s'opposent Hugo et Baudelaire.

Dans l'évolution de la philosophie poétique, telle qu'elle s'est poursuivie jusqu'à nous, Baudelaire semble l'avoir emporté durablement. Depuis qu'il a paru, la haute littérature et l'opinion lettrée font résider toute lucidité et toute dignité dans la conscience insatisfaite et radicalement malheureuse ; la disqualification lyrico-métaphysique de la commune humanité passe pour plus lucide que l'attribution à l'homme d'une excellence quelconque, l'Art seul excepté ; l'irrémédiable solitude des âmes semble plus plausible que toute communion. Au moins en a-t-il été clairement ainsi dans les générations du second romantisme[1]. Dans ce qui est venu ensuite, vers 1885, des conditions nouvelles ont agi de plusieurs façons, diverses et conflictuelles ; mais dans leur ligne de cime la littérature digne de ce nom et la poésie n'ont jamais rejeté l'héritage négatif du second romantisme.

La littérature, en règle générale, se nourrit plus volontiers d'insatisfaction et de malheur que de bonheur ou d'espérance ; elle trouve sa matière de prédilection dans les difficultés de notre condition plutôt que dans nos réussites ou nos joies. Une de ses fonctions depuis toujours est de nous aider à vivre nos maux en les habillant de ses prestiges. L'Europe moderne, classique et romantique, est restée fidèle à cette tradition. Le premier romantisme joua, comme on avait fait avant lui, sur les deux cordes, la glorieuse et la douloureuse, en mêlant leurs sons de façon à faire dominer un chant d'espoir. Le romantisme désen-

---

1. Celle des Jeune-France et de Gautier, celle de Baudelaire-Flaubert, celle du jeune Parnasse et de Mallarmé.

chanté, renversant les proportions, trouva une facilité dans l'usage prédominant d'une amertume sans issue, et fit de cet ingrédient, ennobli par l'art, la condition de l'excellence poétique et le signe même de la «modernité». Il a voulu voir dans toute espèce d'optimisme une marque de vulgarité, voire de sottise. Il a fait briller le mal dans ses créations, et diffamé comme mensonge ou niaiserie l'espérance du bien. S'il ne s'agissait en cela que d'une innovation esthétique, l'événement ne pourrait donner lieu qu'à un débat limité, entre amateurs de sensations. Mais il s'agit, avec le romantisme, d'une poésie qui se donne pour pensante, qui l'est dans son intime essence, et qui nous oblige à la juger aussi sous cet angle.

Par son ambition de penseur moderne, Baudelaire continue Hugo, quoiqu'il pense et enseigne sensiblement autre chose que lui. Son peu de sympathie pour la philosophie et le sentiment humanitaires ne l'empêche pas d'être lui-même un poète-philosophe, et philosophe de cette humanité d'aujourd'hui qui peuple ses poèmes. Il a choisi, contrairement à ses prédécesseurs romantiques, de la peindre sur le mode négatif, avec les couleurs de la pire réalité : mais sa rhétorique n'est pas moins excessive que l'enflure humanitaire ; le désaveu du genre humain et l'obsession misanthropico-satanique ne sont pas choses moins gratuites, à y bien songer, que le messianisme de l'époque précédente. Surtout, le discours qui dévalorise l'humanité recèle une désastreuse contradiction : à moins de s'inscrire dans un nihilisme universel, il doit supposer des valeurs sous-entendues, hors de portée de l'homme, au regard desquelles l'homme est réprouvé. La religion était bien là, offrant les siennes, auxquelles on se référait à l'occasion. Mais qui était vraiment religieux parmi ces paladins de la désaffection ? Et s'ils ne l'étaient pas, tout ce que leur pessimisme prêchait implicitement, noblesse, pureté de cœur, amour du beau, étant d'essence et d'invention humaines, glorifiait la nature de l'homme au moment même où ils l'invectivaient. Un autre paradoxe de cette logique est que le réquisitoire y a nécessairement valeur d'auto-incrimination. Il n'est pas question que le poète tonnant puisse échapper à sa propre foudre ; il faut bien qu'il égale son indignité à celle de ses semblables : dans cette version tournée au noir de la fraternité humanitaire, il transfigure sans l'effacer l'immodeste *ego* de ses prédécesseurs. Et sa forfanterie de vice ou la déploration de sa prétendue sté-

rilité sont-elles plus recevables que la mégalomanie des «mages»
dont il se sépare ? D'ailleurs, ultime contraste et dernier mot
de cette pensée pourtant si encline à la négation, elle maintient intact le privilège spirituel du Poète, notamment par l'anathème à la bêtise universelle dont il s'excepte : thème ignoré
jusque-là et fatuité d'intelligence, variante tardive de la prétention des hommes de lettres à l'aristocratie.

Ces travers ne méritaient peut-être pas d'être soulignés, sinon
pour faire entendre ce qu'aurait pu dire du romantisme
misanthropique une critique aussi malveillante que celle qui
a pris l'habitude d'accabler le romantisme humanitaire. Cette
autofiguration du Poète romantique dans chacune de ses générations mérite tout au plus l'ironie ; elle est, dans ses traits excessifs, qu'il s'agisse des aînés ou des cadets, le sacrifice que fait
à la mode et à la parade une époque exceptionnellement fer-
tile en génies. Ce sont-là les postures qui accompagnent un
grand débat ; c'est et ce devait être, en critique, la pâture des
badauds, non de ceux qui cherchent, au-delà des poses, les vérités dont la littérature est faite. Le second romantisme n'est pas
tout entier dans l'inconsistance de quelques-unes de ses pensées favorites ; il est surtout dans la gravité de son souci, dans
sa religion inébranlée de l'idéal, dans la haute nostalgie du bien
que laisse supposer sa hantise du mal, dans l'intermittence,
mêlée à ses sarcasmes, d'une foi intime et d'imaginations répa-
ratrices, enfin dans la place même qu'il fait à l'art comme signal
de noblesse et d'altitude spirituelle.

POÉSIE ET ACTION

Le premier romantisme, doué d'une grande force d'expansion, s'était mis en état de communication et d'influence réciproques avec l'histoire, la philosophie sociale, les luttes
politiques contemporaines. Son successeur apparaît, au
contraire, sous l'aspect d'une sorte de sécession au sein de la
société. La poésie en particulier semble être le fait d'une corporation qui cherche désormais ses voies en elle-même. Cette
position n'a pas manqué d'être critiquée jusqu'à nos jours, parfois avec virulence, surtout dans les époques où l'idée d'une

littérature ou d'une poésie proprement militantes reprenait du crédit dans la gauche ou l'extrême gauche intellectuelle. Ces critiques, souvent outrancières et mal fondées, qui tendaient à dénier toute autonomie à la création littéraire, ont généralement fait long feu. Mais il est significatif que le grand romantisme, tout communicatif et actif qu'il voulait être, ait dû les subir, et s'appliquer déjà à les réfuter. Dans les régions du progressisme dogmatique (saint-simonisme, néo-jacobinisme), on maudissait dès les années 1830 la doctrine dite de l'art pour l'art et l'on sermonnait ses prétendus adeptes. La poésie ne défendait alors que son indépendance par rapport aux systèmes doctrinaux, conçus en dehors d'elle, auxquels on prétendait la subordonner ; elle se réclamait d'une liberté propre à sa nature, sans se dire en rien indifférente à la marche de la société. Le second romantisme, dès ses origines, se distingua par des professions de foi provocantes, expressément dirigées contre toute action ou participation aux luttes humaines, qui le mirent en opposition avec toute l'opinion progressiste. Aujourd'hui encore, si le génie de Baudelaire ou de Flaubert, comme créateurs, n'est discuté nulle part, si même tout ce qui dans leur œuvre a pu faire scandale en leur temps les rend sympathiques à l'opinion «avancée», leur désengagement a continué, jusqu'à une époque toute récente, à faire l'objet de jugements hostiles, semblables à ceux de jadis. La rhétorique seule avait changé ; on y reconnaissait le sceau et la couleur des dogmatismes de notre époque : cette brouille de la littérature et de la société était tenue pour un alibi de la mauvaise conscience des écrivains ; leur religion de l'art et leur nihilisme politique, pour le masque de leur complicité profonde avec l'ordre conservateur ; le caractère bourgeois de leur genre de vie et de leurs ressources, disait-on, résulte de leur choix profond et commande leur indifférence à la cause humaine.

Ces imputations se heurtent à une réalité patente : le caractère principal de leur relation avec la bourgeoisie régnante en leur temps est une répugnance et une mésestime réciproques. De quelque façon qu'on l'explique, le conflit est là, et il atteste une incompatibilité, apparemment fondée des deux parts. Il y a toute chance qu'elle le soit en profondeur, sur une rivalité de préséance ou de hiérarchie sociale, pas du tout insignifiante. Face à une classe imbue de son nouveau pouvoir, et traditionnellement dénuée de l'esprit de poésie, le Poète se pose, en vertu d'une intime et impérieuse conviction, en dépositaire de valeurs spirituelles qui la dépassent et la découronnent. Que cette prétention soit chimérique, c'est-à-dire impuissante à modifier la distribution des pouvoirs réels et du prestige qui s'y attache, ce n'est pas ce qui importe. Chacun des deux groupes est convaincu qu'il a de quoi mépriser l'autre à bon droit, et il sait que l'autre nourrit à son égard la même conviction : cela suffit pour entretenir une hostilité réciproque du meilleur aloi. Cependant, Bourgeoisie et Poésie étaient destinées à vivre ensemble, et elles ont bien dû s'y résigner. Les poètes ont cherché quel équilibre ils pouvaient établir sur leur désenchantement, sans démentir la dignité de leur vocation, et en attendant des temps meilleurs. Ils ont souvent formulé expressément cette clause d'avenir, quoique lointaine et problématique. Déjà amers sous Louis-Philippe, ils ont pu croire en 1848 qu'il y avait place encore pour l'espoir ; ils ont déchanté, ils sont entrés dans une longue attente, dont Mallarmé — une génération plus tard — croyait malgré tout pouvoir évoquer l'issue à venir.

Ils ne voient pas, entre-temps, à quelle lutte ils pourraient prendre part sans mentir à leur peu de foi, et sans courir à de nouveaux dégoûts. Mais par leur sombre humeur, leurs colères, leur solitude, leur foncière insatisfaction, ils témoignent valablement contre la société qui les entoure, et ils le savent. Ils maintiennent au moins, contre la société réelle, l'idée d'autre chose, dont ils se sentent les interprètes. Ils n'ont jamais cessé, dans leur pessimisme, de prendre au sérieux la poésie, et il faut, sur ce point, leur donner raison. En la séparant de l'action, ont-ils exclu à jamais leur réconciliation ? Ce qu'ils affirment farouchement, c'est que, pour eux et de leur temps, elles se sont séparées. Ils ont fait un problème de l'espérance, qui semblait aller de soi pour leurs aînés. Ce problème, chez eux et après eux, demeure au cœur de la philosophie poétique. Ils ont laissé, sur ce sujet, la discussion ouverte. Ils ont renoncé à la prophétie et à l'enseignement humanitaires, mais ils continuent de parler au nom de tous. Les angoisses et les félicités du poète sont, pour une bonne part au moins, celles que tout homme peut éprouver. Le romantisme désenchanté conserve d'abord, en dépit de la solitude qu'il affecte, la fonction de pensée et d'exhortation que la poésie a conquise, et qu'elle gardera longtemps. Ce qu'on peut dire en ce sens, et qui vaut pleinement pour Baudelaire comme pour Gautier, pourrait clore le débat sur cette première crise, si d'autres difficultés n'avaient, en même temps, compliqué le statut de la Poésie.

LA POÉSIE COMME CONNAISSANCE

Cette dignité spirituelle du Poète, de portée actuelle et non mythique, dont l'idée a survécu au Désenchantement, n'a pas perdu tout crédit dans le grand public. La Poésie, même exilée de l'action, a gardé de sa résurrection romantique une auréole de valeur humaine. Qui oserait aujourd'hui, comme faisait Malherbe, comparer le mérite d'un poète à celui d'un joueur de quilles ? Au contraire, une révérence générale place très haut le génie poétique dans l'échelle des facultés et de l'excellence humaine. Mais sur quoi repose, de quoi se nourrit ce crédit de la poésie, alors qu'elle est de moins en moins familière au public ? Ses apologistes modernes n'ont cessé, d'époque en époque, de célébrer en phrases péremptoires ses inspirations et son verbe ; accompagnant de leur lyrisme celui des poètes, ils ont glorifié et entretenu le feu sacré. Mais une doctrine s'esquissait aussi, doublant l'enthousiasme ; elle se précisa, curieusement, à mesure que l'enchantement tombait.

Dans l'ordre de la prééminence spirituelle, c'est la Connaissance qui prime tous les autres titres. L'Église a vu son pouvoir ébranlé quand il lui a fallu admettre que la science laïque connaissait le monde mieux qu'elle : toute l'apologétique chrétiennne, dans la France du XIXᵉ siècle, sentant où le bât la blesse, balance entre une chimérique disqualification de la science humaine et l'informe projet d'une science catholique. De son côté, le Romantisme a tendu, d'emblée, à faire de sa poétique une métaphysique en suggérant, comme propre au poète, un mode particulier de *connaissance*, et non pas seulement de conception, d'invention ou d'expression ; le poète avait la faculté d'atteindre, par d'autres voies que celle de la Révélation, des vérités inaccessibles à l'expérience commune et à la raison, sur lesquelles la science moderne établit son autorité. Le Romantisme pressentit, trois générations avant celle qui devait faire du « symbolisme » son étiquette et son drapeau, une théorie du symbole qui donnait en privilège au poète l'intuition profonde de l'univers.

Le symbole, ou l'image, ou la métaphore, ou de quelque nom qu'on veuille l'appeler, est une figure par laquelle — au moins est-ce le cas le plus souvent envisagé — un objet ou une qualité du monde visible est appelé à représenter quelque chose du monde de l'esprit : c'est là, depuis toujours, un des recours les plus notoires du langage poétique. On s'occupait depuis longtemps de cette figure, comme de beaucoup d'autres, dans la théorie littéraire et la rhétorique.

On s'est souvent convaincu, vu la prédominance supposée, chez les premiers hommes, de l'expérience et de la vie sensorielles, que le langage était né d'abord sous forme imagée, et que la poésie, dans son usage des symboles, maintenait vivant, au sein de la civilisation, cet héritage des temps primitifs. Cette façon de voir, fréquente au XVIIIe siècle, relevait d'une conception de l'histoire humaine purement naturaliste et positive, selon laquelle les sens et l'imagination avaient précédé dans l'homme l'exercice de la raison. On se fondait sur ce qu'on commençait à savoir des « sauvages » et de leurs langues, aussi de la poésie la plus ancienne de l'Europe et de l'Orient. On voyait, dans le langage figuré, une invention spontanée de l'homme, une relation introduite par lui, dans une intention expressive, entre sa perception du monde physique et sa vie morale. On pensait qu'un langage comme celui-là, aussi étranger à la stricte vérité, ne pourrait, quel qu'en fût le charme, survivre au progrès d'une civilisation appuyée sur les progrès de la raison. À l'époque des Lumières, puis dans les milieux libéraux qui en recueillirent l'héritage au siècle suivant, il était courant de croire, et de dire, que la poésie tenait à l'enfance du genre humain, et que le développement de la pensée rationnelle l'excluait de l'âge adulte de l'humanité et la condamnait à disparaître. Le romantisme fut profondément, dès son origine, une protestation contre cette vue des choses : il faisait lui-même la preuve, par ses œuvres, que la Poésie n'était pas morte et ne risquait pas de mourir, étant inséparable des facultés et de la nature de l'homme, et capable d'accompagner en tout temps les progrès de la civilisation. Cette démonstration par le fait s'appuyait confusément sur une conception du symbole tout opposée à l'esprit des Lumières, et plus mystique que proprement humaine. Les parties poétiques de l'Ancien Testament (cantiques, psaumes, prophéties) sont particulièrement riches en images de toutes sortes. Mais, pour un lecteur chrétien, c'est Dieu ici, en tant que Saint-Esprit inspirant le poète sacré, qui est censé faire usage du style figuré pour parler aux hommes. Mieux encore : partant de l'idée que Dieu se plaît à un tel style, on cherchait dans la Bible, au-delà du symbolisme ordinaire, figuration expressive des rapports entre l'homme et les choses, des significations cachées, des pensées de Dieu qu'il n'avait voulu signifier qu'en les dissimulant dans un mode d'élocution énigmatique. Ce symbolisme supposé, ou imaginaire, devenu l'une des grandes ressources du discours exégétique, conduisit à l'idée que le Dieu créateur avait pu procéder comme le Dieu écrivain, et que la Nature créée pouvait être un autre Livre, où chaque objet et chaque être, visible dans sa forme et ses attributs naturels, représentait en secret une pensée ou une injonction de son créateur. Dans une telle vue, le symbole n'était plus seulement une relation du sujet humain avec la nature ; il supposait désormais Dieu comme troisième et souverain personnage, et son sens débouchait sur la suprême Vérité.

Cette théologie médiévale du symbole dans la Création, hasardeuse mais tenue pour orthodoxe, subit naturellement une forte éclipse dans la philosophie rationaliste de l'ère classique et la science positive naissante ; au contraire, l'hétérodoxie illuministe, contemporaine et ennemie de la philosophie des Lumières, l'adopta généralement et la répandit sous la forme d'une théorie systématique des analogies ou correspondances entre les choses de la terre et celles du ciel. C'est sous cette forme que le Romantisme, en quête d'une promotion métaphysico-religieuse de la poésie, en reçut et en accepta l'héritage : en fait, il fit de la métaphore, avant lui un procédé parmi d'autres du langage poétique, sa ressource et son exercice fondamental ; il trouva un appui à cet égard dans l'esthétique contemporaine : les philosophes éclectiques proclamèrent plus d'une fois la portée spirituelle du symbole, comme alliant le fini de la forme visible à l'infini du sens, et définirent le beau en général comme résultant d'un semblable alliage. C'est ainsi qu'une figure de rhétorique de tout temps familière aux poètes fut promue à une fonction auguste, et que le génie de la métaphore, magnifié dans la poésie nouvelle, se changea en intuition privilégiée des secrets de la création et devint la couronne spirituelle du Poète.

On peut remarquer, toutefois, que le romantisme des aînés, assez vite décatholicisé, fit un usage modéré de cette doctrine théologique des correspondances, et ne la mit guère en pratique dans son maniement du symbole. Les grands poètes de cette génération prétendirent, eux aussi, donner à la poésie le statut de connaissance, mais par une autre voie, plus conforme au déisme des Lumières, dont ils étaient surtout les héritiers. Ils admettent le trio Dieu-Nature-Poète sur la base, non pas d'une constitution symbolique de l'univers, mais de cette sorte de communion ineffable, excluant toute démonstration discursive, que le déisme sensible établit entre la création universelle et son créateur : le Poète participe à cette union et en porte témoignage sur le mode de l'hymne ; il développe à l'infini un *Omnia enarrant gloriam Dei*, soit « Toutes choses racontent la gloire de Dieu », cette célébration universelle étant infatigablement attestée, et célébrée elle-même par le Poète dans tous les êtres qui y participent, plutôt que transcrite dans son ineffable contenu. Cette forme de religiosité poétique n'est pas sans avoir, elle aussi, son origine théologique ; elle dérive du thème selon lequel l'homme primitif employa pour la première fois le langage pour louer et remercier Dieu des merveilles de sa création : thème abondamment développé dans la critique littéraire ecclésiastique de l'âge classique, qui voit dans ces premières effusions de l'Humanité vers Dieu le point de départ de toute la poésie lyrique ultérieure. Le thème se rencontre partout au XVIIIe siècle dans la critique sacrée ou profane, et a passé directement de là au romantisme. Il jouit, bien sûr, d'une diffusion incomparablement plus vaste que la conception analogique de l'univers : il réconcilie catholiques et déistes.

On pourrait s'étonner que ce soit dans sa seconde génération, quand elle renonça à sa relation première avec Dieu et l'humanité, que la poésie romantique ait accueilli avec le plus de faveur la théorie des analogies et correspondances, qui impliquait l'omniprésence, dans la création, d'un message divin adressé aux hommes. Mais c'est que le poète romantique, dès lors qu'il se réfugie dans un sacerdoce solitaire, purement contemplatif, a besoin plus que jamais de le définir, s'il ne veut le réduire à une pure rêverie, comme une *connaissance* suréminente de l'univers créé : c'est pourquoi il se complaît dans l'idée d'une constitution secrète de l'univers dont il aurait la clef. Il tâche de se passer du Dieu qui était jusque-là le maître d'œuvre de cet univers de symboles, en invoquant une Nature par elle-même symbolique et magique, douée de puissance et d'harmonie secrète : la poésie en devine seule les voies et peut y puiser, par la grâce de son verbe particulier, une source de vie et de consolation nostalgique. Il n'en reste pas moins que la théorie des analogies est, en elle-même, beaucoup plus fragile et inconsistante que celle d'une nature simplement animée par Dieu et aspirant confusément à lui ; en ce sens, on peut dire que l'Élévation ou l'Hymne, fervent et interrogatif, du premier romantisme a plus de poids, en tant qu'expression d'une religiosité moderne, que les fuyantes révélations de la poésie analogique. Je ne parle pas de charme poétique, mais de plausibilité dans l'ordre de la connaissance, et plus pratiquement de crédibilité ou de capacité de communion avec un public dominé par la religiosité commune. L'Analogie relève davantage de la fabrication lettrée ou, à l'opposé, de la superstition populaire : deux sources contraires qui ont précisément commencé à se mêler dans la littérature du second romantisme, et ne se sont plus quittées.

La poésie-connaissance, dans cette dernière variante, est difficile à défendre. La promotion métaphysico-ontologique du symbole, supposé renvoyer de la nature visible à une supernature spirituelle, avec ou sans Dieu, suscite une objection majeure : si les symboles donnaient sur l'être, des correspondances fixes devraient s'établir entre chaque chose visible et ce qu'elle est censée signifier surnaturellement ; certains l'ont cru et ont tenté un Dictionnaire ou une Clef des symboles, mais il est patent que la poésie ne procède pas ainsi : chaque poète a sa propre «imagerie» et son atelier de métaphores différent, de sorte que le langage figuratif doit être considéré comme issu de la relation libre d'un sujet pensant avec les choses telles qu'elles s'offrent à son interprétation, plutôt qu'avec un ordre de choses extérieur à lui qu'il aurait à déchiffrer. Le seul créateur que le symbole atteste est le *moi* du poète, qui agit dans ce domaine en inventeur, non en révélateur. On le voit bien si l'on considère non les préfaces ou les articles dans lesquels le poète romantique disserte sur l'analogie universelle, mais l'usage qu'il fait réellement du symbole dans ses poèmes : ce qu'on y découvre, ce n'est pas un autre monde, signifié à travers celui-ci et plus proche de l'être, mais un foisonnement de similitudes imaginées entre les choses que le poète voit, ou entre ce qu'il voit et ce qu'il pense ou éprouve. Si les poètes eux-mêmes ne le disent pas, ou du moins pas distinctement (car l'ambiguïté fréquente de leur discours sur le symbolisme poétique laisse bien souvent entrevoir sa nature subjective), c'est parce qu'ils tiennent plus au prestige de leur «voyance» supposée qu'à celui de leur génie poétique. Le poète romantique veut être à la fois découvreur des secrets de Dieu et, dans la même opération, inventeur des siens.

POÉSIE ET SCIENCE

Il y a beaucoup de façons de faire de la poésie une métaphysique, de la lier à un dépassement de la nature. Le discrédit de la religion laissait, à cet égard, plus d'un vide. Je me suis attaché seulement, ici, aux aspects romantiques de cette entreprise, quoique n'ignorant pas que d'autres modalités en ont paru depuis. Ces tentatives incessantes trahissent le désir d'établir pour la poésie un statut de connaissance au niveau le plus haut. Par cette ambition, la poésie romantique se posait en rivale, émule ou haute auxiliaire de la religion, et elle en avait conscience. Mais elle apparaissait en même temps comme ennemie de la science moderne, dont la démarche propre s'est établie, précisément, sur l'exclusion formelle de la connaissance analogique. Le symbolisme romantique était donc tenté de reprendre les foudres de l'Église contre la science expérimentale et rationnelle, de la dénoncer à son tour comme perception limitée et stérile des choses. L'antithèse poésie-science est proclamée aux origines du romantisme, avant même qu'il n'ait déclaré son nom : Lamartine sur ce point continue Chateaubriand ; l'un et l'autre recueillent l'héritage des polémistes du siècle précédent, adversaires des Lumières, qui avaient dénoncé la science des modernes comme mortelle à la poésie. Le Romantisme, dans ses divers développements, ne s'est jamais dépris de cet héritage irrationaliste ; sa longue complaisance pour la métaphysique du symbole, et d'une façon générale sa tentation surnaturaliste fondamentale l'attestent. Pour ne donner qu'un exemple, particulièrement probant, de l'enracinement dans cette école poétique d'une hostilité à la science, Victor

Hugo lui-même s'est distingué dans de virulentes diatribes « surnaturalistes », alors que, dans la perspective humanitaire de sa philosophie générale, il exaltait la science comme dispensatrice de lumière et de progrès ; il s'en tirait en distinguant parmi les savants ceux qui, dépassant les courtes vues de la plupart de leurs collègues, lui paraissaient avoir admis un ordre de connaissance plus élevé, où règnent poètes et voyants.

Il n'est pas question de décider ici ce que vaut l'idée d'une Vérité surnaturelle, mais seulement s'il convient à la Poésie, eu égard à sa vocation et à ses pouvoirs réels, de se lier à une telle idée. Or il est difficile aujourd'hui de soutenir avec la science une concurrence quelconque dans l'ordre de la connaissance, si l'on ne pose d'abord que le mot « connaître » a plusieurs sens, et doit s'entendre à plusieurs niveaux, ce qui est précisément en question. C'est ce que la religion continue de soutenir, avec un crédit gravement affaibli, mais fidèle au moins à elle-même et à son origine. Le cas de la Poésie est tout autre : son objet est-il même la vérité ? On a toujours cru le contraire, en la voyant si encline à la fiction, et si indécise, dans ses discours, entre le vrai et le faux. N'est-elle pas, depuis toujours, fable autant que vérité ? Elle ne tranche pas ce dilemme : c'est son privilège de le refuser ; elle chemine, par vocation, entre le réel et le possible. En quoi peut consister, si elle existe, cette vérité qu'elle dit être la sienne ?

Il est certain que la vérité scientifique ne comble pas notre désir de connaître : elle triomphe dans la connaissance d'une nature dont le moi humain est supposé absent ; elle sert l'homme en livrant à sa curiosité et à sa domination ce monde extérieur à lui ; elle ne lui dit rien de lui-même. Les « sciences humaines » se donnent aujourd'hui pour objet de combler ce vide ; peut-être est-il trop tôt pour les juger. Mais ce n'est pas par hasard qu'elles piétinent devant l'homme ; il répond mal à leurs tentatives d'objectivation, étant ce qui, dans la nature, se définit avant tout comme sujet. La sociologie, la psychologie, l'histoire courent après une vérité objective, insaisissable dans leur domaine ; à chaque pas elles se heurtent à des valeurs impérieusement mêlées aux faits, à des choix humains dont le déterminisme est problématique. Pourra-t-il jamais en être autrement ?

Déjà Auguste Comte lui-même, qui prétendait fonder sur l'édifice positif des sciences de la nature sa science de l'homme social, qualifiait ce couronnement de son système de « synthèse subjective », attestant par là l'irréductibilité de l'homme, quoique être naturel, à la pure situation d'objet de science. Il est donc compréhensible que la littérature, et particulièrement la poésie, quand elles ont emprunté à la religion l'évident constat de l'insatisfaction humaine, se soient crues en état de dénoncer l'insuffisance de la science, déjà en voie de développement triomphal. Mais on ne peut que regretter cette prise de position, qui semble rejeter la poésie en arrière, à contre-courant du progrès général de l'esprit humain. La poésie n'est certes pas tributaire de la science ; mais elle pouvait, au lieu de la décrier, réclamer une compétence différente et un domaine propre : celui de l'existence subjective, qui fait l'homme, et des modes affectifs, expressifs, figuratifs et légendaires de cette existence.

Son rôle n'est pas de défendre, contre la science, l'idée d'une surnature ; elle s'oppose plutôt, d'instinct, à ce qui, dans la science, prétend faire de l'homme entier un système de faits ; elle rejette une science réductrice qui entendrait annuler le beau et le bien, parce qu'elle ne peut les vivre. Mais le beau et le bien sont-ils de l'ordre de la vérité ? Oui, si l'on entend par là des notions attachées à l'expérience humaine, et si l'on accepte d'étendre à de telles notions, parce qu'elles s'imposent à l'homme comme inséparables de sa condition, le sens du mot « vérité », et à leur mode d'évidence le caractère de « connaissance ». Les poètes n'ont pas songé souvent à éclaircir ce point : l'idéal, le sublime ou le merveilleux ont-ils droit au nom de vérité ? Un débat approfondi sur ce sujet pourrait seul établir les titres cognitifs de la Poésie. Mais quand le romantisme se désenchanta de toute espérance, et ne put plus parler d'Idéal ni d'Humanité sans amertume, il se soucia plutôt de chercher son équilibre dans les formes les plus insolites du surnaturel : l'occultisme, la magie, les superstitions de tous les peuples et les mythologies personnelles envahirent la littérature ; l'étrange, le funèbre et l'inouï furent les nouveaux noms de l'inquiétude créatrice en quête de savoir. Cependant cet « autre monde » auquel on s'attacha, s'il défie plus que jamais la science, est aussi moins que jamais susceptible de croyance. Ni Gautier ni ses successeurs dans le genre du roman fantastique ne *croient* les histoires qu'ils racontent, ni ne les donnent pour croyables. Pensent-ils donner quelque chose à croire ? ou seulement à imaginer ? Se soucient-ils seulement de la différence ?

Le merveilleux des écrivains exclut une vérité semblable à celle de la science. Il n'est pas le miracle. Dans cet exercice où le Moi s'emploie à refaire l'impassible et insaisissable univers, plutôt qu'à le connaître, tout tient aux désirs, à la loi de vie et aux choix de l'opérateur. La sublimité est son but plus que la vérité. La poésie gagne à le savoir et à le laisser entendre, même s'il est convenu qu'elle puisse jouer tous les rôles. On peut accepter que le poète joue celui du Voyant — et en réalise le personnage aussi bien que les anciens prophètes —, mais l'humour a aussi ses prérogatives : l'humour du poète lui-même, et à son défaut celui du lecteur ou de l'auditeur. Le surnaturalisme poétique pourrait avoir été une innovation féconde du Romantisme si, en l'expurgeant, par une démarche critique, de toute prétention ontologique, on saluait en lui un attribut nécessaire de la condition humaine, et si on cessait de mettre un mur d'inimitié entre lui et la science. Il resterait à définir, pour les accorder, cette transcendance intérieure à l'homme, à laquelle se réfère toute poésie, et où la science elle-même a sa source.

POÉSIE ET LANGAGE

Les poètes sont de plus en plus seuls. Les savants, il est vrai, le sont aussi, mais autrement. Leur science, à son plus haut niveau, est le lot d'un petit nombre d'hommes ; mais tout le monde en possède quelques éléments, plus ou moins étendus ; et tous, à tous les degrés, communient dans les bienfaits que procurent à la masse profane des connaissances qui lui échappent. La science, en ce sens, n'a pas à craindre la solitude. La poésie, au contraire, est seule dans un désert, maudissant et s'évertuant à dédaigner la foule qui doute de son utilité et s'apercevrait à peine de sa disparition. C'est que la solitude lui est venue par un divorce ; sa brouille avec le public n'a fait que croître ; elle a fini par envahir son langage même. Celui des savants est lui aussi devenu de plus en plus ésotérique ; mais le public ne doute pas qu'eux au moins sachent ce qu'ils veulent dire. Ce n'est pas le cas pour les poètes. Leur solitude est un mal voué par nature à empirer. Dans les premiers temps, cet isolement tourné en gloire est éloquent, et, peut-on dire, expansif ; il est chanté en forme de défi : preuve que la communication est encore loin d'être morte. Les choses changent quand le poète, prenant en dégoût le principe même de la relation interhumaine, se met à professer qu'elle n'est pas vraiment possible, et le prouve en introduisant le mystère dans son élocution.

C'est alors qu'une théorie nouvelle, exaltant le langage poétique, accentue démesurément son privilège naturel d'originalité et de différence par rapport à la langue commune. L'esprit de solitude s'autorise à y introduire quelque obscurité volontaire, ou quelque tension insolite et grave entre l'expression et la logique ; si l'imagination créatrice, saisie d'un vertige particulier, dissimule ou raréfie par ces moyens et par d'autres l'intelligibilité même du texte, voilà la poésie engagée, par sa façon de parler, et non plus seulement par son attitude de pensée et ses affects, dans un isolement irréversible. Peu importe que l'espoir ou le désespoir l'habite ; elle est vouée désormais à ne parler que pour quelques-uns, hors desquels on ne l'admire ou ne l'applaudit qu'en occultant une mortifiante perplexité. Il n'est pas vrai de dire qu'il en a été toujours ainsi, que la poésie ne peut intéresser qu'un groupe réduit d'amateurs perdus dans une foule de sourds, que ses réussites, défiant naturellement la raison, déconcertent nécessairement l'homme moyen, que son essence est dans le pouvoir des mots et de leur sens, qu'elle combine selon ses secrets. Baudelaire fut encore un poète public : sa solitude n'a pas atteint son langage. C'est Nerval qui avait inauguré ce nouveau degré d'éloignement en 1841, dans quelques sonnets ; Mallarmé a suivi, de façon systématique cette fois, sur un mode différent ; puis Rimbaud, d'une façon nouvelle et plus distante encore.

Depuis, la poésie ne s'est offerte à l'immédiate intelligence du lecteur instruit que par intermittence, et plutôt dans ses productions mineures ; à ses sommets, son soliloque s'est, de génération en génération, accentué. Au terme du voyage, elle est, avant tout, un traitement insolite du langage, et c'est faire preuve de naïveté, ou d'incompétence, que de lui demander autre chose ou de faire trop de cas de ce qui peut rester d'autre en elle. Qui oserait déplorer tout à fait qu'elle ait pris cette voie, vu les possibilités d'invention sans entrave qu'elle y a développées, et le foisonnement d'insolites merveilles qu'elle offre aux *happy few* de son public ? Ceux mêmes, parmi les amants de la Poésie, qui regrettent qu'elle ne puisse parler que pour si peu de monde sont heureux qu'elle continue à parler si superbement, quand ce ne serait que pour elle seule. Les tentatives en sens contraire ont été jusqu'ici rarement convaincantes, et le bouleversement qui s'est opéré dans le style poétique depuis la fin du dernier siècle a tout l'air d'être irréversible. Il faudrait, pour qu'il en soit autrement, des circonstances exceptionnelles, l'apparition de quelque génie nouveau ; nul ne sait. Le Poète est, par nature, imaginatif et solitaire ; mais, comme tout être qui vit de sa parole, il dépérit sans l'assentiment public. C'est pourquoi la Poésie a été, si longtemps, la forme la plus provocante et la plus persuasive de l'éloquence. Il serait imprudent de prétendre qu'elle a renoncé pour longtemps à cette ambition.

*

La révolution poétique dont les écrivains commentés dans ce volume marquent le point de départ n'avait pas été prévue dans la génération fondatrice du romantisme : « La poésie, écrivait Lamartine en 1834, sera de la raison chantée, voilà sa destinée pour longtemps ; elle sera philosophique, religieuse, politique, sociale, comme les époques que le genre humain va traverser [1]. » Une telle définition est sans doute insuffisante à l'égard du romantisme comme école, auquel Lamartine fut étranger : il y manque la dimension de l'art et d'une poétique nouvelle, déjà proclamée vers 1830 par le Cénacle. Mais Hugo et toute sa génération n'en auraient pas moins pris à leur compte, au moment où il la formula, la prophétie de Lamartine. Cette prophétie se trouvra vraie quant à l'esprit général des temps qui s'annonçaient ; elle vaut, en littérature, pour l'histoire, l'essai, le roman même. La Poésie a bifurqué seule, affectant, dans son désengagement, de rejoindre le statut des beaux-arts. Elle avait toujours été l'un d'eux ; mais elle abdiquait désormais tout ce qu'elle avait été de plus qu'eux, finissant par user des mots et de leurs significations comme les peintres des formes et des couleurs ou les musiciens des sons. Libération, intensification, appel à l'essentielle magie du verbe ?

---

1. Lamartine, *Les Destinées de la poésie* (1834) ; voir l'édition Lanson des *Méditations*, t. II, p. 413.

Ou appauvrissement, renfermement, diminution de pouvoirs ? On peut douter. Il n'est pas question de prophétiser, encore moins de prescrire. Les poètes feront, comme toujours, et comme ils se doivent, ce qui leur plaît, et rien ne changera que par eux. Mais la nature de la poésie, sa fonction humaine et son statut dans la société resteront des objets permanents de la réflexion critique.

INDEX[1]

1. Le présent Index comprend : 1° les noms des personnes *réelles* et des personnes *légendaires*, *mythologiques* ou *surnaturelles* mentionnées dans cet ouvrage ; 2° les noms des personnes *fictives* ou particulièrement *littéraires*, précédés d'un tiret ; 3° les titres, en italique, des *périodiques* cités. — Les chiffres renvoient aux pages du volume (texte et notes), un chiffre pouvant signaler, pour une page donnée, soit une, soit plusieurs mentions (cas extrêmement fréquent) d'un nom ou d'un titre ; deux chiffres séparés par un tiret signalent la première et la dernière d'une série de pages consécutives (au moins trois) où apparaît le nom ou le titre indiqué ; en italique, ils signalent un développement suivi ou un chapitre consacré à un auteur ou à un personnage.

Table 615

DU MÊME AUTEUR

MORALES DU GRAND SIÈCLE, *Gallimard*, 1948.

L'ÉCRIVAIN ET SES TRAVAUX, *José Corti*, 1967.

CREACIÓN POÉTICA EN EL ROMANCERO TRADICIONAL, Madrid, *Gredos*, 1968.

ROMANCERO JUDEO-ESPAÑOL DE MARRUECOS, Madrid, *Castalia*, 1968.

NERVAL ET LA CHANSON FOLKLORIQUE, *José Corti*, 1971.

LE SACRE DE L'ÉCRIVAIN, 1750-1830, *José Corti*, 1973.

LE TEMPS DES PROPHÈTES, Doctrines de l'âge romantique, *Gallimard*, 1977.

LES MAGES ROMANTIQUES, *Gallimard*, 1988.

Composition Charente photogravure.
Impression S.E.P.C.
à Saint-Amand (Cher), le 30 mars 1992.
Dépôt légal : mars 1992.
Numéro d'imprimeur : 756.
ISBN 2-07-072469-7/Imprimé en France.